中国文学编年史

隋唐五代卷

（中）

主编◇陈文新

本卷主编◇熊礼汇　闵泽平

湖南人民出版社

《中国文学编年史》编纂委员会

本卷撰稿人（按姓氏笔画排序）

闵泽平　熊礼汇

☆国家985建设项目

总　序

纪传体、编年体是中国传统史书的两种主要体裁，而编年体的写作远较纪传体薄弱。《四库全书总目》卷四七史部编年类小序已明确指出这一事实："司马迁改编年为纪传，荀悦又改纪传为编年。刘知幾深通史法，而《史通》分叙六家，统归二体，则编年、纪传均正史也。其不列为正史者，以班、马旧裁，历朝继作。编年一体，则或有或无，不能使时代相续。故姑置焉，无他义也。"① 与古代历史著作的这种体裁格局相似，在20世纪的中国文学史写作中，也是纪传体一枝独秀，不仅在数量上已多到难以屈指，各大专院校所用的教材也通常是纪传体，这类著作的核心部分是作家传记（包括作家的创作经历和创作成就）。编年类的著作，则虽有陆侃如、傅璇琮、曹道衡、刘跃进等学者做了卓有成效的工作，但就总体而言，仍有大量空白，尤其是宋、元、明、清、现、当代部分，历时一千余年，文献浩繁，而相关成果甚少。这样一种状况，自然是不能令人满意的。这套十八卷的《中国文学编年史》的编纂出版，即旨在一定程度地改变这种状况。

文学史是在一定的空间和时间中展开的。纪传体的空间意识和时间意识以若干个焦点（作家）为坐标，对文学史流程的把握注重大体判断。其优势在于，常能略其玄黄而取其隽逸，对时代风会的描述言简意赅，达到以少许胜多许的境界。若干重要的文学史术语如"建安风骨"、"盛唐气象"、"大历诗风"等，就是这种学术智慧的凝

① 永瑢等撰：《四库全书总目》，第418页，北京，中华书局，1965。

结。但是，由于风会之说仅能言其大概，“个别”和“例外”（即使是非常重要的“个别”和“例外”）往往被忽略，不免留下遗憾。一些跨时代的作家，如李煜、刘基、张岱等人，在文学史中的时代归属与其代表作的实际创作年代也常有不吻合的情形。例如，李煜被视为南唐作家，而他最好的词写在宋初；刘基被视为明代作家，而他最好的诗、文写在元末；张岱被视为明代作家，而其代表作多写于清初。比上述情形更具普遍性的，还有下述事实：我们讲罗贯中的《三国志通俗演义》，往往以毛宗岗修订本为例；我们讲施耐庵的《水浒传》，往往以百回繁本为例；我们讲兰陵笑笑生的《金瓶梅》，往往以崇祯本为例。这就出现了两方面的问题：第一，我们讲的并不是作家的原著；第二，我们忽略了读者的接受情形。这类涉及风会与例外、作家时代归属与作品实际创作、传播与接受两方面的问题，以纪传体来解决，由于受到体例的限制，往往力不从心，采用编年体，解决起来就方便多了：不难依次排列，以展开具体而丰富多彩的历史流程。

与纪传体相比，编年史在展现文学历程的复杂性、多元性方面获得了极大的自由，但在时代风会的描述和大局的判断上，则远不如纪传体来得明快和简洁。作为尝试，我们在体例的设计、史料的确认和选择方面采用了若干与一般编年史不同的做法，以期在充分发挥编年史长处的同时，又能尽量弥补其短处。我们的尝试主要在三个方面：其一，关于时间段的设计。编年史通常以年为基本单位，年下辖月，月下辖日。这种向下的时间序列，可以有效发挥编年史的长处。我们在采用这一时间序列的同时，另外设计了一个向上的时间序列，即：以年为基本单位，年上设阶段，阶段上设时代。这种向上的时间序列，旨在克服一般编年史的不足。具体做法是：阶段与章相对应，时代与卷相对应，分别设立引言和绪论，以重点揭示文学发展的阶段性特征和时代特征（现当代文学因时间周期较短，拟省略阶段，不设引言）。其二，历史人物的活动包括“言”和“行”两个方面，“行”（人物活动、生平）往往得到足够重视，“言”则通常被忽略。而我们认为，在文学史进程中，“言”的重要性可以与“行”相提并论，特殊情况下，其重要性甚至超过“行”。比如，我们考察初唐的文学，不读陈子昂的诗论，对初唐的文学史进程就不可能有真正的了解；我们考察嘉靖年间的文学，不读唐宋派、后七子的文论，对这一时期的文学景观就不可能有准确的把握。鉴于这一事实，若干作品序跋、友朋信函等，由于透露了重要的文学流变信息，我们也酌情收入。其三，较之政治、经济、军事史料，思想文化活动是我们更加关注的对象。中国文学进程是在中国历史的背景下展开的，与政治、经济、军事、思想文化等均有显著联系，而与思想文化的联系往往更为内在，更具有全局性。考虑到这一点，我们有意加强了下述三方面材料的收录：重要文化政策；对知识阶层有显著影响的文化生活（如结社、讲学、重大文化工程的进展、相关艺术活动等）；思想文化经典的撰写、出版和评论。这样处理，目的是用编年的方式将中国文学进程及与之密切相关的中国思想文化变迁一并展现在读者面前。

《中国文学编年史》是一个基础性的重大学术工程，文献的广泛调查和准确使用是做好编纂工作的首要前提。《四库全书》、《续修四库全书》、《四库存目丛书》、《四库禁毁书丛刊》、《丛书集成》、《笔记小说大观》等是我们经常使用的典籍，近人和今人整理出版的别集、总集，大量年谱（如徐朔方《晚明曲家年谱》），以及文、史、哲方面的编年史，均在参考范围之内，限于体例，未能一一注明，谨此一并致谢。在使用上述文献的过程中，我们采取的是一种如履薄冰、如临深渊的谨慎态度。这是因为，相当一部分典籍是由我们第一次标点，这一工作的难度是不言而喻的。即使是前人已经整理的典籍，我们也并不直接采用，而是根据自己的理解再整理一次。这样做当然增加了工作量，但确有许多好处，若干错误就是在这一过程中得到纠正的，有些错误的纠正涉及基本事实的澄清。比如，张大复《皇明昆山人物传》卷八记梁辰鱼晚年情形，有云："（梁氏）当除夕遇大雪，既寝不寐。忽令侍者遍邀诸年少，载酒放歌，绕城一匝而后就睡。曰：'天为我辈雨玉，可令俗人蹴踏之耶?'时年已七十矣。亡何，中恶，语不甚了。有老奴李用者，颇省其说，尚有注记。得岁七十有三。"一位学者将"中恶，语不甚了"标点为"中恶语，不甚了"，并就此推论说："梁辰鱼七十岁时遭遇暧昧不明的事件。""《皇明昆山人物传》的上述记载本意是为贤者讳，事实上倒很可能为统治者隐盖了迫害异己文人的一件罪行。"这就不免弄错了事实。"中恶"即突然患急病，正所谓"老健春寒秋后热"，老年人得急病是常见的情形。而"中恶语"的表述，明显不符合古人的语言习惯。再如，陈田《明诗纪事》将正德时期的傅汝舟与明末的傅汝舟混为一人，将两人的生平搅在一起，其按语云："丁戊山人诗初矜独造，晚遁荒诞，择其入格者录之，亦是幽弦孤调。山人享大年，具异才，谈佛谈仙，亦作北里中艳语。初与郑少谷游，晚乃与茅止生、卓去病、张文寺、文太青倡和，支离怪诞，无所不有。少谷集中无是也。论者乃专谓山人刻意学少谷，何哉?”《明诗纪事》近三百万言，卓有建树，是研究明诗的必备案头书。但关于傅汝舟，陈田的确弄错了。郑善夫（1485—1523）号少谷，以学杜著称，学郑少谷的是正德年间的傅汝舟；文翔凤号太青，万历三十八年（1610）进士，与文太青等唱和的是明末的傅汝舟。两个傅汝舟之间相距约百年，陈田想当然地将二者合为一人，说他“享大年”，又说他前期学郑少谷，后期学竟陵派，曲意弥缝，令人哑然失笑。其他种种，如部分文学家辞典对作家生卒年的误注，若干点校本的断句错误等，我们都在力所能及的范围内做了纠正。提到这些情况，不是想证明我们的水平有多高，而意在告诉读者：我们的工作态度是认真的，有志于为读者提供一部值得信赖的编年史著述。

《中国文学编年史》的编纂得到了北京大学、武汉大学、南京大学、中国人民大学、中国社会科学院、中国艺术研究院、中华书局、陕西师范大学、西北师范大学、华中师范大学、山东师范大学、山东曲阜师范大学、中南民族大学、中南财经政法大学等单位专家和领导，尤其是武汉大学领导的支持；湖南省新闻出版局、湖南出版投资控股集团及湖南人民出版社鼎力支持编年史的编纂出版，所有这些，我们将永远铭记在心。

陈文新

2006 年 7 月 23 日于武汉大学

凡　例

一、《中国文学编年史》以编年形式演述中国文学发展历程，凡十八卷：第一卷周秦、第二卷汉魏、第三卷两晋南北朝、第四卷隋唐五代（上）、第五卷隋唐五代（中）、第六卷隋唐五代（下）、第七卷宋辽金（上）、第八卷宋辽金（中）、第九卷宋辽金（下）、第十卷元代、第十一卷明前期、第十二卷明中期、第十三卷明末清初、第十四卷清前中期（上）、第十五卷清前中期（下）、第十六卷晚清、第十七卷现代、第十八卷当代。

二、编年史各卷据文学发展的不同阶段划分为若干章（如无必要，或不分章）。章的标目方式是："××章　××年至××年，共××年"。关于某一阶段文学的总体评论放在该章的首年之前，如明前期卷"第一章　洪武元年至建文四年，共35年"，在章目下，"洪武元年"之前，单列明前期卷"引言"一目。关于某一时代文学的综合论述，放在卷首。如元代卷，在第一章前，单列元代文学"绪论"。

三、编年史各卷所收录内容的构架大体统一，重点包括七个方面：1. 重要文化政策；2. 对文学发展有显著影响的文化生活（如结社、讲学、重大文化工程的进展、相关艺术活动等）；3. 作家交往（唱和、社团活动等）；4. 作家生平事迹；5. 重要作品的创作、出版和评论；6. 争鸣（团体之间、个人之间在重要问题上的论辩等）；7. 其他。

四、叙事以纲带目，即在征引相关文献之前有一句或数句概述。如，先总叙一句"俞宪编《盛明百家诗》成书"，再征引相关序跋、著录、评议。前者为纲，后者为目，纲、目配合，旨在完整地呈现文学史事实。少量见于常用工具书的重要史实，或不必展开的文学史事实，则列纲而略目，以省篇幅。

五、公历纪年年初与中国传统纪年年末不属同一年份，如公元1899年元月1日至12月31日对应于光绪二十四年戊戌十一月二十七日至光绪二十五年己亥十一月二十九日，而不对应于光绪二十五年己亥正月初一至十二月三十日。我们采用变通的处理方法，以公历纪年，而以农历纪月，比如，凡光绪二十五年己亥正月至十二月之内的内容均置于公元1899年下。作家生卒年，仍据公历标注，其他以此类推。现、当代文学部分，纪年、纪月均据公历。

六、同一年内之文学史实，按月份先后顺序排列。月份不详而仅知季度的，春季置于三月之后，夏季置于六月之后，其他以此类推。季度、月份均不详者，另设“本年”目统之。

七、一部分重要文学史实，年月不详而仅知大体时段者，在年号之末另设“××年间”目统之，如嘉靖四十五年之后另设“嘉靖年间”一目。

八、引用序跋，一般采用“作者+篇名”的方式，如“臧懋循《唐诗所序》”。引用序跋之外的诗文等作品，一般采用“集名+卷次+篇名”的方式，如“《有学集》卷三一《隐湖毛君墓志铭》”，采用“作者+篇名”的方式，如“钱谦益《隐湖毛君墓志铭》”。无篇名者则省略，如“《艺苑卮言》卷三”。某作者集中所收为他人别集所作的序跋，亦采用这一方式，如“《太函集》卷二二《弇州山人四部稿序》”。引用正史，一般采用“正史名+本传或××传”的方式，“如《明史》本传”或“《明史》李攀龙传”，不标卷次。引用《四库全书总目提要》，或用全称，或简称“四库提要”，只标明卷次。如“四库提要卷一五三”。引用地方志，标明纂修年代，如“光绪《乌程县志》卷三一”。据类书转引时，注明原出处，如“《太平广记》卷二〇《阴隐客》（出《博异志》）”。引用报刊，注明年月日或卷次。

九、作者小传一般置于生年。有些作家，虽生年在上一卷，但在上一卷无文学活动，其小传酌情移入本卷首次出现时。如杨士奇，元亡时才4岁，其小传置于明前期卷，出生时只交代：“杨士奇（1365—1444）生”，不列小传。现、当代作者，因传记资料常见，相关作家小传酌情收录。

十、对于某一作家的总体评论和重要著录一般置于卒年。某作者卒年在下一卷，但在下一卷无重要文学活动，主要评论材料酌情置于本卷。如易顺鼎（1858—1920），其评论材料集中于晚清卷，不入现代卷。

十一、作家代表作一般不录原文，但收录重要评论材料，并酌情说明相关选本收录情形。

十二、需要补充交待而占用篇幅较大的文学史事实，设少量“附录”。对若干需要辨证的史实，设按语加以说明。以提供文献线索为主，不详加征引。

目 录

总序 …… 1
凡例 …… 1
绪论 …… 1

第一章 唐玄宗天宝十五载至唐代宗大历十四年（756—775）共24年

引言 …… 1
公元756年（唐玄宗天宝元年 唐肃宗至德元年 丙申） …… 4
公元757年（唐肃宗至德二年 丁酉） …… 12
公元758年（唐肃宗至德三年 乾元元年 戊戌） …… 20
公元759年（唐肃宗乾元二年 乙亥） …… 27
公元760年（唐肃宗上元元年 庚子） …… 39
公元761年（唐肃宗上元二年 辛丑） …… 43
公元762年（唐肃宗宝应元年 壬寅） …… 51
公元763年（唐肃宗宝应二年 代宗广德元年 癸卯） …… 61
公元764年（唐代宗广德二年 甲辰） …… 64
公元765年（唐代宗永泰元年 乙巳） …… 69
公元766年（唐代宗永泰二年 大历元年 丙午） …… 74
公元767年（唐代宗大历二年 丁未） …… 81
公元768年（唐代宗大历三年 戊申） …… 88
公元769年（唐代宗大历四年 己酉） …… 92
公元770年（唐代宗大历五年 庚戌） …… 99

公元 771 年（唐代宗大历六年　辛亥）…………………………… 110
公元 772 年（唐代宗大历七年　壬子）…………………………… 114
公元 773 年（唐代宗大历八年　癸丑）…………………………… 120
公元 774 年（唐代宗大历九年　甲寅）…………………………… 125
公元 775 年（唐代宗大历十年　乙卯）…………………………… 129
公元 776 年（唐代宗大历十一年　丙辰）………………………… 133
公元 777 年（唐代宗大历十二年　丁巳）………………………… 135
公元 778 年（唐代宗大历十三年　戊午）………………………… 139
公元 779 年（唐代宗大历十四年　己未）………………………… 141

第二章　唐德宗建中元年至唐顺宋永贞元年（780—805）共 26 年

引言 …………………………………………………………………… 146
公元 780 年（唐德宗建中元年　庚申）…………………………… 148
公元 781 年（唐德宗建中二年　辛酉）…………………………… 153
公元 782 年（唐德宗建中三年　壬戌）…………………………… 158
公元 783 年（唐德宗建中四年　癸亥）…………………………… 161
公元 784 年（唐德宗兴元元年　甲子）…………………………… 165
公元 785 年（唐德宗贞元元年　乙丑）…………………………… 169
公元 786 年（唐德宗贞元二年　丙寅）…………………………… 173
公元 787 年（唐德宗贞元三年　丁卯）…………………………… 175
公元 788 年（唐德宗贞元四年　戊辰）…………………………… 183
公元 789 年（唐德宗贞元五年　己巳）…………………………… 186
公元 790 年（唐德宗贞元六年　庚午）…………………………… 194
公元 791 年（唐德宗贞元七年　辛未）…………………………… 196
公元 792 年（唐德宗贞元八年　壬申）…………………………… 203
公元 793 年（唐德宗贞元九年　癸酉）…………………………… 207
公元 794 年（唐德宗贞元十年　甲戌）…………………………… 211
公元 795 年（唐德宗贞元十一年　乙亥）………………………… 215
公元 796 年（唐德宗贞元十二年　丙子）………………………… 220
公元 797 年（唐德宗贞元十三年　丁丑）………………………… 224
公元 798 年（唐德宗贞元十四年　戊寅）………………………… 226

公元799年（唐德宗贞元十五年　己卯）…… 228
公元800年（唐德宗贞元十六年　庚辰）…… 232
公元801年（唐德宗贞元十七年　辛巳）…… 234
公元802年（唐德宗贞元十八年　壬午）…… 241
公元803年（唐德宗贞元十九年　癸未）…… 244
公元804年（唐德宗贞元二十年　甲申）…… 249
公元805年（唐德宗贞元二十一年　顺宗永贞元年　乙酉）…… 251

第三章　唐宪宗元和元年至唐文宗开成五年（806—840）共35年

引言 …… 259
公元806年（唐宪宗元和元年　丙戌）…… 263
公元807年（唐宪宗元和二年　丁亥）…… 267
公元808年（唐宪宗元和三年　戊子）…… 272
公元809年（唐宪宗元和四年　己丑）…… 277
公元810年（唐宪宗元和五年　庚寅）…… 283
公元811年（唐宪宗元和六年　辛卯）…… 289
公元812年（唐宪宗元和七年　壬辰）…… 293
公元813年（唐宪宗元和八年　癸巳）…… 298
公元814年（唐宪宗元和九年　甲午）…… 302
公元815年（唐宪宗元和十年　乙未）…… 312
公元816年（唐宪宗元和十一年　丙申）…… 319
公元817年（唐宪宗元和十二年　丁酉）…… 329
公元818年（唐宪宗元和十三年　戊戌）…… 334
公元819年（唐宪宗元和十四年　己亥）…… 340
公元820年（唐宪宗元和十五年　庚子）…… 353
公元821年（唐穆宗长庆元年　辛丑）…… 358
公元822年（唐穆宗长庆二年　壬寅）…… 362
公元823年（唐穆宗长庆三年　癸卯）…… 367
公元824年（唐穆宗长庆四年　甲辰）…… 373
公元825年（唐敬宗宝历元年　乙巳）…… 386
公元826年（唐敬宗宝历二年　丙午）…… 389

公元827年（唐敬宗宝历三年　文宗大和元年　丁未）…… 392
公元828年（唐文宗大和二年　戊申）…… 396
公元829年（唐文宗大和三年　己酉）…… 400
公元830年（唐文宗大和四年　庚戌）…… 403
公元831年（唐文宗大和五年　辛亥）…… 411
公元832年（唐文宗大和六年　壬子）…… 416
公元833年（唐文宗大和七年　癸丑）…… 419
公元834年（唐文宗大和八年　甲寅）…… 422
公元835年（唐文宗大和九年　乙卯）…… 427
公元836年（唐文宗开成元年　丙辰）…… 433
公元837年（唐文宗开成二年　丁巳）…… 439
公元838年（唐文宗开成三年　戊午）…… 446
公元839年（唐文宗开成四年　己未）…… 449
公元840年（唐文宗开成五年　庚申）…… 452
主要参考书目 …… 456
人名索引 …… 467
后　记 …… 478

绪 论

司空图《司空表圣文集》（四部丛刊本，下同。本书所用版本，均只在首次出现时注明）卷一《与王驾评诗》：国初，上好文章，雅风特盛。沈、宋始兴之后，杰出于江宁，宏思于李、杜，极矣。右丞、苏州趣味澄敻，若清沇之贯达。大历十数公，抑又其次。元、白力勍而气孱，乃都市豪估耳。刘公梦得、杨公巨源亦各有胜会。浪仙、无可、刘德仁辈，时得佳致，亦足涤烦。厥后所闻，徒褊浅耳。

姚铉《唐文粹》（四部丛刊本）序：惟韩吏部超卓群流，独高邃古，以二帝、三王为根本，以六经、四教为宗师，凭陵轥轹，首倡古文，遏横流于昏垫，辟正道于夷坦。于是柳子厚、李元宾、李翱、皇甫湜又从而和之，则我先圣孔子之道，炳然焉悬诸日月，故论者以退之之文，可继扬、孟，斯得之矣。至于贾常侍至、李补阙翰、元容州结、独孤常州及、吕衡州温、梁补阙肃、权文公德舆、刘宾客禹锡、白尚书居易、元江夏稹，皆文之雄杰者欤。世谓贞元、元和之间，词人咳唾皆成珠玉，岂诬也哉？今世传唐代之类集者，诗则有《唐诗类选》、《英灵》、《间气》、《极玄》、《又玄》等集，赋则有《甲赋》、《赋选》、《桂香》等集，率多声律，鲜及古道。盖资新进后生干名求试者之急用尔。

穆修《河南穆公集》（四部丛刊本）卷二《唐柳先生文集后序》：唐之文章，初未去周、隋、五代之气，中间称得李、杜，其才始用为胜，而号雄歌诗，道未极浑备。至韩、柳氏起，然后能大吐古人之文。其言与仁义相华实而不杂，如韩《元和圣德》、《平淮西》、柳《雅章》之类，皆辞严义密，制述如经。能崒然耸唐德于盛汉之表蔑愧让者，非二先生之文则谁与。

范仲淹《范文正集》（四库全书本，简称四库本，下同）卷六《尹师鲁河南集序》：予观《尧典》、舜歌而下，文章之作，醇醨迭变，代无穷乎？惟抑末扬本，去郑复雅，左右圣人之道者难之。近则唐贞元、元和之间，韩退之主盟于文，而古道最盛。懿、僖以降，寖及五代，其体薄弱。

宋祁《新唐书》（中华书局1975卷二〇一《文艺上》）：唐有天下三百年，文章无虑三变。……大历、贞元间，美才辈出，擩哜道真，涵泳圣涯，于是韩愈倡之，柳宗元、李翱、皇甫湜等和之，排逐百家，法度森严，抵轹晋、魏，上轧汉、周，唐之文，完然为一王法，此其极也。

石介《徂徕集》（四库本）卷一二《上赵先生书》：唐之初，承陈、隋剥乱之后，余人薄俗，尚染齐、梁流风，文体卑弱，气质丛脞，犹未足以鼓舞万物，声明六合。……韩吏部愈，应期会而生，学独去常俗，直以古道在已，乃以《空桑》、《云和》千数百年希阔泯灭已亡之曲，独唱于万千人间。众人耳惯，所听唯郑卫㤭滥之声，忽然闻其太古之上无为之世雅颂正始之音，恍惚茫昧，如丧聪，如失明，有骇而亟走者，有陋而窃笑者，有怒而大骂者。丛聚嘲噪，万口应答，声无穷休。爱而喜、前而听、随而和者，唯柳宗元、皇甫湜、李翱、李观、李汉、孟郊、张籍、元稹、白乐天辈数十子而已。吏部志复古道，奋不顾死，虽摈斥摧毁，日百千端，曾不少改所守。数十子亦皆协赞附会，能穷精毕力，效吏部之所为。故以一吏部、数十子力，能胜万百千人之众，能起三数百年之弊。唐之文章，所以坦然明白揭如日月、浑浑灏灏浸如江海，同于三代、驾于两汉者，吏部与数十子之力也。

晁说之《嵩山文集》（四部丛刊本）《景迂生集》卷一八《题黄龙山僧送善澄上人诗卷》：有正必待夫有助也。释门诸公，挹山川之英，而绝尘垢之外，其翛然粹然者，岂非学士大夫为之助欤？汤休之诗，实自于鲍明远；灵一律师之诗，既学潘、阮、江、谢，而又得李华、朱放、张继、皇甫冉、张南史以游焉；皎然禅师，实谢灵运之裔孙，其相从则颜鲁公、韦苏州、孟襄阳、李袁州、陆长源、皇甫曾、陆羽、张志和；广宣则韩吏部、柳柳州、刘、白。

《朱子语类》（黎靖德、王星贤点校，中华书局1986）卷一三九：大率文章盛，则国家却衰，如唐贞观、开元都无文章。及韩昌黎、柳河东以文显，而唐之治已不如前矣。

王正德《余师录》（四库本）卷三引李朴《送徐行中序》云：吾尝论唐人文章，下韩退之为柳子厚，下柳子厚为刘梦得，下刘梦得为杜牧，下杜牧为李翱、皇甫湜，最下者为元稹、白居易。盖元、白以澄澹简质为工，而流入于鄙近。譬如哇淫之歌，虽足以快心便耳，而类乏韶濩。翱、湜优柔泛滥，而词不掩理。杜牧清深劲峻，而体乏步骤。梦得俊逸丽缛，而时窘边幅。子厚雄浑飘肆，有县崖峭壑之势，不幸不发于仁义，而发于躁诞。至退之而后淳粹温润，骎骎乎为六经之苗裔。又引《谒顾子敦侍郎书》云：唐兴，三光五岳之气不分，文风复起。韩愈得其温淳深润以为贯道之器。柳子厚得其豪健雄肆飘逸果决者，仅足窥马迁之藩键，而类发于躁诞。下至孙樵、杜牧，峻峰激流，景出象外，而裂窘边幅。李翱、刘禹锡，刮垢见奇，清劲可爱，而体乏雄浑。皇甫湜、白居易，闲澹简质，斫去雕篆，而拙迹每见。回宫转角之音，随时间作，类乏韶夏，皆淫哇而不可听。

刘克庄《后村先生大全集》（四部丛刊本）卷一〇一《柯岂文诗》：观人言语，可以验其通塞。郊、岛诗极天下之工，亦极天下之穷。方其苦吟也，有先得上句，经年始足下句者；有断数须而下一字者；做成此一种文字，其人虽欲不穷，不可得也。元、白变其体，求以谐俗，茗坊酒垆往往传诵，诗稍滥觞矣。然元至宰相，白亦侍从，余所谓通塞之验非耶？

赵孟坚《彝斋文编》（四库本）卷三《凌愚谷集序》：文章至唐而体备，其情态婉委，肌理丰泽，腴而密，婉而丽，斯亦世代至此而盛乎。故自贞元、元和而上，李、杜、韩、柳以至乎长庆元、白，皆唐文之懿也。

《历代名贤确论》（四库本）卷九八孙何云：魏晋已降，文体卑贱，固不足论。若乃羽姬翼孔、卓尔大得、根仁柢义、动为世法者，独唐贤为最。所著论议，杰然尤异者，若牛相僧孺《从道善恶无余》、皇甫湜《纪传编年》、《夷惠清和》、独孤常州及《吴季札》、权文公德舆《两汉辨士》等论、高仆射郢《鲁用天子礼乐》、韩吏部愈《范蠡与大夫种书》、吕衡州温《功臣恕死》、白宫傅居易《晋恭世子》等议，或意出千古，或理镇群疑，或重定褒贬之误，或再正名教之失，无之足以惑后人，有之足以张吾道。

沈作喆《寓简》（四库本）卷五：本朝以词赋取士，虽曰雕虫篆刻，而赋有极工者，往往寓意深远，遣词超诣，其得人亦多矣。自废诗赋以后，无复有高妙之作。昔中书舍人孙何汉公著论曰：唐有天下，科试愈盛。自武德、贞观之后，至贞元、元和已还，名儒巨贤，比比而出。有宗经立言如丘明、马迁者，有传道行教如孟轲、扬雄者，有驰骋管、晏，上下班、范者，有凌轹颜、谢，诋诃徐、庾者，如陆宣公、裴晋公皆负王佐之器，而尤以举子事业，飞腾声称。韩退之、柳子厚、皇甫持正，皆好古者也，尚克意雕琢，曲尽其妙。持文衡者，岂不知诗赋不如策问之近古也。……惟诗赋之制，非学优才高，不能当也。

《瀛奎律髓汇评》（方回选评、李庆甲集评校点，上海古籍出版社 2005）卷四方回评《百花亭》诗云：大抵中唐以后，人多善言风土，如西北风沙酪浆毡幄之区，东南水国蛮岛夷洞之外，亦无不曲尽其妙。

郝经《陵川集》（四库本）卷二三《答友人论文法书》：至李唐，则韩、柳氏为规矩大匠。如韩之《答李翊》、《上于襄阳》、《答尉迟生》、《与冯宿》，柳之《与杨京兆》、《答韦中立》、《报陈秀才》、《答韦珩》、《复杜温夫》及与友人等作，加之以李翱之《答王载言》、《寄从弟正辞》，皇甫湜之《答李生》、《复答李生》，下逮欧、王、苏、黄之论议，则穷原极委，无所不至其极，无法复可说，百世有余师矣。

吴师道《吴礼部诗话》（丁福保《历代诗话续编》，中华书局 1983）引时天彝云：自储光羲而下，王建、崔颢、陶翰、崔国辅皆开元、天宝间人，词旨淳雅，盖一时风气所钟如此。元和以后，虽波涛阔远，动成奇伟，而求其如此等邃远清妙，不可得也。大历后，李纾、包佶有盛名，叔伦、士元从容其间，诗思逸发，于绮丽外仍有思致，非余子所及也。钱起屡擅场，《江行》百篇，韵短意密。卢纶与李益中表，唱酬交赞，在大历十才子中号为翘楚。司空文明结思尤精，如“前途欢不集，往事恨空来”，令人三叹不已。皇甫冉、鲍防、二张诗，在唐中叶，所谓铁中铮铮者。冉及张登、耿沣有全集，李端于《武陵集》，钱塘陈氏刊行，才各百余首，仅是断稿耳。文章尚论其世，长孙佐辅贞元前人，要为有一种风气。五窦诗存者惟《联珠集》。叔向诗弥佳，传弥少，草木飘风之叹，不其然乎？羊士谔刺王、韦远贬，亦有气节。《十贤集》，士谔亦在其中。杨巨源始与元、白学诗，而诗绝不类元、白。王建自云绍张文昌，而诗绝不类文昌。岂相马者固不在色别乎？巨源清新明严，有元、白所不能至者。建乐府固仿文昌，然文昌恣态横生，化俗为雅，建则从俗而已，驯致其弊，便类聂夷中。

祝尧《古赋辩体》（四库本）卷七：且古赋所以可贵者，诚以本心之情，有为而发，六义之体，随寓而形，如云之行空，风之行水，百态横生，为变不测，纵横颠倒，不主故常，委蛇曲折，略无留碍。有不齐之齐，焉用俳？有不调之调，焉有律？及为俳体者则不然。骈花俪叶，含宫泛商，如无盐辈膏沐为容，而又与西施斗美。然天下之正色，终自有在。子美诗云："词赋工无益。"其意殆为俳律者发。李太白天才英卓，所作古赋，差强人意，但俳之蔓虽除，律之根故在，虽下笔有光焰，时作奇语，只是六朝赋尔。惟韩、柳诸古赋，一以骚为宗，而超出俳律之外。韩子之学，自言其正葩之《诗》，而下逮于《骚》；柳之学，自言其本之《诗》，以求其恒，参之《骚》，以致其幽。要皆是学古者。唐赋之古，莫古于此。至杜牧之《阿房宫赋》，古今脍炙，但大半是论体，不复可专目为赋矣。毋亦恶俳律之过，而特尚理以矫其失。

陈旅《安雅堂集》卷五（四库本）《宋景濂文集序》：大哉文乎，不可无渊源乎。西京而下，唯唐、宋为盛。宋姑不论，以吴兴姚铉所集《唐文粹》观之，奚啻三百余姓，虽张、苏、萧、李、常、杨之流，气逸辞雄，各自名家，终不能返于古，何哉？无所宗也。独韩愈氏吐词持论，一本之六经，然后斯文焕然可观。故凡经其指授者，往往以文知名于一世。夫浑涵弥纶之道，淳庞冲雅之音，欲藉是以宣扬之，使其文字各从职而不紊，苟不传之于师，奚可哉？

苏天爵《滋溪文稿》（中华书局 1977）卷五《西林李先生诗集序》：夫自汉魏以降，言诗者莫盛于唐。方其盛时，李、杜擅其宗，其它则韦、柳之冲和，元、白之平易，温、李之新，郊、岛之苦，亦各能自名其家，卓然一代文人之制作矣。

辛文房《唐才子传》（徐明霞校点，辽宁教育出版社 1998）卷二：尝读《选》中沈、谢诸公诗，有《题新安江水至清浅深见底贻京邑游好》及《石门新营所住四面高山回溪石修竹茂林》，及《田南树园激流植援》、《斋中读书》、《南楼中望所迟客》、《晚登三山还望京邑》等数端，皆奇崛精当，冠绝古今，曾无发其韫奥者。逮盛唐，沈、宋、独孤及李嘉祐、韦应物等诸才子集中，往往各有数题，片言不苟，皆不减其风度，此则无传之妙。逮元和以下，佳题尚罕，况于诗乎？立题乃诗家切要，贵在卓绝清新，言简而意足，句之所到，题必尽之，中无失节，外无余语，此可与智者商榷云。

宋濂《宋文宪公全集》（四部备要本）卷三七《答章秀才论诗书》：至于大历之际，钱、郎远师沈、宋，而苗、崔、卢、耿、吉、李诸家，亦皆本伯玉而宗黄初，诗道于是为最盛。韩、柳起于元和之间。韩初效建安，晚自成家，势若掀雷抉电，撑决于天地之垠。柳斟酌陶、谢之中，而措词俊逸清妍，应物而下，亦一人而已。元、白近于轻俗，王、张过于浮丽，要皆同师于古乐府。贾浪仙独变入僻，以矫艳于元、白。刘梦得步骤少陵，而气韵不足。杜牧之沉涵灵运而句意尚奇。孟东野阴祖沈、谢而流于蹇涩。卢仝则又自出新意而涉于怪诡。至于李长吉、温飞卿、李商隐、段成式，专夸靡曼。虽人人各有所师，而诗之变，又极矣。比之大历，尚有所不逮，况厕之开元哉。

王祎《王忠文集》（四库本）卷五《练伯上诗序》：开元、大历杜子美出，乃上薄风雅，下掩汉魏，所谓集大成者；而李太白又宗风骚而友建安，与杜相颉颃；复有王摩诘、韦应物、岑参、高达夫、刘长卿、孟浩然、元次山之属，咸以兴寄相高；以及钱、郎、苗、崔诸家比比而作；既而韩退之、柳宗元起于元和，实方驾李、杜；而元微之、白乐天、杜牧之、刘梦得，咸彬彬附和焉，唐世诗道之盛，于是为至，此又一变也。然自大历、元和以降，王建、张籍、贾浪仙、孟东野、李长吉、温飞卿、卢仝、刘叉、李商隐、段成式，虽各自成家，而或沦于怪，或迫于险，或窘于寒苦，或流于靡曼，视开元遂不逮；至其季年，朱庆余、项子迁、郑守愚、杜彦夫、吴子华辈，悉纤弱鄙陋而无足观矣，此又一变也。

苏伯衡《苏平仲文集》（四部丛刊本）卷四《古诗选唐序》：李唐有天下三百余年，其世盖屡变矣。有盛唐焉，有中唐焉，有晚唐焉。晚唐之诗，其体裁非不犹中唐之诗也。中唐之诗，其体裁非不犹盛唐之诗也。然盛唐之诗，其音岂中唐之诗可同日语哉？中唐之诗，其音岂晚唐之诗可同日语哉？昔襄城杨伯谦选唐诗为《唐音》，……自李唐一代之诗观之，晚不及中，中不及盛。伯谦以盛唐、中唐、晚唐别之，其岂不以此乎。然而盛时之诗，不谓之正音，而谓之始音；衰世之诗，不谓之变音，而谓之正音；又以盛唐、中唐、晚唐并谓之遗响。是以体裁论，而不以世变论也，其亦异乎大、小《雅》、十三《国风》之所以为正为变者矣。

方孝孺《逊志斋集》（四部丛刊本）卷一二《张彦辉文集序》：惟陶元亮以冲旷天然之质，发自肺腑，不为雕刻，其道意也达，其状物也核，稍为近古。韩退之起中唐，始大振之。退之俊杰善辨说，故其文开阳阖阴，奇绝变化，震动如雷霆，淡泊如韶濩，卓矣为一家言。其同时则有柳子厚、李元宾、李习之之流。子厚为人精致警敏，习之志大识远，元宾激烈善持论，故其文皆类之。五代之弊，甚于魏、隋之间。

程敏政《明文衡》（四部丛刊本）卷五六律诗：律诗始于唐，而其盛亦莫过于唐。考之唐初，作者盖鲜，中唐以后若李太白、韦应物犹尚古多律少。至杜子美、王摩诘则古律相半。迨元和而降，则近体盛而古作微矣。

高木秉《唐诗品汇》（上海古籍出版社 1982）总叙：大历、贞元中，则有韦苏州之雅淡，刘随州之闲旷，钱、郎之清赡，皇甫之冲秀，秦公绪之山林，李从一之台阁，此中唐之再盛也。下暨元和之际，则有柳愚溪之超然复古，韩昌黎之博大其词，张、王乐府得其故实，元、白序事务在分明，与夫李贺、卢仝之鬼怪，孟郊、贾岛之饥寒，此晚唐之变也。

刘埙《隐居通议》（丛书集成初编本）卷六《桂舟评论》：惜汉、魏降至陈、隋，亡国之音著，而诗之律已绝响，悲夫。经几百年而后风飘律吕，律中鬼神，始振响于浣花溪上。杜牧诸贤，又复振遗响于开元、天宝之后。元和以来，诗之律始大备于唐矣。尝谓五十六字，乃一篇有韵之文，分寸节度，有一字位置不安，即不纯熟，此又阴有合五音六律自然之妙也。

周叙《诗学梯航》（明成化本）“叙诗”：唐诗之体自分而为四，唐诗之格遂离而为十。何为四？初唐（景云以前）、盛唐（景云以后、天宝之末）、中唐（大历以下，元和之末）、晚唐（元和以后至唐季年）也。初唐之诗，去六朝未久，余风旧习犹或似之。盛唐之诗，当唐运之盛隆，气象雄浑。中唐之诗，历唐家文治日久，感习既深，发于言者，意思容缓。晚唐之诗，于唐祚衰歇之际，王风颓圮之时，诗人染其余气，

沦于委靡萧索矣。

叶盛《水东日记》（中华书局1980）卷二六引《江雨轩诗序》：理之所在，倚形寓物，必有天机，遇感而动，则气血者尤焉。鸟之春音，蛩之秋韵，谁使之耶？匹夫匹妇羁臣贱妾之悲欣喜怒、劳逸惨舒，发于歌谣杂咏，皆有感于天机不能已者而泄其鸣。由于天理自然之公，平易和正，无穿凿诡怪偏曲之私，足以形是理之妙。先王采圣贤之格言，《雅》、《颂》并列，为感善惩恶之具。故诗之作，无不本诸此《诗》。然世降末流之异，昔人之论，虞、夏之下，晋、魏以上，气格未相远也。晋宋颜、谢至唐初，高下虽殊，古法未大变。律诗出后，至于大盛，参以仝、贺、郊、岛、元、白之谲怪寒瘦鄙俚等风，兴沿流斗，靡动晚唐之论刺，何也？盖诸子才气豪放，穷思远索，务求人所未道以快其高，不知由其豪放穷思远索穿凿之私，遂与古法平易遐矣。

李梦阳《空同集》（四库本）卷六二《与徐氏论文书》：夫诗，宣志而道和者也，故贵宛不贵险，贵质不贵靡，贵情不贵繁，贵融洽不贵工巧，故曰闻其乐而知其德。故音也者，愚智之大防，庄诐、简侈、浮孚之界分也。至元、白、韩、孟、皮、陆之徒为诗，始连联关押，累累数千百言不相下，此何异于入市攫金、登场角戏也。彼睹冠冕佩玉，有不缩腕投竿而走者乎，何也，耻其非君子也。三代而下，汉、魏最近古，向使繁巧险靡之习，诚贵于情质宛洽，而庄诐、简侈、浮孚，意义殊无大高下，汉、魏诸子不先为之邪。故曰争者，士之屑也。然予独怪夫昌黎之从数子也。

刘成德《唐司业张籍诗集序》（张籍《张司业集》，四部丛刊本）：唐开元盛时，杜甫、李白、高适、储光羲、王维诸贤，至大历以后，已两变矣。当时以文名家者，有韩愈、柳宗元、李翱、张籍之徒，相与奋起振六朝五季漓浇之习，而自成一家之言。韩昌黎、柳柳州、李协律集俱盛传。……夫诗文至五季，坏亦极矣。而元和中昌黎公特振衰颓，以古文自任，其议论正大，气象雄伟，可以羽翼六经。而柳宗元得叙事之体，变化莫测，起伏层迭。昔人评其文曰：韩愈之文出于经，柳宗元之文出于史。故一时文人响应，而李翱、张籍出入门下，为昌黎厚友。籍性狷直率，博闻好古，议论胜人，其排佛老，尝言不能著书如孟轲、扬雄以垂世，观其昌黎代作李浙东一言，议论风生，期大之意甚深，谓其善为乐府，使人凭几而听之，未必不若丝竹管弦敲金击石也。其《送孟东野序》曰：‘孟郊东野，始以其诗鸣，高出魏晋。从吾游者，李翱、张籍其尤也。三子者之鸣，信善鸣矣。抑不知天将和其声而使鸣国家之盛邪，抑将穷饿其身思愁其心肠而使自鸣其不幸邪？三子之命则悬于天矣。其在上也奚以喜，其在下也奚以悲’。韩愈之哀三子之才，至于如此。余并其诗而观之，其乐府诗景真情真，有风人之意。而五言近体，又皆劲健清雅，脱落尘想，俱从胸臆中出。然后知昌黎之诗丰而腴，柳州之诗峭而劲，司业之诗新而奇，李翱之诗悲而壮，卒皆可传。惟东野之诗则有穷促寒苦之状，吾恐温厚之教或不若是，观者自有巨目，不待余赘言也。今昌黎《原道》功业，为唐独出，血食庙庭；而柳州、李翱、张籍之文，为世所珍，是和其声而鸣其盛，非穷悲而自鸣矣。

谢榛《四溟诗话》（《历代诗话续编》本）卷二：杜约夫问曰：“点景、写情孰难？”予曰：“诗中比兴固多，情、景各有难易。若江湖游宦羁旅，会晤舟中，其飞扬轗轲，老少悲欢，感时话旧，靡不慨然言情，近于议论，把握住则不失唐体，否则流于宋调，此写情难于景也，中唐人渐有之。冬夜园亭具樽俎，延社中词流，时庭雪皓目，梅月向人，清景可爱，模写似易，如各赋一联，拟摩诘有声之画，其不雷同而超绝者，谅不多见，此点景难于情也，惟盛唐人得之。”

都穆《南濠诗话》（《历代诗话续编》本）：古人诗有唱和者，盖彼唱而我和之。初不拘体制兼袭其韵也。后乃有用人韵以答之者，观老杜严武诗可见，然亦不一一次其韵也。至元、白、皮、陆诸公，始尚次韵，争奇斗险，多至数百言，往来至数十首。而其流弊至于今极矣，非沛然有余之才，鲜不为其窘束。所谓性情者，果可得而见邪？

《徐文长三集》（《徐渭集》，中华书局 1983）卷一六《与季友》：韩愈、孟郊、卢仝、李贺诗，近颇阅之，乃知李、杜之外，复有如此奇种，眼界始稍宽阔。不知近日学王、孟人，何故伎俩如此狭小，在他面前说李、杜不得，何况此四家耶？殊可怪叹。菽粟虽常嗜，不信有却龙肝凤髓，都不理耶。

陆时雍《诗镜总论》（《历代诗话续编》本）：中唐人用意，好刻好苦，好异好详。求其所自，似得诸晋人《子夜》、汉人乐府居多。盛唐人寄趣，在有无之间，可言处常留不尽，又似合于风人之旨。乃知盛唐人之地位故优也。中唐诗近收敛，境敛而实，语敛而精。势大将收，物华反素，盛唐铺张已极，无复可加，中唐所以一反而之敛也。初唐人承隋之余，前华已谢，后秀未开，声欲启而尚留，意方涵而不露，故其诗多希微玄淡之音。中唐反盛之风，攒意而取精，选言而取胜，所谓绮绣非珍，冰纨是贵，其致迥然异矣。然其病在雕刻太甚，元气不完，体格卑而声气亦降，故其诗往往不长于古而长于律，自有所由来矣。绝去形容，独标真素，此诗家最上一乘。本欲素而巧出之，此中唐人之所以病也。李端“园林带雪潜生草，桃李虽春未有花”，此语清标绝胜。李嘉祐“野棠自发空流水，江燕初归不见人”，风味最佳。“野棠”句带琢，“江燕”句则真相自然矣。罗隐“秋深雾露侵灯下，夜静鱼龙逼岸行”，此言当与沈佺期、王摩诘折证。专寻好意，不理声格，此中、晚唐绝句所以病也。诗不待意，即景自成；意不待寻，兴情即是。

胡应麟《诗薮》（上海古籍出版社 1979）内编卷二：今人律则称唐，古则称汉。然唐之律远不若汉之古。汉自《十九首》、苏、李外，余《郊庙》、《铙歌》乐府及诸杂诗，无非神境，即下者犹踞建安右席。唐律惟开元、天宝，元、白而后，寖入野狐道中。今人不屑为者，往往而是，亦时代使然哉。卷三：唐七言歌行，垂拱四子，词极藻艳，然未脱梁、陈也。张、李、沈、宋，稍汰浮华，渐趋平实，唐体肇矣，然而未畅也。高、岑、王、李，音节鲜明，情致委折，秾纤修短，得衷合度，畅矣，然而未大也。太白、少陵大而化矣，能事毕矣。降而钱、刘，神情未远，气骨顿衰。元相、白傅，起而振之，敷演有余，步骤不足。昌黎而下，门户竞开，卢仝之拙朴，马异之庸猥，李贺之幽奇，刘叉之狂谲，虽浅深高下，材局悬殊，要皆曲径旁蹊，无取大雅。张籍、王建稍为真淡，体益卑卑。庭筠之流，更事绮绘，渐入诗余，古意尽矣。卷五：元和如刘禹锡，大中如杜牧之，才皆不下盛唐，而其诗迥别，故知气运使然。虽韩之雄奇，柳之古雅，不能挽也。诗至钱、刘，遂露中唐面目。钱才远不及刘，然其诗尚有盛唐遗响，刘即自成中唐，与盛唐分道矣。刘如“建牙吹角”一篇，即盛唐难之，然自是中唐诗。唐七言律，自杜审言、沈佺期首创工密，至崔颢、李白时出古意，一

变也。高、岑、王、李风格大备，又一变也。杜陵雄深浩荡，超忽纵横，又一变也。钱、刘稍有流畅，降而中唐，又一变也。大历十才子，中唐体备，又一变也。乐天才具泛澜，梦得骨力豪劲，在中、晚间自为一格，又一变也。张籍、王建略去葩藻，求取情实，渐入晚唐，又一变也。初唐体质浓厚，格调整齐，时有近拙、近板处。盛唐气象浑成，神韵轩举，时有太实、太繁处。中唐淘洗清空，写送流亮，七言律至是，殆于无可指摘，而体格渐卑，气韵日薄，衰态毕露矣。又卷六：中唐绝如刘长卿、韩翃、李益、刘禹锡，尚多可讽咏，晚唐则李义山、温庭筠、杜牧、许浑、郑谷，然途轨纷出，渐入宋元，多歧亡羊，信哉。王涯、张仲素、令狐楚三舍人，合诗一卷，五七言绝多可观，在中、晚自为一格。五言绝须熟读汉魏及六朝乐府，源委分明，径路谙熟，然后取盛唐名家李、王、崔、孟诸作，陶以风神，发以兴象，真积力久，出语自超。钱、刘以下，句渐工，语渐切，格渐下，气渐卑，便当著眼，不得草草。盛唐绝句，兴象玲珑，句意深婉，无工可见，无迹可寻。中唐遽减风神，晚唐大露筋骨，可并论乎。初唐《水调》等歌不甚类六朝语，而风格高华，似远而实近。中唐《竹枝》等歌颇效法六朝语，而辞旨凡陋，似合而实离。盛唐摩诘，中唐文房，五、七言绝俱工，可言才矣。唐五言绝，太白、右丞为最。崔国辅、孟浩然、储光羲、王昌龄、裴迪、崔颢次之，中唐则刘长卿、韦应物、钱起、韩翃、皇甫冉、司空曙、李端、李益、张仲素、令狐楚、刘禹锡、柳宗元。七言绝，太白江宁为最，右丞、嘉州、舍人、常侍次之。中唐则随州、苏州、仲文、君平、君虞、梦得、文昌、绘之、清溪、广津，皆有可观处。中唐钱、刘，虽有风味，气骨顿衰，不如所为近体。惟韩翃诸绝最高，如《江南曲》、《宿山中》、《赠张千牛》、《送齐山人》、《寒食》、《调马》，皆可参入初、盛间。中唐五言绝，苏州最古，可继王、孟。《寄丘员外》、《闻门》、《闻雁》等作，皆悠然。次则令狐楚，乐府大有盛唐风格。外编卷四：唐初，王、杨、卢、骆、李百药、虞世南、陈子昂、宋之问、苏颋、李峤、二张辈，俱诗文并鸣，不以一长见也。开元，李、杜勃兴，诗道大盛，孟浩然、沈千运等遂独以诗称，而文不概见；王维、贾至，其文间有存者，亦诗之附庸耳。元和，韩、柳崛起，文体复古，李习之、皇甫湜辈，遂独以文显，而诗不概见；李观、欧阳，其诗间有存者，亦文之骈拇耳。盛唐萧颖士、李华、元结，文名皆藉甚当时，而湮没异代者，前掩于王、杨，后掩于韩、柳也。中唐白居易、刘禹锡、元稹诗，皆播传四裔，而不满后人者，一摈于李、杜，再摈于钱、刘也。然萧、李名浮，其实即非诸子掩之，固自难久。刘、白时代压之，格律稍左，其才故自纵横。

王世贞《艺苑卮言》（《历代诗话续编》本）卷四：七言绝句，盛唐主气，气完而意不尽工；中、晚唐主意，意工而气不甚完。然各有至者，未可以时代优劣也。又云：人谓唐以诗取士，故诗独工，非也。凡省试诗，类鲜佳者。如钱起《湘灵》之诗，亿不得一；李肱《霓裳》之制，万不得一。律赋尤为可厌。白乐天所载玄珠斩蛇，并韩、柳集中存者，不啻村学究语。杜牧《阿房》，虽乖大雅，就厥体中，要自峥嵘擅场，惜哉其乱数语，议论益工，面目益远。

孙鑛《姚江孙月峰先生全集》卷九《与吕甥玉绳论诗文书》：唐人五言律，不问初、中、晚，无一不佳，杜尤臻神境，若常细玩，诗宁有不工者。《唐诗纪》必尽中、晚唐，乃为大成。若但盛唐而止，则其集皆家家所有，则所新搜，不过什一二耳，不为奇。且中唐以下，绝句甚有入神者，乐府亦大有奇，惟律体俚弱，然五言亦间有独造者，安可遗之。故必尽中、晚，然后幽奇种种俱可喜耳。凡辑此等书，其功在搜奇抉异。盛唐诗不多，俱在人目前者，即有一二隐僻语，亦多淡雅无奇异。中、晚体格虽卑，然中实有奇妙句，人所不能到。又其即事为味，响而切，足动人，甚可剪裁作诗料。

王世懋《艺圃撷余》（何文焕《历代诗话》，中华书局1981）：唐律由初而盛，由盛而中，由中而晚，时代声调，故自必不可同。然亦有初而逗盛，盛而逗中，中而逗晚者。何则？逗者，变之渐也，非逗，故无繇变。如四诗之有变风变雅，便是《离骚》远祖；子美七言律之有拗体，其犹变风变雅乎。唐律之由盛而中，极是盛衰之介。然王维、钱起实相倡酬，子美全集半是大历以后，其间逗漏，实有可言，聊指一二。如右丞“明到衡山”篇，嘉州“函谷”、“磻溪”句，隐隐钱、刘、卢、李间矣。至于大历十才子，其间岂无盛唐之句，盖声气犹未相隔也。学者固当严于格调，然必谓盛唐人无一语落中，中唐人无一语入盛，则亦固哉其言诗矣。今世五尺之童，才拈声律，便能薄弃晚唐，自傅初盛。有称大历而下，色便赧然。然使诵其诗，果为初邪？盛邪？中邪？晚邪？大都取法固当上宗，论诗亦莫轻道诗，必自运而后可以辨体，诗必成家而后可以言格。

释道璨《柳塘外集》（四库本）卷三《营玉涧诗集序》：诗主性情，止礼义，非深于学者，不敢言。大历、元和后，废六义，专尚浮淫新巧，声固艳矣，气固矫矣，诗之道安在哉？然当时君子要未必不学，特为风声习气所移，迷不知返耳。

郝敬《艺圃伧谈》（《山草堂集》本）卷三：说者取唐诗分为初、盛、中、晚。晚不如中，中不如初。随世运为污隆，其实不然。盖性情之理，不缊郁则不厚，不磨炼则不柔。是以富贵者少幽贞，困顿者多委蛇。昔人谓“诗穷始工”。《三百篇》大抵遭乱愤时而作。以世运初、盛、中、晚，分诗高下，倒见矣。唐诗晚工于中，中妙于盛，盛昌于初。初唐庄整而板，盛唐博大而放，中唐平雅清粹，有顺成和动之意焉，晚唐纤丽，雕极还朴，无以复加。今谓唐不如古则可，谓中、晚不如初、盛，论气格，较骨力，岂温柔敦厚之本义乎？中唐诗清平，本欲脱去初、盛壮丽之习，而韦应物、刘长卿实主盟。钱起有俊采，与盛唐王维、储光羲伯仲。韩愈、张籍，雄奇似杜甫。僧皎然淹雅，为中唐正派。大抵中唐人目初为板，目盛为放，有意矫之。晚唐雕几精攻，反近冲淡。盛唐冠冕博大，笼罩一代。中、晚各自擅长，不可相掩。技至晚精已，优初、盛而黜中、晚，亦未为允。诗主声，声主和平，此不易之理也。凌厉奋猛，驰骋飞扬，非风雅本色。一落近体，自然尔耳。但就近体中亦有和平者耳，如王、孟、高、岑、李颀、刘长卿辈，自是一代正声。李白、杜甫气魄才具有余，而壮浪不羁，时有猛悍之习。近代论唐诗，推初、盛而卑中、晚，不知中、晚人正薄初、盛，欲陶洗磨砻以求冲淡。非不能企而及之，实欲敛而退之也。

袁宏道《瓶花斋集》（钱伯峻《袁宏道集笺校》，上海古籍出版社1981）卷六《雪涛阁集序》：夫法因于弊而成于过者也。矫六朝骈俪饤饾之习者，以流丽胜，饤饾者固流丽之因也，然其过在轻纤。盛唐诸人，以阔大矫之，已阔矣，又因阔而生莽。是故续中唐者，以奇僻矫之，然奇僻则其境必狭，而僻则务为不根以相胜，故诗之道至晚唐而益狭小。

邓云霄《冷邸小言》(道光刻本)：惟虚故响。钟鼓也，笙箫也，琴瑟也，皆中虚者也。盛唐用事点化，中不填实，全是神情丰韵，故可舞可歌。中、晚事胜于韵，词胜于情，如打檀板、撞石鼓，虽响不扬。初、盛唐诗，楼上之箫也，听之随风飘扬，逸韵哀音，沁人肺腑，而殊无指爪唇舌之迹。中、晚，近耳之箫也，但闻点指摭摘，蹙唇舔嗒，何韵之有，即韵亦滞响耳。

钟惺、谭元春《唐诗归》(《四库全书存目丛书》，以下简称四库存目本)：汉魏诗至齐梁而衰，衰而艳，艳至极妙，而汉魏诗始亡。唐诗至中晚而衰，衰在淡，淡至极妙，而初唐之诗始亡。不衰不亡，不妙不衰也。

王志坚《四六法海》(四库本) 序云：唐文皇以神武定天下，在宥三十余年，而文体一遵陈、隋，盖时未可变耳。永徽中，人主优礼词臣，时则有燕、许鸿轩，崔、李豹别，而英公一檄，竟出自草泽手。当时人才，何其盛欤。至于沿习既久，遂成蹊径。文移批答，宾主谈谐，辄用耦语，此亦天地间不得不变之势矣。然昌黎文初出，即裴晋公亦骇而弗许，盖习尚之渐人也如此。河东之为文，则异于是。

方以智《通雅》(《方以智全书》第一册，上海古籍出版社 1998) 卷首之三《诗说》：近体因陈、隋之比俪，而初、盛以高浑出之，气格正矣。调至中唐，乃称娴雅。刻露取快，则晚唐也。究当互取，宁可执一。杜陵悲凉沉厚，以老作态，是运斤之质也。钱、刘、皇甫之流利，义山、温、许之工艳，香山、放翁之朴爽，何不可以兼互用之，自然光焰万丈，宁须沾丐残膏。后世尊杜太过者，溲泄亦零陵香矣。

许学夷《诗源辩体》(人民文学出版社 1987)《晋》：五言自汉、魏至陈、隋，自初、盛至晚唐，其变有渐，正由风气渐衰，习染相因耳。至李、杜、韦、柳以及元和诸公，方可谓自立门户也。又《中唐》：开元、天宝间，高、岑、王、孟古律之诗，始流而为大历钱、刘诸子。钱、刘才力既薄，风气复散，故其五七言古，气象风格顿衰，然自是正变。五七言律，造诣兴趣所到，化机自在，然体尽流畅，语半清空，而气象风格亦衰矣。亦正变也。“初唐七言古，句皆入律，此承六朝余弊。钱、刘七言古，亦多入律，此是风气渐漓也。声韵虽同，而风格大异耳。初唐七言律，非无虚字，但用之皆得其力。中唐用之，不免敷演单弱耳。详而论之，钱用虚字多，刘间有之。试观钱‘湖南远去’一篇，则易晓也。又《晚唐》：律诗由盛唐变至钱、刘，由钱、刘变至柳宗元、许浑、韦庄、郑谷、李山甫、罗隐，皆一源流出，体虽渐降，而调实相承，故为正变。古诗若元和诸子，则万怪千奇，其派各出，而不与李、杜、高、岑诸子同源，故为大变。又《总论》：学者以识为主，以才力辅之。初、盛唐诸公，识见皆同，辅之以才力，故无不臻于正。元和、晚唐诸子，识见各异，而专任才力，故无不流于变。……盖盛世尚同，而衰世尚异，亦理视之自然耳。今之为诗者，非无才力，而人各有心，以至于不可揣识，斯又元和、晚唐之下也。

钱谦益《牧斋初学集》(上海古籍出版社 1985) 卷三九《复李叔则书》：夫文章者，天地变化之所为也。天地变化，与人心之精华，交相击发，而文章之变不可胜穷，文至于昌黎止矣。陆希声言：李元宾于退之，所得不同，不可以相上下。叔则谓：唐宋之文，不尽于八家。此知其变者也。是故论唐文，于韩、柳之前，未尝无陈拾遗、燕、许、曲江也，未尝无权礼部、李员外、李补阙、独孤常州、梁补阙也，未尝无颜鲁公、元容州也。元和以还，与韩、柳挟毂而起者，指不可胜屈也。

贺贻诗《诗筏》（《清诗话续编》，上海古籍出版社1983）：蜀人赵昌花卉，所以不及徐熙者，赵昌色色欲求其似，而徐熙不甚求似也。中、晚唐人诗律，所以不及盛唐大家者，中、晚人字字欲求其工，而盛唐人不甚求工也。诗至中晚，递变递衰，非独气运使然也。开元、天宝诸公，诗中灵气发泄无余矣，中唐才子，思欲尽脱窠臼，超乘而上，自不能无长吉、东野、退之、乐天辈一番别调。然变至此，无复可变矣，更欲另出手眼，遂不觉成晚唐苦涩一派。愈变愈妙，愈妙愈衰，其必欲胜前辈者，乃其所以不及前辈耳。且非独此也，每一才子出，即有一班庸人从风而靡，舍我性灵，随人脚根，家家工部，人人右丞，李白有李赤敌手，乐天即乐地前身，互相沿袭，令人掩鼻。于是出类之才，欲极力剿除，自谓起衰救弊，为前辈功臣。即此起衰救弊一念，遂有无限诗魔，入其胸中，使之为中为晚而不自知也。盖至此而诗运与世运亦若默受作者之升降矣。嗟夫！由吾前说推之，则为凌驾前辈者所误；由吾后说推之，又为羽翼前辈者所误。彼前辈之诗，凌驾而羽翼之，尚不能无误，乃区区从而刻画摹仿之，吾不知其所终也！嗟夫！此岂独唐诗哉？又岂独诗哉？中唐如韦应物、柳子厚诸人，有绝类盛唐者；晚唐如马戴诸人，亦有不愧盛唐者。然韦、柳佳处在古诗，而马戴不过五、七言律。韦、柳古诗尚慕汉、晋，而晚唐人近体相沿时尚。韦、柳辈古体之外尚有近体，而晚唐近体之中遂无古意。此又中、晚之别也。刘长卿诗，能以苍秀接盛唐之绪，亦未免以新隽开中、晚之风。其命意造具，似欲揽少陵、摩诘二家之长而兼有之，而各有不相及不相似处。其不相似不相及，乃所以独成其为文房也。七言古须具轰雷掣电之才，排山倒海之气，乃克为之。张司业籍以乐府古风合为一体，深秀古质，独成一家，自是中唐七言古别调，但可惜边幅稍狭耳。若元、白二公，才情有余，边幅甚赊，然时有拖沓之累。盖司业所病者节短，而元、白所病者气缓，截长补短，庶几可与李、杜诸人方驾耳。

黄宗羲《明文海》（四库本）卷二二五王格《初唐诗叙》：昔唐之有天下也，文盖屡变焉，而诗因之，故有初唐、盛唐、中唐、晚唐之别。学者多称盛唐尚矣，而余略焉。余观中唐以降，雕章缛彩，刻象绘情，多浮靡肤露之词，乏古者雅驯之体，绌而不取，诚所宜也。

王夫之《唐诗评选》（《船山全书》第14册，岳麓书社1996）卷三：中唐之病，在谋句而不谋篇，琢字而不琢句，以故神情离脱者，往往有之。如两皇甫、郎、卢、严、耿诸人，乍可讽咏，旋同嚼苴。……大历诸子，拔本塞源，自矜独得，夸俊于一句之安，取新于一字之别，得已自雄，不思其反，或掇拾以成章，抑乖离之不恤。故五言之体，丧于大历。惟知有律，而不知古。既叛古以成律，还持律以窜古，逸失元声，为嗣者之捷径。有志艺林者，自不容已于三叹也。又卷四云：中唐诗至王建、刘禹锡、杜牧，一变为十才子之陋，眉目乃始可辨。大和以降，唐以小康。大历、贞元，国几于亡，音乃变矣。卢纶、耿沣当为风气所摄。……大历之诗变为长庆，自如出黔中溪箐，入滇南佳地。元、白固以一往风味，流盈天下心脾，雅可以韵相赏；檃括微

至，自非所长，不当以诗责此。

王夫之《薑斋诗话》（《清诗话》本）卷下：七言绝句，初、盛唐既饶有之，稍以郑重，故损其风神。至刘梦得而后宏放出于天然，于以扬扢性情，馺娑景物，无不宛尔成章，诚小诗之圣证矣。此体一以才情为主。言简者最忌局促，局促则必有滞累；苟无滞累，又萧索无余。非有红炉点雪之襟宇，则方欲驰骋，忽尔蹇踬；意在矜庄，只成疲苶。以此求之，知率笔口占之难，倍于按律合辙也。梦得而后，唯天分高朗者能步其芳丽尘。白乐天、苏子瞻皆有合作，近则汤义仍、徐文长、袁中郎往往能居胜地，无不以梦得为活谱。才与无才，情与无情，唯此体可以验之。不能作五言古诗，不足入风雅之室；不能作七言绝句，直是不当作诗。区区近体中觅好对语，一四六幕客而已。

吴乔《围炉诗话》（《清诗话续编》本）卷一：诗非一途得人。景龙、开宝之诗端重，能养人器度，而不能发人心光。大历、开成之诗深锐，能发人心光，而亦伤人器度。所以学景龙、开宝者，心光难发，大都滞于皮毛；学大历、开成者，器度易伤，不免流于险琢。人能以大历、开成发其心光，而后以景龙、开、宝养其器度，斯为得之。人谁有此工力？所以开、宝而后，更无其诗也。诗以深为难，而厚更难于深。子美《秋兴》，每篇一意，故厚。曹唐《病马》只一意，而得好句六联，成诗三首，乌得不薄？眩于好句而不审本意，大历后之堕坑落堑处也。开、宝诸公用心处，在诗之大端，而好句自得。大历以后，渐渐束心于句，句虽佳而诗之大端失矣。卷二：中唐七律，清刻秀挺，学者当于此入门，上不落于晚唐之雕琢，中不落于宋人之率直，下不落于明人之假冒。盖中唐如士大夫之家，犹可几及；盛唐如王侯之家，不易攀跻，而又被假冒，坏为恶道。识力未到者，负高志而轻易学之，不似盛唐，先似假冒恶道。此余身受之害，非遥度也。卷三：盛唐不巧，大历以后，力量不及前人，欲避陈浊麻木之病，渐入于巧。卷四：中唐诗清，清则学之者易近于新颖，故谓人当于此入门也。

吴乔《答万季埜诗问》（《清诗话》本）：又问：初、盛、中、晚之界云何？答曰：三唐与宋、元易辨，而盛唐与明人难辨。读唐人诗集，知其性情，知其学问，知其立志。明人以声音笑貌学唐人，论其本力，尚未及许浑、薛能，而皆自以为李、杜、高、岑。故读其诗集，千人一体，虽红紫杂陈，丝竹竞响，唐人能事渺然，一望黄茅白苇而已。唐、明之辨，深求于命意布局寄托，则知有金矢之别；若唯论声色，则必为所惑。夫唐无二“盛”，盛唐亦无多人；而明自弘、嘉以来，千人万人，孰非盛唐？则鼎之真赝可知矣。晚唐虽不及盛唐、中唐，而命意布局寄托固在。宋人多是实话，失《三百篇》之六义。元诗犹在深入处。明诗唯堪应酬之用，何足言诗？

贺裳《载酒园诗话》（《清诗话续编》本）又编刘长卿云：随州绝句，真不减盛唐，次则莫妙于排律。排律唯初、盛为工，元和以还，牵凑冗复，深可厌也。惟随州真能接武前贤。……昔人编诗，以开元、大历初为盛唐，刘长卿开元、至德间人，列之中唐，殊不解其故。细阅其集，始知之。刘有古调，有新声。盛唐人无不高凝整浑，随州短律，始收敛气力，归于自然，首尾一气，宛若面语。其后遂流为张籍一派，益事流走，景不越于目前，情不踰于人我，无复高足阔步、包括宇宙、综览人物之意。虽孟襄阳诗，亦有因语真而意近、以机圆而体轻者，然不佻不纤。随州始有作态之意，实溽暑中之一叶落也。又韩翃条云：贞元以前人诗多朴重，韩翃在天宝中已有名，其诗始修辞呈态。又严维条云：中唐数十年间，亦自风气不同。其初，类于平淡中时露一入情切景之语，故读元和以前诗，大抵如空山独行，忽闻兰气，余则寒柯荒阜而已。又李益条云：中唐人故多佳诗，不及盛唐者，气力减耳。雅澹则不能高浑，雄奇则不能沉静。至贞元后，苦寒、放诞、纤缛之音作矣。又柳宗元条：大历以还，诗多崇尚自然。柳子厚始一振厉，篇琢句锤，起颓靡而荡秽浊，出入《骚》、《雅》，无一字轻率。其初多务溪刻，故神峻而味冽，既亦渐近温醇。又韩愈条：七言古最见笔力。中唐名家，亦多孱弱。惟韩退之有项羽救巨鹿、呼声动天、诸侯莫敢仰视之概，至败亡，犹能以二十八骑于百万众中斩将刈旗，稍一沉深，项可刘、韩可杜矣。又孟郊条：贞元、元和间，诗道始杂，类各立门户。又李贺条：李贺骨劲而神秀，在中唐最高浑，有气格，奇不入诞，丽不入纤。虽与温、李称西昆，两家纤丽，其长自在近体。七言古勉强效之，全窃形似，此真理不足者。……宋人贬之，以为贺诗之妙，正在理外。余细观贺诗，二说俱谬。贺诗诚不能悉合于理，此词人皆然，不独贺也。又元稹条：诗至元、白，实又一大变。两人并称，亦各有不同：选语之工，白不如元；波澜之阔，元不如白。白苍莽中间存古调，元精工处亦杂新声。既由风气转移，亦自材质有限。

宋徵璧《抱真堂诗话》（《清诗话续编》本）：元、白体格不必论，若《琵琶行》，颇尽情事。七言初唐、盛唐虽各一体，然极七言之变，则元、白、温、李皆在所不废。元、白体至卑，乃《琵琶行》、《连昌宫词》、《长恨歌》未尝不可读。但子由所云："元、白纪事，尺寸不遗"，所以拙耳。联句若昌黎《石鼎》，自佳。元、白动必数百韵，有类乘舟泛溟海，星辰不辨，但觉身热头痛之烦。

黄周星《唐诗快》（康熙二十六年书，带革堂刻本）自序：唐之一代，垂三百祀，不能有今日而无明日，不能有今年而无明年，则不能有一世而无二十世。于是乎武德不得不降而开元，开元不得不降而大历，大历不得不降而元和、长庆，元和、长庆不得不降而天佑、五季者，此理势所必至也，而后人遂执此为初、盛、中、晚之分。夫初、盛、中、晚者，以言乎时代之先后可耳，岂可以此定诗人之高下哉。……仆尝极服袁石公之论曰：文章之气，一代薄一代；而文章之妙，一代盛一代。故古有不尽之情，今无不写之景。其盛处正其薄处也，然安得因其薄而掩其妙哉。故仆以为初、盛、中、晚之分，犹之乎春夏秋冬之序也，四序之中，各有良辰美景，亦各有风雨炎凝。

毛奇龄《唐七律选》（康熙刻本）序：尝校唐七律，原有升降。其在神、景，大抵铺练严谧，偶俪精切。而开、宝以后，即故为壮浪跳掷，每摆脱拘管以变之，然而声势虚扩，或所不免。因之上元、大历之际，更为修染之习，改巨为细，改廓为瘠，改豪荡而为琐屑。而元和、长庆则又去彼饰结，易以通倪，却坛坫揖逊，而转为里巷俳谐之态。虽吟写性情，流连光景，三唐并同，而其形模之不齐，有如是也。"又卷三评："中唐至君平，气调全卑，又降文房数格矣，但刻意纤秀，实启晚唐及宋、元、初明修词饰事之习，此亦关运会人也。张南士云：七律至刘随州辈，依然王、杜规格，然不知何故，辄如舍国都至州县，降五侯七贵邸里入三戟门第，顿觉神减。若韩翃、耿沣辈，则居然清门，不过清漆板厢，乌棹墙巷，一好样子而已。自此以后，竟分作佻梁、喑悦宗长庆，因之晚唐、宋、元、初明，皆递相转环，而不知此时实滥觞也。

汪琬《尧峰文钞》（四库本）卷二六《唐诗正序》：有唐三百年间，能者相继。贞观、永徽诸诗，正之始也，然而雕刻组绘，殆不免陈、隋之遗焉。开元、天宝诸诗，正之盛也，然而李、杜两家并起角立，或出于豪俊不羁，或趋于沉著感愤，正矣有变者存。降而大历以迄元和、贞元之际，典型具在，犹不失承平故风，庶几乎变而不失正者欤。自是之后，其辞渐繁，其声渐细，而唐遂陵夷以底于亡。

叶燮《已畦文集》（宣统梦篆楼刻本）卷八《百家唐诗序》：吾尝上下百代，至唐贞元、元和之间，窃以为古今文运、诗运，至此时为一大关键也。是何也？三代以来，文运如百谷之川流，异趣争鸣，莫可纪极。迨贞元、元和之间，有韩愈氏出，一人独力而起八代之衰，自是而文之格之法之体之用，分条共贯，无不以是为前后之关键矣。三代以来，诗运如登高之日上，莫不复逾。迨至贞元、元和之间，有韩愈、柳宗元、刘长卿、钱起、白居易、元稹辈出，群才竞起，而变八代之盛，自是而诗之调之格之声之情，凿险出奇，无不以是为前后之关键矣。起衰者，一人之力专，独立砥柱，而文之统有所归。变盛者，群才之力肆，各途深造，而诗之尚极于化。今天下于文之起衰，人人能知而言之；于诗之变盛，则未有能知而言之者。此其故，皆因后之称诗者胸无成识，不能有所发明，遂各因其时以差别，号之曰中唐，又曰晚唐。不知此“中”也者，乃古今百代之“中”，而非有唐之所独得而称“中”者也。……后此千百年，无不从是以为断。

叶燮《原诗》（《清诗话》本）内篇上：唐诗为八代以来一大变，韩愈为唐诗之一大变。其力大，其思雄，崛起特为鼻祖。宋之苏、梅、欧、苏、王、黄，皆愈为之发其端，可谓极盛。而俗儒且谓愈诗大变汉魏，大变盛唐，格格而不许，何异居蚯蚓之穴习闻其长鸣，听洪钟之响而怪之，窃窃然议之也。且愈岂不能拥其鼻、肖其吻，而效俗儒，为建安、开、宝之诗乎哉？开、宝之诗，一时非不盛，递至大历、贞元、元和之间，沿其影响字句者且百年，此百余年之诗，其传者已少殊尤出类之作，不传者更可知矣。必待有人焉起而拨正之，则不得不改弦而更张之。愈尝自谓陈言之务去，想其时陈言之为祸，必有出于目不忍见、耳不堪闻者，使天下人之心思智能，日腐烂埋没于陈言中，排之者比于救焚拯溺，可不力乎？

赵士麟《宋次眉诗序》（《读书堂彩衣全集》，四库存目本）：唐诗有三变：曰盛，曰中，曰晚。当其中也，自以为胜于盛，而不知其已为乎中。当其晚也，方不屑为乎中，而不知其并落于晚，寒、瘦、神、鬼之诮不得免焉，风气使然欤，抑天之降才尔殊也？三代既还，天真渐薄，感被复庞，《三百篇》变而骚，骚变而赋，赋变而古风、绝、律。思烦体错，奔于嗜好，自昔然已。良由识见异，乃思变，变屡易，乃遗讥。中厌盛，思变盛，故落中；晚厌中，思变中，故落晚，而诗亡矣。

储欣《唐宋十大家全集录》（光绪八年江苏书局刊本）卷首总序：建武以后，积七百年，而韩文公出，深造孟子，陶铸子长，勒一家之言，而柳先生辅之，然后贞元、元和之文，粹然复古，号为文章中兴。是则韩、柳者，文章之宗，尤八家之主也。

章学诚《文史通义》（古籍出版社 1956）卷八《皇甫持正文集书后》：中唐文字，竞为奇碎。韩公目击其弊，力挽颓风，其所撰著，一出之于布帛菽粟，务裨实用，不为矫饰雕锼，徒多美观。惟其才雄学富，有时溢为奇怪，而矫时励俗，务去陈言，学者不察，辄妄诩为奇耳。

郎廷槐《师友诗传录》（《清诗话》，上海古籍出版社1999）引张笑居语：七言律诗，五言八句之变也。唐初始专此体，沈、宋精巧相尚，然六朝余气犹存。至盛唐声调始远，品格始高，如贾至、王维、岑参《早朝》倡和诸作，各臻其妙。李颀、高适皆足为万世法程。杜甫浑雄富丽，克集大成。天宝以还，钱、刘并鸣，中唐作者尤多。韦应物、皇甫伯仲以及大历才子，接迹而起，敷词益工，而气或不逮。元和以后，律体屡变，其造意幽深，律切精密，有出常情之外，虽不足鸣大雅之林，亦可为一唱三叹。

蔡世远《古文雅正》（四库本）卷四论《陈便宜策》：唐初陈伯玉，虽有兴文之功，然未见其岸异。张燕公未脱排偶，能加以典重耳。柳冕、李翰笔颇疎快，而气力尚薄。独孤及、梁肃等自以为作手，终有愧于古也，如叙人文集，必摘其某篇佳者而列之序中，各下评语，此最是中唐习气。韩、柳兴，始大复古。韩公神矣，亦缘学识冠绝一代也。惟李习之近似。皇甫湜、李汉、孙樵，但以刻琢字句为事，本领亦薄。刘复愚则又专主于超脱谲怪，别一种也。

金圣叹《答敦厚法师》（《金圣叹选批唐诗》附《圣叹尺牍》，浙江古籍出版社1984）：初唐、盛唐、中唐、晚唐，此等名目，皆是近日妄一先生之所杜撰。其言出入，初无定准。今后万不可提置口颊，甚足以见其不知诗。

沈德潜《说诗晬语》（《清诗话本》）卷上：昌黎豪杰自命，欲以学问才力跨越李、杜之上，然恢张处多，变化处少，力有余而巧不足也。独四言大篇如《元和圣德》、《平淮西碑》之类，义山所谓句奇语重、点窜涂改者，虽司马长卿，亦当敛手。白乐天诗能道尽古今道理，人以率易少之。然讽谕一卷，使言者无罪，闻者足戒，亦风人之遗意也。惟张文昌、王仲初乐府，专以口齿利便胜人，雅非贵品。大历十子后，刘梦得骨干气魄，似又高于随州，人与乐天并称，缘刘、白有倡和集耳，白之浅易，未可同日语也。萧山毛大可尊白诎刘，每难测其指趣。柳子厚哀怨有节，律中骚体，与梦得故是敌手。义山近体，襞绩重重，长于讽谕，中多借题摅抱，遭时之变，不得不隐也。《咏史》十数章，得杜陵一体，至云"但须鸑鷟巢阿阁。岂假鸱鸮在泮林"，不愧读书人持论。长律所尚，在气局严整，属对工切，段落分明，而其要在开阖相生，不露铺叙转折过接之迹。使语排而忘其为排，斯能事矣。唐初应制赠送诸篇，王、杨、卢、骆、陈、杜、沈、宋、燕、许、曲江并皆佳妙，少陵出而瑰奇鸿丽，一变故方，后此无能为役。元、白滔滔，百韵俱能工稳，但流易有余，熔裁未足，每为浅率家效颦。温、李以下，又无论已。七言长律，少陵开出，然《清明》等篇已不能佳，何况学步余子。

田同之《西圃诗说》（《清诗话续编》本）：神韵超妙者绝，气力雄浑者胜。元轻白俗，皆其病也。然病"轻"犹其小疵，病"俗"实为大忌。故渔洋谓初学者不可读乐天诗。诗以自然为至，以远造为功，才智之士，镂心刿目，钻奇凿诡，矜诩高远，铲削元气，其病在艰涩。若借口浑沦，脱手成篇，因陈袭故，如官庖市贩，咄嗟辐辏，而不能惊魂骇目，深入人肺肠，寖就浅陋，其病反在艰涩下。钱考功诗"长信月留宁避晓，宜春花满不飞香"，于晴雪妙极形容，脍炙人口，其源得之初唐。然从初唐，竟落中唐，了不与盛唐相关，何者？愈巧则愈远。唐人句如“一千里色中秋月，十万军声半夜潮”、“蝴蝶梦中家万里，杜鹃枝上月三更”、“深秋帘幕千家雨，落日楼台一笛风”，人争传之。然一览便尽，初看整秀，熟视无神气，以其字露也。若杜陵句，虽间有拙累处，而更千百世亦无有能胜之者，要无露句耳。《西圃词说》：诗词风气，正自相循。贞观、开元之诗，多尚淡远。大历、元和后，温、李、韦、杜渐入香奁，遂启词端。

叶矫然《龙性堂诗话》（《清诗话续编》本）初集：论诗者谓初、盛、中、晚之目，始于严沧浪而成于高廷礼，承讹踵谬，三百年于兹，则大不然。夫初、盛、中、晚之诗俱在，格调声响，千万人亦见，胡可溷也。又谓燕公、曲江亦初亦盛，孟浩然、王维亦盛亦初，钱起、皇甫冉亦中亦盛，如此论人论世，谁不知之。夫所谓初、盛、中、晚者，亦不过谓其篇什格调中同者十八，不同者十二，大概言之而已，非真有鸿沟之画，改元之号也。学者谓有初、盛、中、晚之分，而过为低昂焉，不可也。如谓无低昂而并无初、中、盛、晚之名焉，可乎哉。自前人为此言，周元亮复广而伸之。甚哉！其势利之见也。又续集：晚之不及初、盛者，非谓今体，谓古体也。元和今体新逸，时出开元、大历之上，惟古体神情婉弱，酝酿既薄，变化易穷。微之所谓“凡近”者，即殷璠之所云“俗体”也。王建诗往往在人口中，而乐天称为丽则。许浑诗极斐然，然放翁诋其鄙陋。能通于二公之论，此道思过半矣。

方世举批注《李犬吉诗集》（《李贺诗歌集注》，上海人民出版社 1977）序云：徐文长有论诗札云：世惟法高、岑、王、孟，固是布帛菽粟。卢仝、孟郊、韩愈、李贺，却是龙肝凤髓，不得而舍。此论甚足以益人神智。余尝拟六朝钟嵘《诗品》，戏为评陟。韩公如出土鼎彝，土花剥落，骨出青红。孟郊如海外奇楠，外槁中腴，香成绿结。卢仝如灵璧怪石，脱砂而出，秀润自然。李贺如铁网珊瑚，初离碧海，映日澄鲜。此其形体也。以其声韵言之，韩是古瑟，孟是洞箫，卢是浮磬，李（是）拨阮。虽不及李、杜之钟镛壮朗，高、岑、王、孟之丝竹清和，却是广寒宫与武夷幔亭仙乐，一入人耳，洗尽常调。又卷二：元和人为艳辞，语犹挺拔，晚唐靡靡不堪矣。

牟愿相《小澥草堂杂论诗》（《清诗话续编》本）：诗至盛唐，至矣。中唐如韩退之、孟东野、李长吉、白乐天，虽失刻露，要各具五丁开山之力。至晚唐诸公，乃仅仅以律句、绝句自喜耳。中唐诗以道得人心中事为工，意尽而语竭。元、白以烦，张、王以简，孟东野诗瘦骨崚嶒，不幸令人以贾岛匹之。诗到中唐尽：昌黎艰奥尽，东野劖削尽，苏州、柳州深永尽，李贺奇险尽，元、白曲畅尽，张、王轻俊尽，文房幽健尽。盛唐只是厚，中唐只是畅。

乔亿《剑溪说诗》（《清诗话续编》本）又编：元和、长庆间，自韩、柳而外，古、《选》首孟郊，歌行则李贺，张籍五律，刘禹锡七律绝，张祜小乐府，并出乐天之右。乐天只长律擅长，亦无子厚笔力也。而当日名播鸡林，后人多宗之，良由诸体赡博，尽疏快宜人耳。大历诗品可贵，而边幅稍狭。长庆间规模较阔，而气味远逊。大历诸子诗，相似处如出一手，及细玩之，自有各家面目。

赵翼《瓯北诗话》（《清诗话续编》本）卷四：中唐诗，以韩、孟、元、白为最。韩、孟尚奇警，务言人所不敢言；元、白尚坦易，务言人所共欲言。试平心论之，诗本性情，当以性情为主。奇警者，犹第在词句间争难斗险，使人荡心骇目，不敢逼视，而意味或少焉。坦易者，多触景生情，因事起意，眼前景，口头语，自能沁人心脾，耐人咀嚼。此元、白较胜于韩、孟。世徒以轻俗訾之，此不知诗者也。元、白二人，才力本相敌，然香山自归洛以后，益觉老干无枝，称心而出，随笔抒写，并无求工见好之意，而风趣横生，一喷一醒，视少年时与微之各以才情工力竞胜者，更进一筹矣。故白自成大家，而元稍次。中唐以后，诗人皆求工于七律，而古体不甚精诣，故阅者多喜律体，不喜古体。惟香山诗，则七律不甚动人，古体则令人心赏意惬，得一篇辄爱一篇，几于不忍释手。盖香山主于用意，用意则属对排偶，转不能纵横如意；而出之以古诗，则惟意所之，辨才无碍。且其笔快如并剪，锐如昆刀，无不达之隐，无稍晦之词，工夫又锻炼至洁，看是平易，其实精纯。刘梦得所谓“郢人斤斫无痕迹，仙人衣裳弃刀尺”者，此古体所以独绝也。然近体中五言排律，或百韵，或数十韵，皆研炼精切，语工而词赡，气劲而神完，虽千百言，亦沛然有余，无一懈笔。当时元、白唱和雄视百代者，正在此。后世卒无有能继之，此又不徒以古体见长也。

赵翼《廿二史札记》（中国书店1987）卷二〇唐古文不始于韩柳条：《新书·文苑传序》：唐兴百余年，诸儒争自名家。大历、贞元间美才辈出，擩哜道真，涵泳圣涯，于是韩愈倡之，柳宗元、李翱、皇甫湜等和之，唐之文完然为一代法，此其极也。是宋景文谓唐之古文由韩愈倡始，其实不然。案《旧书·韩愈传》，大历、贞元间，文字多尚古学，效扬雄、董仲舒之述作，独孤及、梁肃最称渊奥。愈从其徒游，锐意钻仰，欲自振于一代。举进士，投文公卿间，故相郑余庆为之延誉，由是知名。是愈之先，早有以古文名家者，今独孤及文集尚行于世，已变骈体为散文，其胜处有先秦西汉之遗风，但未自开生面耳。又如陆宣公奏议，虽亦不脱骈偶之习，而指切事情，纤微毕到，其气又浑灏流转，行乎其所不得不行。此岂可以骈偶少之，此皆在愈之前，固已有早开风气者矣。

田雯《古欢堂集杂著》（《清诗话续编》本）卷二：中唐韦苏州、柳柳州，一则雅澹幽静，一则恬适安闲。汉魏六朝诸人而后，能嗣响古诗正音者，韦、柳也，非仅贞元、元和间推独步矣。

薛雪《一瓢诗话》（《清诗话》本）：元、白诗言浅而思深，意微而词显，风人之能事也。至于属对精警，使事严切，章法变化，条理井然，其俚俗处而雅亦在其中。杜浣花之后，不可多得者也。盖因元和、长庆间与开元、天宝时，诗之运会，又当一变，故知之者少；而其即用现前俚语，如“矮张”、“短李”之类，断不可学。韦苏州律诗似古，刘随州古诗似律。大抵次李、杜一等者，便不能全，况随州韵度不如苏州，意味不如右丞，然其豪赡老成，则皆过之，得意处竟可与少陵索笑，“长城”之名，盖不徒然。

钱良择《唐音审体》（《清诗话续编》本）《律诗七言四韵论》：中唐律诗始盛。然元、白号称大家，皆以长篇擅胜，其于七言八句，竟似无意求工。钱、刘诸公，以韵致自标，多作偏枯，格中二联，或二句直下，或四句直下，渐失庄重之体。

李重华《贞一斋诗说》（《清诗话》本）《谈诗杂录》：大历名手，钱不如刘。元和、长庆以后，孟不如韩，元不如白，温不如李，皮不如陆。至昌谷七言，须另置一格存之。自有韵语，此种不可无一，亦不可有二也。

姚鼐《五七言今体诗钞》（四部备要本）序目：中唐大历诸贤，尤刻意于五律。其体实宗王、孟，气则弱矣，而韵犹存。贞元以下又失其韵，其有警拔，盖亦希矣。大历十子以随州为最，其余诸贤，亦各有风调。至于长庆，香山以流易之体，极富瞻之思，非独俗士夺魄，亦使胜流倾心，然滑俗之病遂至滥恶。

翁方纲《石洲诗话》（《清诗话续编》本）卷二：韩门诸君子，除张文昌另一种自当别论，皇甫持正、李习之、崔斯立，皆不以诗名，惟孟东野、李长吉、贾阆仙、卢玉川四家，倚仗笔力，自树旗帜，盖自中唐诸公渐趋平易，势不可无诸贤之撑起。然诗以温柔敦厚为教，必不可直以粗硬为之，此内惟长吉锦心绣口，上薄风骚，不专以笔力支架为能。其余若玉川《月蚀》一篇，故自奇作；阆仙五律，亦多胜概；外此则如东野、玉川诸制，皆酸寒幽涩，令人不耐卒读。刘叉《冰柱》、《雪车》二诗，尤为粗直伧俚，而韩公独谓孟东野以其诗鸣，则使人惑滋甚矣。自钱、刘以下，至韩君平辈，中唐诸子七古，皆右丞调也，全与杜无涉。中唐六七十年之间，除韦、柳、韩三家古体当别论，其余诸家，堪与盛唐方驾者，独刘梦得、李君虞两家之七绝，足以当之。中唐之末，如吕温、鲍溶之流，概少神致。李涉、李绅稍为出类，然求之张、王、元、白数公，皆未能到，况前人耶？盛之后渐趋坦迤，中之后则渐入薄弱，所以秀异所结，不得不归樊川、玉溪也。

李调元《赋话》（《丛书集成》本）《新话》卷一：唐初进士试于考功，尤重贴经试策，亦有易以箴论表赞而不试诗赋之时。专攻律赋者尚少。大历、贞元之际，风气渐开，至大和八年，杂文专用诗赋，而专门名家之学樊然竞出矣。又《新话》卷三：考唐人举进士者，诗赋并习，往往不能兼工。初唐无论矣，肃、代以降，帖括盛行，王举之、李表臣之流，诗篇传诵者绝少。大历十子中，自钱仲文外，罕有见其赋者。可知雕虫小技，亦自有专门名家也。又《新话》卷四：唐时律赋，字有限定，鲜有过四百者。驰骋才情，不拘绳尺，亦唯元、白为然。

洪亮吉《北江诗话》（人民文学出版社 1998）卷五：刘长卿，开、宝进士，《全唐诗》编在李、杜以前，盖计其年代，实与王、孟同时。然诗体格既殊，用意亦迥别，前人以长卿冠大历十子，盖以诗境而论，实异于开、宝诸公耳。又卷六：开、宝诸贤，七律以王右丞、李东川为正宗。右丞之精深华妙，东川之清丽典则，皆非他人所及，然门径始开，尚未极其变也。至大历十数子，对偶始参以活句，尽变化错综之妙，如卢纶“家在梦中何日到，春来江上几人还”，刘长卿“汉文有道恩犹薄，湘水无情吊岂知”，刘禹锡“怀旧空吟闻笛赋，到乡翻似烂柯人”，白居易“曾犯龙鳞容不死，欲骑鹤背觅长生”，开后人多少法门。即以七律论，究当以此种为法，不必高谈崔颢之《黄鹤楼》、李白之《凤凰台》及杜甫之《秋兴》、《咏怀古迹》诸什也。若许浑、赵嘏而后，则又惟讲琢句，不复有此风格矣。元和、长庆以来，诗人如白太傅、杜舍人皆有节概，非同时辈流所及，其寄情声色亦同。

宋长白《柳亭诗话》（《丛书集成续编》本）卷二八：退之《琴操》，梦得《竹枝》，仲初《宫词》，文昌乐府，皆以古调而运新声，脱尽寻常蹊径。至若李贺、卢仝、孟郊、杜牧、贾岛、曹唐辈，亦各自立门墙，不肯寄人篱下。虽非堂堂正正之师，而偏锋取胜，亦足称一时之杰矣。

管世铭《读雪山房唐诗序例》（《清诗话续编》本）：十子而降，多成一副面目，未免数见不鲜。至刘、柳出，乃复见诗人本色，观听为之一变。子厚骨耸，梦得气雅，元和之二豪也。其次张水部风流蕴藉，不失雅音，杨少尹情致缠绵，抑又其次也。

《静居绪言》（《清诗话续编》本）：诗至元和、长庆，譬至压金刺绣，非不灿然，而其华不附质，总逊全机大轴之天吴紫凤，经纬而成者。昌黎氏出而机轴一变，全以质胜。元和、长庆间，诗有两歧。韩门诸子，专尚质实。张籍、皇甫，故为敏妙，以及郊寒岛瘦，各有胜处。大历间诗，风格又变。近体则征声选色，古诗则片甲一鳞，拙以冗长，巧于用短。长庆以还，白傅之老妪可解，饶有风思；元相之才子忝名，几成淫滥。人以王、孟、韦、柳连而称之者，以其诗皆不事雕绘也。然其间位置自别，风趣不同。韦苏州气味不在建安下，不应以其有田园诗便列一格。柳州诗清炼孤诣，类其为文。韦诗自然，柳多作意，在读者得之。

方南堂《辍锻录》（《清诗话续编》本）：韩退之、吕温诗，不必论其时世，究其言行，一望而知其为热中躁进，好事敢为之人也。其不可掩如此。咏物题极难。……贞元、大历诸名家，咏物绝少。唯李君虞《早燕》云："梁空绕复息，檐寒窥欲遍"，直是追魂摄魄之语，余无所见。元和以后，下逮晚唐，咏物诗极多，纵极巧妙，总不免描眉画角，小家举止，不独求入杜之咏马、咏鹰不可得见，即求如李之《早燕》大方而自然者，亦难之难矣。

毛先舒《诗辩坻》（《清诗话续编》本）卷三：大历以后，解乐府遗法者，唯李贺一人。设色秾妙，而词旨多寓篇外，刻于撰语，浑于用意。中唐乐府，人称张、王，视此当有郎奴之隔耳。元和诗响，不振已极，唯权文公乃颇见初唐遗构，亦一奇也。《连昌宫词》虽是中唐之调，然铺次亦见手笔。起数语自法古。……通篇开阖有法，长庆长篇如此，固未易才。诗至七言律，已底极变，既难空骋，又畏事累，大抵温丽为正，间令流逸，读之表里妍整，而风骨隐然。颇恶驱驾之势，有心章彩；至于隶古事，寓评议，斯为下风。唐初意尽句中，正用气格为高。盛唐境地稍流，而兴溢章外，不妨媲美。作者取裁，舍是奚适？中叶翩翩，亦曲畅情兴，必欲瓿覆大历以下，似属元美过差之谈。至于李商隐而下，予不敢道之。又卷四：（谭元春）云："中、晚逾于初、盛，以其俊耳。刘文房犹从朴入。然盛唐俊处皆朴，文房语有极真者，真至极透快处，便不免妨其厚。"先舒曰："真能妨厚，语有深解。"钟（惺）云：七言绝句，中、晚人颇妙，正以太工则伤气，远于盛唐。

陈仅《竹林答问》（《清诗话续编》本）：诗以气为主，此定论也。少陵，元气也；太白，逸气也；昌黎，浩气也。中唐诸君，皆清气之分，而各有所杂，为长篇则不振，气竭故也。香山气不盛而能养气，沦澜渟蓄，引而不竭，亦善用其短者。晚唐则厌厌无气矣。譬之于水，杜为东瀛，李为天汉，韩为江河，白则平湖万顷，一碧涟漪。晚唐之佳者，不过涧溪而已。

陆蓥《问花楼诗话》（《清诗话续编》本）卷一：唐七言绝句，多被管弦。唐初诸公，拘于对偶，故有半律之名。玄宗妙解音律，一时人才辈出。自李白《清平调》后，元、白之徒，新诗艳句，流于歌咏。唐史称李贺乐府数十篇，云韶诸工能弦唱之。又称李益才名与贺并驾，一篇成，乐工赂取，协之声律。盖唐代优伶取当时名人诗句入歌，固常事也。

朱庭珍《筱园诗话》（《清诗话续编》本）卷一：大历以降，风调渐佳，气格渐损。故昌谷以雄奇胜，元、白以平易胜，温、李以博丽胜，郊、岛以幽峭胜，虽品格不一，皆能自成局面，亦皆能力求其变者也。即张、王、皮、陆之属，非无意翻新变故者，特成就狭小耳。卷三：韩退之特从奇伟处，力造光怪陆离之境，欲自辟生面，力树赤帜，实则仍系得杜一体，不过扩充恢张，略变面目耳，非能外李、杜而另创壁垒，以期凌夸也。长吉奇而篇幅局势不宽，退之奇而堂庑意境甚阔。长吉奇伟，专工炼句；退之奇伟，兼能造意入理。长吉求奇，时露用力之痕；退之造奇，颇有自得之致。长吉专于奇之一格，退之则奇正各半，不止一体。此退之才力大于长吉，学养深于长吉处，所以能与李、杜鼎足而立为古今大家也。若卢仝辈，则无理求奇，而怪诞过甚，大乖雅音。任华辈尤放恣粗野，均自堕恶道矣。盖奇过则凡，必也奇而不诡于正，肆而不悖于醇，方不失风雅本意，诗之为道，理如是也。玉川子《月蚀》一诗，退之喜之，修饰删润，收入集中。及"和陆浑山火诗效皇甫湜体"，又联句诸篇，皆一时乘兴之作，等于戏笔，非韩公极诣。学韩者须法其专长，勿步此种后尘，致沉沦于迷津中，不能登道岸也。

邓绎《藻川堂谭艺》（蔡镇楚《中国诗话珍本丛书》，北京图书馆出版社2004《比兴篇》）：魏、晋以降，益之浮华，迄于隋、唐，而诗赋试士，风靡波颓。故韩退之起于中唐，而望者依如山斗，以开朱紫阳氏大海回风之澜，合训诂、文章、道艺而一之。然校其实力，则亦未能驱驾汉、唐千有余岁之儒林，而排轧其上也。

许印芳《诗法萃编》（《丛书集成续编》本）卷六下：（《与王驾评诗书》）中间论有唐一代诗人优劣，盖据一时所记忆者，略举数人，以伸其说，故人多遗漏。而论中、晚唐人，殊乖公允。大历十数公，虽不及李、杜、王、韦，置之其间，皆无愧词。而云元、白力勍气孱，乃都市豪估，贬之太甚，非公论也。阆仙、东野，并擅天才。东野才力尤大，同时惟昌黎伯与之相敌，观集中联句可见。两人生李、杜之后，避千门万户之广衢，走羊肠鸟道之仄径，志在独开生面，遂成僻涩一体。而东野古诗，神王兴来，天骨开张之作，不特追逐李、杜，抑且希风汉京。刘得仁辈，岂能望其项背。……即以之评阆仙诗，亦未允协。阆仙律诗，固多首尾完善之作，古诗亦有沉郁顿挫者，表圣未之知也。

平步青《霞外攟屑》（中华书局1959）卷六《玉树庐芮录斠书》唐宋文选按：近出《舒艺室杂著乙编》卷上，有《唐十八家文录序》，意在破八家之说之固陋，曰：世人论古文，辄曰唐宋八家，又曰昌黎起八代之衰。不知唐之与宋，原委既殊，门户自别，非可概论。至起衰之功，断推元道州为首。第其文散漫，未立间构。若独孤、梁、权，规模粗具，而犹苦肥重。惟昌黎氏原本六经，下参《史》、《汉》，错综变化，冠绝百世。要其学出安定，而实渊于毗陵，则未尝无所因也。柳州初工骈体，后乃笃志古文，其才气凌厉，足以抗韩。至于学识根柢，逊韩多矣。同时若刘宾客，才辨纵横，间以古藻，亦柳之亚。元相滔滔清绝，开宋人一派。李、皇甫皆学昌黎，而一得其理，一得其辞，亦各自成门径。牛相文笔刻露，议论透辟。沈下贤喜为小篇，戛然自异。

潘光统《唐音类选》（明嘉靖本）黄佐序云：中唐之诗，德宗为朱时则内阉外镇，承弊擅权，虽欲拨乱，而不能自强。其后弈叶，辅导无人。迄于元和，宪宗得裴度，始建淮西之勋，而番夷横犷，莫或遏之。故其音悲以壮，其词郁以幽。前有刘长卿之峻洁，后则有韩愈之博大，柳宗元之超旷，皆其最也。

王闿运《湘绮楼说诗》（成都日新社代印本）卷一：韩愈并推李、杜，而实专于杜，但袭粗迹，故成枯犷。卢仝、刘叉，得汉谣之恢奇。孟郊刻瘦，赵壹、程晓之支派。白居易歌行，纯似弹词，《焦仲卿妻》诗所滥觞也。五言纯用白描，近于高彪、应璩，多令人厌，无文故也。……应物《郡斋忆山中》诗，淡远浅妙，亦从陶出，他不称是，非名家也。卷五：看中唐五律，别有门径，真苦吟人语如八家文也。又看中唐后诸家诗，同李贺者不少，盖风气自开此一派。

施补华《岘佣说诗》（《清诗话》本）：大历刘、钱古诗亦近摩诘，然清气中时露工秀，“澹”字、“远”字、“微”字皆不能到，此所以日趋于薄也。七律至中唐而极秀，亦至中唐而渐薄。盛唐之浑厚，至中唐日散；晚唐之纤小，自中唐日开。故大历十子七律，在盛衰关头，气运使然也。退之五古，横空硬语，妥帖排奡，开张处过于少陵，而变化不及。中唐以后，渐近渐薄，得退之而中兴。

丁仪《诗学渊源》（《民国诗话丛编》，上海书店2002）卷八：刘长卿、韦应物等，或尚冲淡，或尚质实，乃渐易建安齐梁之貌，成为唐人创体。至大历十才子，复寻其旧。其时又当子美晚年，建安一体犹有作者，而顾况、李益、王建诸人皆无所偏废。至元和间，韩、柳以复古自任，然古诗非复建安之旧，特盛唐子美之遗，此其一体也。长吉宗太白，参以《离骚》，奇诡瑰丽，此其又一体也。微之上溯初唐，远宗郭、左，绮丽缜密，间效齐梁，亦类王维，此又一体也。

陈衍《石遗室诗话》（辽宁教育出版社1998）卷一七：大历十子，笔意略同。元和以降，又各人各具一种笔意，昌黎兼有清妙、雄伟、磊砢三种笔意。

李怀民《中晚唐诗主客图序》（《丛书集成续编》本）：唐之盛也，道德浑于意中，和乐浮于言外；及其衰也，气节形为激烈，名义著为辩说。而凡李义山、段成式、温飞卿、韩致尧等淫词艳语，不足以淆之。故余定中晚唐以后人物，有似孔门之狂狷。韩退之、卢仝、刘叉、白乐天，狂之流也；孟东野、贾岛、李翱、张水部，狷之流也。后世人不识。或指其言为俗劣，为粗鄙，为直率，为妄诞。呜呼，是皆浮沉世故、居心不正者，徒以香情丽质为雅耳。

第一章

唐玄宗天宝十五载至唐代宗大历十四年（756—755）共24年

·引　言·

皎然《诗式》（《历代诗话》本）卷四：大历中，词人多在江外，皇甫冉、严维、张继素、刘长卿、李嘉祐、朱放，窃占青山白云，春风芳草，以为己有。吾知诗道初丧，正在于此，何得推过齐、梁作者？迄今余波尚寖，后生相效，没溺者多。大历末年，诸公改辙，盖知前非也。

范晞文《对床夜话》（《历代诗话续编》本）卷二：李、杜之后，五言当学刘长卿、郎士元，下此则十才。

严羽《沧浪诗话》（《历代诗话》本）《诗评》：大历之诗，高者尚未失盛唐，下者渐入晚唐矣。

胡仔《苕溪渔隐丛话》（人民文学出版社1962）前集卷二：《浪斋日记》云：为诗欲词格清美，当看鲍照、谢灵运。欲浑成而有正始以来风气，当看渊明。欲清深闲淡，当看韦苏州、柳子厚、孟浩然、王摩诘、贾长江。欲气格豪逸，当看退之、李白。欲法度备足，当看杜子美。欲知诗之源流，当看《三百篇》及《楚词》、汉魏等诗。前辈云：建安才六七子，开元数两三人。前辈所取其难如此。予尝与能诗者论书止于晋，而诗止于唐。盖唐自大历以来，诗人无不可观者，特晚唐气象衰茶耳。

胡震亨《唐音癸签》（上海古籍出版社1981）卷七：详大历诸家风尚，大抵厌薄开、天旧藻，矫入省净一涂。自刘、郎、皇甫以及司空、崔、耿，一时数贤，窍籁即殊，于喁非远，命旨贵沉宛有含，写致取淡冷自送，玄水一歃，群醨覆杯，是其调之同。而工于浣濯，自艰于振举，风干衰，边幅狭，端诣五言，擅场饯送，外此无他大篇伟什岿望集中，则其所短尔。又卷一一引王敬美云：至于大历十才子，其间岂无盛唐之句，盖声气犹未相隔也。学者固当严于格调，然必谓盛唐人无一语落中，中唐人无一语入盛，则亦固哉。又卷二五：十才子如司空附元载之门，卢纶受韦渠牟之荐，钱起、李端入郭氏贵主之幕，皆不能自远权势。考刘长卿尝为鄂岳观察吴仲孺诬奏系狱，朝遣御史就推得白。仲孺正令公埒，岂长卿生素刚婞，不屑为随十才子后，曳裾令公门下欤？亦可微窥诸人之品矣。又卷二六：大历才子接开、宝诸公想倡和后，未可缕指。钱起、司空曙之于王维，戎昱之于杜甫，其尤著者。

《诗薮》卷四：大历以还，易空疏而难典赡；景龙之际，难雅洁而易浮华。盖齐、梁代降，沿袭绮靡，非大有神情，胡能荡涤。唐大历后，五七言律尚可接翅开元，惟排律大不竞。钱、刘以降，篇什虽盛，气骨顿衰，景象既殊，音节亦寡。韩、白诸公，虽才力雄赡，渐流外道矣。外编卷三：《卢纶传》云：纶与吉中孚、韩翃、钱起、司空曙、苗发、崔峒、耿沣、夏侯审、李端，号大历十才子。纶户部郎中，起考功郎中，发都官员外，峒右补阙，沣右拾遗，审侍御史，宦俱不甚显。独中孚侍郎，翃知制诰差著，而端竟终杭州司马。当是时，秦系、刘方平俱布衣，顾况司户、于鹄从事、张南史参军厄尤甚焉，右中唐诗人之穷者嗣是。权、武、裴、元、韩、白诸公，骤显元和，遂以中兴。继之，郊寒、岛凭、籍盲、仝枉，二李（贺、观）、欧阳并夭，其穷益又甚矣。

《艺苑卮言》卷四：诗至大历，高、岑、王、李之徒，号为已盛，然才情所发，偶与境会，了不自知其堕者。如“到来函谷愁中月，归去磻溪梦里山”、“鸿雁不堪愁里听，云山况是客中过”、“草色全经细雨湿，花枝欲动春风寒”非不佳致，隐隐逗漏钱、刘出来。至“百年强半仕三已，五亩就荒天一涯”，便是长庆以后手段。吾故曰：“衰中有盛，盛中有衰，各含机藏隙。盛者得衰而变之，功在创始；衰者自盛而沿之，弊繇趋下。”

《唐诗品汇》叙目：大历以还，古声愈下，独张籍、王建二家体制相似，稍复古意，或旧曲新声，或新题古义，词旨通畅，悲欢穷泰，慨然有古歌谣之遗风，皆名为乐府。虽未必尽被于弦歌，是亦诗人引古以讽之义欤，抑亦唐世流风之变而得其正也欤？

钱谦益《牧斋初学集》（上海古籍出版社 1985）卷三二《曾房仲诗序》：自唐以降，诗家之途辙，总萃于杜氏。大历后以诗名家者，靡不由杜而出。韩之《南山》，白之讽喻，非杜乎？若郊，若岛，若二李，若卢仝、马异之流，盘空排奡，横从谲诡，非得杜之一技者乎。

侯方域《壮晦堂文集》（四部备要本）卷三《与陈定生论诗书》：惟七言绝句，初无盛、晚，唐人已分为两种，太白、龙标自为一种。大历而后，刘梦得最为擅场，又自一种。当时皆翻入乐部，韵调出人，无嫌轻婉，然亦须灏气写其远情可也。

方世举《兰丛诗话》（《清诗话续编》本）：大历十子一派，言律者推为极则。然名上驷而实下乘，状貌端严似且胜杜，究之枯木朽株，装塑佛老耳。望之俨然，即之无气，安得如杜之千秋下犹凛然有生气耶？

鲁九皋《诗学源流考》（《清诗话续编》本）：大历而后，风格渐降，独韦应物以古诗称于时。其诗专师陶公，兼取谢氏，前人所谓“发秾纤于简古，寄至味于淡泊”，“气象近道”，盖卓乎不为时域者也。其扬王、孟之余波者，刘长卿犹不失雅正，而钱起次之。钱起与耿沣、卢纶、韩翃、李端、司空曙、吉中孚、苗发、崔峒。夏侯审并称“十才子”。然十子之中，不无利钝，而足与钱、刘相羽翼者，李嘉祐、皇甫兄弟。

王士祯《分甘余话》（中华书局 1977）卷三：唐大历十才子，传闻不一。江邻几《杂志》乃卢纶、钱起、郎士元、司空曙、李益、李端、李嘉祐、皇甫曾、耿沣、苗发、吉中孚共十一人，或又云有夏侯审。按发、审诗名不甚著，未可与诸子颉颃。且皇甫兄弟齐名，不应有曾而无冉。又韩翃同时盛名而亦不之及，皆不可解。

沈德潜《唐诗别裁集》（上海古籍出版社 1979）卷一四：诗贵一语百媚，大历十才子是也；尤贵一语百情，少陵、摩诘是也。

《石洲诗话》卷一：盛唐之后，中唐之初，一时雄俊，无过钱、刘，然五言秀绝，固足接武，至于七言歌行，则独立万古，已被杜公占尽。仲文、文房皆浥右丞余波耳，然却亦渐于转调伸缩处微微小变，诚以熟到极处不得不变，虽才力各有不同，而源委未尝不从此导也。王、孟诸公，虽极超诣，然其妙处，似犹可得以言语形容之。独至韦苏州，则其奇妙，全在淡处，实无迹可求，不得已则取徐迪功所谓'朦胧萌拆，浑沌贞粹'八字，或庶几可仿象乎。卷二云：大历十才子，卢纶、司空曙、耿沣、李端诸公一调；韩君平风致翩翩，尚觉右丞以来格韵去人不远；皇甫兄弟，其流亚也；郎君胄亦平雅；独钱仲文当在十子之上。

《读雪山房唐诗序例》：大历诸子兼长七言古者，推卢纶、韩翃，比之摩诘、东川，可称具体。独刘随州通篇少振拔处，亦笔力限于天授也。又云：大历诸子，实始争工字句。然隽不伤炼，巧不伤纤，又通体仍必雅令温醇，耐人吟讽，不似元和以后，但得一联称意，便'匆匆不暇草书'，以致全无气格也。贾长江号为苦吟，而每篇必有败阙，况其下乎？又云：大历十子，所传互异，而皆不及随州。或以长卿为开、宝进士，行辈略先。顾钱仲文与摩诘联吟，皇甫茂政与独孤至之赠答，而皆居其冠，何也？今就诗而论，且用五七言律定之，当以刘长卿、钱起、郎士元、皇甫冉、李嘉祐、司空曙、韩翃、卢纶、李端、李益前后十人为定，而皇甫曾、耿沣、崔峒辈为附庸，苗发、吉中孚、夏侯胜略之可也。又云：大历诸公，善于言情，工于选料。学为七律者，从此进步，可以涤去尘俗；自此而之乎开、宝，则沿河入海矣。

《静居绪言》：大历间诗，风格又变，近体则征声选色，古诗则片甲一鳞，拙以冗长，巧以用短。

赵执信《谈龙录》（《清诗话》本）：声病兴而诗有町畦。然古、今体之分，成于沈、宋。开元、天宝间，或未之遵也。大历以还，其途判然，不复相入。句法须求健举，七言古诗尤亟然。歌行杂言中，优柔舒缓之调，读之可歌可泣，感人弥深。如白氏及张、王乐府具在也。今人几不知有转韵之格矣，此种音节，惧遂亡之，奈何。

《瀛奎律髓汇评》卷二九引纪昀曰：诗至大历十才子，浑厚之气渐尽，惟风调胜后人耳。

《说诗晬语》卷上：大历后，渐近收敛，选言取胜，元气未完，辞意新而风格自降矣。刘随州工于铸语，不伤大雅，然"老至居人下，春归在客先"，"万里通秋雁，千峰共夕阳"，名俊有余，自非盛唐人语。

潘德舆《养一斋诗话》（《清诗话续编》本）卷七：大历十才子，卢纶第一，吾乡吉侍郎第二，卢诗清高，可以与刘文房匹，不愧称首。吉尝荐卢于朝，卢集忆吉诗甚多，两人尤相契也。卢称吉"新诗满帝乡"，又云"侍郎文章宗，杰出淮楚灵"，定非虚誉。然吉诗传于今者，惟《送归中丞使新罗》一首。……此诗起四句，剧有气岸，"岛中"二语，尤雄杰称题。……要其通幅气体宏阔，与盛唐巨手相似，无中、晚疲苶态也。又侍郎弃黄冠而返儒服，非有识力者不能，而李端转作诗以讥之曰："还乡见鸥鸟，应愧背船飞"，此等议论，似高实谬。即此以衡端，同在十才子，而识力不逮远矣。

潘德舆《养一斋李杜诗话》（《清诗话续编》本）卷二：周氏敬曰："少陵七言律，如八音并奏，清浊高下，种种具陈，真有唐独步也。然其间半入大历后格调，实开中晚滥觞之端。"按中晚七律能手，如刘宾客、柳柳州、白乐天、王仲初、许丁卯、杜紫薇、温八叉、罗昭谏之流，皆绝不学杜，非杜诗开之也。略能学杜而涉其藩篱者，惟一李义山，遂为晚唐七律之冠。杜之七律，何误于人？周氏不加详考，径立议论，妄矣！张氏远曰："杜诗七言律，往往入《竹枝》、乐府，如《十二月一日三首》之类，俱有厚力深思，浅学不能及，亦不可学。"观此则杜律有不可学者，或坐古质太过耳，乌得谓滥觞中晚乎？中晚流易纤秾，惟不学杜故至此，今转以为杜罪，岂不冤哉！

刘熙载《艺概》（上海古籍出版社 1978）卷二诗概：钱仲文、郎君胄大率衍王、孟之绪，但王、孟浑成，却非钱、郎所及。王、孟及大历十子诗，皆尚清雅，惟格止于此而不能变，故未足笼罩一切。

《四库全书总目》卷一五〇《钱仲文集》提要（以下简称《四库提要》）：大历以还，诗格初变，开、宝浑厚之气，渐远渐离，风调相高，稍趋浮响。升降之关，十子实为之职志。起与郎士元其称首也。然温秀蕴藉，不失风人之旨，前辈典型，犹有存焉。

《诗学渊源》卷八：自大历十才子下逮中、晚，师古者每取风、骚，近体则更效齐、梁，以词藻相尚，虽性灵未泯，而刻露渐甚，建安、黄初之风于是渺矣。

公元 756 年（唐玄宗天宝十五年　唐肃宗至德元年　丙申）

正月

安禄山称大燕皇帝，建元圣武（《资治通鉴》卷二一七）。

李白时年五十六，此月或稍后，有诗《北上行》；至华州，写有《古风》之一九《西上莲花山》诗；不久，避乱南奔，有《奔亡道中五首》。三月，至宣城，往来当涂、溧阳间，有诗《猛虎行》、《扶风豪士歌》等。后将赴越，又有诗《经乱后将避地剡中留赠崔宣城》。【西上莲花山】萧士赟《分类补注李太白诗》（四库本）卷二："太白此诗似乎记实之行，岂禄山入洛阳之时，太白适在灵台观乎。"徐祯卿评："此篇刺玄宗也。"朱谏《李诗选注》（明隆庆六年刻本）卷一："赋也。此太白悼禄山之陷东京，而幸己之不与其难。"陆时雍《唐诗镜》（四库本）卷二："有情可观，无迹可履，此古人落笔佳处。"王琦注《李太白全集》（中华书局 1977）卷二："此诗大抵是洛阳破没之后所作，胡兵谓禄山之兵，豺狼谓禄山所用之逆臣。萧氏以胡兵为回纥，以'豺狼尽冠缨'为用官爵赏功，不分流品，似未是。"【奔亡道中五首】唐汝洵《唐诗解》（河北大学出版社 2001）卷二一："奔亡之余，难以返国，故以苏武、田横自比。"王琦注《李太白全集》卷二二："太白意谓函谷之地，已为禄山所据，未知何日平定，得能生入此关。洛川、嵩岳之间，不但有同边界，而风俗人民，亦且渐异华风。已之所以从永王者，欲效申包恸哭乞师，以救国家之难耳，自明不敢有他志也，其心亦可哀矣。"【猛虎行】《分类补注李太白诗》卷六："此诗似非太白之作，用事既无伦理，徒尔肆为狂诞之辞，首尾不相照应，脉络不相贯串，语意斐率，悲欢失据，必是他人之诗窜入集中，岁久难别，前辈识者苏东坡、黄山谷于《怀素草书》、《悲来乎》、《笑矣乎》等作，尝致辩矣。愚于此篇，有疑焉，因笔于此，以俟知者。”王琦注《李太白全集》卷六：“是诗当是天宝十五载之春，太白与张旭相遇于溧阳，而太白又将遨游东越，与旭宴别而作。”曾国藩《求阙斋读书录》（《曾国藩全集》，北京出版社2004）卷七：“《猛虎行》多言不以艰险改节，太白此诗则自伤不遇耳。”【扶风豪士歌】《分类补注李太白诗》卷七：“此太白避乱东土时，言道路艰阻，京国乱离，而东土之太平自若也。”胡震亨《李诗通》（《李杜诗通，顺治七年刻本》）卷一七：“洛阳光景，作快活语，在杜甫不会，在李白不可”；《诗辩坻》卷三：“方叙东奔，忽著‘东方日出’二语，奇宕入妙。此等乃真太白独长。”《李诗纬》卷二应时评：“《扶风豪士歌》叙事叙情不著意，起结洵是歌体。”丁谷云评：“七古变化，当推此第一。”赵执信《声调谱》（《清诗话》本）：“此歌行之极则，神变不可方物矣。”延君寿《老生常谈》（《清诗话续编》本）：“第四句方趁势入题，用笔用法，最宜留心。”《北江诗话》卷三：“李白《扶风豪士歌》在吴中所作，非赠人也。”《王闿运手批唐诗选》（上海古籍出版社1989）卷八：“避乱时忽睹太平景象，故有此咏，然吴国何以有扶风人，尚须提明。”高步瀛《唐宋诗举要》（上海古籍出版社1959）卷二引吴汝纶评：“‘城门’句，接笔闲雅，章法奇变。观‘清水白石’句，知此豪士非太白知己也。”【经乱后将避地剡中留赠崔宣城】《李诗选》（杨慎批点《李太白诗选》，明嘉靖本）：“梁虞骞诗‘落晖散长足，细雨斜织纹’，太白亦用其字，然其惊人泣鬼，则刘勰所谓自制。”《唐诗解》卷四：“此避乱隐身招引同志也。天宝之末，几同永嘉；禄山之奸，无减石勒，故借晋事为喻，言乱征始见，而胡雏谋逆，遂乱至扰中原，焚毁宗庙，民人流离，白骨相吊，丧乱极矣。故我欲如鹏之高举，豹之深藏，以全身于乱世。”周珽集注、陈继儒批点《删补唐诗选脉笺释会通评林》（明崇祯八年刻本）“盛唐五古五”周启琦评：“布格摹词，几许识力，古色复尔苍然。”《唐宋诗醇》卷五：“奇辞络绎，行之以苍峭之气，直达所怀，绝无长语，谢朓惊人，此故不减。”

杜甫时年四十五，自奉先归京，仍官右卫率府胄曹参军，写有诗《苏端薛复筵简薛华醉歌》。【苏端薛复筵简薛华醉歌】仇兆鳌《杜诗详注》（中华书局1979）卷四：“杜诗格局整严，脉络流贯，不特律体为然，即歌行布置，各有条理。如此篇首提端复，是主，再提薛华，是宾，又拈少年诸生，则兼及一时座客。其云悲笑忧乐，腰尾又互相照应，熟此可悟作法矣。”又引杨慎曰：“此诗本是东山李白，俗本改作山东。乐史序《李白集》云：‘白客游天下，以声妓自随，效谢安石风流，自号东山，时人遂以东山李白称之。子美诗句，正因其自号而称之耳。流俗不知而妄改，近世作《一统志》，遂以李白入山东人物，而反引杜诗为证，几于郢书燕说矣。”又引钱谦益曰：“按《旧书》，白，山东人，父为任城尉，因家焉……近时杨慎，据李阳冰、魏颢序，欲以为东山李白……此亦偶然题目，岂可援为称谓乎？杨好奇曲说，不足取也。”又引李东阳《麓堂诗话》：“唐士大夫，举世为诗，而传者可数，其不能者弗论，虽能者亦未必尽传。高适、严武、韦迢、郭受之诗，附诸杜集皆有可观。子美所称与，殆非溢美。惟高诗在选者，略见于世，余则未之见也。至苏薛乃谓其文章有神，薛华与李白并称，

而无一字可传，岂非有幸不幸耶?”张溍《读书堂杜诗注解》（道光刻本）卷三：“纵横排宕，却有律法井井，想见得心应手之妙。”

二月

郎士元、皇甫冉、令狐峘、关播、封演、李征、袁傪、刘舟、殷少野等三十三人登进士第；时礼部侍郎杨浚知贡举，试《东郊迎春》诗。见徐松《登科记考》（中华书局 1984）卷九及岑仲勉《登科记考订补》（《历史语言研究所集刊》第 11 本）、孟二冬《登科记考补正》（北京燕山出版社 2003）。

韦述撰《集贤注记》三卷。陈振孙《直斋书录解题》（上海古籍出版社 1987）卷六：“《集贤注记》三卷。唐集贤院学士韦述撰。叙置院始末、学士名氏及院中故事。”王应麟《玉海》（四库本）卷四八：“学士韦述纪置院经始，及开元天宝中学士名氏，皆随文注释。韦述自登书府至天宝十五载，凡四十年。缅想同时，凋亡已尽，后来贤彦，多不委书院本末。岁月渐久，或虑湮沉，敢因东观之暇，聊记置院经始及前后学士名氏。事皆亲睹，不敢遗隐。”

三月

王维时年六十五，在长安官给事中，有诗《左掖梨花》。丘为（时年约五十五）《左掖梨花》题注：“同王维、皇甫冉赋。”皇甫冉（时年三十九）有《和王给事禁省梨花咏》。【左掖梨花】（王维作）《唐诗归》卷九钟惺评：“无限怜惜。”徐用吾《精选唐诗分类评释绳尺》（明万历刻本）：“词意自足。”杨逢春《唐诗偶评》（卧游轩钞本）：“首二借草兴风，烘托梨花，言外含闲曹无事，碌碌随人意。三、四借未央宫映合左掖，言外含望君进用意。”【左掖梨花】（丘为作）张天菻《唐贤清雅集》（乾隆刻本）：“寄意深婉，得力全在一‘且’字。”黄叔灿《唐诗笺注》（乾隆刻本）：“轻倩入妙。”李攀龙、叶羲昂《唐诗直解》（乾隆刻本）：“首句咏茂盛而白，次句咏烂漫而香。‘且莫定’，嘱风之力吹向玉阶，不使零落泥途，有借华飞以喻进君意。”【和王给事禁省梨花咏】《唐诗直解》：“花开如笑，恍似迎人。花飞似蝶，况与色同。藉春风而入户，当玉阶而落衣，闲闲情致，淡淡传写，各有情致。”

春

独孤及时年三十二，为华阴尉，有诗《雨后公超谷北原眺望寄高拾遗》。高拾遗，即高适，时年五十七。《旧唐书·高适传》：“禄山之乱，征翰讨贼。拜适左拾遗，转监察御史，佐哥舒翰守潼关。及翰兵败，适自骆谷西驰，奔赴行在，及河池郡，谒见玄宗，因陈潼关败亡之势曰……玄宗嘉之，寻迁侍御史。至成都，八月，制曰：……可谏议大夫，赐绯鱼袋。适负气敢言，权幸惮之。二年，永王璘起兵于江东，欲据扬州。初，上皇以诸王分镇，适切谏不可。及是永王叛，肃宗闻其论谏有素，召而谋之。适因陈江东利害，永王必败。上奇其对，以适兼御史大夫、扬州大都督府长史、淮南节

度使。诏与江东节度来瑱率本部兵平江淮之乱，会于安州。师将渡而永王败，乃招季广琛于历阳。”

六月

八日，哥舒翰兵败潼关。次日为部将所执出降。李华年约四十一，时为哥舒翰掌书记，被叛军所获，授以凤阁舍人。稍后，郑虔、卢象等陷落长安，受伪职。《全唐文》（董诰等，中华书局 1984）卷三二一李华《祭刘左丞文》：“哥舒表华，掌记辕门。……举族在此，惧为祸原。竟迫方寸，孤天负恩。”《毗陵集》（四库本）卷一三《李华中集序》：“时继太夫人在邺。初，潼关败书闻，或劝公走蜀，诣行在所。公曰：‘奈方寸何！不若间行问安否，然后辇母安舆而逃。’谋未果，为盗所获。”《太平广记》（李昉等，中华书局 1961）卷八二引《广异记》：“禄山反，收诸官吏赴洛阳。虔时为著作郎，抑授水部郎中。”

十三日，玄宗自长安奔蜀。十五日，至马嵬驿，兵变，杀杨国忠，命杨贵妃自尽。留太子李亨而自赴蜀。贾至时年三十九，从玄宗幸蜀，拜起居舍人，知制诰。八月，在成都作《肃宗皇帝即位册文》，旋即奉册命赴灵武，有诗《自蜀奉册命往朔方途中呈韦左相文部房尚书门下崔侍郎》。

万齐融在越州，撰《唐法华寺玄俨律师碑》，后数年卒。计有功《唐诗纪事》（中华书局 1965）卷一七：“神龙中，知章与越州贺朝、万齐融，扬州张若虚、邢巨，湖州包融，俱以吴越文词俊秀，名闻上京。朝方山阴尉，齐融崑山令。”《国秀集》卷中录万齐融诗二首。《全唐诗》卷一一七录其诗四首，《全唐文》卷三三五录其文两篇。

七月

太子李亨即位于灵武，改元至德，是为肃宗。

颜真卿年四十八，拜工部尚书兼御史大夫、平原郡太守、河北招讨采访处置等使。作有《皇帝即位贺上皇表》、《修书帖》。

八月

杜甫陷身长安贼中，写有诗《月夜》。五月，避乱于奉先，携家往白水，写有诗《白水崔少府十九翁高斋三十韵》。七月，自白水携家赴鄜州，有诗《三川观水涨二十韵》。八月，自鄜州赴行在，为乱军所俘。九月，作诗《哀王孙》。【月夜】吴瞻泰《杜诗提要》（台湾大通书局杜诗丛刊本）卷七：“怀远诗，说我忆彼，意只一层；即说彼忆我，意亦只两层。唯说我遥揣彼端忆我，意便三层。又遥揣彼不知忆我，则层折无限矣。此公陷贼中，本写长安之月，却偏写鄜州之月，本写自己独看，却偏写闺中独看，已得遥揣神情。三、四又脱开一笔，以儿女之不解忆，衬出空闺之独忆，故云‘云鬓湿’、‘玉臂寒’而不知也。沉郁顿挫，写尽闺中深情苦境。”刘浚《杜诗集评》（台湾大通书局杜诗丛刊本）卷七引李因笃云：“苦语写来不枯寂，此盛唐所以擅场也。犹善画者，古木寒鸦，正是须一倍有致。”蒋衡《拙存堂文集·杜诗纪闻》：“此在长安月夜忆鄜州也。翻从鄜州说起，又不说闺中忆我，却说不解忆长安。忆鄜州，正面也；忆长安，对面也。去此两层单写旁面小儿，离奇变化，益见深情苦忆，笔法不可思议矣，……古人善用反笔，善用旁笔，故有隐笔，有奇笔，今人曾梦见否？”浦起龙《读杜心解》（中华书局 1961）卷三：“心已驰骋到彼，诗从对面飞来，悲婉微至，精丽绝伦，又妙在无一字不从月色照出也。”《瀛奎律髓汇评》卷二二纪昀评：“入手便摆落现境，纯从对面著笔，蹊径甚别。后四句又纯微预拟之词，通篇无一笔著正面，机轴奇绝。”【哀王孙】王嗣奭《杜臆》（上海古籍出版社 1962）卷二云：“通篇哀痛顾惜，潦倒淋漓，似乱而整，断而复续，无一懈语，无一死字，真下笔有神。”《唐诗别裁集》卷六：“一韵到底，诗易平直，此独波澜变化，层出不穷，似逐段转韵者，七古能事已毕。”《诗镜总论》：“太白七古，想落意外，局自变生，真所谓驱走风云、鞭挞海岳，其殆天授，非人力也。少陵《哀江头》、《哀王孙》，作法最古，然琢削磨砻，力尽此矣。”《唐音癸签》卷九：“乐府则太白擅奇古今，少陵嗣迹风雅，《蜀道难》、《远别离》等篇出鬼入神，惝恍莫测；《石壕吏》、《新婚别》、《哀王孙》等作，述情陈事，恳恻如见。”《师友诗传录》：“杜子美《哀江头》、《哀王孙》、《古栢行》、《剑器行》、《渼陂行》、《兵车行》、《洗兵马行》、《短歌行》、《同谷歌》等篇，皆前无古而后无今，安得谓唐无古诗乎？试取汉魏六朝絜量比较，气象终是不同，谓之唐人之古诗则可，沧溟先生其知言哉。”【三川观水涨二十韵】《杜诗详注》卷四引卢元昌曰“时禄山作乱，神州有板荡之象。篇中云‘声吹鬼神下’，阴长阳消也。‘势阅人代速’，世事沧桑也。‘何以尊四渎’，无复朝宗也。‘反惧江海覆’，中原陆沉也。‘云雷屯未已’，建侯不宁也。‘普天无川梁’，拯挽无人也。语意显然。”又引王嗣奭曰：“此诗之佳，在摹写刻深，如声吹势阅二句，无人能道，然终与唐人分道而驰。比之画马，他人皆画肉，而公则画骨，此其超出唐人者，肉易识，骨不易识也。”

王维陷长安，被送置洛阳菩提寺，受伪职。有诗《菩提寺禁裴迪来相看说逆贼等凝碧池上作音乐供奉人等举声便一时泪下私成口号诵示裴迪》。《旧唐书》卷一九〇王维本传：“玄宗出幸，维扈从不及，为贼所得。维服药取痢，伪称瘖病。禄山素怜之，遣人迎置洛阳，拘于普施寺，迫以伪署。禄山宴其徒于凝碧宫，其工皆梨园弟子、教坊工人。维闻之悲恻，潜为诗曰……贼平，陷贼官三等定罪，维以凝碧诗闻于行在，肃宗嘉之。会缙请削己刑部侍郎以赎兄罪，特宥之，责授太子中允。”【菩提寺禁裴迪来相看说逆贼等凝碧池上作音乐供奉人等举声便一时泪下私成口号诵示裴迪】王鏊《震泽长语》（四库本）：“‘凝碧池头奏管弦，’不言亡国，而亡国之意溢于言外，得风人之旨矣。”李沂《唐诗援》（明末刻本）：“有无限说不出处，而满腔悲愤俱在其中，非摩诘不能为。”

九月

储光羲年约五十一，自长安南奔江汉，有诗《登秦岭作时陷贼归国》、《留别安庆李太守》、《奉别长史庾公太守徐公应召》等。

韦应物年约三十一，离家避乱，有诗《九日》。

皇甫冉至越州，有诗《宿严维宅送包七》。包七，包佶，时年二十九。王尧衢《唐诗合解笺注》（河北大学出版社 2000）卷一二：“皇甫、包七同在他乡客馆，是同避地者也。客中送客，分手愈多依恋。……我不归而君去，不又增人惆怅乎？”

十月

房琯兵败咸阳陈涛斜，杜甫作《悲陈陶》、《悲青坂》、《对雪》等诗。《资治通鉴》卷二一九：“房琯以中军、北军为前锋，庚子，至便桥。辛丑，二军遇贼将安守忠于咸阳之陈涛斜。琯效古法，用车战，以牛车二千乘，马步夹之；顺风鼓噪，牛皆震骇，贼纵火焚之，人畜大乱，官军死伤者四万余人，存者数千而已。癸卯，琯自以南军战，又败。”【悲陈陶】王应麟《困学纪闻》（辽宁教育出版社 1998）卷一八：“少陵善房次律，而《悲陈陶》一诗不为之隐；昌黎善柳子厚，而《永贞行》一诗不为之讳。公议之不可掩也如是。”《唐文粹》卷九五元稹《乐府古题序》：“近代惟诗人杜甫《悲陈陶》、《哀江头》、《兵车》、《丽人》等，凡所歌行，率皆即事名篇，无有倚傍。”《苕溪渔隐丛话》前集卷一：“《蔡宽夫诗话》云：齐梁以来，文士喜为乐府辞，然沿袭之久，往往失其命题本意。……盖辞人例多事语言，不复详研考，虽李白亦不免此。惟老杜《兵车行》、《悲青坂》、《无家别》等数篇，皆因事自出己意，立题略不更蹈前人陈迹，真豪杰也。”

十二月

李白入永王李璘幕，有诗《赠韦秘书子春》、《别内赴征三首》。玄宗曾于七月下诏，以永王李璘为江陵府都督，统山南东路、黔中、江南西路等节度大使。李璘移师广陵，途经庐山，遣韦子春说李白入幕，时李白隐居庐山屏风叠，有诗《赠王判官时余归隐居庐山屏风叠》。是年夏秋，李白有诗《赠王判官时余归隐居庐山屏风叠》、《杭州送裴大泽时赴卢州长史》、《赠常侍御》、《感时留别从兄徐王延年从延陵》等。或谓李白《菩萨蛮》、《忆秦娥》作于此间。《历代诗余》（沈辰垣等，上海书店 1985 年影印康熙刻本）卷一〇一引郑樵《通志》云：“李白《草堂集》，白蜀人，草堂在蜀，怀故国也。《菩萨蛮》、《忆秦娥》二首，为百代词曲之祖。”《少室山房笔丛正集》卷二五：“今诗余名《望江南》，外《菩萨蛮》、《忆秦娥》称最古，以《草堂》二词出太白也。近世文人学士或以为实然。余谓太白在当时直以风雅自任，即近体盛行，七言律鄙不肯为，宁屑事此？且二词虽工丽，而气衰飒，于太白超然之致，不啻穹壤。藉令真出青莲，必不作如是语。详其意调，绝类温方城辈，盖晚唐人词嫁名太白，若怀素《草书》、李赤《姑孰》耳。原二词嫁名太白有故，《草堂词》宋末人编，青莲诗亦称《草堂集》，后世以二词出唐人而无名氏，故伪题太白以冠斯编也。”《艺概》卷四“词曲概”：“梁武帝《江南弄》、陶弘景《寒夜怨》、陆琼《饮酒乐》、徐孝穆《长相思》，皆具词体，而堂庑未大。至太白《菩萨蛮》之繁情促节，《忆秦娥》之长吟远慕，遂使前此诸家悉归环内。”“太白《菩萨蛮》、《忆秦娥》两阕，足抵少陵《秋兴八首》。想其情境，殆作于明皇西幸后乎？”“太白《忆秦娥》，声情悲壮。晚唐、五代惟趋婉丽，至东坡始能复古。后世论词者，或转以东坡为变调，不知晚唐、五代乃变调也。”陈廷焯《白雨斋词话》（上海古籍出版社 1984）卷五：“太白《菩萨蛮》、《忆秦娥》两阙，神在个中，音流弦外，可谓为词中鼻祖。”王国维《人间词话》（人民文学出版社 1960）卷上：“太白纯以气象胜。‘西风残照，汉家陵阙’寥寥八字，遂关千古登临之口。后世唯范文正之《渔家傲》，夏英公之《喜迁莺》，差足继武，然气象已不逮矣。”

崔涣巡抚江南，补授官吏，刘长卿授为长洲尉。刘时年约三十九，是年有诗《吴中闻潼关失守因奉寄淮南萧判官》、《送李侍御贬鄱阳》、《送史判官奏事之灵武兼寄巴西亲故》、《送李挚赴延陵令》、《送陆羽之茅山寄李延陵》、《避地江东留别淮南使院诸公》等。

崔峒参选，有诗《扬州选蒙相公赏判雪后呈上》。崔峒（生卒年不详），行八，恒州井陉人。天宝间避乱江南，大历初登进士第，从事恒州，入为拾遗、集贤学士。与钱起、卢纶等唱和，游于驸马郭暧之门。大历末、建中初曾奉使江淮访括图书。建中中为左补阙。贞元初贬潞州功曹参军，未几卒。《新唐书·艺文志》著录《崔峒诗》一卷。事迹见《中兴间气集》卷下、《新唐书》卷二〇三《卢纶传》、《唐诗纪事》卷三〇。

本年

王昌龄年约六十七，“以世乱还乡里，为刺史阎丘晓所杀”（《新唐书》卷二〇三王昌龄本传）。《全唐诗》卷一四〇至卷一四三录其诗为四卷。河世宁《全唐诗逸》（中华书局 1960）补其诗九首，断句三二句。王重民《补全唐诗》（陈尚君《全唐诗诗补编》，中华书局 1992）补二首，童养年《续补遗》（陈尚君《全唐诗诗补编》，中华书局 1992）卷三补一首，陈尚君《续拾》（陈尚君《全唐诗诗补编》，中华书局 1992）卷一三补二首又四句。《全唐文》卷三三二载其文六篇。《唐才子传》卷一：“昌龄工诗，绪密而思清，时称诗家夫子王江宁，盖尝为江宁令。与文士王之涣、辛渐交友至深，皆出模范，其名重如此。”殷璠《河岳英灵集》（上海古籍出版社 1978 年唐人选唐诗）卷中：“元嘉以还，四百年内，曹、刘、陆、谢，风骨顿尽，顷有太原王昌龄、鲁国储光羲颇从厥迹。且两贤气同体别，而王稍声峻。……奈何晚节不矜细行，谤议沸腾，垂历遐荒，使知音者叹息。”《唐诗品》：“伯天才流丽，音唱疏越。七言绝句，几与太白比肩。当时乐府采录无出其右。五言古与储光羲不相下，而稍逸致可采。高才玩世，流荡不持，卒取阎丘之祸。轻华之致，不并圭章，岂亦定见耶。”《诗镜总论》：“王龙标七言绝句自是唐人骚语。深情苦恨，襞积重重，使人测之无端，玩之无尽，惜后人不善读耳。”《唐诗归》卷一一钟惺曰：“龙标五言律，音节多似古诗，清骨闲情，时见其奥”；“龙标七言绝妙在全不说出，读未毕，而言外自前，可思可见矣，然亦终不说出。”《薑斋诗话》卷下：“七言绝句，唯王江宁能无疵颣；储光羲、崔国辅其次者。至若‘秦时明月汉时关’，句非不炼，格非不高，但可作律诗起句，施之小诗，未免有头重之病。若‘水尽南天不见云’、‘永和三日荡轻舟’、‘囊无一物献尊亲’、‘玉帐分弓射虏营'，皆所谓滞累，以有衬字故也。其免于滞累者，如'只今唯有西江月，曾照吴王宫里人'、'黄鹤楼中吹玉笛，江城五月落梅花'、'此夜曲中闻《折柳》，何人不起故园情'，则又疲苶无生气，似欲匆匆结煞。"《全唐风雅》："唐七言绝句当以王龙标为第一，以其比兴深远，得温柔敦厚之体，不但词语高古而已。"《载酒园诗话》又编："龙标古诗，乍尝螯口，久味津生，耐咀嚼，实在高、岑之上，徒赏其宫词，非高识也。"《诗筏》："晚唐七言绝句妙处，每不减王龙标。然龙标之妙在浑，而晚唐之妙在露，以此不逮。"又云："唐律多近古，然唐古风亦往往可截作律者。夫古诗可截作律诗，非古诗之至者也。如王少伯昌龄《别刘婿》云：'天地寒更雨，苍茫楚城阴。一樽广陵酒，十载衡阳心。倚伏不堪料，悲欢岂易寻。相逢成远别，后会何如今！'只此四十字，格高而味厚，是一首绝好五言律。以多却'身在江海上，云连帝京深。行当务功业，策马何骎骎'二十字，遂成古诗，便减价数倍。即此可悟律诗之妙，在言止而意犹不尽；古诗之妙，在止乎其所不得止也。"《唐诗别裁集》卷一九："龙标绝句，深情幽怨，意旨微茫，令人测之无端，玩之无尽，谓之唐人《骚》语可。"《诗辩坻》卷三："龙标七言古，气势太峻而才幅狭，然迅快流爽，又一格也。"《围炉诗话》卷二："王昌龄五古，或幽秀，或惨恻，或旷达，或刚正，或飘逸，不可物色。"《诗源辨体》卷一七："王昌龄五言古时入古体，而风格亦高，然未尽称善，平韵者间杂律体，仄韵者亦多鹤膝……七言绝多入于圣。"《诗学渊源》卷八："昌龄诗绪密而思清，与高适、王之涣齐名。……三人诗各倾动一时，乐府尤胜，虽体袭齐梁，而源实出晋宋之间，其古诗浸入魏晋。之涣缠绵多感，达夫雄浑自胜，而昌龄时兼二家之长。"

元结本年三十八，自商余山逃难，经襄阳入鄂州猗玗洞，作《虎蛇颂》，著《猗玗子》三篇。《颜鲁公文集》卷一一《元结表墓碑》："及羯胡首乱，逃难于猗玗洞。因招集邻里二百余家，奔襄阳。"《新唐书》卷一四三元结本传："天下兵兴，逃乱入猗玗洞，始称猗玗子。"《郡斋读书志》卷四上："元结，次山也，后魏之裔，天宝十三年进士，复举制科授右金吾兵曹，累迁容管经略使，始在商余山称元子，逃难入琦玗洞，称琦玗子，或称浪士、渔者，称为聱叟、酒徒，呼漫叟，及官呼漫郎，因以命其所著。结性耿介，有忧道闵世之意。逢天宝之乱，或仕或隐，自谓与世聱牙，岂独其行事而然，其文词亦如之。然其辞义幽约，譬古钟磬，不谐于俚耳，而可寻玩，在当时名出萧、李下，至韩愈称数唐之文人，独及结云。"

岑参本年四十岁，在北庭，为伊西北庭支度副使。其《优钵罗花歌序》云："天宝庚申岁，参忝大理评事，摄监察御史，领伊西北庭度支副使。"有诗《送张都尉东归》、《送四镇薛侍御东归》、《与独孤渐道别长句兼呈严八侍御》、《优钵罗花歌》、《首秋轮台》、《送郭司马赴伊吾郡请示李明府》等。【优钵罗花歌】《删补唐诗选脉笺释会通评林》"盛七古五"周珽评："此喻抱经济之奇才，远在边境，不得居朝廷之上，以展其才猷也。"引陆时雍云："喜其语有节制，一纵则无不之矣。"

李希仲避乱江淮。《唐诗纪事》卷二八："希仲，赵郡人。天宝初宰偃师，范阳赵戎，挈家避乱入江淮。"《中兴间气集》卷上录其诗三首，评曰："李诗轻靡，华胜于实。此所谓才力不足，务为清逸。然'前军飞鸟落，格斗尘沙昏'，亦出塞实录。亹亹不绝者，可及于中矣。"《全唐诗》卷一五八录其诗三首。

吴筠自嵩山避乱南来，栖止于庐山。途中有《建业怀古》；初至庐山，有诗《晚到湖口见庐山作呈诸故人》。其后数年，居庐山，有诗《酬叶县刘明府避地庐山言怀诒郑录事昆季荀尊师兼见赠之》、《游庐山五老峰》、《同刘主簿承介建昌江泛舟作》、《秋日彭蠡湖中观庐山》等。

许嵩于此年或稍后撰《建康实录》二〇卷。《四库提要》卷五〇："嵩自署曰高阳，盖其郡望，其始末则不可考。书中备记六朝事迹，起吴大帝，迄陈后主，凡四百年，而以后梁附之，六朝皆都建康，故以为名。其积算年数，迄唐至德元年丙申而止，则肃宗时人也。前有自序，谓今质正传旁采遗文，具君臣行事。事有详简，文有机要，不必备举。若土地、山川、城池、官苑，各明处所，用存古迹。其异事别闻，辞不相属，则皆注记，以益见知，使周览而不烦，约而无失云云。"

公元757年（唐肃宗至德二年　丁酉）

正月

安庆绪杀其父安禄山而代之。高适在淮南节度使任，作《贺安禄山死表》。二月，高适作《谢上淮南节度使表》。春，有诗《广陵别郑楚士》、《登广陵楼灵寺塔》。十月，张镐闻睢阳围急，檄浙东西、淮南、北海诸节度及谯郡太守闾邱晓使共救之，高适有诗《酬河南节度使贺兰大夫见赠之作》，促其进兵。《旧唐书·高适传》："其《与贺兰进明书》，令疾救梁宋，以亲诸军；《与许叔冀书》，绸缪继好，使释他憾，同援梁宋。"十二月，适有诗《见人臂苍鹰》。是年，高适荐权皋，皋即权德舆之父。《旧唐书·权皋传》："高适表试大理评事、淮南采访判官。"

二月

永王璘兵败被杀，李白自丹阳南逃，写有《南奔书怀》。上月，李白在永王幕中，写有《与贾少公书》、《永王东巡歌十一首》、《在水军宴赠幕府诸侍御》、《在水军宴韦司马楼船观妓》、《送羽林陶将军》等。【永王东巡歌十一首】《李诗选注》卷五："此白美永王璘承命而东巡也。"蔡正孙《诗林广记》（中华书局1982年排印本）卷三引《蔡宽夫诗话》云："太白之从永王璘，世颇疑之，《唐书》载其事甚略，亦不为明辨是否……然太白岂从人为乱者哉？盖其学本出纵横，以气侠自任，当中原扰攘时，欲藉之以立奇功耳。观其《东巡歌》中之语，亦可以见其志矣。"《唐音癸签》卷二五："太白永王璘一事，论者不失之刻，即曲为讳，失之诬。惟蔡宽夫之说为衷。……大抵才高意广如孔北海之徒，固未必有成功，而知人料事尤其所难。议者或责以璘之猖獗，而欲仰以立事，不能如孔巢父、萧颖士察于未萌，斯可矣。若其志，亦可哀矣。"《李诗纬》卷四应时评其（二）云："体格不失，自得狂士气概。"丁谷云评："观此词意，则太白心迹可知矣。"

严维、顾况、戴孚、王察等登进士第。时礼部员外郎薛邕知凤翔举，礼部侍郎裴士淹知成都举，礼部侍郎李希言知江东举。

三月

杜甫在长安，写有《春望》、《哀江头》、《一百五日夜对月》、《忆幼子》、《雨过苏端》、《喜晴》等诗。前此，有诗《元日寄韦氏妹》。春，有诗《郑驸马池台喜遇郑广文同饮》。【春望】何汶《竹庄诗话》（中华书局 1984）卷六引《迂叟诗话》云："'牂羊坟首，三星在罶'，言不可久。古人为诗，贵于意在言外，使人思而得之。故言之者无罪，闻之者足以戒也。近世诗人，惟杜子美最得诗人之体，如'山河在'，明无余物矣；'草木深'，明无人矣。花鸟平时可娱之物，见之而泣，闻之而恐，则时可知矣。他皆类此，不可遍举。"《诗薮》内编卷五："浓淡浅深，动夺天巧，百代而下，当无复继。"《杜诗言志》（扬州古籍刻印社 1979）卷三："写春望离乱，偏用'花溅'、'鸟惊'字面，使其情更悲，而其气仍壮，故能异于郊寒岛瘦，而与酸馅蔬笋远矣。"【哀江头】《杜诗详注》卷四："黄生曰：此诗半露半含，若悲若讽。天宝之乱，实杨氏为祸阶，杜公身事明皇，既不可直陈，又不敢曲讳，如此用笔，浅深极为合宜。又曰：善述事者，但举一事而众端可以包括，使人自得之于言外。若纤悉备记，文愈繁而味愈短矣。《长恨歌》今古脍炙，而《哀江头》无称焉，雅音之不谐俗耳如此。"《岁寒堂诗话》卷上："《哀江头》乃子美在贼中时，潜行曲江，睹江水江花，哀思而作。其词婉而雅，其意微而有礼，真可谓得诗人之旨者。《长恨歌》在乐天诗中为最下，《连昌宫词》在元微之诗中乃最得意者。二诗工拙虽殊，皆不若子美诗微而婉也。元白数十百言，竭力摹写，不若子美一句，人才高下乃如此。"《栾城集》第三集卷八（诗病五事）："老杜陷贼时，有《哀江头》。……予爱其词气如百金战马，注坡蓦涧，如履平地，得诗人之遗法也。如白乐天诗词甚工，然拙于纪事，寸步不遗，犹恐失之此。所以望老杜之藩垣而不及也。"李涂《文章精义》（人民文学出版社 1960）："杜子美《哀江头》，妙在'渭水东流剑阁深，去住彼此无消息'二句。明皇在蜀，肃宗在秦，一去一住，两无消息，有天下而不得养其父，此情何如耶？父子之际，人所难言，子美独能言之。此其所以不可及，非但'细柳新蒲'之感而已。"【一百五日夜对月】魏庆之《诗人玉屑》（中华书局 1959）卷二："其法颔联虽不拘对偶，疑非声律，然破题已的对矣。谓之偷春格，言如梅花偷春色而先开也。"罗大经《鹤林玉露》（中华书局 1983）卷九："李太白云：'划却君山好，平铺湘水流'；杜子美云：'斫却月中桂，清光应更多'。二公所以为诗人冠冕者，胸襟阔大故也。此皆自然流出，不假安排。"《杜诗提要》卷七："结用牛女，彼此双绾，用秋期倒应寒食，布局之整，线索之细，直所谓隐隐隆隆，蛛丝马迹也。"

严维授诸暨尉。《唐才子传》卷三："隐居桐庐，慕子陵之高风。至德二年，江淮选补使、侍郎崔涣下以词藻宏丽进士及第。家贫亲老，不能远离，授诸暨尉，时已四十余。"严维赴任时曾作诗《留别邹绍刘长卿》，《唐诗镜》卷三三："三四语有商略，绝似少陵。"

刘长卿以《送严维尉诸暨》作答。春日，刘长卿曾至扬州，后返长洲。另有诗别严士元、岑况（岑参兄）、李纾、张南史等人，作《别严士元》、《曲阿对月别岑况徐说》、《长沙桓王墓下别李纾张南史》、《旅次丹阳郡遇康侍御宣慰召募兼别岑单父》

等。是年，还有诗《瓜洲驿奉饯张侍御公拜膳部郎中兼却复宪台充贺兰大夫留后使之岭南时侍御先在淮南幕府》、《送李校书赴东浙幕府》、《送李判官之润州行营》、《送李七之汴州谒张相公》、《杂咏八首》、《送张继司直适越》、《京口怀洛阳旧居兼寄广陵二三知己》、《泛曲阿后湖简同游诸公》、《哭魏兼遂》、《登松江驿楼北望故园》、《松江独宿》、《送陆沣仓曹西上》。【别严士元】金人瑞《贯华堂选批唐才子诗》（江苏古籍出版社 1986 年《金圣叹全集》本）卷一："出手最苦是先写'春风'二字，犹言春风也，而依棹于此耶？下便紧接'春寒'二字，犹言然则人自春风，我自春寒，其阴其晴，身自受之，又向何处相告诉也。三、四承阴晴极写，言浸润之谮，乃在人所不意，则流落之苦，已在人所不恤，盖自叙吴仲孺之诬也。……其辞绝似负冤临命，告诫后人也者。"《唐诗合解笺注》卷一〇："前解写舟次赠别，后解同悲寥落，而寄怀远之情。"《唐诗别裁集》卷一四："三、四只分写阴晴之景，注释家谓比谗言之渐渍、朝廷之弃贤，初无此意。"【长沙桓王墓下别李纾张南史】《四溟诗话》卷四："凡炼句在浑然。一字不工，乃造物之不完，愚论已详首卷。刘长卿《别张南史》诗：'流水朝还暮，行人东复西'，此二字欠工，因易为'旅思朝还暮，生涯东复西'。"【旅次丹阳郡遇康侍御宣慰召募兼别岑单父】《唐诗归》卷二五钟惺评："诗中论时事语露矣，而不伤其厚，其气完也。……'慕'字写初出门情景极真，后面许多苦，反从此一'慕'字生出。"【登松江驿楼北望故园】《贯华堂选批唐才子诗》卷一："前解写故园已付度外，后解写此身亦不拟归。五、六孤舟虽小，极浦虽远，然间道求归，亦可得达，但我意乃不欲尔。"胡以梅《唐诗贯珠》（康熙五十四年素心堂刻本）："中四句不着色相而情思无穷，此文房琢练本领。中唐之胜品。"【松江独宿】朱之荆《增订唐诗摘钞》（乾隆十五年南屏草堂刻本）："调轻而语细，此变盛唐为中之始。前点题，后述意。'寄'字不惟见地远，亦见官卑。"【杂咏八首】（其一《幽琴》）俞陛云《诗境浅说》（北京出版社 2003）续编："中郎焦尾之才材，伯牙高山之调，悠悠今古，赏音能有几人！况复茂材异等，沉沦于升斗微官；绝学高文，磨灭于蠹蟫断简。岂独七弦古调，弹者无人？文房特借弹琴，以一吐其抑塞之怀耳。"【送李判官之润州行营】《删补唐诗选脉笺释会通评林》"中唐七绝上"蒋一葵曰："江春不留，草色又送，殆难为情。"唐汝询曰："判官典兵而之润州，道出金陵，不言行客不留，而言'江春不肯留'，正绝句中翻弄法。后人模拟既多，便成套语。"【送陆沣仓曹西上】《唐诗镜》卷二九："中联牵曳。七律诸什俱清浅流利。"《删补唐诗选脉笺释会通评林》"中唐七律上"顾璘曰："凄远。"唐汝询曰："次联中唐中之浑厚者。"吴山民曰："五、六正不能为情。"《唐风定》卷一七："流美圆转，弹丸脱手，篇篇有之。结语多同，乃无大累。"方东树《昭昧詹言》（人民文学出版社 1961）卷一八："起句点西上，次句切陆姓，三、四长安，五、六正送，收入自己。此等只是句法明秀，情意缠绵。"

张南史（生卒年不详），字季直，行二，幽州人。天宝末试左右卫仓曹参军。至德元载避地苏州，依江东采访使李希言。后闲居扬州。大历五年与皇甫冉隔江酬和。十一年移居宣州宣城。建中初至贞元二年前被征召，未赴而卒。《新唐书·艺文志》著录《张南史》一卷。事迹见《中兴间气集》卷下、《新唐书·艺文志》四、《唐诗纪事》卷四一等。

春

皇甫冉赴无锡尉任，作有诗《赴无锡寄别灵一净虚二上人云门所居》。灵一有诗《酬皇甫冉将任无锡于云门寺赠别》。灵一，时年三十一，春居越州云门寺；秋回杭州宜丰寺，作有诗《再还宜丰寺》、《宜丰新泉》，刘长卿、严维均有和诗。李嘉祐时官侍御，避乱越州，有《同皇甫冉赴官留别灵一上人》。张继亦寓越州，有诗《春夜皇甫冉宅欢宴》、《会稽秋晚奉呈于太守》、《酬李书记校书越城秋夜见赠》。

戴叔伦避永王兵乱，年初抵鄱阳，时寄居荐福寺。

六月

岑参归凤翔，授右补阙，有诗《从军二首》。杜甫《为补遗荐岑参状》："窃见岑参识度清远，议论雅正，佳名蚤立，时辈所仰。"秋，有诗《凤翔府行军送程使君赴成州》、《宿岐州北郭严给事别业》、《行军九日思长安故园》、《送王著作赴淮西幕府作》等。十月，随肃宗还长安。

闰八月

杜甫回鄜州省亲，作诗《北征》、《羌村三首》等。五月，杜甫自长安间道至凤翔，授左拾遗，作诗《自京窜至凤翔喜达行在所》。此间，另有《送樊二十三侍御赴汉中判官》、《送韦十六评事充同谷防御判官》、《述怀》、《得家书》、《送长孙九侍御赴武威判官》、《送从弟亚赴河西判官》、《送灵州李判官》、《奉送郭中丞兼太仆卿充陇右节度使三十韵》、《送杨六判官使西蕃》、《奉赠严八阁老》、《月》。回鄜途中，还有诗《留别贾严二阁老两院补阙》、《晚行口号》、《独酌成诗》、《徒步归行》、《九成宫》、《行次昭陵》等。九月，有诗《喜闻官军已临贼境二十韵》。十月，在鄜州，闻长安收复，作诗《收京三首》。后携家返长安，十二月，有诗《腊日》。《新唐书》杜甫本传："（甫）与房琯为布衣交。琯时败陈涛斜，又以客董廷兰罢宰相。甫上书，言罪细不宜免大臣。帝怒，诏三司推问。"虽因宰相张镐进说而得解，遂为肃宗所疏远，时"甫家寓鄜，弥年艰窭，孺弱至饿死，因许甫自往省视"。【自京窜至凤翔喜达行在所】《杜诗详注》卷五："首章曰心死，次章曰喜心，末章曰心苏，脉络自相照应。首章见亲知，次章至行在，末章对朝官，次第又有浅深。"引黄生曰："公若潜身晦迹，可徐待王师之至，必履危蹈险，归命朝廷，以素负匡时报主之志，不欲碌碌浮沉也。"又引赵汸注："题曰'喜达行在所'，而诗多追说脱身归顺，间关跋涉之情状，所谓痛定思痛，愈于在痛时也。"【送樊二十三侍御赴汉中判官】《杜诗详注》卷五引胡夏客曰："公送《樊侍御》、《送从弟亚》、《送韦评事》三诗，感慨悲壮，使人懦气，亦奋宜其躬遇中兴，此声音之通乎时命者也。"【述怀】《杜诗详注》卷五引申涵光曰："'麻鞋见天子，衣袖露两肘'，一时君臣草草，狼籍在目。'反畏消息来，寸心亦何有'，非身经丧乱，不知此语之真。此等诗，无一语空闲，只平平说去，有声有泪，真三百篇嫡派，人疑杜古

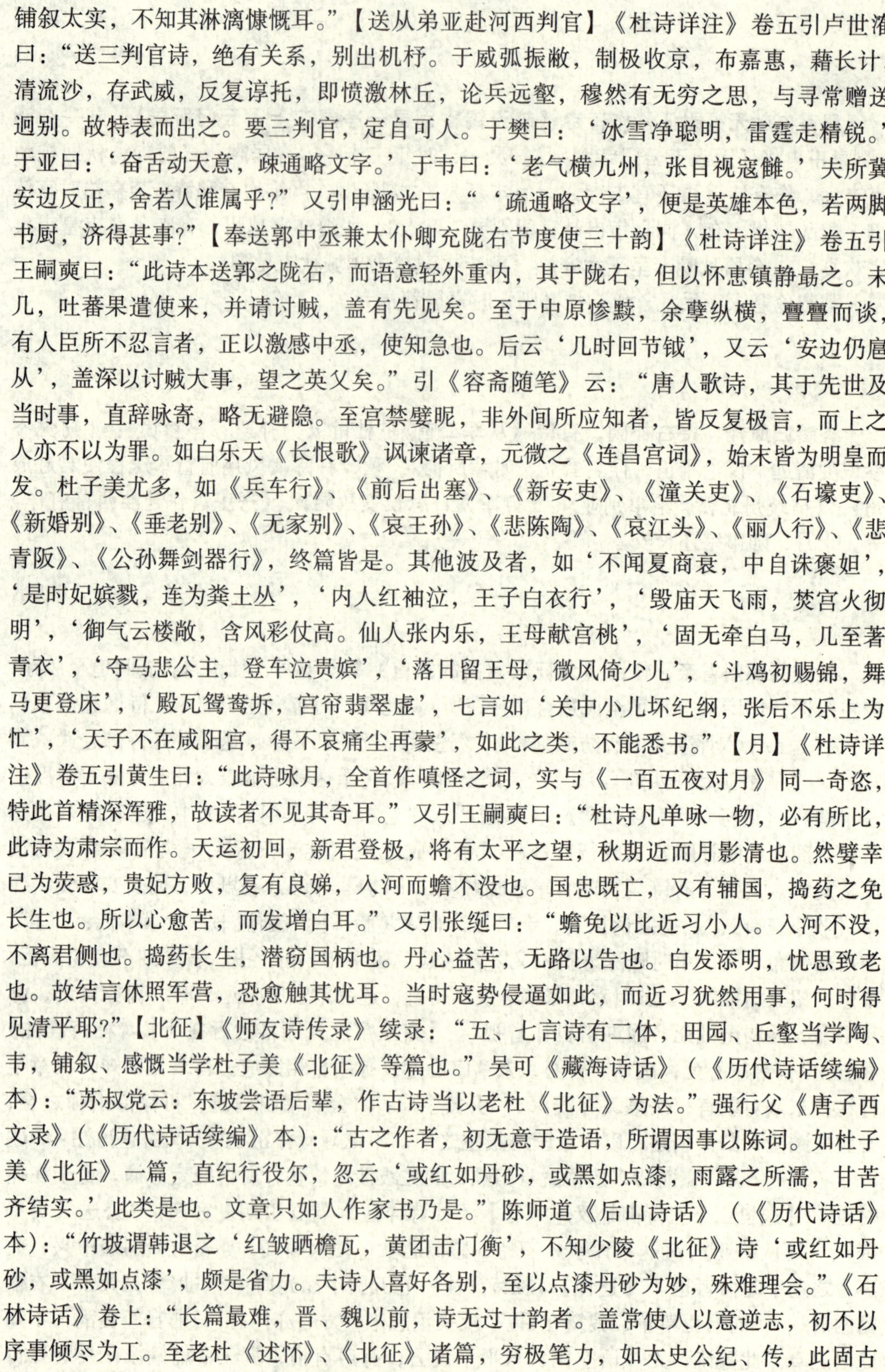

铺叙太实，不知其淋漓慷慨耳。”【送从弟亚赴河西判官】《杜诗详注》卷五引卢世㴶曰：“送三判官诗，绝有关系，别出机杼。于威弧振敝，制极收京，布嘉惠，藉长计，清流沙，存武威，反复谆托，即愤激林丘，论兵远壑，穆然有无穷之思，与寻常赠送迥别。故特表而出之。要三判官，定自可人。于樊曰：‘冰雪净聪明，雷霆走精锐。’于亚曰：‘奋舌动天意，疎通略文字。’于韦曰：‘老气横九州，张目视寇雠。’夫所冀安边反正，舍若人谁属乎？”又引申涵光曰：“‘疏通略文字’，便是英雄本色，若两脚书厨，济得甚事？”【奉送郭中丞兼太仆卿充陇右节度使三十韵】《杜诗详注》卷五引王嗣奭曰：“此诗本送郭之陇右，而语意轻外重内，其于陇右，但以怀恵镇静勗之。未几，吐蕃果遣使来，并请讨贼，盖有先见矣。至于中原惨黩，余孽纵横，亹亹而谈，有人臣所不忍言者，正以激感中丞，使知急也。后云‘几时回节钺’，又云‘安边仍扈从’，盖深以讨贼大事，望之英乂矣。”引《容斋随笔》云：“唐人歌诗，其于先世及当时事，直辞咏寄，略无避隐。至宫禁嬖昵，非外间所应知者，皆反复极言，而上之人亦不以为罪。如白乐天《长恨歌》讽谏诸章，元微之《连昌宫词》，始末皆为明皇而发。杜子美尤多，如《兵车行》、《前后出塞》、《新安吏》、《潼关吏》、《石壕吏》、《新婚别》、《垂老别》、《无家别》、《哀王孙》、《悲陈陶》、《哀江头》、《丽人行》、《悲青阪》、《公孙舞剑器行》，终篇皆是。其他波及者，如‘不闻夏商衰，中自诛褒妲’，‘是时妃嫔戮，连为粪土丛’，‘内人红袖泣，王子白衣行’，‘毁庙天飞雨，焚宫火彻明’，‘御气云楼敞，含风彩仗高。仙人张内乐，王母献宫桃’，‘固无牵白马，几至著青衣’，‘夺马悲公主，登车泣贵嫔’，‘落日留王母，微风倚少儿’，‘斗鸡初赐锦，舞马更登床’，‘殿瓦鸳鸯拆，宫帘翡翠虚’，七言如‘关中小儿坏纪纲，张后不乐上为忙’，‘天子不在咸阳宫，得不哀痛尘再蒙’，如此之类，不能悉书。”【月】《杜诗详注》卷五引黄生曰：“此诗咏月，全首作嗔怪之词，实与《一百五夜对月》同一奇恣，特此首精深浑雅，故读者不见其奇耳。”又引王嗣奭曰：“杜诗凡单咏一物，必有所比，此诗为肃宗而作。天运初回，新君登极，将有太平之望，秋期近而月影清也。然嬖幸已为荧惑，贵妃方败，复有良娣，入河而蟾不没也。国忠既亡，又有辅国，捣药之免长生也。所以心愈苦，而发增白耳。”又引张綖曰：“蟾免以比近习小人。入河不没，不离君侧也。捣药长生，潜窃国柄也。丹心益苦，无路以告也。白发添明，忧思致老也。故结言休照军营，恐愈触其忧耳。当时寇势侵逼如此，而近习犹然用事，何时得见清平耶？”【北征】《师友诗传录》续录：“五、七言诗有二体，田园、丘壑当学陶、韦，铺叙、感慨当学杜子美《北征》等篇也。”吴可《藏海诗话》（《历代诗话续编》本）：“苏叔党云：东坡尝语后辈，作古诗当以老杜《北征》为法。”强行父《唐子西文录》（《历代诗话续编》本）：“古之作者，初无意于造语，所谓因事以陈词。如杜子美《北征》一篇，直纪行役尔，忽云‘或红如丹砂，或黑如点漆，雨露之所濡，甘苦齐结实。’此类是也。文章只如人作家书乃是。”陈师道《后山诗话》（《历代诗话》本）：“竹坡谓韩退之‘红皱晒檐瓦，黄团击门衡’，不知少陵《北征》诗‘或红如丹砂，或黑如点漆’，颇是省力。夫诗人喜好各别，至以点漆丹砂为妙，殊难理会。”《石林诗话》卷上：“长篇最难，晋、魏以前，诗无过十韵者。盖常使人以意逆志，初不以序事倾尽为工。至老杜《述怀》、《北征》诸篇，穷极笔力，如太史公纪、传，此固古今绝唱。"《四溟诗话》卷二："《扪虱新话》曰：'文中有诗，则语句精确；诗中有文，则词调流畅。'而引谢玄晖、唐子西之说。胡氏误矣。李斯上秦皇帝书，文中之诗也；子美《北征篇》，诗中之文也。"黄彻《䂬溪诗话》卷一："史笔森严，未易及也。"《杜诗详注》卷五引罗大经曰："唐人每以李、杜并称，至宋朝诸，公始知推尊少陵。东坡云：古今诗人多矣，而惟杜子美为首，岂非以其饥寒流落，一饭未尝忘君欤？又云：《北征》诗识君臣大体，忠义之气与秋色争高，可贵也。"又引王嗣奭曰："昌黎《南山》，韵赋为诗，少陵《北征》，韵记为诗，体不相蒙。《南山》琢镂凑砌，诘屈奇怪，创体杰出，不可无一，不可有二，不易学，亦不必学，总不脱文人习气。《北征》固是雅调，古来词人多用之，如韩之《赴江陵寄三学士》等作，庶可与之雁行也。又曰：其篇法幻妙，若有照应，若无照应，若有穿插，若无穿插，不可捉摸。"又引李长祥曰："杜诗每有起得极厚，而无头重之嫌；收得极，详而无尾大之迹。《北征》中间，历言室家情绪，乃本题正意，故不见腹胀之病。"又引胡应麟曰："杜之《北征》、《述怀》，皆长篇叙事，然高者尚有汉人遗意，平者遂为元白滥觞。李《送魏万》等篇，自是齐、梁，但才力加雄，辞藻增富耳。"又引唐汝询曰："杜五言古，体情莫妙于《三别》，叹事莫核于《三吏》，自诉莫若于'纨袴'，经济莫备于《北征》。《梦李白》、《写怀》见其高，《望岳》、《慈恩寺》取其壮。他若《留花门》、前后《出塞》、《玉华》、《九成》诸作，胸中罗宇宙，无所不有，斯见其大。"又引钟惺曰："读少陵《奉先咏怀》、《北征》等篇，知五言古长篇不易作，当于潦倒淋漓、忽正忽反、若整若乱、时断时续处，得其篇法之妙。"【羌村三首】杨万里《诚斋诗话》（《历代诗话续编》本）："五言长韵古诗，如白乐天《游悟真寺一百韵》，真绝唱也。五言古诗，句雅淡而味深长者，陶渊明、柳子厚也。如少陵《羌村》、后山《送内》，皆是一唱三叹之声。"何焯《义门读书记》（中华书局1987）卷五一："《羌村三首》，俱似脱胎于陶，叙述家人及乡邻情景，幼吾幼以及人之幼，弥哀婉而弥深厚。"《诗林广记》后集卷六："谢叠山云：杜子美乱后见妻子，诗云'夜阑更秉烛，相对如梦寐'，辞情绝妙，无以加之。"《杜工部集五家评》卷二："王慎中曰：诗凡三首，第一首尤绝。一字一句，镂出肺肠，而婉转周至，跃然目前，又若寻常人所欲道者，真国风之义。"《唐宋诗醇》卷一〇："真语流露，不假雕饰，而情文并至。"《杜诗集评》卷一引李因笃评："遭乱生还，事出意外，仓卒情景，历历叙出。叙事之工不必言，尤妙在笔力高古，愈质愈难。"王尧衢《古唐诗合解》（光绪七年书业德刻本）卷一："三首哀思苦语，凄恻动人。总之，身虽到家，而心实忧国也。实境实情，一语足抵人数语。"《杜诗镜铨》卷四："语语从真性情流出，故足感发人心，此便是汉魏、《三百篇》一家的髓传也。"《岘佣说诗》："《羌村》三首，惊心动魄，真至极矣。陶公真至，寓于平澹；少陵真至，结为沉痛。此境遇之分，亦情性之分。"《杜诗详注》卷五："杜诗每章各有起承转阖，其一题数章者，互为起承转阖。此诗首章是总起，次章上四句为承，中四句为转，下四句为阖。三章，上八句为承，中四句为转，下四句为阖。此诗法之可类推者。"【喜闻官军已临贼境二十韵】《杜诗详注》卷五引王嗣奭曰："此诗二十韵，字字犀利，句句雄壮，真是笔扫千军者。中间如'今日看天意'、'此辈感恩至'两联，排律中不用骈偶，更觉精神顿起。而锋先骑突，句法倒装，尤为警露。"

十月

肃宗自凤翔回长安。广平王李俶于上月收复长安。时钱起年约四十八，有诗《观法驾自凤翔回》。

王维、郑虔被囚宣阳里。《太平广记》卷一七九引《集异记》：“天宝末，禄山初陷西京，维及郑虔、张通等，皆处贼庭。洎克复，俱囚于宣杨里杨国忠旧宅。崔圆因召于私第，令画数壁。当时皆以圆勋贵无二，望其救解，故运思精巧，颇绝其能。后由此事，皆从宽典；至于贬黜，亦获善地。”

张镐杀闾丘晓。《新唐书》卷一九四王昌龄本传：“张镐按军河南，兵大集，晓最后期，将戮之，辞曰：‘有亲，乞贷余命。’镐曰：‘王昌龄之亲欲与谁养？’晓默然。”《全唐诗》卷一五八录闾丘晓诗一首。

张巡被害，年四十九。《全唐文》卷三四五录其文三篇，《全唐诗》收其诗二首。年初，张巡有诗《守睢阳作》、《闻笛》。《静居绪言》：“张睢阳诗不多，亦足辚轹一时。其《闻笛》诗，人多采之。如《守睢阳》诗，……博大工稳，置之杜老集中，几难轩轾。”《围炉诗话》卷二：“张睢阳《闻笛》诗及《守睢阳》排律，当置六经中，敬礼之，勿作诗读。”《唐诗归》卷二三：“‘不辨风尘色，安知天地心’。钟惺评：裹成一片。‘旦夕更楼上，遥闻横笛音’。谭元春评云：只结一句闻笛，觉上数语皆闻笛矣，妙手。”《唐诗解》卷三七：“此守睢阳登楼以窥敌人之虚实，闻其营笛声而兴感，因以闻笛命题。……睢阳死义之士，非以诗名，而其诗亦壮，读之凛然。”《古唐诗合解》卷八：“此诗不必分解，直抒闻笛时苦心。……读此知先生铁石心肠，凛然如在矣。”《唐律消夏录》卷四：“古来忠义士，全是一段愤激之气做成。试看此诗三四说遂令风尘至此，我不知天地诚属何心，连天地都不服起来，此是何等力量。战阵之间，吟咏自得，其才其胆识，千古一人。”《石园诗话》卷一：“忠义之气，溢于言表。”孙涛《全唐诗话续编》（《清诗话》本）《弁言》：“若经文纬武忠义丕著者如张巡为有唐一代之伟人者，集中未见，不无遗憾。巡本盛唐人，兹取以冠篇，盖儒者效法古人，仰如泰山北斗，当以志节经济为上。”张巡另有《谢金吾将军表》。

十二月

陷贼官员六等定罪。郑虔贬台州司户，卢象贬果州长史，李华贬杭州司功，韦述流渝州。

杜甫有诗《送郑十八虔贬台州司户伤其临老陷贼之故阙为面别情见于诗》。《杜诗详注》卷五引卢世漼曰：“虔之贬，既伤其垂老陷贼，又阙于临行面别，故篇中彷徨特至。如中二联，清空一气，万转千回，纯是泪点，都无墨痕。诗至此，直可使暑日霜飞、午时鬼泣，在七言律中尤难。末径作永诀之词，诗到真处，不嫌其直，不妨于尽也。”又引顾宸曰：“供奉之从永王璘，司户之污禄山伪命，皆文人败名事，使硁硁自好者处此，割席绝交，不知作几许雨云反复矣。少陵当二公贬谪时，深悲极痛，至欲与同生死，古人不以成败论人，不以急难负友，其交谊真可泣鬼神。李陵生降，子长上前申辩，甘受蚕室之辱而不悔，《与任少卿书》犹刺刺为分疏，亦与少陵同一肝胆。人知龙门之史、拾遗之诗，千秋独步，不知皆从至性绝人处，激昂慷慨，悲愤淋漓而出也。”

李白流夜郎。三月，李白系浔阳狱中，写有《上崔相百忧章》、《万愤词投魏郎中》、《狱中上崔相涣》、《系狱中上崔相涣三首》、《在浔阳非所寄内》及《送张秀才谒高中丞》等；秋，得崔涣、宋若思之力而出浔阳狱，入宋若思幕，至武昌，后居宿松，有诗《中丞宋公以吴兵三千赴河南军次寻阳脱余之囚参谋幕府因赠之》、《陪宋中丞武昌夜饮怀古》、《赠闾丘宿松》、《赠闾丘处士》及《为宋中丞自荐表》、《为宋中丞请都金陵表》、《为宋中丞祭九江文》、《武昌宰韩君去思颂碑》。冬，有《避地司空原言怀》、《江上望皖公山》、《上皇西巡南京歌十首》等。是月，李白已得流放夜郎之处分，有诗《流夜郎闻酺不预》。【中丞宋公以吴兵三千赴河南军次寻阳脱余之囚参谋幕府因赠之】《唐诗解》卷四七引刘辰翁评：“句句壮，末韵更佳。”《唐诗别裁集》卷一七：“诗中不多感谢脱囚，而第言己非剧孟。立言有体。”

本年

裴倩任洪州司马，与柳识、柳浑、萧定、卢虚舟、李勋、袁高、元亘游。后编《海昏集》二卷，录其唱和之作九十六篇。吕温《吕和叔文集》（四部丛刊本）卷三《裴氏海昏集序》：“初，公违河洛之难，以其族行，攀大别，浮彭蠡，望洞庭，回翔于巨溢，流眄于海昏。海昏有欧山之奇、修江之清、阳溪之邃、阳泉之灵，竹洞花坞、仙坛僧舍，鸡犬、钟梵相间于清岚白云中，数百里不绝。时也，俗以远未扰，地以偏而宁，开元之遗老尽在，犹歌咏乎升平。公悠然乐之，遂与我外王父故屯田郎中集贤殿学士河东柳公讳某、叔祖故相国宜城伯讳浑，洎故太常卿兰陵萧公定、故秘书少监范阳卢公虚舟、故左庶子陇西李公勋，为尘外之交，极心期之赏。唯故给事中汝南袁公高、故将作监河南元公亘，以后进预焉。江左搢绅诸生，望之如神仙，邈不可及。每赋一泉，题一石，毫墨未干，传咏已遍。其为物情所注慕如此。……以为节公消息出处之道，始于海昏，遂于正集外，别次当时唱和游览饯劳之作，凡九十六篇，勒为《海昏集》上下卷。”是书公私目录书均未载。

沈千运年五十余，卒于本年或稍后。《唐才子传》卷二：“沈千运，吴兴人，工旧体诗，气格高古，当时士流皆敬慕之。”元结《箧中集》序：“吴兴沈千运，独挺于流俗之中，强攘于已溺之后，穷老不惑，五十余年。凡所为文，皆与时异。故朋友后生，稍见师效，能似类者，有五六人。呜呼，自沈公及二三子，皆以正直而无禄位，皆以忠信而久贫贱，皆以仁让而至丧亡。异于是者，显荣当世。谁为辩士？吾欲问之。”集录其诗四首。《唐音癸签》卷五：“沈千运刊落文言，泠然独写真意。元次山甚推重之，其同调有王季友、于逖、孟云卿、张彪、赵微明、元融数人，而季友、云卿尤胜。”《诗学源流考》：“盖终唐之世，称大家者，以李、杜、韩三家为宗。古诗之得正音者，陈、张、韦、柳四家为宗，而元结、沈千运为辅。”《剑溪说诗》卷上：“《箧中集》载沈千运诸人，皆廉洁士，诗亦高古，无唐世名辈习气。”王士祯编《唐贤三昧集》录其诗一首。《全唐诗》录其诗五首。

欧阳詹生。欧阳詹（757—802），字行周，泉州晋江人。建中元年，常衮为福州观察，特加奖拔，荐为乡贡士。五试于礼部，贞元八年登进士第，旋回泉州省亲。十三年前后，游绵蜀。四试于吏部，为国子监四门助教，曾率其徒伏阙下推举韩愈为博士。后北游太原，倦归，卒。有《欧阳行周文集》一〇卷。

公元758年（唐肃宗至德三年　乾元元年　戊戌）

正月

王维责授太子中允。有诗《既蒙宥罪旋复拜官伏感圣恩窃书鄙意兼奉简新除使君等诸公》及《谢除太子中允表》。三月，又为太子中庶子、中书舍人，得宋之问辋川别墅。是年，另有诗《晚春严少尹与诸公见过》、《酬严少尹徐舍人见过不遇》、《赠徐中书望终南山歌》、《送崔九兴宗游蜀》、《崔兴宗写真咏》、《瓜园》、《冬夜书怀》及文《与工部李侍郎书》、《请施庄为寺表》、《为画人谢赐表》、《为曹将军写真表》、《大唐故临汝郡太守赠秘书监京兆韦公神道碑铭》等。【既蒙宥罪旋复拜官伏感圣恩窃书鄙意兼奉简新除使君等诸公】《贯华堂选批唐才子诗》卷三："既赦罪，又复官，若顺事写，此成何章句，今看其小出手法，只将二事抟作二句，言我直至复官之后，始悟既已赦罪矣。便令前此畏罪之深，后此蒙恩之重；前此惊魂一片，后此衔感万重，所有意中意外，如恍如惚，无数情事，不觉尽出。此谓临文变化生心之能也。三、四承'忽蒙'、'始觉'，文视自更不得不出于感颂。三是感，四是颂，此自是一时至情至理，切不得详其陋俗也。前解伏感圣恩，此（后）解奉简诸公。……五、六，花皆含笑，鸟亦解歌者，盖事出望外，心神颠倒，所谓不自知其手之舞之、足之蹈之也。"【晚春严少尹与诸公见过】《瀛奎律髓汇评》卷一〇方回曰："三、四唐人不曾犯重，极新。第六句尤妙。"纪昀曰："句句清新，而气韵天成，不见刻画之迹。五、六句中，赋中有比，末句从此过脉，浑化无痕。"《唐诗镜》卷一〇："三、四精雅，五、六语韵恬适。"《诗筏》："看盛唐诗，当从其气格浑老、神韵生动处赏之，字句之奇，特其余耳。如王维'鹊乳先春草，莺啼过落花'，孟浩然'石镜山精怯，禅枝怖鸽栖'，张谓'野猿偷纸笔，山鸟污图书'，岑参'瓯香茶色嫩，窗冷竹声干'，此等语皆晚唐人所极意刻画者。然出王、孟、张、岑手，即是盛唐诗，若出晚唐人手，即是晚唐人诗。盖盛唐人一字一句之奇，皆从全首元气中苞孕而出，全首浑老生动，则句句浑老生动，故虽有奇句，不碍自然。若晚唐气卑格弱，神韵又促，即取盛唐人语入其集中，但见斧凿痕，无复前人浑老生动之妙矣。"

钱起曾过王维宅，有诗《过王舍人宅》、《中书王舍人辋川旧居》。

刘长卿由长洲尉摄海盐令，旋罢，有诗《至德三年春正月时谬蒙差摄海盐令闻王师收二京因书事寄上浙西节度李侍郎中丞行营五十韵》、《海盐官舍早春》。稍后，作《时平后春日思归》、《送贾侍御克复后入京》、《罢摄官后将还旧居留辞李侍御》、《过横山顾山人草堂》等。三月，系苏州狱，作《非所留系每夜闻长洲军笛声》、《狱中见壁画佛》、《非所留系寄张十四》、《非所上御史惟则》、《狱中闻收东京有赦》等。【过

横山顾山人草堂】《唐诗合解笺注》卷八："'只见山相掩，谁言路尚通'，起句极描幽胜，言山山层叠，只见其相谓遮掩，如无路可通者，谁知尚有一径到山人之幽居乎。'人来千嶂外，犬吠百花中'，此是过草堂也。人来千嶂之外，则山路之纡回可知。百花深处，草堂在焉。一犬迎人而吠，正所云'寥寥一犬吠桃源'也。草堂之幽，令人神往。'细草香飘雨，垂杨闲卧风'，此时是春日，茸茸细草之上，花雨香飘，而垂杨在春风中闲著，虽不吹而流动可爱。'却寻樵径去，惆怅绿溪东'，如此好境却不能久留，只得寻樵径而去。余情眷念，惟有惆怅于绿溪之东而已。此正结题中过字，绿溪合上细草垂杨也。前解是来草堂，后解是去草堂。写过字何等划然。"

二月

丁未，改元为乾元元年。

苏端、柳伉等二十三人登进士第。时礼部侍郎裴士淹知贡举。据《登科记考》卷一〇。

王维、贾至为中书舍人。贾至作《早朝大明宫呈两省僚友》，王维、杜甫、岑参等和之，分别有《和贾舍人早朝大明宫之作》、《奉和贾至舍人早朝大明宫》、《奉和中书贾至舍人早朝大明宫》。杨载《诗法家数》（《历代诗话》本）"荣遇"："荣遇之诗，要富贵尊严，典雅温厚。写意要闲雅，美丽清细，如王维、贾至诸公《早朝》之作，气格雄深，句意严整，如宫商迭奏，音韵铿锵，真麟游灵沼，凤鸣朝阳也。学者熟之，可以一洗寒陋。后来诸公应诏之作，多用此体，然多志骄气盈，处富贵而不失其正，几希矣。此又不可不知。"《唐音癸签》卷一〇："早朝四诗，名手汇此一题，觉右丞擅场，嘉州称亚，独老杜为滞钝无色。富贵题出语自关福相，于此可占诸人终身穷达，又不当以诗论者。胡元瑞云：岑作精工整密，字字天成，景联绚烂鲜明，早朝意宛然在目，独颔联虽绝壮丽，而气势迫促，遂致全篇音韵微乖。王起语意偏，不若岑之大体；结语思窘，不若岑之自然；景联甚活，终未若岑之骈切；独颔联高华博大而冠冕，和平前后，映带宽舒，遂令全首改色，称最当时。"《唐诗别裁集》卷一三："早朝唱和诗，右丞正大。嘉州明秀，有鲁、卫之目。贾作平平，杜作无朝之正位，不存可也。"《瀛奎律髓汇评》卷二方回云："四人早朝之作，俱伟丽可喜，不但东坡所赏子美'龙蛇燕雀'一联也。然京师喋血之后，疮痍未复，四人虽夸美朝仪，不已泰乎？"《春酒堂诗话》："《早朝》四诗，贾舍人自是率尔之作，故起结圆亮而次联强凑。少陵殊亦见窘。世皆谓王、岑二诗，宫商齐响。然唐人最重收韵，岑较王结更觉自然满畅。且岑是句句和早朝，王、杜未免扯及未朝罢朝时矣。"【和贾舍人早朝大明宫之作】《瀛奎律髓汇评》卷二冯舒评："盛丽极矣，字面太杂。"冯班评："才气驾驭，何尝觉杂？毕竟右丞第一。"又云："末句太犯，然名句相接便不觉。"陆贻典评："右丞才气驾驭，名句相接，故不觉杂，他人若此，但见瑕疵矣，已苍之言不谬。"查慎行评："王麟州讥此诗说冠服太多，亦善摘瑕者矣。"何义门评："次联君臣两面都写到，所谓有体要也。"许印芳评："'衣'字复，动，上声。"姚姬传评："此诗无甚瑕疵，惟篇中衣服字样太多，前人有病之者，却是眼明心细，后学当以为戒。尾联与三联黏。唐人七律上下联不忌失黏，后人七律声律加密，始忌之。若以后人之法绳唐人而病其失黏，则非矣。”无名氏评：“精彩飞动，虽叠用衣佩字面，位置当在第二。”《唐诗合选》卷四钟惺评：“音律雄浑，局法典重，用字清新，诸美俱备，直与老杜相颉颃，后岑参可及，他皆不及也。”赵殿成《王右丞集笺注》（上海古籍出版社 1984）卷一〇：“早朝四作，气格雄深，句调工丽，皆律诗之佳者，结句俱用凤池事，惟老杜独别此，其妙处不容掩者也。若评较全篇，定其轩轾，则岑为上，王次之，杜、贾为下。……或者必欲不祧工部，反訾岑、王二作，宾处太详，主处太略，不如杜作后四句全注意舍人为得和诗体者，岂非溺爱而反蹈不明之过哉？或嫌右丞四用衣冠之字未免冗杂，亦属吹毛求疵，洗垢索瘢，善言诗者，正不必拘拘于此。至《瀛奎律髓》以京师蹀血之后，疮痍未复，而四人夸美朝仪如此讥其已泰，宋人腐语尤属可嗤。”

三月

岑参在长安任右补阙，有《寄左省杜拾遗》，杜甫作《奉答岑参补阙见赠》。是年春，岑参有诗《送弘文李校书望汉南拜亲》、《送许拾遗恩归江宁拜亲》等。【寄左省杜拾遗】《瀛奎律髓汇评》卷二陆贻典评：“落句有含蓄。”何义门评：“第七反言之，末句自省之词，‘自觉’者问心常有所负也，故是少陵同调语。‘花落’则君子渐消，‘鸟飞’则智士先去，是皆谏臣所不容坐视也。句中有两层。落句温厚，为长者之言，尽直臣之节可也。”无名氏评：“腹联炼沉思于五字，情景俱到。”纪昀评：“子美以建言获遣，平时必多露圭角，此诗有规之之意，而但言自甘衰朽，浮沉时世，则诗人温厚之旨也。五、六寓意深微，末二句语尤婉至，圣朝既以为无阙，则谏书不得不稀矣。非颂语，乃愤语也。或乃缕陈天宝阙事驳此句，殆不足与言诗。”《四溟诗话》卷四：“岑诗警绝，杜作殊不惬意。譬如善弈者，偶尔轻敌，输此一着。”《唐诗解》卷三六：“此因退朝而叹奉职之无补也。言我与君进则联步，退则分曹，晓随仗入，暮惹香归，随众碌碌耳。且我官于迟暮，见花落而悲，君志在青云，见鸟飞而羡，分固不同量矣。今朝无阙事，谏书日稀，无乃虚补阙之名乎。”《删补唐诗选脉笺释会通评林》“盛五律中下”周珽评：“首联见与杜同朝不同署。次谦已随众碌碌。五句自悲迟暮，六句讽彼骤用，结联有体。”徐用吾评：“情景相生。”徐中行评：“‘白发’二语，托兴堪咏。”《古唐诗合解》卷八：“前解言署中事，后解寄情。……岑参以老自悲，不觉高飞之可羡，语带感时意。”《唐诗消夏录》卷四：“口气说我两人浮沉冷署，随行逐队而已，岂敢有所建白哉！无限感慨，只是说不出来。”《唐诗别裁集》卷一〇：“‘分曹限紫微’，岑居右省，杜居左省，紫微居中，故云‘限’。下半自伤迟暮，无可建白也。感叹语以回护出之，方是诗人之旨。”《一瓢诗话》：“岑嘉州‘圣朝无阙事，自觉谏书稀’，正谓阙事甚多，不能觌缕上陈，托此微词。后人不察其心，至有以奸佞目之，亦属恨事。”《全唐诗话续编》卷下：“《寄杜拾遗》云：‘圣朝无阙事，自觉谏书稀。’《碧溪》谓其谬承荀卿有听从无谏诤之语，遂使阿谀奸佞，用以借口。以是知凡造意立言，不可不豫为天下来世虑。余谓王阮亭《三昧集》中，不录是诗，亦此意也。”

春

杜甫为左拾遗，作有诗《洗兵马》、《曲江二首》、《曲江对雨》、《曲江对酒》、《曲江陪郑八丈南史饮》、《题省中壁》、《送翰林张司马南海勒碑》、《宣政殿退朝晚出左掖》、《紫宸殿退朝口号》、《春宿左省》、《晚出左掖》、《得舍弟消息》、《偪侧行赠毕四曜》、《题郑十八著作丈故居》等。正月，杜甫有诗《奉赠王中允维》、《送许八拾遗归江宁覲省甫昔时尝客游此县于许生处乞瓦棺寺维摩图样志诸篇末》、《因许八奉寄江宁旻上人》、《送李校书二十韵》。《瀛奎律髓汇评》卷四七方回评《因许八奉寄江宁旻上人》等三首诗云："看前辈诗，不专于景上观，当于无景言情处。观老杜此三诗三样，然骨格则一也。"三月，贾至出守汝州，有《汝州刺史谢上表》，杜甫有诗《送贾阁老出汝州》。【洗兵马】《古欢堂集》卷一七："子美为诗学大成，沉郁顿挫，七古之能事毕矣。《洗兵马》一篇句云：'三年笛里关山月，万国兵前草木风'，犹是初唐气格。王、李、高、岑诸家，各有境地，开元、大历之间观止矣。"《岁寒堂诗话》卷下："山谷云：'诗句不凿空强作，对景而生便自佳'。山谷之言诚是也，然此乃众人所同耳，惟杜子美则不然。对景亦可，不对景亦可，喜怒哀乐不择所遇，一发于诗，盖出口成诗，非作诗也。观此诗，闻捷书之作，其喜气乃可掬，真所谓'情动于中而形于言，言之不足，不知手之舞之，足之蹈之也'。……子美吐词措意每如此，古今诗人所不及也。山谷晚作《大雅堂记》，谓子美诗好处，正在无意而意已至。若此诗是已。"《杜臆》卷三："一篇四转韵，一韵十二句，句似排律，自成一体，而笔力矫健，词气老苍，喜跃之象浮动笔墨间。"《读杜心解》卷二："此篇是初唐四家体，貌同而骨自异。今人好似乱头粗服，优孟少陵，而于四家之清辞丽句，妄加痴点。不知少陵固尝为之，曾不贬损其气格也。"夏力恕《杜诗增注》（乾隆刻本）卷五："义正词严，清深气壮，通体除起结外皆属对而浑灏流转，无复骈偶之痕。"《鲁通甫读书记》"七古"："杜七古中第一篇。他篇尚可摹拟，此则高词伟仪，峻拔天表，后人更无从望其项背。"【曲江二首】《唐诗镜》卷二六："律法严整，老杜却颠倒纵横，复体格森然，更得自在，所以为难。首四语，情法俱胜。既怕看花飞，又欲看飞花之尽，伤春、惜春流连无已。尝见志士悲秋，子美却伤春，千古有心人，每自耿耿。"《苕溪渔隐丛话》前集卷五〇："《诗眼》云：或问余，东坡有言'诗至于杜子美，天下之能事毕矣'。老杜之前，人固未有如老杜，后世安知无过老杜者？余曰：如'一片花飞减却春'，若咏落花，则语意皆尽，所以古人既未到，决知后人更无好语。"《集千家注批点杜工部诗集》卷四："落笔酣畅，如不经意，而首尾圆活，生意自然，又不可名言之妙。"《杜诗解》卷二："本微万点齐飘，故作此诗，却以曲笔倒追至一片初飞时说起。细想老人眼中物候惊心，节节寸寸全与少年相异，真为可悲可痛。看他连接三句飞花，第一句是初飞，第二句是乱飞，第三句是飞将尽。诗从未有此奇事。"《杜诗提要》卷一一："此伤曲江也，而以春花起兴。写曲江，只空堂、荒冢两事，若注意在及时行乐上，并无一字道及朝事，往往极大关目，全不出意，而以旁见侧出去之。"《杜诗详注》卷六："春花欲谢，急须行乐，而行乐须寻醉乡，但恐现在风光瞥眼易过，故又作留春之词。此两首中相承相应之意也。即就演义，作寄语于风光，从无情中看出有情，自见生

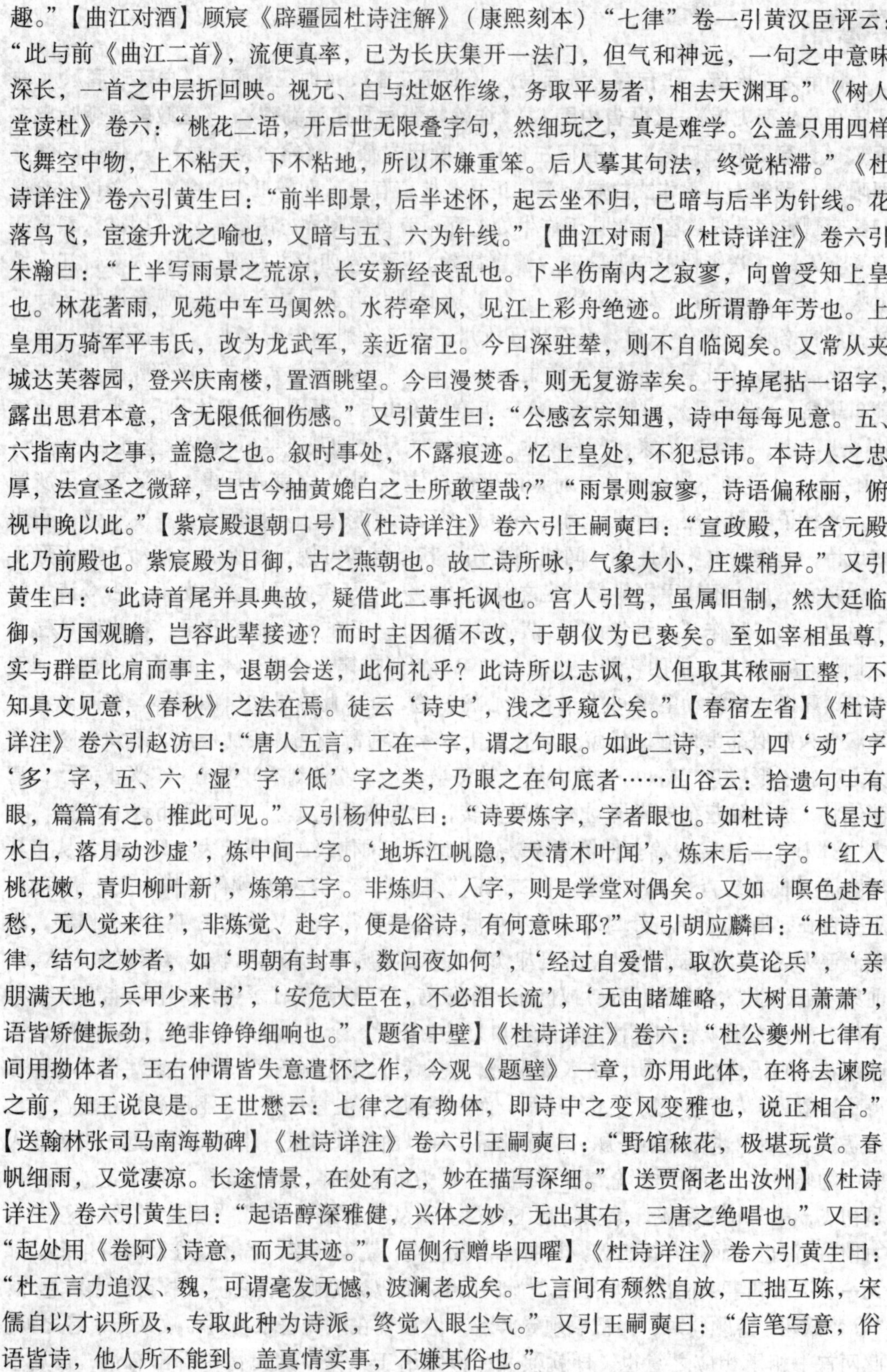

趣。”【曲江对酒】顾宸《辟疆园杜诗注解》（康熙刻本）“七律”卷一引黄汉臣评云：“此与前《曲江二首》，流便真率，已为长庆集开一法门，但气和神远，一句之中意味深长，一首之中层折回映。视元、白与灶妪作缘，务取平易者，相去天渊耳。”《树人堂读杜》卷六：“桃花二语，开后世无限叠字句，然细玩之，真是难学。公盖只用四样飞舞空中物，上不粘天，下不粘地，所以不嫌重笨。后人摹其句法，终觉粘滞。”《杜诗详注》卷六引黄生曰：“前半即景，后半述怀，起云坐不归，已暗与后半为针线。花落鸟飞，宦途升沈之喻也，又暗与五、六为针线。”【曲江对雨】《杜诗详注》卷六引朱瀚曰：“上半写雨景之荒凉，长安新经丧乱也。下半伤南内之寂寥，向曾受知上皇也。林花著雨，见苑中车马阒然。水荇牵风，见江上彩舟绝迹。此所谓静年芳也。上皇用万骑军平韦氏，改为龙武军，亲近宿卫。今曰深驻辇，则不自临阅矣。又常从夹城达芙蓉园，登兴庆南楼，置酒眺望。今曰漫焚香，则无复游幸矣。于掉尾拈一诏字，露出思君本意，含无限低徊伤感。”又引黄生曰：“公感玄宗知遇，诗中每每见意。五、六指南内之事，盖隐之也。叙时事处，不露痕迹。忆上皇处，不犯忌讳。本诗人之忠厚，法宣圣之微辞，岂古今抽黄媲白之士所敢望哉？”“雨景则寂寥，诗语偏秾丽，俯视中晚以此。”【紫宸殿退朝口号】《杜诗详注》卷六引王嗣奭曰：“宣政殿，在含元殿北乃前殿也。紫宸殿为日御，古之燕朝也。故二诗所咏，气象大小，庄媟稍异。”又引黄生曰：“此诗首尾并具典故，疑借此二事托讽也。宫人引驾，虽属旧制，然大廷临御，万国观瞻，岂容此辈接迹？而时主因循不改，于朝仪为已亵矣。至如宰相虽尊，实与群臣比肩而事主，退朝会送，此何礼乎？此诗所以志讽，人但取其秾丽工整，不知具文见意，《春秋》之法在焉。徒云‘诗史’，浅之乎窥公矣。”【春宿左省】《杜诗详注》卷六引赵汸曰：“唐人五言，工在一字，谓之句眼。如此二诗，三、四‘动’字‘多’字，五、六‘湿’字‘低’字之类，乃眼之在句底者……山谷云：拾遗句中有眼，篇篇有之。推此可见。”又引杨仲弘曰：“诗要炼字，字者眼也。如杜诗‘飞星过水白，落月动沙虚’，炼中间一字。‘地拆江帆隐，天清木叶闻’，炼末后一字。‘红入桃花嫩，青归柳叶新’，炼第二字。非炼归、入字，则是学堂对偶矣。又如‘暝色赴春愁，无人觉来往’，非炼觉、赴字，便是俗诗，有何意味耶？”又引胡应麟曰：“杜诗五律，结句之妙者，如‘明朝有封事，数问夜如何’，‘经过自爱惜，取次莫论兵’，‘亲朋满天地，兵甲少来书’，‘安危大臣在，不必泪长流’，‘无由睹雄略，大树日萧萧’，语皆矫健振劲，绝非铮铮细响也。”【题省中壁】《杜诗详注》卷六：“杜公夔州七律有间用拗体者，王右仲谓皆失意遣怀之作，今观《题壁》一章，亦用此体，在将去谏院之前，知王说良是。王世懋云：七律之有拗体，即诗中之变风变雅也，说正相合。”【送翰林张司马南海勒碑】《杜诗详注》卷六引王嗣奭曰：“野馆秾花，极堪玩赏。春帆细雨，又觉凄凉。长途情景，在处有之，妙在描写深细。”【送贾阁老出汝州】《杜诗详注》卷六引黄生曰：“起语醇深雅健，兴体之妙，无出其右，三唐之绝唱也。”又曰：“起处用《卷阿》诗意，而无其迹。”【偪侧行赠毕四曜】《杜诗详注》卷六引黄生曰：“杜五言力追汉、魏，可谓毫发无憾，波澜老成矣。七言间有颓然自放，工拙互陈，宋儒自以才识所及，专取此种为诗派，终觉入眼尘气。”又引王嗣奭曰：“信笔写意，俗语皆诗，他人所不能到。盖真情实事，不嫌其俗也。”

高适左除太子少詹事。五月，赴洛阳太子少詹事分司任，经宋州，作《还京次睢阳祭张巡许远文》。秋冬，在洛阳有《同鲜于洛阳于毕员外宅观画马歌》，杜甫有诗《寄高三十五詹事》。

五月

李白流夜郎，行至江夏。有《与史郎中钦听黄鹤楼上吹笛》、《张相公出镇荆州寻除太子詹事余时流夜郎行至江夏与张公相去千里公因太府丞王昔使车寄罗衣二事及五月五日赠余诗余答以此》、《题江夏修静寺》、《流夜郎至江夏配长史叔及薛明府宴兴德寺南阁》、《望鹦鹉洲怀祢衡》。春，由浔阳溯江而上，有诗《窜夜郎于乌江留别宗十六璟》、《流夜郎赠辛判官》、《流夜郎永华寺寄浔阳群官》、《流夜郎至西塞驿寄裴隐》等。八月，与张谓同游沔州南湖，有《泛沔州城南郎官湖》；至荆州，作《赠别郑判官》。此前，在汉阳另有《寄王汉阳》、《醉题王汉阳厅》等。九月，行至洞庭湖，有《送郗昂谪巴中》。冬，有诗《上三峡》。

六月

杜甫出为华州司功参军，有诗《至德二载甫自京金光门出间道归凤翔乾元初从左拾遗移华州掾与亲故别因出此门有悲往事》。《旧唐书》杜甫本传："琯罢相，甫上疏言琯有才，不宜罢免。肃宗怒，贬琯为刺史，出甫为华州司功参军。"赴任途中有《酬孟云卿》，孟云卿时年约三十四，客长安。秋，在华州，有诗《早秋若热堆案相仍》、《观安西兵过赴关中待命二首》。九月，杜甫过访蓝田，时王维任给事中，有《九日蓝田崔氏庄》、《崔氏东山草堂》。十二月，因事归东都。有诗《冬末以事之东都湖城东遇孟云卿复归刘颢宅宿宴饮散因为醉歌》、《戏赠阌乡秦少府短歌》、《李鄠县丈人胡马行》。【九日蓝田崔氏庄】《后山诗话》："孟嘉落帽，前世以为胜绝。杜子美《九日》诗云：'羞将短发还吹帽，笑倩傍人为正冠'，其文雅旷达，不减昔人，故谓诗非力学可致，正须胸度中泄尔。"《唐宋诗醇》卷一三："意颇颓唐，笔则老健，颈联撑拄，自是截断众流之句。"《瀛奎律髓汇评》卷一六方回评："杨诚斋大爱此诗，以予观之，诗必有顿挫起伏。……三、四融化落帽事甚新，末句'子细看茱萸'超绝千古。"《杜诗集评》卷一一引吴农祥云："起处即对起，炼入精微，而读者不觉。五、六庄严，结语悲咽无尽。议者谓'落帽'事画作两句，添出'正冠'为劣，虽然，终不以此微瑕掩全璧矣。"《读杜心解》卷四："字字亮，笔笔高。三、四，宋人极口，然犹是随波逐浪句，五、六乃所谓截断众流句。"《杜诗详注》引杨万里曰："唐七言律，句句字字皆奇。如杜《九日》诗，绝少。首联对起，方说悲忽说欢，顷刻变化。颔联将一事翻腾作二句。嘉以落帽为风流，此以不落为风流，最得翻案妙法。人至颈联，笔力多衰，复能雄杰挺拔，唤起一篇精神。结联意味深长，悠然无穷矣。陈后山云：颔联文雅旷达，不减昔人。故谓诗非力学可致，正须胸度中泄耳。"【崔氏东山草堂】《杜诗详注》卷六引王嗣奭曰："'蓝田'诗悲壮，'东山'诗则浑成，不烦绳削，自有萧散之致，各见其妙。然前诗人犹可学，此诗人不能到。"

李吉甫生。李吉甫（758—814），字弘宪，赵郡赞皇人。以荫补左司御率府仓曹参军。后任太常博士，出为忠州等地刺史。宪宗时由考功郎中迁翰林学士，转中书舍人。元和二年擢为中书侍郎、平章事，次年出任淮南节度使。六年正月复入相，九年十月三日暴疾卒。《新唐书·艺文志》著录有《一行易》、《六代略》三〇卷、《元和国计簿》一〇卷、《元和郡县图志》五四卷、《古今说苑》一一卷、《古今文集略》及《李吉甫集》二〇卷。今唯存《元和郡县图志》三四卷。

七月

独孤及在越州，丁母忧，有《独孤通理灵表》、《为独孤中丞天长节进镜表》、《为独孤中丞谢让官爵表》。正月，独孤及自洛阳侍母归越。独孤中丞，即独孤峻，独孤及从叔。严维时在越州诸暨尉任，亦有《奉和独孤中丞游云门寺》。

十月

皇甫冉在越州，有诗寄严维，作《登石城戍望海寄诸暨严少府》。春，与独孤峻同游法华寺，作诗《奉和独孤中丞游法华寺》。

武元衡生。武元衡（758—815），字伯苍，缑氏人。建中四年登进士第，累佐使府，征为监察御史，后为华原令。德宗召为比部员外郎，岁内三迁至左司中。贞元二十年擢为御史中丞。顺宗即位，改为左庶子。宪宗立，复为中丞，进户部侍郎。元和二年正月，拜门下侍郎同平章事，十月，出为剑南西川节度使。八年入相，力主对淮西用兵。十年六月，刺客杀之于道。两《唐书》有传。《新唐书·艺文志》著录《武元衡集》一〇卷，《郡斋读书志》著录《武元衡临淮集》二卷。

本年

元结移家江州瀼溪，作《瀼溪铭》。

张志和此年或稍后至长安。张志和（生卒年不详），初名龟龄，字子同，号钓波烟徒、玄真子、浪迹先生，婺州金华人。年十六，游太学，以明经擢第，献策肃宗，授左金吾卫录事参军。仍改名志和，字子同。寻复贬南浦尉。遇赦还，浪迹江湖，隐居会稽多年，后不知所终。《新唐书·艺文志》著录其《太易》一五卷、《玄真子》一二卷，今并佚。生平事迹见《颜鲁公文集》卷七《浪迹先生玄真子张志和碑铭》、《新唐书》卷一九六本传、《唐诗纪事》卷四六。

李翰至长安，“撰张巡、姚訚等传上之”（《新唐书·李翰传》），作《进张巡中丞传表》。

灵一居杭州宜丰寺，与李华、张继、皇甫冉等交游唱和。《毘陵集》卷九《灵一塔铭》：“与天台道士潘清、广陵曹评、赵郡李华、颍川韩拯、中山刘颖、襄阳朱放、赵郡李纾、顿丘李汤、南阳张继、安定皇甫冉、范阳张南史、清河房从心相与为尘外之友，讲德味道，朗咏终日，其终篇必博之以文。”

张署生。张署（758？—817？），河间人。贞元二年进士，举博学宏词科，为校书郎，自武功尉拜为监察御史。贞元十九年冬，贬为山阳令。永贞元年徙为江陵功曹参军，拜京兆府司录，迁尚书刑部。改虔州刺史、澧州刺史。任河南令数月，以病免，卒。详见韩愈《唐故河南令张君墓志铭》。《唐才子传》卷五“韩愈”条附：“时功曹张署亦工诗，与公同为御史，又同迁谪，唱答见于集中，有诗赋杂文等四十卷行于世。”魏仲举编《五百家注昌黎文集》卷九录张署诗一首。

李逢吉生。李逢吉（758—835），字虚舟，陇西人。早年曾与李渤隐居庐山。贞元十年登进士第，历左拾遗，历左补阙、侍御史，充入吐蕃册命副使，迁工部员外郎。元和四年正月，充入南诏副使，还拜祠部郎中。后迁给事中、太子诸王侍读、中书舍人。十一年，权知礼部贡举。二月，拜门下侍郎、同平章事。次年出为剑南节度使。长庆二年三月，入为兵部侍郎。后代裴度为门下侍郎平章事。宝历二年十一月，复出为剑南节度使。大和二年十月，转宣武节度使。五年充东都留守。八年征拜左仆射。九年正月卒。《新唐书·艺文志》著录《断金集》一卷，为其与令狐楚唱和之作，已佚。

韦述卒。《旧唐书·韦述传》：“至德二年，收两京，三司议罪，流于渝州，为刺史薛舒困辱，不食而卒。”《唐诗纪事》卷二二：“述纯厚长者，澹荣利，任史官二十年，典掌图书余四十年。天宝间为国子司业，充集贤学士。禄山乱，抱国史藏南山，臣贼。贼平，流渝州，为刺史薛舒所困，不食死。”《全唐诗》卷一〇八录其诗四首，《全唐文》卷三〇二收其文九篇。

于逖约本年卒。《唐才子传》卷八：“同在一时者，有赵微明、于逖、蒋涣、元季川，俱山巅水涯苦学真士，名同兰茝之芳，志非银黄之慕，吟咏性灵，陶炼衷素，皆有佳篇，不至湮落。惜其行藏之大概，不见于记录。”《箧中集》录其诗二首，即《全唐诗》卷二五九所收。

崔成甫卒于阮湘。《李太白文集》卷二六《泽畔吟序》：“《泽畔吟》者，逐臣崔公之所作也。公代业文宗，早茂才秀。起家校书蓬山，再尉关辅，中佐于宪车，因贬湘阴。从宦二十有八载，而官未登于郎署，何遇时而不偶耶？所谓大名难居，硕果不食，流离乎沅湘，摧颓于草莽。同时得罪者数十人，或才长命夭，覆巢荡室。崔公忠愤义烈，形于清辞，恸哭泽畔，哀形翰墨，犹风雅之什，闻之者无罪，睹之者作镜。书所感遇，总二十章，名之曰《泽畔吟》。惧奸臣之猜，常韬之于竹简；酷吏将至，则藏之于名山。前后数四，蠹伤卷轴。观其逸气顿挫，英风激扬，横波遗流，腾薄万古。至于微而彰、婉而丽，悲不自我，兴成他人，岂不云怨者之流乎？余览之，怆然掩卷，挥涕为之序云。”

公元 759 年（唐肃宗乾元二年　己亥）

二月

礼部侍郎李揆知贡举。赖棐等二十五人进士及第。见《登科记考》卷一〇。《旧唐书》卷一二六《李揆传》：“揆尝以主司取士多不考实，徒峻其堤防，索其书策，殊未

知艺不至者，文史之囿，亦不能摛词，深昧求贤之意也。其试进士文章，请于庭中设五经诸史及《切韵》本于床，而引贡士谓之曰：大国选士，但务得才。经籍在此，请恣寻检。由是数月之间，美声上闻。”

三月

郭子仪等九节度为史思明所败，溃于相州。史思明杀安庆绪。杜甫自东都归华州，途中逢相州之败，有诗《新安吏》、《潼关吏》、《石壕吏》、《新婚别》、《垂老别》、《无家别》等。此时或稍前，杜甫有《梦李白二首》。张綖《杜工部诗通》（明隆庆六年张守中刻本）卷七：“凡公此等诗，不专是刺。盖兵者凶器，圣人不得已而用之。故可已而不已者，则刺之；不得已而用者，则慰之、哀之。若《兵车行》、前后《出塞》之类，皆刺也，此可已而不已者也。若夫《新安吏》之类，则慰也；《石壕吏》之类，则哀也，此不得已而用之者也。然天子有道，守在四夷，则所以慰、哀之者，是亦刺也。”江浩然《杜诗集说》（乾隆刻本）卷五引邵长衡评：“《新安》至《无家》为六首，皆子美时事乐府也。曲折凄怆，直堪泣鬼神。”《唐诗别裁》卷二：“诸咏身所历见闻事，运以古乐府神理，惊心动魄，疑鬼疑神，千古而下，何人更能措手?”《后村诗话》卷九：“《新安吏》、《潼关吏》、《石壕吏》、《新婚别》、《垂老别》、《无家别》诸篇，其述男女怨旷、室家离别、父子夫妇不相保之意，与《东山》、《采薇》、《出车》、《杕杜》数诗相为表里。唐自中叶，以徭役调发为常，至于亡国。肃代而后，非复贞观、开元之唐矣。新、重旧《唐史》不载者，略见杜诗。”《杜臆》卷三：“此五首非亲见不能作，他人虽见亦不能作。公以事至东都，目击成诗，若有神使之，遂下千秋之泪。”又曰：“《新安》悯中男也，其词如慈母保赤；《石壕》作老妇语；《新婚》作新妇语；《垂老》、《无家》其苦自知而不能自达，一一刻画，宛然同工异曲，随物赋形，真造化手也。”【新安吏】《杜诗说》卷一：“末语如闻其声，明‘中男’以下，皆其父送之之语。本系强勉宽慰之辞，翻令千载而下，读者为之哽咽。”《杜诗镜铨》卷五：“自六朝以来，乐府题率多摹拟剽窃，陈陈相因，最为可厌。子美出而独就当时所感触，上悯国难，下痛民穷，随意立题，尽脱去前人窠臼，《苕华》、《草黄》之哀，不是过也。乐天《古乐府》、《秦中吟》等篇，亦自此出，而语稍平易，不及杜之沉警独绝也。”《杜诗详注》卷七引陆时雍曰：“少陵五古，材力作用，本之汉、魏居多。第出手稍钝，苦雕细琢，降为唐音。夫一往而至者，情也。必然必不然者，意也。意死而情活，意迹而情神，意近而情远，意伪而情真，情意之分，古今所由判矣。少陵精矣、刻矣、高矣、卓矣，然而未齐于古人者，以意胜也，假令以《古诗十九首》与少陵作，便是首首皆意。假令以《新安》、《石壕》诸什与古人作，便首首皆有神往神来，不知而自至之妙。”【石壕吏】《唐诗镜》卷二一：“其事何长，其言何简。‘吏呼一何怒，妇啼一何苦’二语，便当数十言写矣。文章家所云要会，以去形而得情、去情而得神故也。末四语酸楚殊甚。”又云：“尝观王粲《七哀诗》，情事之悲，曾不減此。然《七哀》声色不动，吐纳自如。若老杜诸作，便觉锥胸顿足，唾涕俱来矣，此古、今人所以不相及也。”【新婚别】《唐诗镜》卷二一：“此作气韵不减汉魏，‘妾身未分明，何以拜姑嫜'，建安中亦无此深至语。"《杜诗集评》卷二引吴农祥评："婉转劝勉，有同仇之志焉，有'谁因谁极'之思焉。怨而不怒，此诗有之。"《杜诗详注》卷七："此诗君字凡七见。君妻、君床，聚之暂也；君行、君往，别之速也。随君，情之切也；对君，意之伤也；与君，永望志之贞且坚也。频频呼君，几于一声一泪。"《杜诗增注》卷五："无穷义理，无限节操，却从新嫁娘口中脱出，只此便是有唐乐府，临阵歌之，可以激励将士。"《杜诗百篇》卷上："通首作送者之词，比体起，比体结，既勉其夫，且复自勉，所谓发夫情止乎礼仪者。"【垂老别】《杜诗镜铨》卷五引蒋弱六云："通首心事，千回百折，似竟去又似难去。至土门以下，一一想到，尤肖老人声吻。"《杜诗详注》卷七引胡夏客曰："《新安》、《石壕》、《新婚》、《垂老》诸诗，述军兴之调发，写民情之怨哀，详矣，然作者之意，又不止此。国家不幸多事，犹幸有缮兵中兴之主，上能用其民，下能应其命，至杀身弃家不顾，以成一时恢复之功，故娓娓言之。义合风雅，不为诽谤耳。若势极危亡，一人束手，四海离心，则不可道已。"【梦李白二首】《唐诗镜》卷二："是魂是人，是梦是睹，都觉恍惚无定，亲情苦意，无不备极矣。"《杜诗说》卷一："交非泛泛，故梦非泛梦，诗亦非泛作。若他人交情与诗情俱不至，自难勉强效颦耳。"《杜诗详注》卷七："前章说梦处，多涉疑词；此章说梦处，宛如目击。形愈疏而情愈笃，千古交情，惟此为至。然非公至性，不能有此至情；非公至文，亦不能写此至性。"《唐宋诗醇》卷一〇："沉痛之音，发于至情。情之至者，文亦至。友谊如此，当与《出师》、《陈情》二表并读，非仅《招魂》、《大招》之遗韵也。"

岑参由右补阙迁起居舍人。有诗《西掖省即事》。五月，岑参赴虢州长史任，有诗《初至西虢官舍南池呈左右省及南宫诸故人》；途经华山，有诗《出关经华岳寺访法华云公》。是年，另有诗《衙郡守还》、《佐郡思旧游》等。【西掖省即事】《瀛奎律髓汇评》卷二方回评："亚于前所和贾至者。"陆贻典评："前半楚雅有致，后半少力。"许印芳评："三联与次联不粘。三、四全套贾幼邻《大明宫》诗，上句直用其语，尤可鄙。同时人如此剿袭，亦异事也。"纪昀评："用笔轻婉，嘉州所少。结稍直遂。"《唐诗解》卷四三："此拙于仕宦，思归隐也。前二联叙西掖之景，言云开日出，细雨沾濡，而柳色花香，偏于宫掖，春色信佳矣，然非乐居于此也。我旦而趋朝，暮而返舍，随班碌碌，无所建明，其为官拙可知矣。况年岁已暮，而尚守此微官，不若退而岩居也。"《删补唐诗选脉笺释会通评林》"盛七律上"周珽评："前四句叙省垣方春之景，后四句即出入省中之事，有官拙无补、归隐自适之思。"李梦阳评："艳冶不落尖巧。"吴国伦评："颔联情景细腻。"蒋一梅评："丽朗。"

春

李白流夜郎，中途遇赦而返，东下江陵，有《早发白帝城》等。前此，有《南流夜郎寄内》、《忆秋浦桃花旧游时窜夜郎》等。五月，往来江夏、汉阳间，有诗《流夜郎半道承恩放还兼欣克复之美书怀示息秀才》、《自汉阳病酒归寄王明府》、《赠王汉阳》。《升庵集》（四库本）卷五七："盛弘之《荆州记》写巫峡江水之迅云：朝发白帝，暮到江陵，其间千二百里，虽乘奔御风，不更疾也。杜子美诗：‘朝发白帝暮江陵，顷来目击信有征’，李太白‘朝辞白帝彩云间，千里江陵一日还。两岸猿声啼不住，轻舟已过万重山’，虽同用盛弘之语，而优劣自别。今人谓李、杜不可以优劣论，此语亦太愦愦。”《删补唐诗选脉笺释会通评林》“盛七绝中”周敬评：“脱洒流利，非实历此境说不出。”《唐诗别裁集》卷二：“写出瞬息千里，若有神助。而‘猿声’一句，文势不伤于直，画家布景设色，每于此处用意。”《唐宋诗醇》卷七：“顺风扬帆，瞬息千里，但道得眼前景色，便疑笔墨间亦有神助。三四设色托起，殊觉自在中流。”《岘佣说诗》：“太白七绝，天才超逸，而神韵随之。如‘朝辞白帝彩云间，千里江陵一日还’，如此迅捷，则轻舟之过万重山不待言矣。中间却用‘两岸猿声啼不住’句垫之。无此句，则直而无味；有此句，走处仍留，急语仍缓，可悟用笔之妙。”

刘长卿贬南巴尉，由苏州赴洪州，暂居余干。有诗《赴江西湖上赠皇甫曾之宣州》、《赴南中题褚少府湖上亭子》、《留题李明府霅溪水堂》、《负谪后登干越亭作》、《将赴南巴至余干别李十二》、《送裴郎中贬吉州》、《重送裴郎中贬吉州》。【重送裴郎中贬吉州】《唐诗镜》卷二九：“语最小样。”敖英《唐诗绝句类选》（明三色套印本）：“唐人屡用‘孤舟’，盖加‘一’字，益觉凄楚。宋人病其为复，非知诗者。”《删补唐诗选脉笺释会通评林》“中唐七绝上”蒋一葵曰：“两‘自’字有情无情之别，最佳。”屠隆曰：“潇洒不群。”《大历诗略》：“只如说话，始见真情。”【负谪后登干越亭作】《瀛奎律髓汇评》卷四三方回评：“长卿诗谓之‘五言长城’，世称刘随州，然不及老杜处，以时有偏枯。”冯班评：“器局思路，事事不如老杜，时代使然。止曰‘偏枯’，非知诗者。”又云：“忠厚之至。”《围炉诗话》卷二：“刘长卿《登干越亭》诗，前段尚宽和，至‘得罪’三联，忽出哀苦之词，遂觉通篇尽是哀苦。唐人诗法如是，失操纵法。”《围炉诗话》卷一：“诗而有境有情，则自有人在其中。”又卷二：“刘长卿《登干越亭》诗，前段尚宽和，至‘得罪’三联，忽出哀苦之词，遂觉通篇尽是哀苦。唐人诗法如是，若通篇哀苦，失操纵法。”《大历诗略》：“十韵中声泪俱下。文房诗之深悲极怨，无愈于此者，真绝唱也。”【留题李明府霅溪水堂】《唐诗归》卷二五钟惺评：“文房五言妙手，朴中带峭，便开中、晚诸路。至排律，深老博大，其气骨则渐向上去矣。”《唐诗合解笺注》卷一二：“文房谪宦南巴，将投瘴烟之地，道由湘、沅，而回忆霅溪，离思难禁，今日辞此书房，从此泛舟而去，倘闻江浦猿声，谁能堪之？不令我断肠悲痛哉。沅、湘二水，在洞庭之南。前解羡书堂幽意，中遂历言之，后解乃留别书堂而题此作。”《删补唐诗选脉笺释会通评林》“中唐五言排律”周珽曰：“通篇美李之政治清逸，官舍幽致。末四句叙已投荒远别，不堪凄楚，见‘留题’之意。联法词气，字字工妙，语语秀郎。”

王维在给事中任，钱起在蓝田，两人作诗唱和。王维有《春夜竹亭赠钱少府归蓝田》、《送钱少府还蓝田》。钱起作《酬王维春夜竹亭赠别》、《晚归蓝田酬王维给事赠别》。是年，王维另有诗《送韦大夫东京留守》及文《为干和尚进注仁王经表》、《裴右丞写真赞》、《为相国王公紫芝木瓜赞》等。【春夜竹亭赠钱少府归蓝田】《唐诗别裁集》卷一：“五言用长易，用短难，右丞工于用短。”《唐诗援》：“不谓送行诗乃有如此深致，彼以诘曲为深者，视之天壤矣。”【酬王维春夜竹亭赠别】《唐诗别裁集》卷三："仲文五言古仿佛右丞，而清秀弥甚。然右丞所以高出者，能冲和浑厚也。"《唐诗合选详解》引吴绥眉曰："亦佳作也，但过求风致，去古稍远。"《石园诗话》："仲文受知于王右丞，《酬王维春夜竹亭赠别》诗，无一语誉王。唐贤赠答，每每写情赋景，而不哓哓于称誉，自后则不然。"

严武在巴州刺史任。有《题巴州光福寺楠木诗》。史俊同题唱和。郗昂有诗《陪严使君暮春五言二首》。

五月

肃宗试四科举人。《旧唐书·肃宗纪》："丁亥，上御宣政殿，试文经邦国等四科举人。"

高适赴彭州刺史任。此前曾赴京，有诗《赴彭州山行之作》。六月初，抵彭州，有《谢上彭州刺史表》。秋冬，与杜甫、裴霸、李岘诗文唱和，作《赠杜二拾遗》、《酬裴员外以诗代文》、《同河南李少尹毕员外宅夜饮时洛阳告捷遂作春酒歌》。杜甫有《酬高使君相赠》。

六月

戎昱入颜真卿浙西幕。戎昱，荆南人，郡望扶风。上元中在长安，宝应年间过滑州、洛阳，与王季友唱和。大历元年游蜀，二年为荆南节度使，四年入湖南观察使幕，后流寓湘中，八年入桂州观察使幕。建中中，供职御史台，四年出为辰州刺史。贞元二年入朝，贞元十三年，在虔州刺史任。《新唐书·艺文志》著录《戎昱集》五卷，《郡斋读书志》录为三卷。事迹见《郡斋读书志》卷一八，《唐诗纪事》卷二八等。

七月

杜甫在华州司功任，欲携家客秦州，有诗《立秋后题》。《新唐书·杜甫传》："关辅饥，辄弃官去，客秦州。"五月，杜甫回华州，作《夏日叹》、《夏夜叹》。秋，在秦州，有诗《天末怀李白》、《寄彭州高三十五使君适虢州岑二十七长史参三十韵》、《寄岳州贾司马六丈巴州严八使君两阁老五十韵》、《寄张十二山人彪三十韵》、《遣兴三首》、《秦州见敕目薛三璩援司议郎毕四曜除监察与二子有故远喜迁官兼述索居凡三十韵》、《秦州杂诗》二十首、《月夜忆舍弟》、《雨晴》、《寓目》、《即事》、《天河》、《初月》、《归燕》、《促织》、《蒹葭》、《萤火》、《夕烽》、《秋笛》、《兵马》、《送远》等。【天末怀李白】《杜诗详注》卷七云："说到流离生死，千里关情，真堪声泪交下，此怀人之最惨怛者。"《唐宋诗醇》卷一四："悲歌慷慨，一气卷舒，李杜交好，其诗特地精神。"《唐诗境》："第五句善写恨情，高才得此便当焚研。"《杜诗说》卷四："五、六句可谓怨而不怒，只'冤魂'字略露意，然亦深且婉矣。不曰'吊'而曰'赠'，说得冤魂活现。"《读杜心解》卷三："太白仙才，公诗起四句，便以仙气，竟似太白语。五、六直檃括《天问》、《招魂》两篇。"《杜诗集说》卷六引邵长横云："如此诗

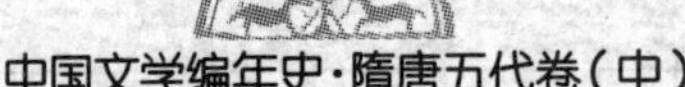

乃可以怀李，一喜一憎，遂令文人无置身地。”《藏雪山房杜律诗详解》“五律”卷二：“此诗通身与《冬日怀李白》之作格局相似，而用笔更觉力厚沉思。盖彼时之落拓未深，此时之遭遇更苦，故文境与时俱新也。”【寄彭州高三十五使君适虢州岑二十七长史参三十韵】《读书堂杜诗注解》卷六：“似悲似慰，亦羡亦嘲，流动变化之极，真大手笔。”《杜诗集评》卷一二引李因笃云：“高、岑伟人，兼公夙契，故其诗浑雄沉著，冠冕古今，乃加意为之，脱去应酬常套矣。大处有推倒一世之风，深处有刻入肌骨之妙，排荡、开合、顿挫，而气格弥自浑然，大家之篇。”引吴农祥评：“忽说自身，忽说高、岑，忽夹杂写，章法变化而奇句时见，又一格也。”《杜诗集说》卷六引查慎行评：“一起亲切入情，正以词客同时之故。前后叙二公交情、宦游，而中间自叙相应，章法入妙。”《杜诗详注》卷八：“凡排律，多在首联栀题，若作长排，必在首段总挈。如此篇，用四语标眼，而后用四段分应。下篇用两语提纲，而后用两扇对承，细心体玩，方见杜诗脉络之精密。”【遣兴三首】《杜诗详注》卷七引胡夏客曰：“杜公古诗近体，在长安时才力未为造极。秦州以后，古诗则卓炼精深。夔州以后，又纵情杂乱，不及前矣。律诗则老而愈细，四韵固多佳篇，长律尤尽其妙。”【寄岳州贾司马六丈巴州严八使君两阁老五十韵】《读书堂杜诗注解》卷六：“一气连贯，千层百折。意极真，语又浑，至其忠告处，皆远害全身要道，此岂寻常投赠？”《杜诗集评》卷一二引陆嘉淑云：“长篇篇法，莫逾此诗。须坐卧讽之，率尔一读，止得其体貌。”引李因笃评：“叙事整赡，用意深苦。有点缀，有分合，章法秩然。五十韵无一失所，如左、马大篇文字，精神到底，卓绝百代矣。”【秦州杂诗二十首】《读杜心解》卷三：“初谓杂诗无伦次，及仔细寻绎，煞有调理。二十首大概只是悲世、藏身两意。其前数首悲世语居多，其后数首藏身语居多。惟其值世多事，是以为身谋隐也。至如首尾两章，固显然为起结照应矣。”《后村诗话》卷一〇：“唐人游边之作，数十篇中间有三数篇，一篇中间有一二联可采。若此二十篇，山川城郭之异，土地风气所宜，开卷一览，尽在是矣。纲山《送蕲帅》云：‘杜陵诗卷是《图经》’，岂不信然。”《杜诗言志》卷四：“二十首一线穿成，……或在于身，或在于世，或在于身世之交。而波澜壮阔，气格雄浑，声调铿铉，色泽瑰丽，在集中尤为弘巨之作，五言长城，当推为千古绝调也。”《唐宋诗醇》卷一四：“题曰《杂诗》，所感非一事，其作非一时。盖甫弃官游秦，情非得已，身世之感，一寓于诗。即事命意，触景成文，或系于国，或系于己，要以达其性情则一。然其遇弥困，而思则弥深；其心益苦，而言则益工，纵出横飞，涵今茹古。昔人谓其秦州以后律法尤精，盖所遇有以激发之也。学者求其本源之所在，而参时世以观之，庶有以窥其藩篱耳。”【月夜忆舍弟】《麈史》卷二：“杜子美善于用事及常语，多离析或倒句，则语峻而体健，意亦深稳。如‘露从今夜白，月是故乡明’是也。”

八月

李白在鄂州。有《天长节使鄂州刺史韦公德政碑》及诗《经乱离后天恩流夜郎忆旧游书怀赠江夏韦太守良宰》。后至岳阳，有诗《将游衡岳过汉阳双松亭留别族弟浮屠谈皓》、《答裴侍御先行至石头驿以书见招期月满泛洞庭》、《至鸭栏驿上白马矶赠裴侍

御》、《夜泛洞庭湖寻裴侍御清酌》、《酬裴侍御对雨感时见赠》、《酬裴侍御留岫师弹琴见寄》、《秋登巴陵望洞庭》、《与夏十二登岳阳楼》等。九月，将南行，有诗《荆州贼乱临洞庭湖言怀作》、《九日登巴陵置酒望洞庭水军》、《赠别舍人弟台卿之江南》。贾至有诗《洞庭送李十二赴零陵》。至零陵，有《赠卢司户》、《秋夕书怀》等。【经乱离后天恩流夜郎忆旧游书怀赠江夏韦太守良宰】《李诗选注》："盛唐大家略脱小疵，后世拘忌太甚，故论事叙情晦而不明，迂而不切，但泛泛于形影之间而已。此后世之诗所以不如唐，唐人之诗所以不如李杜也。说者谓杜子《北征》、李白《书怀》皆长篇之作，冠绝古今，可拟风雅。然《北征》论时事而辞义严正，《书怀》敷大义而痛切激扬，比而较之，《书怀》虽不若《北征》之纯，而辞藻清丽，情思忧乐，充然有余；所以明治乱之迹，著君臣之义者，则又未尝不皎然而明白也。此二公俱大手笔，叙事有条，整而不乱，宜芳誉并称而世为天下之法也。"《唐宋诗醇》卷五："白之从璘辟也，苏轼辨其由于迫胁，论甚平允。此篇历叙交游始末，而白生平踪迹亦略见于此。'十月到幽州'一段盖白自被放后，北游燕赵，观听形势，知禄山之必叛，尾大不掉之害，欲言不能，述之犹觉痛切。至于潼关失守，江陵煽乱，与白之为璘所胁受累远谪，无不明如指掌。结尾一段，虑庙堂之无人，忧将帅之不一，而贼之不得速平，与前遥相照应。通篇以交情时势互为经纬，汪洋浩瀚如百川之灌河，如长江之赴海，卓乎大篇，可与《北征》并峙。"《读雪山房唐诗序例》"五古凡例"："太白生平略具，纵横恣肆，激宕淋漓，真少陵《北征》劲敌。后人舍此而举昌黎《南山》，失其伦矣。"

贾至贬为岳州司马。与李白、李晔同游洞庭湖等地，有诗唱和。贾至作《初至巴陵与李十二白裴九同泛洞庭湖三首》、《江南送李卿》。李白有《陪族叔刑部侍郎晔及中书贾舍人至游洞庭五首》、《陪侍郎叔游洞庭醉后三首》、《巴陵赠贾舍人》、《与贾舍人于龙兴寺剪落梧桐枝望灉湖》。【陪族叔刑部侍郎晔及中书贾舍人至游洞庭五首】《删补唐诗选脉笺释会通评林》"盛七绝中"周敬云："景中含情，情中寓意，不妨为七绝压卷。"《李诗直解》卷六："此贾至与白均是逐臣，邂逅而为洞庭之游作是诗也。言洞庭湖中，从西望之，则岷江与楚江之水分，至岳阳而始合也。且水尽南天，茫无涯际，而不见云气，是水天一色矣。今秋景日落之时，长沙亦远，渺渺浩浩之中，不知何处为湘君之神而吊之也。此正形容秋色远耳，岂苦欲吊湘君耶？"《唐宋诗醇》卷七评其二："即目伤怀，含情无限，二十八字，不减《九辩》之哀矣。解者求之于形迹之间，何以会其神韵哉？"引敖英曰："缀景宏阔，有吞吐湖山之气。落句感慨之情深矣。"引钟惺曰："写洞庭寥廓幻杳，俱在言外。"引唐汝询曰："秋月未沉，晨雁已起，舟中之客，霜露入衣而不知，岂真乐而忘返耶？意必有不堪者在也。"【巴陵赠贾舍人】《唐诗解》卷二五："首美其恋主，次勉其无怨，次又为婉言以喻之。意谓文帝谪贾生于长沙，而地极远，今巴陵之谪，稍近于彼，是今皇之待君，非汉王比矣。李集以此诗为伪作，观其词微觉不类，然文极和缓，亦自足传。"《唐宋诗醇》卷五："可谓深婉。萧士赟以此与前篇为非白作，观其气味，非白不办。"

李阳冰年约四十。时官缙云令，撰《城隍庙记》。

九月

卢象在永州司户任。李白有诗《赠卢司户》。

元结在长安，献《时议三篇》，授右金吾兵曹，充山南东道节度参谋。

秋

刘长卿在余干，作诗《余干旅舍》、《登余干古县城》等。后将赴南巴，有诗《将赴岭外留题萧寺远公院》、《赴南巴书情寄故人》、《重推后却赴岭外待进止寄元侍郎》。经鄱阳，作《贬南巴至鄱阳题李嘉祐江亭》、《至饶州寻陶十七不在寄赠》。至岳州，作《南楚怀古》、《晚次湖口有感》。过长沙，有《长沙过贾谊宅》。在湘中，有《秋杪江亭有作》、《湘中忆归》、《入桂渚次砂牛穴》等。在郴县，作《桂阳西洲晚泊古桥村主人》。【将赴岭外留题萧寺远公院】《唐风定》卷一七云："结意深婉，亦复矫矫，与他篇不同。"《昭昧詹言》卷一八："此贬潘州时也。起先点僧院，三、四切响，还萧寺，五、六写此处景，入已将作别赴岭外，收留题入化。因内史想象南朝，因南朝即其木亦古，所谓兴在象外也。"【登余干古县城】《删补唐诗选脉笺释会通评林》"中唐七律上"顾璘曰："自寓感慨。"张震曰："伤今吊古之情，蔼然见于言意之表。"唐汝询曰："次联清绝，三联此处不厌重字。"周珽曰："悲伤凄怆，捧读一过，不减痛读《骚经》。"《昭昧詹言》卷一八："以情有余味不尽，所谓兴在象外也。言外句句有登城人在，句句有作诗人在，所以称为作者，是所谓魂魄停匀。"《诗境浅说》丙编："盛唐之诗人怀古，多沉雄之作，至随州而秀雅生姿，殆风会所至耶？此诗首句总写古城之景，次句总写萧条之态，三、四承次句，实写其萧条。昔之官舍，衣锦排衙，今则秋原草没；昔之女墙，严城拥雉，今则夜月乌啼。五、六亦承次句，虚写其萧条，极目平沙，更无人迹，惟有向人斜日，伴凭高游客，少驻余光。末句谓一片荒城，消沉多少人物，而飞鸟无情，依旧嬉翔朝暮，鸟而有知，其如丁令威之化鹤归耶。"【南楚怀古】《删补唐诗选脉会笺释通评林》"中唐五古上"吴山民曰："首四句感兴。'碧云'二句语旷，收得好。"郭浚曰："质而不俚，莽莽苍苍，是楚中语。"周明翊曰："'精魂'二语，无意而工。"陆时雍曰："笔意萧疏。"【长沙过贾谊宅】《唐诗镜》卷二九："五、六当是慰劳，非是俏语。"《唐风定》卷一七云："深悲极怨，乃复妍秀温和，妙绝千古。"《唐诗合解笺注》卷一〇："前解写过贾生故宅，后解所以深惜贾生而自悲摇落也。"《围炉诗话》卷三："只言贾谊而己意自见。"《唐诗别裁集》卷一四："谊之迁谪，本因被谗，今云何事而来，含情不尽。"《昭昧詹言》卷一八："首二句叙贾谊宅，三、四'过'字，五、六入议。收以自己托意，亦全是言外有作诗人在，过宅人在。所谓魂者，皆用我为主，则自然有兴有味。否则有诗无人，如应试之作，代圣人立言，于自己没涉。公家众口，人人皆可承当，不见有我真性情面目。试掩其名氏，则不知为谁何之作。张冠李戴，东餐西宿，驿传储胥，不能作我家当矣。"赵臣瑗《山满楼笺注唐诗七言律》（清刻本）："笔法顿挫，言外有无穷感慨，不愧中唐高调。"《唐诗贯珠》："松秀轻圆，中唐风致。"《大历诗略》："极沉挚以澹缓出之，结乃深悲而反咎之也。读此诗须得其言外自伤意，苟非迁客，何以低回如此？"【秋杪江亭有作】《唐诗归》谭元春曰："同一湘水向耳，'人闲'二字，远不如'君深'二字，知其故者可与言

诗。”钟惺曰：“语不须深，而自然奥浑，气之所至。”【入桂渚次砂牛穴】《删补唐诗选脉笺释会通评林》“中唐七古上”徐中行曰：“错综颠倒，士人之玩趣尽堪作玩。”王世贞曰：“‘楚云淡无心’五字，不下‘幽州白日寒’，彼意活，此意沉。”

十月

杜甫由秦州取道凤州两当县赴成州，有诗《发秦州》、《赤谷》、《铁堂峡》、《法镜寺》、《青阳峡》、《龙门镇》、《积草岭》、《泥功山》、《凤凰台》、《两当县吴十侍御江上宅》。十一月，寓居成州同谷县，有《乾元中寓居同谷县作歌七首》。十二月，离同谷赴蜀，沿途有诗《木皮岭》、《飞仙阁》、《玉盘》、《龙门阁》、《石柜阁》、《桔柏渡》、《白沙渡》、《水会渡》、《剑门渡》、《鹿头山》、《成都府》、《酬高使君相赠》等。【发秦州】《读书堂杜诗注解》卷六：“发秦州三十二首，因心触景，处处换笔，极真极大。后人为成见所拘，望其藩篱而不得也。”《竹庄诗话》卷五引《少陵诗纵目》云：“纪行诗《发秦州》至《凤凰台》，发同谷县，至成都府，合二十四首，皆以纪行为先后，无复差舛，昔韩子苍常论此诗笔力变化，当与太史公诸赞方驾，学者宜常讽诵之。”《杜诗集解》卷二引吴农祥评：“纪行诸诗，刻画精细，妙在不袭陈言，自写怀抱。诸纪行诗有首有尾，《发秦州》首也，《成都府》尾也，中间亦可作一串读。”唐元竑《杜诗攟》（四库本）卷一：“秦州、同谷纪行诸诗，妙有剪裁，句意俱练，色浓响切，无浮声，无冗语，殊胜夔州以后。晦翁论甚当。”《杜诗提要》卷三：“自发秦州至成都诗，心雄骨峭，格险韵高，疏莽雄质，写气范形，无不曲尽其妙。”《读杜心解》卷一：“的是发端，玩此诗纯从未发前落笔，明所以去此就彼之故。却用逆局，使文格不平直。”【青阳峡】《杜诗详注》卷八引江盈科《雪涛诗评》曰：“少陵秦州以后诗，突兀宏肆，迥异昔作。非有意换格，蜀中山水，自是挺特奇崛，独能象景传神，使人读之，山川历落，居然在眼。所谓春蚕结茧，随物肖形，乃为真诗人、真手笔也。”【凤凰台】《读杜心解》卷一：“是诗想入非非。要只是凤凰本地风光，亦只是杜老平生血性，不惜此身颠沛，但期国运中兴。刳心沥血，兴会淋漓，为十二诗意外之结局。”《杜臆》卷三：“公因凤凰之名，无中生有，虽凤雏无之，而所抒写者实心血也。”《杜诗提要》卷三：“此公想望中兴，托兴西伯，不惜自剖心血，效死以图王业，特借凤凰铺张以扬圣瑞。乃极无聊之时，悬空揣度，思见中兴盛事耳。其蕴蓄深厚，最得比体之妙。此等胸襟，此等笔力，足使鬼惊神泣。”《杜诗详注》卷八：“解杜者，诗中本无寓言，而必欲傅会时事，失于穿凿；诗中本有寓意，而必欲抹杀微词，谓之矫枉。泽州陈冢宰谓皆好胜之过，良是。此章托讽显然，盖借景以寓意，于卢注独有取焉。”【乾元中寓居同谷县作歌七首】朱熹《朱文公文集》（四部丛刊本）卷八四：“杜陵此歌，豪宕奇崛，诗流少及者。顾其卒章叹老嗟卑，则志亦陋矣，人可以不闻道哉！”《诗薮》内编卷三：“杜《七歌》亦仿张衡《四愁》。然《七歌》奇崛雄深。《四愁》和平婉丽。汉唐短歌，名为绝唱，所谓异曲同工。”《杜臆》卷三：“《七歌》创作，原不仿《离骚》而哀实过之。读《离骚》未必坠泪，而读此不能终篇，则节短而声促也。七首脉理相通，音节俱协，要摘选不得。”《杜诗详注》卷八引陆时雍曰：

“《同谷七歌》，稍近骚意，第出语粗放，其粗放处，正是自得也。”引董益曰：“李廌《师友记闻》谓太白《远别离》、《蜀道难》与子美《寓居》、《同谷七歌》，风骚极致，不在屈、宋之下。愚谓一歌结句‘悲风为我从天来’、七歌云‘仰视皇天白日速’，其声慨然，其气浩然，殆又非宋玉、太白辈所及。”引申涵光曰：“《同谷七歌》，顿挫淋漓，有一唱三叹之致，从《胡笳十八拍》及《四愁诗》得来，是集中得意之作。”【飞仙阁】《杜诗详注》卷九：“蜀道山水奇绝，若作寻常登临览胜语，亦犹人耳。少陵搜奇抉奥，峭刻生新，各首自辟境界，后来天台方正学入蜀，对景阁笔，自叹无子美之才，何况他人乎？”【水会渡】《杜诗详注》卷九引周明辅曰：“少陵入蜀纪行诸作，雄奇崛壮，盖其辛苦中得之益工耳。”【鹿头山】《杜诗详注》卷九引李长祥曰：“自秦州至此，山川之奇险已尽，诗之奇险亦尽，乃发为和平之音，使读者至此，别一世界。情移于境，不可强也。”【成都府】《删补唐诗选脉笺释会通评林》“盛五七古”周珽云：“少陵入蜀诸篇，绝脂粉以坚其骨，贱丰神以实其髓，破绳格以活其肢，首首摛幽撷奥，出鬼入神，诗运之变，至此极盛矣。”《杜诗集评》卷二引李因笃评：“万里行役，其中山川之夷险，岁月之暄凉，交游之违合，靡不曲尽，真诗史也。”《杜诗镜诠》卷七：“大处极大，细处极细，远处极远，近处极近，奥处极奥，易处极易，兼之化之，而不足以知之。”又引蒋弱六评：“少陵入蜀诗，与柳州柳子厚诸记，剔险搜奇，幽深峭刻，自是千古天生位置配合，成此奇地奇文，令读者应接不暇。”

十一月

贺兰进明贬溱州司马，本年或稍后卒。《河岳英灵集》卷中：“员外好古博雅，经籍满腹。其所著述一百余篇，颇究天人之际，又有古诗八十首，大体符于阮公。又《行路难》五首，并多新兴。”有《古意二首》。《唐诗解》卷二：“此自伤才美而不遇也。言兰正含香，而我采摘其英，欲有所赠，彼何人可与同心乎？苟无其人，则虽馨香满把，而无所用，徒添幽思耳。……按进明不救张巡之难，其人无足取者，今特就其诗而解之，非谓其果有高志也。”《养一斋诗话》卷八：“进明乃小人之尤，大忠之贼，千载而下恨不食肉寝皮者，彼徒习古人之言语，又何为哉？且此诗渔洋已采于殷璠《河岳英灵集》中，又采于《唐文粹》中，是真以其诗为不可废也。今观其二诗云……虽无乖戾，亦少风神，徒以诗论，弃之亦不足惜。”

本年

韦渠牟年十一，赋《铜雀台》绝句。权德舆《韦渠牟集序》：“君年十一，尝赋《铜雀台》绝句，右拾遗李白见而大骇，因授以古乐府之学。”

储光羲约本年卒。《全唐诗》卷一三六至一三九编其诗为四卷。《全唐诗补编·续拾》卷一三补诗一首。《河岳英灵集》卷中：“储公诗，格高调逸，趣远情深，削尽常言，挟风雅之迹，得浩然之气。《述华清宫》诗云：‘山开鸿蒙色，天转招摇星。’又《游茅山诗》云：‘小门入松柏，天路涵虚空。’此例数百句，已略见《荆扬集》，不复广引。璠尝睹《公正论》十五卷、《九经外义疏》二十卷，言博理当，实可谓经国之大

才。”顾况《华阳集》（四库本）卷下《监察御史储公集序》：“开元十四年，严黄门知考功，以鲁国储公进士高第，与崔国辅员外、綦毋潜著作同时。其明年，擢第常建少府、王龙标昌龄。此数人皆当时之秀，而侍御声价隐隐辚轹诸子。其文篇赋论，凡七十卷。虽无云雷之会，意气相感，而扶危拯病，绰有贤达之风。拔身虏庭，竟陷危邦。士生不融，可以言命。然窥其鸿黄窈窕之学，金石管磬之声，如登瑶台而进玉府，灵扃邃宇，景物寥映，绿流翠草，佳木好鸟，不足称珍。”苏籀《栾城遗言》（四库本）：“唐储光羲诗高处似陶渊明，平处似王摩诘。”王士祯《居易录》（四库本）卷二一：“唐五言诗，开元、天宝间大匠同时并出。王右丞而下，如孟浩然、王昌龄、岑参、常建、刘昚虚、李颀、綦毋潜、祖咏、卢象、陶翰之数公者，皆与摩诘相颉颃，独储光羲诗多龙虎铅汞之气，田园樵牧诸篇又迂阔不切事情，而古今称‘储、王’，何也?”李东阳《麓堂诗话》(《历代诗话续编》本)：“唐诗李、杜之外，孟浩然、王摩诘足称大家。王诗丰缛而不华靡，孟却专心古淡而悠远深厚，自无寒俭枯瘠之病。由此言之，则孟为尤胜。储光羲有孟之古，而深远不及岑参，有王之缛而又以华靡掩之。故杜子美称‘吾怜孟浩然’，称‘高人王右丞’，而不及储、岑，有以也夫。”《诗薮》内编卷二：“储光羲闲婉真至，农家者流，往往出王、孟上。常建语极幽玄，读之泠然，如出尘表，然过此则鬼语也。”《唐诗品》：“储公诗格高调远，兴寄超绝，亦《风》、《雅》之余波也。盛唐作者太尚格气，而尽黜文藻，六代浮夸，铲削殆尽，而储公与王昌龄、常建皆其流也。储诗更多直致，而锁尾感叹，气象卑促。珪璋本宗庙器，而山人用之，亦瓦缶同驱耳。”《唐诗归》卷七钟惺评：“储诗清骨灵心，不减王、孟，一片深淳之气，装裹不觉，人不得直以清灵之品目之。所谓诗文妙用，有隐有秀，储盖兼之矣。”又卷一一钟惺评：“人知王、孟出于陶，不知细读储光羲及王昌龄诗，深厚处益见陶诗渊源脉络。善学陶者，宁从二公入，莫从王、孟入。储与王以厚掩其清，然所不足者，非清。常建以清掩其厚，然所不足者，非厚。”《唐诗镜》卷九：“诗家恬淡之难，甚于绚烂，千古惟陶征君恬澹，而绚烂者比踵接肩。储光羲衷无本情，语无定趣，前后自不相喻。殷璠谓其格高调远，趣远情深。《栾城遗言》谓高处似陶渊明，平处似王摩诘。此诚不识。”《删补唐诗选脉笺释会通评林》“盛唐五古二”：“大抵储诗冲淡中涵深厚，幽细中见高壮。每多道气语，如《田家》与《王十三偶然作》等篇，名理悟机跃跃在前。钟敬伯谓其极厚、极细、极和乃从平出，此储诗之妙，亦须平气读之。不知唯平故成其奇；不善奇者，必不能平。平，正所以近乎陶也。”《诗筏》：“储光羲五言古诗，虽与摩诘五言同调，但储韵远而王韵隽，储气恬而王气洁，储于朴中藏秀，而王于秀中藏朴，储于厚中有细，而王于细中有厚，储于远中含澹，而王于澹中含远，与王著敌手，而储似争得一先，观《偶然作》便知。然王所以独称大家者，王之诗体悉妙，而储独以五言古胜场耳。”《唐诗评选》卷三：“储诗入处曲折，出路佳爽，亦始开深炼一格，于近体而甫已渊微，即尔振脱，消息于康乐、玄晖之间，唐以下人更无伦匹。”《石洲诗话》卷一：“储侍御《张谷田舍》诗‘碓喧春涧满，梯倚绿桑斜’，虽只小小格致，然此等诗，却是储诗本色。窃谓一人自有一人神理，须略存其本相，不必尽以一概论也。”《养一斋诗话》卷八：“白石云：‘句意欲深，欲远；句调欲清，欲古，欲和，是为作者。’予观储太祝古诗，‘深’、‘远’、‘清’、‘古’则有之矣，独于

‘和’字有缺。彼虽自有一种沉奥音节，然终不似陶、韦、王、孟之谐适入人心者，殆由强探力索而为之，非其本心所欲出欤。其诗云‘为己存实际，忘形同化初’，又曰‘松柏生深山，无心自贞直’，可谓极有见地者，而何以失节于禄山也。其非本心安之，亦可知矣。”《湘绮楼说诗》卷一：“储光羲学陶，屈侠气于田间。后人妄以柳、韦配之，殊非其类。”《诗源辩体》卷一七：“储光羲五言古最多，平韵者多杂用律体，亦忌上尾、仄韵者多忌鹤膝，而平韵者亦有之，盖唐人痼疾耳。其《樵父》、《渔父》等词格虽奇，然既不合古，又不成家，正变两失；若《田家》诸诗，则犹有可采者。律诗亦未为工，五言绝始入录。”吴瑞荣《唐诗笺要》（乾隆刻本）：“储君五律，独往独来，落拓于声色形影之外，于诸家中另是一种。”《三唐诗品》：“其源出于陶公，淡饰成妍，天然入韵。千里莼羹，固是南中佳味，犹嫌意尽于言。”《诗学渊源》卷八：“储光羲诗篇既富，著体相类，然以多为胜，殊未足称工也。”《四库提要》卷一四九：“其诗源出陶潜，质朴之中有古雅之味，位置于王维、孟浩然间，殆无愧色。殷璠《河岳英灵集》称其削尽常言，得浩然之气，非溢美也。”《四库全书简明目录》卷一五：“光羲失节从贼，终以贬死，其人殊不足道。其诗则源出陶潜，质而不俚，在开元、天宝能卓然自成一家。”李慈铭《越缦堂读书记》（由云龙辑，虞云国整理，辽宁教育出版社2001年版）（五）“集部别集类”：“太祝甘受伪署，其人颇与所言相戾，且诗虽取境高逸，而每入浅俗，远逊王韦，次惭孟柳，如此篇者（《田家杂兴》），亦非数觏。”

权德舆生。权德舆（759—818），字载之，天水略阳人。三岁知变四声，四岁能为诗，年十五，为文数百篇，见称诸儒。建中元年为淮南黜陟使辟为从事，官试秘书省校书郎，后改任试右金吾卫兵曹参军。贞元二年，以大理评事摄监察御史充江西观察使李兼判官。八年，入朝为太常博士，迁左补阙。十年，任起居舍人兼制诰，后历驾部员外郎、司勋郎中、中书舍人，均掌诰命。十八年拜礼部侍郎，三掌贡举，号为得人。永贞元年七月，改户部侍郎。元和初历兵部、吏部侍郎。五年，自太常卿拜礼部侍郎同中书门下平章事。八年罢为礼部尚书。历东都留守、刑部尚书等职。十三年卒于山南东道节度使任所。两《唐书》有传。《新唐书·艺文志》著录其文集五〇卷、制诰五〇卷、《童蒙集》一〇卷、《元和格敕》三〇卷（与刘伯刍等合编）。今传《权载之集》五〇卷，余并佚。

苻载生。苻载（759—?），《全唐诗》、《全唐文》讹作“符载”，岑仲勉《跋唐摭言》谓当作苻载，字厚之，自称庐山人。大历末与杨衡、王简言、李元象同栖于青城山。建中初又相约隐于庐山。贞元元年归蜀，五年至荆州依荆南节度使樊泽，八年随其至襄州，后为江西观察使李巽辟为太常寺奉礼郎充南昌军副使。贞元十五年前后，至鄂州依鄂岳观察使何士干。十八年自浔阳赴淮南节度使杜佑幕，次年罢职归蜀，为西川节度使韦皋辟为节度支使。元和四年荆南节度使赵宗儒辟为记室。《新唐书·艺文志》著录《苻载集》一四卷，已佚。事迹见苻载《荆州与杨衡说旧因送南越序》、《唐摭言》卷二、《唐诗纪事》卷五一、《北梦琐言》卷五、《太平广记》卷二三二等。

王播生。王播（759—830），字明敭，行十八，郡望太原，扬州人。贞元十年进士及第，同年复登贤良方正制科，后授集贤校理，再迁监察御史，转殿中侍御史，改三

原令。累官御史中丞、刑部侍郎、礼部尚书、剑南西川节度使。长庆元年，入为刑部尚书，复领盐铁转运等使，十月，拜中书侍郎、平章事。次年出为淮南节度使。大和元年入为左仆射、同平章事。四年正月卒。《全唐诗》卷四六六录其诗三首，《全唐文》卷六一五收其文六篇。

公元760年（唐肃宗上元元年　庚子）

正月

李白自零陵北归，至岳州，有诗《春滞沅湘有怀山中》、《登巴陵开元寺西阁赠衡岳僧方外》。至江夏，有诗《早春寄王汉阳》、《望汉阳柳色寄王宰》。春，在江夏，作诗《江夏赠韦南陵冰》、《寄韦南陵冰余江上乘兴访之遇寻颜尚书笑有此赠》、《与诸公送阵郎将归衡阳》、《醉后答丁十八以诗讥余搥碎黄鹤楼》。秋，至浔阳，复南入彭蠡。有诗《庐山谣寄卢侍御虚舟》、《和卢侍御通塘曲》、《下浔阳城泛彭蠡寄黄判官》、《过彭蠡湖》。冬，在洪州建昌，有诗《对酒醉题屈突明府厅》。【庐山谣寄卢侍御虚舟】《唐诗别裁集》卷六："先写庐山形胜，后言寻幽不如学仙，与卢敖同游太清，此素愿也。笔下殊有仙气。"《唐宋诗醇》卷六："天马行空，不可羁绁。"

萧颖士卒于汝南，年四十四。《全唐文》卷三二二录其文一卷，《全唐诗》卷一五四录其诗一卷，又卷八八二补诗三首。李华作《祭萧颖士文》。李华《李遐叔文集》（四库本）卷一《扬州功曹萧颖士文集序》云："开元、天宝间词人，以德行著于时者，曰河南元君德秀，字紫芝，其行事赵郡李华为墓碣已书之矣；以文学著于时者，曰兰陵萧君颖士，字茂挺，……君以为六州之俊，有屈原、宋玉，文甚雄壮，而不能经。厥后有贾谊，文词最正，近于理体。枚乘、司马相如，亦瑰丽才士，然而不近风雅。扬雄用意颇深，班彪识理，张衡宏旷，曹植丰赡，王粲超逸，嵇康标举，此外皆金相玉质，所尚或殊，不能备举。左思诗赋，有雅颂遗风，干宝著论，近王化根源。此后敻绝无闻焉。近日陈拾遗子昂，文体最正。以此而言，见君之述作矣。君以文章制度为己任，时人咸以此许之。又卷二《三贤论》："萧若百炼之钢，不可屈抑，当废兴去就之际，一死一生之间，而后见其大节。视听过速，欲人人如我，志与时多背，常见诟于人中。取其节之举，足可以为人师矣。学广而不遍精，其贯穿甚于精者。文方复雅尚之至，尝以律度百代为任，古之能者往往不至焉。超迈蹈厉，不可谓不知者言也。"《载酒园诗话》又编："人有一事负重名，既久而声暂歇者，唐之萧茂挺、宋之梅圣俞是也。诗文俱在，不知当时何以倾动蛮貊如此。萧尝谓：'屈、宋雄壮而不能经，贾生近理，枚、马瑰丽而不近《风》、《雅》。'然其《江有枫》、《菊荣》、《凉雨》、《有竹》诸篇，岂遂真《风》、《雅》乎？于《三百篇》虽具孙叔之衣冠，尚无优孟之抵掌。"《剑溪说诗》卷上："萧功曹、李员外、独孤常州诗，皆以格胜，不欲与流辈争妍。新、旧《唐书》俱传入《文苑》，殊失义例。"《太平广记》卷一六四引《翰林胜事》："萧颖士，文章学术，俱冠词林，负盛名而湮沉不遇。常有新罗使至，云：'东夷士庶，愿请萧夫子为国师。'事虽不行，其声名远播如此。"

二月

魏万等二十六人进士及第。中书舍人姚子彦知贡举。见《登科记考》卷一〇。

春

杜甫在成都，卜居浣花溪，筑草堂。有诗《卜居》、《堂成》、《王十五司马弟出郭相访遗营草堂赀》、《萧八明府实处觅桃栽》、《寄题江外草堂》、《蜀相》、《为农》、《有客》、《宾至》。夏，复有诗《田舍》、《江村》、《江涨》等。【卜居】《杜臆》卷四："客游者以即此为快，故此诗蹁跹潇洒，不但自适，亦且与物俱适。况溪水东行，一泻万里，直通吴越，可以乘兴而往，山阴易舟作子猷之访戴，岂非卜居之快哉？"《杜诗说》卷九："东行万里，是本色语，山阴乘兴，又暗用王子猷事，其融会之妙，亦天衣无缝也。"《杜工部七律诗注》卷一："此全是少陵快活语，字字有兴，语语飞扬。"【堂成】《杜诗详注》卷九引王嗣奭曰："此章与《卜居》相发，前诗写溪前外景，此诗写堂前内景；前景是天然自有者，此景则人工所致者，乃《卜居》、《堂成》之别也。"【有客】《杜诗详注》卷九引赵汸曰："此诗自一句顺说至八句，不事对偶，而未尝无对偶；不用故实，而自可为故实。散淡率真之态，偶尔成章，而厌世避喧，少求易足之意，自在言外，所以为不可及也。"又引王嗣奭曰："公于情亲之人，当病气已久，犹必正巾以接之，安有不冠而见严武者？此可作辩诬之一证也。"【宾至】《杜诗详注》卷引瀚曰："一主一宾，对仗成篇，而错纵照应，极结构之法。起语郑重，次联谦谨，腹联真率，结语殷勤。如聆其謦欬，如见其仪型。较之香山诸作，真觉高曾规矩，肃肃雝雝也。"【江村】《杜诗详注》卷九引申涵光曰："此诗起二语，尚是少陵本色，其余便似《千家诗》声口。选《千家诗》者，于茫茫杜集中，特简此首出来，亦是奇事。""杜能说出旅居闲适之情，王（安石）能说出高人隐逸之致，句同意异，各见工妙。"又引黄生曰："杜律不难于老健，而难于轻松。此诗见萧洒流逸之致。"【蜀相】《杜臆》卷四："出师未捷，身已先死，所以流千古英雄之泪者也。盖不止为诸葛悲之，而千古英雄有才无命者，皆括于此，言有尽而意无穷也。"《杜诗说》卷八："因谒祠堂，故必写祠景，后半方入事，唐贤多如此，不特少陵为然，此方是诗中真境。曰'自春色'，曰'空好音'，确见入庙时低回想象之意，此诗中之性情也。不得其性情，而得其议论，少陵一宗安得不灭。"《杜诗提要》卷一一："吊古诗，须具真性情，乃能发真议论，三、四是入祠堂低徊叹息之神。唯五、六二句，始就孔明发议论，结乃归自已。直将夔州血泪，滴向五丈原鞠躬尽瘁之时，此诗人之性情也。不得其性情，而贪发议论，则古人自古耳，于诗人何与？"《唐宋诗醇》卷一五引刘会孟曰："一字一泪，写得使人不忍读，故以为至。"

元结授监察御史里行。编《箧中集》，收录七人诗二十四首，即沈千运四首，王季友二首，于逖二首，孟云卿五首，张彪四首，赵微明三首，元季川四首。元结《箧中集》序："近世作者，更相沿袭，拘限声病，喜尚形似，且以流易为辞，不知丧于雅正，然哉！彼则指咏时物，会谐丝竹，与歌儿舞女生污惑之声于私室可矣。若令方直之士、大雅君子，听而诵之，则未见其可。吴兴沈千运，独挺于流俗之中，强攘于已溺之后，穷老不惑，五十余年。凡所为文，皆与时异。故朋友后生，稍见师效，能似类者，有五、六人。於戏！自沈公及二、三子，皆以正直而无禄位，皆以忠信而久贫贱，皆以仁让而至丧亡。异于是者，显荣当世，谁为辩士，吾欲问之。天下兵兴，于今六岁，人皆务武，斯焉谁嗣？已长逝者，遗文散失；方阻绝者，不见近作，尽箧中所有，总编次之，命曰《箧中集》。且欲传之亲故，冀其不忘于今。凡七人，诗二十四首。时乾元三年也。"《四库提要》卷一八六："其诗皆淳古淡泊，绝去雕饰，非惟与当时作者门径迥殊，即七人所作见于他集者，亦不及此集之精善。盖汰取精华，百中存一，特不欲居刊薙之名，故托言箧中所有仅此云尔。"《四库全书简明目录》卷一九："凡二十四首，皆淳古淡泊之音，核以他本，字句颇有异同，盖结所点定。《馆阁书目》谓皆结所托名，其言无据，恐未必然也。"《唐音癸签》卷四："吟家虽忌疏学，然如诗料平时收拾太多，往往病堆垛，更不如寡学人作诗有情韵也。谓不信者，看《箧中集》诸公，胸中有几多书在。"毛晋《汲古阁题跋》："漫士逢天宝之后，置身仕隐间，自谓与世聱牙，不肯作绮靡章句，先辈譬之古钟磬，不谐于俚耳，而可寻玩。今读其《箧中集》七人诗，亦皆欢寡愁杀之语，不类唐人诸选，然磊砢一派，实中世所难，宜荆公选录不遗也。"《诗源辩体》卷三六："诗至于唐，律盛而古衰矣。今元所选，声虽合古，而制作不工，乃云'近世作者，更相沿袭，拘限声病，喜尚形似，且以流易为辞，不知丧于雅正'，是于唐律一无足采，而惟古声是取耳，岂识通变之道者哉？若曰唐人古律混淆，而录千运等古声为法，庶几近之。"《岘佣说诗》："作五言古，宁朴毋华，宁生毋熟。次山《箧中集》实得此意。"《石洲诗话》卷一："观《箧中集》所录，其意以枯淡为高，如以孟东野诗投之，想必惬意也。"

五月

王维在尚书右丞任，有《责躬荐弟表》。十一月，作《恭懿太子挽歌五首》。是年，另有诗《河南严尹弟见宿敝庐访别人赋十韵》、《春日与裴迪过新昌里访吕逸人不遇》及文《送郓州须昌冯少府赴任序》、《门下起赦书表》、《请回前任司职田粟施贫人粥状》、《责躬荐弟表》等。【春日与裴迪过新昌里访吕逸人不遇】《唐贤三昧集笺注》卷上黄培芳评："一气清澈，便是绝妙好词。彼堆垛零星支架不起者，何止上下床之别。有志雅音，断宜去彼取此。"《唐诗贯珠》："凭空突兀，虚喝而出，自觉精神百倍。格调高超，绝异平庸之局。"《删补唐诗选脉笺释会通评林》"盛七律上"周珽曰："此诗淡淡着烟，深深笼水，即离之间，俱有妙景。'到门'二语，更饶神韵。"顾璘曰："似不经意，然结语奇突，不失盛唐。"又曰："信手拈来，头头是道。不可因其直率，略其雅逸。"《唐诗续评》："将不遇意说在前，结处便有不尽之味。起语涵盖无发，并自己身份亦写得高。颈联言不遇。中二语，据其地而写之，有天下一家、人我一致之意。结处更点出逸人身份。三、四占地步。"《唐诗镜》卷一○："看竹何须问主人，翛然雅意。五、六全入画意，正是于不遇时徘徊瞻顾景象。"

八月

颜真卿自刑部侍郎贬为蓬州长史。至阆州新政，作《鲜于氏离堆记》。

九月

杜甫至蜀州新津县，与裴迪同登新津寺，有《和裴迪登新津寺寄王侍郎》。高适自彭州刺史转为蜀州刺史，此前在彭州作有《请罢东川节度使疏》。杜甫与高适相聚，有《奉简高三十五使君》。十二月，杜甫在蜀州，有《和裴迪登蜀州东亭送客逢早梅相忆见寄》。是年，另有《题壁上韦偃画马歌》、《戏为韦偃双松图歌》、《戏题王宰画山水图歌》、《遣兴》、《遣愁》。【和裴迪登蜀州东亭送客逢早梅相忆见寄】《四溟诗话》卷一："两联用十二虚字，句法老健，意味深长，非巨笔不能到。"《读书堂杜诗注解》卷七："此诗大段有六折，而言外句中之折尚无穷，真是千古咏梅绝调。"《杜诗提要》卷一一："用意曲折，飞舞流动，直自是生龙活虎，不受排偶之束者，陈后山最得其法，然宋人门庭，公亦开之矣。"《杜诗说》卷八："此诗直而实曲，率而实秀。篇中无一字不言梅，无一字言梅，曲折如意，往复尽情，笔力横绝千古。"《辟疆园杜诗注解》七律卷二："咏梅，意不在梅，意不在梅而妙于咏梅，为千古梅花诗特绝。"

秋

独孤及在扬州，为江淮都统李峘掌书记。有《扬州崔行军水亭泛舟望月宴集赋诗序》。

李华复为左补阙。秋至岳阳。是年作《三贤论》。

皎然访陆羽，时陆居苕溪。有诗《五言寻陆鸿渐不遇》、《五言访陆处士羽》、《五言喜义兴权明府自君山至集陆处士羽青塘别业》等。十一月，宋州刺史刘展叛乱。陆羽作《天之未明赋》。十二月，皎然避刘展乱，自湖州西上，后至扬、楚，有诗《五言兵后与故人别予西上至今在扬楚因有是寄》。【五言寻陆鸿渐不遇】《升庵集》卷五六："五言律，八句不对。太白、浩然集有之，乃是平仄稳贴古诗也。僧皎然有《访陆鸿渐不遇》一首云……虽不及李白之雄丽，亦清致可喜。"《说诗晬语》卷上："三、四语多流走，亦竟有散行者，然必有不得不散之势乃佳。苟艰于属对，率尔放笔，是借散势以文其陋也。又有通体俱散者，李太白《夜泊牛渚》、孟浩然《晚泊浔阳》、僧皎然《访陆鸿渐不遇》等章，兴到成诗，人力无与，匪垂典则，偶存标格而已。外是：八句平对，五、六散行，前半扇对之势，皆极诗中变态。"《唐诗摘抄》卷二："味其诗，分明一路行来，桑麻满径，疏篱小菊，门庭阒然。不必宾主接谈，已知定非俗士。唐贤不明赞人，而其人自高。今人专务赞人，而其人愈低。此亦岂宜借口时代，而谓非笔墨之故耶？说未著花似无趣，然真趣在此。即就西家答语作结，得古诗法，言外有兴尽而返、何必见戴之意。"《诗境浅说》甲编："此诗晓畅，无待浅说。四十字振笔写成，清空如话。唐人五律，间有此格，李白《夜泊牛渚》诗亦然。作诗者于声律对偶之余，偶效为之，以畅其气。如五侯鲭馔，杂以蔬笋烹芼，别有隽味。若多作则流于空滑，况李白诗之英气盖世。此诗之潇洒出尘，有在章句外者，非务为高调也。"

崔峒在扬州、润州一带。是年有《刘展下判官相招以诗答之》、《润州送友人》、

《登润州芙蓉楼》、《润州送师弟自江夏往台州》。【刘展下判官相招以诗答之】《唐诗快》卷九："如此忠贞，岂不令人悚然起敬。"

本年

窦群生。窦群（760—814），字丹列，京兆金城人。贞元十八年以京兆尹韦夏卿荐，征为左拾遗。二十年迁侍御史。元和元年出为唐州刺史，改山南东道节度副使。二年入为吏部郎中，三年迁御史中丞，后出为黔州观察使。六年贬开州刺史，八年授容管经略使。九年诏还朝，至衡州卒。《新唐书·艺文志》录其所撰《史记名臣疏》三四卷，今佚；又录《窦氏联珠集》，收其与诸兄弟诗各一卷，今存。据褚藏言《窦群传》、新旧《唐书》本传、《唐诗纪事》卷三一。

杨衡约本年生。杨衡（760？—?），字中师，一作仲师，误。早年与苻载共隐青城山。建中元年，又与苻载、李元象、王简言隐庐山，号"山中四友"。贞元四年前后登进士第。七年，随桂管观察使齐映至桂州，次年至广州，一度依岭南节度使王锷。十六年，官左金吾卫仓曹参军，为桂阳部从事。后为试大理评事。《宋书·艺文志》著录其诗一卷。据《唐摭言》卷二、《唐诗纪事》卷五一及苻载《送杨衡游南越序》等。

王起生。王起（760—847），字举之，行十一，郡望太原，扬州人。贞元十四年进士及第，十九年登博学宏词科，授集贤殿校书郎。元和三年中贤良方正能直言极谏科，授蓝田尉。历起居郎、司勋员外郎、比部郎中知制诰、中书舍人等。长庆元年十月，迁礼部侍郎，掌贡举二年。会昌元年拜吏部尚书、判太常卿事，连掌三、四年贡举。大中元年卒。与刘禹锡、白居易多有唱和。《新唐书·艺文志》著录《王起集》一二〇卷、《王氏五位图》一〇卷、《写宣》一〇卷、《文场秀句》一卷、《大中新行诗格》一卷等，均佚。据《旧唐书》卷一六四、《新唐书》一六七本传、《唐诗纪事》卷五五等。

韦贯之生。韦贯之（760—821），本名纯，字贯之，京兆万年人。建中四年进士及第，贞元元年登贤良方正能直言极谏科，授校书郎，历长安丞、监察御史、右补阙、吏部员外郎等职。元和三年与李益等同为考制策官，坐牛僧孺等对策，出为果州刺史，黜巴州刺史。寻召为都官郎中。八年权知贡举，拜礼部侍郎。九年复知贡举，转尚书右丞，十二月以本官同中书门下平章事，后迁吏部侍郎、河南尹等。长庆元年卒。《新唐书·艺文志》著录《韦贯之集》三〇卷，又录其预撰《元和删定制敕》三〇卷，今均佚。事迹见《旧唐书》卷一五八、《新唐书》卷一六九本传。《全唐文》卷五三一录其文一篇。

公元761年（唐肃宗上元二年　辛丑）

正月

高适在蜀州刺史任。有《人日寄杜二拾遗》。五月，适率兵从西川节度使崔光远与东川节度使李奂共攻绵州，斩段子璋。

独孤及避刘展乱至信州玉山，有诗《庚子岁避地至玉山酬韩司马所赠》。二月在洪

州，作《豫章冠盖盛集记》。三月，归越，有《尚书右丞徐公写真图赞》、《将还越留别豫章诸公》。【将还越留别豫章诸公】《唐诗归》卷二四钟惺评："气味窈然，音响亦奥。"《唐诗摘抄》卷四："下一'双'字，包尽许多说话，其妙难言。"

二月

张濯、王绰等二十九人登进士第。中书舍人姚子彦知贡举，试《东郊迎春》。见《登科记考》卷一〇。

三月

李白自江西东行至铜官，后复至宣城。有诗《赠刘都使》、《宣城见杜鹃花》。六月，复东行，有《江上赠窦长史》。七月，在金陵，有诗《送殷淑三首》、《三山望金陵寄殷淑》、《赠升州王使君忠臣》及《饯李副使藏用移军广陵序》。后又往宣城，有《宣城送刘副使入秦》。"八月，欲从李光弼军，半道病还，有《闻李太尉大举秦兵百万出征东南懦夫请缨冀申一割之用半道病还留别金陵崔侍御十九韵》。冬，至当涂。有诗《献从叔当涂宰阳冰》。

春

杜甫在成都草堂。有《奉酬李都督表丈早春作》《江上值水如海势聊短述》、《水槛遣心二首》、《春夜喜雨》、《春水》、《徐步》、《题新津北桥楼》、《游修觉寺》、《后游》、《暮登四安寺钟楼寄裴十迪》。自春至夏，有诗《戏为六绝句》、《春水生二绝》、《江畔独寻花七绝句》、《绝句漫兴九首》、《戏作花卿歌》、《赠花卿》。【春夜喜雨】《杜诗说》卷四："及时而雨，其喜固宜，然非'知时节'三字，则写喜意亦不透，此其出手惊敏绝人处。结语更有风味，春雨万物无所不润，花其一耳。"《杜诗集评》卷八引李因笃云："诗非读书穷理，不到绝顶。然一坠理障书魔，带水拖泥，宋人转逊晋人矣。公深入其中，掉臂而出，飞行自在，独有千古。此诗妙处，有疏疏朴朴之致，非其人不知。"引俞玚曰："绝不露一'喜'字，而无一字不是'喜雨'，无一笔不是'春夜喜雨'。结语写尽题中四字之神。"《唐宋诗醇》卷一五："近人评此诗云：写得脉脉绵绵，于造化发生之机最为密切，是已。然非有意为之，盖其胸次自然流出而意已。潜会所谓'不涉理路，不落言诠'者，如此若有意效之，即训诂语耳。《江亭》诗亦同此意，尤为活泼泼地。"【绝句漫兴九首】《杜诗镜诠》卷八："绝句以太白、少伯为宗，子美独创别调，颓然自放中，有不可一世之概。卢德水所谓巧于用拙、长于用短者也。"《杜诗提要》卷一四："逐章相承，惜春花之易去也，而故作恨春、怨春之词，其意深于惜春矣。"《杜诗说》卷一〇："此首是竹枝本色，此老从不作谑，此亦可必黄河清矣。"《杜诗详注》卷九引《杜臆》："兴之所到，率然而成，故云'漫兴'，亦《竹枝》、《乐府》之变体也。"又云："九首逐章相承，各有次第。"引《麓堂诗话》："少陵《漫兴》诸绝句，有古《竹枝词》意，跌宕奇古，超出诗人蹊径。韩退之亦有之。”引申涵光曰：“绝句以浑圆一气、言外悠然为正。王龙标其当行也，太白亦有失之轻者，然超轶绝尘，千古独步。惟杜诗别是一种，能重而不能轻，有鄙俚者，有板涩者，有散漫潦倒者，虽老放不可一世，终是别派，不可效也。”【江畔独寻花七绝句】《杜诗提要》卷二：“每读三百篇，怪古人情浓百倍，今人一驰思，辄节外生枝，往而不反。晋人闻歌声辄唤奈何，所谓不胜情也。公诗……《江畔独步寻花》诸作，直是飞扬横放，一往难遏。每读一过，觉健如黄犊，老犹故态，一时胸怀千古，倾倒金石，犹有泐时，此不磨也。”《杜诗说》卷一〇：“横竖是看花，一处作一样文法，便引读者一处换一番心眼。”《杜诗提要》卷一四：“一起恼花，一结爱花，恼即是爱，七首共成章法，而历一境又一境，则每首亦自成章法也。”《集千家注批点杜工部诗集》卷七：“每诵数郭，可歌可舞，能使老人复少。”【戏为六绝句】《岁寒堂诗话》卷下：“此诗非为庾信、王、杨、卢、骆而作，乃子美自谓也。方子美在时，虽名满天下，人犹有议论其诗者，故有‘嗤点’、‘哂未休’之句。……若子美真所谓‘掣鲸鱼碧海中’者也，而嫌于自许，故皆题为戏句。”《杜诗说》卷一〇：“诸章备见公论文之旨，盖因当时后生轻薄前贤，特发此论。大旨在篇末‘转益多师’一句，以上数句反复较论，以明前贤之不可及，而终之曰‘别裁伪体’、‘转益多师’，以此质前贤，亦当心服；以此折后生，定自气平。”《杜诗提要》卷一四：“此《六绝》是公自道其本源之学而作诗之实也。今世研揣声病，寻章摘句者，目杜为村夫子而踵撼树之迹者比比矣，读此不爽然失哉！”吴冯栻《青城说杜》（道光癸巳宝荆堂刊本）：“六首一气，刀割不断，而顿挫曲折，轻重低昂之旨见。”《杜诗详注》卷一一：“少陵绝句，多纵横跌宕，能以议论摅其胸臆，气格才情迥异常调，不徒以风韵姿致见长矣。”《唐宋诗醇》卷一五：“以诗论文于绝句中，又属创体，此元好问论诗绝句之滥觞也。六朝四子之文，自是天地英华，不可磨灭，其所成就，虽逊古人，要非浅薄疏陋之徒所可轻议，宜甫之直言诃之也。……此六诗固不当以字句工拙计之。”

岑参在虢州长史任。有诗《稠桑驿喜逢严河南中丞便别》、《虢州南池候严中丞不至》、《使君席夜送严河南赴长水》。在虢州期间，岑参另有诗《早秋与诸子登虢州西亭观眺》、《郡斋闲坐》、《题虢州西楼》、《西亭子送李司马》、《暮春虢州东亭送李司马归扶风别庐》、《虢中酬陕西甄判官见赠》、《送王录事却归华阴》、《虢州西亭陪端公宴集》、《虢州西亭子送范端公》、《虢州卧疾喜刘判官相过水亭》、《虢州后亭送李判官使赴晋绛》、《虢州南池候严中丞不至》、《虢州酬辛侍御见赠》等。

刘长卿遇赦北归。有诗《会赦后酬主簿所问》、《奉陪郑中丞自宣州解印与诸侄宴余干后溪》、《赴宣州使院夜宴寂上人房留辞前苏州韦使君》、《奉送贺若郎中贼退之杭州》、《题王少府尧山隐处简陆鄱阳》。四月，有文《首夏于越亭奉饯韦卿使君公赴婺州序》及诗《余干夜宴奉饯前苏州韦使君》。秋，归苏州，有诗《北归入至德界偶逢洛阳邻家李光宰》、《自江西归至旧任官舍赠袁赞府》、《北归次秋浦界清溪馆》、《谪官后却归故村将过虎丘怅然有作》、《登吴古城歌》等。【题王少府尧山隐处简陆鄱阳】《删补唐诗选脉笺释会通评林》“中唐五古上”吴山民曰：“语极简净，又不枯淡。‘群动心有营’二句逼陶。”唐询汝曰：“‘对酒’二句闲雅。结语替人招隐。”周珽曰：“神气宕轶，怪丽不恒，得其词源，足兴风雨。少府隐居心迹，描摹入化矣。”【余干夜宴奉饯前苏州韦使君】《瀛奎律髓汇评》卷八纪昀评："平近不出色，结二句未能免俗。"【北归入至德界偶逢洛阳邻家李光宰】《唐诗归》钟惺曰："文房七言律，以清老幽健取胜，而首尾率易，对待不称者亦多。其篇篇难弃处，即其难选处也。如此等全力者，亦不易得。"《载酒园诗话》又编："'近北始知黄叶落，向南空见白云多。'南中多暑，草木不凋，故以叶落为感，叹迁谪之久也。下语之妙，乃至于此。"【北归次秋浦界清溪馆】《瀛奎律髓汇评》卷四三方回评："末句最新。此公诗淡而有味，但时不偶，或有一苦句。"纪昀评："随州以格韵胜，不以淡胜。自古诗集岂能联联工致，宁独随州？苦语亦诗家之常，又岂能篇篇矫语高尚？"又云："三、四自然清远。冯班评：八句俱有味。"

朱湾至饶州，有诗《赠饶州韦之晋别驾》。朱湾（生卒年不详），号沧洲子。大历初隐居江南，屡征不出。八年为永平军节度使李勉辟为从事。建中四年府罢，归隐江南。后假摄池洲刺史，约卒贞元中。《新唐书·艺文志》著录《朱湾诗集》四卷，《直斋书录解题》录为一卷。事迹见《中兴间气集》卷下、《唐诗纪事》卷四五等。

七月

王维卒。《全唐诗》卷一二五至卷一二八收其诗为四卷。《全唐诗逸》补断句二。《全唐诗补编·续拾》卷一三补二句。《全唐文》卷三二四录其文二一篇。《王右丞集笺注》卷首王缙《进王右丞集表》："臣兄文词立身，行之余力，当官坚正，秉操孤直。纵居要剧，不忘清净。实见时辈，许以高流，至于晚年，弥加进道。端坐虚室，念兹无生，乘兴为文，未尝废业。或散朋友之上，或留箧笥之中，臣近搜求，尚虑零落。诗笔共成十卷，今且随表奉进。《王右丞集笺注》卷首《代宗皇帝批答手敕》："卿之伯氏，天下文宗，位历先朝，名高希代，抗行周雅，长揖楚辞，调六气于终编，正五音于逸韵。泉飞藻思，云散襟情，诗家者流，时论归美。诵于人口，久郁文房，歌以国风，宜登乐府。视朝之后，乙夜将观，石室所藏，殁而不朽。"苏轼《东坡题跋》（上海远东出版社 1996）卷五《书摩诘蓝田烟雨图》："味摩诘之诗，诗中有画；观摩诘之画，画中有诗。"陆游《渭南文集》卷二九《跋王右丞集》："余年十七八时，读摩诘诗最熟，后遂置之者几六十年。今年七十七，永昼无事，再取读之，如见旧师友，恨间阔之久也。"《岁寒堂诗话》卷上："世以王摩诘律诗配子美，古诗配太白。盖摩诘古诗能道人心中事而不露筋骨，律诗至佳丽而老成。如《陇西行》、《息夫人》、《西施篇》、《羽林》、《闺人》、《别弟妹》等篇，信不减太白；"兴阑啼鸟唤，坐久落花多"、"草枯鹰眼疾，雪尽马蹄轻"等句，信不减子美。虽才气不若李、杜之雄杰，而意味工夫，是其匹亚也。摩诘性淡泊，本学佛而善画，出则陪岐、薛诸王及贵主游，归则餍饫辋川山水，故其诗于富贵山林，两得其趣，如'兴阑啼鸟唤，坐久落花多'之句，虽不夸服食器用，而真是富贵人口中语，非仅'笙歌归院落，灯火下楼台'之比也。"又云："韦苏州诗，韵高而气清；王右丞诗，格老而味长。虽皆五言之宗匠，然互有得失，不无优劣。以标韵观之，右丞诗格老而味远不逮苏州，至其词不迫而味甚长，虽苏州亦不及也。"《苕溪渔隐丛话》后集卷三三引《西清诗话》："王摩诘诗浑厚一段，覆盖古今，但如久隐山林之人，徒成旷淡。”《诗林广记》卷五引《后湖集》：“摩诘之诗，造语妙处至与造物相表里，岂直诗中有画哉？观其诗，知其蝉蜕尘埃之中，蜉蝣万物之表者也。”又引《后山诗话》：“王右丞诗学于陶渊明，得其自在处。”王世贞《读书后》（四库本）卷三《书李白王维杜甫诗后》：“吾尝谓太白之绝句与杜少陵之七言古诗歌，当为古今第一；少陵之五七言律与太白之七言诗歌、五言律次之。当时微觉于摩诘卤莽，徐更取读之，真足三分鼎足，他皆莫及也。天子蒙尘于蜀，少陵叙致有慷慨恻怛无穷之感，而太白乃作《上皇西巡歌》，得非有胸无心者？‘地转锦江成渭水，天回玉垒作长安’，虽或壮丽千古，何异宋人东狩钱塘封事？《永王西巡歌》彼诚以永王为中兴之贤王也，‘辞官不受赏’，其语谁信？摩诘弱，故不能致死安民，然其意非肯为之用也。生平悟禅理，舍家宅，无妻子，而不之恤，顾不能辞。禁近以殁，岂晚途牢落不能自遣，白香山之所谓‘老将荣补贴’者耶？”《艺圃撷余》：“诗发端之妙者，谢宣城而后，王右丞一人而已。”《唐诗品》：“右丞诗发秀自天，感言成韵，词华新朗，意象悠闲。上登清庙，则情近珪璋；幽彻丘林，则理同泉石。言其风骨，固尽扫微波；采其流调，亦高跨来代。于《三百篇》求之，盖《小雅》之流也。而颂声之微，夫亦风气所临，不能洗濯而高视也。”顾起经《题王右丞诗笺小引》：“元肃以下诗人，其数什百。语盛唐者，唯高、王、岑、孟四家为最；语四家者，唯右丞为最。其为诗也，上薄骚雅，下括汉魏，博综群籍，渔猎百氏，于史子苍雅、纬候钤决、内学外家之说，苞并总统，无所不窥，邮（尤）长于佛理，故其摛藻奇逸，措思冲旷，驰迈前榘，雄视名儁。凡今长老荐绅之属，工为诗者，恒嗟赏而雅崇之，殆与耳食无异。”张衮《新刻王右丞诗集注说序》：“右丞之诗，精深崇峭，词与旨称，而华婉蔚沉之气，焕发于比兴间。当时赞言，至比大雅，流传后世，莫不慕而读之也。”《唐音癸签》卷五引《震泽长语》：“摩诘以淳古淡泊之音，写山林闲适之趣，如辋川诸诗，真一片水墨不着色画。及其铺张国家之盛，如‘九天阊阖开宫殿，万国衣冠拜冕旒’、‘云里帝城双凤阙，雨中春树万人家’，又何其伟丽也。”《诗镜总论》：“世以李、杜为大家，王维、高、岑为傍户，殆非也。摩诘写色，清微已望陶、谢之藩矣，第律诗有余，古诗不足耳。离象得神，披情著性，后之作者谁能之？世之言诗者，好大好高好奇好异，此世俗之魔见，非诗道之正传也。体物著情，寄怀感兴，诗之为用，如此已矣。”《唐诗镜》卷一〇：“王摩诘语多妙会，相出天成，境到神流，难以力与也。古诗如轻红浅碧，律诗如翡翠珊瑚，此其材之有限。诗家各有一种真气，磨灭不尽。摩诘似较少，李太白亦不多见。五言古时时有之，以此知陶、谢之美。”又云：“摩诘七律与杜少陵争驰，杜好虚摹，吞吐含情，神行象外；王用实写，神色冥会，意妙言先，二者谁可轩轻？”《诗源辩体》卷一六：“摩诘五言古虽有佳句，然散缓而失体裁，平韵者间杂吕体，仄韵者多忌鹤膝，短篇为胜。楚辞深得《九歌》之趣，唐人所难。七言古语虽婉丽，而气象不足，声调间有不纯者。”又云：“摩诘才力虽不逮高、岑，而五、七言律风格不一。五言律有一种整栗雄丽者，有一种一气浑成者，有一种澄淡精致者，有一种闲远自在者。……若高、岑才力虽大，终不免一律耳。”又云：“摩诘七言律亦有三种。有一种宏赡雄丽者，有一种华藻秀雅者，有一种淘洗澄净者。……是亦高、岑所不及也。”又云：“摩诘五言绝意趣幽玄，妙在文字之外。……摩诘胸中滓秽净尽，

而境与趣合，故其诗妙至此耳。”《唐诗评选》卷二：“右丞于五言，自其胜场，乃律已臻化。而古体轻忽，追将与孟为俦。佳处迎目，亦令人欲置不得，乃所以可爱存者，亦止此而已（指《渭川田家》等四首）。其它褊促浮露，与孟同调者，虽小藻足娱人，要为吟坛之衙官，不足采也。”卷三：“右丞于五言近体，有与储合者，有与孟合者，有深远鸿丽轶储、孟而自为体者。乃右丞独开手眼处，则与工部天宝诗相为伯仲，颜、谢、鲍、庾之风又一变矣。工部之工，在即物深致，无细不章；右丞之妙，在广摄四旁，圜中自显。……然五言之变，至此已极。右丞妙手，能使在远者近，抟虚作实，则心自旁灵，形自当位。苟非其人，荒远幻诞，将有如‘一一鹤声飞上天’而自托为灵通者，风雅扫地矣。是取径盛唐者，节宜之度，不可不知也。”《古欢堂集杂著》：“摩诘恬洁精微，如天女散花，幽香万片，落人巾帻间。每于胸念尘杂时，取而读之，便觉神怡气静。”杭世骏《道古堂文集》（乾隆刻本）卷八《王右丞诗注序》：“开元、天宝之间，诗人比迹而起。铺陈始终，排比声韵，工部实为之冠；摆脱町畦，高朗秀出，右丞实为之冠；右丞博学多艺，雅意元谭，比物俪辞，诙达三教，是非肤核之学可以测其津岸矣。”李因培《唐诗观澜集》（乾隆刻本）卷一三：“右丞诗荣光外映，秀色内含，端凝而不露骨，超逸而不使气，神味绵邈，为诗之极则，故当时号为‘诗圣’。”又云：“右丞五排，秀色外腴，灏气内充，由其天才敏妙，尽得风流，气骨遂为所掩。一变为郎、钱，秀丽胜而沉厚之气亦减，此风气之一关也。”《唐诗别裁集》卷一：“意太深，气太浑，色太浓，诗家一病，故曰‘穆如清风’。右丞诗每从不着力处得之。”又云：“五言用长易，用短难，右丞工于用短。”《读雪山房唐诗序例》：“王摩诘善能错综子史，而言不欲尽，词旨温丽，音节铿锵，蔚然为一朝冠冕。”《昭昧詹言》卷一六：“辋川于诗，亦称一祖。然比之杜公，真如维摩之与如来，确然别为一派。寻其所至，只是以兴象超远，浑然元气，为后人所莫及；高华精警，而不落人间声色，所以可贵。然愚乃不喜之，以其无血气性情也。”又云：“辋川叙题细密不漏，又能设色取景，虚实布置，一一如画，如今科举作墨卷相似，诚万世之技也。”赵殿成《王右丞集笺注》“序”：“唐之诗传者几百家，其善为行乐之词与工为愁苦之什相半，虽于性情各得所肖，而求其不悖夫温柔敦厚之教者，未易数数觏也。右丞崛起开元、天宝之间，才华炳焕，笼罩一时，而又天机清妙，与物无竞，举人事之升沉得失，不以胶滞其中。故其为诗，真趣洋溢，脱去凡近，丽而不失之浮，乐而不流于荡。即有送人远适之篇、怀古悲歌之作，亦复浑厚大雅，怨尤不露。苟非实有得于古者诗教之旨，焉能至是乎？乃论者以其不能死禄山之难，而遽讥议其诗，以为萎弱而少气骨，……又古今来推许其诗者，或称趣味澄敻，若清流贯达；或称如秋水芙蕖，倚风自笑；或称出语妙处，与造物相表里之类，扬诩亦为曲当。若其诗之温柔敦厚，独有得于诗人性情之美，惜前人未有发明之者。”全祖望《王右丞集笺注序》：“虽然，右丞风期高雅，绝非尘世中人物，吾故信其晚节之可原。……即以右丞之禅悦言之，唐人一时习气，多爱游古松慈竹之间，而右丞之清臞，尤其性之所近。”符曾《王右丞集笺注序》：“昔人称诗为有声画，画为无声诗，二者罕能并臻其妙。右丞擅诗于开元、天宝间，得唐音之盛，绘事独绝千古，所谓无声之诗、有声之画，右丞盖兼而有之。”《诗人玉屑》卷一五引朱熹语：“王维以诗名开元间，遭禄山乱，陷贼中不能死，事平复幸不诛。其人既不足言，词虽清雅，亦萎弱少气骨。”《四溟诗话》卷二引空同子曰：“王维诗高者似禅，卑者似僧，奉佛之应哉，人心系则难脱。”何良俊《四友斋丛说》（中华书局1959）卷二五：“五言绝句，当以王右丞为绝唱。”《诗筏》：“王右丞诗境虽极幽静，而气象每自雄伟。如‘草枯鹰眼疾，雪尽马蹄轻’、‘苜蓿随天马，葡萄逐汉臣’、‘日落江湖白，潮来天地青’、‘暮云空碛时驱马，秋日平原好射雕’、‘云里帝城双凤阙，雨中春树万人家’、‘归鞍竞带青丝笼，中使频倾赤玉盘’等语，其气象似在‘九天阊阖开宫殿，万国衣冠拜冕旒’之上。如但以气象语求之，便失右丞远矣。”“诗文中‘洁’字最难。柳子厚云：‘本之太史以著其洁。’惟太史能洁，惟柳子能著其洁，洁可易言哉！诗如摩诘，可谓之洁。惟悟生洁，洁斯幽，幽斯灵，灵斯化矣。摩诘之洁，原从悟生，而摩诘之洁，亦能生悟，洁而能化，悟迹乃融。嗟乎！悟、洁二者，今人弃如土矣。王元美云：‘摩诘才不逮沈、宋。’岂以其洁减价耶！诗中之洁，独推摩诘。即如孟襄阳之淡，柳柳州之峻，韦苏州之隽，皆得洁中一种，而非其全。盖摩诘之洁，本之天然，虽作丽语，愈见其洁。孟、柳、韦、刘诸君，超脱洗削，尚在人境。摩诘如仙姬天女，冰雪为魂，纵复璎珞华鬘，都非人间。”《岘佣说诗》：“摩诘五言古，雅淡之中，别饶华气，故其人清贵。盖山泽间仪态，非山泽间性情也。”又云：“摩诘七古，格整而气敛，虽纵横变化，不及李、杜，然使事典雅，属对工稳，极可为后人学步。”《诗学渊源》卷八：“苏轼亦云维诗中有画，画中有诗。盖尽态极妍，固齐、梁之能事，而乐府杂曲，寖入晋、宋风调。开元以后，每多情性之作，务去雕绘，吐属自然，而壮丽鸿博，尤为全唐之冠。晚年耽于经典，时涉禅语，亦未减六朝风流。后为宋人效法，堕入魔障恶道矣。”

八月

杜甫在成都，作《茅屋为秋风所破歌》、《石笋行》、《石犀行》。十一月，高适曾过访，杜甫有诗《草堂即事》、《王十七侍御抡许携酒至草堂奉寄此诗便请邀高三十五使君同到》、《王竟携酒高亦同过》、《范二员外邈吴十侍御郁特枉驾阙展待聊寄此作》。《陪李七司马皂江上观造桥即日成往来之人免冬寒入水聊题短作简李公》。是年，杜甫另有诗《杜鹃行》、《逢唐兴刘主簿弟》、《敬简王明府》、《重简王明府》、《百忧集行》、《徐卿二子歌》、《少年行》二首及文《唐兴县客馆记》等。【茅屋为秋风所破歌】《义门读书记》卷五二：“元气淋漓，自抒胸臆，非由外袭也。”《唐诗镜》卷二四：“此作与《枏树为风雨所拔叹》，最是老杜一段习气。子美七言古诗，气大力厚，故多局面可观。力厚，澄之使清；气大，东之使峻，斯尽善矣。”《唐宋诗醇》卷一一：“极无聊事，以直写见笔力。入后，大波轩然而起。叠笔作收，如龙掉尾。非仅见此老胸怀，若无此意，则诗亦可不作。”《杜诗集评》引吴农祥云：“因一身而思天下，此宰相之器、仁者之怀也。中间夹说无衣受冻，故兼言之。针线之密，不可及也。”《读杜心解》卷二：“起句，笔亦如飘风之来，疾卷了当。结仍一笔兜转，又复飘忽如风。《枏树》篇峻整，《茅屋》篇奇奡。彼从拔后追美其功而惜之，此从破后究极其苦而矫之，不可轩轾。”

元结为荆南节度判官。作《大唐中兴颂》、《与瀼溪邻里》、《喻瀼溪乡旧游》。【大唐中兴颂】《唐才子传》卷三："《中兴颂》一文，灿烂金石，清夺湘流。"欧阳修《集古录》（四库本）卷七："《大唐中兴颂》，元结撰，颜真卿书。书字尤奇伟，而文辞古雅，世多模以黄绢为图幛。碑在永州，摩崖石而刻之。"高步瀛《唐宋文举要》（上海古籍出版社 1982）甲编卷一引姚姬传曰："峻伟雄刚，词与事称，宋人无此兴象。"

九月

壬寅，制去尊号。称皇帝；去年号，称元年；以十一月为岁首。月以斗所建辰为名。

秋

贾至在岳州司马任。是年有《送于兵曹往江夏序》、《送南给事贬崖州》。【送南给事贬崖州】《删补唐诗选脉笺释会通评林》"盛七绝中"周珽云："昔也同省，今也同谪，丹墀凤池，朱崖云梦，远近顿如相悬，如君恩莫报，孤忠何补，两相恸哭，别思惨然。'俱为'二字凄楚。"吴山民云："语显而悲。"周启琦云："闻者不堪呜咽，况当其际乎？实情写得透。"

本年

孙逖卒，年六十五。《全唐文》卷三〇八至卷三一三录其文六卷，《唐文拾遗》卷一九补三篇。《全唐诗》卷一一八录诗一卷，卷八八二补一首。颜真卿《尚书刑部侍郎赠尚书右仆射孙逖文公集序》："年数岁，即好属文。十五时，相国齐公崔日用试《土火炉赋》，公雅思遒丽，援翰立成，齐公骇之，约以忘年之契，尔后遂有大名。故其试言也，年未弱冠，而三擅甲科。吏部侍郎王丘试《竹帘赋》，降阶约拜，以殊礼待之。相国燕公张说，览其策而心醉。其序事也，则《伯乐川记》及诸碑志，皆卓立千古，传于域中。其为诗也，必有逸韵佳对，冠绝当时，布在人口。其词言也，则宰相张九龄欲掎摭疵瑕，沉吟久之，不能易一字。公之除庶子也，苑咸草诏曰：'西掖掌论，朝推无对。'议者以为知言。凡斯夥多，庸可悉数。故燕国深赏公才，俾与张九龄、许景先、韦述同游门庭，命子均、垍施伯仲之礼。江夏李邕，自陈州入计，缮写其集，赍以诣公，托知己之分，其为先达所重也如此。公文雅有清鉴，典考功时，精核进士，虽权要不能逼。所奖擢者二十七人，数年间宏词判科等，入甲者一十六人，授校书者九人，其余咸著名当世，已而多至显官。明年典举，亦如之。故言第者必称孙公而已。夫然，信可谓人文之宗师，国风之哲匠者矣。公凡所著诗歌赋序策问赞碑志表疏制诰等，不可胜纪。遭二朝之乱，多有散落。……乃编次公文集为二十卷。"《旧唐书》卷一九〇孙逖本传："逖掌诰八年，制敕所出，为时流叹服。议者以为自开元已来，苏颋、齐澣、苏晋、贾曾、韩休、许景先及逖，为王言之最。逖尤善思，文理精练，加之谦退不伐，人多称之。"

公元 762 年（唐肃宗宝应元年　壬寅）

正月

杜甫在成都，有诗《泛舟送魏十八仓曹还京因寄岑中允参范郎中季明》。二月，严武在成都，官剑南节度使，杜甫有《遭田父泥饮美严中丞》。三月，杜甫、严武游成都西城，杜甫有《奉和严中丞晚眺十韵》、《严中丞枉驾见过》、《奉酬严公寄题野亭之作》。严武有《寄题杜二锦江野亭》。五月，居成都草堂，严武过访，杜甫有《严公仲夏枉驾草堂兼携酒馔》。【遭田父泥饮美严中丞】《杜诗说》卷二："如此制题，全因美中丞故作是诗。若其殷勤款客，意虽足取，终是村野，不可耐耳。写村翁请客，如见其人，如闻其语，并其起坐指顾之状，俱在纸上，似未曾费半点笔墨者。"李长祥等《杜诗编年》（清初刻本）卷八："口极硬，心极强，话极多，气扬趾高，分明富足老农，形容如见。"《唐诗别裁集》卷二："傅出丰厚村朴景象，而美中丞意自见。若专美郑公，便是后人应酬之作。"《读杜心解》卷一："笔笔泥饮，却字字美严，此以田家乐为德政歌也。如此称美上官，才得吃紧，才是脱套。"

岑参由虢州长史改太子中允，兼殿中侍御史，充关西节度判官。九月，岑参为雍王李适掌书记，从至陕州。有诗《潼关镇国军句覆使院早春寄王同州》、《潼关使院怀王七季友》、《阌乡送上官秀才归关西别业》、《敷水歌送窦渐入京》、《陕州月城楼送辛判官入秦》。【陕州月城楼送辛判官入秦】《唐诗归》卷一三谭元春评："'过'字写风雨骤至，甚简。"《唐诗别裁集》卷一〇："入手须不平。宋人不讲此法，所以单弱。"

皎然由扬、楚一带返回湖州。有诗《五言兵后与故人别予西上至今在扬楚因是有寄》、《五言兵后早春登故鄣南楼望昆山寺白鹤观示清道人并沈道士》等。

春

刘长卿游杭、越，有诗《送宇文迁明府赴洪州张观察追摄丰城令》。后奉使鄂渚。秋，有诗《奉使鄂渚至乌江道中作》、《移使鄂州次岘阳馆怀旧居》。

杜华隐居绵州。有诗《寄杜拾遗》及《奉中奉送前涪城贺拔明府归蜀序》。

元结在荆南，为节度观察使留后，有《忝官引》。冬，元结知荆南节度留后，辞官归武昌樊上，作《漫论》、《漫歌》、《招孟武昌》、《抔樽铭》、《退谷铭》、《杯湖铭》等。

四月

甲寅，唐玄宗卒。《全唐文》卷二〇至四一、《唐文拾遗》卷二至卷四录其文二五卷，《唐文续拾》载文一篇；《全唐诗》卷录诗六二首、断句八，卷八八九存词一首；《全唐诗逸》卷上补二首，《全唐诗补编·补全唐诗》补一首，《续补遗》卷三补三首，《续拾》卷一四补一首、序一首。《新唐书》卷二〇一《文艺传序》："唐有天下三百年，文章无虑三变。高祖、太宗大难始夷，沿江左余风，绨句绘章，揣合低卬，故王、杨为之伯。玄宗好经术，群臣稍厌雕琢，索理致，崇雅黜浮，气益雄浑，则燕、许擅

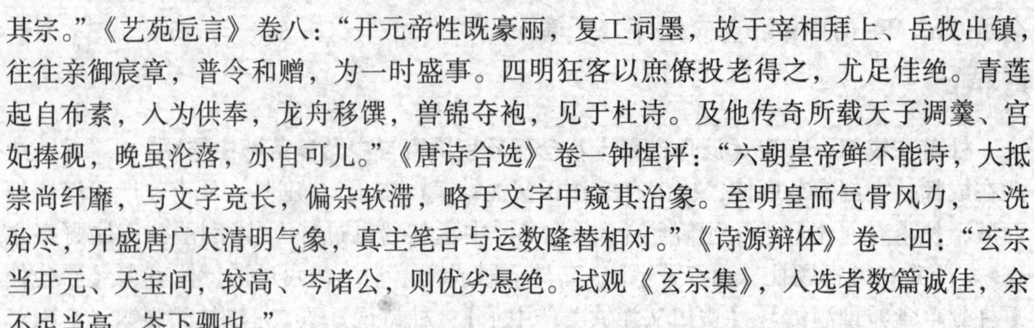

其宗。”《艺苑卮言》卷八：“开元帝性既豪丽，复工词墨，故于宰相拜上、岳牧出镇，往往亲御宸章，普令和赠，为一时盛事。四明狂客以庶僚投老得之，尤足佳绝。青莲起自布素，入为供奉，龙舟移馔，兽锦夺袍，见于杜诗。及他传奇所载天子调羹、宫妃捧砚，晚虽沦落，亦自可儿。”《唐诗合选》卷一钟惺评：“六朝皇帝鲜不能诗，大抵崇尚纤靡，与文字竞长，偏杂软滞，略于文字中窥其治象。至明皇而气骨风力，一洗殆尽，开盛唐广大清明气象，真主笔舌与运数隆替相对。”《诗源辩体》卷一四：“玄宗当开元、天宝间，较高、岑诸公，则优劣悬绝。试观《玄宗集》，入选者数篇诚佳，余不足当高、岑下驷也。”

甲子，制改元宝应，复以建寅为正月，月数皆如旧。肃宗卒。李辅国杀张皇后及其子越王李系、兖王李僩。己巳，代宗李豫即位。《全唐诗》卷四收肃宗诗三首、联句二，卷八六八录梦中诗一首；《全唐文》卷四二至卷四五收文四卷，《唐文拾遗》卷四收文二五篇，《唐文续拾》卷一收二篇，多为臣僚代作。

五月

耿沣年三十，在宋州，有《代宋州将淮上乞师》。秋，在宋州，作诗《宋中》伤战乱。

六月

严武自成都赴京任兵部侍郎。杜甫送至绵州，有《奉送严公入朝十韵》、《送严侍郎到绵州同登杜使君江楼宴》、《奉济驿重送严公四韵》；严武有诗《酬别杜二》。杜甫在绵州，另有《送梓州李使君之任》、《观打渔歌》、《越王楼歌》、《姜楚公画角鹰歌》。七月，在绵州，因徐知道反，赴梓州，有《光禄坂行》、《悲秋》、《客亭》、《客夜》、《戏题寄上汉中王三首》。九月，杜甫在梓州，有《九日登梓州》、《九日奉寄严大夫》。秋，杜甫有诗《寄高适》、《秋尽》。十一月，杜甫在梓州射洪，有《冬到金华山观因得故拾遗陈公学堂遗迹》、《陈拾遗故宅》。后南至通泉县，有《早发射洪县南途中作》、《通泉驿南去通泉县十五里山水作》、《过郭代公故宅》、《观薛稷少保书画壁》、《通泉县署壁后薛少保画鹤》、《陪王侍御宴通泉东山野亭》、《陪王侍御同登东山最高顶宴姚通泉晚携酒泛江》。冬，有诗《渔阳》等。【奉送严公入朝十韵】《杜诗详注》卷一一引卢世漼曰：“此诗十韵，气象规模，与题雅称。末复嘱之曰：‘公若登台辅，临危莫爱身。’法言忠告，令人肃然。夫奉送府主，谁敢作此语，亦谁肯作此语？子美真古人也。”【早发射洪县南途中作】单复《读杜诗愚得》（四库存目丛书本）卷九：“是诗写征途早发及跋涉苦乐之事，委曲详尽。”《杜诗集评》卷二引吴农祥评：“通首真率。起十字，诸公纵有此怀，不能括尽，而以‘寡道气’自责，此岂发愤怨尤者？”《杜诗镜诠》卷九引申涵光评：“少谋生颇易，然正尔负气，岂屑及此，至老方忧已无可奈何矣。起语怅然。‘郑人’二句，他人不肯自言，然正是高处。”【通泉驿南去通泉县十五里山水作】《杜诗集评》卷二引李因笃评：“状所历之境，每每在人目前，然非好学深思却道不出。”《杜诗会萃》卷一一：“叙景中自早而午而夕，条绪秩然。”《杜诗增注》卷九："此亦颜、谢遗音，但气足以吞之，便能推倒一切。前半最胜，若天马行空而至，笙竽杂奏其间。五古中最为出色。"《鲁通甫读书记》："精妙之极，殆无一字不佳。"【通泉县署壁后薛少保画鹤】《杜诗集评》卷二引李因笃评："写马得其神俊，写鹤得其高逸，皆绝构也。"《杜诗编年》卷八："少陵诸禽兽草木诗，皆有一种峻骨厉响，引人幽入，见于画亦然。"《问斋杜意》卷九："起极状十一鹤之磊落威迟，而'高堂'以下幸其仅存，忧其脱落，无非赞叹画妙。"《义门读书记》卷二："诗笔亦如舞鹤。"

九月

贾至在岳州。有诗《答严大夫》。冬，贾至复召为中书舍人，北归经沔州，作《沔州秋兴亭记》。

秋

李嘉祐由鄱阳令量移江阴令。有诗《承恩量移宰江邑临鄱江怅然之作》、《登湓城浦望庐山初晴直省赍敕催赴江阴》。后与皇甫冉、阎伯均相聚润州。皇甫冉有《招隐寺送阎判官还江州》，李嘉祐有《秋晓招隐寺东峰茶宴送内弟阎伯均归江州》。十二月，与皇甫冉、皇甫曾在润州赏海榴。李作《韦润州后亭海榴》，皇甫曾有诗《韦使君宅海榴咏》，皇甫冉作《韦中丞西厅海榴》。

郎士元在渭南尉任，有诗《题精舍寺》。冬，有《送粲上人兼寄梁镇员外》。钱起此前有《夜宿灵台寺寄郎士元》。【题精舍寺】《唐诗镜》卷三一："三、四色相，正音正局。"《贯华堂选批唐才子诗》卷三："（前解）一、写寺是妙地；二、写钱是妙人；三、写夜是妙景；四、写宿是妙悟。以妙地留妙人，对妙景得妙悟，一解凡将题中'钱员外夜宿灵台寺'八字先写异样出色，止留得'见寄'二字，到后解定夺也。（后解）此方写'见寄'也。苍苔古道，岂是寻常行履。落木寒泉，总非人间视听。况又进之以双峰高顶。试思员外何等心期，其寄我岂止一首佳诗，而我能不还赠哉？"《诗辩坻》卷三："'月在上方诸品净，心持半偈万源空'，何元朗指为名作，谛视之，亦禅林恒语耳。"

李冶居湖州，与皎然、陆羽等交游。有诗《湖上卧病喜陆鸿渐至》、《寄校书七兄》、《答李季兰》、《送韩揆之江西》。

十月

灵一卒于杭州龙兴寺，年三十六。高仲武《中兴间气集》卷下选其诗四首，云："自齐梁已来，道人为文者多矣，罕有入其流者。一公乃能克意精妙，与士大夫更唱迭和，不其伟欤。如'泉涌阶前地，云生户外峰'，则道猷、宝月，曾何及此。"严维有《哭灵一上人》，独孤及有《一公塔铭》。《全唐诗》卷八〇八编其诗为一卷。

独孤及与裴倩等十五人在江东宴集。独孤及有《冬夜裴员外薛侍御置酒宴集序》：

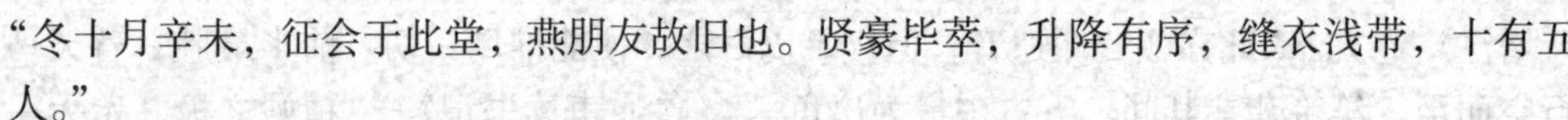

“冬十月辛未，征会于此堂，燕朋友故旧也。贤豪毕萃，升降有序，缝衣浅带，十有五人。”

十一月

李白作《临终歌》，卒于当涂，年六十二。《全唐诗》卷一六一至一八五编其诗为二五卷，又卷八八二补一首，卷八九〇录词一四首，《补逸》上补二句。《全唐诗补编·续补遗》卷三补二三首又八句，有误收重收者。《续拾》卷一四补诗一三首又二句。《全唐文》卷三四七至三五〇编其文为四卷。李华有《故翰林学士李君墓志铭》。《李太白集注》卷三一李阳冰《唐翰林草堂集序》：“不读非圣之书，耻为郑卫之作，故其言多似天仙之辞，凡所著述，言多讽兴，自三代以来，风骚之后，驰驱屈、宋，鞭挞扬、马，千载独步，唯公一人。故王公趋风，列岳结轨，群贤翕习，如鸟归凤。卢黄门云：‘陈拾遗横制颓波，天下质文翕然一变。’至今朝诗体尚有梁陈宫掖之风，至公大变，扫地并尽。今古文集，遏而不行，唯公文章，横被六合，可谓力敌造化欤。”《李太白集注》卷三一魏颢《李翰林集序》：“六经糟粕《离骚》，《离骚》糠秕建安七子。七子至白，中有兰芳，情理宛约，词句妍丽，白与古人争长，三字九言鬼出神入，瞠若乎后耳。”《李太白集注》卷三一刘全白《唐故翰林学士李君碣志》：“君名白，广汉人，性倜傥，好纵横术，善赋诗，才调逸迈，往往兴会属词，恐古人之善诗者亦不逮，尤工古歌。”《文苑英华》卷七〇四吴融《禅月集序》：“国朝能为歌诗者不少，独李太白为称首，盖气骨高举，不失颂咏风刺之道。”皮日休《文薮》卷四《刘枣强碑》：“言出天地外，思出鬼神表，读之则神驰八极，测之则心怀四溟，磊磊落落，真非世间语者，有李太白。”曾巩《元丰类稿》卷一二《李太白文集后序》：“白之诗，连类引义，虽中于法度者寡，然其辞闳肆儁伟，殆骚人所不及，近世所未有也。旧史称白有逸才，志气宏放，飘然有超世之心，余以为实录。”苏辙《栾城集》（《苏辙集》，中华书局2004）卷八《诗病五事》：“李白诗类其为人，骏发豪放，华而不实，好事喜名，而不知义理之所在也。语用兵，则先登陷阵，不以为难；语游侠，则白昼杀人，不以为非。此岂其诚能也哉？白始以诗酒奉事明皇，遇谗而去，所至不改其旧。永王将窃据江淮，白起而从之不疑，遂以放死。今观其诗，固然唐诗人李、杜称首，今其诗皆在。杜甫有好义之心，白所不及也。”《苕溪渔隐丛话》前集卷六：“《钟山语录》云：荆公次第四家诗，以李白最下，俗人多疑之。公曰：‘白诗近俗，人易悦故也。白识见污下，十首九说妇人与酒，然其才豪俊，亦可取也’。王定国《闻见录》云：黄鲁直尝问王荆公：‘世谓四选诗，丞相以欧、韩高于李太白邪？’荆公曰：‘不然，陈和叔尝问四家之诗，乘间签示和叔，时书史适先持杜诗来，而和叔遂以其所送先后编集，初无高下也。李、杜自昔齐名者也，何可下之。’鲁直归问和叔，和叔与荆公之说同，今乃以太白下欧、韩而不可破也。”黄庭坚《山谷集》（四库本）卷二六《题李白诗草后》：“余评李白诗如黄帝张乐于洞庭之野，无首无尾，不主故常，非墨工椠人所可拟。”《李太白集注》卷三四引《西清诗话》：“李太白诗逸态凌云，映照千载，然时作齐、梁间人体段，略不近浑厚。”释契嵩《镡津集》（四库本）卷一六《书李翰林集后》："余读《李翰林集》，见其乐府诗百余篇，其意尊国家、正人伦，卓然有周诗之风，非徒吟咏情性咄呕苟自适而已。白当唐有天下第五世时，天子意甚声色，庶政稍解，奸邪辈得入窃弄大柄。会禄山贼兵犯阙而明皇幸蜀，白闵天子失守，轻弃宗庙，故作《远别离》以刺之。至于作《蜀道难》以刺诸侯之强横，作《梁甫吟》伤怀忠而不见用，作《天马歌》哀弃贤才而不录其功，作《行路难》恶谗而不得尽其臣节，作《猛虎行》愤胡虏乱夏而思安王室，作《阳春歌》以诫淫乐不节，作《乌栖曲》以刺好色不好德，作《战城南》以刺穷兵不休，如此者不可悉说。及放去，犹作《秋浦吟》冀悟人主意。不果望，终弃于江湖间，遂纡余轻世，剧饮大醉，寓意于道士法，故其游览赠送诸诗，杂以神仙之说。……若白之诗也如是，而其性之与志岂小贤哉。脱当时始终其人，尽其才而用之，使立功业，安知其果不能也。迩世说李白清才逸气，但谪仙人耳，此岂必然耶？观其诗，体势才思，如山耸海振，巍巍浩浩，不可穷极。苟当时得预圣人之删，可参二《雅》，宜与《国风》传之于无穷，而《离骚》、《子虚》不足相比。"《朱子语类》卷一四〇："李太白诗不专是豪放，亦有雍容和缓底，如首篇'大雅久不作'多少和缓。""李太白诗非无法度，乃从容于法度之中，盖圣于诗者也。""李太白始终学《选》诗，所以好。"《沧浪诗话》"诗评"："太白天才豪逸，语多率然而成者。学者于每篇中，要识其安身立命处可以也。"又，"太白发句，谓之开门见山。"《诗人玉屑》卷一四引黄庭坚语："太白豪放，人中凤凰麒麟，譬如生富贵人，虽醉着瞑暗喉吃中作无义语，终不作寒乞声耳。"又云："李白歌诗，度越六代，与汉魏乐府争衡。"《诗谱》："李白诗祖风、骚，宗汉、魏，下至鲍照、徐、庾亦时用之。善掉弄造出奇怪，惊动心目，忽然撇出，妙入无声，其诗家之仙者乎？格高于杜，变化不及。"吴澄《吴文正集》（四库本）卷一九《萧独清诗序》："李翰林仙风道骨，神游八极，其诗清新俊逸，继拾遗而勃兴。未能或之先者，非以其清故。"《唐诗品汇》"五言古诗叙目"："李翰林天才纵逸，轶荡人群，上薄曹刘，下凌沈鲍，其乐府古调，若使储光羲、王昌龄失步，高适、岑参绝倒，况其下乎。"又，"太白天仙之词，语多率然而成者，故乐府歌辞咸善。"《逊志斋集》卷一二《苏太史文集序》："庄周之著书，李白之歌诗，放荡纵恣，惟其所欲，而无不如意，彼岂学而为之哉？其心默会乎神，故无所用其智巧，而举天下之智巧莫能加焉。使二子者有意而为之，则不能皆如其意，而于智巧也狭矣。庄周、李白神于文者也，非工于文者所及也。文非至工，则不可以为神，然神非工之所至也。当二子之为文也，不自知其出于心而应于手，况自知其神乎？二子且不自知，况可得而效之乎？"黄淳耀《陶庵全集》（四库本）卷二《小山集序》："考太白元本风、骚，含嚼汉、魏，其生平爱君忠国愍时病俗之志，方诸少陵，无毫发惭负。特以其才高气雄，故精意深识反为所掩，读者徒得其横被六合、飘飘凌云之致而已。今夫朱颜娭光，极美人之形容，清香冻□，备醴齐之妙理，而后世卒不闻以酒色病骚人者，知其为寓言也。希圣有立，绝笔获麟，太白之所挟持何如，而可以轻俊目之哉？近世诗人学少陵而得其皮毛者颇多，学太白而得其天机者绝少，盖学可以渐进，而才不可以强为也。"《艺苑卮言》卷四："太白古乐府，杳冥惝恍，纵横变幻，极才人之致，然自是太白乐府。"《李太白集注》卷三四引李攀龙《选唐诗序》："太白纵横，往往强弩之末，间杂长语，英雄欺人耳。至如五七言绝句，实

唐三百年一人，盖以不用意得之，即太白亦不自知其所至，而工者顾失焉。”《唐诗镜》卷一七：“曹子建、李太白皆不群之才，每恃才之为病，其不足处皆在于率，率则意味遂浅。太白七言乐府，接西汉之体制，掩六代之才华，自傅玄以下，未睹其偶。至赠答歌行，如风卷云舒，惟意所向，气韵风华，种种振绝。五言乐府，摹古绝佳。诸诗率意而成，苦无深趣，苏子由谓之浮花浪蘂，此言非无谓也。读太白诗，当得其气韵之美，不求其字句之奇。五言佳处，得力于《国风》居多。”《诗薮》内编卷二：“备诸体于建安者，陈王也；集大成于开元者，工部也。青莲才之逸，并驾陈王；气之雄，齐驱工部，可谓撮胜二家。第古风既乏温醇，律体微乖整栗，故令评者不无轩轾。”《砻溪诗话》卷二：“世俗夸太白赐床调羹为荣，力士脱靴为勇。愚观唐宗渠渠于白，岂真乐道下贤者哉？其意急得艳词媟语，以悦妇人耳。白之论撰，亦不过为玉楼金殿鸳鸯翡翠等语，社稷苍生何赖？就使滑稽傲世，然东方生不忘纳谏，况黄屋既为之屈乎？说者以谋谟潜密，历考全集，爱民忧国之心若子美语，一何鲜也。力士阉囡腐庸，惟恐不当人主意，挟主势驱之，何所不可，脱靴乃其职也。自退之为‘蚍蜉撼大木’之喻，遂使后学吞声。愚窃谓如论其文章豪逸，真一代伟人，如论其心术事业可施廊庙，李、杜齐名，真忝窃也。”《环溪诗话》卷中：“予尝用此按太白诗。太白发言造语，宜若率然，初无计较，然用字亦多实，作语亦多健。如‘清风明月不用一钱买，玉山自倒非人推’两句中，亦是用五物；如‘高堂明镜悲白发，朝如青丝暮如雪’两句中，亦用五物；甚至《蜀道难》如‘地崩山摧壮士死，然后天梯石栈相钩连’两句中，亦用五物，如此何往而非实也。又如‘白云映水摇空城，白露垂珠滴秋月’，即是两句中用六物；又如‘金樽清酒斗十千，玉盘珍羞直万钱’，亦两句中用六物，以至‘欲渡黄河冰塞川，将登太行雪暗天’，无非两句中用六物者。至如‘长安白日照青空，绿杨结烟桑袅风’、‘禁宫高楼入紫清，金作蛟龙盘绣楹’，即两句之中几用七物。乃知前辈作诗，未尝不知此理，盖不实则不健，不健则不可以为诗也。”《诗人玉屑》引《臞翁诗评》云：“李太白如刘安鸡犬，遗响白云，核其归存，恍无定处。”《升庵集》卷五八“太白用古乐府”：“古人谓李诗出自乐府、古《选》，信矣。其《杨叛儿》一篇即‘暂出白门前’之郑笺也。因其拈用，而古乐府之意益显，其妙益见。如李光弼将子仪军，旗帜益精明。又如神僧拈佛祖语，信口无非妙道，岂生吞义山、拆洗杜诗者比乎？”《唐诗归》卷一五钟惺评：“古人虽气极逸，才极雄，未有不具深心幽致而可入诗者。读太白诗，当于雄快中察其静远精出处，有斤两，有脉理，今人把太白只作一粗人看矣，恐太白不粗于今之诗人也。”《唐音癸签》卷九：“太白于乐府最深，古题无一弗拟，或用其本意，或翻案另出新意，合而若离，离而实合，曲尽拟古之妙。尝谓读太白乐府者有三难：不先明古题辞义源委，不知夺换所自；不参按白身世遭遇之概，不知其因事傅题借题抒情之本指；不读尽古人书，精熟《离骚》、《选》赋及历代诸家诗集，无由得其所伐之材与巧铸灵运之作略。今人第谓太白天才，不知其留意乐府，自有如许功力在，非草草任笔性悬合者。不可不为拈出。”又卷二五：“宋人以荆公四家诗不选太白，嫌其羡说富贵，多俗情。而近代王弇州亦谓其《上皇西巡》一歌‘地转锦江成渭水’等句，不异宋人东狩钱塘封事，讥论尤切。夫白亦诗酒自娱、跌宕一生者耳，安能顾语忌，拘教义，为是屑屑者哉？诗人各自写一性情，各自成一品局，

固不得取锦袍豪翰，强绳以瘦笠苦藻，必同钥吹为善也。”《诗笺》：“太白仙才，然其持论，不鄙齐、梁；子美诗圣，然其持论，尚推卢、骆。譬之沧海，百川细流，无不容纳，所谓‘不薄今人爱古人’也。虚心怜才，殊为可师。今之名流，递相掊击，拔帜立帜，争名丧名，较之李、杜，度量相越，岂不远哉！”太白诗天然奇绝，正惟奇绝，所以不能无小疵。然其奇处不可及，疵处更不可及。奇处不在耻郑、卫，疵处不在言酒、色。酒色、郑卫，在太白分中，原无罣碍。李阳冰自见太白耻郑、卫耳，若太白则何必耻郑、卫。王介甫自见太白言酒、色，若太白则何妨言酒、色。以己为量而妄尊之，且与太白无与；况以己为量而妄毁之，多见其不知量也。”《诗辩坻》卷三：“太白天纵逸才，落笔警挺，其歌行跌宕自喜，不闲整栗，唐初规制，扫地欲尽矣。”“青莲五言律，自流水法外，颇近正始，不似子美、达夫诸公创体，迥异昔观。”《薑斋诗话》卷二：“太白胸中浩渺之致，汉人皆有之，特以微言点出，包举自宏。太白乐府歌行，则倾囊而出耳。如射者引弓极满，或即发矢，或迟审久之，能忍不能忍，其力之大小可知已。要至于太白止矣。一失而为白乐天，本无浩渺之才，如决池水，旋踵而涸。再失而为苏子瞻，萎花败叶，随流而漾，胸次局促，乱节狂兴，所必然也。”《钝吟杂录》“古今乐府论”：“李太白之歌行，祖述《骚》、《雅》，下迄梁、陈七言，无所不包，奇中又奇，而字字有本，讽刺沉切，自古未有也。后之拟古乐府，如是焉可已。”又云：“迤于天宝，其体渐变。然王摩诘诸作，或通篇丽偶，犹古体也。李太白崛起，奄古人而有之，根于《离骚》，杂以魏三祖乐府，近法鲍明远，梁、陈流丽，亦时时间出，谲辞云构，奇文郁起，后世作者，无以加矣。歌行变格，自此定也。”《古欢堂集杂著》：“青莲作近体如作古风，一气呵成，无对待之迹，有流行之乐，境地高绝。”《唐律消夏录》卷三：“太白心地高朗，有置身云霄下视寰宇境界。律诗皆屈意为之，其长在乐府歌行。知章读其《乌夜啼》，曰：‘子真谪仙人也。’又读其《乌栖曲》，曰‘此诗可以泣鬼神矣。’后人竟以知章二语作泛看，不知此二诗实有谪仙人及泣鬼神之处也。”郭兆麒《梅崖诗话》（《丛书集成续编》本）：“太白七言近体不多见。五言如《宫中行乐》等篇，犹有陈、隋习气，然用律严矣，音节亦稍稍振顿。七言长句则纵横排奡，独往独来，如活虎生龙，未易捉摸，少陵故尝首肯心醉矣。”又云：“太白《蜀道难》、《乌栖曲》等作，昔人谓可以泣鬼神。诗中如此种境界，煞是难到。惟情至然后文至。以文生情，乃如隔墙听琵琶耳。”《原诗》外篇下：“李白天才自然，出类拔萃，然千古与杜甫齐名，则犹有间。盖白之得此者，非以才得之，乃以气得之。从来节义、勋业、文章，皆得于天而足于己，然其间亦岂能无分剂？虽所得或未至十分，苟有气以鼓之，如弓之括，力至引满，自可无坚不摧，此在彀率之外者也。如白《清平调》三首，亦平平宫艳体耳。然贵妃捧砚，力士脱靴，无论懦夫于此战栗越趄万状，秦舞阳壮士不能不色变于秦皇殿上，则气未有不先馁者，宁暇见其才乎？观白挥洒万乘之前，无异长安市醉眠时，此何如气也？大之即舜、禹之巍巍不与，立勋业可以鹰扬牧野，尽节义能为逄、比碎首，立言而为文章，韩愈所言‘光焰万丈’，此正言文章之气也。气之所用不同，用于一事则一事立极，推之万事，无不可以立极。故白得与甫齐名者，非才为之，而气为之也。历观千古诗人有大名者，舍白之外，孰能有是气乎？”《唐诗别裁集》卷二：“太白七言古，想落天外，局变自生。大江无风，波浪自涌，白云从空，随风变灭。此殆天授，非人可及。”《剑溪说诗》上：“太白乐府五言，约六百十余篇，体势多端，要不失《风》、《雅》指趣；间涉径露，固属不经意之作，亦摆去拘束。”“太白诗有似《国风》、《小雅》者，有似楚骚者，有似汉、魏乐府及古歌谣杂曲者，有似曹子建、阮嗣宗者，有似鲍明远、谢玄晖者，又有似阴铿、庾信者，独无一篇似陶。”又云：“太白古诗往往音调似律，盖体源齐梁，兴酣落笔而不自觉，然逸气横生，高出齐梁万万也。至于今体，反如古调。”《瓯北诗话》卷一：“白之诗不可及处，在乎神识超迈，飘然而来，忽然而去，不屑屑于雕章琢句，亦不劳劳于镂心刻骨，自有天马行空、不可羁勒之势。若论其沉刻，则不如杜；雄鸷亦不如韩。然以杜、韩与之比较，一则用力而不免痕迹，一则不用力而触手生春：此仙与人之别也。”又云：“青莲集中古诗多，律诗少。五律尚有七十余首，七律只十首而已。盖才气豪迈，全以神运，自不屑于格律对偶，与雕绘者争长。然有对偶处，仍自工丽；且工丽中别有一种英爽之气，溢出行墨之外。”“李阳冰序谓：唐初诗体尚有梁、陈宫掖之风，至青莲而大变，扫尽无余。然细观之，宫掖之风，究未扫尽也。盖古乐府本多托于闺情女思，青莲深于乐府，故亦多征夫怨妇、惜别伤离之作，然皆含蓄有古意，如《黄葛篇》之‘苍梧大火流，暑服莫轻掷。此物虽过时，是妾手中迹’，《劳劳亭》之‘春风知别苦，不遣柳条青’，《春思》之‘春风不相识，何事入罗帏’，皆酝藉吞吐，言短意长，直接《国风》之遗。少陵已无此风味矣。”《石洲诗话》卷一：“太白诗根柢风、骚，驰驱汉、魏，以遗世独立之才，汗漫自适，志气宏放，故其言纵恣傲岸，飘飘然有凌云驭风之意。以视乎循规蹈矩、含宫咀商者，真尘饭土羹矣。望其仙风道骨，实能不食人间烟火，故世之负尸载肉而行者，望之张目咋舌，譬如天马行空，不施鞚勒，其能绝尘而追者几人哉！且太白亦非徒阔落浩荡而无涯涘也。今之人半以子美沉酣六籍，集古今之大成，为风雅正宗，使追步者有径可寻，有门可窥，故谭艺家迄今奉为矩矱，遂视太白为登天然不可几及者，此大谬也。以太白之仙才，文质炳焕，发为诗歌，无体不备，无体不精。当其时，使无子美，则后之人寻思玩绎，于摆脱骈俪轶荡不群之外，求其声律，固自有轨辙之可遵，亦何至怖如河汉也。……世之言诗者，不问津于太白，而先以子美为宝筏，是犹所谓断港绝航而望至于海也。其视蓬岛十二楼，何啻三千弱水之隔乎？又安望溯而两汉之源，以驾扬、马上哉！”李调元《雨村诗话》（《清诗话续编》本）：“唐诗首推李、杜，前人论之详矣。顾多以杜律为师，而于李则云仙才不能学，何其自画之甚也？大约太白工于乐府，读之奇才绝艳，飘飘如列子御风，使人目眩心惊；而细按之，无不有段落脉理可寻，所以能被之管弦也。若以天马行空，不可鞚勒，岂五音六律亦可杂以不中度之乐章乎？故余以为学诗者，必从太白入手，方能长人才识，发人心思。王渔洋曾有《声调谱》，而李诗居其半，可谓知音矣。”《岘佣说诗》：“太白七古，体兼乐府，变化无方。然古今学杜者多成就，学李者少成就：圣人有矩矱可循，仙人无踪迹可蹑也。”又云：“太白七古不易学，然有一种清灵秀逸之气，不可不学，得其一二，俗骨渐轻。”又云：“太白才逸，笔在刚柔之间，故亦能作五、七绝。”《静居绪言》：“诵供奉诗，如合大部乐，无论滞滮幽鄙之怀，为之冲旷；无论邪僻秽败之气，为之消歇。随举一韵一篇，势如转丸，灭绝斧痕凿迹。至其电之而为天笑，波之而为海立，岂凡才可拟、尘步可跂哉！……

供奉诗略举平淡者言之，已是天机在手，妙不关心，如麻姑之衣，非锦非绣，自成文章者也。”《诗学渊源》卷八：“白常以复古自任，而多集诸家之长而运用之。风、骚是其所宗，不仅建安一体已也；而齐、梁、初唐亦时有之。七言歌行，源出庾、鲍，特其天才豪放，吐气如虹，意之所至，莫可羁勒，开阖奇变，而一归于正。声调激越，音节浏亮，动合宫商，是乃歌行之极则。魏武之后，一人而已。或者不察，谓其鄙弃齐、梁，凌轹初唐，岂穷源之论哉？后人模拟太白，不失之粗，则失之怪；刻划子美，不失之鄙，则失之拙。人但知其词气豪放，不知其造语精切，调匀音逸，寄托遥深，如《独漉篇》，谁复能到？魏武所谓以气为主，以词为卫者也。试读白诗，曾有艰涩鄙语与僻奥典故否耶？有一至此，即谬以千里。”《李诗纬》：“乐府体不尚论而宗叙事，故每以缓失之，故杜少陵无乐府也。太白篇什虽繁，而自放者多矣，然有出乎唐人之上者，似晋杂曲而清隽过之。天实生才，岂易言哉。吾定古唐诸乐府，考其正变，则其人与世可知矣，而独于太白犹低佪三复云。”“太白愠于群小，乃放还山而纵酒以浪游，岂得已哉。故于乐府多清怨，盖不敢忘君也。夫怨生于情，而情每于儿女间为切切焉，读者勿以辞害意可矣。”“若太白五律，犹为古诗之遗，情深而词显，又出乎自然，要其旨趣所归，开郁宣滞，特于风骚为近焉。自唐以来，能为诗者多矣，其词与理未始不璀璨焉然而观止矣。予读李白诗，想见其心如入天际，渺乎莫从其所之。太史公曰：‘《诗》有之，高山仰止，景行行止，虽不能至，然心向往之。’予于李诗亦云。”“丁龙友曰：李白乐府，本晋三调杂曲。其绝句从六朝清商小乐府来。至其气概挥斥，迴飙掣电，且令人缥缈天际，此殆天授，非人力也。”王琦《李太白集辑注跋》：“世之论太白者毁誉多过其实。誉之者，以其脱子仪之刑责，俾得奋起而遂以成中兴之功；辱高力士于上前，而称其气盖天下；作《清平调》、《宫中行乐词》，得国风讽谏之体。毁之者，谓十章之诗言妇人与酒者有九，而议其人品污下；又谓其当王室多难、海宇横溃之日，作为歌诗，不过豪侠任气、狂醉花月之间，视杜少陵之忧国忧民不可同年而语。试为平情论之：识子仪为豪杰之士，救免其刑责而力为推奖，知人之明，诚足称矣。若夫云蒸雾变，戡大难而奏肤功，为一朝名佐，太白初亦不料其至是。谓中兴勋业，太白与有力焉，此岂通人之论哉？力士获宠于君，士大夫趋附焉，太白醉中令其脱靴，俨以仆隶相视，此其平日必先有恶之之念存于中，故酒酣之后，忽焉触发，而故于帝前辱之，其气可谓豪矣。然非沉醉，亦未必若是。后人深快其事，而多为溢美之言以称之，然核其实，太白亦安能如论者之期许哉？若夫《清平调》、《宫中行乐词》皆应诏而赋者，其辞以富丽为工，其意以颂美为主，刺讥之语无庸涉其笔端，理也。或乃寻撦其引用之故事，钩稽其点缀之虚词，曰此为隐讽，此为谲谏，支离其语，娓娓动人。然按之正文，皆节外生枝，杳无当于诗人之本意，殆有似夫谗人险士，吹毛洗垢而求索其疵瘢以为口实者。驯致其弊，为梗于语言文字者不浅，不但有悖于温柔敦厚之教而已。善言诗者，骇之而勿敢道也。至谓其诗多甘酒爱色之语，遂目以人品污下，是盖忘唐时风俗，而又未明其诗之义旨也。唐时侑觞，多以女伎，故青蛾皓齿，歌扇舞衫，见之宴饮诗中。即老杜亦未能免俗，他文士又无论已，岂惟太白哉？若其《古风》、乐府，怨情感兴等篇，多属寓言，意有托寄，阳冰所谓言多讽兴者也，而反以是相诋訾。然则指《楚词》之望有娀、留二姚、捐玦采芳以遗湘君下女之辞，而谓灵均之人品污下；指《闲情赋》语之亵，又指其诗中篇篇有酒，而谓靖节之人品污下，可乎？若谓彼皆有所托，而言之为无害，则太白又何以异于彼耶？至谓其当国家多难之日而酣歌纵饮，无杜少陵忧国忧民之心，以此为优劣，则又不然。诗者，性情之所寄，性情不能无偏。或偏于多乐，或偏于多忧，本自不同。况少陵奔走陇蜀僻远之地，频遭丧乱，困顿流离，妻子不免饥寒。太白往来吴楚安富之壤，所至郊迎而致礼者，非二千石则百里宰，乐饮赋诗无间日夕，其境遇又异。兼之少陵爵禄曾列于朝，出入曾诏于国，白头幕府，职授郎官。太白则白衣供奉，未沾一命，逍遥人外，蝉蜕尘埃。一以国事为忧，一以自适为乐，又事理之各殊者，奈何欲比而同之，而以是为优劣耶？后之文士左袒太白者，不甘其说而思有以矫之。以杜有诗史之名，则择李集中忧时悯乱之辞，而据摭史事以释之，曰此亦可称诗史；以杜有一饭未尝忘君之誉，则索李集中思君恋主之句，而极力表扬，曰身在江湖心存魏阙与杜初无少异。此其意不过欲搘抑李者之口，而与之相抗。岂知论说杜诗而沾沾于是，颠倒事实，强合岁时，昔人已有厌而辟之者，何乃拾其牙后慧，而又为李集之骈拇枝指哉。读者当尽去一切偏曲泛驳之说，惟深溯其源流，熟参其指趣，反复玩味于二体六义之间，而明夫敷陈情理、托物比兴之各有攸当，即事感时、是非美刺之不可淆混，更考其时代之治乱，合其生平之通塞，不以无稽之毁誉入而为主于中，庶几于太白之歌诗有以得其情性之真，太白之人品亦可以得其是非之实矣。"

本年

崔令钦任著作郎，所作《教坊记》书成。《郡斋读书志》"后志"卷一："开元中教坊特盛，令钦记之，率鄙俗事，非有益于正乐也。"《少室山房笔丛正集》卷二五："古教坊有杂剧而无戏文者，每公家开宴，则百乐具陈，两京六代不可备知，唐宋小说如《乐府杂录》、《教坊记》、《东京梦华》、《武林旧事》等编录颇详。"《四库提要》卷一四〇："是书《唐书·艺文志》著录，又总集类中载令钦注庾信《哀江南赋》一卷，然均不言令钦何许人。盖修《唐书》时，其始末已无考矣。所记多开元中猥杂之事，故陈振孙讥其鄙俗。然其后记一篇谆谆于声色之亡国，虽礼为尊讳，无一语显斥元宗，而历引汉成帝、高纬、陈叔宝、慕容熙，其言剀切而著明，乃知令钦此书本以示戒，非以示劝。《唐志》列之于经部乐类，固为失当。然其风旨有足取者，虽谓曲终奏雅，亦无不可，不但所列曲调三百二十五名，足为词家考证也。"

刘秩卒于抚州。李华作《祭刘左丞文》。《旧唐书·房琯传》："初开元末，刘秩采经史百家之言，取《周礼》六官所职，撰分门书三十五卷，号曰《政典》，大为时贤称赏，房琯以为才过刘更生。"《全唐文》卷三七二录其文三篇，《唐文拾遗》卷二二载其文一篇，《全唐诗补编·续补编》卷三录其诗一首。

羊士谔生。羊士谔（762？—822？），字谏卿，泰山人。贞元元年登进士第，授义兴尉，迁义兴主簿。后历浙东观察使左威卫兵曹参军、宣歙观察使巡官。永贞八年入京，言王叔文之非，贬汀州宁化县尉。宪宗即位，擢大理评事。元和八年，入为监察御史。三年秋，贬资州刺史，未及赴任，再贬为巴州刺史。后历资州、洋州、睦州刺

史。元和十四年入为户部郎中。《郡斋读书志》著录《羊士谔诗》一卷。据孟简《建南镇碣记》、《旧唐书·李吉甫传》、《唐诗纪事》卷四三、《唐才子传》卷五等。

王仲舒生。王仲舒（762—823），字弘中，行十，太原人。少孤贫，客江南，与梁肃、裴枢等交游。贞元十年登贤良方正能直言极谏科，授右拾遗。迁右补阙，历礼部、考功、吏部员外郎。十九年贬司户参军，徙夔州司马、荆南节度参谋。元和初召为吏部员外郎。五年迁职方郎中、知制诰，后贬峡州刺史。九年改婺州刺史，十三年徙苏州刺史，十五年为中书舍人，六月授江西观察使。长庆三年十一月卒。《新唐书·艺文志》著录其《制集》一〇卷，今佚。事迹见韩愈《故江南西道观察使太原王公墓志铭》、《旧唐书》卷一九〇、《新唐书》卷一六一本传。

公元 763 年（唐肃宗宝应二年　代宗广德元年　癸卯）

正月

史朝义自缢，"安史之乱"结束。

代宗令王缙进献王维文章，王缙作《进王维集表》，代宗作《答王缙进王维集表诏》。《旧唐书》卷一九〇《王维传》："代宗好文，常谓缙曰：卿之伯氏，天宝中诗名冠代，朕尝于诸王座闻其乐章。今有多少文集，卿可进来。缙曰：臣兄开元中诗百千余篇，天宝事后，十不存一。比于中外亲故间相与编缀，都得四百余篇。翌日上之，帝优诏褒赏。"

岑参入京，供职御史台。秋，为祠部员外郎。有诗《尹相公京兆府中棠树降甘露诗》、《刘相公中书江山画障》、《秋夕读书幽兴献兵部李侍郎》、《暮秋会严京兆后厅竹斋》、《和刑部成员外秋寓直台省寄知己》等。

杜甫在梓州，闻"安史之乱"平而作诗《闻官军收河南河北》。二月，有诗《泛江送客》、《郪城西原送李判官兄武判官弟赴成都府》、《送路六侍御入朝》、《涪江泛舟送韦班归京》、《送何侍御归朝》、《有感五首》等。【闻官军收河南河北】《杜诗集评》卷一一引李因笃云："转宕有神，纵横自得，深情老致，此为七律绝顶之篇。"朱瀚《杜诗七言律解意》（康熙刻本）卷二："蓟北起，河南中结，中间气脉蝉联，构法奇绝。又地名凡六见，主宾虚实，累累如贯珠，真善于将多。"《杜诗说》卷九："杜诗强半言愁，其言喜者寄弟数作及此作而已。言愁者真使人对之欲哭，言喜者真使人读之欲笑，盖能以其真性情达之纸墨，而后人之性情类为之感动故也。"《唐诗别裁集》卷七："一起流注，曲折尽情。篇法之妙，不可思议。"《杜诗详注》卷一一："顾宸曰：杜诗之妙，有以命意胜者，有以篇法胜者，有以俚质胜者，有以仓卒造状胜者，此诗之'忽传'、'初闻'、'却看'、'漫卷'、'即从'、'便下'，于仓卒间写出欲歌欲哭之状，使人千载如见。"《唐宋诗醇》卷一五："惊喜溢于字句之外，故其为诗，一气呵成，法极无迹，末联撒手空行，如懒残履衡岳之石，旋转而下，非有伯昏瞀人之气者，不能也。"又引浦起龙曰："八句其疾如飞，题事只一句，余俱写情神理，妙在逼真，杜老生平第一首快诗。"《杜臆》卷五："说喜者云喜跃，此诗无一字非喜，无一字不跃。其喜在'还乡'，而最妙在束语直写还乡之路，他人决不敢道。"【送路六侍御入朝】《杜诗集评》引李因笃云："一气滚注，只如说话，而浑成不可及。公此等诗如龙眠白描，无微不入，由其运笔之高也。"又引查慎行云："缠绵婉曲，觉江淹《别赋》未足销魂。"【有感五首】《杜诗说》卷六："《有感五首》，在公平生为大抱负，即全集之大本领。从来读杜诗者，并未经拈出。……后人不知杜公之大抱负、大本领，而轻于选杜诗与轻于学杜诗，皆不知量者也。"《杜诗详注》卷一一引王嗣奭《杜臆》："诗人尚风，其弊也，烟云花草，凑砌成篇，核其归存，恍无定处。杜诗宗雅颂，比兴少而赋多。如此五首，皆赋也，即用比兴，意有所主，总归于赋。故情景不一，而变化无穷，一时感触，而千载长新。又曰：读此五诗，皆救时之硕画，报主之赤心，自许稷契，真非虚语。耳食者谓公志大才疏，良可悲矣。"又引黄生曰："七律之《诸将》，责人臣也；五律之《有感》，讽人君也。然此虽讽人君，未尝不责其臣，以强圉国事，败坏至此，皆人臣之罪也。公平日谆谆论社稷忧时事者，大指尽此五首。又曰：此五首在公生平为大抱负，即全集之大本领，从来读杜诗者，并未拈出。又曰：末首通结数章之意，而归本于主德。所谓君仁莫不仁，君正莫不正，而惟务格君之心者，具于此见之。读此五章，犹以诗人目少陵者，非惟不知人，兼亦不知言矣。"

独孤及在江东，作《代书寄裴六冀刘二颖》。十一月，独孤及赴抚州南丰，道中闻长安失陷，有《癸卯岁赴南丰道中闻京师失守寄权士繇韩幼深》。十二月，有《贾员外处见中书贾舍人巴陵诗集揽之怀旧代书寄赠》。

有诏授李白左拾遗，而李白已卒。

二月

洪源、古之奇、耿沣、杜黄裳、乔琛等二十七人登进士第。时礼部侍郎萧昕知贡举，试《日中有王字赋》。古之奇（？—784?），大历三年任泾原节度使马璘掌书记，后历佐节度使段秀实、李怀光、朱泚、孟皞、姚令言。建中四年十月，姚令言率泾原之师救哥舒曜，至京而叛，拥立朱泚。古之奇在军中，署伪职，为朱泚掌文翰。兴元元年泚败，古之奇约于七月伏诛。其与李端交善。事迹见李端《送古之奇赴泾州幕》、《唐诗纪事》卷二八等。

高适迁剑南西川节度使，有《谢上剑南节度使表》。此月前后，另有《贺收城表》、《请入奏表》。冬，攻吐蕃。《旧唐书·高适传》："代宗即位，吐蕃陷陇右，渐逼京畿。适练兵于蜀，临吐蕃南境以牵制之，师出无功，而松、维等州寻为蕃兵所陷。代宗以黄门侍郎严武代还，用为刑部侍郎，转散骑常侍，加银青光禄大夫，进封渤海县侯。"

李嘉祐在江阴令任，有《自常州还江阴途中作》。三月，至润州，有诗《润州杨别驾宅送蒋九侍御收兵扬州》。【自常州还江阴途中作】《大历诗略》卷五："前半即所云'人家尽空'、'春物增思'也，第三较'感时花溅泪'更含蕴可悲，结尤似杜。玩五、六乃调江阴令谒郡守不合，归途作。"

三月

杜甫在梓州。因送人至绵州，又至汉州，有《陪李梓州王阆州苏遂州李果州四使

君登惠义寺》、《惠义寺送王少尹赴成都》、《惠义寺送辛员外》、《又送》、《巴西驿亭观江涨呈窦十五使君二首》、《又呈窦使君》、《陪王汉州留杜绵州泛房公西湖》、《得房公池鹅》、《舟前小鹅儿》、《官池春雁二首》。是年春，另有诗《远游》、《花底》、《柳边》、《春日梓州登楼二首》、《春日戏题恼郝使君兄》、《数陪李梓州泛江有女乐在诸舫戏为艳曲二首赠李》。夏，在梓州，有《陪章留后侍御宴南楼》、《台上》、《陪章留后惠义寺饯嘉州崔都督赴州》。九月，在梓州有《九日》、《对雨》。秋末至阆州，有《王阆州筵奉酬十一舅惜别之作》、《阆州东楼筵奉送十一舅往青城》。十月，在阆州，闻吐蕃寇西山等，有诗《警急》、《王命》、《征夫》、《西山三首》。十一月，杜甫在阆州，闻长安失陷、代宗奔陕，有《巴山》、《早花》、《遣忧》。后杜甫还梓州，有《发阆中》。十二月，杜甫在梓州，作《岁暮》、《竹桃仗引赠章留后》、《将适吴楚留别章使君留后兼幕府诸公》。

郑丹献二帝两后挽歌三十首，解褐任蓟州录事参军，此后事迹无考。高仲武《中兴间气集》选其诗二首，云："丹诗剪刻婉密。宝历中献二帝两后挽歌三十首，词旨哀楚，得臣子之致。"《全唐诗》卷二七二存诗二首。

袁傪破袁晁之众于浙东，作诗上李光弼。刘长卿、皇甫冉等人和之。刘长卿有《和袁郎中破贼后行军过刘中山水上太尉》，李嘉祐有《和袁郎中破贼后军行经剡县山水上太尉》，皇甫冉有《和袁郎中破贼后经剡中山水》。

春

刘长卿返回淮南，路经安陆、穆陵关等地。有诗《使次安陆寄友人》、《安州道中经浐水有怀》、《穆陵关北逢人归渔阳》及《祭萧相国文》。夏，在扬州，有诗《送朱放山人越州贼退后归山阴别业》等。【穆陵关北逢人归渔阳】《对床夜语》卷二："其前实后虚者，即前格也，第反景物于上联，置情思于下联耳。如刘长卿'楚国苍山古，幽州白日寒。城池百战后，耆旧几家残'，则始可以言格。"《唐诗归》卷二五钟惺评："壮语，平调。"《唐风定》卷四："高调。顾云：文房雅喦清爽，中唐独前。表曰：五言长城，允矣，不愧。"【使次安陆寄友人】《贯华堂选批唐才子诗》："前解写次安陆，此解写寄友人。五、六孤城花落，三户鸟啼，非再写安陆荒凉也。先生正言我当此况，那不忆君，特不审君亦忆我否耳？盖言君虽忆我，然乌乎知我之花落鸟啼？亦犹我今忆君，而不知君之门前五柳也。"《删补唐诗选脉笺释会通评林》"中唐七律上"引李东阳曰："孤城、三户，属对天然。"引顾璘曰："结得浑厚。"周珽曰："久客当新年发生之候，不胜归欤念动，故有'路蹊'之问。五、六即乱离后人物萧条之景。结见寄友人意，高其隐居之乐也。"

李华被征召，至鄂州。有《卧疾舟中相里范二侍御先行赠别序》。

卢象自吉州长史征为主客员外郎，至鄂州，与李华等同登头陀寺楼，有《登头陀寺东楼诗序》。夏，象卒于武昌，崔佑甫为作墓志，后其孙元符编其集十二卷，刘禹锡为之序云："卢公讳象，字纬卿，始以章句振起于开元中，与王维、崔颢比肩骧首，鼓行于时。妍词一发，乐府传贵。"今存诗二八首，断句六，《全唐诗》卷一二二编为一卷，《全唐诗补编·续补编》卷三补一首，《续拾》卷一四补二首。《全唐文》卷三〇七收其文二篇。《吴礼部诗话》引时天彝《唐百家诗评选》云："卢象，开元时人，诗亦清妙，要非后来所及也。"《唐诗笺要》："卢君排律，才藻深厚，音节宏振，较崔寺勋、王龙标似为过之。"《载酒园诗话》"又编"："（祖）咏与卢象，稍有悲凉之意，然亦不激不伤。卢情深，祖尤骨秀。"《读雪山房唐诗序例》"七律凡例"："开、宝以前，如孙逖、王昌龄、卢象、张继、包何辈，皆不以七言律名，而流传一二篇，音节安和，情词高雅，迥非后来可及，信乎时代为之也。"《河岳英灵集》卷下："象雅而不素，有大体，得国士之风。曩在校书，名充秘阁，其'灵越山最秀，新安江甚清'，尽东南之数郡。"《唐诗纪事》卷二六："刘梦得《董侹诗集序》云：'尝所与游，皆青云之士，闻名如卢、杜，高韵如包、李，迭以章句扬于当时。'"

钱起在蓝田尉，有《题郎士元半日吴村别业兼呈李长官》，郎士元有《酬王季友题半日村别业兼呈李明府》。九月，钱起在长安，有《奉送刘相公江淮崔转运》。十月，钱起在长安沦陷时投南山佛寺，有诗《东城初陷与薛员外王补阙暝投南山佛寺》、《广德初銮驾出关后登高愁望二首》、《銮驾避狄岁别韩云卿》。【酬王季友题半日村别业兼呈李明府】《唐诗镜》卷三一："善为写作。"《贯华堂选批唐才子诗》卷三："唐人诗句每多侵让。如此诗起句写村，却让三字与下，便只剩得四字；次句再写半日，却侵过上句三字，便自占却十字也。三句再写村，四句再写半日。想其别业后是村，村后是高原；别业前是溪，溪南是群山，此真大好别业。又想人生四十以来，是下半生，入秋凌冬是下半年，望舒生魄是下半月，斋钟一动是下半日，此四下半最为悠悠忽忽，亦最为波波汲汲，今特取以名村，真又大好名字也。五写主人俟客，六写就主人。七写客各自下榻，不问主人，八写主人开樽，还少一客。真胜地良时、妙主，人生在世，何曾多遇。"【奉送刘相公江淮崔转运】《诗薮》外编卷四："唐人每同赋一题，必推擅场，如钱起《送刘相公》、李端《与郭都尉》之类。今同赋多不传，即擅场者未必佳也。"

夏

元结居武昌樊上。有《殊亭记》、《登殊亭作》及《漫酬贾沔州》。

七月

壬子，改元广德，赦天下。

公元764年（唐代宗广德二年　甲辰）

正月

岑参在京为考功员外郎，后转虞部郎中，有诗《奉送李太保兼御史大夫充渭北节度使》、《送严黄门拜御史大夫再镇蜀川兼觐省》。三月，有诗《送张秘书充刘相公通汴河判官便赴江外觐省》。六月，有诗《左仆射相国冀公东斋幽居同黎侍御所献》。秋，作《盛王挽歌》。【送李太保充渭北节度使】《唐诗归》卷一三："钟惺评：庄重雄浑，须知此等喧者不能。……'弟兄皆许国，天地荷成功'，谭元春评：二语极易酸馅，此等用之则庄重典雅，经史夺目，惟老杜有此手段，而嘉州以清韵笔奄有之，可见何所不能。"《唐诗解》卷三六："此勉光进之勤王也。言总戎岁始，而位列三公者已久矣，苟能奋其军威，肃清渭北，与太尉同心许国，则天方佑君之成功，岂复有他虑乎？按光弼以程振元之故，不赴吐蕃之难，代宗疑其有变，因厚遇光进以安其心，此诗以许国讽之，而以成功慰之也。"《删补唐诗选脉笺释会通评林》"盛五律中"魏庆之评："五、六地名句法。"蒋一梅评："岑诗每出，一等异彩，可喜。"《唐诗消夏录》卷四："此等诗缜密阔大，留以为式。高、岑性情开朗，故诗皆爽健，其不至于浅薄者，以高能用折笔、岑能用添笔也。"《瀛奎律髓汇评》卷二四冯班评："此种诗决不可及。"《唐诗别裁集》卷一〇："弓与旗皆随常景，点入'关西'、'渭北'，便且渭北节度，而'抱'字、'翻'字，尤使句中有力。"

钱起在长安。有诗《登刘宾客高斋》。刘宾客，即刘晏，时为太子宾客，三月迁河南、江淮以东转运使。十月，王季友赴李勉幕，以太子司议郎兼监察御史为副使。钱起作《送王季友赴洪州幕下》；于邵有《送王司议季友赴洪州序》。

二月

杨栖梧、苏涣等二十五人登进士第，礼部侍郎杨绾知贡举。苏涣（？—775），行大，蜀人。少时剽盗，善放白弩，巴蜀商人称为"白跖"。后折节读书。累迁至监察御史。大历四年，湖南观察使崔瓘召为从事，与杜甫联袂游览。五年夏，臧玠作乱，苏涣南奔广州。八年，煽动岭南部将哥舒晃据广州反。十年十月，兵败被杀。《新唐书·艺文志》著录《苏涣诗》一卷，今佚。事迹见《中兴间气集》卷上、《唐诗纪事》卷二六等。

杜甫在阆州，诏授京兆功曹，未及成行；后闻严武复镇蜀川，乃归成都，有《奉寄章十侍御》、《滕王亭子二首》、《玉台观二首》、《奉别马巴州》、《奉待严大夫》、《渡江》、《别房太尉墓》、《自阆州领妻子却赴蜀山行三首》、《将赴成都草堂途中有作先寄严郑公五首》。三月，归成都草堂，有《草堂》、《春归》、《四松》、《水槛》、《破船》、《登楼》及《奉寄高常侍》。六月，杜甫在成都严武幕，严武表荐为节度参谋，杜甫有《严郑公宅同咏竹》、《军中醉歌寄沈八刘叟》。秋，在幕府，有《立秋雨院中有作》、《奉和严郑公军城早秋》、《院中晚晴怀西郭茅舍》、《到村》、《陪郑公秋晚北池临眺》、《遣闷奉呈严公二十韵》、《严郑公阶下新松》、《严郑公宅同咏竹》、《晚秋陪严郑公摩诃池泛舟》等；严武有诗《军城早秋》。十月，杜甫在成都，有《初冬》、《别唐十五诫因寄礼部贾侍郎》。【奉别马巴州】《杜诗详注》卷一三："杜诗七律凡首句无韵者多对起，如'五夜漏声催晓箭，九重春色醉仙桃'是也。亦有无韵而散起者，如'使君高义驱今古，流落三年坐剑州'是也。其首句用韵者多散起，如'丞相祠堂何处寻，锦官城外柏森森'是也。亦有用韵而对起者，如'勋业终归马伏波，功曹非复汉萧何'是也。大家变化，无所不宜，在后人当知起法之正变也。"【将赴成都草堂途中有作先寄严郑公五首】《杜诗详注》卷一三："杜律如《秋兴》八首、《诸将》、《古迹》诸首，虽迭章联络，而语无重复，故其气骨丰神，俊迈不群。若《寄严公》五首，意思颇嫌重出，盖赴草堂只是一事，寄严公只是一人，缕缕情绪，终觉言之繁絮耳。但就其各章铺叙，自有层次。首章言严公书札，次章言荆州赏新，三章言荒庭饮醉，四章以生理衷颜诉之，五章以生事息机告之。说得迢递浅深，条理井然，而前以剖符起，后以总戎结，文治武功，均望严公，又实喜溢于词气间矣。"又引王嗣爽曰："五作，意俱条畅，辞极稳称，都是真情真语，诗应如是。"【草堂】唐汝洵《唐诗十集》（石渠东阁刻本）"壬集五"："首四语总叙，中段是川中史，末段是草堂史，俱不厌其铺写。"《杜诗集评》卷三引李因笃评："丧乱之悲，吏卒之惨，如绘图而观，伸于痛哭，然词亦太杂。"陈讦《读杜随笔》（雍正刻本）卷下："此诗序述其事，似一篇重来草堂记序。盖仿太史公《史记》序事体，直书其事而以韵语出之，开后来《诸将》、《八哀》、《往在》、《壮游》等诗体格。有意垂世，独出新裁，故词不厌详，语不修饰。"《杜诗镜诠》卷一一："以草堂去来为主，而叙西川一时寇乱情形，并带入天下，铺陈始终，畅极淋漓，岂非诗史。"《鲁通甫读书记》："公成都以前诗，虽数十韵大篇，皆结构紧严，首尾整密。此篇始烂漫横厉，与后来《八哀》、《昔游》、《往在》一副笔墨。"

七月

元结在道州刺史任。有《舂陵行》、《贼退示官吏》。《本诗详注》卷一九杜甫《同元使君舂陵行》"序"："览道州元使君《舂陵行》兼《贼退后示官吏作》二首，志之曰：当天子分忧之地，效汉官良吏之目，今盗贼未息，知民疾苦，得结辈十数公，落落然参错天下为邦伯，万物吐气，天下少安可待矣。不意复见比兴体制，微婉顿挫之词，感而有诗，增诸卷轴。简知我者，不必寄元。"《岘佣说诗》："诗忌拙直，然如元次山《舂陵行》、《贼退示官吏》诸诗，愈拙直愈可爱。盖以仁心为真气，发为愤，字字悲痛，《小雅》之哀音也。"《删补唐诗选脉笺释会通评林》"盛五古八"唐汝询云："元诗本从风谣结构，此作称其笔。"吴山民评："真忧，真愤，真惠，慈人语。使俗吏读之，能不为之心怍面熟。"《围炉诗话》卷二："诗贵和缓优柔，而忌率直迫切。元结、沈千运是盛唐人，而元之《舂陵行》、《贼退诗》，沈之'岂知林园主，却是林园客'，已落率直之病。"《石园诗话》卷一："读《舂陵行》及《贼退示官吏》诗，真仁人之言也。"《王闿运手批唐诗》卷一："忽发正论，使人一惊。"

八月

于邵年约四十九，为起居郎。时尚书郎刘伯华等出守，饯送者作诗四十六章，于邵作《送峡州刘使君忠州李使君序》。

李嘉祐在苏州，有诗《同皇甫冉登重玄阁》，时皇甫冉将入河南王缙幕。冬，李嘉祐作《送独孤拾遗先辈先赴上都》。

九月

李华在洪州，为李岘从事，加检校吏部员外郎。正月，李华在鄂州，诏征为司封员外郎，以疾不赴，作《无疆颂》八首以献。约本年，为李瀚《蒙求》作序云："安平李瀚著《蒙求》一篇，列古人言行美恶，参之声律，以授幼童，随而释之。比其终始，则经史百家之要，十得其四五矣。推而引之，源而流之，易于讽诵，形于章句，不出卷知天下，其《蒙求》哉！《周易》有童蒙求我之义，李公子以其文碎，不敢轻传达识者，所务训蒙而已，故以《蒙求》为名，题其首亦每行注两句，人名外传中有别事可记者，亦此附叙之。虽不配上文，所资广博，从《切韵》东字起，每韵四字，凡五百九十六句云尔。"

秋

杜甫有诗《哭台州郑司户苏少监》。郑司户，即台州司户郑虔，此前卒。今存其诗一首见《全唐诗》卷二五五，《全唐诗补编·续拾》卷一四补一句。范冕《广文祠集序》："余谓公之著作、才名，当时见重于玄宗，见知于杜甫。其神在天地者固不死，其言在方策者亦不朽。不朽不死之神，台人祀之；不朽之言，台人诵而读之。然果何以得传此于民者哉？盖公自唐至德间谪宦于台，以诗书教人，以衣冠化俗。延至七百余年，民到于今称之。夫以万里遐荒之乡，人不能堪，而曾不纤芥自外；至者，累其灵台丹府；且寄兴觚牍，游戏翰墨，非所谓无入而不自得欤！彼视一时之富贵，若风烟过眼者不同矣。任棱《广文祠集序》："集之者何也？盖以表扬公之著作、才名，虽陷安禄山贼中，而不为伪官所污；虽遭贬谪于台，而有遗爱于民。"《历代名画记》卷九："郑虔，高士也，苏许公为宰相，申以忘年之契，荐为著作郎。开元二十五年为广文馆学士，饥穷辖轲，好琴酒篇咏，工山水，进献诗篇及书画，玄宗御笔题曰'郑虔三绝'。与杜甫、李白为诗酒友，禄山授以伪水部员外郎，国家收复，贬台州司户。"《新唐书·文艺传中·郑虔》："虔学长于地理，山川险易、方隅物产、兵戍众寡，无不详。尝为《天宝军防录》，言典事该。诸儒服其善著书，时号郑广文。在官贫约甚，澹如也。杜甫尝赠以诗曰：'才名四十年，坐客寒无毡。'"

苏少监，即秘书少监苏源明，卒于此前。《全唐文》卷三七三录其文五篇，《全唐诗》收其诗三首。《草堂诗话》卷下："老杜之《八哀》，则所哀者八人也。王思礼、李光弼之武功，苏源明、李邕之文，翰汝阳、郑虔之多能，张九龄、严武之政事，皆不复见矣。"韩愈《送孟东野序》："唐之有天下，陈子昂、苏源明、元结、李白、杜甫、李观，皆以其所能鸣。"

刘长卿被奏为淮南从事，官殿中御史，在扬州。有诗《送李录事兄归襄邓》等。【送李录事兄归襄邓】《唐七律选》卷三引毛奇龄云："张南士云：读诗至上元宝应后，顿觉衰减。如长安贵戚车如流水马如游龙后，一旦改换门第，人物情色皆非旧时。惟刘随州尚具少陵遗响，然亦萧萧矣。'十年多难与君同，几处移家逐转蓬，白首相逢征战后，青春已过乱离中。'少陵善言情且言之尽，而集中无此二句，知其创也。'行人杳杳看西月，归马萧萧向北风。汉水楚云千万里，天涯此别恨无穷。'直说无含蓄，正

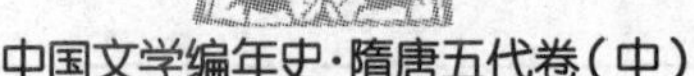

其变处。”《删补唐诗选脉笺释会通评林》“中唐七律上”周珽曰：“衰老相逢在征战之后，悲喜还生喜意；少壮蹉跎于乱离之中，幸中想出愁怀。”《昭昧詹言》卷一八：“凡题有根源者，须先寻取。此诗起四句在题前。五、六始入‘归’字。收句结‘送’字，又切襄阳。三、四圆警精美，气味沉厚，故可取。文房言近而意旨皆深。”

冬

独孤及在江东，以左拾遗召。有《将赴京答李纾赠别》、《李张皇甫阎权数公并有送别之作见寄因答》。六月，独孤及在抚州，作《抚州南城县客馆新亭记》。

本年

杜甫在成都，有诗《丹青引》、《韦讽录事宅观曹将军画马图歌》、《送韦讽上阆州录事参军》、《绝句二首》、《绝句六首》、《绝句四首》、《忆昔》及文《东西两川说》。【丹青引】《集千家注批点杜工部诗集》卷一一：“起语激昂慷慨，少有及此。首尾悲壮动荡，皆有名言。”《杜臆》卷六：“余谓此皆曹霸以自状，与渊明之记桃源相似，读公《莫相疑行》而知余言之不妄。”《杜诗集评》卷六引李因笃云：“仿之太史公，此篇如《信陵君传》，自堪压卷。其叠呼‘先帝’，忠爱缠绵，与《画马引》同。”《杜诗说》卷三：“诸题画诗，皆七言古神境。此首尤宛转跌宕。”《杜诗提要》卷六：“发端十四字，已将官职、家世、门第、削籍一笔写尽，而将军一生盛衰俱见。……将人世荣枯之遇，与时俗炎凉之态，两边对照，如灯取影，笔笔活现。”《唐宋诗举要》卷二引张甄陶评：“此太史公列传也。多少事实，多少议论，多少顿挫，俱在尺幅中。章法跌宕纵横，如神龙在霄，变化不可方物。”《唐宋诗醇》卷一一：“起笔老横。开元之中以下，叙昔日之遇，正为末段反照丹青之妙，见赠言之义明矣。通篇淋漓顿挫，节奏之妙，于斯为极。”又引沈德潜曰：“画人画马，宾主相形，纵横跌荡。此种篇法，得之于心应之于手，有化工而无人力，莫能赞叹其妙。”【韦讽录事宅观曹将军画马图歌】《唐诗解》卷一五：“观一图而慨及国运，子美之诗，岂雕虫小技云尔?”《杜诗解》卷三：“通篇起承转接，亦有‘十日霹雳’之意。必具如此笔态，方可受此题，作此文。”《唐宋诗醇》卷一一：“苍莽历落中法律深细。前从照夜白叙入，即伏末段感慨。中间错综九马，文势跌宕，可谓‘毫发无遗憾，波澜独老成’矣。七古至于老杜，浩浩落落，独往独来，神龙在霄，连蜷变化，不可方物。天马行空，脱去羁勒，足以横睨一世，独有千古。”《杜诗详注》卷一三引陆时雍曰：“咏画者多咏真，咏真易而咏画难。画中见真，真中带画，尤难。此诗亦可称画笔矣。‘可怜九马’二句，妙得神趣。”又引胡夏客曰：“此歌先言其宠遇，篇中则追述巡幸，俯仰感慨，照应有情，而沉著可味。”又引张缙曰：“杜诗咏一物，必及时事，故能淋漓顿挫。今人不过就事填写，宜其兴致索然耳。”【东西两川说】《杜诗详注》卷二五：“读晁董诸策，气味醇厚，而言词剀切，此文无段落结构，而兼有拙涩之语，特一时率笔成篇耳，不及汉人远矣。”《读书堂杜工部文集注解》卷一：“公意在诸羌分党各属，而统以汉将，其末归于散兼并，择委任，可谓驭边之长策。文之纡古，似断似续，欲力追西京也。”

张众甫年五十，官太祝，为转运从事。有诗《寄兴国池鹤上刘相公》。

公元765年（唐代宗永泰元年　乙巳）

正月

癸卯朔，改元永泰。

二十三日，高适卒于长安，年六十六。《全唐诗》卷二一一至卷二一四录其诗为四卷，《全唐诗补编·补全唐诗》收敦煌写本残卷中其佚诗七首又四句，《续补遗》补诗一首，《续拾》卷一〇补四首。《新唐书·高适传》："年五十始为诗，即工，以气质自高。每一篇已，好事者辄传布。"《河岳英灵集》卷上："常侍性拓落，不拘小节，耻预常科，隐迹博徒，才名自远。然适诗多胸臆语，兼有气骨，故朝野通赏其文。至如《燕歌行》等篇，甚有奇句。且余所最深爱者：'未知肝胆向谁是，令人却忆平原君。'"《吴礼部诗话》引时天彝《唐百家诗选评》："高适才高，颇有雄气。其诗不习而能，虽乏小巧，终是大才。"《唐诗品》："常侍朔气纵横，壮心落落，抱瑜握瑾，浮沉闾巷之间，殆侠徒也。故其为诗，直举胸臆，摹画景象，气骨琅然，而词锋华润，感赏之情，殆出常表。视诸苏卿之悲愤、陆平原之惆怅，辞节虽离，而音调不促，无以过之矣。夫诗本人情，囿风气，河洛之间，其浑然远矣，其殆庶乎。"《批点唐诗正声》（高水秉选编、桂天祥批点，嘉靖刻本）："诸小作多慷慨疏放，不拘常态；长篇自一机轴，颇涉轶荡。"郑仲夔《玉尘新谭》（万历刻本）"耳新三"："七言古诗，唐多作者，高达夫遂为冠军。"《诗薮》内篇卷五："达夫歌行五言律，极有气骨，至七言律，虽平和婉厚，然已失盛唐雄赡，渐入中唐矣。"周履靖《骚坛秘语》（《丛书集成初编》本）卷中："高适，尚质主理。"《诗镜总论》："七言古盛于开元以后，高适当属名手。调响气佚，颇得纵横，勾角廉折，立见涯涘。以是知李杜之气局深矣。"又云："高达夫调响而急。"《唐诗镜》卷三："高适诗多气骨，然粗气不除。其最佳者，在七言古诗，脱尽常格，独出本色。"《删除唐诗选脉笺释会通评林》"盛七古五"周敬评："史称达夫五十始为诗，即能以气质自高。每一篇出，好事者辄传布之。且言其性磊落不拘小节，耻预常科，隐于博弈，才情自远。今读其七言古诸篇，感慨悲壮，气骨风度，绝然建一代棋鼓者。盛唐佳品，岂能多得。"《围炉诗话》卷二："达夫五古，壮怀高志，俱见其中。"《诗辩坻》卷二："达夫五言律多似短古，亦是风调别处。"又卷三："盛唐歌行，高适、岑参、李颀、崔颢四家略同，然岑、李，有骨有态，高纯雄劲，崔稍妍琢。其高苍浑朴之气，则同乎为之音也。"《辍锻录》："高适、李颀不独七古见长，大段气体高厚，即今体亦复见骨格坚老，气韵沉雄。"《小澥草堂杂论诗》"诗小评"："高达夫适如鲁儒方履，缓步生尘。"《唐音癸签》卷二五："高适，诗人之达者也，其人故不同。甫善房琯，适议独与琯左；白误受永王璘辟，适独察璘反萌，豫为备。二子穷而适达，又何疑也？"《诗筏》："高、岑五言古、律，俱臻化境，而高达夫尤妙于用虚。非用虚也，其筋力精神俱藏于虚字之内，急读之遂以为虚耳。以此作律诗更难。如达夫《途中寄徐录事》云：'落日风雨至，秋天鸿雁初。离忧不堪比，旅馆复何如？君又几时去，我知音信疏。空多箧中赠，长见右军书。''君又'、

‘我知’等虚字，岂非篇中筋力，但觉其运脱轻妙，如骏马走阪，如羚羊挂角耳。且其难处，尤在虚字实对，仍不破除律体。太白虽有此不衫不履之致，然颇近古诗矣。李于鳞诸公谓高、岑有五言古诗而短于五言律，此岂高、岑知己哉!”翁方纲《石洲诗话》卷一：“高常侍与岑嘉州不同，钟退谷之论，阮亭早以辨之。然高之浑朴老成，亦杜陵之先鞭也。直至杜陵，遂合诸公一手耳。”《载酒园诗话》又编：“唐人称‘有唐以来，诗人之达者，惟适而已’。今读其诗，豁达磊落，寒涩琐媚之态去之略尽。……钟氏曰：‘唐人如沈宋、王孟、李杜、钱刘之类，虽两人并称，皆有不能强同处。惟高、岑心手如出一人，其森秀之骨，淡远之气，既皆相敌。’余意亦终有别：高五言古劲朴浑厚耳，岑稍点染，遂饶秾色。高七言古最有气力，李、杜之下，即当首推。岑自肤立，然如崔季珪代魏王，虽雅望非常，真英雄尚属捉刀人也。惟短律相匹，长律岑不如高。”范大士《历代诗发》（康熙刻本）：“常侍七古，慷慨疏越，气韵沉雄，斧凿之痕，一归熔化，才老养优，真承学之典型也。”《艺概》卷二“诗概”：“高适诗，两《唐书》本传，并称其‘以气质自高’，今即以七古论之，体或近似初唐，而魄力雄毅，自不可及。”《三唐诗品》：“其源出于左太冲，才力纵横，意态雄杰，妙于造语，每以俊言取致。有如河中十月，一看思归；舍写蛩鸣，居然萧瑟；载酒平台，赠君千里。发端既远，研意弥新，在小谢之间，居然一席。七古与岑一骨，苍放音多，排奡骋妍，自然沉郁。骈语之中，独能顿宕，启后人无限法门，当为七言不祧之祖。”《直斋书录解题》卷一六：“适年五十始为诗，即工部子美所善也。豪杰之士，亦何所往而不能也。”

杜甫在严武幕，三日，归草堂，有《正月三日归溪上有作简院内诸公》。春，杜甫辞严武幕，有诗《长吟》、《闻高常侍亡》、《敝庐遣兴奉寄严公》、《营屋》、《春日江村五首》、《春远》。【春日江村五首】《杜诗详注》卷一四引赵汸曰：“此五诗，首尾开阖，始终相承，皆有意义，所谓忧中有乐，而乐中有忧者也。”又引王嗣奭曰：“五首如一篇文字，前四首一气连环不断，至末章总发心事作结。”《杜诗集评》引李因笃云：“五诗亦朴老，亦绮丽，首首俱带江村意，大家之篇。”【春远】《杜诗详注》卷一四引黄生曰：“写有景之景，诗人类能之。写无景之景，惟杜独擅场。此诗上半，当想其虚中取意之妙。”

独孤及应召入京，至洛阳，时崔昭饯送徐浩归京，同会者十八人赋诗，独孤及作《崔中丞城南池送徐侍郎还京序》。二月，独孤及在长安任左拾遗，有《送泽州李使君兼侍御史充泽潞陈郑节度副使赴本道序》、《送孙侍御赴凤翔幕府序》。三月，有《谏表》。六月，独孤及有《送梁郎中奏事毕归幕府序》。秋，独孤及在长安，作有《送江陵全少府之任》、《送李宾客荆南迎亲》、《送羽林长孙将军拜歙州之任》、《送虢州王录事之任》。

皇甫冉在徐州王缙幕为掌书记，有诗《奉和王相公喜雪》、《奉和王相公早春登徐州城》。春，皇甫冉在徐州有《徐州送丘侍御之越》，丘侍御，即丘丹。

丘丹（生卒年不详），行二十二，丘为之弟，苏州嘉兴人。广德元年至大历五年入浙东节度幕，与鲍防等联唱。累官祠部、仓部二员外郎，出为使幕从事、检校户部员外郎兼侍御史。贞元初归隐苏州临平山，后与韦应物过从甚密。事迹见《元和姓纂》

卷五、《宋高僧传·神邕传》、《唐诗纪事》卷四七。

二月

徐申等二十七人登进士第。礼部侍郎贾至知东都举，尚书左丞杨绾知上都举，两都分举自此始。见《登科记考》卷一〇。

卢纶约于本年前后，应举长安，不第。卢纶（生卒年不详），字允言，蒲州人，郡望范阳。天宝末避乱居鄱阳。大历初累举进士不第。六年为宰相元载荐为阌乡尉，改密县令。八、九年间为宰相王缙荐为集贤学士、秘书省校书郎。与钱起、李端等唱和，游于驸马郭暧之门。十二年坐元载、王缙而去官。十四年调陕府户曹。建中元年任昭应令。兴元元年为奉天行营副元帅浑瑊判官。贞元十三、十四年之际，拜户部郎中，约卒于十四、十五年间。《新唐书·艺文志》著录《卢纶诗集》一〇卷，今存《卢户部诗集》一〇卷。事迹见《旧唐书》卷一六三《卢简求传》附、《新唐书》卷二〇三本传、《唐诗纪事》卷三〇。

元结在道州刺史任，奉敕祭九嶷山。有《无为洞口作》、《宿无为观》、《九嶷山题刻二段》。六月，元结罢道州刺史职北归。夏，在衡阳，有《刘侍御月夜宴会》、《题孟中丞茅阁》、《茅阁记》。是年，孟云卿官校书郎，将赴南海。元结有《别孟校书》、《送孟校书往南海序》。

李端在长安。有《长安感事呈卢纶》、《送黎兵曹往陕府结婚》。李端（生卒年不详），字正己，行二，赵郡人。大历五年进士及第，授秘书省校书郎。与钱起、卢纶等唱和，游于驸马郭暧之门。建中中授杭州司马，约卒于贞元二年前。《新唐书·艺文志》著录《李端诗集》三卷，今存。事迹见《极玄集》卷上、《唐诗纪事》卷三〇、《旧唐书》卷一六三《李虞仲传》等。

三月

岑参官库部郎中，有《送卢郎中除杭州赴任》。春，岑参、独孤及同至长安韦员外家赴宴赏花，有诗唱和，岑参有《韦员外家花树歌》，独孤及有《同岑郎中屯田韦员外花树歌》。【送卢郎中除杭州赴任】《唐诗解》卷四九："卢以郎中出刺杭郡，杭为吴越之交，楚之邻境也。由唐之京师而之任，则过楚而归吴矣。云迎云引，以景言也。城临钱塘，则闻怒涛；楼窥沧海，则连蜃气。江有二驿，停舫处也；郡有西湖，饮马所也。柳色莺声，足供诗酒，若欲登高望乡，其惟枉道而上姑苏乎。盖古称姑苏之台高见五百里，故宜于望乡耳。"【韦员外家花树歌】《唐诗解》卷一七："此美韦之能行乐也。言人不如花，复复可惜，能惜花而不惜费者，其惟君家兄弟。显贵如此，而不忘花下之饮，是真能行乐矣。"《删补唐诗选脉笺释会通评林》"盛七古五"周敬评："此脍炙人口者，流利多味也。第四句一转更隽永，尾语丽，意亦足。"徐中行评："闲言冷语，分外紧峭，有趣。"蒋一梅评："情到语到，游戏三昧。"黄家鼎评："浅浅说，无限感慨。"程元初评："富贵一时，倏忽消灭，花落满地，华艳何在？此诗婉而丽，彼谀佞富贵者，可同日语哉？时独孤及同作，其意与此同，而辞更委婉，含蓄不露。"

《古唐诗合解》卷三："此篇前后换韵，而起处双起单落，错综可爱。……只为'惜落花'三字，便将人花比并，交错成文，以实见花之当惜。如肯惜花，断不惜酒以赏之矣。"

春

李嘉祐归朝。有诗《留别毗陵诸公》、《常州韦郎中泛舟见饯》。

刘长卿在扬州。有诗《送友人西上》、《送梁郎中赴吉州》、《瓜州驿重送梁郎中赴吉州》。

严维为金吾卫长史佐幕。有诗《余姚祇役奉简鲍参军》。鲍参军，即鲍防，时在越州薛兼训幕。

四月

杜甫经嘉、戎等州离蜀，有诗《去蜀》、《喜雨》、《宿青溪驿怀张员外十五兄之绪》。六月，杜甫至戎、渝诸州，有《宴戎州杨使君东楼》、《渝州候严六侍御不到先下峡》。八月，杜甫至忠州，作《禹庙》、《宴忠州使君侄宅》、《题忠州龙兴寺所居院壁》；下夔州，作《哭严仆射归榇》，途中又有《旅夜书怀》。九月，杜甫至云安，作《云安九日郑十八携酒陪诸公宴》。十二月，杜甫旅寓云安。有《十二月一日三首》、《三绝句》。【旅夜书怀】《杜诗集评》卷九引李因笃云："起联幽细，次联雄浑，五、六书怀，结语承上而气象廓然，收得全诗住。中二联皆一字起头，亦小失检点。"又引查慎行云："此舟中作，题中四字，分作上下两截写，各极其妙。"《读杜心解》卷三："起不入意，便写景，正尔凄然。三、四开襟旷远，五、六揣分谦和，结再即景自况，仍带定'风岸'、'夜志'，笔笔高志。"《瀛奎律髓汇评》卷一五纪昀评："通首神完气足，气象万千，可当雄浑之品。"《杜诗解》卷三："通篇是黑夜舟面上作，非偃卧蓬底语也。先生可谓耿耿不寐，怀此一人矣。'星垂'二句云：千锤万炼，成此奇句，使人读之，咄咄呼怪事矣。"《杜诗详注》卷一四引黄生曰："太白诗'山随平野尽，江入大荒流'句法与此略同。然彼止说得江山，此则野阔星垂，江流月涌，自是四事也。又曰：此诗与客亭作，工力悉敌，但意同语异耳。圣朝无弃物，老病已成翁，此不敢怨君，引分自安之语。'名岂文章著，官应老病休'，此无所归咎，抚躬自怪之语。"【十二月一日三首】《杜诗详注》卷一四："杜诗凡数章承接，必有相连章法。首章结出还京，次章结出下峡，三章又恐终老峡中，皆其布置次第也。"又引卢世潅曰："末章尤空奇变化，其虚实实虚、有无无有之间，妙极历乱。而怀人叹老，抱映盘纡，此老杜七律之神境。"

庚寅，严武卒于成都。独孤及在长安，作《为元相祭严尚书文》。《唐诗品》："季鹰最善少陵，笃于推信，故附离声诗，所有合辙。然有收入杜集者，如'莫依善题鹦鹉赋，何须不著鵕鸃冠'，又'江头赤叶枫愁客，篱外黄花菊对谁'，又'郡邑地卑饶雾雨，江湖天阔足风涛'，兹皆善于拟近，谓优孟为真叔敖可尔。"《唐诗归》卷三钟惺评："此人妙绝，交有奇情，诗有奇趣，想杜老不错。"《麓堂诗话》："唐士大夫举世为诗，而传者可数。其不能者弗论，虽能者亦未必尽传。高适、严武、韦迢、郭受之诗附诸《杜集》，皆有可观。子美所称与，殆非溢美。"《载酒园诗话》又编："《题巴州光福寺楠木》……兴趣不俗，骨气亦尽高。武诗如此，宜其知少陵也。《军城早秋》，自写英雄本色耳。"《诗筏》："严季鹰诗，世人未有推重之者，余独爱其骨气近少陵，《楠木》篇尤似少陵《古柏行》诸作，盖亦朋友渐摩之力耳。"

五月

岑参在长安，有诗《送郭仆射节制剑南》。七月，岑参、钱起同在长安，岑参有《苗侍中挽歌》，钱起有《故相国苗公挽歌》。秋，岑参在长安有诗《送江陵黎少府》、《送李宾客荆南迎亲》、《送羽林长孙将军赴歙州》、《送王七录事赴虢州》。十一月，岑参出为嘉州刺史，因蜀中乱，行至梁州而还。途中作诗《酬成少尹骆谷行见呈》、《赴嘉州过城固县寻永安超禅师房》。【送郭仆射节制剑南】《唐诗解》卷四九："蜀盖有乱，仆射往镇焉。观戎马之华，旌旗之整，拜将之重，赐宴之渥，足瞻帝眷之殷，能不越险而行，追随猿鸟，披拂云月，取南仲之勋，平西戎之难，以酬宠遇哉。我为仆射所知，故持此心以谢知己，万里虽远，犹当寄之悬旌，以相忆耳。"《唐诗评选》卷三："开、天以降，作俳律者每中松一步，作郎当语，如病腰人首足，弥见其重。此能通首紧炼，虽较景云以前局重安雅者，为降一格。而神情犹王，归成章者一也。高、岑以气取篇，五言近体自非其长，句短气浮，固必有趋蹶之患。排律于体，以纡长为忧，则气可相称，则较之储、孟，尤足以尽其才矣。"

八月

颜真卿作《尚书刑部侍郎赠尚书右仆射孙逖文公集序》。云："古之为文者，所以导达心志，发挥性灵，本乎咏歌，终乎雅颂。帝庸作而君臣动色，王泽竭而风化不行。政之兴衰，实系于此。然而文胜质，则绣其鞶帨而血流漂杵；质胜文，则野于礼乐而木讷不华。历代相因，莫能适中，故诗人之赋丽以则，词人之赋丽以淫，此其效也。汉魏已还，雅道微缺，梁陈斯降，宫体聿兴。既驰骋于末流，遂受嗤于后学。是以沈隐侯之论谢康乐也，乃云灵均已来，此未及睹；卢黄门之序陈拾遗也，乃云道丧五百岁而得陈君。若激昂颓波，虽无害于过正；榷其中论，不亦伤于厚诬。何则？雅郑在人，理乱由俗。桑闲濮上，胡为乎绵古之时？正始皇风，奚独乎凡今之代？盖不然矣。其或斌斌彪炳，郁郁相宣，膺期运以挺生，奄寰瀛而首出者，其惟仆射孙公乎。"

秋

钱起为拾遗，罢官，归蓝田，有《罢官后酬元校书见赠》。郎士元时官秘书省，有《送钱拾遗归兼寄刘校书》。正月，钱起在长安，有《东皋早春寄郎四校书》。春，钱起与独孤及有诗送马燧赴任郑州，钱起作《送马使君赴郑州》，独孤及作《送马郑州》。【东皋早春寄郎四校书】《唐风定》卷四："文房'全生天地仁'，仲文'耕桑亦近郊'，

并是偶然著笔，非有意为之。赞者一词，反成习气。‘穷达恋明主，耕桑亦近邻。夜来霁山雪，阳气动林梢’。圆美靓好，弹丸脱手，此种是也。”《唐诗别裁集》卷三：“‘耕桑’近于穷矣，而‘亦近郊’，见心中不忘君也。语厚不腐。”

冬

皎然在湖州，与卢幼平唱和，作《五言冬日遥和卢使君幼平綦毋居士游法华寺高顶临湖亭》。卢幼平，时为杭州刺史。七月，李华曾为之作《杭州刺史厅壁记》。

戎昱在长安，有诗《赠岑郎中》、《泾州观元戎出师》。【泾州观元戎出师】《诗薮》内编卷四：“顾况乐府、戎昱《泾州》等作，整齐闳亮，稍协前规。”《瀛奎律髓汇评》卷三〇纪昀评：“平正无出色处，三句凑。‘青’、‘绛’对工，然诗不必如此小巧。”

本年

裴度生。裴度（765—839），字中立，河东闻喜人。贞元五年进士。八年，登博学宏词科。十年，复登贤良方正能直言极谏科，授河阴县尉。迁监察御史，出为河南府功曹参军。元和六年，为司封员外郎知制诰，寻转本司郎中。九年十月，改御史中丞，次年兼刑部侍郎，旋拜中书侍郎同中书门下平章事。十二年，以宰相兼任淮西宣慰处置使，充彰义军节度使，督师平定淮西，以功封晋国公，世称裴晋公。十四年，出为河东节度使。长庆二年复入相，与元稹不协，罢为尚书左仆射，出为山南西道节度使。宝历二年复入相。大和四年出为山南东道节度使。八年，徙东都留守，加中书令。开成二年，复以本官兼太原尹、北都留守。四年正月还京，三月四日卒。《新唐书·艺文志》著录《书仪》二卷、与刘禹锡唱和诗《洛汝集》一卷，均佚。据《旧唐书》卷一七〇、《新唐书》卷一七三本传、《唐诗纪事》卷三三。

公元766年（唐代宗永泰二年　大历元年　丙午）

二月

丁亥朔释奠于国子监，命相帅常参官、鱼朝恩帅六军诸将往听讲，子弟皆服朱紫为诸生。朝恩既贵显，乃学讲经为文，仅能执笔辨章句，遽自谓才兼文武，人莫敢与之抗（《资治通鉴》卷二二四）。

裴枢、陈京、吕牧等二十六人登进士弟。时礼部侍郎贾至知上都举。陈京（？—805），字庆复，京兆万年人。曾北游太原，撰《北都赋》。历太子正字、咸阳尉，累迁太常博士，擢左补阙，与赵需、张荐共劾卢杞，贞元十九年拜给事中，改秘书少监，二十一年致仕，四月卒。《全唐诗》卷三一四存诗一首，《全唐文》卷五一五存文四篇。《柳河东集》卷八《唐故秘书少监陈公行状》：“公有文章若干卷，深茂古老，慕司马相如、扬雄之辞，而其诂训多《尚书》、《尔雅》之说，纪事朴实，不苟悦于人，世得以传其稿。”

岑参入杜鸿渐幕，表为职方郎中兼侍御史，有《奉和杜相公初发京城作》。二月至四月在梁州，岑参有《奉和相公发益昌》、《过梁州奉赠张尚书大夫公》、《尚书念旧垂赐袍衣率题绝句献上以申感谢》、《梁州陪赵行军龙冈寺北亭泛舟宴王侍御》、《陪龙冈寺泛舟》、《梁州对雨怀曲二秀才便呈曲大判官时疾赠余新诗》等。复与成贲、鲜于晋联袂赴蜀，途中有诗《与鲜于庶子泛汉江》、《与鲜于庶子自梓州成都少尹自褒城同行至利州道中作》、《赴犍为经龙阁道》、《早上五盘岭》。六月，岑参入蜀，经剑门，有《入剑门作寄杜杨二郎中时二公并为杜元帅判官》。七月，岑参经汉州，达成都。有诗《汉川山行呈成少尹》、《陪狄员外早秋登府西楼因呈院中诸公》、《寻杨郎中宅即事》。秋冬，有诗《送颜评事入京》、《送狄员外巡按西山军》、《送裴侍御赴岁入京》、《江上春叹》等。【奉和相公发益昌】《唐诗解》卷三四："此送鸿渐西征也。言相国辞帝而出，将建此旌节，以横行阃外，登历山川，跋涉花柳，以至其地，若蜀中之寇盗已平，则当计日而返，宜以天子方待君，以主邦国之权衡，不宜久留于外也。"《删补唐诗选脉笺释会通评林》"盛七律上"引吴山民曰："起有气魄，五、六累句。"周启琦评："既望杜四征所向奏捷，复嘱其寇平速返，以慰重托厚恩，意调亦隽矣。"

钱起在长安。有《赋得青城山歌送杨杜二郎中赴蜀军》。杨、杜二郎中，即杜亚、杨炎。独孤及迁太常博士，亦有《送吏部杜郎中兵部杨郎中入蜀序》。

皇甫曾在长安，官监察御史，与郎士元同有诗《送杨中丞和蕃》。杨中丞，当为阳济。或云崔夷甫为副使，李嘉祐为之作《送崔夷甫外和蕃》。【送杨中丞和蕃】（郎士元作）《诗源辩体》卷二一："五言律，士元如'河源飞鸟外，雪岭大荒西'，……雄丽有类初唐。"王寿昌《小清华园诗谈》（《清诗话续编》本）卷下："唐人佳句，有可以照耀古今、脍炙人口者，如……郎士元之'河源飞鸟外，雪岭大荒西'……此等句当与日星河岳同垂不朽。"《唐风定》卷一四："气象雄阔，与杜相似。"《大历诗略》卷三："五、六浑阔，不减右丞边塞诸诗，钱、刘勿论也。"《瀛奎律髓汇评》卷三〇纪昀支："汉有征番之垒，今乃有和番之使。讽刺入骨，此等处虚谷皆不讲。"

李华在常州，作《常州刺史厅壁记》。是年，李华在润州作《润州天乡寺故大德云禅师碑》、《润州鹤林寺故径山大师碑铭》。

三月

杜甫在云安，有诗《寄岑嘉州》；后移居夔州，有《移居夔州作》、《船下夔州郭宿雨湿不得上岸别王十二判官》、《白帝城》、《上白帝城二首》、《白帝城最高楼》、《武侯庙》、《八阵图》、《负薪行》、《最能行》。是年春，还作有《南楚》、《水阁朝霁奉简云安严明府》、《杜鹃》、《子规》等。【水阁朝霁奉简云安严明府】《杜诗详注》卷一四引黄生曰："此诗全首风致，盖即景写心之作也。"又引张綖曰："杜诗无所不具，后人各因其姿之所近而祖之，皆足以名家。雨槛、风床一联，秦淮海以婉丽得之，而有'雨砌随危芳，风轩纳飞絮'之句；钩帘、丸药一联，王荆公以工刻得之，而有'青山扪虱坐，黄鸟挟书眠'之句；又淮海云：'有情芍药含春泪，无力蔷薇卧晓枝'，亦仿杜句而微涉于纤矣。"【八阵图】《杜诗集评》卷一五引李因笃云："只四句，隐括生平。'遗恨失吞吴'，是大议论，乃上句云'江流石不转'，则似归咎山水。蜀东入吴为下流，而不能折回中原，地势使然，故长令英雄遗恨也。化大议论为无议论，妙不可言。”《唐宋诗醇》卷一七：“遂使诸葛精诚炳然千古，读之殷殷有金石声。”【白帝城最高楼】《杜臆》卷七：“此诗真惊人语，总是以忧世苦心发之，以自消其块垒者。”孙钅广《杜律》“七律”卷二：“徒然起‘旌旆’，煞是奇险。次句用‘之’字，以文句入诗，自奇。颔联宏壮，颈联气象。……东举西言，西举东言，尤奇。结自称自叹，豪迈自肆。”《唐诗十集》“壬集”：“字字琢炼，字字奇古。”《杜诗编年》卷一二：“通首作意造句，极奇凿之诗，却又以元气流行，自然成文，所以似奇凿，以镜奇而意到故也。”《杜诗提要》卷一一：“刻画山川，一瞬万里，亦不嫌其雕琢之奇。因叹此天险之国，宜多窃据也。然却不显露，只以‘叹世’二字见意，含蓄无穷。此拗律中之歌行也，横绝一世。”《读杜心解》卷四：“胸含元气，眼穷大荒。如此诗，才配得题中‘最高’二字。”

耿沣为周至尉，约本年春被替。有诗《得替后书怀上第五相公》、《春日书情寄元校书伯和相国元子》。

五月

元结复授道州刺史，巡县至江华。有《寒亭记》、《阳华岩铭》及《招陶别驾家阳华作》。是年，元结曾至零陵，有《朝阳岩歌》、《朝阳岩铭》。

袁傪破方清，回军泾上，宴宾僚于东峰亭，有《喜陆侍御破石埭草寇东峰亭赋诗》。唱和者有崔何、王纬、郭谙、高参、李岑、袁邕等人，诗见《全唐诗》卷二五二。

九月

戎昱入蜀，客居罗江、成都。有诗《入剑门》、《罗江客舍》、《成都暮雨秋》。【入剑门】《大历诗略》卷六：“颔联写乱离景象，竟出浣花翁之外，下句更可悲，当时目击如此，一一悬揣不出也。五、六稍薄。”

秋

杜甫在夔州，作《夔府书怀四十韵》、《诸将五首》、《八哀诗》、《西阁二首》、《江上》、《垂白》、《西阁雨望》、《壮游》、《遣怀》、《赠李八秘书别三十韵》、《秋风二首》、《九日诸人集于林》、《秋兴八首》、《咏怀古迹五首》、《偶题》、《峡口二首》等。冬，有诗《南极》、《瞿唐两崖》、《夜宿西阁晓呈元二十一曹长》、《阁夜》、《瀼西寒望》、《西阁曝日》、《不离西阁二首》、《缚鸡行》、《览柏中丞兼子侄数人除官制词因述父子兄弟四美载歌丝纶》等。【八哀诗】《后村诗话》卷四：“杜《八哀诗》，崔德符谓可以表里《雅》、《颂》，中古作者莫及。韩子苍谓其笔力变化，当与太史公诸赞方驾。惟叶石林谓长篇最难，晋、魏以前无过十韵，常使人以意逆志，初不以叙事倾倒为工。此八篇本非集中高作，而世多尊称，不敢议其病，盖伤于多，如李邕、苏源明篇中多累句，刮取其半，方尽善。余谓崔、韩比此诗于太史公纪传，固不易之论；至于石林之评累句之病，为长篇者不可不知。”《渔洋诗话》卷上：“杜《八哀诗》最冗杂不成章，亦多啽呓语，而古今称之，不可解也。”《杜诗集评》卷三引李因笃云：“《八哀诗》叙述八公生平，称而不夸，老笔深情，得司马子长之神矣。”《读书堂杜诗注解》卷一三：“《八哀》或叙其功业，或惜其谗间，或述其忠贞，或讳其污累，或置其大节而详琐事，或略勋名而赏文章，或言交情，或辨冤抑，或兼及弟侄，或旁及友人，随人即事，笔法种种，故是大家。”《唐宋诗醇》卷一二：“子美《八哀》，自是巨篇。然以韵语作叙述，情绪既繁，笔墨不无利钝。大家之文，正如黄河之水滔滔莽莽，鱼龙砂石与流俱下，非如沼沚之观，清泠可喜而已。论此诗者，誉之或过其实，毁之或损其真。惟卢世㴶曰：《八哀诗》未免伤烦伤泛，然诗家之元气在焉，杜诗之体统存焉，不可遗，亦不容选。斯言得之。”《杜诗详注》卷一六：“篇中扬字浪字，韵脚重拈，但字同义异，不妨互见。若字异义同，却不可用矣。”“杜集中叙天宝乱离事凡十数见，而语无重复。”引郝敬仲舆曰：“《八哀诗》雄富，是传纪文字之用韵者。文史为诗，自子美始。”【壮游】《杜诗详注》卷一六引刘克庄曰：“此诗押五十六韵，在五言古风中，尤多悲壮语，虽荆卿之歌，雍门之琴，高渐离之筑，音调节奏不如是之跌宕豪放也。”又引王嗣奭曰：“此乃公自为传，其行径大都似李太白。然李一味豪放，公却豪中有细。又云：观其吴越、齐赵之游，壮岁诗文，遗逸多矣，岂晚岁诗律转细，自弃前鱼耶?”【秋兴八首】《杜臆》卷八：“《秋兴八首》以第一首起兴，而后七首俱发中怀，或承上，或起下，或互相发，或遥相应，总是一篇文字，拆去一章不得。……此中情事，不忍明言，不能尽言，人当自得于言外也。”《杜诗详注》卷一七引张綖曰：“《秋兴八首》，皆雄浑丰丽，沉著痛快。其有感于长安者，但极摹其盛，而所感自寓于中。徐而味之，则凡怀乡恋阙之情，慨往伤今之意，与夫外夷乱华、小人病国、风俗之非旧、盛衰之相寻，所谓不胜其悲者，固已不出乎意言之表矣。卓哉一家之言，夐然百世之上，此杜子所以为诗人之宗仰也。”引陈继儒曰：“云霞满空，回翔万状，天风吹海，怒涛飞涌，可喻老杜《秋兴》诸篇。”引郝敬曰：“《秋兴八首》富丽之词，沉浑之气，力扛九鼎，勇夺三军，真大方家，如椽之笔。”又曰：“八首声韵雄畅，词采高华，气象冠冕，是真足虎视词坛，独步一世。”引泽州陈冢宰廷敬曰：“《秋兴八首》命意炼句之妙，自不必言，即以章法论分之，如骇鸡之犀，四面皆见，合之如常山之阵，首尾互应。”《唐宋诗醇》卷一七引黄生曰：“杜公七律，当以《秋兴》为裘领，乃公一生心神结聚所作也，八首之中难为轩轾。”《集千家注批点杜工部诗集》卷一五：“八诗大体沉雄富丽，哀伤无限，尽在言外，故不自厌。惟实小家数乃不可仿佛耳。”钱谦益《钱注杜诗》（上海古籍出版社 1979）卷一五：“此诗一事叠写为八章，章虽有八，重重钩摄，有无量楼阁门在。今人都理会不到，但少分理会，便恐随逐穿穴，如鼷鼠入牛角中耳。”《唐诗评选》卷四：“八首如正变七首，旋相为宫。而自成一章。或为裂制，则神体尽失矣。”徐增《而庵说唐诗》（康熙九浩堂刻本）卷一七：“《秋兴八首》，规模弘远，气骨苍丽，脉络贯通，精神凝聚。痛真是痛，痒真是痒，笑真是笑，哭真是哭，无一假借，不可动摇。论才情，真正是才情；论手笔，真正是手笔。七字之内，八句之中，现出如是奇观、大观，直使唐代人空，千秋罢唱。寄语世间才人，勿再和《秋兴》诗也。”沈德潜《杜诗偶评》（乾隆潘承松赋闲草堂刻本）卷四：“怀乡恋阙，吊古伤今，老杜生平，具见于此。其才气之大，笔力之高，天风海涛，金钟大镛，莫能拟其所到。”《昭昧詹言》续编卷四：“《秋兴》者，因秋而发兴也，谓之兴者，言在于此，意寄于彼，随指一处一事为言，又在此而思他处也，而皆以己为纬，以秋为主，以哀伤为骨。此诗八首，前三首言己所在夔州本地，其下五首皆思长安，而第四首又为长安总冒，其下分思宫阙、曲江、昆明池、渼陂四处，所谓身在江湖，心殷魏阙，古之忠爱者，其情皆如是也。”《西圃诗说》：“《秋兴》八首，章各有意，妙难言罄，似非后人所可增减者，而钟谭直斥之，卢德水先生《杜诗胥钞》辄删去二首，毛西河《唐律选》又删去三首，殊难测其意旨。”《随园诗话》卷七：“余雅不喜杜少陵《秋兴》八首，而世间耳食者往往赞叹，奉为标准，不知少陵海涵地负之才，其佳处未易窥测，此八首不过一时兴到语耳，非其至者也。”【咏怀古迹五首】赵次公《新定杜工部古诗近体诗先后并解》（林继中《杜诗赵次公先后解辑校》，上海古籍出版社 1994）：“咏怀古迹，言咏怀与古迹。前两篇，其一纪述其身，末句以庾信自比；其一以宋玉为师，而纪述所怀之事，思实皆咏怀。后三篇，其一专言明妃，其一专言蜀王，其一专言诸葛武侯，乃是古迹。皆楚地故事，故有此五首之作。”《义门读书记》卷五五：“《咏怀古迹五首》：奇才如庾、宋，国色如明妃，英雄如刘、葛，皆不得志于当时，五篇假以自喻也。”《杜诗详注》卷一七引《杜臆》：“五首各一古迹。首章前六句是发己怀，亦五章之总冒。其古迹则庾信宅也，宅在荆州，公未到荆而将有江陵之行，流寓等于庾信，故咏怀而先及之。然五诗皆借古迹以见己怀，非专咏古迹也。又云：怀庾信、宋玉，以斯文为己任也；怀先主、武侯，叹君臣际会之难逢也；中间昭君一章，盖入宫见妒，与入朝见妒者，千古有同感焉。”又引卢世㴶曰：“杜诗《诸将五首》、《咏怀古迹五首》，此乃七言律命脉根柢，子美既竭心思，以一身之全力，为庙算运筹，为古人写照，一腔血悃，万遍水磨，不唯不可轻议，抑且不可轻读，养气涤肠，方能领略。人知有《秋兴八首》，不知尚有此十首，则杜诗之所以为杜诗，行之不著，习矣，不察者，其埋没亦不少矣。”《杜诗集评》卷一一引李因笃评：“《咏怀五首》，托兴最远，又纵横万古、吞吐八荒之概。”又引吴农祥云：“公诗藏议论于抑扬之间，陈世事于音律之外，自辟堂奥，独树旌旗，《秋兴》、《诸将》与《咏怀古迹》而已。”《读杜心解》卷四：“朱本作《咏怀》一章，《古迹》四首。此颇有见，惜未疏言其故。愚谓此题四字，本两题也，或同时作，讹合为一耳。并读殊不成语，但沿袭既久，不敢擅分。”《唐诗评选》论其三：“只是现成意思，往往点染飞动，如公输刻木为飞鸢，凌空飞去。首句是极大好句，但施之于‘生长明妃’之上，则佛头加冠矣。故虽有佳句，失所则为疵颣。”《杜诗集评》卷三引李因笃评：“序事如天马行空，光采焕发，而毫无形迹，而可称神化之篇。只序明妃始终，无一语涉议论，然意俱包括在内，诸家总不能及。细阅公此篇，凡代明妃作怨望思归者，犹坠议论，未免小家数。”《杜诗提要》卷一二：“发端突兀，是七律中第一等起句，谓山水逶迤，钟灵毓秀，始产一明妃。说得窈窕红颜，惊天动地。”《山满楼笺注唐诗七言律》卷二：“只此二十八字，已将古今来无数才人不遇、壮士无成、忠臣抱屈之两行眼泪，都从红颜薄命中，一一掩映出。”【诸将五首】《杜律集结》七律卷下：“读《诸将五首》，必

考当年事迹及典故，斯见真趣。”《杜诗详注》卷一六引郝敬曰：“此以诗当纪传，议论时事，非吟风弄月，登眺游览，可任兴漫作也。必有子美忧时之真心，又有其识学笔力，乃能斟酌裁补，合度如律。其各首纵横开合，宛是一章奏议，一篇训诰，与《三百篇》并存可也。”又曰：“五首慷慨蕴藉，反复唱叹，忧君爱国，绸缪之意，殷懃笃至。至末及蜀事，深属意于严武，盖已尝与共事，而勋业未竟，特致惋惜，亦有感于国士之遇耳。”引泽州陈冢宰廷敬曰：“五首合而观之，汉朝陵墓、韩公三城、洛阳宫殿、扶桑铜柱、锦江春色，皆从地名叙起；分而观之，一二章言吐蕃、回纥，其事对其诗，章句法亦相似，三四章言河北、广南，其事对其诗，章句法又相似，末则收到蜀中，另为一体。杜诗无论其它，即如此类，亦可想见当日炉锤之法，所谓‘晚节渐于诗律细’也，与《秋兴》诗并观愈见。”引陆时雍曰：“《诸将》数首，皆以议论行诗。”引黄生曰：“《有感》五首与《诸将》相为表里，大旨在于忠君报国，休兵恤民，安边而弭乱。其老谋硕画，款款披陈，纯是至诚血性语。”

卢纶赴池州，后归至德。有诗《赴池州拜觐舅氏留上考功郎中舅》、《至德中途中书事却寄李僩》。【至德中途中书事却寄李僩】《唐诗镜》卷三二：“四语凄楚，六语哀怨，似带骚情。”

皎然居湖州。作诗《五言秋日遥和卢使君游何山寺宿敭上人房论涅盘经义》、《同卢使君幼平郊外送阎侍御归台》。

十一月

甲子，改元大历。

本年

戴叔伦为湖南转运留后。春，离京赴任；经故乡金坛，与友人会于潘处士宅。有诗《灞岸别友》、《潘处士宅会别》。

贾至作《工部侍郎李公集序》。其云：“《易》曰：‘观乎天文以察时变，观乎人文以化成天下。’然则唐虞赓歌、殷周雅颂，美文之盛也。厥后四夷交侵，诸侯征伐，文王之道将坠地，于是仲尼删《诗》述《易》，作《春秋》而叙帝王之书，三代文章炳然可观。洎骚人怨靡，杨、马诡丽，班、张、崔、蔡，曹、王、潘、陆，扬波扇飙，大变风雅。宋、齐、梁、隋，荡而不返。昔延陵听，乐知诸侯之兴亡。览数代述作，固足验夫理乱之源也。皇唐绍周继汉，颂声大作。神龙中兴，朝称多士，济济儒术，焕乎文章。”

章八元、灵澈约本年从严维学诗。章八元（生卒年不详），行十八，睦州桐庐人。大历六年进士及第。贞元中调句容主薄，迁协律郎，卒。《新唐书·艺文志》著录《章八元诗》一卷，今佚。事迹见《中兴间气集》卷上、《云溪友议》卷下等。

郭湜约本年任大理司直，作《高力士外传》。郭湜（生卒年不详），太原人。上元中贬黔中，时高力士流巫州，与其多谈及宫中旧事。大历十三年任户部员外郎。《新唐书·艺文志》著录其《高氏外传》一卷，《直斋书录解题》作《高力士外传》，今存。

《全唐文》卷四四一录其文一篇。事迹见其《高力士外传》、《新唐书》卷五八《艺文志二》。

姚汝能约本年为华阴尉，作《安禄山事迹》三卷。姚汝能，一作姚汝龙，生平事迹不详。《四库提要》卷六四："汝能始末未详，陈振孙《书录解题》称其官华阴县尉，未详里居，则宋时已无可考矣。是书上卷序禄山始生至元宗宠遇，起长安三年，尽天宝十二载事。中卷序天宝十三、四载禄山构乱事。下卷序禄山僭号被杀，并安庆绪、史思明、史朝义事，下尽宝应元年，记述颇详。世所传禄山樱桃诗，即出此书。叶梦得《避暑录话》尝摭以为笑，其琐杂可知矣。"

李观生。李观（766—794），字元宾，郡望陇西，寓家于吴。贞元五年入京，尝与韩愈等同游梁肃门下。八年，进士及第，同年又中博学宏词科，授太子校书郎。旋即返吴省亲。九年十一月，赴京师，次年卒。《新唐书·艺文志》著录《李观集》三卷。北宋赵昂又辑其遗文为外编二卷。清秦恩复于五卷之外，又得六篇，合赵昂所阙二篇，为《李元宾文集》六卷。其中《吊汉武帝文》系欧阳詹作。据《李元宾墓铭》、《新唐书》卷二〇三《文艺传》下。

令狐楚生。令狐楚（766—837），字彀士，自号白云孺子，敦煌人。贞元七年登进士第。次年，桂州刺史王拱奏试宏文馆校书郎，聘为从事。后归太原。元和五年前后入朝，为右拾遗，历太常博士、礼部员外郎、刑部员外郎。九年十月，转职方员外郎、知制诰，充翰林学士。十四年七月拜中书侍郎同平章事。后贬宣歙观察使，再贬衡州刺史。转郢州。长庆元年十二月，迁太子宾客、分司东都。后历户部尚书、东都留守、天平军节度使、河东节度使。大和七年入为吏部尚书。转太常卿、尚书左仆射，进封彭阳郡公。开成元年出为山南西道节度使。次年卒于官舍。《新唐书·艺文志》四著录其《漆奁集》一百三十卷、《梁苑文类》三卷、《表奏集》十卷；另有《断金集》一卷、《彭阳唱和集》三卷、《广宣与令狐楚唱和》一卷，皆为与他人唱和之集，均佚。今存元和中与王涯、张仲素所作乐府《元和三舍人集》。据刘禹锡《唐故相国赠司空令狐公文集纪》、《旧唐书》卷一七二与《新唐书》卷一六六本传、《唐诗纪事》卷四二。

窦庠约本年生。窦庠（766？—828?），字胄卿，京兆金城人。窦叔向之子。初为商州从事。永贞元年任武昌节度副使。元和三年改浙西观察副使，五年迁泽州刺史，七年改宣歙观察副使，十年任奉天令，迁登州刺史。长庆二年为东都留守判官。约宝历元年任信州刺史。大和元年任婺州刺史，大和二年左右卒。《新唐书·艺文志》著录《窦氏联珠集》五卷，收窦庠诗一卷。据褚藏言《窦庠传》、《旧唐书》卷一五五、《新唐书》卷一七五《窦群传》附传、《唐诗纪事》卷三一。

张籍约本年生。张籍（766？—830?），字文昌，行十八，吴郡人，后迁居和州乌江。贞元十三年十月北游汴州，与韩愈相识。次年登进士第。元和元年，补太常太祝，十年不调。十一年，转国子助教。十五年迁秘书郎。长庆元年，韩愈荐举为国子博士，次年迁水部员外郎。四年擢主客郎中。大和二年拜国子司业，世称"张水部"或"张司业。"大和四年前后卒。《新唐书·艺文志》著录《张籍诗集》七卷、《论语注辨》二卷（已佚）。《郡斋读书志》著录《张籍集》五卷，《直斋书录解题》著录《张籍集》三卷、《木铎集》一二卷、《张司业》八卷、附录一卷。南唐张洎收集张籍诗400

多首，钱公辅名为《木铎集》一二卷。南宋汤中编为《张司业集》八卷，附录一卷，魏峻刊刻于平江。今传宋蜀刻本《张文昌文集》四卷。后人增补辑成八卷，为明嘉靖万历间刻本《唐张司业诗集》，《四部丛刊》曾据以影印。1958 年，中华书局上海编辑所校补重印，题《张籍诗集》。据《旧唐书》卷一六〇与《新唐书》卷一七六本传、《唐诗纪事》卷三四。

王建约本年生。王建（766？—?），字仲初，行六，关辅人，郡望颍川。约于德宗初年求学于齐州鹊山，与张籍同学友善。贞元中历佐淄青、幽州、岭南等幕，元和初又佐荆南、魏博幕。八年前后任昭应丞，转渭南尉。迁太府丞，长庆二年间任秘书郎。大和二年自太常丞出为陕州司马，罢任居京郊，约卒大和中。《新唐书·艺文志》著录《王建集》一〇卷，今传刻本有南宋陈解元书棚本《王建诗集》一〇卷，1959 年中华书局上海编辑所以为底本，参照其他刊本校补排印；汲古阁刻本《王建诗集》八卷；《唐六名家集》本《王建诗》八卷；清胡介祉刊本《王司马集》八卷等。《宫词》一卷，有单刻本及明顾起经注本。据《新唐书·艺文志》四、《郡斋读书志》卷四上、《唐诗纪事》卷四四、《唐才子传》卷四。

樊宗师约本年生。樊宗师（766？—824?），字绍述，行一，称樊大，河中人。初为国子主簿，元和三年，擢军谋宏远科，授著作佐郎，分司东都，转太子舍人。九年十月为孟郊料理丧事，后入郑余庆兴元幕。十五年正月宪宗卒，以金部郎中告哀南方。还，出为绵州刺史。长庆元年，征拜左司郎中，复出为绛州刺史。四年进谏议大夫，未拜卒。《新唐书·艺文志》著录有《春秋集传》一五卷、《樊子》三〇卷、《魁纪公》三〇卷、《樊宗师集》二九一卷，已佚。今传《樊绍述遗文》仅《绛守居园池记》、《蜀绵州越王楼诗并序》两篇，有《心园丛刻》本，又有《樊谏议集七家注》本、《樊集句读合刻三种》本。事迹见韩愈《南阳樊绍述墓志铭》、《荐樊宗师状》及《新唐书》卷一五九本传。

温造生。温造（766—835），字简舆，怀州人。贞元初为寿州刺史张建封宾客，四年归隐下邳。十三年为徐泗濠节度张建封参谋。长庆元年授京兆府司录参军，迁殿中侍御史，进起居舍人。十二月初贬朗州刺史。四年召为侍御史，迁左司郎中、知御史杂事。大和元年任御史中丞，三年迁尚书右丞，四年出为山南西道节度使。五年入为兵部侍郎，七月为东都留守，九月改河南节度使。八年拜御史大夫，九年改礼部尚书，六月卒。《新唐书》著录《温造集》八〇卷，又录其《瞿童述》一卷，集佚。事迹见《旧唐书》卷一六五、《新唐书》卷九一本传。

李程生。李程（766—842），字表臣，行二十六，陇西人。贞元十二年登进士第，同年登博学宏词科。累辟使府，为监察御史，充翰林学士。元和中，知制诰，拜礼部侍郎。敬宗即位，以吏部侍郎同平章事。后罢为河东节度使。会昌二年春卒。《新唐书·艺文志》著录《李程表状》一卷，已佚。事迹见《旧唐书》卷一六七、《新唐书》卷一三一本传。

公元 767 年（唐代宗大历二年　丁未）

正月

李嘉祐在长安，作诗《元日无衣冠入朝寄皇甫拾遗从弟补阙纾》。时皇甫冉官左拾遗，李纾官补阙。

韩翃在长安。有《送蒋员外端公归淮南》，蒋员外，即蒋晁。独孤及亦作有《送蒋员外奏事毕还扬州序》。

二月

崔琮、李竦、敬骞、武少仪、李觌、宇文邈、贾弇、张叔良等二十人登进士第；时礼部侍郎薛邕知上都贡举，试《射隼高墉赋》、《长至日上公献寿》。见《登科记考》卷一〇。

三月

杜甫自夔州西阁迁居赤甲，后迁瀼西。有诗《即事》、《赤甲》、《暮春题瀼西新赁草屋五首》、《入宅三首》、《暮春》、《晚登瀼上堂》、《承闻河北诸道节度入朝欢喜口号绝句十二首》。正月，杜甫在夔州西阁，有诗《愁》、《遣闷戏呈路十九曹长》。春，杜甫另有诗《寄薛三郎中璩》、《别崔潩因寄薛据孟云卿》、《立春》、《江梅》、《愁》、《王十五前阁会》、《崔评事弟许相迎不到应虑老夫见泥雨怯出必愆佳期走笔戏简》、《昼梦》、《熟食日示宗文宗武》、《得舍弟观书自中都已达江陵今兹暮春月末行李合到夔州悲喜相兼团圆可待赋诗即事情见乎词》、《喜观即到复题短篇二首》、《送惠二归故居》。【暮春题瀼西新赁草屋五首】《杜诗详注》卷一八引黄生论其三曰："此诗首尾实而中间虚，是实包虚格，唯杜有之。三、四乃藏头句法，若申言之，则'悠悠身世双蓬鬓，落落乾坤一草亭'耳。'江猿吟翠屏'，即'白鸥元水宿，何事有余哀'意，而含蓄较深永矣。"【遣闷戏呈路十九曹长】《杜诗详注》卷一八："公尝言'老去诗篇浑漫与'，此言'晚节渐于诗律细'，何也？律细，言用心精密；漫与，言出手纯熟。熟从精处得来，两意未尝不合。"引朱瀚曰："'江浦'二字打头，近俗。'喧昨夜'更俗。'动微寒'欠稳。雨色、雷声，土木对偶，比'雷声忽送千峰雨'何如？'交并'二字重复。'太剧干'三字晦涩，此从'黄莺过水'一联偷出，而手脚并露。其云'晚律渐细'，岂少年自居粗率乎？杜则少时入细，老更横逸耳，故曰'语不惊人死不休'、'老去诗篇浑漫与'。参看始知其谬。六类寒乞语，七似庸鄙，八无品地，皆非少陵本色。"

春

元结在道州刺史任，赴衡州计事。途中有《欸乃曲五首》。十一月，元结在道州刺史任，次第已作二百三首，为《文编》十卷，自为序。【欸乃曲五首】《晦庵集》卷八四《跋程沙随帖》："元次山有《欸乃曲》，而柳诗亦用此二字，皆湘、楚间语。"《山堂肆考》卷一六〇："唐元稹逢春水行舟不进，作《欸乃曲》，令舟子唱之，以取适于道路也。'欸乃'，棹歌声。"《诗辩坻》卷三："诗有近俚，不必其词之闾巷也。……

元次山《欸乃曲》乃云‘好是云山韶濩音’，非不典切苍梧事，伧父之状，使人呕矣。”毛先舒《填词名解》（康熙十八年《词学全书》本）卷一：“元次山《欸乃曲》五章，全是绝句，如《竹枝》之类。其谓欸乃者，殆舟人于歌声之外，别出一声，以互相为歌。《柳枝》、《竹枝》尚有存者，其语度与绝句无异。但于句末随加‘竹枝’或‘柳枝’等语，遂以名歌。疑‘欸乃’殆其例耳。又按唐刘言史《潇湘》诗：‘嗳乃知从何处生，当时泣舜断肠声。’则以为恸帝之余声。二字与‘欸乃’稍异，然观次山《欸乃》诸诗，亦多赋湘君洒泣事，则刘诗所称，当即是此曲也。”

戎昱在成都。有《送严十五郎之长安》、《成都送严十五之江东》。夏秋间，戎昱沿江出峡，有诗《云安阻雨》、《赠别张驸马》。

韦应物不协于主司，乞求养疴。有诗《任洛阳丞请告》、《任洛阳丞答前长安田少府问》。

郭陨在常州，有诗《寒食寄李补阙》与李纾，当时以为绝唱。见李绅诗《建元寺》序。

四月

刘长卿在长安官员外郎。有《送徐大夫赴广州》。徐大夫，即徐浩。皇甫曾亦有《送徐大夫赴南海》。【送徐大夫赴广州】《唐诗镜》卷二九：“语脆嫩，意却自老。”

岑参赴嘉州刺史任。有《初至犍为作》、《上嘉州青衣山中峰题惠净上人幽居寄兵部杨郎中》、《登嘉州凌云寺作》。岑参在成都期间，另有诗《早春陪崔中丞泛浣花溪宴》、《送崔员外入奏因访故园》、《送赵侍御归上都》、《送李司谏归京》、《送柳录事赴梁州》、《先主武侯庙》、《文公讲堂》、《扬雄草玄堂》、《司马相如琴台》、《严君平卜肆》、《张仪楼》、《万里桥》、《龙女祠》等。【初至犍为作】《瀛奎律髓汇评》卷六方回评：“颇似老杜诗，而无其悲愤。末句亦不堪远仕矣，然为刺史，则胜如为客之流离也。”陆贻典评：“‘犍为’直起，落句点出‘初至’。”何义门评：“三四已极貌荒远，非两省重臣所堪处也，却不露，便纡徐有味。”许印芳评：“后半亦壮浪。”纪昀评：“嘉州诗难得如此清圆。”《唐诗解》卷三六：“此守嘉州而叹其地之险恶也。山色滩声，盈乎坐侧，草生花落，几没公庭，民务之鲜可知。况地连三峡而云雨常昏，境接百蛮而风尘不静，是以高官未几，而发为之变也。”《删补唐诗选脉笺释会通评林》“盛五律中”周珽评：“景幽事闲，何不可恬情，几日间鬓忽欲斑，以所莅风土恶故也。善写宦游情况，如怨如诉。”《诗辩坻》卷三：“岑嘉州《初至犍为作》，而茂秦改之，语在《直说》中。然颇不及岑气骨，直落中唐，结句尤劣。盖谢本色只是中唐耳。”

王季友罢洪州李勉幕，大约此后一二年卒。《河岳英灵集》卷上：“季友诗爱奇务险，远出常情之外，然而白首短褐，良可悲夫。至如《观于舍人西亭壁画山水》诗：‘野人宿在山家少，朝见此山谓山晓。半壁仍栖岭上云，开帘放出湖中鸟。’甚有新意。”《唐诗归》卷一六钟惺评：“此公有古骨古心，复有妙舌妙笔。然不盛唐，不甚有诗名，为其少耳。”《师友诗传录》“续录”：“问：王季友诗似晚唐语，而所以异于晚唐者，何居？答：王季友诗不多，在盛唐自是别调，亦非诸大家名家之比，又如《篋中集》中诸人，皆别调也。”《载酒园诗话》又编：“王季友诗，磊块有筋骨，但亦附寒苦以见长。如‘自耕自刈食为天，如鹿如麇饮野泉。亦知世上公卿贵，且养山中草木年’，诚高出流辈。至‘雀鼠昼夜无，知我厨廪贫’，俨然一阆仙矣。又《赠崔高士瓘》曰‘问家惟指云，爱气尝言酒’，亦佳。‘日月不能老，化肠为筋否’，殊不堪。僻涩之过，必涉鄙俚，不待贾、孟也。”《直斋书录解题》卷一九：“《王季友集》一卷，唐王季友撰。元结《箧中集》有季友诗二首，今此集有七篇，而箧中二首不在焉。杜诗所谓‘酆城客子王季友者’，意即其人耶。”今存诗一三首，载《全唐诗》卷二五九、卷八八三。其中，有他人诗窜入，亦杂有贞元间另一王季友之作。

六月

杨炎随杜鸿渐入朝，以礼部郎中知制诰，与常衮同在中书，时号“常杨”。《旧唐书》卷一一八《杨炎传》：“与常衮并掌纶诰。衮长于除书，炎善为德音。自开元已来，言诏制之美者，时称‘常杨’焉。”

七月

杜甫居夔州瀼西草堂，往来东屯、瀼西间。有诗《秋行官张望督促东诸耗稻向毕清晨遣女奴》、《阻雨不得归瀼西甘林》、《驱竖子摘苍耳》、《暇日小园散病将种秋菜督勒耕牛兼书触目》。八月，杜甫移居东屯，借草堂与吴司法。有诗《八月十五日夜二首》、《十六夜玩月》、《十七夜对月》、《简吴郎司法》、《又呈吴郎》、《晚晴吴郎见过北舍》。九月，在夔州，作《登高》、《九日五首》、《伤秋》、《东屯北崦》、《刈稻了咏怀》。十月，于元持宅观公孙大娘弟子舞剑器，作《观公孙大娘弟子舞剑器行》。秋，杜甫在夔州，有诗《秋日夔府咏怀奉寄郑监李宾客一百韵》、《秋日寄题郑监湖上亭三首》、《同元使君舂陵行》、《溪上》、《白露》、《见萤火》、《夜雨》、《更题》、《巫峡敝庐奉赠侍御四舅别之沣朗》、《奉酬薛十二丈判官见赠》、《秋清》、《秋峡》、《秋野五首》、《复愁十二首》、《社日两篇》、《东屯月夜》、《東屯北崦》、《暂往白帝复还东屯》等。是年，另有诗《月三首》、《竖子至》、《归》、《园》、《园人送瓜》、《课伐木》、《柴门》、《上后园山脚》、《季夏送乡弟韶陪黄门从叔朝谒》、《滟滪》、《又上后园山脚》、《舍弟观归蓝田迎新妇送示二首》、《返照》、《向夕》、《晓望》、《日暮》《晚》、《夜》、《从驿次草堂复至东屯茅屋二首》、《写怀二首》、《冬至》、《别李义》等。【登高】《诗薮》内编卷五：“杜‘风急天高’一章五十六字，如海底珊瑚，瘦劲难名，沉深莫测，而精光万丈，力量万钧。通章章法、句法、字法，前无昔人，后无来学。微有说者，是杜诗，非唐诗耳。然此诗自当为古今七言律第一，不必为唐人七言律第一也。元人评此诗云：一篇之内，句句皆奇；一句之中，字字皆奇，亦似识者。”又云：“一篇之中，句句皆律；一句之中，字字皆律，而实一意贯串，一气呵成。骤读之，首尾若未尝有对者，胸腹若无意于对者；细绎之，则锱铢钧两，毫发不差，而建瓴走阪之势，如百川东注于尾闾之窟。至用句用字，又皆古今人必不敢道、决不能道者，真旷代之作也。然非初学士所当究心，亦匪浅识士所能共赏。此篇结句似微弱者，第前六句既极飞扬震动，复作峭快，恐未合张弛之宜，或转入别调，反更为全首之累。只如此软冷收之，而无限悲凉之意，溢于言外，似未为不称也。”张谦宜《絸斋诗谈》（《清诗话续编》本）卷四：“《登高》，通体用紧调，雄健严肃，七律第一格。通体紧调最不易学，其声色气象齐到处，正是养得足。”《瀛奎律髓汇评》卷一六查慎行云：“七律八句皆属对，创自老杜。前四句写景，何等魄力！”何焯云：“千端万绪，无首无尾，使人无处捉摸。此等诗如何可学！”许印芳云：“七律八句皆对，首句仍复用韵，初唐人已创此格，至老杜始为精密耳。此诗前人有褒无贬，胡元瑞尤极口称赞，未免过夸，然亦可见此诗本无疵颣也。”《唐宋诗醇》卷一六：“气象高浑，有如巫峡千寻，走云连风，诚为七律中稀有之作。后人无其骨力，徒肖之于声貌之间，外强而中干，是为不善学杜者。”《读杜心解》卷四：“此辍饮独登之慨也。望中所见，意中所触，层层清，字字响，胡应麟谓古今七言律第一。”【秋日夔府咏怀奉寄郑监李宾客一百韵】《杜诗胥论·论五七言排律》云：“是第一首长诗，其中起伏转折，顿挫承递，若断若续，乍离乍合，波澜层叠，竟无丝痕，真绝作也。”《读书堂杜诗注解》卷一四：“才大而学足以副之，故随笔即事，转和自如，若后人强凑饾饤，何取于多。忽自叙，忽叙人，忽言景，忽言情，忽述见在，忽及已前，忽纪事，忽立论，皆过接无痕，照应有法。”《杜臆》卷七：“诗本咏怀，故详于自叙，而转换穿插，妙合自然。唐人百韵诗自公倡，而句句峭拔，字字精彩，乃此公独擅之长。”《杜诗集评》卷一三引李因笃评：“流寓之穷，故人之感，庙谟国事，杂见篇中，慷慨悲歌，至百韵不失所，三唐俱宜却步，况后贤乎？”《读杜随笔》卷下：“读公长篇，须看其结构间架，顺逆起伏，不平铺直衍，不叠床架屋，方见意匠经营。”《杜诗详注》卷一九：“诗题咏怀寄友，是宾主两意，此诗或分或合，极开阖变化，错综恣肆之奇，而按以纪律，却又结构完整。刻本割裂段落，多寡不匀，几于乱丝难理。今分作十段，每段各有起止，各有承转，天然位置，不容毫发混淆，此在读者详玩耳。诗有近体，古意衰矣；近体而有排律，去古益远矣。考唐人排律，初惟六韵左右耳。长篇排律，起于少陵，多至百韵，实为后人滥觞。元白集中，往往叠见，不免夸多斗靡，气缓而脉弛矣。此篇典雅工秀，才学既优，而部伍森严，章法尤为精密。短章诗断处多用突接，长排体则须用钩挑之法。每段出落处，回顾上文者为钩，逗起下文者为挑，必层层连络，各有关合照应，否则散漫不属矣。玩此诗，逐段钩挽挑逗，俱见作法之巧。”【同元使君舂陵行】《集千家注批点杜工部诗集》卷一七：“其首尾如此，情事甚真。”《杜臆》卷九：“肝膈之言，一字一泪。”《杜诗集评》卷四引吴农祥评：“借次山以警世乎！笔以朴厚见长，亦以步次山为体。题曰‘同’，妙。”《杜诗说》卷二：“前后皆自叙，自叙多言病。其筋节在‘叹时药力薄’五字，则知此诗全是借酒杯浇块垒也。”《鲁通甫读书记》：“序，极顿挫雄浑，类汉人文字。”【观公孙大娘弟子舞剑器行】《唐诗归》卷二〇钟惺评：“题是公孙大娘弟子，而序与诗情事俱属公孙氏，便自穆然深思。”《杜诗详注》卷二〇引王嗣奭曰：“此诗见剑器而伤往事，所谓‘抚事慷慨’也。故咏李氏，却思公孙；咏公孙，却思先帝，全是为开元、天宝五十年治乱兴衰而发，不然一舞女耳，何足摇其笔端哉。”《唐宋诗醇》卷一二：“前如山之嶙峋，后如海之波澜。前半极其浓至，后半感叹‘音响一何悲，弦急知柱促’也。”卢世㴶《读杜私言·余论·论七言古诗》（崇祯汲古阁

刊本):“序与诗俱登神品。盖因临颍美人二溯及其师,又追想圣文神武皇帝,抚时感事,凄惋伤心。念从风尘澒洞以来,女乐梨园,俱付之寒烟老木,况自身业已白首,而美人亦非盛颜,则五十年间,真如反掌。以此思悲,悲可知矣。一篇中具全副造化,波澜莫有关于此者。”《杜诗集评》卷六引李因笃云:“绝妙好词。序以错落妙,诗以整妙。错落中有悠扬之致,整中有跌宕之风。”又云:“纵横排宕,如韩信背水破赵,纯以奇胜。”又云:“不难其壮,不难其工,难其老。”《杜诗提要》卷六:“叙事以详略为参差,亦以详略为宾主,主宜详而宾宜略,一定之法也。然又有宾详而主反略者,如此诗公孙大娘,宾也;弟子,主也。乃叙公孙大娘八句,……叙弟子则四句,而言舞则‘神扬扬’三字,抑何其略。究之诗意,非为弟子也,为公孙大娘也,则公孙大娘固为主,而弟子又为宾,仍是主详宾略耳。学诗者得详略之宜,尽参差之变,思过半矣。”《树人堂读杜》卷二〇:“题是观李十二娘舞剑器,诗直从公孙说起,方写出一大段关系,举一剑器,可该万事。”《杜诗偶评》卷二:“咏李氏而思及公孙,因公孙而念及先帝,身世之戚,兴亡之感,交集腕下,若就题还题,有何兴会。”

秋

李端应试不第,卧病长安。有诗《卧病寄苗员外》。是年,李端与钱起在郭暧宴上即席赋诗。《唐国史补》卷上:“郭暧,升平公主驸马也。盛集文士,即席赋诗,公主帷而观之。李端中宴诗成,有荀令、何郎之句,众称妙绝,或谓宿构。端曰:‘愿赋一韵。’钱起曰:‘请以起姓为韵。’复有金埒、铜山之句。暧大出名马、金帛遗之。是会也,端擅场;送王相公之镇幽朔,韩翊擅场;送刘相之巡江淮,钱起擅场。”祖无择《龙学文集》(四库本)卷一四:“古人作诗,引用故实,或不原其美恶,但以一时中的而已。如李端于郭暧席上赋诗,其警句云:‘新开金埒教调马,旧赐铜山许铸钱’,善则善矣,而铸钱乃比邓通尔,既非令人,又非美事,何足筭哉。大凡用故事,多以事浅语熟,更不思究,便率尔而用之,往往有误矣。”《诗源辩体》卷二一:“七言律,端如‘青春都尉’……句法音调,亦入晚唐。”《唐诗快》卷一一:“富贵风流,故自不恶。惜郭暧非其人耳。”《昭昧詹言》卷一八:“此与义山相近,诗无足取。”

吉中孚时为校书郎,秋,归楚州。卢纶、司空曙、李端等有诗送之。李端有《卧病闻吉中孚拜官寄元秘书昆季》、《送吉中孚校书归楚州旧山》。卢纶亦有《送吉中孚校书归楚州旧山》。司空曙作《送吉校书东归》。【送吉中孚校书归楚州旧山】(卢纶)《唐诗归》卷二六:“钟惺评:只写景到极像处,情便难堪。谭元春评:别情说向幽景上去,情更深。”

吉中孚(?—789?),楚州人。初为道士,大历初还俗,征拜校书郎。与钱起、卢纶等唱和,游于驸马郭暧之门。大历十年、十一年间中书判拔萃科。建中元年为万年尉,迁司封郎中、知制诰。兴元元年以本官充翰林学士,六月改谏议大夫。贞元二年迁户部侍郎、判度支两税。四年权判吏部侍郎,八月为中书舍人。《新唐书·艺文志》著录《吉中孚诗》一卷,今佚。事迹见《元和姓纂》卷一〇、《重修承旨学士壁记》、《新唐书》卷二〇三《卢纶传》等。

司空曙（？—789？），字文初，一作文明，行十四，广平人。天宝末避乱江南。大历初登进士第，六、七年间任拾遗。与钱起、卢纶等唱和，游于驸马郭暧之门。大历末贬长林丞。贞元初为剑南西川节度使从事、检校水部郎中。官终虞部郎中。《新唐诗·艺文志》著录《司空曙诗集》二卷。事迹见《元和姓纂》卷二、《极玄集》卷上、《唐诗纪事》卷三〇等。

钱起、郎士元、李端同在长安，同作诗送李别驾还洪州，独孤及为序。钱起作诗《送弹琴李长史往洪州》，郎士元作《送洪州李别驾之任》，李端作《送从兄赴洪州别驾兄善琴》。独孤及作《送洪州李别驾还任序》。钱起、司空曙、李端亦作诗送王使君赴太原。钱起有《送王使君赴太原行营》，司空曙有《送王使君赴太原拜节度副使》，李端有《送王副使还并州》。

戴叔伦至云安督赋，抵涪州。有诗《渐至涪州先寄王员外使君纵》。

张谓为尚书郎中，出守谭州。有诗《寄崔沣州》、《别韦郎中》。

清昼、卢藻、卢幼平、陆羽、潘述、李恂、郑述诚在湖州，作《秋日卢郎中使君幼平泛舟联句一首》。

本年

李端、卢纶、吉中孚、韩翃、司空曙、苗发、崔峒、耿沣、夏侯审十人，文咏唱和，驰名都下，号“大历十才子”（《旧唐书·李虞仲传》）。《韵语阳秋》卷四：“唐卢纶与吉中孚、韩翊、钱起、司空曙、苗发、崔峒、耿湋、夏侯审、李端，皆能诗齐名，号大历十才子。宪宗尤爱纶文。”《唐音癸签》卷七：“大历十才子并工五言诗，卢郎中辞情捷丽，所作尤工。”

皇甫冉有《同韩给事观毕给事画松石》。韩给事，即韩滉。毕给事，即毕宏。《历代名画记》卷一〇：“毕宏大历二年为给事中，画松石于左省厅壁，好事者皆诗之。”

刘商在合肥令任。有诗《送庐州贾使君拜命》。刘商（生卒年不详），字子夏，彭城人，久居长安。进士及第。大历初为合肥令。贞元中任汴州观察推官、校检虞部郎中。后以病免，为道士，隐常州义兴山中，一云隐湖州武康山中，约卒于元和二年前。《新唐书·艺文志》著录《刘商诗集》一〇卷，《直斋书录解题》著录《刘虞部集》一〇卷。事迹见《历代名画记》卷一〇、《唐诗纪事》卷三二、《元和姓纂》卷五等。

薛据本年或稍后卒。《全唐诗》卷二五三录其诗一二首，断句四，《全唐诗补编·续补编》卷四补诗一首。《河岳英灵集》卷中：“据为人骨鲠有气魄，其文亦尔。自伤不早达，因著《古兴诗》云：‘投珠恐见疑，抱玉但垂泣。道在君不举，功成叹何及’，怨愤颇深。至如‘寒风吹长林，白日原上没’，又‘孟冬时短晷，日尽西南天’，可谓旷代之佳句。”何焯评云：“薛诗语多慷慨，而根据轻薄。”《唐诗纪事》卷二五：“据与王摩诘、杜子美最善。子美有《喜薛三据授司议郎》诗。”《石洲诗话》卷一：“盛唐之初，若独孤常州及薛侍郎据，皆遒劲雄浑，少陵之嚆矢也。侍郎曾与少陵同登慈恩寺塔，今其诗传。”

熊孺登约本年生。熊孺登（生卒年不详），洪州钟陵人，登进士第。贞元初，寓居钟陵郭北之龙沙，与李兼、权德舆唱和。元和中，为四川从事。八年秋冬间，途径江陵，访故交元稹。应辟于湖南任判官。九年夏，至朗州访刘禹锡。十年冬，至江州，过白居易。终藩镇从事。《直斋书录解题》著录《熊孺登集》一卷，今佚。事迹见白居易《与微之书》、《唐诗纪事》卷四三、《唐才子传》卷六。

冯宿生。冯宿（767—837），字拱之，行十七，郡望冀州长乐，婺州人。贞元八年进士及第。历泉州司户、监察御史、太常博士、比部郎中等职。元和十四年，坐韩愈谏佛事，贬歙州刺史，十五年征为刑部郎中，权判考功。后累官中书舍人、太常少卿、工部侍郎、刑部侍郎及兵部侍郎等。开成元年十二月卒。《新唐书·艺文志》著录《冯宿集》四〇卷，已佚。《全唐诗》卷二七五存诗二首，《全唐诗逸》卷上补一首。《全唐文》卷六二四存文一篇。王起《冯公神道碑》著录其《格后敕》五〇卷，云："试《百步穿杨赋》，虽为势夺，而其文至今讽之，后生以为楷。……公应用神速，不能自休。词理典奥，文采焕逸，大凡六百余章，为染翰者程准。"韩愈《与冯宿论文书》云："辱示《初筮赋》，实有意思。但力为之，古人不难到。"白居易《冯宿除兵部郎中知制诰制》："刑部郎中冯宿，为文甚正，立意甚明，笔力雄健，不浮不鄙。况立身守事，端方精敏。"

公元768年（唐代宗大历三年　戊申）

正月

李嘉祐在长安，官司勋员外郎，有《故吏部郎中赠给事中韦公挽歌二首》。秋，李嘉祐送李端，作诗《送从侄端之东都》。

杜甫在夔州，月中出峡。有诗《元日示宗武》、《又示宗武》、《太岁日》、《人日二首》、《续得观书迎就当阳居止正月中旬定出三峡》、《将别三峡赠南卿兄瀼西果园四十亩》《巫山县汾州唐使君十八弟宴别兼诸公携酒乐相送率题小诗留于屋壁》、《春夜峡州田侍御长史津亭留宴》等，途中有《大历三年春白帝城放船出瞿唐峡久居夔府将适江陵漂泊有诗凡四十韵》、《行次古城店泛江作不揆鄙拙奉呈江陵幕府诸公》、《泊松滋江亭》等。三月，杜甫至江陵，有《上巳日徐司録林園宴集》、《宴胡侍御书堂》、《书堂饮既夜复邀李尚书下马月下赋绝句》、《奉送苏州李二十五长史丈之任》、《暮春江陵送马大卿公恩命追赴阙下》、《和江陵宋大少府暮春雨后同诸公及舍弟宴书斋》、《暮春陪李尚书李中丞过郑监湖亭泛舟》。夏，在荆州，有诗《夏日杨长宁宅送崔侍御常正字入京》、《夏夜李尚书筵送宇文石首赴县联句》、《多病执热奉怀李尚书》、《水宿遣兴奉呈羣公》、《遣闷》等。【大历三年春白帝城放船出瞿唐峡久居夔府将适江陵漂泊有诗凡四十韵】《杜诗集评》卷一四引李因笃云："如听哀弦急管，略尽涯端，而其音有角有商，怨而不怒。"又吴农祥云："一路江行之险阻，如画如话，中间奇警之词，络绎奔奏。"《杜诗提要》卷一三："此诗分两大支写，前一支放舟出峡，分两段写，一险一平，写得异样景色，造句奇峭。后一支叙适江陵，亦分两段写，一追昔，一抚今，历述漂泊苦情，而以'甲卒'、'书生'，两两夹出不平之气，如乐之卒章，繁弦急管，络绎不绝者然。排律中最难得此后劲。……排律至百韵、四五十韵，必有冗率之病，老杜亦所不免。惟此警炼，无一懈笔。”《树人堂读杜》卷二一：“自瞿塘至江陵，一路细细铺叙，闲情逸致，吊古伤今，俱见纪程之中。”《杜诗言志》卷一二：“全篇四节，皆从‘漂泊’二字生出。其机轴回环照应，锱铢不爽。至琢句之奇、练字之洁、写景之工、寓情之妙，极长篇排律之能事，非他人之所能造也。”《唐宋诗醇》卷一八：“处处刻划，间以情思，其体则班彪、潘岳之《征行》，其情则王粲之《登楼》也。队仗整肃，骨力雄健，长律最可学者。”

二月

高拯等十九人登进士第，时礼部侍郎薛邕知上都举。李端下第，有诗《下第上薛侍郎》；四月，有诗《奉赠苗员外》。苗员外，即苗发。

归崇敬奉诏使新罗吊祭册立，陆珽、顾愔为副使。皇甫冉、皇甫曾、李端作诗《送归中丞使新罗》，吉中孚有诗《送归中丞使新罗吊祭册立》，独孤及作《送归中丞使新罗吊祭册立序》，钱起有诗《送陆侍御使新罗二首》，顾况有诗《送从兄使新罗》。《诗薮》内编卷四：“盛之降而中也，（钱刘）二子实首倡之。间有一二，若皇甫冉《送归中丞》……等作，整齐闳亮，稍协前归。”《读雪山房唐诗序例》五排凡例：“大历诗人，多用次体为祖饯。如……皇甫冉、吉中孚《送归中丞使新罗》……莫不声华冠冕，词旨安和，使节星轺，得之增重。才子之名，信不虚也。”《养一斋诗话》卷七：“大历十才子，卢纶第一，吾乡吉侍郎第二，……然吉诗传于今者，惟《送归中丞使新罗》一首。……此诗起四句，剧有气岸，‘岛中’二语，尤雄杰称题。……要其通幅气体宏阔，与盛唐巨手相似，无中、晚疲苶态也。又侍郎弃黄冠而返儒服，非有识力者不能，而李端转作诗以讥之曰：‘还乡见鸥鸟，应愧背船飞’，此等议论，似高实谬。即此以衡端，同在十才子，而识力不逮远矣。”

三月

皇甫冉在长安，有诗《送常大夫加散骑常侍赴朔方》。法振亦有《送常大夫赴朔方》。法振（生卒年不详），天宝、大历间诗僧，曾游越中、丹阳一带，后住长安大慈恩寺、无碍寺。与王昌龄、皇甫冉、李益等交游赠答。《全唐诗》卷八八一收其诗一六首又二句。事迹见《唐诗纪事》卷七三、《唐才子传》卷三。

杜鸿渐在长安，作诗呈元载。钱起有诗《奉和杜相公移长兴宅呈元相公》，刘长卿作《奉和杜相公新移长兴宅呈元相公》，李嘉祐有诗《奉和杜相公长兴宅即事呈元相公》，皇甫曾作《春和杜相公移入长兴宅奉呈诸宰执》。七月，幽州兵马使朱希彩杀节度使李怀仙，自称留后。朝廷不得已，以宰臣王缙为幽州节度使，以朱希彩领幽州留后。王缙赴镇。钱起有诗《送王相公赴范阳》，皇甫冉作《送王相公赴幽州》，韩翃作《奉送王相公缙赴幽州巡边》。【奉送王相公缙赴幽州巡边】《唐国史补》卷上：“送王相公之镇幽朔，韩翃擅场。”《大历诗略》卷三：“层层写到，笔笔精神，极简重又极展拓，无愧擅场之口。”

五月

颜真卿自吉州别驾除抚州刺史。“（在吉州四年）公与往来词客，诗酒讲论，为乐甚，有所著编为《庐陵集》十卷。”（殷亮《颜真卿行状》）

七月

岑参罢嘉州刺史，东归，有《东归发犍为至泥溪舟中作》。吐蕃八月进攻灵武、邠宁。参东归阻寇，淹留戎、泸间。有《阻戎泸间群盗》、《青山峡口泊舟怀狄侍御》、《楚夕旅泊古兴》、《下江舟怀终南旧居》、《巴南舟中夜书事》、《巴南舟中思陆浑别业》。在嘉州任职期间，另有诗《秋夕听罗山人弹三峡流泉》、《郡斋望江山》、《咏郡斋壁画片云》等。【巴南舟中夜书事】《苕溪渔隐丛话》后集卷九：“浩然《夜归鹿门寺歌》云：‘山寺鸣钟昼已昏，渔梁渡头争渡喧。人随沙岸向江村，余亦乘舟归鹿门。’不若岑参《巴南舟中即事》诗云：‘渡口欲黄昏，归人争渡喧。’岑诗语简而意尽优于孟。”《瀛奎律髓汇评》卷三四方回评：“句句分晓，无包含而自在，起句十字尤绝唱。”无名氏评：“得力在首五字，第三句‘清’字佳。”《唐诗解》卷三六：“此水宿而抒旅情也。向夕而观争渡之人，便有思家之想。俄而寺钟起，村火明，见燕闻猿，情极难堪矣。秋月虽佳，非所论于旅泊也。”《删补唐诗选脉笺释会通评林》“盛五律中”周珽评：“抚时写景，思乡忆远，情见乎辞。”《古唐诗合解》卷八：“前解是舟中旅夜，后解是舟夜旅情。……秋月最佳，而值孤舟万里之夜，非惟无心玩赏，亦且触目生愁，故不须论其清澈也。”

九月

杜甫在江陵，有《哭李尚书》、《重题》；后移居公安，有《舟出江陵南浦奉寄郑少尹》。秋，另有诗《秋日荆南述怀三十韵》、《秋日荆南送石首薛明府辞满告别奉寄薛尚书颂德叙懐裴然之作三十韵》、《暮归》等。十月，杜甫在公安，作《移居公安山馆》、《醉歌行赠公安颜十少府请顾八题壁》、《公安送李二十九弟晋肃入蜀余下沔鄂》、《送顾八分文学适洪吉州》等。冬末，杜甫离开公安，至岳州，有《留别公安太易沙门》、《晓发公安》、《发刘郎浦》、《夜闻觱篥》、《岁晏行》、《泊岳阳城下》、《缆船苦风戏题四韵奉简郑十三判官》、《登岳阳楼》。【登岳阳楼】《唐子西文录》：“过岳阳楼，观子美诗，不过四十字耳。气象闳放，涵蓄深远，殆与洞庭争雄，所谓富哉言乎者。”《后村诗话》卷一：“杜五言感时伤事，如‘亲朋无一字，老病有孤舟’，八句之中，著此一联，安得不独步乎。若全集千四百篇，无此等句为气骨，篇篇都做‘圆荷浮小叶，细麦落轻花’道了，则似近人诗矣。”《杜诗详注》卷二二：“上四写景，下四言情。昔闻、今上，喜初登也。包吴楚而浸乾坤，此状楼前水势。下则只身漂泊之感，万里乡关之思，皆动于此矣。《杜臆》：三、四已尽大观，后来诗人何处措手？下四只写情，方是做自已诗，非泛咏岳阳楼也。”又引黄生曰：“前半写景如此阔大，五六自叙如此落寞，诗境阔狭顿异，结语凑泊，极难，不图转出‘戎马关山北’五字，胸襟

气象，一等相称，宜使后人搁笔也。”又引《金玉诗话》云：“洞庭天下壮观，自昔骚人墨客，斗丽搜奇者尤众。如‘水涵天影阔，山拔地形高’，‘四望疑无路，中流忽有山’，‘鸟飞应畏堕，帆远却如闲’，皆见称于世。然莫若‘气蒸云梦泽，波撼岳阳城’。则洞庭空旷无际，雄壮如在目前。至读杜子美诗，则又不然。‘吴楚东南坼，乾坤日夜浮’，不知少陵胸中，吞几云梦也?”又引黄鹤曰：“一诗之中，如‘吴楚东南坼，乾坤日夜浮’一联，尤为雄伟，虽不到洞庭者读之，可使胸次豁達。”《集千家注批点杜工部诗集》卷一九：“气压百代，为五言雄浑之绝。下两句略不用意，而情境适等。”《杜工部诗通》卷一五：“此诗百代诗人所共推服，无他，以实气对实景，写实情耳。气有馁者，欲不言袭取，终不能欺人。”《而庵说唐诗》卷一四：“昔闻颇荣，今见何悲！昔正治平，今有戎马；昔尚年少，今成老病。治平可待，老病无及矣，悲夫!”

戎昱在江陵卫伯玉幕，作《观卫尚书九日对中使射破的》，曾谒杜甫。《直斋书录解题》卷一六：“《戎昱集》五卷，……其侄孙为序，言‘弱冠谒杜甫于渚宫，一见礼遇’。集中有哭甫诗。”

秋

皇甫冉在长安，转官左补阙。有诗《秋日东郊作》。《唐风定》卷一七：“次联情兴不浅，评者多涉苛求。”《贯华堂选批唐才子诗》卷三：“前解，先自写其胸前一片雪淡也。闲看秋水，言去无所至也。坐对寒松，言来无所从也。……后解，便借秋景以比临歧也。言今日亦自分为相应与不相应乎？若不相应，则宜燕之竞去；设复相应，则宜如菊之疾开。胡为献纳既不可旷，浅薄又不自及，终日徘徊王门，至今犹尚不去也。”《大历诗话》卷五：“结体淡缓，腹联有比兴，极佳。而顾华玉谓之干燥，何也。”

韩翃拜访长安慈恩寺法振，作诗《题僧房》。《唐诗镜》卷三二：“三、四清脆。”《石洲诗话》卷二：“韩君平‘鸣磬夕阳尽，卷帘秋色来’，已渐开晚唐之调。盖律体奇妙，已无可以争胜前人，故不得不于一二平仄闲小为变调，而骨力渐靡，则不可强为也。”

本年

李益年二十一，居嵩颖，约本年应试不第。有诗《送同落第者东归》。

韩愈生。韩愈（768—825），字退之，行十八，河阳人。郡望昌黎，世称韩昌黎。三岁而孤，随长兄会之韶岭。会卒，从嫂归葬河阳。七岁读书，十三能文，贞元八年擢进士，十二年七月为董晋辟为宣武军节度使观察推官。十五年秋，依武宁军节度使张建封。十八年为四门博士，次年迁监察御史，上疏极论宫闱，德宗怒，贬阳山令。宪宗即位，徙江陵府法曹参军。元和元年六月，擢国子博士，分司东都。四年，改都官员外郎，仍守东都省。五年，改河南令。六年秋，至京师，为职方员外郎。七年，坐事降为太学博士。八年改比部郎中、史馆修撰。次年转考功郎中，修撰如故，十二月，兼制诰。十一年正月，进中书舍人，为飞语所伤，降为太子右庶子。十二年八月，为裴度行军司马，平蔡，迁刑部侍郎。十四年，上表谏迎佛骨，贬潮州刺史，量移袁州刺史。十五年九月征为国子祭酒。长庆元年七月为兵部侍郎。二年二月奉诏赴镇州宣谕王廷凑，还，转吏部侍郎。三年拜京兆尹，兼御史大夫。十月复为兵部侍郎。四年十二月二日卒，赠礼部尚书。世称韩文公或韩吏部。《新唐书·艺文志》载《韩愈集》四〇卷，为门人李汉所编。宋人陆续采辑遗文，及《顺宗实录》，编成《外集》一〇卷。南宋孝宗时有方崧卿《韩集举正》一〇卷（有淳熙刻本和《四库全书》本），广采唐五代、北宋各本及石刻古抄汇校。嗣后有朱熹撰《昌黎先生集考异》一〇卷。宋人注本，单行本有韩醇《新刊诂训唐昌黎先生文集》、文谠注、王俦补注《新刊经进详注昌黎先生文》、祝充《音注韩文公文集》等。集注本有庆元间建安书商魏仲举辑刻《新刊五百家注音辨昌黎先生文集》。明、清有蒋之翘《唐韩昌黎集辑注》、顾嗣立《昌黎诗集注》、陈景云《韩集点勘》、方世举《韩昌黎诗编年笺注》、沈端蒙《韩文公诗集注》、王元启《读韩记疑》、方成珪《韩集笺正》等。近人有马其昶《韩昌黎文集校注》（上海古籍出版社 1986），今人有钱仲联《韩昌黎诗系年集释》（古典文学出版社 1957、上海古籍出版社 1984）、屈守元、常思春主编《韩愈全集校注》（四川大学出版社 1996）、童第德《韩集校诠》（中华书局 1986）。事迹见李翱《赠礼部尚书韩公行状》、《旧唐书》卷一六〇、《新唐书》一七六本传、《唐诗纪事》卷三四、《唐才子传》卷五等。

崔玄亮生。崔玄亮（768—833），字晦叔，行十八，郡望博陵，磁州滏阳人。贞元十一年进士及第，十九年登书判拔萃科，补秘书省校书郎，受辟于宣、越二府。元和初为监察御史，转殿中侍御史，历膳部、驾部员外郎，出为洛阳令，后迁密州刺史，十五年转歙州刺史。长庆三年为湖州刺史。宝历时入为秘书少监。大和四年由太常少卿迁谏议大夫，拜右散骑常侍。五年拜太子宾客、分司东都。七年，为虢州刺史，七月十一日卒于任所。《新唐书·艺文志》三著录其《海上集验方》一〇卷，《新唐书·艺文志》四有《三州唱和集》，乃其与白居易、元镇唱和集。均佚。事迹见白居易《唐故虢州刺史赠礼部尚书崔公墓志铭》、《旧唐书》卷一六五、《新唐书》卷一六四本传、《唐诗纪事》卷三九。

公元 769 年（唐代宗大历四年　己酉）

正月

杜甫自岳州南行。有诗《陪裴使君登岳阳楼》、《南征》、《过南岳入洞庭湖》、《宿青草湖》、《宿白沙驿》、《湘夫人祠》、《祠南夕望》、《上水遣怀》。此间，还有诗《解忧》、《宿凿石浦》、《早行》、《过津口》、《次晚洲》等。三月，由潭州复至衡州。有《发潭州》、《发白马潭》、《入乔口》、《铜官渚守风》、《清明二首》、《岳麓山道林二寺行》、《双枫浦》、《望岳》、《岳麓山道林二寺行》等。夏，有《湘江宴饯裴二端公赴道州》、《哭韦大夫之晋》等。【望岳】《读书堂杜诗注解》卷四："通首描其高险，非他山可同，方是望岳诗。"《杜诗集说》卷五引邵长横评："语语是望岳，然佳处正不在此，苍老浑劲，此种气候极是难到。"毛张健《杜诗谱释》（清刻本）卷一："此诗一

气贯注，如骏马下坂，至结处忽然勒住，笔力甚高。”《藏雪山房杜律详解》“七律”卷上：“此诗亦七律中之变体，乃句句从‘望’字中传西岳之神，尤为升天入渊之思、追魂摄魄之笔，末联较《望岱》之收结更深透一层，殊非人拟议所能到，为诗至此，安得不令人叹为奇绝之至。”《杜诗详注》卷二二引钟惺曰：“岱宗乔岳，若著山水清妙语及景状奇壮语，便是一丘一壑，文人登临眼孔。须胸中典故，笔下雍容，有郊坛登歌气象，始为相称。”又引黄生曰：“衡、华、岱，皆有望岳作，岱以小天下立意，华以问真源立意，衡以修祀典立意，旨趣各别，而此作尤见本领。文士无其学，儒者无其才，故须两让之。”

二月

齐映、李益、冷朝阳、郑儋、贾全等二十六人登进士第；时礼部侍郎薛邕知上都举，权知东都留守张延赏知东都举。见《登科记考》卷一〇。冷朝阳（生卒年不详），润州江宁人。大历四年及第，五年至八年为相卫节度使薛嵩幕客。兴元元年任太子正字，贞元中官至监察御史。事迹见《元和姓纂》五、《太平广记》卷一九五引《甘泽谣》、《唐诗纪事》卷三〇、《金石萃编》卷一〇二。《全唐诗》卷三〇五存诗一一首，《全唐诗补编·续补遗》卷四补一首。《沧浪诗话》“诗评”：“冷朝阳在大历才子中为最下。”《唐才子传》卷四：“进士及第，不待调官，言归省觐。自状元以下，一时名士大夫及诗人李嘉祐、李端、韩翃、钱起等，大会赋诗攀饯。以一布衣，才名如此，人皆羡之。朝阳工诗，在大历诸才子法度稍弱，字韵清越不减也。”

三月

独孤及在濠州，宴集于垂花坞，有《垂花坞醉后戏题》及序。九月，独孤及因迁葬父母兄弟来洛阳，秋归濠州，有《自东都还濠州奉酬王八谏议见赠》。

春

刘长卿归鄂州。有诗《夏口送长宁杨明府归荆南因寄幕府诸公》、《夏口送徐郎中归朝》、《送刘萱之道州谒崔大夫》等及文《祭崔相公文》。刘长卿大历初在长安，有诗《过萧尚书故居见李花感而成咏》、《故女道士婉仪太原郭氏挽歌词》、《送独孤判官赴岭》等。【送刘萱之道州谒崔大夫】《唐诗镜》卷二九：“今人感古，古事伤今。”《删补唐诗选脉笺释会通评林》“中唐七绝上”唐汝询曰：“临沅湘而洒泪，惜其别也。萱盖崔氏之客，故言信陵君客虽多，皆不足数，君至长沙必出其右也。”

皇甫曾在京，有《送李中丞归本道》。李中丞，即李抱真。《诗薮》内编卷四：“文皆中唐，妙境往往有不减盛唐者。”

岑参东归未成，旅寓成都。有诗《西蜀旅舍春叹寄朝中故人呈狄评事》、《送绵州李司马秩满归京呈李兵部》。

皎然居湖州苕溪草堂。作有《苕溪草堂自大历三年夏新营洎秋及春弥觉境胜因纪其事简潘丞述汤评事衡四十三韵》、《答权从事德舆书》。三月，皎然有《送吉判官还京赴崔尹幕》。吉判官，即吉中孚。崔尹，即崔昭。【苕溪草堂自大历三年夏新营泊秋及春弥觉境胜因纪其事简潘丞述汤评事衡四十三韵】《唐诗归》卷三二钟惺评云："长诗意象静深，而色味芳洁，法变，气老，犹有盛唐人风蕴。'销声寄松柏'，幽秀之句。'学外见古贤'，神明高旷之言。"

郑洵卒于岳州贬所，年五十六，著有《东宫要录》十卷。

四月

元结丁母忧，扶柩北返。再授容管经略使，元结坚辞，诏许。作有《再让容州表》。

夏

韦应物在长安。有《送冯著受李广州署为录事》。冯著（生卒年不详），河间人。大历三年至七年间曾任广州录事。建中年间摄洛阳尉，兴元元年至贞元初任缑氏尉。贞元中官至左补阙。与韦应物酬唱颇多。《全唐诗》存其诗四首，又卷七七八重录《燕御泥诗》，误署冯渚。事迹见韦应物上文及《元和姓纂》卷一。

七月

冷朝阳擢第后归上元。钱起有《送冷朝阳擢第后归金陵》，李嘉祐有《送冷朝阳及第后归江宁》，韩翃有《送冷朝阳还上元》。【送冷朝阳还上元】《贯华堂选批唐才子诗》卷三："（前解）一解，看他将异样妙笔，只从自己眼中画出一船。只画一船者，便是从船中画出一冷朝阳。从冷朝阳心头画出无限快活也。……一是新及第，二是准假归，三是二人具庆恰当上寿也。呜呼，人生在世，谁不愿有此事乎哉。（后解），前解纯写冷朝阳之得意，此始写送也。言今别是初秋，乃我别后依依，则欲前期必订仲春。于是先以五、六写他东田好景，言来年寒食，则我两人是必携手其地也。"《读雪山房唐诗序例》"七律凡例"："颔颈两联，如二句一意，无异车前驺仗，有何生气？唐贤之可法者，如……韩翃'落日澄江乌榜外，秋风疏柳白门前'……皆神韵天成，变化不测。宋元以后，此法不讲，故曰近凡庸。"《小清华园诗谈》卷下："结句贵有味外之味，弦外之音，言情则如……韩翃之'别后依依寒梦里，共君携手在东田'……是皆一唱三叹，慷慨有余音者。"

岑参寓居成都，有《客舍悲秋有怀两省旧游呈幕中诸公》。冬卒，年五十五。《全唐诗》卷一九八至卷二〇一编其诗为四卷，《全唐诗补编·续拾》卷一五补诗二首。《全唐文》卷三五八录其文一篇，同书卷三八九独孤及《招北客文》实为岑作。有集八卷，《岑嘉州诗集》杜确序云："自古文体变易多矣。梁简文帝及庾肩吾之属，始为轻浮绮靡之辞，名曰宫体。厥后沿袭，务于妖艳，谓之摛锦布绣焉。其有欲敦尚风格、颇有规正者，不复为当时所重。讽谏比兴，由是废缺。物极则变，理之常也。圣唐受

命，斲雕为朴，开元之际，王纲复举，浅薄之风，兹焉渐革。其时作者凡十数辈，颇能以雅参丽，以古杂今，彬彬焉，粲粲焉，近建安之遗范矣。……南阳岑公，早岁孤贫，能自砥砺，遍览史籍，尤工缀文，属辞尚清，用志尚切。其有所得，多入佳境，迥拔孤秀，出于常情。每一篇绝笔，则人人传写，虽闾里士庶、戎夷蛮貊，莫不吟习焉。时议拟公于吴均、何逊，亦可谓精当矣。"《河岳英灵集》卷中："参诗语奇体峻，意亦造奇。至如'长风吹白茅，野火烧枯桑'，可谓逸才。又'山风吹空林，飒飒如有人'，宜称幽致也。"许顗《彦周诗话》（《历代诗话》本）："岑参诗亦自成一家，盖尝从封常清军，其记西域异事甚多。如《优钵罗花歌》、《热海行》，古今传记所不载者也。"《郡斋读书志》卷四上："参博览史籍，尤工缀文，属词清尚，用心良苦，其有所得，往往超拔孤秀，度越常情。每篇绝笔，人竞传讽。"周紫芝《太仓稊米集》（四库本）卷六七《书岑参诗集后》："杜少陵用胸中万卷之书，作妙绝古今之句，尝自言诗有神助，而语不惊人虽死不休，宜其傲睨凌蔑，高目一世，以谓前无古人，后无作者。至于诗人文士间有可称者，未尝不力加推许，至于再三，或见于言语文字，谆谆不已。如高詹事、元道州与岑参辈，皆其人也。盖物以类而相从，人由意而相合，臭味之同，乃诗人之草木出于自然，有不约而契者。况其于一时人物，汲汲然唯恐失之，如近世欧文忠、苏内相之收拾文士，要使尽出门下而后已。参诗清丽有思，殊复可喜，观少陵所谓'岑参兄弟皆好奇，携我远来游渼陂'之句，则亦可以得其为人之大略矣。"《渭南文集》卷二六《跋岑嘉州诗集》："予自少时，绝好岑嘉州诗。往在山中，每醉归，倚胡床睡，辄令儿曹诵之，至酒醒或睡熟乃已。尝以为太白、子美之后一人而已。今年自唐安别驾来摄犍为，既画公像斋壁，又杂取世所传公遗诗八十余篇，刻之以传知诗律者，不独备此邦故事，亦平生素意也。"《木天禁语》："乐府篇法，张籍为第一，王建近体次之，长吉虚妄不必效，岑参有气，惜语硬，又次之。"又云："七言长古篇法。……分段如五言，过段亦如之。稍有异者，突兀万仞，则不用过句，陡顿变说他事。杜如此，岑参专尚此法，为一家数。字贯前后，重三叠四，用两三字贯串，极精神好诵，岑参所长。"《后村诗话》续编卷二："岑参、贾至辈句律都出于鲍，然去康乐地位尚远。"《唐才子传崱批点，明嘉靖洛阳温氏刻本》卷二："参累佐戎幕，往来鞍马烽尘间十余载，极征行离别之情，城障塞堡，无不经行。博览史籍，尤工缀文，属词清迥，用心良苦，诗调尤高，唐兴罕见此作。放情山水，故常怀逸念，奇造幽致，所得往往超拔孤秀。度越常情，与高适风骨颇同，读之令人慷慨怀感，每篇绝笔，人辄传咏。至德中，裴休、杜甫等常荐其识度清远，议论雅正。"《批点唐音》（杨士弘编选、顾璘批点，明嘉靖洛阳温氏刻本）："岑参最善七言，兴意音律不减王维，乃盛唐宗匠。"又云："岑诗好起语华艳，初联放宽，次联突出奇语，平平结，最有法。"《唐诗品》："嘉州诗一以风骨为主，故体裁峻整，语亦造奇，持意方严，竞鲜落韵。五言古诗从子建以上，方足联肩。古人浑厚，嘉州稍多瘦语，此其所以不逮，亦一间耳。其它乃不尽人意。要之，孤峰插天，陵拔霄汉，而华润近人之态，终然一短。"《唐音癸签》卷九："常侍五言古，深婉有致，而格调音节，时有参差。嘉州清新奇逸，大是俊才，质力造诣，皆出高上。然高黯淡之内，古意尤存，岑英发之中，唐体大著。"又云："高、岑并工起语，岑尤奇峭，然拟之宣城，格愈下矣。"又云："古诗自有音节。

陆、谢体极俳偶，然音节与唐律迥不同。唐人李、杜外，惟嘉州最合。襄阳、常侍虽意调高远，至音节时入近体矣。”又卷一〇：“嘉州格调整严，音节宏亮，而集中排律甚稀。”又云：“岑词胜意，句格壮丽，而神韵未扬；高意胜词，情致缠绵，筋骨不逮。岑之败句，犹不失盛唐；高之合调，时隐逗中唐。”《诗境总论》：“岑参好为巧句，真不足而巧济之，以此知其深浅矣。故曰大巧若拙。”《诗源辨体》卷一五：“盛唐五言律，惟岑嘉州用字间有涉新巧者，……大约不过数联。然高、岑所贵，气象不同，学者不得其气象，而徒法其新巧，则终为晚唐矣。”《诗筏》：“诗家化境，如风雨驰骤，鬼神出没，满眼空幻，满耳飘忽，突然而来，倏然而去，不得以字句诠，不可以迹相求。如岑参《归白阁草堂》起句云：‘雷声傍太白，雨在八九峰。东望白阁云，半入紫阁松。’又《登慈恩寺》诗中间云：‘秋色从西来，苍然满关中。五陵北原上，万古青蒙蒙。’不惟作者至此，奇气一往，即讽者亦把捉不住，安得刻舟求剑，认影作真乎？近见注诗者，将‘雨在八九’、‘云入紫阁’、‘秋从西来’、‘五陵’、‘万古’语，强为分解，何异痴人说梦。”谭宗《近体秋阳》（清刻本）：“岑诗虽不多，然篇皆峭倬，精思耸起，必迥不同与人。岂唯达夫不中此拟，即一时王、孟诸作手，要之总非起伦。乃千古以‘高、岑’称，何其冤也。”《诗辩坻》卷三：“嘉州《轮台》诸作，奇姿杰出，而风骨浑劲，琢句用意，贵极精思，殆非子美、达夫所及。”《古欢堂集杂著》：“嘉州（五律）句琢字雕，刻意锻炼。”《而庵说唐诗》：“岑嘉州诗豁达醒快，如听河朔豪杰说话，耳边朗朗。”《唐诗别裁集》卷一〇：“嘉州五言，多激壮之音。”《岘斋诗谈》卷五：“予读嘉州全集，爱其峭蒨苍秀，如对终南、太华。其近体略逊古诗。”《石洲诗话》卷一：“嘉州之奇峭，入唐以来所未有。又加以边塞之作，奇气益出。风令所感，豪杰挺生，遂不得不变出杜公矣。”《北江诗话》卷五：“诗奇而入理，乃谓之奇。若奇而不入理，非奇也。卢玉川、李昌谷之诗，可云奇而不入理者矣。诗之奇而入理者，其惟岑嘉州乎！……大抵读古人之诗，又必身亲其地，身历其险，而后知心惊魄动者，实由于耳闻目见得之，非妄语也。”《读雪山房唐诗序例》：“（五古）岑嘉州独尚警拔，比于孤鸟出群。”又云：“（七绝）王、李之外，岑嘉州独推高步，惟去乐府意渐远。”《诗学渊源》卷八：“其诗辞意清切，迥拔孤秀，多出佳境。人比之吴均、何逊，盖就其律诗而言也，时亦谓之‘嘉州体’。至古诗、歌行，间亦有气实声状之作。《走马川》诗三句一转，虽变自柏梁，亦为创作。”《四库未收书目提要》“岑嘉州集”：“案岑诗律健整，非晚唐纤碎可比。方回云：‘学杜诗当先观其工部集中所称咏敬叹及交游倡酬者，其称咏者如苏武、李陵、陶潜诸人，其交游倡酬则如李白、高适、岑参之类。杜确序亦称岑每一绝笔，则人人传写，虽闾里士庶，莫不讽诵吟习矣。”《小澥草堂杂论诗》“诗小评”：“岑嘉州诗如雪天剑客，罢酒出门。”《剑溪说诗》又编：“唐诗自李、杜而下，许彦周谓孟浩然、王维当为第一，陆务观曰岑参一人而已。余以为岑之歌行，足当陆语，而诸体兼长，气象宏远者，无过王维者。”《岘佣说诗》：“太白五言古犹是魏、晋遗则，唯天才超妙，逸气纵横，遂有尺寸未合处。岑嘉州五言古源出鲍照，而魄力已大，至《慈恩塔》诗‘秋色从西来，苍然满关中。五陵北原上，万古青蒙蒙’，雄劲之概，直与少陵匹敌矣。”《三唐诗品》：“五言源出吴、何，叠藻绵联，掞张典雅，如五丝织锦，裁缝灭迹。七言出没纵横，翱翔孤秀，振音中律，行

气如虹，如观公孙大娘舞剑器，浑脱浏亮，令人神王心倾。边塞萧条，吹笳声裂，刘越石幽燕之气，自当擅绝一场。而格律谨遒，贵在放而不野。律体温和，亦兼绵丽；绝句犹七言本色，而神韵弥深。”

吴筠在越州，与鲍防、严维、丘丹、谢良辅、杜奕、李清、刘蕃、谢良弼、郑概、陈元初、樊珣、范淹等作《中元日鲍端公宅遇吴天师联句》。

鲍防、严维、丘丹等在越州，同作《忆长安十二咏》。谢良辅《忆长安·正月》，又《十二月》；鲍防《二月》；杜奕《三月》；丘丹《四月》；郑概《六月》；陈元初《七月》；吕渭《八月》；范淹《九月》；樊珣《十月》；刘蕃《十一月》。

戎昱在湖南。有诗《上湖南崔中丞》。《唐音癸签》卷二九：“昱姓固僻，然其《上崔中丞》诗‘千金未必能移性，一诺从来拟杀身’，求知激切之辞，与改姓事无涉也。范摅欲傅合为一，并易诗中‘移性’为‘移姓’，使昱一生作诗，下一嫌字不得，不大苦乎。”

秋

杜甫在潭州。有诗《千秋节有感二首》、《奉赠卢五丈参谋琚》、《惜别行送刘仆射判官》、《重送刘十弟判官》、《晚秋长沙蔡五侍御饮筵送殷六参军归澧觐省》、《别张十二建封》、《奉赠李八丈曛判官》、《暮秋枉裴道州手札率尔遣兴寄递呈苏涣侍御》、《苏大侍御访江浦八韵记异》。冬，有《舟中夜雪有怀卢十四侍御弟》、《冬晚送长孙渐舍人归州》、《暮冬送苏四郎徯兵曹适桂州》等。【晚秋长沙蔡五侍御饮筵送殷六参军归澧觐省】《杜诗详注》卷二三引新安黄生白山曰：“公欲托殷寄书，诗故归重于殷，蔡侍御则安顿在投辖句中，与他筵送客详主略宾者不同，此古文叙事轻重法也。”【别张十二建封】《杜诗详注》卷二三引卢世㴶曰：“送魏佑、王砅、张建封，乃满肚国史实录，无处发付，特借彼题目写我文章，即与本人分上，颇觉迂远，亦不暇顾。要之建封自奇士，只‘风神荡江湖’，谁能当此五字耶?”【舟中夜雪有怀卢十四侍御弟】《杜诗详注》卷二三引黄生曰：“三、四不摹雪之状，而写雪之神，如《初月》则曰‘河汉不改色，关山空自寒’，《喜雨》则曰‘野径云俱黑，江船火独明’，此皆意到笔随，诗来神助者也。”

鲍防在浙东幕，为尚书郎、浙东节度行军司马。与严维、吕渭等九人游五云溪，登法华寺，作一字至九字联句诗，又作《寻法华寺西溪》联句。

严维居越州，有《酬诸公宿镜水宅》。有与徐嶷、郑概等作《秋日宴严长史宅》联句及《严氏园林》联句。

戴叔伦受辟于刘晏转运府，官监察御史。有诗《南宾送蔡侍御游蜀》、《渐至涪州先寄王员外纵》。

韦应物在长安，秋游江淮，有《将往江淮寄李十九儃》、《自巩洛舟行入黄河即事寄府县僚友》。十月，韦应物在扬州，有《寄卢庾》、《广陵遇孟九云卿》。【自巩洛舟行入黄河即事寄府县僚友】《瀛奎律髓汇评》卷三四纪昀评：“三、四名句。归愚所谓上句画，下句画亦画不出。”许印芳评：“第六句亦佳。”《唐风定》卷一七：“韦诗别有一种至处，真色外色，味外味也。”《昭昧詹言》卷一八：“起叙行程破题，历历分明。中二联写景如画。五、六切地切时，其妙远似文房。收寄友，古人无不顾题还题如是。”【广陵遇孟九云卿】《唐诗镜》卷三〇：“情深，有不见著情之妙。”

十月

孟云卿自扬州北归，此后一二年卒。《中兴间气集》卷下：“（孟君诗）祖述沈千运，渔猎陈拾遗，词气伤怨，如‘虎豹不相食，哀哉人食人’，方于《七哀》‘路有饥妇人，抱子弃草间’，则云卿之句深矣。虽效于陈、沈，才能升堂，犹未入室。然当今古调，无出其右，一时之英也。”张为《诗人主客图》以之为“高古奥逸主”。元结《元次山集》（中华书局1960）卷七《送孟校书往南海序》：“平昌孟云卿，与元次山同州里，以辞学相友几二十年。次山今罢守春陵，云卿始典校芸阁。于戏！材业次山不如云卿，辞赋次山不如云卿，通和次山不如云卿，在次山又诩然求进者也。谁言时命，吾欲听之。次山今且未老，云卿少次山六、七岁，云卿名声满天下，知己在朝廷，及次山之年，云卿何事不可。至勿随长风，乘兴蹈海，勿爱罗浮往而不归。”《诗薮》内编卷二：“殷璠选诗，以常建为第一。张为构图，以孟云卿为高古奥逸。盖二子皆盛唐名家，常幽深无际，孟古雅有余。”《载酒园诗话》又编：“诗有一意透快，略不含蓄，不碍其为佳者，沈千运、孟云卿是也。沈之‘近世多夭伤，喜见鬓发白’，孟之‘为长心易忧，早孤意常伤’，语皆入妙。但读其全诗，皆羽声角调，无甚宫商之音。……孟《寒食》诗最佳：‘贫居往往无烟火，不独明朝为子推’，正可与韩翃参看。《行路难》曰：‘海中之水慎勿枯，乌鸢啄蚌伤明珠’，大是激昂。”《剑溪说诗》：“孟校书云卿诗最古，交游亦盛（与陶岘、焦遂、杜甫、元结、刘长卿、韦应物相友善）。杜集中凡四见。次山诗文亦屡见，且曰：‘云卿少次山六七岁，名满天下’。韦古诗一篇，有‘高文激颓波，四海靡不传。西施且一笑，众女安得妍’之句。其为名贤所重如此。顾后人论诗，从不及云卿，何也？”又云：“余少时曾拟《古别离》一章转韵，山阳邱拙村师评曰：‘颇学汉魏，中多有合，但首尾尚未合拍尔。’时正诵孟云卿，初未识所谓汉魏诗也。由是进取而习之，乃恍然于云卿体制所自出。”《诗学渊源》卷八：“疏野真率，气格自高，虽篇什寥寥，而少许为胜矣。”《中兴间气集》选诗六首。《全唐诗》卷一五七收其诗一七首。

十一月

杜鸿渐卒，年六十一。《全唐诗》卷七九五存诗二句，《全唐文》卷三六四录文三篇。《唐文拾遗》卷二一补二篇。

本年

于鹄约二十三，本年或稍前在河朔，与樊泽同学于东溪。于鹄（生卒年不详），大历、建中间居长安，应举未第，退隐汉阳山中。兴元元年至贞元十四年，累佐山南东道、荆南节度幕。约卒于元和九年前。与张籍友善。《新唐书·艺文志》著录《于鹄诗》一卷，《直斋书录解题》录为二卷。事迹见张籍《伤于鹄》、《唐诗纪事》卷二九。

杜元颖生。杜元颖（769—833），行十四，京兆杜陵人。贞元十六年进士及第。元和元年登博学宏词科，十一年复登茂才异等科。历左拾遗、太常博士、翰林学士、中书舍人、户部侍郎知制诰。长庆元年二月，拜平章事。三年冬，出为剑南节度使，贬循州司马。六年十二月二十五卒于贬所。与韩愈、白居易有诗酬唱。《新唐书·艺文志》著录《五题》一卷，与令狐楚、沈传师合编《元和辨谤略》一〇卷，与韦处厚、路隋坚修《宪宗实录》四〇卷，均佚。《全唐诗》卷四六四录诗一首，《全唐文》卷七二四录文四篇，《唐文拾遗》卷二九补一篇。事迹见丁居晦《重修承旨学士壁记》、《旧唐书》卷一六三及《新唐书》卷九六本传。

公元770年（唐代宗大历五年　庚戌）

二月

李拺、李端、顾少连、卫准、韦重规、裴佶、李玗等二十六人登进士第，陈润登明经第，时礼部侍郎薛邕知上都举，东都留守张延赏知东都举。李端及第后授校书郎。有诗《忆故山赠司空曙》。司空曙闲居长安，有诗《酬李校书见赠》。

陈润（？—772?），苏州人，郡望颍川。六年又中茂才异等科。官至坊州鄜城令，约卒于大历七年。事迹见白居易《唐故坊州鄜城县尉陈府君夫人白氏墓志铭》、《襄州别驾府君事状》、《唐诗纪事》卷三九。卫准，事迹不详。张为《诗人主客图》将其列入“清奇雅正主”下之及门者。《全唐诗》卷七九五收其诗二联。

春

张南史闲居扬州，有诗《江北春望赠皇甫补阙》。时皇甫冉在丹阳，有诗《酬张二仓曹杨子所居见寄兼呈韩郎中》。又陆羽过访，皇甫冉作诗《送陆鸿渐栖霞寺采茶》、《送陆鸿渐赴越》、《闲居作》。秋，皎然亦至润州丹阳，有诗《往丹阳寻陆处士不遇》。陆处士，即陆羽。

刘长卿至越州，与鲍防同泛若耶溪，后赴润州使院。有诗《上巳日与鲍侍御泛舟耶溪》、《发越州赴润州使院留别鲍侍御》、《和樊使君登润州城楼》等。秋，至扬州，再参淮南幕。有诗《更被奏留淮南送从弟罢使江东》、《秋夜萧公房喜普门上人自阳羡山至》、《石梁湖怀陆兼》等。【和樊使君登润州城楼】《沧浪诗话》“诗体”：“有十四字对，刘长卿‘江客不堪频北望，塞鸿何事又南飞’是也。”《唐音癸签》卷四：“严羽卿以刘眘虚‘沧浪千万里，日夜一孤舟’为十字格，刘长卿‘江客不堪频北望，塞鸿何事又南飞’为十四字格，谓两句只一意也，盖流水对耳。”【石梁湖怀陆兼】《唐诗镜》卷二九：“长卿五古，轻描浅抹。”《删补唐诗选脉笺释会通评林》“中唐五古上”引吴山民曰：“逼古。”周珽曰：“神清骨癯，鸡群野鹤。”

秦系隐居剡溪，相州刺史薛嵩奏为右卫率府仓曹，辞不赴。有诗《山中赠张正则评事》、《献薛仆射》。【山中赠张正则评事】《瀛奎律髓汇评》卷二三方回云：“三、四自然，天下咏之。”冯舒评：“末句不足论，少蕴藉。”冯班评：“结句放诞，非德隐之言。”纪昀评：“三、四高唱，余皆晚唐习径，结犹浅而尽。”《大历诗略》卷六：“三、四澹永。”【献薛仆射】《贯华堂选批唐才子诗》卷三：“读之，一何訚訚然闵子汶上之音也。……看他绝和平，绝耿介，丰棱又不错，气质又不乖，真为天地间第一等人，作此第一等诗也。……看他高人下笔，不惜公然写出‘光辉’二字，便知真正冰雪胸襟，了无下土尘滓。彼嵇叔夜《答山巨源书》纯是一段名士恶习，至今犹不烧之，何为也?”

四月

杜甫在潭州，避臧玠之乱赴衡州。有诗《逃难》、《入衡州》、《舟中苦热遣怀奉呈阳中丞通简台省诸公》、《江阁对雨有怀行营裴二端公》。后南至耒阳，阻水，有《聂耒阳以仆阻水书致酒肉疗饥荒江诗得代怀兴尽本韵至县呈聂令陆路去方田驿四十里舟行一日时属江涨泊于方田》。正月，杜甫在潭州曾有诗《追酬故高蜀州人日见寄》并序、《回棹》。前此，有诗《追酬故高蜀州人日见寄》、《清明》、《风雨看舟前落花戏为新句》、《奉赠萧十二使君》、《奉送二十三舅录事之摄柳州》、《江南逢李龟年》、《小寒食舟中作》。【江阁对雨有怀行营裴二端公】《杜诗详注》卷二三引胡夏客曰：“篇中言江阁，言对雨，言怀裴，言行营，凡题所当发者，诗皆一一拈出，可想诗家作法。”又引黄生曰：“诗眼贵亮，而用线贵藏，如《何氏山林》之五，沧江、碣石、风笋、雨梅、银甲、金鱼，皆散钱也，而以一兴字穿之，是线在结也。如秦州《遣怀》，霜露、菊花、断柳、清笳、水栖、山日、归鸟、栖鸦，亦散钱也，而以愁眼二字联之，是线在起也。此诗，地日、山云、雷殷、水文，亦散钱也，而以阴晴二字冠之，雨来二字收之，是线在起结也。”【风雨看舟前落花戏为新句】《杜诗详注》卷二三引王嗣奭曰：“此诗模写物情，一一从舟中静看得之，都是虚景，都是设想，都是巧语，本大家所不屑为者，故云戏为新句。而纤浓绮丽，遂为后来词曲之祖。”“按：此诗戏为新句，皆从无情中看出有情，诗思之幻，当与昌黎《毛颖传》参观。”又引卢世潅曰：“句不新则诗朽，句徒新则诗亡，苟非有日新之学问，日新之识见，而惟务新其皮肤，反致面目青黄，此又与于陈腐之甚者。题中下一戏字，有无限防闲在。”【江南逢李龟年】《杜臆》卷九：“落花乃伤春时节，又得逢君，便是江南一好风景矣。言其歌之妙，能令愁者欢，闷者解，春之已去者复回也。此亦倒插法。”《杜诗说》卷一〇：“此诗与《剑器行》同意。今昔盛衰之感，言外黯然欲绝，见风韵于行间，寓感慨于字里，即龙标、供奉操笔亦无以过。乃知公于此体，非不能为正声，直不屑耳。有目公七言绝句为别调者，亦可持此解嘲。”《杜诗提要》卷一四：“此盛唐绝调也，字字风韵，不觉有凄凉之色，而国家之盛衰，人世之聚散，时地之迁流，悉寓于字里行间，一唱三叹，使人味之于意言之表，虽青莲、摩诘亦应俯首。”《唐宋诗醇》卷一八：“言情在笔墨之外，悄然数语，可抵白氏一篇《琵琶行》矣，‘休唱贞元供奉曲，当时朝士已无多’，刘禹锡之婉情，‘钿蝉金雁皆零落，一曲伊州泪万行’，温庭筠之哀调。以彼方此，何其超妙，此千秋絶调也!”【小寒食舟中作】《集千家注批点杜工部诗集》卷二〇：“意虽索窶，语不寒俭。”《杜诗详注》卷二三：“上四寒食舟景，下四即景感怀。朱瀚曰：领联分承上二。时逢寒食，故春水盈江。老景萧条，故看花目。暗须于了无蹊径处，寻其草蛇灰线之妙。腹联兴起下二。戏蝶轻鸥，往来自在，而云山万里空望长安，所以对景而生愁也。首尾又暗相照应，与‘几年逢熟食，万里逼清明’参看。篇中‘看’字两见，亦无他字可代。”又引黄鲁直曰：“‘船如天上坐，人似镜中行’，‘船如天上坐，鱼似镜中悬’，此沈云卿诗也。云卿得意于此，故屡用之。老杜‘春水船如天上坐’，乃祖述佺期语，继之以‘老年花似雾中看’，盖触类而长之也。”又引林时对曰：“春水二句，非袭用前人句也。此用前人句，而以己意损益之也。”《声调谱》卷二：“凡拗律诗，无八句纯拗者，其中必有谐句。如上四拗，下四谐；上六拗，下二谐；或中间拗，前后谐。若不粘不谐，定是古诗。”

七月

鲍防罢浙东幕，入朝为职方员外郎。其在浙东，与严维、丘丹等三十七人有诗唱和，后编为《大历年浙东联唱集》二卷。联唱者三十七人如下：鲍防、严维、丘丹、谢良辅、杜奕、郑概、陈允初、吕渭、范憕、樊珣、刘蕃、贾弇、沈仲昌、张叔政、□成用、谢良弼、裴晃、庾骙、员肃、萧幼和、徐嶷、张著、范绛、刘全白、王纲、贾全、段格、刘题、秦璃、李聿、李清、袁邕、崔泌、仕倚、吴筠、范淹、沈迥。

秋

韦应物由扬州北归。有诗《发广陵留上家兄兼寄上长沙》、《初发杨子寄元大校书》、《淮南即事寄广陵亲故》、《淮上逢洛阳李主簿》。【发广陵留上家兄兼寄上长沙】《唐诗镜》卷三〇：“意取于汉，声发于唐，缠绵恳欸。”【初发杨子寄元大校书】《唐诗别裁集》卷三：“写离情不可过于凄惋，含蓄不尽愈见情深。此种可以为法。”

十二月

李嘉祐出为袁州刺史，取道扬州、润州，有诗《和韩郎中扬子津玩雪寄严维》。韩郎中，即韩洄。皇甫冉时在润州，亦有诗《和朝（韩）郎中扬子津玩雪寄山阴严维》。秋，皇甫冉有诗《和樊润州秋日登城楼》、《同樊润州游郡东山》。

冬

杜甫自潭州北归，九月，曾有诗《暮秋将归秦留别湖南幕府》。冬，卧疾舟中，作诗《风疾舟中伏枕书怀三十六韵奉呈湖南亲友》，是为绝笔。卒，年五十九。旅殡岳阳。《全唐诗》卷二一六至卷二三四编其诗为一九卷，《全唐诗补编·续拾》卷一五补一首又三句。《全唐文》卷三五九编其文为两卷。《元氏长庆集》卷五六《唐故工部员外郎杜君墓系铭并序》：“唐兴，官学大振，历世之文，能者互出。而又沈、宋之流，研练精切，稳顺声势，谓之为律诗，由是而后，文体之变极焉。然而莫不好古者遗近，务华者去实，效齐、梁则不逮于魏、晋，工乐府则力屈于五言，律切则骨格不存，闲暇则纤秾莫备。至于子美，盖所谓上薄风、骚，下该沈、宋，言夺苏、李，气吞曹、刘，掩颜、谢之孤高，杂徐、庾之流丽，尽得古今之体势，而兼人人之所独专矣。使仲尼考锻其旨要，尚不知贵其多乎哉。苟以为能所不能，无可不可，则诗人以来，未有如子美者。时山东人李白，亦以奇文取称，时人谓之李、杜。予观其壮浪纵恣，摆去拘束，模写物象，及乐府歌诗，诚亦差肩于子美矣。至若铺陈终始，排比声韵，大或千言，次犹数百，词气豪迈而风调清深，属对律切而脱弃凡近，则李尚不能历其藩翰，况堂奥乎。"《新唐书》卷二〇一杜甫传赞："唐兴，诗人承陈、隋风流，浮靡相矜。至宋之问、沈佺期等，研揣声音，浮切不差，而号律诗，竞相沿袭。逮开元间，稍裁以雅正。然恃华者质反，好丽者壮为，人得一概，皆自名所长。至甫，浑涵汪茫，千汇万状，兼古今而有之。他人不足，甫乃厌余。残膏胜馥，沾丐后人多矣。故元稹谓诗人已来，未有如子美者。甫又善陈时事，律切精深，至千言不少衰，世号'诗史'。昌黎韩愈于文章慎许可，至于歌诗，独推曰：'李杜文章在，光焰万丈长。'诚可信云。"孟棨《本事诗》（《历代诗话续编》本）"高逸"："杜逢禄山之难，流离陇蜀，毕陈于诗，推见至隐，殆无遗事，故当时号为'诗史'。"《杜诗详注》卷二五引孙仅《读杜工部诗集序》："中古而下，文道繁富。风若周，骚若楚，文若西汉，咸角然天出，万世之衡轴也。后之学者，瞽实聋正，不守其根而好其枝叶，由是日诞月艳，荡而莫返。曹、刘、应、杨之徒唱之，沈、谢、徐、庾之徒和之，争柔斗葩，联组擅绣。万钧之重，烁为锱铢，真粹之气，殆将灭矣。洎夫子之为也，剔陈、梁，乱齐、宋，抉晋、魏，潴其淫波，遏其烦声，与周、楚、西汉相准的。其夐邈高耸，则若凿太虚而嗷万籁；其驰骤怪骇，则若仗天策而骑箕尾；其首截峻整，则若俨钩陈而界云汉。枢机日月，开阖雷电，昂昂然神其谋，挺其勇，握其正，以高视天壤，趋入作者之域，所谓真粹气中人也。公之诗支而为六家：孟郊得其气焰，张籍得其简丽，姚合得其清雅，贾岛得其奇僻，杜牧、薛能得其豪健，陆龟蒙得其赡博，皆出公之奇偏尔，尚轩轩然自号一家，爀世烜俗。后人师拟不暇，矧合之乎！风、骚而下，唐而上，一人而已。是知唐之言诗，公之余波及尔。"《东坡全集》卷三四《王定国诗集叙》："古今诗人众矣，而杜子美为首，岂非以其流落饥寒，终身不用，而一饭未尝忘君也欤。"《山谷集》卷一七《大雅堂记》："子美诗妙处，乃在无意于文。夫无意而意已至，非广之以《国风》、《雅》、《颂》，深之以《离骚》、《九歌》，安能咀嚼其意味，闯然入其门耶！故使后生辈自求之，则得之深矣。使后之登大雅堂者，能以余说而求之，则思过半矣。彼喜穿凿者，弃其大旨，取其发兴于所遇林泉人物草木鱼虫，以为物物皆有所托，如世间商度隐语者，则子美之诗委地矣。"《杜诗详注》卷二五引王彦辅《增注杜工部诗序》："唐兴，承陈、隋之遗风，浮靡相矜，莫崇理致。开元之间，去雕篆，黜浮华，稍裁以雅正，虽绨句绘章，人得一概，各争所长。如大羹元酒者则薄滋味，如孤峰绝岸者则骇廊庙，秾华可爱者乏风骨，烂然可珍者多玷缺。逮至子美之诗，周情孔思，千汇万状，茹古涵今，无有端涯。森严昭焕，若在武库，见戈戟布列，荡人耳目。非特意语天出，尤工于用字，故卓然为一代冠，而历世千百，脍炙人口。"《杜诗详注》卷二五引鲁訔《编次杜工部诗序》："少陵老人初不事艰涩左隐以病人，其平易

处，有贱夫老妇所可道者。至其深纯宏妙，千古不可追迹。则序事稳实，立意浑大，遇物写难状之景，纾情出不说之意，借古的确，感时深远。若江海浩溔，风云荡汩，蛟龙鼋鼍出没其间而变化莫测，风澄云霁，象纬回薄，错峙伟丽，细大无不可观。”《杜诗详注》卷二五引蔡梦弼《杜工部草堂诗笺跋》：“少陵先生，博极群书，驰骋今古，周行万里，观览讴谣，发为歌诗，奋乎《国风》、《雅》、《颂》不作之后，比兴发于真机，美刺该夫众体。自唐迄今余五百年，为诗学宗师，家传而人诵之。国家肇造以来，设科取士，词赋之余，继之以诗，主司多取是诗命题。”《后山诗话》引黄鲁直云：“杜之诗法出审言，句法出庾信，但过之尔。杜之诗法，韩之文法也。诗文各有体，韩以文为诗，杜以诗为文，故不工尔。”《唐子西文录》：“六经之后，便有司马迁；三百五篇之后，便有杜子美。六经不可学，亦不须学，故作文当学司马迁，作诗当学杜子美，二书亦须常读，所谓‘不可一日无此君’也。”《苕溪渔隐丛话》前集卷九引《瑶溪集》云：“老杜于诗学，世以谓前无古人，后无来者。然观其诗，大率宗法《文选》，摭其华髓，旁罗曲探，咀嚼为我语。至老杜体格，无所不备，斯周诗以来，老杜所以为独步也。”又后集卷一五引《潘子真诗话》云：“山谷尝谓余言，老杜虽在流落颠沛，未尝一日不在本朝，故善陈时事，句律精深，超古作者，忠义之气，感发而然。”汪藻《浮溪集》（四库本）孙觌序：“杜子美诗格力自大，雄跨百代，为古今诗人之冠，至他文辄不工。荀卿所谓‘艺之至者不两能’，信矣。”《杜诗详注》卷二五引郑卬《杜少陵诗音义序》：“读少陵诗，如驰骛晋楚之郊。以言其高，则邓林千岩，楩楠杞梓，扶疏摩云；以言其深，则溟波万顷，蛟龙鼋鼍，徜徉排空。拭眦极目，方且心骇神悸，莫知所以。若其甄别名状，实难为功。韩退之推其‘光焰万丈长’，殆谓是矣。国家追复祖宗成宪，学者以声律相饬，少陵矩范，尤为时尚。于其淹贯群书，比类赋象，浑涵天成，奇文险句，厌人目力，读者未始不以搜寻训切为病。卬近因与二三友质问，爰就隐奥处著为音义，至夫人物地理古今传志，咸极讨论，施之新学，不亦可乎。”《藏海诗话》：“杜诗叙年谱，得以考其辞力：少而锐，壮而肆，老而严，非妙于文章，不足以至此。如说华丽平淡，此是造语也。方少则华丽，年加长则渐人平淡也。”《朱子全书》卷五五《答刘子澄书》：“杜子美诗，意思好，可取者多，令人喜讽咏，易入人心，最为有益也。”《朱子语类》卷一四〇：“杜甫夔州以前诗佳；夔州以后，自出规模，不可学。”“杜诗初年甚精细，晚年横逸不可当，只意到处，便押一个韵。”叶适《习学记言》（四库本）卷四九：“杜甫强作近体，以功力气势，掩夺众作，然当时为律诗者，甚或绝口不道。”《沧浪诗话》“诗评”：“少陵诗宪章汉魏，而取材于六朝，至其自得之妙，则前辈所谓集大成者也。”《环溪诗话》卷上：“凡人作诗，一句只说得一件物事，多说得两件；杜诗一句，能说得三件、四件、五件物事。常人作诗，但说得眼前，远不过数十里内；杜诗一句能说数百里，能说两州军，能说半天下，能说满天下，此其所以为妙。”又云：“大抵它人之诗，工拙以篇论；杜甫之诗，工拙以字论。它人之诗有篇则无对，有对则无句，有句则无字；杜甫之诗，篇中则有对，对中则有句，句中则有字。它人之诗至十韵、二十韵，则委靡叛散而不能收拾；杜甫之诗，至二十韵、三十韵，则气岸愈高，波澜愈阔，步骤驰骋，愈严愈紧，非有本者，能如是乎。宜乎唐史有言：诗人以来，未有如子美，浑涵汪茫，千汇万状，兼古今而有之也。”何梦桂《潜斋集》（四库本）卷五《永嘉林霁山诗序》：“古今以杜少陵诗为诗史，至其长篇短章横骛逸出者，多在流离奔走失意中得之。”《杜诗详注》卷二五引元好问《杜诗学引》：“窃尝谓子美之妙，释氏所谓学至于无学者耳。今观其诗，如元气淋漓，随物赋形；如三江五湖，合而为海，浩浩瀚瀚，无有涯涘；如祥光庆云，千变万化，不可名状，固学者之所以动心而骇目。及读之熟，求之深，含咀之久，则九经百氏，古人之精华，所以膏润其笔端者，犹可髣髴其余韵也。夫金屑、丹砂、芝术、参桂，识者例能指名之。至于合而为剂，其君臣佐使之互用，甘苦酸醎之相入，有不可复以金屑、丹砂、芝参、参桂而名之者矣。故谓杜诗为无一字无来处，亦可也；谓不从古人中来，亦可也。前人论子美用故事，有着盐水中之喻，固善矣。但未知九方皋之相马，得天机于灭没存亡之间，物色牝牡，人所共知者，为可略耳。”宋濂《文宪集》（四库本）卷五《杜诗举隅序》：“杜子美诗，实取法三百篇，有类《国风》者，有类《雅》、《颂》者，虽长篇短韵变化不齐，体段之分明，脉络之联属，诚有不可紊者。”《瀛奎律髓汇评》卷一〇方回云：“老杜诗所以妙者，全在阖辟顿挫耳，平易之中有艰苦。若但学其平易，而不从艰苦求之，则轻率下笔，不过如元、白之宽耳。学者当思之。”又云：“大抵老杜集，成都时诗胜似关辅时，夔州时诗胜似成都时，而湖南时诗又胜似夔州时，一节高一节，愈老愈剥落也。”《逊志斋集》卷二二《成都杜先生草堂碑》：“少陵杜先生在唐开元、天宝间，怀经济之具而弗得施，晚更兵乱，益为时所简弃，由是敛所得于古人者悉于诗乎寓之，其言包综庶类，凌跨六合，辞高旨远，兼众长而挺出，追风雅以为友，盖有得乎《史记》之叙事、《离骚》之爱君，而忧民闵世之心又若有合乎成相之所陈者，微意所属，时以古昔命世圣贤自儗，不知者笑之以为狂，而知其粗者，怜之以为诗人之大言，而孰能果识其所存哉？”王直《抑庵文集》（四库本）后集卷一一《虞邵庵注杜工部律诗序》：“开元、天宝以来，作者日盛，其中有奥博之学、雄杰之才、忠君爱国之诚、闵时恤物之志者，莫如杜公子美，其出处劳佚，忧悲愉乐，感愤激烈，皆于诗见之，粹然出于性情之正，而足以继风雅之什。至其触事兴怀，率然有作，亦皆兴寄深远，曲尽物情，非他之所能及。元微之尝谓诗人未有如子美者，信哉斯言也。”薛瑄《敬轩文集》（四库本）卷一九《游草堂记》：“考子美平日所作诸诗，虽当兵戈骚扰流离之际，道路颠顿冻饿之余，其忠君一念，炯然不忘，故其发而为诗也，多伤时悼乱痛切危苦之词。忧国爱民至诚恻怆之意，千载之下读之者，尚能使之愤懑而流涕，感慕而兴起，则子美之忠终始不渝又如此，非特不污贼中之一节为然也。”孙绪《沙溪集》（四库本）卷一三《无用闲谈》：“孔子，万世之师，恩同天地，诗人狂纵不检，直斥其名，如曰‘何必衔恨伤丘轲’、‘何必效丘也’之类，至杜甫乃直曰‘孔丘盗跖俱尘埃’，孔子何人？与盗跖并称，且直斥姓名，可谓忍心无忌惮者也。”何景明《大复集》（四库本）卷一四《明月篇序》：“仆读杜子七言诗歌，爱其陈事切实，布辞沉著，鄙心窃效之，以为长篇圣于子美矣。既而读汉魏以来歌诗，及唐初四子者之所为，而反复之，则知汉魏固承三百篇之后，流风犹可征焉。而四子者，虽工富丽，去古远甚，至其音节，往往可歌。乃知子美辞固沉著而调失流转，虽成一家语实则诗歌之变体也。夫诗本性情之发者也，其切而易见者，莫如夫妇之间，是以三百篇首乎《雎鸠》，六义首乎风，而汉魏作者，义关君臣

朋友，辞必托诸夫妇，以宣郁而达情焉，其旨意远矣。由是观之，子美之诗，博涉世故，出于夫妇者常少，致兼雅颂而风人之义或缺，此其调反在四子之下欤。”《升庵集》卷二《唐绝增奇序》：“少陵虽号大家，不能兼善。一则拘乎对偶，二则汩于典故。拘则未成之律诗，而非绝体；汩则儒生之书袋，而乏性情。故观其全集，自‘锦城丝管’之外，咸无讥焉。近世有爱而忘其丑者，专取而効之，惑矣。”《升庵集》卷六〇“诗史”：“宋人以杜子美能以韵语纪时事，谓之‘诗史’。鄙哉！宋人之见，不足以论诗也。夫六经各有体，……以杜诗之含蓄蕴藉者，盖亦多矣。宋人不能学之，至于直陈时事，类于讪讦，乃其下乘，而宋人拾以为己宝，又撰出‘诗史’二字以误后人。如诗可兼史，则《尚书》、《春秋》可以并省，又如今俗《卦气歌》、《纳甲歌》兼阴阳而道之，谓之‘诗易’可乎？”《艺苑卮言》卷四：“排律用韵稳妥，事不傍引，情无牵合，当为最胜。摩诘似之而才小不逮。少陵强力宏蓄，开阖排荡，然不无利钝。余子纷纷，未易悉数也。”《艺圃撷余》：“少陵故多变态，其诗有深句，有雄句，有老句，有秀句，有丽句，有险句，有拙句，有累句。后世别为‘大家’，特高于盛唐者，以其有深句、雄句、老句也。而终不失为盛唐者，以其有秀句、丽句也。轻浅子弟往往有薄之者，则以其有险句、拙句、累句也，不知其愈险愈老，正是此老独得处，故不足难之。独拙、累之句，吾不能为掩瑕。虽然，更千百世无能胜之者何？要曰：无露句耳。”焦竑《焦氏笔乘》（奥雅堂丛书本）卷三：“郑善夫有批点杜诗，其指摘疵颣，不遗余力，然实子美之知己。余子议论虽多，直观场之见耳。尝记其数则。一云：诗之妙处不必说到尽，不必写到真，而其欲说、欲写者，自宛然可想，虽可想而又不可道，斯得风人之义。杜公往往要到真处、尽处，所以失之。一云：长篇沉著顿挫，指事陈情，有根节骨格，此杜老独擅之能，唐人皆出其下。然诗正不以此为贵，但可以为难而已。宋人学之往往以文为诗，雅道大坏，由杜老启之也。一云：杜陵只欲脱去唐人工丽之体，而独占高古，盖意在自成一家，不肯随场作剧也。然诗终以兴致为宗，而气格反为病。”《唐诗镜》卷二一：“杜子美之胜人者有二：思人所不能思，道人所不敢道，以意胜也；数百言不觉其繁，三数语不觉其简，所谓‘御众如御寡’、‘擒贼先擒王’，以力胜也。五、七古诗，雄视一世，奇正雅俗，称题而出，各尽所长，是谓武库。五、七律诗，他人每以情景相和而成，本色不足者往往景饶情乏，子美直摅本怀，借景入情，点镕成相，最为老手。然多径意一往，潦倒太甚，色泽未工，大都雄于古者每不屑屑于律。故知用才实难，古人小物必勤，良有以也。”《诗镜总论》：“子美之病，在于好奇，作意好奇，则于天然之致远矣。五、七言古，穷工极巧，谓无遗恨。细观之，觉几日不得自在。”又云：“少陵五言律，其法最多，颠倒纵横，出人意表。余谓万法总归一法，一法不如无法。水流自行，云生自起，更有何法可设？”又云：“少陵七言律，蕴藉最深，有余地，有余情。情中有景，景外含情。一咏三讽，味之不尽。”《唐音癸签》卷九：“拟古乐府，至太白几无憾，以为乐府第一手矣。谁知又有杜少陵出来，嫌仿真古题为赘剩，别制新题咏，见事以合风人刺美时政之义，尽跳出前人圈子，另换一番钳锤，觉在古题中翻弄者仍落古人窠臼，未为好手。‘尽道胡须赤，又有赤须胡’，两公之谓矣。”又卷一〇：“杜公七律，正以其负力之大、寄悰之深，能直抒胸臆，广酬事物之变而无碍，为不屑屑色声香味间取媚人观耳。中间尽有涉于倨诞、邻于愤怼、入于俚鄙者，要皆偶趁机绪，以吐噏精神，材料一无拣择，义谛总归情性，令人乍读觉面貌可疑，久咀叹意味无尽。”又云：“少陵七律与诸家异者有五：篇制多，一也；一题数首不尽，二也；好作拗体，三也；诗料无所不入，四也；好自标榜，即以诗入诗，五也。此皆诸家所无。其它作法之变，更难尽数。不善学者，多岐为惑，每至失步；善学者，一体各占，尽足成家。”又卷二五：“千载仅有杜诗，千载仅有杜公诗遘耳。凡诗，一人有一人本色。无天宝一乱，鸣候止写承平；无拾遗一官，怀忠难入篇什，无杜诗矣。故论杜诗者，论于杜世与身所遘，而知天所以佐成其诗者实巧。”朱鹤龄《愚庵小集》（四库本）卷七《辑注杜工部集序》曰：“子美之诗，惟得性情之至正而出之，故其发于君父、友朋、家人、妇子之际者，莫不有敦笃伦理、缠绵箢结之意，极之履荆棘、漂江湖，困顿颠踬，而拳拳忠爱不少衰，自古诗人变不失贞，穷不陨节，未有如子美者，非徒学为之，其性情为之也。子美没已千年，而其精诚之照古今、殷金石者，时与天地之噫气、山水之清音，嶒崆响答于溟涬澒洞太虚寥廓之间。学者诚能澄心祓虑，正己之性情，以来遇子美之性情，则崆峒仙仗之思、茂陵玉盌之感，与夫杖藜丹壑、倚棹荒江之态，犹可俨然晤其生面，而揖之同堂，不必以一二隐语僻事，耳目所不接者为疑也。夫诗有可解者，有不可解者。指事陈情、意含风谕，此可解者也；托物假象、兴会适然，此不可解者也。不可解而强解之，日星动成比拟，草木亦涉瑕疵，譬诸图罔象而刻空虚也；可解而不善解之，前后贸时，浅深乖分，欣忭之语，反作诮讥忠剀之词，几邻怼怨，譬诸玉题珉而乌转舄也。二者之失，注家多有兼之。”《杜诗详注》“补注”卷下引卢世漼《紫房余论》曰：“五言律，至盛唐诸家，而声音之道极矣，然未有富如子美者。既富矣，又有用也。感天地，动鬼神，吁谟定命，远猷辰告，蒿目时艰，勤恤民隐，主文而谲谏，言者无罪，闻之者足以戒，此所谓有用之文章也，乃工声律者之所未尝讲，而子美氏之所独饶也。若夫好色则为《国风》，怨诽则为《小雅》，直于今体数十字内，自铸《离骚》，天荒地老，俿得杜陵，洋洋乎盈耳哉。”又云：“杜诗远虑深忧，固其独携之怀抱，即托物寄言，亦其全副之精神。往往愁处令人悲凉，欲绝快处令人歌舞不休；又有乍看无端，寻思有谓，就不阡不陌中，而条理指归，一一可按者；又有兴言在此，寓意在彼，就寻常尺幅内，而涵融笼罩、荡荡难名者。准绳最密，神理纵横，淘练极清，奇葩焕发。分明古训，降作律诗，以至造化权舆，阴阳昏晓，飞潜动植，表里精粗，但经弱毫微点，靡不真色毕呈。所云‘下笔如有神’，良非妄语。”《读杜心解》卷首《读杜提纲》：“读杜逐字句寻思了，须通首一气读。若一题几首，再连章一片读。还要判成片工夫，全部一齐读。全部诗竟是一索子贯。”又云：“读杜须耐拙句、率句、狠句、质实句、生硬句、粗糙句。”又云：“玄、肃之际多微辞。读者要屏去逆料意见、腹诽意见、追咎意见。老杜爱君，事前则出以忧危，遇事则出以规讽，事后则出以哀伤。这里磋一针，厚薄天渊。”又云：“说杜者云每饭不忘君，固是。然只恁地说，篇法都坏。试思一首诗本是贴身话，无端在中腰夹插国事，或结尾拖带朝局，没头没脑，成甚结构？杜老即不然。譬如《恨别》诗：‘闻道河阳近乘胜，司徒急为破幽燕’，是望其扫除祸本，为还乡作计。《出峡》诗：‘朝士兼戎服，君王按湛卢’、‘五云高太甲，六月旷抟扶’，是言国乱尚武，耻与甲卒同列，因而且向东南。以此推之，慨世还是慨身。

太史公《屈平传》谓其‘系心君国，不忘欲反，冀君一寤，俗之一改也。然终无可奈何，故不可以反’数语，正踏著杜氏鼻孔。益信从前客秦州之始为寇乱，不为关辅饥，原委为然。”又云：“代宗朝诗，有与国史不似者。史不言河北多事，子美日日忧之；史不言朝廷轻儒，诗中每每见之。可见史家只载得一时事迹，诗家直显出一时气运。诗之妙，正在史笔不到处。若拈了死句，苦求证佐，再无不错。”《诗筏》：“杜诗韩文，其生处即其熟处，盖其熟境，皆从生处得力。百物由生得熟，累丸斫垩，以生为熟，久之自能通神。若舍难趋易，先走熟境，不移时而腐败矣！”又云：“若子美则诗人也，诗以《骚》为祖，以赋为祢，以汉、魏诸古诗，苏、李、《十九首》，陶、谢、庾、鲍诸人为嫡裔。子美诗中沉郁顿挫，皆出于屈、宋，而助以汉、魏、六朝诗赋之波澜。《文选》诸体悉备，纵选未尽善，而大略具矣。子美少年时，烂熟此书，而以清矫之才、雄迈之气鞭策之，渐老渐熟，范我驰驱，遂尔独成一体。虽未尝袭《文选》语句，然其出脱变化，无非《文选》者。生平苦心在此一书，不忍弃其所自，故言之有味耳。”又云：“然余观子美诗，创而不沿，孤而无偶，竟不能指某篇某句出《风》、《雅》，出沈、宋，出苏、李，出曹、刘，出颜、谢，出徐、庾也。如蜂采百花以酿蜜，不能别蜜味为某花也。如秦人销天下兵器为金人十二，不能别金人之头面手足为某兵器也。合众体以成一子美，要亦得其自体而已。今之学少陵者，分其一体，便谓逼真少陵，恐少陵不如是之多也。”又云：“大凡读子美洋洋大篇，当知他人能短者不能长，能少者不能多，能人者不能天，惟子美能短能长，能少能多，能人能天，亦复愈长愈短，愈多愈少，愈人愈天。如韩信用兵，多多益善，百万人如一人。汉高虽以神武定天下，然所将不过十万而已。然则子美能长能多，而非‘排比’、‘觌缕’之谓。‘排比’、‘觌缕’，亦子美用长用多之一斑，然不足以尽子美也。韩信多多益善，然其奇在以万人作背水阵，破赵兵二十万。盖韩信之能在用多，而其奇在用少。子美亦然。故于五言长篇，虽见能事，然其短篇，尤为神奇。三韵诗短极矣，然短而愈妙。盖未有不能用少而能用多者。若太白短篇佳矣，乃其《蜀道难》、《鸣皋歌》、《梦游天姥吟》诸篇，亦何遽不如子美长歌。读二家诗者，勿随人看场可也。”《杜诗详注》“补注”卷下引屠隆曰：“王元美谓少陵集中，不啻有数摩诘，此语误也。少陵沉雄博大，多所包括，而独少摩诘之冲然幽适、冷然独往，此少陵生平所短也。少陵慷慨深沉，不除烦热。摩诘参禅悟佛，心地清凉，胸次原自不同。或谓杜万景皆实，李万景皆虚，乃右实而左虚，遂谓李杜优劣在虚实之间。诗有虚有实，有虚虚，有实实，有虚而实，有实而虚，并非错出，何可端倪。且杜若《秋兴》诸篇，托意深远，如《画马行》神情横逸，直将播弄三才，鼓铸群品，安在其万景皆实。而李如《古风》数十首，感时托物，慷慨沉著，安见其万景皆虚。或又谓唐人惟少陵兼雅俗文质，无所不有，其最可喜者，不避粗硬，不讳朴野。余谓老杜大家，言其兼雅俗文质，无所不有，是矣。乃其所以擅场当时、称雄百代者，则多得之悲壮瑰丽、沉郁顿挫。至其不避粗硬，不讳朴野，固云无所不有，亦其资性则然，老杜所称擅场，正不在此。”《围炉诗话》卷四：“子美之诗，多发于人伦日用之间，所以日新又新，读之不厌。太白饮酒学仙，读数十篇倦矣。读杜集，粗语、笨语有之，曾无郛廓语。”庞垲《诗义固说》（《清诗话续编》本）卷上：“子美近体真朴，得汉魏之遗。五言古别为一家，佳者可入汉魏，惟好牵时事入诗，遂参错不成章者，不必论也。"《原诗》内篇上："千古诗人推杜甫，其诗随所遇之人、之境、之事、之物，无处不发其思君王、忧祸乱、悲时日、念友朋、吊古人、怀远道，凡欢愉、幽愁、离合、今昔之感，因题达情，因情敷句，皆因甫有起胸襟以为基。如星宿之海，万源从出；如占燧之火，无处不发；如肥土沃壤，时雨一过，夭夭万物，随类而兴，生意各别，而无不俱足。"《唐诗别裁集》卷一〇："杜诗近体，气局阔大，使事典切，而任所不可及处，尤在错综任意，寓变化于严整之中，斯足陵轹千古。"又卷三："杜七言律有不可及者四：学之博也，才之大也，气之盛也，格之变也。五色藻绘，八音和鸣，后人如何仿佛?""少陵绝句，直抒胸臆，自是大家气度，然以为正声则未也。宋人不善学之，往往流于粗率。杨廉夫谓学杜须从绝句入，真欺人语。"《说诗晬语》卷上："少陵歌行，如建章之宫，前门万户；如巨鹿之战，诸侯皆壁上观，膝行而前，不敢仰视；如大海之水，长风鼓浪，扬泥沙而舞怪物，灵蠢毕集。与太白各不相似，而各造其极，后贤未易追逐，比之扫残毫颖，时带颓秃。"吴骞《拜经楼诗话》（《清诗话》本）："少陵诗用双声叠韵，人皆知之。又往往嵌杂于五、七言中，使人乍读之不觉，细玩乃知其下笔之妙。"黄子云《野鸿诗的》（《清诗话》本）："杜之五律、五七言古，三唐诸家亦各有一二篇可企及；七律则上下千百年无伦比。其意之精密，法之变化，句之沉雄，字之整练，气之浩瀚，神之摇曳，非一时笔舌所能罄。"《梅崖诗话》："赵秋谷《谈龙录》载阮问翁不喜少陵，每引杨大年'村夫子'语以见意。余谓……老杜何尝无才调神韵，但不以此见长耳。或谓杜诗实苦乏神韵，曰：阮亭神韵使人易见，老杜神韵使人难知。"又云："杜诗'语不惊人死不休'，'惊人'二字，须善体会。眼前景，口头语，从性情流出，正复娓娓动人。若一味作险话，破鬼胆，便易入恶道矣。"姚范《援鹑堂笔记》（道光刊本）卷四四《文史谈艺》："老杜自称其长，谓沉郁顿挫。所谓顿挫者，欲出不遽出，字字句句持重不流。"《麓堂诗话》："长篇中须有节奏，有操，有纵，有正，有变。若平铺稳布，虽多无益。唐诗类有委曲可喜之处，惟杜子美顿挫起伏，变化不测，可骇可愕，盖其音响与格律正相称。回视诸作，皆在下风。然学者不先得唐调，未可遽为杜学也。"《杜诗详注》"补注"卷下引黄生《杜诗说》："杜诗如看一处大山水，读杜律如读一篇长古文。其用意之深，取境之远，制格之奇，出语之厚，非设身处地，若与公周旋于花溪草阁之间，亲陪其杖屦，熟闻其謦欬，则作者之精神不出，阅者之心孔亦不开。"又云："杜诗所以集大成者，以其上自骚雅下迄齐梁，无不咀其英华，探其根本，加以五经三史博综贯穿，如五都列肆百货无所不陈，如大将用兵所向无不如意。材之所取者博，而运以微茫窈渺之思；力之所自负者宏，而寓以沉郁顿挫之旨。以言乎大则含元气，以言乎细则入无伦，以言乎天地之间则备矣。此所以兼前代之制作而为斯道之范围也欤。"又云："李杜齐名，古今不敢轩轾。予谓太白才由天纵，故能以其高，敌子美之大耳。至论其胎骨，则'清新庾开府，俊逸鲍参军'，杜之目李，确不可易。岂与攀屈宋而驾曹刘者，可同日论哉！"又云："杜公近体分二种：有极意经营者，有不烦绳削者。极意经营，则自破万卷中来；不烦绳削，斯真下笔有神助矣。夔州以前，夔州以后，二种并具，乃山谷、晦翁，偏有所主，不知果以何者拟杜之心神也。"又云："近体首主格律，傅之以色泽，运之以风神，斯登上品。乃杜公经史骚赋，盘郁胸中，

溢为近体，时觉陶镕有未尽处，其包举唐贤以此，其与唐贤分路扬镳亦以此。披沙拣金，簸糠得米，是在选者之功矣。”又云：“予谓杜之所以为大家者，以其能集诗流之成也。是故杜诗中兼有诸子，诸子诗中不能兼有杜。”《静居绪言》：“杜陵诗只在人伦事物之间，无甚幻思奇想，何以古今莫二？毕竟见识过人，不必谓其所遇之坎坷及无一字无来历为妙也。即常语一经此老道之，便觉异样生色。”《贞一斋诗说》：“作诗善用赋笔，惟杜老为然。其间微婉顿挫，总平直，须善学始得。其它名手，未有不比兴兼之。”《昭昧詹言》卷一一：“叙事能叙得磊落跌宕，中又插入闲情，文外远致，此惟杜公有之。”又卷一四：“杜公（七律）所以冠绝古今诸家，只是沉郁顿挫，奇横恣肆，起结承转，曲折变化，穷极笔势，迥不由人。山谷专于此苦用心。”“学于杜者，须知其言高旨远，一也；奇警而出之自然，流吐不费力，二也；随意喷薄，不装点做势安排，三也；沉著往来，不拘一定而自然中律，四也。”《艺概》卷二“诗概”：“杜诗高、大、深，俱不可及。吐弃到人所不能吐弃，为高；涵茹到人所不能涵茹，为大；曲折到人所不能曲折，为深。”又云：“杜诗只‘有、无’二字足以评之。有者，但见性情气骨也；无者，不见语言文字也。”又云：“杜陵五七古叙事，节次波澜，离合断续，从《史记》得来，而苍莽雄直之气，亦逼近之。毕仲游但谓杜甫似司马迁，而不系一词，正欲使人自得耳。”又云：“少陵以前律诗，枝枝节节为之，气断意促，前后或不相管摄，实由于古体未深耳。少陵深于古体，运古于律，所以开阖变化，施无不宜。”蒋士铨《杜诗详注集成序》：“杜诗，诗中之四子书也。事不出伦纪之间，道不出治平之内，而趣溢于风骚，体兼乎雅颂，诗人性情之厚，议论之醇，无有过于少陵者。”《杜诗详注》“补注”卷下引张远《杜诗会萃自叙》：“先君子尝以少陵诗集相示曰：此风雅之宗，光焰万丈，读之可以畅性灵、广闻见、斥浮葩而竖风骨。既卒业，窅而深，典而博，茫无所得，兼以举子业弃去，所不饱蠹腹者仅尔。乙卯秋，风烟四起，键户却扫，除经史词赋外，凡诸子百家，稗官野乘，覆瓿片纸，罔不旁搜弘览，而少陵固已收拾无余。始信古人所云，无一字无来历非虚语也。栉比之下，得其概矣，未得其神。研精久之，乃悟其所居何地，所际何时，所历何职，悲愤笑乐，皆有所为而作。沉思涵泳，见有绚烂者，见有平淡者，见有雄壮者，见有超旷者，见有奔放者，见有谨严者，见有沉郁顿挫者。语其格，则有偷春，有进退，有辘轳，有流水，有间字，有倒装，有双承，有迭句，有扇对，有各自为对，有首尾相应如古文体者；无蜂腰，无鹤膝，无悬脚，无平头，无剿说，无雷同，千变万化，不可纪极。如造物生人，阅古历今，穷山际海，终无一人相似，真奇绝也。”唐良《书巢笺注杜工部七言律诗序》：“予谓子美之才，未必大过于高、岑、王、孟，而学问性情，则诸君断无以窥其堂奥。”……少陵长篇及五、七言近体，一种忧时眷主深微笃至之理，有汉宋诸儒所不能道者。但其沉鸷顿挫，亦复高华典丽，理未免以辞掩耳。不察其诚，然而概谓以情入，则少陵亦柳耆卿、张孝祥之流亚，而又乌足以为少陵耶？《问斋杜意》徐秉义“序”：“杜诗不易读也。诸家之诗，各有所长，其妙易见；独子美之诗，兼诸所有，读者以全力周旋，尝应接不暇。观其身当明皇、肃、代之世，任将用兵，播迁克复，天时人事，无所不纪。虽有得于比兴讽刺之体，而其奇变综明，则有似乎子长、孟坚之书，又其学富，其言远，经史百家，以至佛老舆象，莫不陶冶而出之。有经济，有权

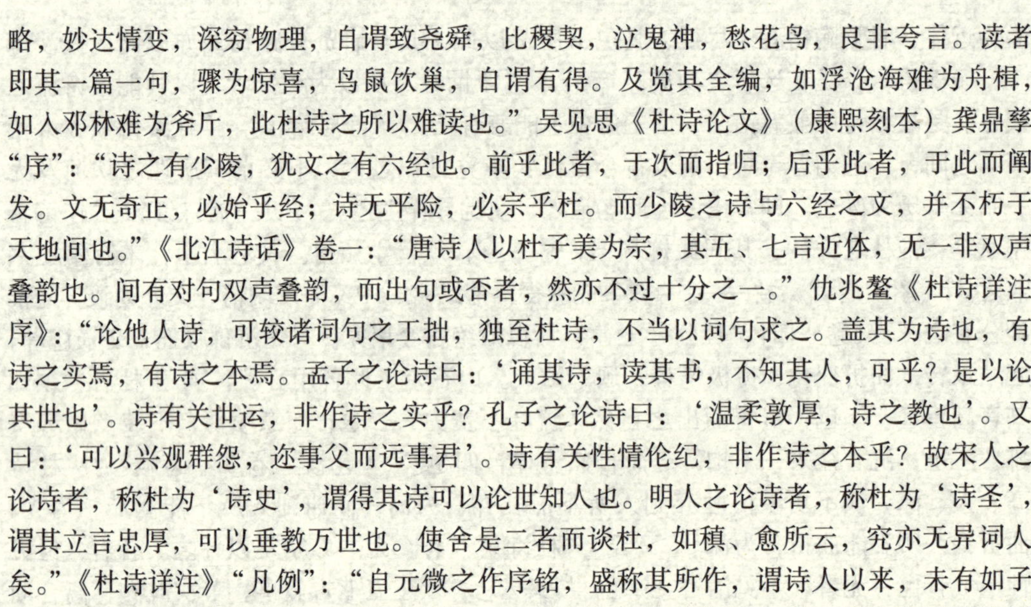

略，妙达情变，深穷物理，自谓致尧舜，比稷契，泣鬼神，愁花鸟，良非夸言。读者即其一篇一句，骤为惊喜，鸟鼠饮巢，自谓有得。及览其全编，如浮沧海难为舟楫，如入邓林难为斧斤，此杜诗之所以难读也。”吴见思《杜诗论文》（康熙刻本）龚鼎孳“序”：“诗之有少陵，犹文之有六经也。前乎此者，于次而指归；后乎此者，于此而阐发。文无奇正，必始乎经；诗无平险，必宗乎杜。而少陵之诗与六经之文，并不朽于天地间也。”《北江诗话》卷一：“唐诗人以杜子美为宗，其五、七言近体，无一非双声叠韵也。间有对句双声叠韵，而出句或否者，然亦不过十分之一。”仇兆鳌《杜诗详注序》：“论他人诗，可较诸词句之工拙，独至杜诗，不当以词句求之。盖其为诗也，有诗之实焉，有诗之本焉。孟子之论诗曰：‘诵其诗，读其书，不知其人，可乎？是以论其世也’。诗有关世运，非作诗之实乎？孔子之论诗曰：‘温柔敦厚，诗之教也’。又曰：‘可以兴观群怨，迩事父而远事君’。诗有关性情伦纪，非作诗之本乎？故宋人之论诗者，称杜为‘诗史’，谓得其诗可以论世知人也。明人之论诗者，称杜为‘诗圣’，谓其立言忠厚，可以垂教万世也。使舍是二者而谈杜，如稹、愈所云，究亦无异词人矣。”《杜诗详注》“凡例”：“自元微之作序铭，盛称其所作，谓诗人以来，未有如子美者。故王介甫选四家诗，独以杜居第一。秦少游则推为孔子大成，郑尚明则推为周公制作，黄鲁直则推为诗中之史，罗景纶则推为诗中之经，杨诚斋则推为诗中之圣，王元美则推为诗中之神。诸家无不崇奉师法。宋惟杨大年不服杜，诋为村夫子，亦其所见者浅。至嘉、乾间，突有王慎中、郑继之、郭子章诸人，严驳杜诗，几令身无完肤，真少陵蟊贼也。杨用修则抑扬参半，亦非深知少陵者。”

本年

苏涣于潭州兵乱后至广州，作《变律诗》上李勉。

姚伦在洛阳，有《过章秀才洛阳客舍》。姚伦（生卒年不详），陕州硖石人。官至扬州仓曹参军。事迹见《中兴间气集》卷下、《唐诗纪事》卷二九等。

梁肃年十八，“赵郡李遐叔、河南独孤至之始见其文，称其美，由是大彰名于海内。”（崔元翰《梁肃墓志》）

薛涛约本年生。薛涛（770？—832），字洪度，长安人。幼随父郧仕官入蜀，父卒，流寓蜀中。贞元元年，韦皋镇蜀，召薛涛侑酒赋诗，遂入乐籍。五年坐事罚赴松州，献诗获归，后脱乐籍，居浣花溪。元和二年武元衡镇蜀，奏为校书郎，格于旧例，未授。晚年迁居碧鸡坊，大和六年卒。《郡斋读书志》著录《锦江集》五卷，《直斋书录解题》著录《薛涛集》一卷。今存《薛涛集》一卷，近人张蓬舟为作笺。

公元771年（唐代宗大历六年　辛亥）

二月

王溆、章八元、路季登、沈竦、赵需、张惟俭、卢景亮、杨於陵、郑絪等二十八人登进士第；时礼部侍郎刘单知上都举，东都留守张延赏知东都举。试《初日照露盘赋》、《寒夜闻霜钟》诗。韦应物在洛阳任河南兵曹参军，诗有《送章八元秀才擢第往

上都应制》。卢景亮（？—806），《新唐书》卷一六四本传："卢景亮，字长晦，幽州范阳人。少孤，学无不览。第进士、宏辞，授秘书郎。张延赏节度荆南表为枝江尉、掌书记，入迁右补阙，……贬为朗州司马，（穆）质亦斥去，废抑二十年。至宪宗时，由和州别驾召还，再迁中书舍人。景亮善属文，根于忠仁，有经国志，尝谓：'人君足食足兵，而又得士，天下可为也。'乃兴轩顼以来至唐，剟治道之要，著书上、下篇，号《三足记》。又作《答问》，言挽运大较及陈西戎利害，切指当世，公卿伏其达古今云。元和初卒。"

卢纶因元载之荐，补阌乡尉。有诗《将赴补阌乡灞上留别钱起员外》。

三月

李幼卿在滁洲刺史任，赋琅琊溪八题，已佚。独孤及《琅琊溪述》载其事，李阳冰亦为之撰《庶子泉铭》。

戴叔伦在湖南，巡郴州、永州诸地。有诗《将巡郴永途中作》、《桂阳北岭偶过野人所居聊书即事呈王永州邕李道州圻》。秋，有诗《将至道州寄李使君》、《留别道州李使君圻》、《再巡道永留别》。

闰三月

颜真卿罢抚州刺史，命本州秀才左辅元编次其抚州所作为《临川集》一〇卷。四月，犹在抚州，作《抚州南城县麻姑山仙坛记》。

春

刘长卿在扬州，有诗《寄普门上人》。夏，徙鄂州为转运使判官、知淮西鄂岳转运留后。秋，出使湖南。有诗《湘中纪行十首》、《赠湘南渔父》、《长沙赠衡岳祝融峰般若禅师》等。冬，在潭州，有诗《赠元容州》、《自道林寺西入石路至麓山寺过法崇禅师故居》、《逢雪宿芙蓉山主人》、《奉酬辛大夫喜湖南腊月连日降雪见示之作》、《岁夜喜魏万成郭夏雪中相寻》、《题万成江亭》等。【湘中纪行十首】《对床夜语》卷五："刘长卿有《湘中纪行十首》。《花石潭》有云：'水色深如空，山光复相映。'《浮石濑》云：'秋色照潇湘，月明闻荡桨。'《横龙渡》云：'乱声沙上石，倒影云中树。'皆胜语也。他如'天光映波动，月影随江流'，又'入夜翠微里，千峰明一灯'，又'潮气和楚云，夕阳映江树'，又'卷帘高楼上，万里看日落'，辞妙气逸，如生马驹，不为缰络所絷，读之使人飘飘然，有凭虚御风之意。谓其'思锐方窄'者，不亦诬矣。"【长沙赠衡岳祝融峰般若禅师】《删补唐诗选脉笺释会通评林》"中唐七古上"徐中行曰："词极调美，而语意自正定出。"唐汝询曰："'归路'二句，见师之出山。尾句到处随缘无归意。"【逢雪宿芙蓉山主人】《批点唐音》卷一二："此所谓真语真情者，清语古调，近实，故妙。"《唐风定》卷二〇："情真语真。"《唐诗笺注》卷七："上二句孤寂况味。犬吠归人，若惊若喜，景色入妙。"《唐诗合选详解》卷三："首见行之难至，次言家之萧条。闻犬吠而睹雪中归人，当有牛衣对泣景象。此诗直赋实事，然令落魄者读之，真足凄绝千古。"《大历诗略》："宜入宋人团扇小景。"《岘佣说诗》："较王、韦浅，其清妙自不可废。"《唐诗评注读本》（王文濡选，汪处庐、金熙注，上海文明书局铅印本）卷三："日暮途穷，天寒而继风雪，写尽旅行之苦，幸有白屋可以寄宿，苦中得乐，聊以自慰。"【奉酬辛大夫喜湖南腊月连日降雪见示之作】《唐诗贯珠》："耆老以大夫德政，有丰年之兆，故望旄麾而拜，喜雪之故也。柳絮三年冬早见，梅花一夜遍开，皆指雪色。迟乃雪照不夜。两联轻秀可喜。结因楚地，复以郢中白雪高歌，扭合之妙。"【赠元容州】《唐诗镜》卷二九："浑厚之病，邻于模糊，精琢则体瘦神清。初、盛时亦有肥瘦相兼之病。"

皇甫冉卒于丹阳，年五十四。《全唐诗》卷二四九至二五〇编其诗为两卷，《全唐诗补编·补逸》卷六补一首，复出一首，《续补编》卷四补三首，《续拾》卷一五补二首。《中兴间气集》卷上选其诗十三首，评云："冉诗巧于文字，发调新奇，远出情外。然而'云藏神女馆，雨到楚王宫'，与'闭门白日晚，倚杖青山暮'，及'远山重叠见，芳草浅深生'，'岸草知春晚，沙禽好夜惊'，又'燕知社日辞巢去，菊为重阳冒雨开'，可以雄视潘、张，平揖沈、谢，又《巫山诗》终篇奇丽，自晋宋齐梁陈隋以来，采掇者无数，而补阙独获骊珠，使前贤失步，后辈却立，自非天假，何以逮斯。长辔未骋，芳兰早凋，悲夫。"《毗陵集》卷一三《唐故左补阙安定皇甫公集序》："沈宋既殁，而崔司勋颢、王右丞维复崛起于开元、天宝之间，得其门而入者，当代不过数人，补阙其一人也。补阙讳冉，字茂政……其诗大略以古之比兴，就今之声律，涵咏风骚，宪章颜、谢。至若丽曲感动，逸思奔发，则天机独得，非师资所奖。每舞雩咏归，或金谷文会，曲水修禊，南浦怆别，新意秀句，辄加于常时一等，才钟于情故也。"高仲武《皇甫冉集序》："皇甫冉补阙，自擢桂礼闱，遂为高格。往以世道艰虞，避地江外，每文章一到朝廷，作者为之变色。于词场为先锋，推钱、郎为伯仲，谁家胜负，或逐鹿中原。"《唐诗纪事》卷二七："张曲江深爱之，谓清颖秀拔，有江、徐之风。"《唐诗品》："皇大诗意在遣情，时出奇瑰，酬应弥多，而兴寄闲暇。高仲武极取《巫山篇》，至于排体所长，乃遗采拾。……而拟骚诸篇，亦皆楚人之致。天宝以后作者虽多，而翩翩有盛时之风，茂政兄弟皆能使人失步，岂非玉兰森然之会耶。"《唐诗笺要》："懋政情致绰约，建中以降，自莫与俦。"《大历诗略》："补阙五言之善者，犹夷绰约，有何仲之音韵，特歌行体弱耳。律诗当与李从一比肩，精警或不足，而闲淡过之矣。"《唐诗观澜集》："冉诗天机独得，远出情外。每文章一到朝廷，作者为之变色。"《唐诗别裁集》卷一四："七律至随州，工绝亦秀绝矣。然前此浑厚兀奡之气不存。降而君平、茂政，抑又甚焉。风会使然，岂作者莫能自生耶。"《载酒园诗话》又编："两皇甫殊胜二包，虽取境不远，而神幽韵洁，有凉月疏风、残蝉新雁之致。如补阙之'果熟任霜封，篱疏从水渡'，'山晚云和雪，汀寒月照霜'，'裛露收新稼，迎寒葺旧庐'，昔人赏鉴固自不错。"

李嘉祐赴袁州刺史任。有《袁江口忆王司勋王吏部二郎中起居十七弟》、《酬皇甫十六侍御曾见赠》。

皎然在湖州。有诗《奉和裴使君清春夜南堂听陈山人弹白雪》。与韩章有《春日对

雨联句》，与韩章、杨秦卿、仲文有《春日会韩武康章后亭联句》。

四月

代宗御宣政殿试制举人，登科者十五人。李益、郑珣瑜登讽谏主文科，陈润登茂才异等科。

五月

敦煌沙门弘忍抄王梵志《回波乐》等诗一百一十首，见《苏联藏敦煌手稿总目》编目一四五六。

夏

李端在京官校书郎，有诗《得山中道友书寄苗钱二员外》、《酬前驾部员外郎苗发》。

韦应物在洛阳，有诗《贾常侍林亭燕集》。《唐诗镜》卷三〇：“气韵芬芳。‘绿林霭已布，华沼淡不流’，重之有味，知诗者自当领之。”

八月

韦元甫卒。《全唐诗》卷二七二存其诗一首，《全唐文》卷四三四存其文五篇。《旧唐书》卷一一五《韦元甫传》：“元甫精于简牍，（员）锡详于讯覆，（韦）涉推诚待之，时谓‘员推韦状’。”

九月

严维在越州。有诗《赠送朱放》，时朱放移居杭州。后严维赴杭，有诗《相里使君宅听澄上人吹小管》、《九日登高》。

本年

樊晃在润州刺史任，采杜甫遗文二百九十篇，编为《杜甫小集》六卷，传于江左。见其《杜工部小集序》。

包何至江南杭、婺、虔等地。有诗《相里使君第七男生日》、《婺州留别邓使君》、《和孟虔州闲斋即事》。

李华居楚州，风病目疾。有《送张十五往吴中序》、《萧颖士文集序》。

怀素在湖南。戴叔伦、王邕、窦冀、鲁收、朱逵均有《怀素上人草书歌》，许瑶有《题怀素上人草书》。

窦巩生。窦巩（771—830），字友封，号嗫嚅翁，行七，京兆金城人，郡望扶风。元和二年进士及第，为滑州节度从事。八年为山南东道节度掌书记，九年为荆南节度掌书记，迁副使。宝历元年入为侍御史，转司勋员外郎，刑部郎中。大初中为浙东观察使元稹辟为副使，四年随元稹移镇武昌。五年元稹卒后北归，至长安，卒。《新唐书·艺文志》著录《窦氏联珠集》五卷，收巩与诸兄弟诗各一卷。据褚藏言《窦巩传》，《旧唐书》卷一五五、《新唐书》卷一七五《窦群传》附传、《唐诗纪事》卷三一、《唐才子传》卷四。

公元772年（唐代宗大历七年　壬子）

正月

韩翃在长安，有《赠郓州马使君》。春，韩翃、钱起、郎士元在长安，有诗和李嘉祐。韩翃作《送王侍御赴江西兼寄李袁州》，郎士元作《寄李袁州桑落酒》，钱起有《寄袁州李嘉祐员外》、《郎四补阙东归》。郎四，即郎士元。秋，韩翃有诗《送李中丞赴辰州》。

白居易生于郑州新郑县。白居易（772—846），字乐天，晚号香山居士、醉饮先生，行二十二。祖籍太原，后迁居下邽。建中三年随父至徐州别驾任所，后避乱越中。贞元十六年登进士第，十八年登书判拔萃科，次年授秘书省校书郎。元和元年中才识兼茂明于体用科，授盩厔尉。二年十一月任翰林学士。后历左拾遗、京兆府户曹参军等职。六年丁母忧，服阙，召授太子左赞善大夫。十年秋，因上书请急捕刺杀武元衡者，越职言事，贬江州司马。十三年东，转忠州刺史。穆宗即位，召为尚书司门员外郎。十二月，改授主客郎中、知制诰。长庆元年为中书舍人。明年求外任，除杭州刺史。四年五月，除太子左庶子分司东都。宝历元年三月，再除苏州刺史，次年九月因病罢归洛阳。大和元年征为秘书监，次年除刑部侍郎，三年，以太子宾客分司东都。后定居洛阳，历河南尹、太子宾客、太子少傅等职。会昌二年以刑部尚书致仕。六年八月卒。《新唐书·艺文志》著录《白氏长庆集》七五卷、《八渐通真仪》一卷、《白氏经史事类》三〇卷、与元稹唱和之《元白继和集》、与元稹及崔玄亮唱和之《三州唱和集》、与刘禹锡唱和之《刘白唱和集》三卷。白居易生前曾几度自编文集，如长庆年间之《白氏长庆集》五〇卷，晚年所编《前集》五〇卷、《后集》二〇卷、《续后集》五卷，共七十五卷，后者又写五本分藏各处。宋代所传，出于庐山东林寺藏本，仅有前、后集完备，《续后集》仅存一卷，即为七十一卷本《白氏长庆集》，有南宋初绍兴间刻本留存，文学古籍刊行社于1955年据以影印，顾学颉点校本亦以此为底本，补录《外集》二卷，改称《白居易集》（中华书局1979）。明清刊白集或白诗颇多，影响较著者有：明正德十四年郭勋刻本《白乐天文集》三十六卷，万历三十四年云间马元调刊《白氏长庆集》七十一卷，清汪立名编注《白香山诗集》四十卷等。敦煌卷子伯2492有“白氏诗集”一卷，收录部分讽谕诗及其它散见诗。日本古抄本可分为三个系统：以神田本为中心的《新乐府》诗抄本；金泽文库本，今仅存三〇余卷，源出于会昌四年苏州南禅院抄本；《白氏文集要文抄》、《重抄文集抄》和《重抄管见抄》等。刻本有那波道圆活字本《白氏文集》，刊于后水尾天皇元和四年（1618），所据覆宋本约为南宋高宗时刻本，其源出自五代东林寺本。今人朱金城有《白居易集笺校》（上海古籍出版社 1988）。

刘长卿在潭州，有诗《酬郭夏人日长沙感怀见赠》。春，作诗《晦日陪辛大夫宴南亭》、《陪辛大夫西亭观妓》、《春日宴魏万成湘水亭》、《长沙早春雪后临湘水呈同游诸子》、《春过裴虬郊园》、《送道标上人归南岳》、《重送道标上人》等。后返鄂州，作诗《汉阳献李相公》。【长沙早春雪后临湘水呈同游诸子】《唐诗归》钟惺云："圆厚法老。看中唐以后排律，当拈出以留气运。"【送道标上人归南岳】《四溟诗话》卷四："此作雅淡有味，但虚字太多，气格稍弱。"【汉阳献李相公】《唐诗贯珠》："上五句写尽世情炎凉、门可张罗之况。第三尤刻画。第四极凄凉。第六言其退志，比之少伯耳。一篇冷话，得结句一换，便不寂寞，而第八风韵之至。"

二月

张式、畅当、王仲堪、王础、胡珦等三十三人登进士第，时礼部侍郎张谓知上都举。畅当（生卒年不详），行大，河东人。十三年任弘文馆校书郎。建中四年招募从军，入山南节度幕。约兴元元年任河中参军。贞元二年为太常博士。后为果州刺史。约卒于贞元末。与卢纶、李端等交游酬唱。事迹见《极玄集》卷上、《新唐书》卷二〇二本传、《唐诗纪事》卷二七、《唐才子传》卷四。

四月

贾至卒，年五十五。独孤及作《祭贾尚书文》。《全唐诗》卷二三五编其诗一卷，《全唐文》卷三六六至三六八编其文为三卷，《唐文拾遗》卷二二补文一篇，文中杂有后人作品。《毘陵集》卷二〇有《祭贾尚书文》。《皇甫持正集》卷一《谕业》："贾常侍之文，如高冠华簪，曳裾鸣玉，立于廊庙，非法不言，可以望为羽仪，资以道义。"《苕溪渔隐丛话》前集卷一〇引《蔡宽夫诗话》："唐自景云以前，诗人犹习齐梁之气，不除故态，率以纤巧为工。开元后，格律一变，遂超然越度前古。当时虽李、杜独据关键，然一时辈流，亦非大和、元和间诸人可跂望。如王摩诘世固知之矣，独贾至未见深称者。余尝观其五言，如'极浦三春草，高楼万里心。楚山晴霭碧，湘水暮流深。忽与朝中旧，同为泽畔吟。停杯试北望，还欲泪沾襟'。又'越井人南去，湘川水不流。江边数杯酒，海内一孤舟。岭峤同迁客，京华即旧游。春心将别恨，万里共悠悠'。如此等类，使置老杜集中，虽明眼人恐未易辨也。"《唐才子传》卷三："至特工诗，俊逸之气，不减鲍照、庾信。调亦清畅，且多素辞，盖厌于漂流沦落者也。"《近体秋阳》："至以《早朝》七言，一时绝唱，倾动朝士，争起而和之。不知五言之妙，高古壮往，非当时高、王辈所可比拟者。从来司衡辄轻易弃去，殊不可解。"《历代诗发》："唐贤绝句，风格句调铢两不失累黍者，必推贾常侍。"《三唐诗品》："其渊出于阴、何，故音调节畅，无声病之累。'万里莺花'传为名句，与岳阳楼之作俯仰遥深。"《诗学渊源》卷八："其诗气质不及高适，而典雅过之。间作绮语，亦文质俱见，不落凡近。"

元结卒于京师，年五十四。颜真卿作《元结表墓碑》。《全唐诗》卷二四〇、二四一编其诗为两卷，卷八九〇重出《欸乃曲》五首，《全唐诗部编·续拾》卷一五补三首又二句；《全唐文》卷三八〇至三八三编其文为四卷。《李义山文集笺注》卷九《元结文集后序》："次山之作，其绵远长大，以自然为祖，元气为根，变化移易之。太虚无状，大贲无色，寒暑攸出，鬼神有职。……而论者徒曰：次山不师孔氏为非。呜呼，孔氏于道德仁义外有何物？百千万年，圣贤相随于涂中耳。次山之书曰：三皇用真而耻圣，五帝用圣而耻明，三王用明而耻察。嗟嗟此书，可以无乎？孔氏固圣矣，次山安在其必师之邪？"《元次山集》卷首湛若水序："余自北游观艺于燕冀之都，得元子而异焉。欲质不欲野，欲朴不欲陋，欲拙不欲固，卓然自成其家者也。唐之大家，风斯下矣。其骎骎乎中古而不已矣乎？其泯而不传将文末之世尔矣乎？两广总戎太保武定侯郭公世臣，武而好文，余谓之元子，公读之若有契焉，曰：嗟嗟次山，浩然刚大，愤世疾邪者也，安得百十次山以喷俗尔，独文乎哉？遂以余本次而刻之，俾余叙其说云尔。"《集古录》卷七《唐元结阳华岩铭》："元结，好奇之士也。其所居山水，必自名之，唯恐不奇。而文章用意亦然，而气力不足，故少遗韵。"《唐才子传》卷三："性梗僻，深憎薄俗，有忧道悯世之心。《中兴颂》一文，灿烂金石，清夺湘流。作诗著辞，尚聱牙。天下皆知敬仰。"《升庵集》卷五六："文章好奇，自是一病。好奇之过，反不奇矣。《元次山集》凡十一卷，《大唐中兴颂》一篇足名世矣。诗如《欸乃曲》一绝，已入选。《舂陵行》及《贼退示官吏》虽为杜公所称，取其志，非取其辞也。其余如《洄溪诗》'松膏乳水田肥良，稻苗如蒲米粒长。糜色如珈玉液酒，酒熟犹闻松节香'。又'修竹多夹路，扁舟皆到门'，东坡常书之。然此外亦无留良。"《唐诗镜》卷二八："元结诗每有真性，浅而可讽。"《唐诗归》卷二三钟惺云："元次山诗，溪刻直奥，有异趣，有奇响，在盛唐中自为调。不读此，不知古人无所不有。若掩其姓名以示俗人，决不以为盛唐人作矣。"又云："不知者笑其稚朴，知者惊其奇险，当观其意法深老处。"又云："只是一字不肯近人。"又云："次山诸乐府古诗，有朴素传幽真意。"《诗源辩体》卷一七："元结五言古声体尽纯，在李、杜、岑参外另成一家。结《与刘侍御宴会诗序》云：'文章道丧久矣，时之作者，烦杂过多，歌儿舞女，且相喜爱，系之风雅，谁道是耶？'故其诗不为泛复，关系实多。但其品高性洁，激扬太过，故往往伤于讦直。中如《贱士吟》、《贫妇词》、《下客谣》等，质实无华，最为淳古。其它意在匠心，故多游戏自得，而有奇趣。盖上源渊明，下开白、苏之门户矣，惜调多一律耳。"《诗筏》："唐诗人能以真朴自立门户者，惟元次山一人。次山不惟不似唐人，并不似元亮。盖次山自有次山之真朴，此其所有自立门户也。"《载酒园诗话》又编："疏率自任，元次山之本趣也，然亦有太轻太朴者。酬赠、游宴诸诗，须分别存之；惟悯贫穷、悲兵燹之言，宜备朦瞍之诵，为人牧者尤宜置之座右。"《唐诗快》："次山诗文如商匜周斝，方响云璈，述迭都梁，江瑶海月，别有一种异色异声异香异味，出乎寻常耳目口鼻之外，自是世上奇观。"《唐诗别裁集》卷三："次山诗自写胸次，不欲规模古人，而奇响逸趣，在唐人中另辟门径，前人譬诸古钟磬不协里耳，信然。"《岘斋诗谈》："元次山诗悠然自适，一种冲穆和平之味，又在少陵以上。"又云："高古浑穆，老杜甘处其下，王摩诘更不必言，惟韦苏州略近，而矜贵终让一筹。"又云："元次山比子昂《感遇》，有蹊径可寻。"《小澥草堂杂论诗》："读高简平淡诗，须看其无所不尽处，若局促气短，挂漏偏缺，岂得言诗？《舂陵行》沉著痛切，忠厚之意，自行其中。若令柴桑公为此，轻拂淡染，含情半吐，反不能动人。此界当知。”《四库提要》卷一四九：“结性不谐俗，亦往往迹涉诡激，……颇类于古之狂者。然制行高洁，有闵时忧世之心，文章亦戛戛自异，力变排偶绮靡之习。杜甫尝和其《舂陵行》，称其可为天地万物吐气。晁公武谓其文如古钟磬，不谐俗耳，高似孙谓其文章奇古，不蹈袭。盖唐文在韩愈以前，毅然自为者，自结始，亦可谓耿介拔俗之姿矣。皇甫湜尝题其《浯溪中兴颂》曰：次山有文章，可惋只在碎。然长于指叙，约洁有余态。心语适相应，出句多分外。于诸作者间，拔戟成一队。其品题亦颇近实也。”《读雪山房唐诗序例》：“元次山古调独弹，冰襟雪抱，令人不敢亵玩。”《艺概》卷二“诗概”：“元道州著书有《恶圆》、《恶曲》等篇，其诗亦自有一肚皮不合时宜。然刚者必仁，此公足以当之。……‘独挺于流俗之中，强攘于已溺之后’。元次山以此序沈千运诗，亦以自寓也。次山诗令人想见立意较然，不欺其志。其疾官邪，轻爵禄，意皆起于恻怛为民，不独《舂陵行》及《贼退示官吏》作，足使杜陵感喟也。”王闿运《王志》卷二《论唐诗诸家源流》：“元结排宕，斯五言之善者乎！（陈兆奎附案云：次山在道州诸作，笔力遒劲，充以时事，可诵可谣，其体极雅。少陵气势较博，而深永匀饬不若也）。”《三唐诗品》：“其源出于应德琏、刘公干。《贫妇》、《农臣》、《下客》诸篇，托讽深微，朴而不野。《闵荒》、《舂陵》，古思同頵。杂言、七字，别具风味，正如未下盐豉，千里莼羹。”《诗学渊源》：“结古诗多作骚体，词旨精切，气逸质高，有似太白，特无其豪放耳。”胡应麟《少室山房集》（四库本）卷一〇五《题元次山集》：“元次山文，故为艰深险涩，而无大发明，盖樊宗师、皇甫湜之前驱耳。高似孙至谓视柳河东英崛过之，唐之文，惟二公，岂不省昌黎何代人耶？甚矣，高之无目且无耳也。余读元子文佳者，仅世所共传《中兴颂》，乃其文体典雅浑雄，非艰涩比。而诸艰涩之作，无一传，彼借口《盘庚》者戒之哉。”《震泽长语》：“吾读柳子厚集，尤爱山水诸记，而在永州为多。子厚之文，至永益工，其得山水之助耶。及读元次山集记道州诸山水，亦曲极其妙。子厚丰缛精绝，次山简淡高古，二子之文，吾未知所先后也。唐文至韩柳始变，然次山在韩柳前，文已高古，绝无六朝一点气习，其人品不可及欤。”《师友诗传录》：“乐府之名，始于汉初，如高帝之《三侯》、唐山夫人之《房中》是也。《郊祀》类颂，《铙歌》、《鼓吹》类雅，琴曲、杂诗类国风，故乐府者，继三百而起者也。唐人惟韩之《琴操》最为高古，李之《元别离》、《蜀道难》、《乌夜啼》，杜之《新婚》、《无家》诸别、《石壕》、《新安》诸吏、《哀江头》、《兵车行》诸篇，皆乐府之变也。降而元、白、张、王变极矣。元次山、皮袭美补古乐章，志则高矣，顾其离合，未可知也。”《石洲诗话》卷一：“次山称文章之弊，杂烦过多，欲变淫靡，以系风雅。然其诗朴拙过甚。……未必次山之诗，遂为有唐风雅正宗也。独其诗序，则稍有致。”《昭昧詹言》附论诸家诗话：“元次山苦直易详尽，无余可蓄。又往往题佳于诗，使观者失望于诗。又有诗复于序之病，人皆喜其序，予正嫌其多一序也。序与诗宜互见，不宜重见，详略异同自有法。”《越缦堂读书记》（由云龙辑、虞云国整理，辽宁教育出版社 2001）（五）“集部别集类”：“次山首变六朝之习，昔人推为韩柳若蚡。然其命题结体，时坠小说，后来晚唐五季以古文名者，往往俚率短陋，专务小趣，沿至宋明，遂为山林恶派，追原滥觞，实由次山。盖骈丽之弊，诚多芜滥，而音节有定，终始必伦，雕饰铺陈，不能率尔。既破偶为单，化整以散，古法尽亡，恶札日出。次山惟《容州谢上》诸表、《送谭山人去归云阳序》及记铭小品，间有可观。然状景述情，较之子厚之记永州，何止大小巫之殊哉。”

独孤及在舒州。有《舒州山谷寺觉寂塔随故镜智禅师碑铭》、《诣开悟禅师问心法次第寄韩郎中》。

七月

钱起在京。有诗《送蒋尚书居守东都》。蒋尚书，即蒋涣。耿沣亦有诗《奉送蒋尚书兼御史大夫东都留守》。

九月

于休烈卒，年八十一。《全唐诗补编·续拾》卷一五录诗一首。《全唐文》卷三六五及《唐文拾遗》卷二一收其文一五篇。

秋

皎然在湖州。有诗《霅溪馆送韩明府章辞满归》。十月，皎然居湖州龙兴寺，追立远祖谢安碣，刺史裴清为撰文。见《宝刻丛编》卷一四《唐立晋谢公碣》。

冬

戴叔伦入京为广文博士，与钱起、卢纶、李端同有诗送僧少微游蜀。钱起作诗《送少微师西行》，戴叔伦、李端作诗《送少微上人入蜀》，卢纶有诗《送少微上人游蜀》。

本年

怀素来长安。任华作《怀素上人草书歌》，颜真卿作《怀素上人草书歌序》。

崔佑甫作《齐昭公崔府君集序》。其云：“天以日月经纬为文，地以丘陵川泽为文，刚柔杂也。其施于人也，钟磬竽瑟文其乐，九章三赞文其礼，典谟咏歌文其言。国之大臣，业参政本，发挥皇王之道，必由于文，故虞有皋陶洎益稷以嘉言启迪。舜、禹以降，伊、傅、周、召，训命策诰，并时而兴。秦之李斯，著事而僻。自兹厥后，蜀丞相孔明有《出师表》，晋司空茂先有《鹪鹩赋》，皆辅臣之文也。财成陶冶，于是见焉。”崔佑甫又集其父崔沔遗文二十九卷，论撰先志一卷，李华为之作《赠礼部尚书孝公崔沔集序》，其云：“文章本乎作者，而哀乐系乎时。本乎作者，六经之志也；系乎时者，乐文武而哀幽厉也。立身扬名，有国有家；化人成俗，安危存亡。于是乎观之宣于志者曰言，饰而成之曰文；有德之文信，无德之文诈。皋陶之歌，史克之颂，信也；子朝之告，宰嚭之词，诈也，而士君子耻之。夫子之文章，偃商传焉。偃商殁，而孔伋、孟轲作，盖六经之遗也。屈平、宋玉，哀而伤，靡而不远，六经之道遁矣。论及后世力足者，不能知之；知之者，力或不足，则文义寖以微矣。文顾行，行顾文，此其与于古欤。”

封演官屯田郎中，权邢州刺史。封演，天宝末进士及第，大历中任邢州刺史，德宗时官至朝散大夫、检校尚书吏部郎中兼御史中丞，贞元十六年尚在世。《新唐书·艺文志》著录《封氏闻见记》五卷，今本作一〇卷。另著有《古今年号录》一卷，已佚。《全唐文》存其《说潮》等文二篇。

陈润约本年卒于鄜城令。陈润为白居易之外祖，见《唐诗纪事》卷三十九。《全唐诗》卷二七二载其诗八首，《全唐诗逸》卷上补六句，《全唐诗补编·续补遗》卷四补一首，《续拾》卷一六移正二句。张为《诗人主客图》列其为“高古奥逸主”孟云卿之及门。【宿北乐馆】《唐诗归》钟惺云：“作态甚妙。”又云：“高、岑森秀之结。”《唐诗别裁集》卷八：“清幽何减孟襄阳《归鹿门》作，而天然有升降之别，气味有厚薄也。”

吕温生。吕温（772—811），字和叔，一字化光，行八，河中人。贞元十四年登进士第，次年中博学宏词科，授集贤殿校书郎。十九年擢左拾遗。贞元二十年夏，以侍御史为入蕃副使，行至凤翔，转侍御史，在吐蕃滞留经年。永贞元年十月回京，迁户部员外郎，转司封员外郎，元和三年转刑部郎中，秋，贬均州刺史。未至，再贬道州刺史，五年徙衡州刺史，次年八月卒。世称吕衡州。吕温文集一〇卷，原为刘禹锡编次，宋时已佚。《四库全书》著录《吕衡州集》一〇卷，为常熟冯舒所重编。《四部丛刊》本《唐吕和叔文集》，系据述古堂影宋钞本影印。又有道光年间秦恩复校刻本，题作《吕衡州文集》，有《粤雅堂丛书》本，《丛书集成》初编据以排印。事迹见柳宗元《唐故衡州刺史东平吕君诔》、《祭吕衡州文》，刘禹锡《唐故衡州刺史吕君集序》及新、旧《唐书》本传。

李绅生。李绅（772—846），字公垂，行二十。祖籍亳州谯县，后迁家无锡。元和元年登进士第。南归润州，为浙西观察使李锜辟为掌书记。四年，为校书郎。九年，迁国子助教。十四年，为山南西道观察使判官，同年五月，为右拾遗。长庆元年三月，加司勋员外郎知制诰。二年二月，迁中书舍人加承旨。三年三月改御史中丞，罢内职，十月出为江西观察使，未离京，改户部侍郎。敬宗即位，贬端州司马。宝历元年五月，量移江州长史。大和二年迁滁州刺史，四年改寿州刺史，七年正月，授太子宾客，分司东都。闰七月末，为浙东观察使。九年复为太子宾客，分司东都。开成元年，为河南尹，六月改宣武军节度使。五年九月，为淮南节度使。会昌二年，入为中书侍郎、同中书门下平章事，后复出为淮南节度使。六年七月卒。《新唐书·艺文志》著录《追昔游诗》三卷，今存；《批答》一卷，已佚。事迹见沈亚之《李绅传》和《旧唐书》卷一七三、《新唐书》卷一八一本传。今人卞孝萱撰《李绅年谱》。

刘禹锡生。刘禹锡（772—842），字梦得，行二十八，洛阳人，祖籍中山，出生于嘉兴。贞元九年登进士第，又登博学宏词科。十一年授太子校书。十六年，入杜佑幕掌书记。十八年，调任渭南县主簿。次年任监察御史。二十一年正月，顺宗即位，擢刘禹锡为屯田员外郎、判度支盐铁案。是年八月，顺宗内禅，宪宗即位，初贬为连州刺史，行至江陵，再贬朗州司马。元和九年十二月奉召回京。次年三月，再出为播州刺史，改为连州刺史。长庆元年冬，为夔州刺史。四年为和州刺史。大和元年，任东都尚书省主客郎中。次年回朝任主客郎中，兼任集贤殿学士。三年，改官礼部郎中。五年十月，出为苏州刺史，转汝州、同州刺史。开成元年后，改任太子宾客、秘书监分司东都登闲职。会昌元年，加检校礼部尚书衔。世称刘宾客、刘尚书。会昌二年秋，卒于洛阳。《新唐书·艺文志》载《刘禹锡集》四〇卷，宋初亡佚一〇卷。宋敏求搜集遗佚，辑为《外集》一〇卷。现存刘禹锡集古本主要有三种：清代避暑山庄旧藏宋绍兴八年董□刻本，题为《刘宾客文集》，今有徐鸿宝影印本，又淳熙十三年陆游据董本重刻，称“浙本”；日本平安福井氏崇兰馆所藏宋刻本，题为《刘梦得文集》；北京图书馆所藏宋刻残本《刘梦得文集》一至四卷，建安坊刻本。今人有《刘禹锡集》（上海人民出版社 1975）、瞿蜕园笺证《刘禹锡集笺证》（上海古籍出版社 1989 版）、《刘禹锡集》（《刘禹锡集》整理组点校、卞孝萱校订，中华书局 1990）、蒋维崧等《刘禹锡诗集编年笺注》（山东大学出版社 1997）。事迹见于新、旧《唐书》本传、唐韦绚编《刘宾客嘉话录》。今人卞孝萱著有《刘禹锡年谱》（中华书局 1963）。

李翱生。李翱（772—836），字习之，行七，郡望陇西成纪，陈留人。贞元十四年登进士第。十六年为义成军观察判官。永贞元年由校书郎三迁至京兆府司录参军。元和元年为国子博士、史馆修撰，分司东都。三年十月，杨於陵辟为岭南东道节度使掌书记。五年佐宣歙观察使卢坦幕。六年八月，赴浙东任观察判官。十五年自权知职方员外郎授考功员外郎，出为朗州刺史。长庆元年冬转为舒州刺史。三年十月，入为礼部郎中。宝历元年出为庐州刺史。大和初，入为谏议大夫，寻以本官知制诰，三年二月拜中书舍人。五月迁少府少监，旋出为郑州刺史。五年十二月，为桂管观察使。七年，改湖南观察使。八年十二月，征为刑部侍郎。九年八月，出山南东道节度使、检校户部尚书。开成元年，卒。《新唐书·艺文志》著录《李翱集》一〇卷。今传《四部丛刊》本《李文公文集》一八卷，系据明成化刊本影印。事迹见新、旧《唐书》本传。

公元 773 年（唐代宗大历八年　癸丑）

正月

耿沣官拾遗，本年前后有《元日早朝》，司空曙有《和耿拾遗元日观早朝》。

戴叔伦官广文博士，有《长安早春书事寄万评事》、《吴明府自远而来留宿》。夏，李端有《晚夏闻蝉寄广文》赠之。是年，戴叔伦有《赠康老人洽》，李端有《赠康洽》。康洽，西域康国诗人，时年七十余。

皇甫曾南来越州，严维有《岁初喜皇甫侍御至》。春，皇甫曾在越州，有《题赠吴门邕上人》。秋，皇甫曾在湖州，有《三言喜皇甫侍御见过南楼玩月联句》，联句者有颜真卿、皇甫曾、李崿、陆羽、皎然、陆士修，又有《七言重联句》，联句者少陆士修一人。

顾况在温州，备办盐务，有《祭陆端公文》。陆端公，陆渭。

二月

陆贽、严绶、郑利用、周存、员南溟、常沂等三十四人登进士第。时礼部侍郎张谓知上都举，东都留守蒋涣知东都举。试《东郊朝日赋》、《禁中春松》诗。见《登科记考》卷一〇。阎济美年约三十九，应试不第，作诗上张谓，“谓深有遗才之叹。”（《唐诗纪事》卷三六）

三月

颜真卿在湖州刺史任，招集文士，重修《韵海镜源》，预修者有陆羽、皎然、韦渠牟等十八人。作《登岘山观李左相石尊联句》，与联句者有颜真卿、刘全白、裴循、张荐、吴筠、强蒙、范缙、王纯、魏理、王修甫、颜岘、左辅元、刘茂、颜浑、杨德元、韦介、皎然、崔宏、史仲宣、陆羽、权器、陆士修、裴幼清、柳淡、释尘外、颜颛、颜须、颜顼、李崿等二十九人，又有《竹山联句题潘书》，联句者有颜真卿、陆羽、李崿、裴修、康造、汤清河、清昼、陆士修、房夔、颜颛、颜须、韦介、李观、房益、柳淡、颜岘、潘述。

韦渠牟在湖州，自号尘外上人，“尝著《天竺寺十六韵》，鲁郡文忠公序引而和之，使画工图于仁祠，摘句配境，偕为绝胜。”（权德舆《韦渠牟集序》）皎然有《五言遥和尘外上人与陆澧夜集山寺问涅盘义兼赏陆生文卷》。

春

韦应物罢河南府兵曹参军，居同德寺养疾，有诗《同德寺雨后寄元侍御李博士》、《同德精舍养疾寄河南兵曹东厅掾》、《同德阁期元侍御李博士不至各投赠二首》等。冬，自洛阳赴长安，有《留别洛京亲友》。【同德寺雨后寄元侍御李博士】《岘斋诗谈》卷五：“凝而不涩，是精于选体者。”

张继在江州。有诗《送窦十九判官使江南》。窦十九，窦叔向，时以前国子博士为判官使江西。

夏

钱起在长安，有《送陆贽擢第还苏州》。是年，钱起有《酬刘起居卧病见寄》。刘起居，即刘湾，时官起居郎。【送陆贽擢第还苏州】《唐诗镜》卷三一：“四语有喜意在。”

秋

崔峒在京官拾遗、集贤直学士，奉使江淮访图书。钱起有《送集贤崔八叔承恩括图书》，戴叔伦有《送崔拾遗峒江淮访图书》。

韩翃罢滑州令狐漳幕，东归兖州，有《赠别太常李博士兼寄两省旧游》。至兖州，后复西归，有《陪孟都督祭岳途中有赠》、《祭岳回重赠孟都督》、《赠兖州孟都督》、《别孟都督》。

十月

颜真卿在湖州，立亭杼山，陆羽名为三癸亭，见颜真卿《湖州乌程县杼山妙喜寺碑铭》。颜真卿有《题杼山癸亭得暮字》、《谢处士杼山折青桂花见寄之作》，皎然有《奉和颜使君真卿与陆处士羽登喜妙寺三癸亭》。颜真卿、李崿、殷佐明、袁高、陆士修、蒋志作《三言拟五杂组联句》，颜真卿、张荐、李崿、皎然又作《三言重拟五杂组联句》、《七言大言联句》、《七言乐语联句》、《七言馋语联句》，颜真卿、皎然《七言小言联句》，颜真卿、皎然、刘全白、李崿、李益《七言滑语联句》，颜真卿、刘全白、皎然、陆羽《七言醉语联句》。《宋高僧传》卷二九皎然本传："好为《五杂组》篇，用意奇险。"

独孤及有《得柳员外书封寄近诗书中兼报新主行营兵马代书戏答》。柳员外，即柳浑，在江西路嗣恭幕，时讨哥舒晃，主行营兵马。

冬

刘晏知三铨选事，用常衮、杜亚、李翰等考吏部选入判，吉中孚等五人登书判拔萃科。无名子因上《与刘吏部书》，并作诗大加谤议："三铨选客不须嗔，五个登科各有因。无识伯和怜吉獠，弄权虞侯为王申。载华甲第归丞相，裴子门徒入舍人。莫怪邵南书判好，他家自有景监亲。"见《唐摭言》卷一一。

本年

刘长卿在鄂岳任上。此年前后，有诗《步登夏口古城作》、《送李侍御贬郴州》、《酬李侍御登岳阳见寄》、《过鹦鹉洲王处士别业》、《自夏口至鹦鹉洲夕望岳阳寄源中丞》、《送李中丞之襄州》、《岳阳馆中望洞庭湖》、《雨中过员稷巴陵山居赠别》【酬李侍御登岳阳见寄】《删补唐诗选脉笺释会通评林》"中唐五律上"周珽曰："'暮帆'句承首句来。'春色'句下生'绿水'、'青山'二语。'在眼'、'何心'思深。'遥'、'独'二字尤刻。'潇湘阔'、'鄂杜深'，就彼登岳阳地景，亦承'无由寻'句言。结从出酬侍御见寄意，谓得捧远音，襟怀为之一开也，通篇委婉温厚，绝不作饾饤语。"【过鹦鹉洲王处士别业】《瀛奎律髓汇评》卷二三引纪昀云："六句有致，结亦闲淡。有美人香草之思焉。"【自夏口至鹦鹉洲夕望岳阳寄源中丞】《唐风定》卷一七："刻而秀。"《唐诗别裁集》卷一四："直说浅露。"《昭昧詹言》卷一八："首句先从望说起。次句说不见屈子，吊古无人。三、四切夏口，入'望'。五、六写即景。收入寄阮托意。"《删补唐诗选脉笺释会通评林》"中唐七律上"顾璘曰："刻削。"唐孟庄曰：

"'汉口'句秀，下句便多雷同。结太直少韵。"《古唐诗合解》："前解写自夏口至望岳阳，后解写寄阮中丞。"【送李中丞之襄州】《删补唐诗选脉笺释会通评林》"中唐五律上"何新之曰："为豪放体。"顾璘曰："清忠义勇，略备将德。"边贡曰："颈联说得出，愈见高手。"陆时雍曰："三、四老气深衷。"周珽曰："章法明练，句律雄浑，中唐佳品。"《大历诗略》："清壮激昂，而意自浑浑。"【岳阳馆中望洞庭湖】《瀛奎律髓汇评》卷三四方回云："五六尽佳。非中流果没日也，水远而日短，故所见者日落于中耳。水之外又水，地之外又地，而水与地目不可及者，日月常可得而见，非日月之光有余为之乎?"纪昀曰："此虽不能肩随孟杜，犹可望其后尘。或谓五、六似海诗，亦不为无见。"《唐诗别裁集》卷一一："五、六犹有气焰，然视襄阳、少陵二篇，如江黄之敌荆楚矣。"【雨中过员稷巴陵山居赠别】《唐诗归》卷二五钟惺曰："文章语，入诗反深健。"谭元春曰："写得出，含得多。"《删补唐诗选脉笺释会通评林》"中唐五律上"徐用吾："明秀劲健，不减唐音。"周珽曰："前四句言袁君老守幽人独往之节，与己不免有离群索居之想。玩'悲'、'对'二字，深心已见。五、六缘物理，以况两情过叙之雅。末复虑后会无期，不能长如'故道'、'寒枝'之所得。生平友谊，和词尽吐。温厚深切，自是佳品。"《大历诗略》："三、四语极平易而意致沉沉，此无意之意也，索解人正难。"

卢纶在陕府户曹任，约本年，得罪系狱，后雪谤。有诗《罪所送苗员外上都》、《雪谤后上皇甫大夫》、《雪谤后逢李叔度》。

李华旅疾楚州。其子李羔编其为监察御史以后诗文一百四十三篇为《中集》二十卷。独孤及为之序："帝唐以文德敷佑于下，民被王风，俗稍丕变。至则天太后时，陈子昂以雅易正，圆者浸而向方。天宝中，公与兰陵萧茂挺、长乐贾幼几勃焉复起，振中古之风，以宏文德。公之作，本乎王道，大抵以五经为泉源。抒情性以托讽，然后有歌咏。美教化，献箴谏，然后有赋颂。悬权衡以辨天下公是，然后有论议。至若记叙编录铭鼎刻石之作，必采其行事，以正褒贬，非夫子之旨不书，故风雅之旨归，刑政之本根，忠孝之大伦，皆见于词。于时文士驰骛，飙扇波委。二十年间，学者稍厌折扬、皇华，而窥咸池之音者什五六，识者谓之文章中兴，公实启之。……自监察御史已后所作颂赋诗歌碑表叙论志记赞祭凡一百四十三篇，公长子羔，字宗绪，编为二十卷，号《中集》。其中陈王业则《无疆颂》，主文而谲谏则《言医》、《含元殿赋》，敦礼教则《哀节妇赋》、《灵武二孝赞》，表贤达盛德则《崔宾客集序》、《元鲁山碣》、《房太尉德政碑》、《平原张公颂》、《梁国李公传》、《德先生诔》、《权著作墓志》、《李夫人传》、《卢夫人颂》，一死一生之间，抒其交情，则祭萧功曹、刘评事、张评事文，吟咏情性，达于事变，则《咏古诗》；思旧则《三贤论》，辨卿大夫之族姓，则《卢监察神道碑》，自叙则《别相里造范伦序》，诠佛教心要而合其异同，则南泉真禅师、左溪郎禅师碑。其余虽波澜万变，而未始不根于典谟。"

张志和居越州。本年前后，陈少游为旌表闾巷，文士十五人以柏梁体诗以美之，刘太真为序。张志和作《告大夫桥文》。见《颜鲁公文集》卷七《张志和碑铭》。

权德舆年十五，已著文数百篇，为《童蒙集》一〇卷。《旧唐书》卷一四八《权德舆传》："德舆生四岁能属诗，七岁居父丧以孝闻，十五为文数百篇，编为《童蒙集》

十卷，名声日大振。”

柳宗元生。柳宗元（773—819），字子厚，行八，祖籍河东解，父徙家吴兴，世称柳河东。贞元九年进士及第，十四年，登博学宏词科，授集贤殿正字，十九年自蓝田县尉拜监察御史里行。二十一年正月，顺宗即位，擢礼部员外郎。八月，顺宗内禅，贬为邵州刺史，未至，十一月加贬为永州司马。元和十年正月，召赴京师，三月，又出为柳州刺史。十四年十一月八日卒于任所。《新唐书·艺文志》著录《柳宗元集》三〇卷、《非国语》二卷。刘禹锡编有《河东先生集》，宋初穆修编次为《河东先生集》四五卷，为后世柳集祖本。宋人又辑遗文为《外集》二卷。宋刊柳集白文本有乾道间永州郡庠刊《柳先生外集》一卷，光绪间影刻本题作《柳柳州外集》。南宋人始为柳集作注，张敦颐作《柳文音释》，严有翼作《柳文切正》，童宗说作《柳文音释》，潘纬作《柳文音义》，韩醇作《柳文诂训》。宋人集释本为四十五卷本，存世有：《增广注释音辩唐柳先生集》，有《四部丛刊》影印元刊本；《新刊增广百家详补注唐柳先生文》，有南宋蜀刻本，上海古籍出版社1994年影印，吴文治据以校点为《柳宗元集》（中华书局1979）；《新刊五百家注音辩唐柳先生文集》，庆元间建安书商魏仲举辑，有宋刻残本和《四库全书》本；《重校添注音辩唐柳先生文集》，嘉定间郑定重校添注，残本存十一卷；《河东先生集》，宋末廖莹中编刻，有廖氏世彩堂刻本，内容据五百家注本删改而成。近代有蟫隐庐影印本和中华书局上海编辑所1958年排印本。另外明蒋之翘作《唐柳河东集辑注》（有崇祯刻本，又辑入《四部备要》），清陈景云撰《柳集点勘》（有《邈园丛书》本），今人王国安有《柳宗元诗笺释》（上海古籍出版社1993）。其生平事迹，参见韩愈《柳子厚墓志铭》、新、旧《唐书》本传、文安礼《柳先生年谱》（载五百家注柳集卷首，别有《粤雅堂丛书》本）。

段文昌生。段文昌（773—835），字墨卿，一字景初，行十九，西河人，世居荆州。贞元十五年入蜀，依剑南节度使韦皋，表授校书郎。元和二年授登封尉、集贤校理。历监察御史、左补阙、祠部员外郎。穆宗即位，迁中书舍人、翰林承旨学士，旋拜中书侍郎同平章事。长庆元年二月出为剑南西川节度使。三年冬入为刑部尚书。宝历元年迁兵部尚书。文宗立，拜御史大夫。大和元年六月，出为淮南节度使。四年，转荆南节度使，六年十一月复为剑南西川节度使，九年正月，卒于任所。《新唐书·艺文志》著录《段文昌集》三〇卷，已佚。其生平事迹见《旧唐书》卷一六七、《新唐书》卷八九、《唐诗纪事》卷五〇等。

韦处厚生。韦处厚（773—828），初名淳，字德载，行一，故称韦大，京兆万年人。元和元年登进士第，又登才识兼茂明于体用科，授集贤殿校书郎，四年，举贤良方正异等，宰相裴垍引直史馆，改咸阳尉，迁右拾遗，并兼史职。穆宗即位，自户部郎中知制诰充翰林学士。长庆二年四月，迁中书舍人，加史馆修撰。宝历二年十二月，以佐命之功进拜中书侍郎、同中书门下平章事。大和二年十二月十一卒。《旧唐书》本传及《新唐书·艺文志》著录其预修《德宗实录》五〇卷、《宪宗实录》四〇卷、《六经法言》二〇卷（与路隋合著）、《大和国计》二〇卷、《韦处厚集》七〇卷、《翰苑集》一〇卷，《直斋书录解题》著录《翰林学士记》一卷，并佚。事迹见刘禹锡《韦处厚集纪》、《旧唐书》卷一五九、《新唐书》卷一四二本传。

李渤生。李渤（773—831），字浚之，号白鹿先生，行十，贞元中与兄涉隐庐山，元和五年移家洛阳。九年，征为著作郎，迁右补阙，擢库部员外郎。后谢病东归。十五年，召为考功郎中。长庆元年，贬虔州刺史、江州刺史等，四年拜给事中。宝历元年出为桂管观察使，大和五年征为太子宾客，七月卒。《新唐书·艺文志》著录《六贤图赞》一卷、《真系传》一卷，后者今存。事迹见《旧唐书》卷一七一、《新唐书》卷一一八本传。

公元774年（唐代宗大历九年　甲寅）

正月

李阳冰应诏为集贤院学士，自湖州西上。皎然有《同颜使君真卿岘山送李法曹阳冰西上献时会有诏征赴京》。李嘉祐时罢袁州刺史，居苏州。有《送从叔阳冰祗召赴都》。

二月

杨凭、张莒、郑辕、韩浚、王濯、史延、杨瑀等三十二人登进士第。时礼部侍郎张谓知上都举，东都留守蒋涣知东都举。试《腊日祈天宗赋》、《清明日赐百僚新火》诗。阎济美应举，不工帖经，张谓命以诗赎帖，诗仅成两韵，亦登第。参见《唐诗纪事》卷三六。

独孤及赴常州刺史任。梁肃谒见于丹阳梅里。梁肃《祭独孤常州文》："顾惟小子，慕学文史。公初来思，拜遇梅里。如旧相识，绸缪慰止。更居恤贫，四稔于此。常谓肃曰：为学在勤，为文在经。勤则能深，经则可行。吾斯愿言，勉子有成。又曰：文章可以假道，道德可以长保。华而不实，君子所丑。"时梁肃二十二岁。三月，独孤及莅常州刺史任，作《谢常州刺史表》。

本年春

韩翃在汴州田神玉幕，有《赠别崔司直赴江东兼常州独孤使君》、《谢诏葬兄神功事毕表》、《谢不许赴上都护丧表》。八月，韩翃有《送皇甫大夫赴浙东》。皇甫大夫，皇甫温。

皎然在湖州。皇甫曾北归润州，皎然作诗《送皇甫侍御还丹阳别业》、《同颜鲁公泛舟送皇甫侍御曾》。柳中庸授洪府户曹，皎然又有诗《送柳淡扶侍赴洪州》。

颜真卿在湖州，重修《韵海镜源》，成书三百六十卷。有《湖州乌程县杼山妙喜寺碑》记其事："大历壬子岁，真卿叨刺于湖。公务之隙，乃与金陵沙门法海、前殿中侍御史李崿、陆羽、国子助教州人褚冲、评事汤某、清河丞、太祝柳察、长城丞潘述、县尉裴循、常熟主簿萧存、嘉兴尉陆士修、后进杨遂初、崔宏、杨德元、胡仲、南阳汤涉、颜祭、韦介、左兴宗、颜策，以季夏于州学及放生池日相讨论。至冬，徙于兹山东偏。来年春，遂终其事。前是，颜浑、正字殷佐明、魏县尉刘茂、括州录事参军卢锷、江宁丞韦宁、寿州仓曹朱弁、后进周愿、颜暄、沈殷、李萧亦尝同修，未毕，各以事去。而起居郎裴郁、秘书郎蒋志、评事吕渭、魏理、沈益、刘全白、沈仲昌、摄御史陆向、沈祖山、周阆、司议丘悌、临川令沈咸、右卫兵曹张著、兄蕃、弟荐、蔿、校书郎权器、兴平丞韦柏尼、后进房夔、崔密、崔万、窦叔蒙、裴继、侄男超、岘、愚子囗、顾往来登历。时杼山大德僧皎然工于文什，惠达、灵晔昭于禅诵，相与言曰，……若无记述，何以示将来，乃左顾以求蒙，俾记词而葳事。”其间，屡申宴饯，送别诸生。皎然有《五言奉和颜使君真卿修韵海毕会诸文生东堂重校》、《五言奉和颜使君真卿修韵海毕州中重宴》《五言春日陪颜使君真卿皇甫曾西亭重修韵海诸生》、《奉陪颜使君修韵海毕东溪泛舟饯诸文士》。另外，颜真卿、潘述、陆羽、权器、皎然、李崿作《水堂送诸文士戏赠潘丞联句》。

五月

李华卒于楚州，年五十七。梁肃作《为常州独孤使君祭李员外文》。《全唐文》卷三一四至三二一编其文为八卷，《唐文拾遗》卷一九补一篇。《全唐诗》卷一五三编其诗为一卷。《唐文粹》卷九二梁肃《唐左补阙李翰前集序》：“唐有天下几二百载，而文章三变。初则广汉陈子昂以风雅革浮侈；次则燕国张公说以宏茂广波澜；天宝以还，则李员外、萧功曹、贾常侍、独孤常州，比肩而作，故其道益炽。”《文苑英华》卷七〇四权德舆《兵部郎中杨君集序》：“自天宝已还，操文柄而爵位不称者，德舆先大夫之执曰赵郡李公遐叔、河南独孤公至之，狎主时盟，为词林龟龙，止于尚书郎、二千石属者。”皇甫湜《谕业》：“李员外之文，则如金舆玉辇，雕龙彩凤，外虽丹青可掬，内亦体骨不凡。”《新唐书》卷二〇三李华本传：“华文辞绵丽，少宏杰气，颖士健爽自肆，时谓不及颖士，而华自疑过之。因著《吊古战场文》，极思研榷，已成，污为故书，杂置梵书之庋。它日，与颖士读之，称工，华问：‘今谁可及?’颖士曰：‘君加精思，便能至矣。’华愕然而服。华爱奖士类，名随以重，若独孤及、韩云卿、韩会、李纾、柳识、崔佑甫、皇甫冉、谢良弼、朱巨川，后至执政显官。华触祸衔悔，及为元德秀、权皋铭、《四皓赞》，称道深婉，读者怜其志。”《载酒园诗话》又编：“李遐叔《杂诗》，虽不足以上继陈伯玉、张子寿之《感遇》，要亦正声雅奏也。《咏史》诗大有合于开元、天宝中事，似非无为而作也，恨用事多沓托耳。”《诗学渊源》卷八：“其诗清而博雅，无损于古；《杂诗》及《咏史》诸作，亦嗣宗、景纯之亚也。”【吊古战场文】谢有辉《古文赏音》（康熙刻本）卷一二：“夫盛世不能忘战，此事固所不免。但骄敌致败，世多以罪主将，而忘任人之失。文之极形惨痛，非但求工，正欲动人主恻隐耳。”林云铭《古文析义》（清刻本）卷一三：“文中初写战场景色，因吊历代；又从阵而战，从战而覆，从既覆而追想未覆之时，层层摹写，备极悲惨。再以周、秦、汉错综互较一番，转入驱无罪之民而就死地，流毒无穷，结出正意，以为黩武之戒，可谓持论不刊。但古战场为朔北沙漠之地，人迹鲜到，当年交战，亦无有目击其事者。故文中初据亭长之说，再则曰‘吾闻’，又曰‘吾想’，末段又曰‘吾闻’，如得之传闻意象间者。读之，不知是歌是哭，是笑是骂。”吴楚林、吴调侯《古文观止》（文学

古籍刊行社 1956）卷七："通篇只是极写亭长口中'常覆三军'一语。所以'常覆三军'，因'多事四夷'故也。遂将秦、汉至近代上下数千百年，反反复复写得愁惨悲哀，不堪再诵。"浦起龙《古文眉诠》（三吴书院刊本）卷五五："战场所在多有，文则专吊边地，非泛及也。开元、天宝间，迭起外衅，藉以讽耳。与少陵《出塞》诗同旨。"余诚《重订古文释义新编》（武汉古籍书店影印出版社 1986）卷七："开首劈空画出一幅古战场图，能于景中含情。因借亭长点题，而以'常覆三军'引出吊意，起得甚好。'秦汉'、'近代'数语领一篇之局。随撇开中国战争，而以'多事四夷'推出'常覆三军'之故；随又撇开古昔盛时，而以'文教'数语推出'多事四夷'之故。语有本原，论极精确。于是由阵而战，由战而覆，就边地时势上摹写一番，以见其可吊。复从既覆追交战时，就士卒意境中摹写一番，以见其可吊。词意俱极悲切。继乃以赵、汉、周、秦之事边，互较得失，而归重于用人。继而又以民生至情之真挚，见驱无罪而死于战场之惨不可言，祸流无已。末以'守在四夷'作结，结出文教宜宣意。是于可吊中，更想象出可贺处来，极奇警，复极正大。"过珙《详订古文评注全集》（民国石印本）卷六："通篇大旨，在'多事四夷'一语；通篇归束，在'守在四夷'一语。盖守者，正仁义之用也，王道也，文教也。'武臣用奇'则有战，战则有民生流离之苦；文教苟宣则有守，守则有策勋饮至之乐。此是作文人意中主见。至描写战场之苦、阵亡之惨，虽极酷摹，仅是第二层好处。"李扶九《古文笔法百篇》（三秦出版社 2005）卷一五："通篇主意在守不在战，守则以仁义，乃孔孟之旨也。但用赋体为文，段段用韵，感慨悲凉之中，自饶风韵，故人人乐诵，且可为穷兵者炯戒，可为战场死者吐气，读者无不叹息，真古今至文也。"唐文治《国文经纬贯通大义》卷二："所贵乎作文者，欲其感动人心耳。此文因痛近时争城争地，杀人众多，而托古战场以讽之。末段淋漓呜咽，虽善战者读之，亦当流涕。"

八月

张志和来湖州，谒见颜真卿，作《渔父词》五首。"真卿与陆鸿渐、徐士衡、李成矩共唱和二十五首，遂相夸赏"（《云笈七签》卷一一三引《续仙传》）。皎然有《奉应颜尚书真卿观玄真子置酒张乐舞破阵画洞庭三山歌》、《奉和颜鲁公真卿落玄真子舴艋舟歌》。张志和后离湖州而去，不知所终，颜真卿为作《张志和碑铭》。《全唐诗》卷三〇八存张志和诗词九首，《全唐文》卷四三三录其文二篇。【渔父词】（其一）《蓼园词选》（《词话丛编》本）："数句只写渔家之自乐其乐，无风波之患，对面已有不能已者。隐跃言外，蕴藏不露，笔墨入化，超然尘埃之外。"《艺概》卷四"词曲概"："张志和《渔歌子》'西塞山前白鹭飞'一阕，风流千古。东坡尝以成句用入《鹧鸪天》，又用于《浣溪沙》，然其所足成之句，犹未若原词之妙通造化也。"《云韶集》卷一："此中自有真乐，难与俗人言也。"【玄真子】《四库提要》卷一四六："其言略似《抱朴子·外篇》，但文采不及其藻丽耳。"《少室山房笔丛正集》卷一二《九流绪论》中："志和，吾婺人，行谊甚高卓，自号烟波钓徒，所著有《太易》等书及西塞山诗词一二，尚见杂说中。盖高才远识，而皭然尘埃之表者。即此书虽不越庄、列余言，而恢谲跌宕，想见其人，非元次山、皮袭美下也。说者以唐一代无史才，以余较观，三百年子书亦寥寥焉。昌黎《原道》诸作，名理伟然，出秦汉诸儒上，至‘尧以是传之舜’数十言，直接之孟轲氏，然子书体一变矣。自余浮猥琐尾，亡论西京，求《潜夫》、《中论》比，不易得。子有别才，非耶?”

九月

常衮为中书舍人，有《晚秋集贤院即事寄徐薛二侍郎》。钱起有《奉和中书常舍人晚秋集贤院即事》，包佶有《奉和常阁老晚秋集贤院即事寄赠徐薛二侍郎》，卢纶有《和常舍人晚秋集贤院即事十二韵寄赠徐薛二侍郎》。独孤及在常州刺史任上亦有《奉和中书常舍人晚秋集贤院即事寄赠徐薛二侍郎》。司空曙有《奉和常舍人晚秋集贤院即事寄赠徐薛二侍郎》。【和常舍人晚秋集贤院即事寄赠徐薛二侍郎】《唐诗镜》卷三二：“语句修琢。”【奉和常舍人晚秋集贤院即事十二韵寄赠徐薛二侍郎】《诗薮》内编卷四：“司空曙《和常舍人》……等作，整齐闳亮，稍协前规。”

秋

钱起在长安，休沐归蓝溪旧居。有《蓝溪休沐寄赵八给事》。赵八给事，即赵涓。

耿沣在长安官左拾遗，秋，充括图书使赴江南，有《之江淮留别京中亲故》。李端有《送耿拾遗沣使江南括图书》，卢纶有《送耿拾遗沣充括图书使往江淮》。【之江淮留别京中亲故】《唐风定》卷一四：“高浑如此，起语尚协前规。”《大历诗略》卷四：“起境能以故为新，颈联写得足，下句更自然，一结可慨。由今观之，彼诸侯为谁?而客卿如耿者，姓字尚存。”《唐诗笺要》卷六：“耿君有‘接果移天性’之句，不独概括种植至理，并得漆园‘马蹄’之妙。”

韦应物在京兆功曹任。有《答刘西曹》、《赠令狐士曹》、《答令狐士曹独孤兵曹联骑暮归望山见寄》、《晚出府舍与独孤兵曹令狐士曹南寻朱雀街归里第》。

刘长卿在鄂州淮西鄂岳转运留后任，为吴仲孺所陷，贬睦州司马，秋至江、和诸州。有诗《听笛歌》、《赴新安别梁侍御》、《送梁侍御巡永州》、《和州留别穆郎中》、《和州送人归复郢》、《青溪口送人归岳州》、《江州留别薛六柳八二员外》、《江州重别薛六柳八二员外》。【听笛歌】《删补唐诗选脉笺释会通评林》“中唐七古上”唐汝询曰：“文房格调浸卑，独此犹能超拔大律。”吴山民曰：“闻笛之作，此为绝唱。”郭浚曰：“凄清摇荡，如此风格自好。”陆时雍曰：“历落如语。”周珽曰：“此文房贬南巴尉时所作。起叙郑送己因而闻笛，次咏笛声，凄清凛冽，又次即笛曲之妙，能伤人心，末即笛终恍惚情景以致别离之悲。篇法整饬，词意深至。”《大历诗略》：“音韵悲凉，尤妙于短歌中写得繁会丛杂，如闻入破。”【江州重别薛六柳八二员外】《昭昧詹言》卷一八：“此似知淮西、鄂岳时，将去留别作也。起句喜得除授，二句言时事难为，中二联景与情交融。收入二员外。七句皆自述，末句始入别人。”【青溪口送人归岳州】《昭昧詹言》卷一八：“起二句先写岳州，三、四送归，五、六并写青溪口，收入自己。文房只用眼前习见字，习见语，而无一意不深，无一字不灵，思致清绮，绝无滞相死

语。拟之五言，殆过谢惠连。譬如良庖，只有鸡鸭鱼肉，而火候烹煮有法，则至味存焉。俗庖虽用猩唇豹胎，而不爽于口，只取唾恶也。上言‘客去稀’，以起下‘一人归’，理脉之细如此，岂粗才所知。五、六亦常语，而细按之，皆非率意浅直而出者。”

十二月

戎昱在桂管李昌巙幕，有诗《桂州腊月》。

本年

李益在郑县主簿任，本年罢秩游华山。有《入华山访隐者经仙人石坛》、《罢秩后入华山采茯苓逢道者》。

欧阳詹与林藻、林蕴兄弟偕隐于泉州莆田莆山，读书五载。

林藻（生卒年不详），字纬干，郡望济南，泉州莆田人。贞元七年进士及第，历校书郎、判官、监察御史、殿中侍御史，终岭南节度副使。《直斋书录解题》录《林藻集》一卷，已佚。《全唐诗》卷三一九录诗三首，两首归属未定。《全唐文》卷五四六存赋一篇。《唐文拾遗》卷二五存《深慰帖》一篇及《合浦还珠赋》残句。事迹见黄璞《闽川名士传》、《直斋书录解题》卷一六等。

林蕴（生卒年不详），字复梦，泉州莆田人。贞元四年明经及第。西川节度使韦皋辟为推官。元和初，以阻谏西川节度使刘辟反，贬为唐昌尉。刘辟败，名重一时。后沧景节度使程权辟为掌书记。迁礼部员外郎。元和十年，出为邵州刺史。后坐事杖流儋州而卒。《直斋书录解题》著录其集一卷，今存《林邵州遗集》一卷，有诗二首，文十余篇，收入《王氏汇刻唐人集》。《全唐文》卷四八二录其文二篇，《唐文拾遗》卷二五补一篇。事迹见《新唐书》卷二〇〇、《郎官石柱题名考》卷二〇。

公元775年（唐代宗大历十年　乙卯）

二月

崔恒、崔穜、卢士阅、丁泽等二十七人登进士第。时礼部侍郎常衮知上都举，东都留守蒋涣知东都举。上都试《五色土赋》，东都试《日观赋》、《龟负图》诗，丁泽为东都状元。见《登科记考》卷一一。丁泽，事迹不详，《全唐诗》卷二八一存其诗三首，《全唐文》四五七录其文一篇。

三月

韦应物在长安，有诗《杂言送黎六郎》、《送黎六郎赴阳翟少府》。卢纶有诗《送黎燧尉阳翟》、《送丹阳赵少府》。李端亦有诗《送黎少府赴阳翟》、《送赵给事侄尉丹阳》。

耿沣奉使江南求书，有诗《奉和第五相公登鄱阳郡城西楼》、《春日洪州即事》、

《发南康夜泊灨石中》、《晚登虔州即事寄朱侍御》、《发绵津驿》、《游钟山紫芝观》、《登钟山馆》、《赠别刘员外长卿》、《赠严维》。夏末秋初，耿沣在湖州，与颜真卿、陆羽、皎然、杨凭、杨凝、裴幼清、左辅元、陆士修、权器、陆涓等作《水亭咏风联句》，又与颜真卿、杨凭、杨凝、裴幼清等作《溪馆听蝉联句》，耿沣《陪宴湖州公堂》亦作于此时。六月，耿沣自湖州归京，颜真卿与之作《送耿沣拾遗联句》；耿沣作《常州留别》、《宣城逢张南史》。梁肃有《送耿拾遗归朝廷序》。

春

刘长卿在睦州，有诗《对酒送严维》。秋，刘长卿被追赴苏州重推，经苗丕按覆，仍归州，有诗《按覆后归睦州赠苗侍御》、《初到碧涧招明契上人》、《奉和李大夫同吕评事太行苦热行兼寄院中诸公仍呈王员外》、《苕溪酬梁耿别后见寄》（即《谪仙怨》）。是年，刘长卿有《朱防自杭州与故里相使君立碑回因以奉简吏部杨侍郎制文》。【谪仙怨】《唐语林》卷四："其旨属马嵬之事。厥后以乱离隔绝，有人自西川传得者，无由知，但呼为《剑南神曲》。其音怨切，诸曲莫比。大历中，江南人盛为此曲。随州刺史刘长卿左迁睦州司马，祖筵之内，长卿遂撰其词，吹之为曲，意颇自得。"《唐诗镜》卷二九："六言体出巧令，故相传易得佳句。"曹锡彤《唐诗析类集训》卷四："前二韵以惜别梁耿言，后二韵以苕溪酬寄言。此诗后人入乐府词，题作《谪仙怨》。"【初到碧涧招明契上人】《诗镜总论》："刘长卿体物情深，工于铸意，其胜处有迥出盛唐者。'黄叶减余年'，的是庾信、王褒语气。"《王闿运批唐诗选》："工妙便是小派。与杜诗对看，杜不如刘佳句之多也。唐诗至此，方讲锤炼，所谓四十贤人，无一人入屠沽。"

秦系居越州，有诗《山中赠耿拾遗沣兼寄两省故人》、《春日闲居三首》、《山中奉寄钱员外兼苗发员外》。

四月

吕渭在浙西李涵幕，使河北，作《太行苦热行》，李涵有和作。独孤及有《奉和李大夫同吕评事太行苦热行兼寄院中诸公》，刘长卿有《奉和李大夫同吕评事太行苦热行兼寄院中诸公仍呈王员外》。

五月

诏罢两都贡举，进士都集上都长安，并停童子科。

秋

张南史举家客宣州。有诗《和崔中丞秋月夜》、《奉酬李舍人秋日寓直见寄》、《寄中书李舍人》。

僧人少微自长安南游天台。"赵涓赋诗抒别，卿大夫已下属而和者二十七章"（独孤及《送少微上人之天台国清寺序》）。刘长卿有诗《送少微上人游天台》、《赠微上

人》，严维有《送少微上人东南游》。

戎昱因谗去桂林幕，有诗《上桂林李大夫》。秋在湖南，有《哭黔中薛大夫》。

任华在桂林，有《送虔上人归会稽觐省便游天台山序》，后不知所终。《全唐诗》卷二六一存其诗三首，《全唐文》卷三七六录文二四篇。《全唐诗录》卷一九："华《与庾中丞书》云：'华本野人，尝思渔钓，寻常杖策，归乎旧山，非有机心致斯扣击'。是必狂狷之流也。《松石轩诗评》云：'任华之作，如疾雷犒空，长风蹴浪，飞电沓影，重云满盈，倏开倏阖，一朗一晦，凛耳叠目，吁可怪也。'"

十月

苏涣在岭南，因煽动哥舒晃作乱，被杀。《全唐诗》卷二五五存其诗四首。《中兴间气集》卷上录其诗三首，云："作《变律》诗九首上广州李帅。其文意长于讽刺，亦有陈拾遗一鳞半甲，故善之。或曰：'此子左右嬖臣，侵败王略，今著其文，可乎?'答曰：'汉著蒯通说词，皇史录列祖君彦檄书，此大所以容细也。夫善恶必书，《春秋》至训，明言不废，《孟子》格言，涣者其殆类此乎? 但不可弃其善，亦以深戒君子之意。"《杜诗详注》卷二三杜甫《苏大侍御访江浦赋八韵记异》序："苏大侍御涣，静者也，旅于江侧，不交州府之客，人事都绝久矣。肩舆江浦，忽访老夫舟楫，已而茶酒内，余请诵近诗，肯吟数首，才力素壮，辞句动人。接对明日，忆其涌思雷出，书箧几杖之外，殷殷留金石声。赋八韵记异，亦见老夫倾倒于苏至矣。"《苕溪渔隐丛话》前集卷八引《蔡宽夫诗话》："子美称苏涣为静者，而极美其诗，以为涌思雷出，书箧几杖之外，隐隐留金石声，所谓'庞公不浪出，苏氏今有之'者。其人品固可见也。然涣本凶悍不逞，巴中号为白跖，后同哥舒晃反岭外，伏诛，不知子美何取庞公之此比乎? 逆旅相遇，一时意气所许，固不皆当。然以拟庞公则太不类，乃知诗人之言，类多过实，而所毁誉尤不可尽信。涣诗世犹或见其一二。……唐人以为长于讽刺，得陈拾遗一鳞半甲，观其词气颉颃如此，固自可见其胸中也。"《兰丛诗话》："杜所称赏之苏涣，据《唐书》有为'白跖'者，不知即此人否? 其诗有古律二十余首，不知即杜所称'殷殷几席'者否? 其事、其人皆不足以深究，其诗非古非律，不知何所据而创之。"《唐音癸签》卷二六："苏涣以盗始，以盗终，其人何如人哉！杜称为静者，寄诗望其致主尧舜，屡赞不已，殊可怪。湖南后交游益寥落，穷途倾盖，许与遂至过滥耳。'即今漂泊干戈际，屡貌寻常行路人'，岂独为曹将军言哉?"【变律】《王闿运手批唐诗选》卷一云："强盗诗。极为杜所赏，至以百灵未散称之。二诗殊未见起处，是强盗语。"《删补唐诗脉笺释会通评林》周珽论其一："结理精悍，才力陡律，不将字句随人拜呼者。"

本年

崔元翰年四十七，本年前后，有《与常州独孤使君书》。其云："推是而言，为天子、大臣，明王道，断国论，不通乎文学者，则陋矣。士君子立于世，升于朝，而不繇乎文行者，则僻矣。然患后世之文，放荡于浮虚，舛驰于怪迂，其道遂隐。谓宜得明哲之师长，表正其根源，然后教化淳矣。阁下绍三代之文章，播六学之典训，微言高论，正词雅旨，温纯深润，溥博宏丽，道德仁义，粲然昭昭，可得而本。学者风驰云委，日就月将，庶几于正。”

张谓卒，年约六十五。《全唐诗》卷一九七编其诗一卷，有他人之作羼入。《全唐诗逸》补诗一首，《全唐诗补编·续补遗》补一句，《续拾》卷一六补二句。《全唐文》卷三七五录其文两篇。《河岳英灵集》卷上选其诗六首，评云：“谓《代北州老翁答》及《湖中对酒行》，并在物之外，但众人未曾说耳。亦何必历遐远、探古迹，然后始为冥搜。”《唐才子传》卷四：“工诗，格度严密，语致精深，多击节之音。”《诗筏》：“张谓侍郎七言律，多奇警之句，及死后见形。独爱人诵其‘樱桃解结垂檐子，杨柳能低入户枝’二语。”《载酒园诗话》又编：“张正言诗，亦倜傥率直，不甚蕴藉，然胸中殊有浩落之趣。‘眼前一樽又长满，胸中万事如等闲’，有此风调，固宜太白与之把臂。”《诗学渊源》卷八：“诗取实境，颇有高致。盖自李、杜以后，风尚所趋呈反复，齐、梁一体惟独主于性灵，故使事无迹，而以传神为能事耳。”《唐诗归》卷一六钟惺评：“七言律，诗家所难。初盛唐以庄严雄浑为长，至其痴重处，亦不得强为之佳，耳食之夫，一概追逐，滔滔可笑。张谓变而流丽清老，可谓善自出脱。”【代北州老翁答】《唐诗解》卷一：“此述负薪老翁之词，以刺明皇之黩武也。”《删补唐诗选脉笺释会通评林》“盛唐七古”周敬评：“叙事呜咽，致讽率快。”

包何在长安，官起居舍人，有《和苗员外寓直中书》。本年或稍后卒。《唐才子传》卷三：“曾师事孟浩然，授格法，与李嘉祐相友善，大历中仕，终起居舍人。诗传者可数，盖流离世故，率多素辞，大播芳名，亦以当时望族也。”《全唐诗》卷二〇八编其诗为一卷。《唐音癸签》卷七：“二包艺苑连枝，何七字余有片藻，佶五排概多完什。”《唐诗纪事》卷二四：“融，润州延陵人，历大理司直，二子何、佶齐名，世称二包。”【和程员外春日东郊即事】《贯华堂选批唐才子诗》卷三：“一，写郎官；二，却无端陪写一野老。三，‘几处折花’承‘郎官’；四，‘数家留叶’却无端亦承他野老，此为何等章法耶！……先生用意，固加人一等也。五、六忽写藤萦泉浸，一似攀辕卧辙，不听郎官便去者。将东郊无情景物，特地写出一片至情，此又奇情妙笔也。七、八又言，便使郎官假满终去，然东郊莺柳，只是眷恋不已。作诗有何定态？庄子云：手触、肩依、足履、膝踦，官自止，神自行，技之至此，盖真有之矣。”

李幼卿约本年卒于滁州刺史任，年四十余。独孤及有《祭滁州李庶子文》。《全唐诗》卷三一一收其诗五首。

柳中庸卒于洪州。《全唐诗》存其诗一三首。《唐诗纪事》卷三一：“中庸，子厚之族，御史并之弟也。与弟中行，皆有文名，咸为官早死。”《大历诗略》：“此公七绝，亦体源于乐府，微嫌笔头太重，无轩轩霞举意。而五言轻绝，殆不减陈梁人。”【江行】《诗境浅说》续编：“凡纯是写景之诗，贵有远韵余味，方耐吟讽。此诗寓情于景，不仅写楚江烟雨也。”

大历中，寒山子隐于天台山。《太平广记》卷五五引杜光庭《仙传拾遗》：“寒山子者，不知其名氏。大历中隐居天台翠屏山，其山深邃，当暑有雪，亦名寒岩，因自号寒山子。好为诗，每得一篇一句，辄题于树间石上。有好事者随而录之，凡三百余首。多述山林幽隐之兴，或讥讽时态，能警励流俗。桐柏征君徐灵府序而集之，分为三卷，行于人间。十余年忽不复见。”

公元776年（唐代宗大历十一年　丙辰）

二月

许孟容、崔损、王纾、李子卿、周澈等十四人登进士第；时礼部侍郎常衮知贡举。是年，东都停贡举。

御史大夫李栖筠卒，年五十八。《全唐诗》卷二一五存诗二首，《全唐文》卷三七〇存文二篇。权德舆有《李栖筠文集序》云：“大凡出于《诗》之无邪，《易》之贞厉，《春秋》之褒贬，且以闳奓巨衍为曼辞，丽句可喜非法言。故公之文，简实而粹精，朗拔而章明。书志二篇，感慨自叙，英华特达，君子之道，有初有终。至若嘉园绮弛张出处于秦汉之间，著《四先生碑》，美萧、文、终、邴丞相之伦，或退或让，作《五君咏》，病有司诗赋取士非化成之道，著《贡举议》。其它下属城教条，则辞语温润，言公事上奏，则切劘端正，触类而长。皆文约旨明，昭昭然足以激衰薄而申矩度，如昆丘元圃，积玉相照，景山邓林，凡木不植。览公遗编者，髣髴风采，知公之道焉。”

春

韦应物在京兆功曹任，春，摄高陵令。有《天长寺上方别子西有道》、《高陵书情寄三原卢少府》。《艺概》卷二“诗概”：“韦苏州忧民之意如元道州，试观《高陵书情》云……此可与《春陵行》、《贼退示官吏作》并读，但气别婉劲耳。”

李纵在长安，与兄李纾咏玫瑰花寄徐浩，卢纶有诗《奉和李员外昆季咏玫瑰花寄赠徐侍郎》，司空曙有诗《和李员外与舍人咏玫瑰花寄徐侍郎》。七月，李纵加员外郎为常州别驾，归常州，卢纶有《送李纵别驾加员外郎却赴常州幕》，李端有《送别驾赴晋陵即舍人叔之兄》，戴叔伦有《送李长史纵之任常州》

五月

司空曙与李端等人游长安慈恩寺，有《残莺百啭歌同王员外耿拾遗吉中孚李端游慈恩各赋一物》。李端《慈恩寺怀旧》序云：“余去夏五月，与耿沣、司空文明、吉中孚同陪故考功王员外来游此寺。员外，相国之子，雅有才称，遂赋五物，俾君子射而歌之。其一曰凌霄花，公实赋焉，因次诸屋壁以识其会。今夏，又与二三子游集于斯，流涕语旧，既而携手入院，值凌霄更花，遗文在目，良友逝矣，伤心如何。”

七月

卢纶旅居长安。有《客舍苦雨即事寄钱起郎士元二员外》、《苦雨闻包谏议欲见访戏赠》、《客舍喜崔补阙司空拾遗访宿》。包谏议，即包佶。崔补阙，崔峒。司空拾遗，司空曙。

戎昱复至桂州，有《再赴桂州先寄李大夫》。《唐诗镜》卷三四：“三、四宛转沉痛，足匹少陵深衷料理语。”

秋

刘长卿在睦州司马任。有《月下呈章秀才》，章秀才，章八元，时在睦州桐庐，有《酬刘员外月下见寄》。皇甫曾过访，有诗《过刘员外长卿别墅》。刘长卿作诗《碧涧别墅喜皇甫侍御相访》。【过刘员外长卿别墅】《瀛奎律髓汇评》卷一三方回评：“诗律平稳。”纪昀评：“无警策处，而气韵恬雅。”【碧涧别墅喜皇甫侍御相访】《瀛奎律髓汇评》卷一三方回评：“刘随州号‘五言长城’，答皇甫诗如此，句句明润，有韦苏州之风。他诗为尝贬谪，多凄怨语。”纪昀评：“起四句有灏气。五、六言路之难行，以起末两句，非写意也。”《唐诗合解笺注》卷八：“‘荒村带晚照，落叶乱纷纷’，荒村日暮，落叶秋凉，一种衰飒之象，令人生迟暮之感，故以‘无行’、‘独见’为承。‘古路无行客，空山独见君’，此真空谷之足音者矣。古路无人肯行，空山今且独见，侍御超出时趋，独由古道，岂真知心者耶？诗中不言喜，而喜可知矣。‘野桥经雨断，涧水向田分’，以别墅荒僻，无人能到，转到怜同病也。因雨过，水涨没桥，涧水至田，即分流也。‘不为怜同病，何人到白云’，今侍御之临此荒僻，只为同病相怜之故，不然，如此白云深处，再有何人能到乎。前解叙时景，后解叙地景，总言荒僻，而喜侍御之相访，喜意已足。”《大历诗略》：“文房五言皆意境好，不费气力。此尤以不见用意为长。”《唐诗评注读本》：“只极写山村荒僻，无人肯到，愈见侍御之来此，为同病相怜之故。不点明喜字，而喜可知矣。是画家渲染法。”【月下呈章秀才】《瀛奎律髓汇评》卷四三方回评：“此迁谪中作，八句皆有味。”纪昀评：“天然涌出，格韵浑成。”《载酒园诗话》又编：“此诗甚佳，众选不及，殊可怪。”

夏侯审官宁国丞。卢纶有《送宁国夏侯丞》，司空曙有《送夏侯赴宁国》，李端有《送夏中丞赴宁国》。

十二月

鲍防为河东少尹。钱起有《送鲍中丞赴太原行营》，卢纶有《送鲍中丞赴太原》。

冬

韦应物此年前后丧偶，作悼亡诗多首。《韦江州集》卷六《伤逝》题下注云：“此后叹逝哀伤十九首，尽同德精舍旧居伤怀时所作。”

皎然至常州，居建安寺，有《冬日建安寺西院喜昼公自吴兴至联句》、《建安寺夜会对雨怀皇甫侍御曾联句》。与之联句者，有王遘、李纵、郑说、崔子向、齐翔。

本年

白行简生。白行简（776—826），字知退，小字阿怜，行二十三，祖籍太原，后迁居华州下邽。元和二年登进士第，授秘书省校书郎。八年，入剑南东川节度使卢坦幕府为掌书记。卢坦卒，东出峡至江州依白居易。居易授忠州刺史，行简随同前往。穆宗长庆初授左拾遗，累迁司门员外郎、主客员外郎，进为主客郎中，又曾任度支郎中，膳部郎中等职。宝历元年转主客郎中，二年冬病卒。《新唐书・艺文志》著录《白行简》二〇卷，已佚。生平事迹见白居易《祭郎中弟文》、《旧唐书》卷一六六及《新唐书》卷一一九本传、《唐诗纪事》卷四一等。

皇甫湜约本年生。皇甫湜（776？—835？），字持正，行七，睦州新安人，郡望安定，寄家扬州。元和元年登进士第，三年登贤良方正科，以策文直切，为宰相所忌，授陆浑尉。后曾贬官庐陵。大和元、二年间，在山南东道节度使李逢吉幕，后仕至工部郎中、东都判官。《新唐书・艺文志》著录《皇甫湜集》三卷。今传《四部丛刊》本《皇甫持正文集》六卷，系据宋刊本影印。《全唐诗》仅收其诗《题浯溪石》一首，事迹见《新唐书》卷一七六本传、《唐诗纪事》卷三五。

独孤申叔生。独孤申叔（776—802），字子重，洛阳人。贞元十二年撰《义阳主》词，明年登进士第，十五年中博学宏词科，授秘书省校书郎，十八年四月卒。事迹见柳宗元《亡友故秘书省校书郎独孤君墓碣》、韩愈《祭独孤申叔文》、《新唐书・宰相世系表五下》。

独孤郁生。独孤郁（776—815），字古风，行二十七，河南人。贞元十四年进士及第，娶权德舆之女，为奉礼郎。二十一年为华州判官。元和元年中才识兼茂明于体用科，授右拾遗。二年兼史职，四年迁右补阙，五年任起居郎，充翰林学士，九月改考功员外郎，兼史馆修撰。八年迁驾部郎中，十二月入翰林院。九年以疾免，改秘书少监。十年正月卒。《新唐书・艺文志》著录其预撰《德宗实录》五〇卷，与元稹、白居易撰《元和制策》三卷，并佚。事迹见韩愈《秘书少监独孤府君墓志铭》、《旧唐书》卷一六八、《新唐书》卷一六二本传。

公元 777 年（唐代宗大历十二年　丁巳）

正月

皎然、皇甫曾在常州，有《建元寺西院李员外纵联句》。与联句者有皇甫曾、崔子向、郑说、皎然。

二月

黎逢、郑余庆、任公叔、杨系、张昔、元友直、丁位、崔绩、裴达、张季略、沈回、杨凌等十二人登进士第。时礼部侍郎常衮知贡举。试《通天台赋》、《小苑春望宫池柳色》诗。

郑昈卒于扬州，年七十八。白居易《故滁州刺史赠刑部尚书荥阳郑公墓志铭》：

"公尤善五言诗，与王昌龄、王之焕、崔国辅辈联唱迭和，名动一时。逮今著乐词，播人口非一。晚赋《思旧游》诗百篇，亦传于代。"《全唐诗》载其五律《落花》一首。

三月

元载被赐自尽，《全唐诗》卷一二一存其诗一首，《全唐文》卷三六九存其文六篇。元载妻王韫秀（724？—777）亦被赐死，《全唐诗》卷七九九收其诗三首。王缙被贬为括州刺史，秋经睦州，刘长卿有《饯王相公出牧括州》。

戴叔伦在潭州，有《送李审之桂林谒中丞叔》。

春

耿沣、司空曙官拾遗。卢纶有《同耿沣司空曙二拾遗题韦员外东斋花树》、《春日书情赠别司空曙》，李端有《韦员外东斋看花》。

皇甫曾在常州，春，北归丹阳。独孤及有《答皇甫十六侍御北归留别之作》。

张南史于本年或稍后春日卒于宣州。李端有《哭张南史因寄南史侄叔宗》，窦常有《哭张仓曹南史》。《中兴间气集》卷下："张君奕棋者，中岁感激，苦节学文，数载间稍入诗境。如'已被秋风教忆鲙，更闻寒雨劝飞觞'，可谓物理俱美，情致兼深。"《唐才子传》卷三："中岁感激，始苦节学文，无希世苟合之意，数年间稍入诗境。体调超闲，情致兼美，如并燕老将，气韵沉雄，时少及之者。"《大历诗略》："乔直五言高格，可匹懿孙（张继），非戎昱等人所及。"《全唐诗》卷二九六存其诗一卷，《全唐诗补编·续补遗》卷四补一首，《续拾遗》卷一八补二句。

杨炎自吏部侍郎贬为道州司马。韩洄、王定、包佶、徐演、赵纵、裴冀、王紞、韩会等皆坐元载党贬官。

独孤及卒于常州，年五十三。崔佑甫作《唐常州刺史独孤及神道碑》（《唐文粹》卷五八）云："公之文章，大抵以立宪诫世褒贤遏恶为用，故论议最长。其或列于碑颂，流于咏歌，峻如嵩华，盛如江河，清如秋风过物，邈不可逮。"《文苑英华》卷九七二梁肃《朝散大夫使持节常州诸军事守常州刺史赐紫金鱼袋独孤公行状》："公天生懿德，外方内直，气茂才全，发为时文，得大易之中、诗人之正，邈乎其不可及已。……其茂学博文，不读非圣之书；非法之言，不出诸口；非设教垂训之事，不行于文字。而达言发辞，若山岳之峻极，江海之波澜，故天下谓之文伯。"又卷七〇三《常州刺史独孤及集后序》云："唐兴，接前代浇醨之后，承文章颠坠之运，王风下扇，旧俗稍革，不及百年，文体反正。其后时寖和溢，而文亦随之。天宝中作者数人，颇节之以礼。洎公为之，于是操道德为根本，总经籍为冠带，以易之精义、诗之雅兴、春秋之褒贬，属之于辞，故其文宽而简，直而婉，辨而不华，博厚而高明，论人无虚美，比事为实录，天下凛然，复睹两汉之遗风。善乎中书舍人崔公佑甫之言也，曰：凡立言，必忠孝大伦，王霸大略，权正大义，古今大体。其中虽波腾雷动，起伏万变，而殊流会归，同志于道。故于赋《远游》、颂《啸台》，见公放怀大观，超迈流俗；于《仙掌》、《函谷》二铭，《延陵论》、《八阵图记》，见公识探神化，智合权道；于议郊祀配天之礼，吕諲、卢奕之谥，见公阐明典训，综核名实。若夫述圣道以扬儒风，则《陈留郡文宣王庙碑》、《福州新学碑》；美成功以旌善人，则张平原颂，李常侍、姚尚书、严庶子、韦给事、韦颍叔墓铭，郑氏孝行记，李睢阳、杨怀州碑；纂世德以贻后昆，则《先秘书监灵表》；陈黄老之义，于是有《对策文》；演释氏之奥，于是有《镜智禅师碑》；于论文变之损益，于是有《李遐叔集序》；称物状以怡情性，于是有《琅琊溪述》、《卢氏竹亭记》；抒久要于存殁之间，则祭贾尚书、相里侍郎、元郎中、李叔子文。其余纪物叙事，一篇一咏，皆足以追踪往烈，裁正狂简。噫！天其以述作之柄授夫子乎，不然，则吾党安得遭遇乎斯文也。”又卷七〇二李舟《独孤常州集序》：“先大夫尝因讲文谓小子曰：吾友兰陵萧茂挺、赵郡李遐叔、长乐贾幼几，洎所知河南独孤至之，皆宪章六艺，能探古人述作之旨。……大较词人多陷轻躁，否则懦狭迂僻，于事放弛，其能蹈履中道，可为物主者寡矣。孰与常州发论措词，皆王霸大略，孝悌之至，达于神明，善于人交，久而敬之，当官正色，不畏强御，加之以仁惠爱物，吏民敬畏，而文又如是乎？”又卷八四〇权德舆《常州刺史独孤及谥议》：“独孤及刚方直清，根于性术，其修身莅官，确然处中，立言遣辞，有古风格。辨论裁正，昭德塞违；浚波澜而去流荡，得菁华而无枝叶。其抠衣入室之徒，皆足以掌赞书而秉方册，则及之为文可以征矣。”李翱《李文公集》（四库本）卷一四《唐故福建等州都团练观察处置等使兼御史中丞赠右散骑常侍独孤公墓志铭》：“宪公有文章名于大历中，每为文，辄为后进所传写。”《皇甫特正集》卷一《谕业》：“独孤尚书之文，如危峰绝壁，穿倚霄汉，长松怪石，倾倒溪壑，然而略无和畅，雅德者避之。”《唐文粹》卷八六崔元翰《与常州独孤使君书》：“阁下绍三代之文章，播六学之典训，微言高论，正词雅旨，温纯深润，溥博宏丽，道德仁义，粲然昭昭，可得而本。”《旧唐书》卷一六〇韩愈传：“大历、贞元之间，文字多尚古学，效扬雄、董仲舒之述作，而独孤及最称渊奥，儒林所重。”《新唐书》卷一六二独孤及传：“其为文彰明善恶，长于议论。”《唐才子传》卷三：“及性孝友，喜鉴拔，为文必彰明善恶，长于议论。工诗，格调高古，风神迥绝，得大名当时。有集传世。尝读《选》中沈、谢诸公诗，有题《新安江水至清浅深见底贻京邑游好》及《石门新营所住四面高山回溪石濑修竹茂林》及《田南树园激流植援》、《斋中读书》、《南楼中望所迟客》、《晚登三山还望京邑》等数端，皆奇崛精当，冠绝古今，曾无发其韫奥者。逮盛唐沈、宋、独孤及、李嘉祐、韦应物等诸才子，集中往往各有数题，片言不苟，皆不减其风度，此则无传之妙。”《唐诗归》卷二四钟惺云：“少不喜此君诗，其全集近八十首，冗累处甚不好看，故所选止此。然其高处已似元道州矣。以此知诗之难，看者不当便弃也。使此君止传此数诗，则亦盛唐好手，惟读其全集，故反生厌，因悟看人诗者贵细，自存其诗者贵精。”王士祯《香祖笔记》（上海古籍出版社1982）卷五：“予按皇甫湜《谕业》一篇，历评唐人文章，称独孤之文如‘危峰绝壁，穿倚霄汉，长松怪石，颠倒溪壑’。今读其文，殊不尽然。大抵序记，犹沿唐习，碑版叙事，稍见情实。《仙掌》、《函谷》二铭，《琅邪溪述》、《马退山茅亭记》、《风后八阵图记》，是其杰作，《文粹》略已载之。”《艺概》卷一“文概”：“独孤至之文，抑邪举正，与韩文同。《唐实录》称韩愈师其为文，乃韩则未尝自言，学于韩者不复言，《唐书》本传亦仅言梁肃、高参、崔元翰、陈京、唐次、齐抗师事之，而韩不与焉。要其文之足重，固不系乎韩师之也。”赵怀玉《独孤宪公毘陵集序》：“有唐之兴，体凡三变，天宝而后，大历以前，燕许云徂，韩柳未盛，则兰陵萧功曹、赵郡李员外，与常州刺史独孤宪公，实比肩焉。萧虽忤于权门，李乃污夫伪命，揆之文行，未免参差。公则谠直著于朝宁，恺悌洽乎方州，凌轹四君，祖述六艺。《孝经》一卷，首志立身。孔门诸科，几得具体。此其可贵一也。唐世文字，存者寥寥，苟有闻见，亟宜购访。而茂挺之作，仅收于什一；遐叔之制，尤掇于零星残篇轶简，人以为病。公则首尾廿卷，尚符《唐志》，灵光之殿，岿然独存；积玉之圃，浩乎无涘。菁华所钟，神物加护，此其可贵二也。退之起衰，卓越八代，泰山北斗，学者仰之，不知昌黎固出安定之门，安定实受洛阳之业，公则悬然天得，蔚为文宗。大江千里，始滥觞于岷峨；黄河九曲，肇发源于星宿。此其可贵三也。琴瑟专壹，听者思迁；牲醪日陈，食者生倦。求其相济，事在兼长。公则猷升邦国，言炳竹素，识大识小，亦元亦史。语其矜贵，明堂清庙之仪；迹彼翛远，青山白云之概。惟明斯融，虽淡不厌。此其可贵四也。”《唐律消夏录》卷四：“独孤至之诗笔俱高，中唐时亦一大家。”《四库提要》卷一五〇《毘陵集》提要：“唐自贞观以后，文士皆沿六朝之体，经开元、天宝，诗格大变，而文格犹袭旧规。元结与及始奋起湔除，萧颖士、李华左右之，其后韩、柳继起，唐之古文遂蔚然极盛。斲雕为朴，数子实居首功。《唐实录》称韩愈学独孤及之文，当必有据。特风气初开，明而未融耳。士祯于荜路篮缕之初，责以制礼作乐之事，是未尚论其世也。”

五月

颜真卿应诏入朝，其在湖州五年所为诗文，编为《吴兴集》十卷。见殷亮《颜鲁公行状》。

七月

韦应物在京兆功曹任，使云阳视察水灾。有《使云阳寄府曹》。

窦叔向因常衮推荐，自江阴令除左拾遗内供奉。梁肃有《送窦拾遗赴朝廷序》，皇甫曾有《酬窦拾遗秋日见呈》。

秋

刘长卿在睦州司马任。有诗《饯王相公出牧括州》、《酬皇甫侍御见寄时前相国姑臧公初临郡》及文《仲秋奉饯萧郎中使君赴润州序》。是年，另有诗《送柳使君赴袁州》。【酬皇甫侍御见寄时前相国姑臧公初临郡】《瀛奎律髓汇评》卷四二方回云：“第五不涉风物，未尝不新。”纪昀云：“五句与全诗无涉，不宜入之题中。”又云：“通体深稳。”又云：“意总在言情而不写景，然古人诗法不必定写景，亦不必不写景，惟其当而已矣。‘江西’诸人始以摆落为高，虚谷因而加僻焉，非笃论也。”《唐诗镜》卷二九：“‘砧迥月如霜’，景趣深长。若除却‘砧’字，余俱浅俗矣。”【送柳使君赴袁州】《删补唐诗选脉笺释会通评林》“中唐七律上”陈继儒曰：“就其所赴情景写出，婉至可味。”周珽曰：“前四句谓使君承恩，按节远方，似违高尚之志。后四句谓袁州地治亦清静幽越，不妨为宦隐也。”顾璘曰：“五、六风韵极高。”

严维入河南严郢幕，枉道睦州会刘长卿。有诗《酬别刘员外长卿时赴河南严中丞幕府》、《答刘长卿蛇浦桥月下重送》、《答刘长卿七里濑重送》。刘长卿有诗《送严维赴河南充严中丞幕府》、《蛇浦桥下重送严维》、《七里滩重送》。

包佶卧疾岭南，有《岭下卧疾寄刘长卿员外》。刘长卿作《酬包谏议见寄之作》。

十二月

韩翃暂来长安。有诗《褚主簿宅会毕庶子钱员外郎使君》。

郎士元出守郢州。卢纶有诗《送郎士元使君赴郢州》，司空曙有诗《送郎使君赴郢州》，韩翃有《送郢州郎使君》，钱起有《送元使君》。

本年

崔子向赴太原，有《上鲍大夫》。鲍大夫，鲍防。李嘉祐有《送崔十一弟归北京》。

梁肃与释去喧同游稽山、若耶，有《游云门寺诗序》。

沈传师生。沈传师（777—835），字子言，行八，沈既济之子，苏州吴县人，或谓湖州武康人。贞元二十一年登进士第，元和元年登才识兼茂明于体用科，授太子校书郎，由鄠县尉直史馆转左拾遗、左补阙，并兼史职。十二年充翰林学士，次年迁司门员外郎。十五年加司勋郎中，加兵部郎中、知制诰。长庆元年二月，迁中书舍人充翰林学士，明年出守本官判史馆事，三年为湖南观察使。宝历二年入为尚书右丞。大和二年出为江西观察使。四年九月转为宣歙观察使，七年入为吏部侍郎，九年四月卒，年五十九。《新唐书·艺文志》著录其预修《宪宗实录》四〇卷，与令狐楚、杜元颖合编《元和辨谤略》一〇卷，均佚。事迹见杜牧《唐故尚书吏部侍郎赠吏部尚书沈公行状》、《旧唐书》卷一四九、《新唐书》卷一三二本传等。

公元 778 年（唐代宗大历十三年　戊午）

二月

杨凝、卫次公、仲子陵等二十一人登进士第。时礼部侍郎潘炎知贡举。仲子陵（774—802），成都人。贞元九年上《五服图》一〇卷（已佚），十年中贤良方正能直言极谏科，授太常博士，转主客员外郎。十五年前后受诏典黔中选补，十七年改司门员外郎，十八年六月卒。《全唐诗》卷二八一存诗一首，《全唐文》存其文九篇。《文苑英华》卷九四一权德舆《尚书司门员外郎仲君墓志》：“修词甚博，推本六经，赋诗类事，往往有卓异不羁之韵。”

颜真卿在刑部尚书任，谒昭陵，有《使过瑶台有怀圆寂上人》。

春

皎然南行，访秦系于越州，有诗《题秦系山人丽句亭》。七月，皎然在睦州，有《早秋桐庐思归示道谚上人》、《戛铜碗为龙吟歌》并序。

梁肃与友人欧阳仲山游吴，有《周公瑾墓下诗序》。

八月

许经邦溺水卒。许经邦（？—778），鄱阳人。大历中隐居乡里，十三年饶州刺史第五琦荐举为江西从事、检校左武卫仓曹参军。《新唐书·艺文志》著录《许经邦诗集》一卷，已佚。《文苑英华》卷七一三权德舆《左武卫胄曹许君集序》："建安之后，诗教日寖，重以齐、梁之间，君臣相化，牵于景物，理不胜词。开元、天宝已来，稍革颓靡，存乎风兴。然趋时逐进，此为橐钥，绅佩之徒，以不能言为耻，至吟咏情性、取适章句者鲜焉。有许氏子者，名经邦，字某，世得命官，不书于此。如举其始终之略，以著于篇。君天授纯静，不迁于物，修检之中，须有夷旷。……呜呼，践儒行而未申其用，沾初命而未至于禄，受全气而不终其寿，此三者，所以为士友之病。凡所赋诗，皆意与境会，疏导情性，含写飞动，得之于静，故所趣皆远。其道退，其徒寡，不交当世，故知之者稀。惟昌黎韩愈、泰山羊滔最为友善。……韩以其诗三百篇授予，故类而为集。"

秋

韦应物在鄠县令任，秋集长安，罢还。有诗《秋集罢还途中作谨献寿春公黎公》。

戴叔伦辞湖南转运留后东归，秋在润州。有诗《送柳道时余北还》、《郊园即事寄萧侍郎》、《京口送皇甫司马副端曾舒州辞满归去东都》。

刘长卿在睦州任。有诗《送方外上人依萧使君》、《送方外上人》、《奉寄婺州李使君舍人》及文《唐睦州司仓参军卢公夫人郑氏墓志铭》。【送方外上人】《唐诗镜》卷二九："貌古而唐，以有做作在。"《唐诗别裁集》："有三宿桑下，已嫌其迟意。善讽之也。"

于鹄隐居山中，有《山中自述》。《重订中晚唐诗主客图说》卷上："'病多知药性，年长信人愁'，新警处全要真确。"

十月

窦叔向在京官左拾遗。时葬贞懿皇后，诏群臣为挽辞。窦叔向"即时进三章，内考首出，传诸人口"（褚藏言《窦常传》）。

冬

秦系与妻离异，来睦州。刘长卿有《夜中对雪赠秦系时秦初与谢氏离婚谢氏在

越》、《见秦系离婚后出山居作》、《秦系顷以家事获谤因出旧山每荷观察崔公见知欲归未遂感其流寓诗以赠之》、《赠秦系征君》。

本年

薛涛九岁，解声律，续其父《井梧》诗。章渊《槁简赘笔》："薛涛字洪度，本长安良家女。父郧，因官寓蜀。涛八九岁，知声律。其父一日坐庭中，指井梧示之曰：'庭除一古桐，耸干入云中。'令涛续之，应声曰：'枝迎南北鸟，叶送往来风'。父愀然久之。"

吴筠卒于宣城。《唐文粹》卷九三权德舆《中岳宗元先生吴尊师集序》云："有时放言，以畅天理。且以园公歌咏于紫芝，弘景怡说于白云，故属词之中，尤工比兴。观其《自古王化诗》与《大雅吟》、《步虚词》、《游仙》、《杂感》之作，或遐想理古，以哀世道；或磅礴万象，用冥环枢，稽性命之纪，达人事之变，大率以啬神挫锐为本。至于奇采逸响，琅琅然若戛云璈而凌倒景，昆阆松乔，森然在目，追近古游方外而言六义者，先生实主盟焉。至若总论谷神之妙，则有《玄纲》篇；哀蓬心蒿目之元于道也，则有《神仙可学论》；疏瀹澡雪，使无落吾事，则有《洗心赋》、《岩栖赋》；修胸中之诚而体乎大均，则有《心目论》、《契形神颂》。其它抗章寓书，赞美序别，非道不言，言而可行，泊然以微妙，卓尔而昭旷，合为四百五十篇。博大真人之言，尽在是矣。"《全唐诗》卷八五二编其诗为一卷，卷八八八补六首。《全唐诗补编·补逸》卷一八补二首，《续补遗》卷三补一首，《续拾》卷一六另补四首又四句。《全唐文》编其文为二卷（卷九二五至九二六）。

杨汝士生。杨汝士（778—?），字慕巢，虞卿从弟，行六，虢州弘农人。元和四年，擢进士第。历万年县尉、监察御史、右补阙、司封员外郎等。大和二年为中书舍人，后迁工部侍郎，转户部侍郎、兵部侍郎。开成初，由兵部侍郎出镇东川，入为吏部侍郎，终刑部尚书，卒于会昌中。生平事迹见《唐诗纪事》卷四六、《旧唐书》卷一七六及《新唐书》卷一七五本传等。

柳公权生。柳公权（778—865），字诚悬，京兆华原人。勤于书学，自成一家。元和三年，擢进士第。穆宗时，拜右拾遗、侍书学士，改弘文馆学士。文宗复召侍书，寻以谏议为学士、知制诰，转工部侍郎。咸通初，改太子少师。开成六年卒。事迹见《旧唐书》卷一六五、《新唐书》卷一六三本传、《唐诗纪事》卷四〇等。

公元779年（唐代宗大历十四年　己未）

二月

王储、周渭、袁同直、窦常、卞佺、奚陟、王表、朱遂、赵博宣、独孤绶等二十人登进士第；时礼部侍郎潘炎知贡举，试《寅宾出日赋》、《花发上林苑》诗。王储为状元，《全唐诗》卷二八一存其诗一首，《全唐文》卷四五五录文一篇。窦常时年三十三。

三月

淮西节度使李忠臣为李希烈所逐，奔归长安。以李希烈为蔡州刺史、淮西留后。韩竑在汴州，作《为李希烈谢留后表》；时李勉移镇汴州，遂入勉幕。

姚系在洛阳。有诗《送陆浑主簿赵宗儒之任》。

春

郎士元在郢州刺史任，钱起有诗《寄郢州郎士元使君》。秋，郎士元在郢州刺史任上作诗《郢城秋望》、《送彭偃房由赴朝因寄钱大郎中李十七舍人》。

韦应物在鄠县令，有诗《扈亭西陂燕赏》、《任鄠令渼陂游眺》、《西郊游宴寄赠邑僚李巽》。七月，韦应物自鄠县令除栎阳令，谢病辞归善福精舍，有诗《谢栎阳令归西郊赠别诸友生》、《沣上西斋寄诸友》。【扈亭西陂燕赏】《岘斋诗谈》卷五云："只是味厚，此须养深。"

刘商在滑州。有《滑州送人先归》。

李嘉祐闲居苏州。皎然来游，有《七言奉酬李员外使君嘉佑苏台屏营居春首有怀》、《五言酬邢端公济春日苏台有呈袁州李使君兼书并寄辛阳王三侍御》、《五言因游支硎寺寄邢端公》。后李嘉祐除台州刺史，刘长卿有诗《送台州李使君嘉寄题国清寺》。

五月

辛酉，代宗病卒。癸亥，太子李适即位，是为德宗。十月，严维在京官秘书丞，时代宗葬，与李端各有《代宗挽歌》。

六月

高仲武选编《中兴间气集》二卷。其序云："诗人之所作，本诸心，心有所感，而形于言。言合典谟，则列于风雅。暨乎梁昭明，载述已往撰集者数家，榷其风流，正声最备。其余著录，或未至正焉。何者?《英华》失于浮游，《玉台》陷于淫靡，《珠英》但纪朝士，《丹阳》止录吴人。此由曲学专门，何暇兼包众善，使夫大雅君子，所以对卷而长叹也。唐兴一百七十载，属方隅叛援，戎事纷纶，业文之人，述作中废。粤若肃宗、先帝，以殷忧启圣，反正中兴。伏惟皇帝以出震继明，保安区宇，国风雅颂，蔚然复兴，所谓文明御时，上以化下者也。仲武不揆菲陋，辄罄谀闻，博访词林，采察谣俗，起自至德元年首，终于大历末年，作者数千，选者二十六人，五言诗一百四十首，七言诗附之，列为两卷，略序品汇人伦，命曰《中兴间气集》。且夫微言虽绝，大制犹存，详略其臧否，尚可拟议。古之作者，因事造端，敷弘体要。立义以全其制，因文以寄其心，著王政之兴衰，表国风之善否，岂其苟悦权右，取媚薄俗哉。今之所收，殆革斯弊。但使体格风雅，理致清新，期观者易心，听者竦耳，则朝野通载，格律兼收，自郐以下，非所附丽，凡百君子，幸详至公。渤海高仲武序。"《郡斋读书志》卷二〇："《中兴间气集》三卷。右唐高仲武辑至德迄大历中钱起以下二十六人诗，自为序。以天宝叛涣，述作中废，至德中兴，风雅复振，故以名。仍品藻众作，著之于前云。或又题孟彦深纂。”《直斋书录解题》卷一五：“《中兴间气集》二卷，唐渤海高仲武序。集至德以后终于大历钱起等二十六人诗一百三十二首，各有小传，叙其大略，且拈提其警句，而议论文辞皆凡鄙。”其中收录：钱起十二首，张众甫三首，于良史三首，郑丹二首，李希仲二首，李嘉祐八首，章八元一首，戴叔伦六首，皇甫冉十三首，杜诵一首，朱湾七首，韩翃七首，苏涣三首，郎士元十二首，崔峒九首，张继三首，刘长卿九首，李季兰六首，窦参三首，道人灵一四首，姚伦二首，皇甫曾五首，郑常三首，孟云卿六首，刘湾四首，张南史三首。陆游《跋中兴间气集》：“高适字仲武，此乃名仲武，非适也。评品多妄，盖浅丈夫耳。其书乃传至今，天下事出于不幸固多如此，可以一叹。……议论凡鄙，与近世宋百家诗中小序可相甲乙。唐人深于诗者多，而此等议论乃传至今，事固有幸不幸也。然所载多佳句，亦不可以所托非其人而废之。”《艺圃撷余》：“诗称发端之妙者，谢宣城而后，王右丞一人而已。郎士元诗起句云：‘暮蝉不可听，落叶岂堪闻’，合掌可笑。高仲武乃云：‘昔人谓谢朓工于发端，比之于今，有惭沮矣’。若谓出于讥戏，何得入选？果谓发端工乎，谢宣城地下当为拊掌大笑。”《唐音癸签》卷三一：“唐人自选一代诗，其鉴裁亦往往不同。殷璠酷以声病为拘，独取风骨。高渤海历诋《英华》、《玉台》、《珠英》三选，并訾璠《丹阳》之狭于收，似又专主韵调。姚监因之，颇与高合大指，并较殷为殊。详诸家每出新撰，未有不矫前撰为之说者，然亦非其好为异若此。诗自萧氏选后，艳藻日富，律体因开，非专重风骨裁甄，将何净涤余疵，肇成一代雅体？逮乎肄习既壹，多乃征贱，自复华硕谢旺，闲婉代兴，不得不移风骨之赏于情致，衡韵调为去取，此《间气》与《极玄》视《英灵》所载，各一选法，虽体气觔两，大难相追，亦时运为之，非高、姚两氏过也。观当日诡异寖盛，晚调将作，二集都未有收，于通变之中，先型仍复不失，则犹斤斤禀殷氏律令，其相矫实用相救尔。郑谷尝有诗云：‘殷璠裁鉴《英灵集》，颇觉同才得契深。何事后来高仲武，品题《间气》未公心。’似非深知仲武者。然正见唐人于诗选重此两编，故独举为评。”《四库提要》卷一八六：“仲武持论颇矜慎，其谓刘长卿十首以后，语意略同，落句尤甚，鉴别特精。而王士祯论诗绝句独非之，盖士祯诗修词之工多于炼意，其模山范水，往往自归窠臼，与长卿所短颇同。殆以中其所忌，故有此自护之论耶。陆游集有是书跋曰：‘高适字仲武，此乃名仲武，非适也’。然适自字达夫，游实误记而误辨。至称其评品多妄，又称其议论凡鄙，则尤不然。今观所论如杜诵之‘流水生涯尽，浮云世事空’，语本习径，而以为得生人始终之理，张继之‘女停襄邑杼，农废汶阳耕’，句太实相，而以为事理双切，颇不免逗漏末派。其余则大抵精确，不识游何以诋之。至所称钱起之‘穷达恋明主，耕桑亦近郊’，刘长卿之‘得罪风霜苦，全生天地仁’，此自诗人忠厚之遗，尤不得目以凡鄙。惟王世懋《艺圃撷余》摘郎士元‘暮蝉不可听，落叶岂堪闻’句，谓‘听闻合掌，而仲武称其工于发端’，则切中其失，不为苛论矣。”《诗源辩体》卷三六：“高仲武《中兴间气集》所选二十五人，诗一百三十二首，皆中唐诗也，而其人半不知名。钱、刘、皇甫，所选多非所长。且中唐虽称钱、刘，而钱实逊刘，郎士元、皇甫诸君抑又次之。仲武进钱、郎、皇甫而独抑刘，背戾滋甚。其论钱起、皇甫冉，赏其新奇；至论刘则曰：‘诗体虽不新奇，甚能炼饰。’是岂可以论大历乎？若论朱湾最为恶俗，乃云‘湾于咏物最工’，岂以恶俗为新奇耶?”何焯《跋中兴间气集》:“此集所录诗格卑浅，殊未厌心。殆出一时传咏，不见全集故耳。若云全昧别裁，则如古调独推孟云卿，为著格律异门论及谱三篇，此中亦有深工，后之愦愦者乌足语及。”

卢纶在洛阳。有《送张调参军侍从归觐荆南因寄长林司空十四曙》。

八月

沈既济在京官协律郎，上《选举议》。沈既济（生卒年不详)，苏州吴兴人。大历中为江西从事。建中元年宰相杨炎荐为左拾遗、史馆修撰，二年，贬为处州司马。兴元元年因陆贽荐，复入朝廷任职。贞元中官终礼部员外郎。《新唐书·艺文志》著录其《建中实录》一〇卷、《选举录》一〇卷，并佚。事迹见《旧唐书》卷一四九《沈传师》及《新唐书》卷一三二本传。

秋

司空曙在长林丞任。有《秋日趋府上张大夫》、《奉和张大夫酬高山人》。

苗发约本年夏秋间卒。司空曙有《哭苗员外呈张参军》。《唐才子传》卷四:“（发）虽名齿才子，少见诗篇。当时名士，咸与赠答云。”《全唐诗》卷二九五录其诗二首，《全唐诗补编·续拾》卷一六移正一首。

刘长卿在睦州任。有诗《送崔载华张起之闽中》、《送张起崔载华之闽中》、《新安奉送穆谕德归朝赋得行字》等。

权德舆有《陪包谏议湖墅路中举帆》。包谏议，即包佶，时自岭外贬所归润州闲居。

戴叔伦北游东都。有《将游东都留别包谏议》。冬，为转运使河南留后。有《奉同汴州李相公勉送郭布殿中出巡》。

本年

朱湾罢永平从事，隐居宣州东溪，又寓居宣州溧阳平陵，后假摄池州刺史。有《同达奚宰游窦子明仙坛》、《平陵寓居再逢寒食》、《假摄池州留别东溪隐居》、《寻隐者韦九山人于东溪草堂》。【寻隐者韦九山人于东溪草堂】《唐七律选》卷三引毛奇龄云:“‘路旁樵客何须问，朝市如今不是秦’，情意并见。”

陈玄佑约本年作《离魂记》。《太平广记》卷三五八《王宙》述此文作于大历末。

于邵在西川崔宁幕。时从事郑某编大历中西川崔宁幕中唱和诗为《华阳唱和集》三卷，邵为之序。

元稹生。元稹（779—831)，字微之，别字威明，行九，河南洛阳人，鲜卑族拓跋部后裔。贞元九年，以明两经擢第。贞元十五年，初仕于河中府。十九年登书判拔萃科，授秘书省校书郎，娶名门女韦丛。元和元年，登才识兼茂明于体用科，授左拾遗。

上疏论政，为宰臣所恶，出为河南县尉。四年，为监察御史，出使剑南东川，劾奏不法官吏，获罪宦官权贵，分司洛阳东台。五年召还，经敷水驿，与宦官争宿驿舍正厅，为之所伤，反被贬为江陵府士曹参军。十年，奉召返京，旋出为通州司马。十三年冬，转虢州长史。明年，回朝入为膳部员外郎。穆宗即位，得崔潭峻援引，擢祠部郎中、知制诰。长庆元年，迁中书舍人，充翰林学士承旨。二年，拜平章事，居相位三月，出为同州刺史，三年，改越州刺史、浙东观察使。大和三年，入为尚书左丞。次年又出为武昌军节度使。五年七月，卒于任所。生前曾自编其诗集、文集、与友人之合集多种。其本集收录诗赋、诏册、铭诔、论议等共一〇〇卷，题为《元氏长庆集》。宋时仅存六〇卷，有三种刻本：闽本（建本），宣和六年刘麟刻；蜀本，刻者不详；浙本（越本），乾道四年洪适据刘麟本复刻。明嘉靖三十一年，董氏曾据洪适本翻刻，《四部丛刊》又据董刻本影印。中华书局本《元稹集》于六〇卷外，收有外集八卷。事迹见新、旧《唐书》本传及白居易《元稹墓志铭》。今人陈寅恪有《元白诗笺证稿》，卞孝萱有《元稹年谱》。

贾岛生。贾岛（779—843），字浪仙，一作阆仙，自称碣石山人、苦吟客，范阳人。早年为僧，号无本。元和五年冬，至长安，见张籍。次年春，至洛阳，始谒韩愈，深得其赏识。后还俗，屡举进士不第。作诗嘲弄权贵，为公卿所恨，号为举场“十恶”之一。长庆二年与平曾等被逐出关外。曾游蒲绛，隐嵩山。大和中，至光州谒刺史王建。开成二年，因飞谤，贬长江主簿。开成五年，迁普州司仓参军。武宗会昌三年，卒于普州。《新唐书·艺文志》著录《长江集》一〇卷、《小集》三卷、《诗格》（《宋史·艺文志》题为《诗格密旨》，《直斋书录解题》及《文献通考》作《二南密旨》）一卷。今传《贾长江集》一〇卷，编者不详，宋时著录为一〇卷。明代刻本较多，一〇卷本多存宋时面貌，七卷本则为明人分类重编。通行有《四部丛刊》影印明翻宋本。近人陈延杰有《贾岛诗注》（商务印书馆1937）。李嘉言《长江集新校》（上海古籍出版社1983），用《全唐诗》所收贾诗为底本，参校别本及有关总集、选集，附录所撰《贾岛年谱》、《贾岛交友考》以及所辑贾岛诗评等，较为完备。齐文榜有《贾岛集校注》（人民文学出版社2001）。事迹见《新唐书》卷一七六《韩愈传》附录《贾岛传》、苏绛《唐故司仓参军贾公墓志铭》、《唐摭言》卷一一、《唐诗纪事》卷四〇等。

第二章 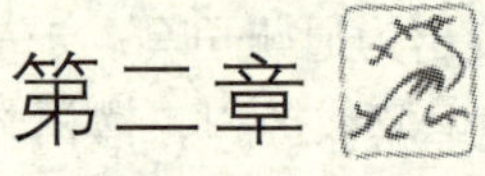

唐德宗建中元年至唐顺宗永贞元年（780—805）共26年

·引　言·

《刘宾客文集》卷一九《唐故尚书礼部员外郎柳君集纪》：八音与政通，而文章与时高下。三代之文，至战国而病，涉秦、汉复起。汉之文至列国而病，唐兴复起。夫政庞而土裂，三光五岳之气分，大音不完，故必混一而后大振。初，贞元中，上方向文章，昭回之光，下饰万物。天下文士，争执所长，与时而奋，粲焉如繁星丽天，而芒寒色正，人望而敬者，五行而已。河东柳子厚，斯人望而敬者欤。

《旧唐书》卷一一〇《柳宗元传》：贞元、大和之间，以文学耸动搢绅之伍者，宗元、禹锡而已。其巧丽渊博，属辞比事，诚一代之宏才。如俾之咏歌帝载，黼藻王言，足以平揖古贤，气吞时辈。而蹈道不谨，昵比小人，自致流离，前隳素业。故君子群而不党，戒惧慎独，正为此也。韩、李二文公，于陵迟之末，遑遑仁义；有志于持世范，欲以人文化成，而道未果也。至若抑杨、墨，排释、老，虽于道未弘，亦端士之用心也。

张耒《柯山集》卷三八《韩愈论》：文章自东汉以来，气象则已卑矣。分为三国，又列为南北，天下大乱，士气不振，而又杂以南蛮轻淫靡嫚之风，乱以西北悍鲁鄙悖之气，至于唐而大坏矣。虽人才众多如贞观，风俗平治如开元，而惟文章之荒，未有能振其弊者。愈当贞元中，独却而挥之，上窥典坟，中包迁、固，下逮骚雅，沛然有余，浩乎无穷，是愈之才有见于圣贤之文而后如此。其在夫子之门，将追游夏而及之，而比之于汉以来龌龊之文人则不可。

钱谷《吴都文粹续集》（四库本）卷五五张珀《张司业诗集序》：贞元以前，作者间出，大抵互相祖尚，拘于常态，迨公一变，而后章句之妙，冠于流品矣。

黄滔《黄御史集》（四库本）洪迈序：以至贞元、长庆，经术大明，修古弥众。于时墨儒词匠所为诗若文，咸矩矱自然，不以雕饰为工，相与赞翊道真，赓扬鸿化，斯为锵锵尔雅。故文盛于韩、柳、皇甫。而其衰也，为孙樵，为刘蜕，为沈、颜。诗盛于李、杜、刘、白。而其衰也，为郑谷，为罗隐，为杜荀鹤。

茅坤《唐宋八大家文钞》（四库本，下同。张伯行同名著作另行注明）《原叙》：魏、晋、宋、齐、梁、陈、隋、唐之间，文日以靡，气日以弱，强弩之末且不及鲁缟矣，而况于穿札乎。昌黎韩愈首出而振之，柳柳州又从而和之，于是始知非六经不以读，非先秦两汉之书不以观，其所著书论叙记碑铭颂辩诸什，故多所独开门户，然大较并寻六艺之遗略相上下而羽翼之者。贞元以后，唐且中坠，沿及五代兵戈之际，天下寥寥矣。双《昌黎文钞引》：魏晋以后，宋、齐、梁、陈，迄于隋、唐之际，孔子六艺之遗，不绝如带矣。昌黎韩退之崛起德、宪之间，泝孟轲、荀卿、贾谊、晁错、董仲舒、司马迁、刘向、扬雄及班掾父子之旨，而揣摩之。于是时誉者半，毁者半，独柳宗元、李翱、皇甫湜、孟郊二三辈，相与游从，深知而笃好之耳。何则？于举世聋瞶中，而欲独以黄钟大吕铿锵其间，甚矣其难也。

《艺苑卮言》卷四：唐自贞元以后，藩镇富强，兼所辟召，能致通显。一时游客词人，往往挟其所能，或行卷贽通，或上章陈颂，大者以希拔用，小者以冀濡沫。而干旄之吏，多不能分别黑白，随意支应。故剽窃云扰，谄谀泉涌，取办俄顷以为捷，使事饾饤以为工。至于贡举，本号词场，而牵压俗格，阿趋时好。上第巍峨，多是将相私人、座主密旧，甚乃津私禁脔，自比优伶，关节幸珰，身为军吏，下第之后，尚尔乞怜主司，冀其复进。是以性情之真境，为名利之钩途，诗道日卑，宁非其故？

《陶庵全集》卷二《闵裴村诗集序》：世谓诗能穷人，欧阳子则谓诗非能穷人，殆穷者而工也。以余论之，唐世以诗取士，上自王侯有土之君，下至武夫卒史、缁流羽人、伎女优伶之属，人人学诗，一篇之工，播在人口，故诗人易以得名。降至贞元以后，王泽既竭，而刘鲁风、姚岩杰之徒，犹得挟其区区之声病，所至为诸侯上客。其恬淡隐约如方干、陈陶者，乡国之人皆爱而敬之，则谓诗能穷人者，非也。

《唐诗纪事》卷五八：自贞元后，唐文甚振，以文学科第为一时之荣。及其弊也，士子豪气骂吻，游诸侯门，诸侯望而畏之。如刘鲁风、姚嵓保、柳棠、平曾之徒，其文皆不足取。余故载之者，以见当时诸侯争取誉于文士，此盖外重内轻之牙蘖。如李益者，一时文宗，犹曰“感恩知有地，不上望京楼”。其后如李山甫辈，以一名第之失，至挟方镇，劫宰辅，则又有甚焉者矣。一篇一韵，初若虚文，而治乱之萌系焉。余以是知其不可忽也。

《文章辨体汇选》卷三〇四陆希声《唐太子校书李观文集序》：贞元中，天子以文化天下，天下翕然兴于文，文之尤高者李元宾观、韩退之愈。始元宾举进士，其文称居退之之右，及元宾死，退之之文日益高。今之言文章，元宾反出退之之下。论者以元宾早世，其文未极；退之穷老不休，故能卒擅其名。予以为不然，要之所得不同，不可以相上下者。文以理为本，而辞质在所尚。元宾尚于辞，故辞胜其理，退之尚于质，故理胜其辞。退之虽穷老不休，终不能为元宾之辞；假使元宾后退之之死，亦不能及退之之质，此所以不相见也。……至退之，乃大革流弊，落落有老成之风。而元宾则不古不今，卓然自作一体，激扬发越，若丝竹中有金石声。每篇得意处，如健马在御，蹀蹀不能止。其所长如此，得不谓之雄文哉。

张佳胤《大总制张元洲诗集序》：昔王维、柳宗元，卓然为天宝、贞元之鸿笔，听其言非不潇远有致，惟名检凌迟而言有余辱。

《瓯北诗话》卷四：香山举进士试《窗中列远岫》，省试《玉水记方流》诗，皆无足观。不过浮词敷演，初未清切摹写，在今时试帖中，尚属劣等。岂贞元诗家，犹未有刻画一派耶？

《唐诗品》：权公幼有令度，神情超越，遂传词艺，为时所慕。贞元以后近体既繁，古声渐杳，公乃独专其美，取隆高代。五言近体，亦先气格而后词藻，然气候既至，藻亦自丰。其在开元名手，亦堂奥之间者。

《诗学源流考》：贞元、元和之际，韩文公崛起，以天纵逸才，为起衰巨手，诗继李、杜之盛。而柳子厚独专骚学，亦宗陶公，五言幽澹绵邈，足继苏州，故世并称“韦、柳”。辅韩文公而起衰者，孟东野也；与柳州并称契者，有刘禹锡焉。其它元、白、张、王之乐府，卢仝、李贺、刘叉之诡怪，姚合、贾岛之艰僻，非不瑰奇伟丽，卓然成家，然于此道中别辟一境，遂为旁门小宗矣。

公元780年（唐德宗建中元年　庚申）

正月

丁卯朔，改元建中，赦天下。李益在长安，有《大礼毕皇帝御丹凤门改元建中大赦》。

戴叔伦为河南转运留后，在汴州陪李勉唱和，作诗《和汴州李相公勉人日喜春》、《和李相公勉晦日蓬池游宴》。五月，戴叔伦授婺州东阳令，有诗《将赴东阳留上包谏议》、《敬酬陆山人二首》。

二月

魏弘简、辛恽、唐次、孔癸戈、杜兼、田敦等二十一人登进士第，时礼部侍郎令狐山亘知贡举。又姜公辅、元友直、樊泽、吕元膺、韩皋登贤良方正直言极谏科。奚陟、梁肃、刘公亮、郑辕、沈封、吴通玄登文词清丽科，孙珌、黎逢、白季随登经学优深科，张绅、卫良儒、苏哲登高蹈丘园科，夏侯审、平知和、郑儋、凌正、周渭、丁悦登军谋越众科，郭黄中、崔浩、李牧登孝弟力田闻于乡闾科。春末，夏侯审登制科后授校书郎，东归，钱起有《送夏侯审校书东归》。

三月

姚系自长安还河中。韦应物有诗《送姚孙还河中》。

李翰居阳翟，作《汉黄公碑》。“李翰文虽宏畅，而思甚苦涩，晚居阳翟，常从邑令皇甫鲁求音乐，思涸则奏乐，神全则缀文”（《唐国史补》卷上）。

春

郗昂以太子詹事致仕。“东归洛阳。德宗召见，屡加褒叹，赐以金紫。公卿士大夫皆赋诗祖送于都门”（《旧唐书·郗士美传》。韦应物有《送郗詹事》。郗昂此后一两年卒。《全唐文》载其文五篇。

刘长卿在睦州司马任。有诗《奉和赵给事使君留赠李婺州舍人兼谢舍人别驾之作》。秋，除随州刺史，有诗《闻虞沔州有替将归上都登汉东城寄赠》。在睦州期间，刘长卿还作有诗《赠崔九载华》、《东湖送朱逸人归》、《酬李穆见寄》《戏题赠二小男》、《望龙山怀道士许法棱》、《送耿拾遗归上都》、《却归睦州至七里下滩作》等及文《张僧繇画僧记》。【赠崔九载华】《删补唐诗选脉笺释会通评林》“中唐七绝上”焦竑曰：“见世薄恶意。比《绝交论》语简而意悲。”徐充曰：“‘渐’字深切。写友道薄极真。”【戏题赠二小男】《瀛奎律髓汇评》卷四一方回云：“第四句已佳，五、六句全似乐天。”纪昀云：“三句不明晰。五、六句曲折顿挫之致，不似乐天顺笔直走，虚谷评非，结亦满足。”《唐诗贯珠》：“三、四对工情切。五是二子，非一子可易。六风致精雅。下六句淋漓意绪，俱从悲欢出。”【送耿拾遗归上都】《诗薮》内编卷五：“虽意稍疏野，亦自一种风致。”《唐诗镜》卷二九：“中联流动易而整策难，律法以整策为正。”《贯华堂选批唐才子诗》卷二：“看他八句诗中，凡用无限意思，却又笔笔能到。”《昭昧詹言》卷一八：“起句先点古耿拾遗归上都；次句带叙时令；三、四从自己衬跌出，作羡之之词，以起送归意；五、六分写两边；结句送后情事，当时实象。”【却归睦州至七里下滩作】《唐诗归》卷二五：“谭元春评：‘难’字映‘浅’字，‘乱’字有味。”

权德舆为韩洄所辟，授校书郎，为从事，旋即因韩洄改官而罢职。有《与柳谏议书》。

吉中孚以万年尉为黜陟使判官，使至太原，作《白杨神新庙碑》。

五月

常衮为福建观察使。欧阳詹“时独秀出，衮加敬爱，诸生皆推服”（韩愈《欧阳生哀辞》）。夏，欧阳詹在泉州，有《薛舍人使君观察韩判官侍御许雨晴到所居既霁先呈即事》。秋，欧阳詹赴京应试。

六月

崔佑甫卒于相位，年六十。邵说有《崔佑甫墓志》。《唐文粹》卷九一权德舆《崔佑甫集序》云：“公自门阀秀士，被服荐绅，至于登朝宰政，四十年间，作为文章，以修人纪，以达王事。惧喜怒之不中节，故有《作威诫》；惩苟得之害正，故有《重请铭》；恐匪人之干纪，故有《与永王璘笺书》；诮时宰之不能上广聪明，故有《台封说》；悼《谷风》之诗废，故有《僚友箴》；虑法吏边吏之失其官守，故有《猫鼠议》。是惟无作，作则有补于时。以至于修事功，断国论，导志通理，昭明易直，施于名命，发为雅诰，刻于金石，无愧辞。康庄逸轨，卓荦浚发，九流六艺，鼓舞奔走，陈思王所谓俨乎若崇山，勃乎若蒸云，惟公信然。”又卷九二李华《赠礼部尚书孝公崔沔集序》：“佑甫纯孝而文，直清而和，希公门者，谓公存焉。明发不寐，泣次遗文，以华北州邻壤婚姻之旧，尝趋公门备阅家编。佑甫代华为校书郎，华以是味公之道也熟，词则不敏，有古之直焉。”《全唐文》卷四〇九编其文为一卷。

七月

刘晏为杨炎所构，贬忠州刺史，于此月被赐死，年六十五。《全唐诗》卷一二〇存诗二首，《全唐文》收文二篇，《唐文拾遗》卷二二补二篇。

八月

梁肃在太子校书任，请告还吴，经新安旧居，作《过旧园赋》。

李翰居阳翟，编所作三十卷为《前集》。梁肃作《李翰前集序》，兼论为文之道："文之作，上所以发扬道德，正性命之纪；次所以裁成典礼，厚人伦之义；又所以昭显义类，立天下之中。三代之后，其流派别，炎汉制度以霸、王道杂之，故其文亦二。贾生、马迁、刘向、班固，其文博厚，出于王风者也；枚叔、相如、扬雄、张衡，其文雄富，出于霸涂者也。其后作者，理胜则文薄，文胜则理消。理消则言愈繁，繁则乱矣；文薄则意愈巧，巧则弱矣。故文本于道，失道则博之以气，气不足则饰之以辞，盖道能兼气，气能兼辞，辞不当则文斯败矣。唐有天下几二百载，而文章三变。初则广汉陈子昂以风雅革浮侈，次则燕国张公说以宏茂广波澜，天宝以还，则李员外、萧功曹、贾常侍、独孤常州比肩而出，故其道益炽。若乃其气全，其辞辨，驰骛古今之际，高步天地之间，则有左补阙李君。君名翰，赵郡赞皇人也，天姿朗秀，率性聪达，博涉经籍，其文尤工。故其作，叙治乱则明白坦荡，衍余条畅，端如贯珠之可观也；陈道义则游泳性情，探微豁冥，涣乎春冰之将泮也；广劝戒则得失相维，吉凶相追，焯乎元龟之在前也；颂功美则温直显融，协于大中，穆如清风之中人也。议者又谓君之才，若崇山出云，神禹导河，触石而弥六合，随山而注巨壑，盖无物足以道其气而阅其行者也。世所谓文章之雄，舍君其谁欤?"

九月

李益入崔宁幕，从宁巡行朔野，历灵、盐、夏、丰诸州，有《从军行》、《从军有苦乐行》、《将赴朔方早发汉武泉》、《从军夜次六胡北饮马磨剑石为祝殇辞》、《登夏州城观送行人赋得六州胡儿歌》、《暖川》、《度破讷沙二首》、《盐州过胡儿饮马泉》、《拂云堆》、《暮过回乐峰》。《唐国史补》卷下："李益，诗名早著，有《征人歌且行》一篇，好事者画为图障。又有云：'回乐峰前沙似雪，受降城外月如霜。不知何处吹芦管，一夜征人尽望乡。'天下亦唱为乐曲。"【盐州过胡儿饮马泉】《删补唐诗选脉笺释会通评林》"中唐七律下"周敬曰："通篇慷慨悲壮，结就题上生，感慨有趣。唐汝询曰：次联中唐壮语，三联说泉亦佳，结极多致。"周启琦曰："此诗可谓探源昆仑，雄才灏气，更笼络千古。"周珽曰："前四句因咏泉而思镇边之无人，后四句因咏泉而思客边之伤感。声律铿然，语意渊如，真作家老手。"《昭昧詹言》卷一八："起句先写景，次句点地，三、四言此是战场，戍卒思乡者多，以引起下文自家，则亦是兴也。五、六实赋，带入自家'至'字，结句出场神来之笔，入妙。此等诗，有过此地之人、有命此题之人、有作此题诗之人之性情面目流露其中，所以耐人吟咏。不是咏古无情，

不见作诗人面目，如应试诗‘赋得’体及幕下张君房所为。低手俗诗，皆犯此病，所以为庸劣无取。且如西昆诸公。只以搜用故实，裁翦藻饰为能，是名编事，非作诗也。此死活之分，王阮亭辈乃终身不能悟。此等诗，以有兴象章法作用为佳。若比之杜公沉郁顿挫，恣肆变化，奇横不可当者，则此等止属中平能品而已。下此一等，则但有秀句而无此兴象作用，犹可取。又下一等，则并杰句亦无，乃为俗人之诗矣。”

秋

韩翃擢为驾部郎中、知制诰。有《送故人赴江陵寻庾牧》。《唐才子传》卷四：“德宗时，制诰阙人，中书两进除目，御笔不点，再请之，批曰：‘与韩翃。’时有同姓名者为江淮刺史，宰相请孰与。上复批曰：‘“春城无处不飞花”韩翃也。’俄以驾部郎中知制诰。”【寒食】《而庵说唐诗》卷一二：“其用心细密，如一匹蜀锦，无一丝跳梭，真正能手。今人将字蛮下，熟玩此诗，则不敢轻易用字也。”《三体唐诗》（周弼编，释圆至注，高士奇辑注，四库本）：“唐自肃代以来，宦者权盛，政之衰乱侔汉矣。此诗盖刺也。”《载酒园诗话》又编：“君平以《寒食》诗得名，宋亡而天下不复禁烟。今人不知钻燧，又不深习唐事，因不解此诗立言之妙。如‘春城无处不飞花，寒食东风御柳斜’二语，犹只淡写。至‘日暮汉宫传蜡烛，轻烟散入五侯家’，上句言新火，下句言赐火也。此诗作于天宝中，其时杨氏擅宠，国忠、铦与秦、虢、韩三姨号为五家，豪贵荣盛，莫之能比，故借汉王氏五侯喻之。即赐火一事，而恩泽先沾于戚畹，非他人可望，其余赐予之滥，又不待言矣。寓意远，托兴微，真得风人之遗。”《大历诗略》卷三：“气象词调，居然江宁、嘉州作，以此得知制诰，宜也。托讽亦微婉不露。”《诗境浅说》续编：“首句言处处飞花，见春城之富丽也。次句言东风寒食，纪帝京之佳节也。三句言汉宫循寒食故事，赐烛近臣。四句言侯家拜赐，轻烟散处，与佳气同浮。二十八字中，想见五剧春浓，八荒无事，宫廷之闲暇，贵族之沾恩，皆在诗境之内。以轻丽之笔，写出承平景象，宜其一时传诵也。”

张继卒于洪州。刘长卿作《哭张员外继》。《全唐诗》卷二四二编其诗为一卷，其中羼杂有皇甫冉、韩翃、窦叔向、顾况、李群玉等人之作。《全唐诗补编·续拾》卷一六补其诗三首又二句。《中兴间气集》收其诗三首，评云：“员外累代词伯，积袭弓裘。其于为文，不雕自饰。及尔登第，秀发当时，诗体清迥，有道者风。如‘女停襄邑杼，农废汶阳耕’，可谓事理双切。又‘火燎原犹热，风摇海未平’，比兴深矣。”《唐才子传》卷三：“继博览有识，好谈论。知治体，亦尝领郡，辄有政声。诗情爽激，多金玉音，盖其累代词伯，积袭弓裘，其于为文，不雕自饰，丰姿清迥，有道者风。”《石林诗话》卷中：“继诗三十余篇，余家有之，往往多佳句。”《诗学渊源》卷八：“继诗多弦外音，适意写心，不求工而自工者也。然绝句已渐改盛唐之旧，而下逗中晚体格矣。”【枫桥夜泊】《六一诗话》：“诗人贪求好句，而理有不通，亦语病也。如‘袖中谏草朝天去，头上宫花侍宴归’，诚为佳句矣，但进谏必以章疏，无直用稿章之理。唐人有云：‘姑苏台下寒山寺，半夜钟声到客船’，说者亦云，句则佳矣，其如三更不是打钟时。”《随园诗话》卷八：“西崖先生云：‘诗话作而诗亡’。余尝不解其说。后读

《渔隐丛话》，而叹宋人之诗可存，宋人之话可废也。……唐人‘姑苏城外寒山寺，夜半钟声到客船’诗佳矣，欧公议其夜半无钟声，作诗话者又历举其夜半之钟，以证实之。如此论诗，使人夭阏性灵，塞断机括，岂非诗话作而诗亡哉？”《诗辩坻》卷三：“至于夜半本无钟声，而张诗云云，总属兴到不妨。雪里芭蕉，既不受弹，亦无须曲解耳。”《诗境浅说》续编：“作者不过夜行纪事之诗，随手写来，得自然趣味。诗非不佳，然唐人七绝，佳作林立，独此诗流传日本，几妇稚皆诵习之。诗之传与不传，亦有幸与不幸耶？”《三体唐诗》卷一高士奇辑注：“霜夜客中愁寂，故怨钟之太早也。夜半者，状其太早耳，甚怨之辞，说者不解诗人活语，乃以为实半夜，故多曲说，而不知首句‘月落乌啼’乃欲日曙之候矣，岂真半夜乎？说诗者不以文害辞，不以辞害意，斯得之矣。”《唐诗摘抄》卷四：“三句承上起下，浑而有力。故《三体》取以为式。从夜半无眠到晓，故怨钟声太早，搅人梦魂耳。语脉浑浑，只‘对愁眠’三字略露意。夜半钟声，或谓其误，俱非解人。要之，诗人兴象所至，不可执著，必欲执著，则‘晨钟云外湿’、‘钟声和白云’、‘叶落满疏钟’，皆不可通矣。”《大历诗略》卷六：“高亮殊特，青莲遗响。”

包佶授江州刺史，权盐铁转运。有《宿庐山赠白鹤观刘尊师》。

冬

韦应物寓居沣上善福精舍。有《寓居沣上精舍寄于张二舍人》。《唐诗品汇》卷八六：“刘（辰翁）云：寂寞而友沉著意。”《贯华堂选批唐才子诗》卷三：“此不止是妙诗，直是妙画。且不止是妙画，直是禅家所谓妙境，乃至所谓妙理者也。”

本年

李勉为永平节度使，张延赏为西川节度使，频有唱和。

沙洲人本年或稍前作《菩萨蛮》词。见任二北《敦煌曲初探》、姜亮夫《莫高窟年表》。

李嘉祐此年前后卒于台州。《全唐诗》卷二〇六至二〇八编其诗为三卷，《全唐诗补编·续拾》卷一六补三首。《中兴间气集》收其诗八首，评云：“袁州自振藻天朝，大收芳誉，中兴高流，与钱、郎别为一体，往往涉于齐梁，绮靡婉丽，盖吴均、何逊之敌也。如‘野渡花争发，春塘水乱流’；又‘朝霞晴作雨，湿气晚生寒’，文章之冠冕也。又‘禅心超忍辱，梵语问多罗’，假使许询更出，孙绰复生，穷极笔力，未到此境。”《郡斋读书志》卷四上：“善为诗，绮靡婉丽，有齐梁之风，时人以比吴均、何逊云。”《唐诗品》：“嘉祐诗一卷，名《晏阁集》，声偶畅达，悉谐平调，虽乏绮密之致，而刻削之风殊能自远。其在大历诸子，品望虽微，而故家气味犹有存者。如‘江花铺浅水，山木暗残春’，又如‘风摇近水叶，云护欲晴天’，又‘暮色催人别，秋风待雨寒’，又‘朝霞晴作雨，湿气晚生寒’，情理俱融，景象切至，可以为诗矣。”《唐诗评选》卷三：“彼已之际，出入无痕，袁州是中唐第一佳手，近体独有片断，一往尤多古意。”《载酒园诗话》又编：“高仲武称李嘉祐‘绮靡婉丽，涉于齐梁’，余意此又未见后人如温、李耳，犹舜造漆器而指以为奢也。然《间气集》所载，殊亦平平。余更喜其‘风摇近水叶，云护欲霜天’、‘无人花色惨，多雨鸟声寒’、‘能全季步诺，不道鲁连功’、‘爽气遥分隔浦岫，斜光偏照渡江人’，殊有雅致。”又云：“李诗绮丽不及君平之半，郑谷曰：‘何事后来高仲武，品题《间气》未公心。’语亦良是。”《大历诗略》卷五：“李从一诗逊钱、刘，而情彩音格，居然妙品。”《一瓢诗话》：“李从一‘野棠自发空流水，江燕初飞不见人’，高青邱‘阊门一带垂杨柳，缘到皋桥不见人’于此脱胎。如‘细雨湿衣看不见，闲花落地听无声’，觉烘染太甚。”

牛僧孺生。牛僧孺（780—848?），字思黯，行二，安定鹑觚人。贞元二十一年与李宗闵同登进士第。元和三年又与之同登贤良方正能直言极谏科。因指陈时政，无所隐讳，为宰相李吉甫所恶，授伊阙尉。后牛与李宗闵结为朋党，排斥李吉甫之子李德裕，史称“牛李党争。”转河南尉，历监察御史、殿中侍御史、礼部员外郎等。长庆元年拜户部侍郎。次年三月以本官同平章事。敬宗即位，加中书侍郎，封奇章郡公、集贤殿大学士。宝历元年出为武昌军节度使，大和四年入为兵部尚书、同平章事。六年十二月，出为淮南节度使。开成二年五月，为东都留守。四年改山南东道节度使。会昌二年征为太子少保，进少师。复以太子太傅为东都留守。四年，贬循州员外长史。宣宗即位，徙衡、汝二州长史，还为太子太保、少师。大中二年十月二十七日卒。《新唐书·艺文志》著录《玄怪录》一〇卷，《郡斋读书志》及《直斋书录解题》同，今存四卷四六篇。又有《周秦行记》，系伪托。《宋史·艺文志》著录《牛僧孺集》五卷，已佚。事迹见《旧唐书》卷一七二、《新唐书》卷一七四、李珏《丞相太子少师赠太尉牛僧孺神道碑铭并序》、杜牧《太子少师奇章郡开国公赠太尉牛僧孺墓志铭》。

公元 781 年（唐德宗建中二年　辛酉）

二月

崔元翰、崔敖、崔备、郑元均、于公异等十七人登进士第，时礼部侍郎于邵知贡举。见《登科记考》卷一一。于公异（生卒年不详），苏州吴人。建中四年为李晟招讨府掌书记。兴元元年收京城，撰露布，倾动德宗。贞元时官至祠部员外郎，八年陆贽奏其不事后母，罢归田里，卒。《全唐文》卷五一三录其文一五篇。事迹见《旧唐书》卷一三七、《新唐书》卷二〇三本传。《旧唐书》卷一三七：“文章精拔，为时所称。”【李晟收西京露布】《唐国史补》卷上：“德宗览李令收城露布，至‘臣已肃清宫禁，只谒寝园，钟虡不移，庙貌如故’，感涕失声，左右六军皆呜咽。露布，于公异之词也。议者以国朝捷书、露布无如此者。公异后为陆贽所忌，诬以家行不至，赐《孝经》一卷，坎壈而终，朝野惜之。”【吴岳祠堂记】叶奕苞《金石补录》：“文笔之工，只三、四语，尽西平伟绩。”

裴冀使河北宣慰，寄诗赵纵。卢纶有诗《和金吾裴将军使往河北宣慰因访张氏昆季旧居兼寄赵侍郎赵卿拜陵未回》。

春

韦应物有《春宵燕万年吉少府中孚南馆》，时吉中孚为万年尉。韦又有《春日郊居寄万年吉少府中孚三原元少府伟夏侯校书审》，时夏侯审为校书。四月，韦应物授比部郎中，有诗《始除尚书郎别善福精舍》、《答赵氏伉》、《答端》。七月，韦应物有诗《和张舍人夜直中书寄吏部刘员外》，时刘太真官吏部员外郎。

司空曙在长林丞任。有诗《送高胜重谒曹王》。

包佶为户部郎中，权盐铁使，在扬州，有《答窦拾遗卧病见寄》。窦拾遗，即窦叔向，时在京口。权德舆为包佶从事，使杭、越诸州。有诗《早发杭州泛富春江寄陆三十一公佐》及《酬陆四十楚源春夜宿虎丘山对月寄梁四敬之兼见贻之作》。【答窦拾遗卧病见寄】《瀛奎律髓汇评》卷四四方回评："诗欲新而不陈。'已辨酒中蛇'，则无疑矣。'已辨'二字佳，事故而意新。'枸杞悬泉水'、'芙蓉伏火砂'亦新。"纪昀评："欲新固是，然不可小处求新。"

窦叔向罢溧水令。春，卧疾京口。本年或稍后卒于京口，年五十二。《全唐诗》卷二七一存其诗九首，卷八八三补诗一首。《全唐诗补编·续补编》卷四补一首。《容斋四笔》卷六："《窦氏联珠序》云：五窦之父叔向，当代宗朝，善五言诗，名冠流辈。时属正懿皇后山陵，上注意哀挽，实时进三章，内考首出，传诸人口，有'命妇羞苹叶，都人插柰花'、'禁兵环素帘，宫女哭寒云'之句，可谓佳唱，而略无一首存于今。荆公《百家诗选》亦无之，是可惜也。予尝得故吴良嗣家所抄唐诗，仅有叔向六篇，皆奇作，念其不传于世，今悉录之。"《旧唐书·窦群传》："父叔向，以工诗称。"《唐才子传》卷四："远振嘉名，为文物冠冕。诗法谨严，又非常格。"《吴礼部诗话》引时天彝评《唐百家诗选》："叔向诗弥佳，传弥少，草木飘风之叹，不其然乎。"《围炉诗话》卷三："唐人诗有平头之病，如窦叔向之'远书珍重'、'旧事凄凉'、'昔年亲友'，……亦当慎之。"【夏夜宿表兄话旧】《唐诗摘抄》卷三引朱之荆评："一、二点夜宿，三、四点话旧，然惟书未达，所以话之长也。五、六申明不可听，尾联进一步法。"《删补唐诗选脉笺释会通评林》"中唐七律下"周敬曰："好起结，中本真情，不费斧凿，不知者以为太直致。"《昭昧詹言》卷一八："起叙题，兼写景。中二联皆言情，而真挚动人，收自然不费力，而却有不尽之妙。"《诗境浅说》丙编："此诗平易近人，初学皆能领解。录此诗者，以其一片天真，最易感动，中年以上者，人人意中所有也。……此诗与五律中戴叔伦之'天秋月又满'诗，李益之'十年离乱后'诗，司空曙之'故人江海别'诗，皆亲友唱酬、情文兼致之作。唐人于此类诗，最为擅场，不失风人敦厚之旨也。"

四月

于邵自礼部侍郎贬为桂林长史，行至湖南，有诗赠包佶。包佶作《酬于侍郎湖南见寄》。《升庵集》卷六〇"杜诗与包佶同意"："包佶诗'波影倒江枫'，与杜诗'石出倒听枫叶下'同意，二句并工，未易优劣也。"

七月

刘长卿在随州刺史任，时李希烈军次随州，进讨山南东道节度使梁崇义。刘有《行营酬吕侍御时尚书问罪襄阳军次汉东境上侍御以州邻寇贼复有水火迫于征税诗以见谕》；冬，刘长卿另有诗《观校猎上淮西相公》，淮西相公，李希烈。春，刘长卿有诗《登迁仁楼酬子婿李穆》，李穆作诗《三月三日寒食从刘丈使君登迁仁楼眺望》。【行营酬吕侍御时尚书问罪襄阳军次汉东境上侍御以州邻寇贼复有水火迫于征税诗以见谕】《删补唐诗选脉笺释会通评林》“中唐五言排律”周敬曰：“奇而且炼，咏有余思。”顾璘曰：“妥帖匀称。”周珽曰：“起自纪其奔命，次咏吕以宽政得民，次所谓迫于水灾，末美吕才素堪佐武。通章气概宏耀，神韵超爽。”

八月

梁崇义为李希烈所败，投井死。九月，李承为山南东道节度使，李希烈不满，大掠而去。陈羽年约二十九，闻陈希烈平襄阳后穷兵黩武，有《旅次沔阳闻克复而用师者穷兵黩武因书简之》。戎昱亦有《收襄阳城二首》。刘商在李勉汴州幕，以检校虞部郎中为观察判官，亦有《行营即事》讽李希烈。

姚系、宇文邈、郑珉、冯曾、崔邠等同登河中鹳雀楼，各赋诗以继畅诸之作。见李翰《河中鹳雀楼集序》。

九月

权德舆在扬州盐铁使院，使杭州，又至睦州。有诗《奉送黔中元中丞赴本道序》、《富阳陆路》、《晓发桐庐》、《新安江路》、《严陵钓台下作》。【严陵钓台下作】《唐诗归》卷二七钟惺评：“千古特识具眼，以厚力深骨出之。”谭元春评：“说出处士深心，妙用严陵知己。”《唐诗别裁集》卷四：“东汉节义，严陵潜驱之，不止高其隐逸而已。议论正大，独著此篇。”

秋

耿沣贬许州司参军。将贬，有《朝下寄韩舍人》；经洛阳，有《赴许州留别洛中亲故》；至徐州，有《许下书情寄张韩二舍人》。

清江在长安，有诗《宿严维宅简章八元》、《上都酬章十八兄》、《月夜有怀黄端公兼简朱孙二判官》。冬，清江由长安南归，有诗《早发陕州途中寄严秘书》。

皎然在湖州。有诗《五言奉酬袁使君高寺院新亭对雨》、《五言奉和袁使君高郡中新亭会张炼师昼会二上人》。

十月

杨炎自左仆射贬崖州司马，寻被赐死，年五十五。《全唐诗》卷一二一存其诗二首，《全唐文》卷四二一至卷四二二编其文两卷。《旧唐书・杨炎传》：“炎美须眉，风骨峻峙，文藻雄丽，汧、陇之间号为小杨山人。……炎乐贤下士，以汲引为己任，人士归之，尝为《李楷洛碑》，辞甚工，文士莫不成诵之。”王应麟《辞学指南》（《玉海》卷末附，四库本）卷二：“南丰曰：汉诏令典正谨严，尚为近古。唐常衮、杨炎、元稹之属，号能为训词。其文未有远过人者。”

沈既济坐杨炎累，自左拾遗、史官修撰贬处州司户，与裴冀、孙成、崔儒、陆质皆谪居东南。时朱放同行，途中话任氏事。沈作《任氏传》，又作《枕中记》。【枕中记】《唐国史补》卷下：“沈既济撰《枕中记》，庄生寓言之类；韩愈撰《毛颖传》，其文尤高，不下史迁。二篇真良史才也。”《诗话总龟》后集卷三九引《复斋漫录》：“《灵怪集》载《南柯太守传》与《枕中记》事绝相类，浮世荣枯，固已如梦矣。此二事又于梦中作梦，既可笑，亦可叹也。”《唐文粹》卷九四房千里《骰子选格序》：“达人以生死为劳息，万物为一马，果如是，吾今之贵者，安知其不果贱哉？彼真为贵者，乃数年之荣耳。吾今贵者，亦数刻之乐耳。虽久促稍异，其归于偶也同。列御寇叙穆天子梦游事，近者沈拾遗述枕中事，彼皆异类微物，犹且窃爵位以加人，或一瞬为数十岁。吾果斯人也？又安知数刻之乐，果不及数年之荣耶？”

陆质（？—805），字伯冲，原名淳，吴郡人。授左拾遗，迁太常博士、刑部员外郎、仓部郎中等，历信州、台州刺史。综合啖助、赵匡之说，撰《春秋集传纂例》、《春秋微旨》、《春秋集传辨疑》等，开宋儒疑经疑传之风。书今存，收入《古经解汇函》。《全唐诗补编·续拾》卷一九录诗一首。《全唐文》卷六一八存文六篇，《唐文拾遗》卷四补二篇。事迹见柳宗元《唐故给事中皇太子侍读陆文通先生墓表》等。

本年

严维在京官秘书郎，约本年，有诗送王叔雅兄弟，和者甚多。许志雍《王叔雅墓志》：“时秘书郎严维有盛名于代，……每器而厚之。时携幼弟适郢，乃赋诗以赠，云：‘万里天连水，孤舟弟与兄’。时属而和者，连郡继邑，染简飞翰，期月不息，由是声华藉甚于公卿间。”

卫象本年稍前为长林令，时司空曙为长林丞，二人屡有唱和。司空曙有《长林令卫象饧丝结歌》、《独游寄卫长林》、《酬卫长林岁日见呈》、《卫明府寄枇杷叶以诗答》、《玩花与卫象同醉》。卫象（生卒年不详），大历中居荆州，建中中至贞元初为长林令，贞元中为荆南节度从事、检校侍御史。《全唐诗》卷二九五录其诗二首。据《酉阳杂俎》卷一二、《唐诗纪事》卷四三等。【玩花与卫象同醉】《批点唐诗》卷一二：“便胜仲文《伤秋》之作，为其宛转耳。”《而庵说唐诗》卷九：“长沙，古称卑湿之地，贾太傅不得意之处。人到此间，岂有佳况？况是白发盈头之老翁当之。即有一树之花，亦不能消此旅寂寞。今朝适遇好友，邀饮花下，遂成大醉。此时酣畅，始忘身在长沙，安得与君同醉花下也。可见花不如友，醒不如醉。”《唐诗合选详解》卷三：“以白头人而在他乡，虽有一树之花，亦难遣老年之寂寞。今朝何幸，而与君同醉，即身在长沙，亦酣畅而忘之矣。”

孟郊年三十一，曾至河阳。有《往河阳宿峡陵寄李侍御》、《上河阳李大夫》。

于鹄南来，访庐山。有《山中访道者》、《入白芝溪访黄尊师》、《早上凌霄第六峰

入紫溪礼白鹤祠》、《过凌霄洞天谒张先生祠》。【过凌霄洞天谒张先生祠】《唐诗镜》卷三五："能言其际，亦有气格。"【山中访道者】《唐诗镜》卷三五："写景如纪事语。"

郎士元卒。《全唐诗》卷二八四编其诗一卷。《中兴间气集》收其诗十二首，评云："员外河岳英奇，人伦秀异，自家形国，遂拥大名。右丞以往，与钱更长。自丞相以下，更出作牧，二公无诗祖饯，时论鄙之。两君体调，大抵欲同，就中郎公稍更闲雅，近于康乐，如'荒城背流水，远雁入寒云'、'去鸟不知倦，远帆生暮愁'，又'萧条夜静边风吹，独倚营门向秋月'，可以齐衡古人，掩映时辈。又'暮蝉不可听，落叶岂堪闻'，古谓谢朓工于发端，比之于今，有惭沮矣。"《唐语林》："郎士元诗句清绝，轻薄好为剧语。"《郡斋读书志》卷四上："与钱起俱有诗名，而士元尤更清雅。时朝廷公卿出牧奉使，若两人无诗祖行，人以为愧。"《韵语阳秋》卷四："钱起与郎士元齐名，时人语曰：'前有沈、宋，后有钱、郎'。然郎岂敢望钱哉？起《中书遇雨诗》云：'云衔七曜起，雨拂九门来'；《宴李监宅》云：'晚钟过竹静，醉客出花迟'；《罢官后》云：'秋堂入闲夜，云月思离居'；《对雨》云：'生事萍无定，愁心云不开'，亦可谓奇句矣。士元诗岂有如此句乎？《赠盖少府新除江南尉》云：'客路寻常随竹影，人家大抵傍山岚'；《题王季友半日村别业》云：'长溪南路当群岫，半景东邻照数家'，此何等语？余读其诗，尽帙未见有可喜处，以是知不及起远甚。"《唐音癸签》引刘辰翁语："士元诸诗，殊洗练有味。虽自浓景，别有淡意。"《唐诗品》："员外诗天然秀颖，复谐音节，大率以兴致为先，而济以流美。虽篇章错杂，酬应层出，而语多闲雅，不落俗韵，其取重时流，不徒然尔。惜无大作以齐曩代高手，将非尺寸短长之耶。"《唐诗评选》卷四："高仲武云郎公'近于康乐'，既不知谢，亦不知郎。郎诗自从潘、陆来，变为七言，风旨固在。七言之从谢出，唯杜陵耳。一出笔有三留三折，他人不能尔，亦不知也。"《诗辩坻》："《中兴间气》称郎士元'暮蝉不可听，落叶岂堪闻'，工于发端，谢朓惭沮。然二语排而弱，思致浅竭，遽驾玄晖乎？"《载酒园诗话》又编："郎君胄诗，不能高岸，而有谈言微中之妙。刘须溪谓其'浓景中别有淡意'，余则谓其淡语中绕有腴味。如'乱流江渡浅，远色海山微'、'河来当塞曲，山远与沙平'、'荒城背流水，远雁入寒云'、'罢磬风枝动，悬灯雪屋明'，虽萧寂而不入寒苦。至若'月到上方诸品净，心持半偈万缘空'，读之真躁心欲消，妄心欲熄矣。"《大历诗略》："君胄诸诗，意境闲逸，大历高品，卢、韩、司空辈为稍逊之。"

柳识此前卒。《全唐文》卷三七七收其文八篇。《新唐书》卷一四二《柳浑传》附："识字方明，知名士也，工文章，与萧颖士、元德秀、刘迅相上下。而识练理创端，往往诣极，虽趣尚非博，然当时作者，伏其简拔。"《唐诗纪事》卷二〇："识字方明，工文章，最为李华知许。"《唐摭言》卷七引李华《三贤论》："河东柳识方明，遐旷而才。"

姚合约生于此年。姚合（781？—846?），陕州人，宰相姚崇曾侄孙。早年随父宦游，寄家郏城，后隐居嵩山。元和十一年登进士第，历魏博从事、武功主簿、富平尉。宝历二年，官监察御史，分司东都。大和二年，入为殿中侍御史，充右巡使。迁侍御使，转户部员外郎，出为金州刺史。又入为刑、户二郎中。大和八年，复出为杭州刺

史。开成元年，入京为谏议大夫。四年由给事中出为陕虢观察使。会昌中入为秘书少监。约卒此后。世称“姚武功”。《新唐书·艺文志》著录有《姚合诗集》一〇卷、《极玄集》一卷、《诗例》一卷。今传《姚少监诗集》一〇卷，通行有明代汲古阁刻本及《四部丛刊》影印明钞本。另《极玄集》，收入《唐人选唐诗（十种）》。事迹见《旧唐书》卷九六及《新唐书》卷一二四、《唐诗纪事》卷四九、《唐才子传》卷六等。

王缙卒，史称年八十二。《全唐诗》卷一二九录其诗八首，《全唐文》卷三七〇及《唐文拾遗》卷二收其文八篇。窦臮《述书赋》注：“弟太原少尹缙，文笔泉薮，善草隶书，功超薛稷，二公名望，首冠一时。时议论诗，则曰王维、崔颢；论笔，则曰王缙、李邕。”【古别离】《载酒园诗话》又编：“置之乐府无辨。不愧乃兄，又不专效阿兄，因笑苏公动称家法之陋。”

公元782年（唐德宗建中三年　壬戌）

二月

杨弘微等二十八人登进士第，时中书舍人赵赞知贡举。是年停试诗赋，以箴、论、表、赞代之，试《学者箴》，进士别头试《欹器铭》。

三月

武元衡下第，归郊居。有诗《寒食下第通简长安故人》、《暮春郊居寄朱舍人》。秋，有《秋日将赴江上杨弘微时任凤翔寄别》、《山中月夜寄朱张二舍人》。

张众甫在李希烈幕，使广陵，涉江省家，道病卒，年六十八。权德舆《张众甫墓志》云：“时以缘情比兴，疏导心术，志之所之，辄诣绝境。”《中兴间气集》收其诗三首，评云：“众甫婉媚绮错，巧用文字，工于兴喻，如‘不随淮海变，空愧稻粱恩’，尽陈谢之源。又‘自当舟檝路，应济往来人’，得讽兴之要。形容体裁，率皆如此，文流之佳士也。”《唐才子传》卷三：“众甫诗婉媚绮错，巧用文字，工于兴喻，文流中佳士也。……吟咏性灵，陶炼衷素，皆有佳篇，不至湮落。”《全唐诗》卷二七五录其诗三首。

春

韦应物官比部员外郎。有诗《答史馆张学士同柳庶子学士集贤院看花见寄兼呈柳学士》、《送常侍御却使西蕃》，常侍御，常鲁。李益亦有《送常曾侍御使吐蕃寄题西川》。四月，韦应物出为滁洲刺史，有诗《郡斋感秋寄诸弟》、《自尚书郎出为滁洲刺史留别朋友兼示诸弟》、《同德精舍旧居伤怀》、《睢阳感怀》。秋，韦应物在滁洲刺史任，有《郡斋感秋寄诸弟》、《郡中对雨赠元锡兼简杨凌》、《郊园闻蝉寄诸弟》、《寄中书刘舍人》。十二月，韦应物在滁洲，有《冬至夜寄京师诸弟兼怀崔都水》。

刘长卿在随州刺史任，有《献淮宁军节度李相公》。《诗薮》内编卷五：“‘家散万金酬士死，身留一剑报君恩’，李端、韩翃之先鞭。‘渔阳老将多回席，鲁国诸生半在门'，王建、张籍之鼻祖。独结语得王维、李颀风调，起语亦自大体。……大率唐人诗主神韵，不主气格，故结句率弱者多。"《唐诗归》卷二六："'家散万金酬士死，身留一剑报君恩'，钟惺评：二语有本领，不是一味豪壮。"《唐诗镜》卷二九："如此等，觉余韵渺绝。诗之佳处，在一叹三咏之间。"《唐风定》卷一七："联语气岸，乃去王、李远矣。惟结语酷似。"《唐七律选》卷三毛奇龄评："落句只就当时所见事，连缀作结，似属非属，机构又变。"《瀛奎律髓汇评》卷三〇冯班评："只是地道。"何焯评："全篇极写失势无聊之状，读者但见其壮丽也。落句了不绝为败兴语。"纪昀评："绰有风格。"《诗辩坻》卷三："'家散万金酬士死，身留一剑报君恩'，王元美称其壮语，然气尽句中，未为佳调。"《昭昧詹言》卷一八："先写一句，奇警突兀妙极。或疑次句不称。先君云：'若第二句再浓，通篇何以运掉。'树谓非但已也；此第二句，乃是叙点交代题面本事主句，文理一定，断不可少，所谓安身立命处也。中二联分赋，叙其忠悃声望，高华伟丽。结句入妙。言外多少余味不尽，所谓言在此而意寄于彼，兴在象外。海峰《正宗》独以此一篇入选，所以崇格也。《正宗》之选，专取高华伟丽，以接引明七子。"

沈既济贬处州司户，在润州与权德舆同游栖霞寺。权德舆有诗《与沈十九拾遗同游栖霞寺上方夜于亮上人院会宿二首》，《唐诗别裁集》卷四："诗品高洁，在语言外领取。"

刘商在汴州。有诗《行营送人》、《春日行营即事》。

皎然在湖州。有《五言遥酬袁使君高春暮行县过报德寺见怀》、《五言奉酬袁使君高春游鹤鸰峰兰若见怀》。

四月

李益将赴幽州朱滔幕，韦应物有诗《送李侍御益赴幽州幕》；值朱滔反，未成行。

徐浩卒于长安，年八十。《全唐诗》卷二一五存其诗两首，《全唐文》四四〇、《唐文拾遗》卷二七收其文六篇。《旧唐书·徐浩传》："肃宗即位，召拜中书舍人，时天下事殷，诏令多出于浩。浩属词赡给，又工楷隶，……玄宗传位诰册，皆浩为之。"贾至《授徐浩尚书左丞制》："精洁惠和，敏而好学，有凌云之词赋，兼临池之翰墨，祗勤直道，厥德允修。"

卢纶在长安。夏，有《夜中得循州赵司马侍郎书因寄回使》。秋，卢纶行役至郿县太白山，有《太白西峰偶宿车祝二尊师石室晨登前巘凭眺书怀即事寄呈凤翔齐员外张侍御》。

秋

耿沣在河中，有诗《奉和李观察登河中白楼》、《贺李观察河中祷语》。冬，自河中归秦。有诗《赠别安邑韩少府》、《留别解县韩明府》。

秦系北归湖州，与袁高、皎然游。皎然有诗《酬秦山人出山见呈》、《酬秦山人见寻》、《奉酬袁使君西楼饯秦山人与昼同赴李侍御招》。

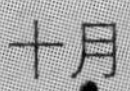

十月

孟郊东归，适逢战乱，阻于河南。有《感怀》、《杀气不在边》。【感怀】《诗源辩体》卷二五："东野诗诸体仅十之一，五言古居十之九，故知其专在此。然用力处皆可寻摘，大要如连环贯珠，此其所长耳。其《感怀》八首中有类陈子昂者，决非东野作。"

冬

李端至凤翔，后次岐山。有《冬夜集张尹后阁》、《旅次岐山得山友书却寄凤翔张尹》。

戴叔伦罢东阳令，赴曹王李皋湖南幕。有诗《将赴湖南留别东阳旧僚兼示吏人》。

司空曙滞荆南。有诗《岁暮怀崔峒耿沣》。

本年

严维约本年卒，年约六十六。《全唐诗》卷二六三编其诗为一卷，卷七八九收其所预联句三首，又卷七七〇录罗维《水精环》一首，罗维当为严维。《全唐诗补编·续补遗》卷四补一首，《续拾》卷一六补一首又六句，卷一七补所联句九首。《全唐文》卷四八一存其文一篇。《唐才子传》卷三："诗情雅重，挹魏晋之风，锻炼铿锵，庶少遗恨。一时名辈，孰匪金兰。"《唐诗品》："维诗错综亦密，时出俊语，澄除泾渭，亦可远致。如'柳塘春水漫，花坞夕阳迟'，又'野烧明山郭，寒更出县楼'，又'夜静溪声近，庭寒月色深'，皆有自然之态，神情疏畅，自不可少。"《唐音癸签》卷七："严维诗时出俊语，如'柳塘春水漫，花坞夕阳迟'、'野烧明山郭，寒更出县楼'皆可诵，伤马长篇综组尤密。"【酬刘员外见寄】《六一诗话》："圣俞常语予曰：诗家虽率意，而造语亦难。若意新语工，得前人所未道者，斯为善也。必能状难写之景，如在目前，含不尽之意，见于言外，然后为至矣。……严维'柳塘春水漫，花坞夕阳迟'，则天容时态，融和骀荡，岂不如在目前乎？"《瀛奎律髓汇评》卷一〇方回评："五、六全于'漫'字上、'迟'字上用工。"何焯评："测水痕，候日影，五、六正含落句，不徒为体日景物语，故韵味深。"《中山诗话》："人多取佳句为句图，特小巧美丽可喜，皆指咏风景，影似百物者尔，不得见雄材远思之人也。梅圣俞爱严维诗，曰'柳塘春水漫，花坞夕阳迟'，固善矣。细较之：夕阳迟则系花，春水漫何须柳也。"《诗薮》内编卷四："严维'柳塘春水漫，花坞夕阳迟'，字与意俱合掌，宋人击节佳句，何也。"《四溟诗话》卷二："刘贡父评严维曰'柳塘春水漫，花坞夕阳迟'，夕阳迟则系花，春水漫何须柳也。此联妙于状景，华物不靡，精而不刻，贡父之说凿矣。"《唐诗摘抄》卷一："前后两截。三、四不但写其才调，并文房风神都绘出。"《筱园诗话》卷四："自来得名之句，有卓然可传者，有不佳而幸成名者。名篇亦然。盖非谐俗，不能风行，人人传诵，所以不足为据。若夫卓然可传之作，当日得名，必其时风雅极盛，能诗者

在朝在野，皆多有之。又值有真知诗而名位俱隆者，激赏奖许所致。不然杰作未易流传，而所流布于时者，多无可取。古人所谓身后知己易，生前知己难，又谓作者难，知者不易，是也。……嗣后名句，如温飞卿之‘鸡声茅店月，人迹板桥霜’，严维之‘柳塘春水漫，花坞夕阳迟’……以上五七律诸联，皆昔日传诵之句，各有佳处，以云名句，犹不愧也。”

李翰约本年卒，年五十四。《全唐文》卷四三〇存其文一三篇。

公元783年（唐德宗建中四年　癸亥）

正月

常衮卒于福建观察使任，年五十五。《全唐诗》卷二五四存其诗九首，《全唐诗补编·补逸》卷六补一首，《续拾》卷一六补一首。《全唐文》卷四一〇至四二〇收其文一一卷，《唐文续拾》卷六补六篇，三篇误收。《唐诗纪事》卷二九："衮，京兆人，为中书舍人。文采赡蔚，长于应用，誉重一时。相代宗，用人非文词者摈不用，世谓之重沓伯。”

李希烈陷汝州。卢杞进计，举颜真卿诣许州宣慰李希烈。颜至许州，为李希烈所囚。

二月

薛展、武元衡、韦同正、韦纯、柳涧、熊执易、魏正则等二十七人登进士第，时礼部侍郎李纾知贡举，试《易简知险阻论》。

三月

朱巨川卒，年五十九。《全唐诗》卷七九四收其与皎然等联句三首，仅署巨川，失姓。陈羽作诗《观朱舍人归葬吴中》。李纾作《朱巨川神道碑》云："国朝铲迩代之弊，振中古之业，掌文命官，发华归本，出入二百载，上下十数公，灿灿然与汉魏同风矣。而旷士之制博而通，豪士之制英而辩，道流之制精而密，君子之制直而温。吴郡朱君，其君子欤。……凡载书之传信者，赞书之加命者，诏策之封崇者，愍策之褒厚者，其词必温，其道必直，洪而不放，纤而不繁，实根作者之心，无愧前人之色。”

戴叔伦随李皋讨李希烈，至蕲州。有《江西节度出师记》、《蕲春行营作》。

春

武元衡在长安。有《经严秘校维故宅》。夏，有《送魏正则擢第归江陵》。

刘湾卧疾长安，韦应物有《寄职方刘郎中》。稍后，刘湾卒。《中兴间气集》卷下选其诗四首，评云："湾，蜀人也。性率多直，属文比事，尤得边塞之思。如‘死是征人死，功是将军功’，悲而且讦。又‘举声哭苍天，万木皆悲风’，又‘李陵不爱死，心存归汉阙’，逆臣贼子闻之，宜乎改节矣。”《全唐诗》卷一九六载其诗六首。元结《刘侍御月夜燕会序》：“文章道丧盖久矣。时之作者，烦杂过多，歌儿舞女，且相喜爱，系之风雅，谁道是耶？诸公尝欲变时俗之淫靡，为后生之规范。”【云南行】《对床夜语》卷五：“刘湾《云南行》云：‘妻行求死夫，父行求死子。’且丧乱之世，妻倚夫而苟生，父恃子而送死者，今皆先其身而夭，则鳏寡孤独失其所矣。但辞伤于直。”《删补唐诗选脉笺释会通评林》“盛唐五古三”周敬评：“言楚情酸，令人读不能终篇。”

九月

耿沣自长安东游。有诗《晚秋东游寄猗氏第五明府解县韩明府》。

戎昱贬辰州刺史。有诗《辰州建中四年多怀》。十一月，在辰州，有《谪官辰州冬至日有怀》。

秋

杨凝前为协律郎，自春及夏在滁洲秋赴吴越，有《奉酬韦滁洲寄示》。韦应物有《送元锡杨凝》、《寄杨协律》。

畅当以子弟被召从军。卢纶有《送畅当赴山南幕》。韦应物有《寄畅当》。【送畅当赴山南幕】《唐诗归》卷二六钟惺评：“调甚古，入绝句尤难。”

冯著罢摄洛阳尉，秋，赴缑氏尉。卢纶有诗《卧病寓居龙兴观枉冯十七著作书知罢舍摄洛阳赴缑氏因题十四韵寄冯生并赠乔尊师》。

十月

泾原兵被调东征，过长安，以食劣无赏哗变，德宗奔奉天。朱泚称帝，国号秦，建元应天，旋攻奉天。严巨川在长安。赵元一《奉天录》（《丛书集成初编》本）卷二：“八日，泚于宣德殿僭即大位，……故严巨川有诗：‘烟尘忽起犯中原，自古临危道贵存，手持礼器空垂泪，心忆明君不敢言。’”时李治在长安，陷贼，冬有诗《陷贼寄故人》。

商州军乱，杀其刺史谢良辅。谢良辅工诗，曾受知于诗人陶翰。《全唐诗》卷三〇七存其诗四首，卷七八九存其所预联句二首。《全唐文》卷三七二存其文三篇。

本年

韦渠牟在江南，作《卧疾五十韵》。韩滉“手翰以美之曰：‘卓尔独立，起在我韦生乎’”（权德舆《韦渠牟集序》）。

灵澈至湖州。《刘宾客文集》卷一九《澈上人文集纪》：“初，上人在吴兴，居何山，与昼公为侣。时予方以两髦执笔砚、陪其吟咏，皆曰孺子可教。”昼公，即皎然。

韩翃约本年卒。《全唐诗》卷二四三至卷二四五编其诗为三卷，又卷七七〇收韩雄诗一首，韩雄乃韩翃之误。《全唐诗补编·补逸》卷六补二首。《中兴间气集》卷上收其诗七首，评曰："韩员外诗，匠意近于史。兴致繁富，一篇一咏，朝士珍之，多士之选也。如'星河秋一雁，砧杵夜千家'，又'客衣筒布润，山舍荔枝繁'，又'疏帘看雪卷，深户映花关'，方之前载，芙容出水，未足多也。其比兴深于刘员外，筋节成于皇甫冉也。"《郡斋读书志》卷四上："翃诗兴致繁富，朝野重之。"《升庵诗话》卷一四："唐人评韩翃诗，谓'比兴深于刘员外，筋节成于皇甫冉'，比兴，景；筋节，情也。"《唐诗品》："君平意气清华，才情俱秀，故发调警拔，节奏琅然，每一篇出，辄相传布，亦雅道之中兴也。七言古作，性情奔会，词采蓊郁，虽格稍不振，而风调弥远，讽其华要，亦足解于烦襟矣。"《诗薮》内编卷六："中唐刘、钱虽有风味，气骨顿衰，不如所为近体。惟韩翃诸绝最高，如《江南曲》、《宿山中》、《赠张千牛》、《送齐山人》、《寒食》、《调马》，皆可参入初盛间。"又云："韩翃七言绝，如'青楼不闭葳蕤锁，绿水回通宛转桥'、'玉勒乍回初喷沫，金鞭欲下不成嘶'、'急管昼催平乐酒，春衣夜宿杜陵花'、'晓月暂飞千树里，秋河隔在数峰西'，皆全首高华明秀，而古意内含，非初非盛，直是梁、陈妙语，行以唐调耳，人不易晓。"《石洲诗话》卷二云："大历十才子卢纶、司空曙、耿沣、李端诸公一调，韩君平风致翩翩，尚觉右丞以来，格韵去人不远。"《唐音癸签》卷七："君平高华之句，几夺右丞之席，无奈其使事堆垛堪憎。见珍朝士以此，见侮后进亦以此。"《删补唐诗选脉笺释会通评林》："君平诸绝，玉岫虹惊，珠源龙变，法力神识俱到，中唐之王、李也。"《诗源辨体》卷二一："翃七言绝，后二句多偶对者，藻丽精工，是其特创，晚唐人决不能有也。"又"韩七言古艳冶婉媚，乃诗余之渐。"《唐风定》："韩才宏富，不带清寒之色，在当时诸子中矫矫绝出。"《诗辩坻》卷三："君平长篇，天才逸丽，兴逐笔生，复工染缀，色泽秾妙，在天宝后，文房、仲文俱当却席者也。"《瀛奎律髓汇评》卷四六冯班评云："君平绮缛，过于大历诸子。"《载酒园诗话》又编："贞元以前诗多朴重，韩翃在天宝中已有名，其诗始修辞呈态，有风流自赏之意。昌黎曰：'欢愉之辞难工，穷苦之言易好。'独翃反是。其佳句如'寒雨送归千里外，东风沉醉百花前'、'露色点衣孤屿晓，花枝妨帽小园春'、'池畔花深斗鸭栏，桥边雨洗藏鸦柳'、'门外碧潭春洗马，楼前红烛夜迎人'、'急管昼催平乐酒，春衣夜宿杜陵花'，皆豪华逸乐之概。惟《送李少府入蜀》诗'孤城晚闭秋江上，匹马寒嘶白露中'，稍觉凄然可念。然在集中，亦如九十春光，一朝风雨耳。第姿韵虽增，风气亦渐降。至若'葛花满地能消酒，栀子同心好赠人'、'下箸已怜鹅炙美，开笼不奈鸭媒娇'、'麈尾手中毛已脱，蟹螯尊上味初香'，骎骎已入轻靡，为晚唐风调矣。"又云："按义山有《韩翃舍人即事》诗，如'通内藏珠府，应管解玉坊'，语殊不佳。但此首即不似，他诗不拟韩者，反多似之，故知君平为柔艳之祖。"毛奇龄《唐七律选》："中唐至君平气调全卑，又降文房数格矣，但刻意纤秀，实启晚唐及宋、元、初明修辞饰事之习，此亦开关运会人也。"《大历诗略》："韩舍人翃才调翩翩，大历能品。"又云："歌行诸制，笔力不高，而调态新颖动人。"又云："诸绝句兴寄或深或浅，具有乐府意。"余成教《石园诗话》卷一："韩君平七律健丽而对仗天成，七绝亦神情疏畅。'雨余衫袖冷，风急马蹄轻'、'星河秋一雁，砧杵夜千家'、'鸭磬夕阳尽，卷帘秋色来'、'万叶秋声里，千家落照时'，为五言佳句。如'小县春生日，公孙吏隐时'、'远水流春色，回风送落晖'、'过淮芳草歇，千里又东归'、'县舍江云里，心闲境又偏'、'还家不落春风后'、'白皙风流似有须'，皆工于发端。"《三唐诗品》："其源出于谢元晖，泛艳轻华，已无深致。歌行法初唐之体，亦能卷舒命匠，经纬成机。律体自亚李、卢，犹称芳润。"王士祯《带经堂诗话》（人民文学出版社 1963）"总集门"（四）"自述类"（上）："弇州先生曰：七言绝句盛唐主气，气完而意不必工，中、晚唐主意，意工而气不必完。予反复斯集，益服其立论之确。毋论李供奉、王龙标暨开元、天宝诸名家，即大历、贞元间如李君虞、韩君平诸人，蕴藉含蓄，意在言外，殆不易及。"《唐诗别裁集》卷一四："七律至随州，工绝亦秀绝矣，然前此浑厚兀奡之气不存。降而君平、茂政，抑又甚焉。风会使然，岂作者能自主耶？"《昭昧詹言》卷一八："君平三诗，不过秀句足供讽咏，流传不泯，篇法宛转谐适而已，无奇特兴象足以取法。"

钱起约本年或稍前卒，年七十四。《全唐诗》卷二三六至二三九编其诗为四卷，《全唐诗逸》卷上补一首，《全唐诗补编·补逸》卷六补二首，《续补逸》卷四补一首，《续拾》卷一六补五首又二句。《中兴间气集》卷上收其诗十二首，评云："员外诗，体格新奇，理致清赡。粤从登第，挺冠词林，文宗右丞，许以高格；右丞没后，员外为雄。芟齐宋之浮游，削梁陈之靡嫚，迥然独立，莫之与群。且如'鸟道挂疏雨，人家残夕阳'，又'牛羊上山小，烟火隔林疏'，又'长乐钟声花外尽，龙池柳色雨中深'，皆特出意表，标雅古今。又'穷达恋明主，耕桑亦近郊'，则礼义克全，忠孝兼著，足可弘长名流，为后楷式。士林语曰：'前有沈、宋，后有钱、郎。'"方干《元英先生诗集》（清同治七年富文阁方震刻本）王赞序："建中之后，其诗弥善，钱起为最。杜甫雄鸣于至德、大历间，而诗人或不尚之。"《韵语阳秋》卷四云："唐朝人士以诗名者甚众，往往因一篇之善，一句之工，名公先达为之游谈延誉，遂至声闻四驰。'曲终人不见，江上数峰青'，钱起以是得名。"又卷一二："钱起《投南山佛寺》云：'洗足解尘缨，忽觉天形宽。庶将镜中像，尽作无生观'。盖知百骸九窍，本非天形。《至悟真寺》诗云：'更闻东林磬，可听不可说。兴中寻觉化，寂尔诸象灭。'盖知妙明真心，不关诸象。起于是理，亦可谓超然者矣。"《唐诗归》："钱起精出处。虽盛唐妙手不能过之，亦有秀于文房者。泛览全集，冗易难读处实多，以此知诗之贵选也。"《唐诗别裁集》卷三："仲文五言古仿佛右丞，而清秀弥甚。然右丞所以高出者，能冲和，能深厚也。"《小澥草堂杂论诗》："钱起诗尽有裴、王意，其失也浅。储、王作清诗，定有厚气裹其笔端。"又云："钱仲文起诗如水头山脚，独树人家。"《大历诗略》："诸五言古诗殆无字不佳，然只是唐音，去晋宋风格尚远。"又云："仲文五言稍近宣城，亦工起调，顾语多轻俊，体制不厚，为逊储、王。论诗至此亦微矣。"又云："清丽是右丞一派，但气象未能浑阔耳。"又云："铸义选词，步步精切，而有余地。后起名家有其工，恐不能如此细也。窃见五言长律，开、宝以前，格制浑沦难学，杜又茫然无有津涯。伐柯取则，唯在大历诸子，而仲文其最优者也。"又"仲文诗如芷珠春色，精丽绝尘，右丞以后，一人而已。"《三唐诗品》："其源出于谢朓，清新扬采，寥然远音。《登高》、《愁望》、《苦雨》、《秋夜》诸篇，蒨逸神情，宛然齐秀。《行路难》、《秋夜长》，亦梁陈之选也。五律则'山来樵路'、'岸去花林'，与老杜'青惜峰峦'、'黄知桔柚’体境同工，不徒‘江上峰青’，‘湘灵千古’。”《载酒园诗话》又编：“作诗嫌于意随言尽，如仲文《登覆釜山遇道人》第二篇曰……又《南溪春耕》曰……如此传笔，真可云水穷云起矣。”《读雪山房唐诗序例》五古凡例：“大历五古，以钱仲文为第一，得意处宛然右丞。”又五排凡例：“大历诗人，多用此体诗为祖饯。如钱起《送刘相公江淮催转运》、《送王谏议东都居守》、《送郑书记》，皇甫冉、吉中孚《送归中丞使新罗》，……莫不声华冠冕，词旨安和，使节星轺，得之增重。才子之名，信不虚也。”《石园诗话》卷一：“仲文受知王右丞，《酬王维春夜竹亭赠别》无一语誉王。《游辋川》诗，但云：‘王子在何处?’《蓝上茅茨》诗，但云：‘老年疏山事，幽性养天和。酒熟思才子，溪头望玉珂。’《晚归蓝田》诗，但云：‘知音青琐闱。’唐贤赠答，每每写情赋景，而不哓哓于称誉，自后则不然。”【幽居春暮书怀】《唐七律选》卷三毛奇龄云：“钱仲文试诗甚佳。后把其集，全不惬意，非刘文房敌头也。‘更怜童子宜春服，花里寻师诣杏坛。’家塾景次一新。”《唐诗镜》卷三一：“三、四本色自成，更加微韵则佳矣。”《贯华堂选批唐才子诗》卷三：“此解寓笔绝似工部。”【山中酬杨补阙见过】《唐诗镜》卷三一：“三、四过拟，寻意转幽，当体则远。”《唐风定》卷一七：“‘幽溪鹿过苔还静，深树云来鸟不知’，清幽浑朴，依稀摩诘。”《小清华园诗谈》卷下：“钱员外之‘深树云来鸟不知’……之类，皆系兴会所至，偶然而得。强欲偶之，虽费尽苦思，终不能敌，是盖有不可以力争者。”《诗境浅说》丁编：“‘幽溪鹿过苔还静，深树云来鸟不知’，诗写山中幽绝之致，句殊隽永。以之喻禅理，则幽溪苍苔，喻人心之本静，因鹿行而静中有动，鹿过而苔仍静，还其本心也。下句言鸟栖深树，悠然如无知。虽树里白云来去，而鸟仍不知，喻世事万变，而此心不动，言心之定也。有定而后能静，禅理而亦儒理。若郎士元之‘月在上方诸品静，心持半偈万缘空’，语意显露，不若钱诗之写景既工且有余味可寻也。”【赠阙下裴舍人】《唐诗镜》卷三一：“中唐七律，时见偃纵，故体格不严。”《唐风定》卷一七：“天然富丽，气象宏远，文房之所不及。”《载酒园诗话》又编：“昔人推钱诗者，多举‘长乐钟声花外尽，龙池柳色雨中深’。予以二语诚一篇警策，但读其全篇，终似公厨之馔，厌腹有余，爽口不足，去王维、李颀尚远。”《昭昧詹言》卷一八：“前四句写阁景气象，真朴自然，不减盛唐王摩诘。后四句托赠常语，平平耳。”

公元 784 年（唐德宗兴元元年　甲子）

正月

德宗在奉天，改元，下罪己诏；诏文出自翰林学士陆贽。大赦天下。《资治通鉴》卷二二九：“赦下，四方人心大悦。及上还长安明年，李抱真入朝，为上言：‘山东宣布赦书，士卒皆感泣，臣见人情如此，知贼不足平也。’”

二月

李怀光与朱泚相结谋反，德宗奔梁州。

马异等五人登进士第，时礼部侍郎鲍放知贡举，试《朱干铭》。马异（生卒年不详)，河南人，一说睦州人。《全唐诗》卷三六九录其诗四首。《唐才子传》卷五："异，睦州人也。兴元元年礼部侍郎鲍防下进士第二人。少与皇甫湜同砚席，赋性高疏，词调怪涩，虽风骨棱棱，不免枯瘠。卢仝闻之，颇合已志，愿与结交，遂立同异之论，以诗赠答，有云：'昨日仝不同，异自异，是谓大同而小异。今日仝自同，异不异，是谓同不往而异不至。'斯亦怪之甚也。后不知所终。"

戴叔伦至奉天，得召见；还，有诗《奉天酬别郑谏议云逵卢拾遗景亮见别之作》。九月，戴叔伦在抚州刺史任，有《九日与敬处士左学士同赋采菊上东山便为首句》。

三月

袁高在湖州刺史任，奉诏修茶贡，作《茶山诗》，后应征诏赴行在。

皎然有《奉送袁高使君诏征赴行在効曹刘体》、《奉和陆中丞使君长源寒食日作》。陆长源，时权领湖州刺史。五月，皎然在湖州，有《奉和陆使君长源夏月游太湖》、《五言奉和陆使君长源水堂纳凉效曹刘体》、《五言夏日奉陪陆使君长源公堂集》。九月，皎然有《五言同薛员外谊喜雨诗兼上杨使君》、《奉陪杨使君顼送段校书赴南海幕》。

春

卢纶陷身贼中，有诗《春日卧病示赵季黄》、《贼中与严越卿曲江看花》。

武元衡亦陷身长安，有诗《长安贼中寄题江南所居茱萸树》、《和杨弘微春日曲江南望》。

韦应物在滁洲刺史任，有《京师叛乱寄诸弟》、《寄李儋元锡》。五月，又有《寄诸弟》。【寄李儋元锡】《瀛奎律髓汇评》卷六方回评："朱文公盛称此诗五、六好，以唐人仕宦，多夸美州宅风土，此独谓'身多疾病'、'邑有流亡'，贤矣。"冯舒评："圆熟却轻倩。"查慎行评："村学小儿皆能读此诗，不可因习见而废也。"纪昀评："上四句竟是闺情语，殊为疵累。五、六亦是淡语，然出香山辈手便俗浅，此于意境辨之。七律虽非苏州所长，然气韵不俗，胸次本高故也。"《艺苑卮言》卷四："韦左司'身多疾病思田里，邑有流亡愧俸钱'，虽格调非正，而语意亦佳。于鳞乃深恶之，未敢从也。"《唐音癸签》卷二五："韦左司'身多疾病思田里，邑有流亡愧俸钱'，仁者之言也。刘辰翁谓其居官自愧，闵闵有恤人之心，正味此两语得之。若高常侍'拜迎官长心欲碎，鞭挞黎庶令人悲'，亦似厌作官者，但语微带傲，未必真有退心如左司之一向淡耳。"《载酒园诗话》又编："韦诗皆以平心静气出之，故多近于有道之言。'身多疾病思田里，邑有流亡愧俸钱'，宛然风人《十亩》、《伐檀》遗意。"《昭昧詹言》卷一八："本言今日思寄，却追叙前此，益见情真，亦是补法。三句承一年之久，放空一句。四句兜回自己。五、六接写自己怀抱。末始入今日寄意。"

五月

李抱真、王武俊破朱滔于京城东南，朱涛遁归幽州；李晟破朱泚兵，朱泚出走，

长安收复。下月，朱泚将奔吐蕃，至彭原，为其部将所杀。

七月

壬午，德宗自兴元返长安。陆贽从驾奉天、梁州，翰林制诰多出其手，后编入《翰苑集》。权德舆序云："朱泚之乱，从幸奉天，诏书旁午，公洒翰即成，……无不曲尽情事，中于机会。"欧阳詹因德宗之还，作《回銮赋》。

李冶（季兰）因曾上诗朱泚，被杀。《奉天录》卷一："时有风情女子李季兰，上泚诗，言多悖逆，故阙而不录。皇帝再克京师，召季兰而责之曰：'汝何不学严巨川有诗曰：手持礼器空垂泪，心忆明君不敢言？'遂令扑杀之。"《全唐诗》卷八〇五收其诗一六首又八句，卷八八八补二首。《中兴间气集》卷下选其诗六首，评云："士有百行，女唯四德，季兰则不然，形气既雄，诗意亦荡，自鲍昭以下，罕有其伦。如'远水浮仙棹，寒星伴使车'，盖五言之佳境也。上仿班姬则不足，下比韩英则有余，不以迟暮，亦一俊妪。"《唐才子传》卷八："中间如李季兰、鱼玄机，皆跃出方外，修清净之教，陶写幽怀，留连光景，逍遥闲暇之功，无非云水之念。与名儒比隆，珠往琼复。然浮艳委托之心，终不能尽，白璧微瑕，惟在此耳。"《唐诗纪事》卷七八："刘长卿谓季兰为女中诗豪。"《唐音癸签》评汇四："李冶、鱼玄机、薛涛，女德正同。李'远水浮仙棹，寒星伴使车'及《听琴》一歌，并大历正音。"《诗筏》："唐诗大振，妇女奴仆，无不知诗，远及外域，亦喜吟咏。妇女则李季兰有诗豪之誉，薛涛有校书之称。鱼玄机、徐月英各著诗集，非烟、崔仲容并骋俪词，然桑、濮之音耳。"《四库提要》卷一八六："冶诗以五言擅长，如《寄校书七兄诗》、《送韩揆之江西诗》、《送阎二十六赴剡县诗》，置之大历十子之中，不复可辨。其风格又远在涛上，未可以篇什之少弃之矣。"纪昀《瀛奎律髓刊误》（嘉庆五年双桂堂刻本）："唐女道士诗，当以李冶为第一，（鱼玄）机不能及也。"【寄校书七兄】《诗薮》内编卷四评云："'远水浮仙棹'二语，幽闲和适，孟浩然莫能过，宁可以妇人童子忽之。"《唐诗评选》卷三："李冶《寄校书七兄》，托意远，神情密，平缓而有沉酣之趣。班、蔡以后，惟此为足当诗，鲍令晖、沈满愿犹妆阁物耳。"《删补唐诗选脉笺释会通评林》"中唐五律下"周敬曰："五、六用事入化。"唐汝询曰："三、四不必对偶，神韵自逸。"吴山民曰："何物女子，有此词意两至语。"周珽曰："前四句叙阔别之情，因其淹留，想及寂寥也。后四句致怀念之殷，冀其使便，无忘裁答也。按：季兰与刘文房联社乌程，故有此寄。末盖以明远之妹自居也。又二诗前联俱不对，简明、轻捷。"钟惺《名媛诗归》（民国排印本）卷一一："声律高亮，即用虚字，亦自得力，此全在有厚气耳。用事不肤不浅，自然情致，只'远水'、'寒星'，略涉意便妙。"《唐风定》卷一二："工炼造极，绝无追琢之迹。"《唐诗快》卷七："竟是词坛老手。"《读雪山房唐诗序例》"五律凡例"："闺阁之诗，不能与士大夫争胜，以其学力终浅也。独李冶'远水浮仙棹，寒星伴使车'，比同时所称刘长卿'楚国苍山古，幽州白日寒'……等句，殆有过无不及。中兴高步，若准周才之例，吾必以作者与焉。"《小清华园诗谈》卷下："诗之天然成韵者，如……李冶'远水浮仙棹，寒星伴使车'，……之类是也。"《唐诗别裁集》卷一二：

"不求深邃，自足雅音。"【从萧叔子听弹琴赋得三峡流泉歌】《名媛诗归》卷一一评云："清滴转变，亦不必委曲艰深。观其情生气动，想见流美之度。"《删补唐诗选脉笺释会通评林》"中唐七古下"："蒋一梅曰：言言来自题外，言言说向题上，大是神王。徐中行曰：情思好。周珽曰：首尾照应有情，状曲声如画，词格流畅老练，真是天花乱坠。"《唐诗快》卷七："此诗似幽而实壮，颇无脂粉习气。"【相思怨】《名媛诗归》卷一一论云："直语能转，便生出情来。此全从灵气排宕耳。"《唐诗快》卷五："天下有相思之女道士乎？又：此女冠之弹相思曲，亦任夫人之书相思字耳。但幸而书遇好风，则心与字俱圆，不幸而曲怨满目，则肠与弦俱断。相思海中苦乐固天渊耶？"

八月

颜真卿被李希烈杀害于蔡州，年七十七。令狐峘《颜鲁公集神道碑》："今上兴元元年八月三日蹈危致命薨于蔡州之难。"殷亮有《颜真卿行状》。穆员《为淮西宣慰使郑右丞祭颜太师文》、《为留守贾尚书祭颜太师文》。《新唐书》卷一五三《颜真卿传》："当禄山反，哮噬无前，鲁公独以乌合婴其锋，功虽不成，其志有足称者。晚节偃蹇，为奸臣所挤，见殒贼手，毅然之气，折而不沮，可谓忠矣。详观二子行事，当时亦不能尽信于君，及临大节，蹈之无贰色，何耶？彼忠臣谊士，宁以未见信望于人，要返诸己得其正，而后慊于中而行之也。呜呼，虽千五百岁，其英烈言言，如严霜烈日，可畏而仰哉。"《全唐文》卷三三六至三四四编其文为九卷，《全唐诗》卷一五二录诗一〇首，卷七八八收其联句二一首，《全唐诗补编·补逸》卷一七补联句一首，《续补遗》卷三补一句。《颜鲁公集》（四库本）刘敞序："鲁公极忠不避难，临难不违义，是其尘垢糠粃，犹祇饰而诵习之，将以劝事君，况其所自造之文乎？然鲁公没且三百年，未有祖述其书者。其在旧史，施之行事，盖仅有存焉。而杂出传记，流于简牍，则百而一二。铭载功业，藏于山川，则十而一二。非好学不倦，周流天下，则不能遍知而尽见。彼简牍者有尽，而山川者有坏，不幸而不传，则又至于千万而一二，未可知也。吴兴沈侯哀鲁公之忠，而又佳其文，惧久而有不传与虽传而不广也。于是采掇遗逸，辑而编之，得诗赋铭记，凡若干篇为十五卷，学者可观焉。盖君子多见，则守之以约。沈侯好学，喜聚书，聚书至三万卷。若是多矣，然犹常汲汲如不足者。至其集鲁公之文，使必传于天下，必信于后世，可谓守之以约，而尚友者乎。"赵焞《重刻颜鲁公文集序》："……然后知公精忠大义，不止一连兵孤城，而简牍政模，皆为正气威灵之贯注。惜也吾不得炙公于仪模，犹幸得聆嘉言于断简。则公虽身陋希烈，而义色昌词，今读之，尚凛凛如昨日事，固足以廉立万世之玩儒。"留元刚《颜鲁公文集后序》："文章节义，非二致也，圣人入德之序由孝弟而谨信，泛爱而亲仁。行有余力以学，文士君子循本达末自得诸已，则英华之发外皆源而流者也。世变既降，以文名家者攒罗列聚，而信道不惑，守节仗义渺然无几。是以善观人者，必先节义而后文章，文章之轻重在一身，节义之轻重在国家。存而为节义，发而为文章，尽之于一身，推之于国家，汉唐以来，鲁公一人而已。公之忠烈始卒不渝，穹宙昭明，凛凛如在，虽庸人孺子莫不知之。而予犹以轶言余事仿佛一二，几于画浑沌者，惟观之节义然后可以观公之文章。公岂求工于文者哉。公之心与天地并立，星辰河汉、山川草木，自然之文也。不论其心而徒论其文，岂知公者耶？公之文不多见，而天下后世仰公之名，景则敬慕不能已者，盖重其所先略其所后也。故存亡详简不暇计，而其所可见者虽仅存而不详，然有功于名教大矣。"《郡斋读书志》卷四上："世谓真卿忤杨国忠、李辅国、元载、杨炎、卢杞，拒安禄山、李希烈，废斥者七八，以至于死，而不自悔，天下一人而已。而学问文章往往杂神仙浮屠之说，不皆合于理，而所为乃尔者，盖天性然也。"《唐诗品》："鲁公情欣所遇，悉综古调，颇尚格气，不事弥文。虽有一二近体，不过游戏之作，非所以系幽悰也。今集中所载，不及百篇，大都守吴中时与皎僧、陆处士之流，结思岩林，相忘外道者也。然旷世之情，优入三昧，殊非守平原色相。"《晦庵集》卷八四《跋程沙随贴》："颜公刚毅忠烈，得之天资，与其学而之不纯而谄道佞佛，自不相掩。有志于道者师其所当师，而戒其所可戒可也。"《困学纪闻》："朱文公曰：陶公栗里前贤题咏，独颜鲁公一篇令人感慨，见《庐山记》，集不载。"《容斋随笔·三笔》卷一六"颜鲁公戏咏"："《颜鲁公集》有七言四绝句，其目曰……以公之刚介守正，而作是诗，岂非以文滑稽乎？然语意平常，无可咀嚼，予疑非公诗也。"又《四笔》卷二"颜鲁公贴"："颜鲁公忠义气节，史策略尽。偶阅临汝石刻，见一贴云：'政可守，不可不守。'……此是独赴谪地，而与其子孙者，无由考其岁月。千载之下，使人读之，尚可畏而仰也。"《四友斋丛说》卷二七："颜鲁公奇秀独出，一变古发，如杜子美诗，格力天纵，奄有汉魏晋宋以来风流。后之作者，殆难复措手。"杨一清《颜鲁公文集序》："文章节义，天地间元气所关，而国家气运兴衰，端必由之。然是二者，造物恒有所靳，不兼以畀人。夫节义苟歉，文虽工，君子亡取焉。唐之文，韩柳最著，论者终醇韩而疵柳。非其文之弗若也，节义弗若也。……夫公之节义不待文而显，然读其文，可概知其心。公之文非有意传，而重其人，则其文章不容不与大节并传也。"《无用闲谈》："浮屠固异端之教，然亦有可以歆动人者，故晋宋间极好之。虽以王、谢、桓、庾诸贤，亦不敢一言非斥，而于支遁、惠远辈，望风承接，惟恐或后。唐人刘、柳、元、白诸公，每作兰若文字，极口称奖。颜鲁公精忠烈气，尤所酷好，不可晓也。"何绍基《题冯鲁川小像册论诗》："诗文字画不成家数，便是枉费精神。然成家数不从诗文字画起，要从做人起。……鲁公书似其忠烈，间出萧淡，又似其好神仙。"

冬

韦应物罢滁洲刺史，寓居滁洲西涧。有《岁日寄京师诸季端武》、《示全真元常》。

本年

刘明素编《丽文集》五卷，著录于《新唐书·艺文志》四。已佚。刘明素（生卒年不详），桂山人。大历十三年游金陵。贞元十一年中隐居丘园不求闻达科。余无考。

公元785年（唐德宗贞元元年　乙丑）

正月

丁酉朔，改元，大赦。

二月

郑全济、羊士谔、曲信陵、陆瀍、姚系、卢汀、钱徽、崔从、崔珽等三十三人等进士第；时礼部侍郎鲍防知贡举。见《登科记考》卷一二。

三月

包佶自汴东水陆运使为刑部侍郎，稍前有《戏题诸判官厅壁》。冬，包佶在刑部侍郎任，有《酬兵部李侍郎晚过东厅之作》。李侍郎，李纾。

春

韦应物闲居滁洲，有诗《滁洲西涧》、《酬秦征君徐少府春见寄》。夏，韦应物授江州刺史，有《始至郡》、《登郡楼寄京师诸季淮南子弟》。【滁洲西涧】欧阳修《文忠集》卷七三《书韦应物西涧诗后》："韦应物滁州西涧诗，今州城之西，乃是丰山，无所谓西涧者。独城之北，有一涧水，极浅，遇夏潦涨溢，但为州人之患，其水亦不胜舟，又江潮不至此，岂诗家务作佳句，而实无此耶？然当时偶不以图经考正，恐在州界中。"《唐诗品汇》卷四九云："此诗人感时多故而作，又何必滁之界如是也。刘（辰翁）云：此语自好，但韦公体出数字，神情又别。故贵知言，不然，不免为野人语矣。好诗必是拾得，此绝先得后半，起更难似，故知作者用心。"《诗薮》外编卷四："宋人谓滁州西涧，春潮绝不能至，不知诗人遇兴遣词，大则须弥，小则芥子，宁此拘拘？痴人前正难自说梦也。"《注解章泉涧泉二先生选唐诗》（赵番、韩淲选，谢枋得注，宛委别藏本）卷一："幽草而生于涧边，君子在野，考盘之涧也。黄鹂鸣于深树，小人在位，巧言如流也。潮水本急，春潮带雨，其急可知，国家患难多也。晚来急，危国乱朝，季世末俗，如日色已晚，不复光明也。'野渡无人舟自横'，宽闲之野，寂寞之滨，必有济世之才，如孤舟之横野渡者，特君相不能用耳。"《唐诗合选笺注》卷六："此偶赋西涧之景，不必有所托意也。"王士祯《唐人万首绝句选》（辽宁教育出版社 2003）"凡例"："元赵章泉涧泉选唐绝句，其评注多迂腐穿凿。如韦苏州《滁州西涧》一首'独怜幽草涧边生，上有黄鹂深树鸣'，以为君子在下小人在上之象。以此论诗，岂复风雅也。"王士祯《花草蒙拾》（《词话丛编》本）："韦苏州《滁州西涧》诗，叠山以为小人在朝、贤人在野之象，令韦郎有知，岂不叫屈。"

戴叔伦在抚州刺史任。有《送秦系》、《送张评事》。张评事，即张涉。

皇甫曾卒。卢纶有《同兵部李纾侍郎刑部包佶侍郎哭皇甫侍御曾》。《全唐诗》卷二一〇编其诗为一卷，《全唐诗补编·补逸》卷六补复出一首，《续补遗》卷四补二首。《中兴间气集》卷下录其诗五首，评云："昔孟阳之与景阳，诗德远惭厥弟，协居上品，载处下流。今侍御之与补阙，文辞亦尔。体制清洁，华不胜文。然'寒生五湖道，春及万年枝'，五言之选也。其为士林所尚，宜哉。"《唐诗品》："皇甫兄弟仕道既同，才名亦配。渤海高生犹持不足之叹，岂怜才之本意乎？侍御律调澄泓，声文华洁，俯视当世，殆已飘飘木末矣，虽紫霄碧，未堪凌架，亦何可少。"《石园诗话》卷一："皇甫孝常，茂政之弟也，诗名与兄相上下。……愚谓孝常诗如'返照城中尽，寒砧雨外闻'、'断猿知夜久，秋草助江长'、'客散高楼上，帆飞细雨中'、'江湖十年别，衰老一樽同'，皆足以追逐乃兄。"《大历诗略》："孝常诗较哲昆丰神顿减，然结体沉重，在大历间殆以骨胜者。"《后村诗话》后集卷一："荆公选唐百家诗，于高适、岑参各取七十余首，其次王建、皇甫冉各六十余首。……冉弟曾，亦工诗，如'寒磬虚空里，孤云起灭间'，如'孤村明夜火，稚子候归船'，如'三径荒芜羞对客，十年衰老愧称兄'，皆精妙。"【早朝寄所知】《唐风定》卷一七："瑰丽清洒，犹近王、岑。"《唐诗别裁集》卷一四："望其出而仕也。颔联不让贾、王诸公。"《大历诗略》卷五："此亦早朝佳制。第四妙丽绝伦，结复轩举有致，但起句失势，似专为寄所知，与早朝微隔也。"【秋夕寄怀素上人】《唐风定》卷一七："幽闲高淡，诵之神骨俱清。"

八月

苻载、杨衡等居庐山。杨衡有《登紫宵峰赠黄仙师》、《题玄和师仙药室》、《游陆先生故岩居》、《宿青牛谷》。

本年

张璪本年前后贬衡州司马任。《历代名画记》卷一〇："刘商官至检校礼部郎中、汴州观察判官。少年有篇咏高情，工画山水树石。初师于张璪，后自造真为意。自张贬窜后，尝惆怅赋诗，曰：'苔石苍苍临涧水，溪风袅袅动松枝。世间惟有张通会，流向衡阳那得知。'"

李端约本年前后卒。卫象有诗《伤李端》。《全唐诗》卷二八四至二八六编其诗为三卷，《全唐诗补编·续拾》卷一八补四句。《唐诗品》："李生养望未隆，含声亟发，词华既艳，节调亦谐。今观郑都尉二首，回驾时髦，绰有风人之意，始疑终信，无怪人然。其在大历诸子，置列最微，数分亦薄，而声望遽华，几与允相并，虽坎壈江外，亦复慕于中朝矣。"《唐音癸签》卷七："李司马任胸多疏，七字俊语亮节，丌口欲住，故当以捷成表长。"《诗源辩体》卷二一："中唐李端五言律，尚可继皇甫诸君。……七言律，端如'青青都尉'……句法音调，亦入晚唐。"《载酒园诗话》又编："初读李端集，苦于平熟，遇其时一作态，即新警可喜。如'月落星稀天欲明，孤灯未灭梦难成。披衣更向门前望，不忿朝来喜鹊声'，何其多姿也。又《九日赠司空曙》'我有惆怅辞，待君醉时说。长安逢九日，难与菊花别。摘却正开花，暂言花未发'，此与王建《春去曲》：'老夫不比少年儿，不中数与春别离'，同一弄姿生色。但细观之，终有折腰龋齿之态，暂见则妍，效颦即丑。李诗自有正大而佳者，如《雪夜寻太白道士》'出游居鹤上，避祸入羊中'，不在摩诘'饮人聊割酒，送客乍分风'之下。《瘦马行》颇有少陵之遗。《杂歌》长篇，宛似太白，中曰'酒沽千日人不醉，琴弄一弦心已悲'，最为警策。”《近体秋阳》：“中唐自刘、钱主风会，专务闲雅，不理奇杰出，不咨高深，漠漠数十年。二皇甫差强人意，然诗不多。至端而翩然遒上，如《山下泉》、《过宋州》，奇逸高空，一时绝调，七言尤妙。庶几司空曙得相与颉颃，顾至于七言，则又远不逮是矣。”《大历诗略》：“李司马正已思致弥清，径陌迥别，品第在卢允言、司空文明上。”《唐诗笺注》：“李端写境极清幽，而意味却少。”《升庵集》卷五五“李端古别离诗”云：“此诗端集不载，古乐府有之，然题曰二首，非也，本一首耳。其诗真景实情，婉转惆怅，求之徐、庾之间且罕，况晚唐乎？大历以后，五言古诗可选者，惟端此篇与刘禹锡《捣衣曲》、陆龟蒙‘茱萸匣中镜’、温飞卿‘悠悠复悠悠’四首耳。”《诗薮》内篇卷二：“世多谓唐无五言古。笃而论之，才非魏、晋之下，而调杂梁、陈之际，截长补短，盖宋、齐之政耳。如……李端‘洞庭’，……皆六朝之妙诣，两汉之余波也。杨用修谓中唐后无古诗，惟李端‘水国叶黄时’、温庭筠‘昨日下西洲’，及刘禹锡、陆龟蒙四首。然温、李所得，六朝余绪耳，刘、陆更远。”《唐诗镜》卷三二：“风味绝近何逊。”《龙性堂诗话》初集：“古乐府《西洲曲》，唐人李端《古别离》格调祖之，而语意尤妙。”《掇锻录》：“古人于事之不能已于言者，则托之歌诗，于歌诗不能达吾意者，则喻以古事。于是用事遂有正用、侧用、虚用、实用之妙。……李端《寻太白道士》云：‘出游居鹤上，避祸入羊中’，此正用也。细心体认，得其一端，已足名家，学之不已，何患不抗行古人耶。”【拜新月】《删补唐诗选脉笺释会通评林》“中唐五绝”周敬曰：“有古意，闺情中幽细者。”江若镜曰：“含不尽之态于十字之中，可谓善说情景者。”郭彦深曰：“语语幽沉，末句无紧要，自好。”《唐诗镜》卷三二：“有古意。”《唐风定》卷二〇：“六朝乐府妙境。”《唐诗摘抄》卷二：“‘北风’二字老甚。风吹裙带，有悄悄冥冥之意，此句要从旁人看出，才有景。若直说出所语何事，便是钝汉矣。”《词谱》卷一：“此即唐仄韵五言绝句而语气微拗，填此词者，其平仄当从之。”《围炉诗话》卷三：“句中不得有可去之字。如李端之‘开帘见新月，即便下阶拜’，‘即便’有一字可去。”《唐诗别裁集》卷一九：“对月诉情，人自不闻语也。近《子夜歌》。”【听筝】《唐风定》卷二〇：“新意了不尖细，后人不及者，以非尖细则不得新也。”《而庵说唐诗》卷九：“妇人卖弄身分，巧于撩拨，往往以有心为无心。手在弦上，意属听者，在赏音人之前，不欲见长，偏欲见短。见长，则人审其音；见短，则人见其意。李君何故知得忒细？”《唐诗别裁集》卷一九：“吴绥眉因病致妍，语妙。”《诗境浅说》续编：“此诗能曲写女儿心事。银筝玉手，相映生辉，尚恐未当周郎之意，乃误拂冰弦，以期一顾。夫梅瓣偶飞，点额效寿阳之饰；柳腰争细，息肌服楚女之丸。希宠取怜，大率类此，独因病妍以贡媚也。”

朱湾本年或稍后卒。《全唐诗》卷三〇六编其诗为一卷，《全唐诗补编·续拾》卷一七补二首；《全唐文》卷五六三存其文一篇。《唐才子传》卷三：“工诗，格体幽远，兴用宏深，写意因词，穷理尽性。尤精咏物，必含比兴，多敏捷之奇。”《中兴间气集》卷上收其诗七首，评曰：“从事率履贞素，放情江湖，郡国交辟，潜耀不起，有唐高人也。诗体幽远，兴用洪深，因词写意，穷理尽性，于咏物尤工。如‘受气何曾异，开花独自迟’，所谓哀而不伤，《国风》之深者也。”《诗源辩体》卷三六：“高仲武《中兴间气集》所选二十五人，诗一百三十二首，皆中唐诗也，而其人半不知名。……若朱湾咏物，最为恶俗，乃云‘湾于咏物尤工’，岂以恶俗为新奇耶？湾如《咏龙筹》云：‘献酬君有礼，赏罚我无私。莫怪斜相向，还将正自持……’等句，恶俗尤甚，仲武以之入选，其鉴赏可知。”《围炉诗话》卷二：“朱湾《露中菊》，自道也。”

公元 786 年（唐德宗贞元二年　丙寅）

正月

包佶以国子祭酒司礼部贡举。孟郊在京应试，有《上包祭酒》诗。

梁肃作《送朱拾遗赴朝廷序》。时朱放授左拾遗。刘长卿在江东，亦有《喜朱拾遗恩拜命赴上都》。

权德舆在润州，作诗《丙寅岁苦贫戏题》。春，权德舆以大理品评事摄监察御史为李兼观察使判官，取道睦、婺、信诸州赴任，有诗《祇役江西路上以诗代书寄内》、《自桐庐如兰溪有寄》、《清明日次弋阳》。秋，在江西李兼幕，有诗《酬李二十二主簿马迹山见寄》。十二月，有诗《送崔端公赴度支江陵院三韵》、《送崔端公赴江陵度支院序》。

顾况在韩滉幕。有诗《奉和韩晋公晦日呈诸判官》。

二月

张正甫、窦牟、窦易直、李俊、李棱、张贾、张署、齐据、皇甫镛等二十七人登进士第。时礼部侍郎鲍防知贡举，帖经后改京兆尹，包佶以国子祭酒知举。韩愈年十九，始来长安，应举不第，作诗《出门》。后至河中，有诗《条苍山》。欧阳詹应举下第，在京城已六年。

春

韦应物在江州刺史任。有诗《春月观省属城始憩东西林精舍》、《自蒲塘驿回驾经历山水》、《寻简寂观瀑布》、《简寂观西涧瀑布下作》、《送仓部萧员外院长存》。

窦常为泉府从事，奉使西还。有诗《奉使西还早发小硐馆寄卢滁州迈》。

五月

戴叔伦在抚州刺史任，时马总增损梁庚仲容《子书抄》为《意林》六卷，戴为之序。秋，戴叔伦在抚州刺史任，后罹谤受代，北归。有诗《抚州处士胡泛见送北回两馆至南昌县界查溪兰若别》。十二月，戴叔伦自洪州北归润州，有诗《临川从事还别崔法曹》。

马总（？—823），字会元，行十二，岐州扶风人。约贞元初为江西观察从事，三年为岭南节度使李复从事，十六年贬泉州别驾。二十年日僧空海至泉州，与之交往。约永贞元年移恩王傅，元和二年授泉州刺史。约三年改虔州刺史，五年任安南都护，八年改桂管观察使，十二月迁岭南节度使。十一年为刑部侍郎，十二年随裴度讨淮西，后授彰义军节度留后等。长庆元年为户部尚书，三年卒。《新唐书·艺文志》著录《奏议集》三〇卷、《通历》一〇卷、《唐年小录》八卷、《意林》三卷。今存《意林》五卷。事迹见李宗闵《马公家庙碑》、韩愈《祭马仆射文》、《旧唐书》卷一七五、《新唐书》卷一六三本传。

九月

卢纶在河中，有诗《寄赠库部王郎中》。秋，有诗《得耿沣司法书因叙长安故友零落兵部苗员外发秘省李校书端相次倾逝潞府崔功曹峒长林司空丞曙俱谪远方余以摇落之时对书增叹因呈河中郑仓曹畅参军昆季》。十月，卢纶因吉中孚之荐归长安，有诗《王评事驸马花烛诗》。《带经堂诗话》“总集门一”“删订类”：“唐绝句有最可笑者，如‘人臣人主是亲家’……当日如何下笔，后世如何竟传，殆不可晓。”

朱放自润州归越，访秦系。顾况有《送朱拾遗序》，秦系有诗《晚秋拾遗朱放访山居》。【晚秋拾遗朱放访山居】《瀛奎律髓汇评》卷二三：“方回评：五六工。读唐人五言律诗，千变万化，贾岛是一样，张司业是一样。忽读此诗，又别是一样。无穷无尽，奇妙。纪昀评：五句犹是小样范，六句方是诗人之笔。许印芳评：六句兼比、赋，故佳。”

苻载自庐山归蜀省亲。有《荆州与杨衡说旧因送游南越序》，崔群有《送庐岳处士苻载归蜀觐省序》。

十二月

谢良弼约此间卒于长安。顾况时随韩滉入京，有《伤大理谢少卿》。《全唐诗补编·续拾》卷一七收有其与诸人联唱诗。《文苑英华》卷七二五梁肃《送谢舍人赴朝廷序》：“初公以文似相如，得盛名于天下。大历再居献纳，俄典书命。时人谓公视三事大夫，犹寸步耳。尔来六七年，同登掖垣者已迭操国柄，而公方自庐陵守入副九卿。器大举迟，不其然欤。前史称汉文帝对贾生语至夜半，且有不早见之叹。矧公才为国华，识与道并，当钦明文思之日，继宣室前席之事，必将敷陈至论，超履右职，使贤能者劝。彼棘寺竹刑，岂君子淹心之地乎。”

本年

于鹄此间数年在长安，有诗《长安游》、《哭刘夫子》等。【哭刘夫子】《唐诗镜》卷三五：“三、四最是当情，更移易不得。”《重订中晚唐诗主客图说》卷上：“‘追服恨无亲’，正见情深，非议古礼。”

章八元约本年为句容主簿，后不详。《全唐诗》卷二八一存其诗六首。《中兴间气集》卷上收其诗一首，校文评云：“章八元尝于邮亭偶题数言，盖激楚之音也。会稽严维至驿，问元曰：‘尔能从我学诗乎？’曰：‘能。’少顷遂发，八元已辞家，维大异之。

乃亲指喻，数年间词赋擢第。如‘雪晴山脊见，沙浅浪痕交。’”何光远《鉴诫录》（四库本）卷七：“文宗朝，元稹、白居易、刘禹锡唱和千百首，传于京师，诵者称美。凡所至寺观台阁林亭，或歌或咏之处，向来名公诗板潜自撤之，盖有媿于数公之诗也。会元、白因传香于慈恩寺塔下，忽视章先辈八元所留诗，白命僧抹去埃尘，二公移时吟咏，尽日不厌。悉全除去诸家之诗，惟留章公一首而已。乐天曰：‘不谓严维出此弟子。’由是二公竟不为之，诗流自慈恩息笔矣。”《岁寒堂诗话》卷上：“人才各有分限，尺寸不可强。同一物也，而咏物之工有远近；皆此意也，而用意之工有浅深。章八元《题雁塔》云……此乞儿口中语。”《带经堂诗话》“综论门”（二）“推较类”：“元白因传香于慈恩寺塔下，忽睹章先辈八元诗，吟咏竟日，悉令除去诸家之诗，唯留章作，其五六句云：‘回梯暗踏如穿洞，绝顶初攀似出笼’。殊不成语，不知元、白何以心折如此？盛唐高、岑、子美诸公同登慈恩寺塔赋诗，或云……此是何等气概，视章作真小儿号嗄耳。每思高、岑、杜辈同登慈恩塔，高、李、杜辈同登吹台，一时大敌，旗鼓相当，恨不厕身其间，为执鞭弭之役。”又引《居易录》：“盛唐诸大家，有同登慈恩寺塔诗，如杜工部云……以上数公，如大将旗鼓相当，皆万人敌，视八元诗，真鬼窟中作活计，殆奴仆儓隶之不如矣。元、白岂未睹此耶?”

崔峒本年或稍后卒于潞府功曹任。《全唐诗》卷二九四存其诗一卷，《全唐诗补编·续拾》卷一六补六句。《中兴间气集》卷上收其诗七首，评云；“崔拾遗文彩炳然，意思大雅。如‘清磬度山翠，闲云来竹房’，又‘流水声中视公事，寒山影里见人家’，斯亦披沙拣金，往往见宝。”《大历诗略》：“崔补阙诗结体疏淡，似不欲锻炼为功，品第当在韩君平之上，而才调则逊之。”【登蒋山开善寺】《唐诗快》卷九：“荒寒暗淡，如在目中。”《瀛奎律髓汇评》卷四七方回评：“三、四已佳，五、六尤佳，以第六句出于不测也。”【题崇福寺禅院】《唐诗快》卷九评：“置之王、孟集中，谁复能辨。”马位《秋窗随笔》（《清诗话》本）：“韩翃‘星河秋一雁，砧杵夜千家’，崔峒‘清磬度山翠，闲云来竹房’……此等句无点烟花气，非学力能到，宿惠人遇境即便道出。”《小清华园诗谈》卷下：“唐人佳句有可以照耀古今，脍炙人口者，如……崔峒之‘清磬度山翠，闲云来竹房’，……此等句当与日星河岳同垂不朽。”《大历诗略》：“颔联是真寂乐，觉常尉之‘禅房花木’眼界，尚不为无染。五、六亦自好。”【题桐庐李明君官舍】《唐诗快》卷一一：“‘流水声中视公事，寒山影里见人家’，如此为官，世间安得更有俗吏。”何文焕《历代诗话考索》（《历代诗话》本）：“崔峒‘流水声中视公事，寒山影里见人家’，意境直同山鬼游魂，真下劣诗魔也。”

公元787年（唐德宗贞元三年　丁卯）

二月

牛锡庶、谢登、赵傪、裴墐等三十三人登进士第，时礼部尚书萧昕知贡举。

刘商在楚州。有诗《送元使君自楚移越》。《唐诗摘抄》卷四：“仕宦诗，无仕宦气，只觉风趣可掬，与李颀《寄韩鹏作》俱可为法。然今之人与仕宦酬唱，恐非寥寥一绝能塞其意耳。朱之荆增评：末句即毛诗《甘棠》意，盖以召公比元也。”

孙会授常州刺史，时其兄为苏州刺史。李嶒为作《二孙邻郡诗》，梁肃《贺苏常二孙使君邻郡诗序》云："……属而和之者，凡三十有七章，溢于道路，盖云盛矣。"

三月

戴叔伦闲居润州，有诗《题招隐寺》、《敬报孙常州二首》。九月，戴叔伦在洪州，有诗《奉陪李大夫九日宴龙沙》、《李大夫见赠因之有呈》、《送李大夫渡口阻风》、《同赋龙沙墅》。李大夫，即李兼。时权德舆亦随李兼前来，作有《奉陪李大夫九日宴龙沙会》。十二月，戴叔伦有《劝陆三饮酒》。陆三，即陆羽，时由信州移居洪州。戴另有《岁除日奉推事使牒追赴抚州辨对留别崔法曹陆大祝处士上人同赋人字口号》。陆大，当作陆太，即陆羽。

春

权德舆在洪州，奉使袁州。有诗《奉使宜春夜渡新涂江陵路至黄蘖馆路上遇风雨作》、《丰城剑池驿感题》。《唐诗归》卷二七钟惺评后诗云："说得有品。"又云："单用后四语作一诗，更于题情深映有余。"十二月，权德舆在江西李兼幕，有《腊日龙沙会绝句》及《腊日与诸公龙沙宴集序》。

五月

郑常官殿中侍御史，为淮西吴少诚判官，谋逐少诚以听命于朝廷，事泄被害。《新唐书·艺文志》："《郑常诗》一卷。"高仲武《中兴间气集》卷下选其诗三首，评云："郑常省静婉靡，虽未弘元，已入文流。如'儒衣荷叶老，野饭药苗肥'，翩翩然有士气。"《全唐诗》卷三一录诗三首。

韦应物在江州，游东林寺，作诗《东林精舍见故殿中郑侍御题诗追旧书情涕泗横集因寄呈阎澧州冯少府》。秋，韦应物由江州刺史入为左司郎中，有诗《答畅参军》。畅参军，畅当。

六月

柳并目盲，滞留于吉州。夏，为马总《意林》作序。《四库提要》卷一二三："初，梁庾仲容取周秦以来诸家杂记，凡一百七家，摘其要语为三十卷，名曰《子钞》。总以其繁略失中，复增损以成此书。……今观所采诸子，今多不传者，惟赖此仅存其概。其传于今者，如老、庄、管、列诸家，亦多与今本不同。"

九月

韩愈在长安，作《烽火》，感吐蕃寇边，其兄韩弇被害。

秋

顾况在吴，引柳浑荐，以秘书郎入朝。有诗《别江南》、《相国晋公挽歌二首》及《上高祖受命造唐赋表》。

卢纶丁家艰闲居，有诗《秋中野望寄舍弟绶兼令呈上西川尚书舅》。

朱放约秋末冬初卒于广陵舟中。戴叔伦有诗《哭朱放》。《全唐诗》卷三一五编其诗为一卷，又卷七七七录朱晦《秋日送别》一首，与放《乱后经淮阴岸》大致相同，疑朱晦乃朱放之误。《全唐诗补编·续补遗》卷四补一首，《续拾》卷一八重录一首。《华阳集》卷下《右拾遗吴郡朱君集序》："因都国出鳞角凤喙，为续断之胶，与本无异。朱君能以烟霞风景，补缀藻绣，符于自然，山深月清，中有猿啸。复如新安江水，文鱼彩石，历历可数。其杳夐脩飒，若有人衣薜荔而隐女萝，立意皆新，可创离声乐友之什，情思最切。虽有谏职，心游江湖。谢病而来，慕出尘之侣，精好《涅盘》、《维摩经》。爱人为善，有志未就，终于广陵舟中。识与不识，聆风向义，相与兴叹。"《唐才子传》卷五："放工诗，风度清越，神情萧散，非寻常之比。"武元衡《夏日对雨寄朱放拾遗》："更忆东林寺，诗家第一流。"【乱后经淮阴岸】《删补唐诗选脉笺释会通评林》"中唐七绝上"徐用吾曰："亦平托妥不俗。周珽曰：乱离后人烟断绝，云水萧条。一路所见所闻，惟有衰柳哀蝉，经行者岂无国破民亡之感。"

十二月

皎然作《答权从事德舆书》。其云："观其立言典丽，文明意精，实耳目所未接也。幸甚幸甚。贫道隳名之人，万虑都尽，强留诗道，以乐性情，盖由瞥起，余尘未泯，岂有健羡于其间哉。初，贫道闻足下盛名，未睹制述，因问越僧灵澈、简古豆卢次方，佥曰扬、马、崔、蔡之流。贫道以二子之言心期足下，日已久矣，但未识长卿、子云之面，所恨耳。先辈作者故李员外遐叔、故皇甫补阙茂正、故严秘书正文、故房吴县元警、故阎评事士和、故朱拾遗长通、故处士韦，此数子畴昔为林下之游，遐叔当时极许贫道四十韵之作，……元警著《道交论》，比于高云独鹤，意谓关于诗而不关于事，贫道亦无推焉。今再遇足下见知，则东山遗民，时免榭琴绝弦于知己矣。灵澈上人，足下素识，其文章挺拔瑰奇，齐梁已来，诗僧未见其偶。但此子迹冥累遣，心无营营。虽然，至于月下风前，犹未废是。公远之友豆卢次方，才识超迈，所得经奇，飘飘然有凌云之气而不轻浮，此乃山僧惠眼见。亦尝与论物理，极天人之际，言至简正，意不虚诞。"

本年

刘长卿本年或稍后卒。《全唐诗》卷一四七至卷一五一编其诗为卷，《全唐诗逸》卷三补二句，《全唐诗补编·补全唐诗》补一首，《续拾》卷一九补一首，重录二首。《全唐文》卷三四七收其文一二篇。《中兴间气集》卷下收其诗九首，评云："长卿有吏干，刚而犯上，两遭迁谪，皆自取之。诗体虽不新奇，甚能炼饰，大抵十首已上，语意稍同，于落句尤甚，思锐才窄也。如‘草色加湖绿，松声小雪寒’，又‘沙鸥惊小吏，湖色上高枝’，又‘细雨湿衣看不见，闲花落地听无声’。截长补短，盖丝之类欤。其‘得罪风霜苦，全生天地仁’，可谓伤而不怨，亦足以发挥风雅矣。”《皇甫持正集》卷四《答李生第二书》：“近风教偷薄，进士尤甚，乃至有一谦三十年之说，争为虚张，以相高自谩。诗未有刘长卿一句，已呼阮籍为老兵矣；笔语未有骆宾王一字，已骂宋玉为罪人矣；书字未识偏傍，高谈稷契；读书未知句度，下视服郑。此时之大病，所当嫉者。”《岁寒堂诗话》卷上：“韦苏州律诗似古，刘随州古诗似律，大抵下李、杜、韩退之一等，便不能兼。随州诗，韵度不能如韦苏州之高简，意味不能如王摩诘、孟浩然之胜绝，然其笔力豪赡，气格老成，则皆过之。与杜子美并时，其得意处，子美之匹亚也。‘长城’之目，盖不徒然。”《韵语阳秋》卷三：“自古文人，虽在艰危困阨之中，亦不忘于制述。盖性之所嗜，虽鼎镬在前不恤也，况下于此者乎？……刘长卿在狱中，非有所托诉也，而作诗云：‘斗间谁与看冤气，盆下无由见太阳。’一诗云：‘壮志已怜成白发，余生犹待发青春。’一诗云：‘冶长空得罪，夷甫不言钱。’又有《狱中见画佛》诗。岂性之所嗜，则缧绁之苦，不能易雕章绘句之乐欤？”《后村诗话》卷一一：“唐人号随州为‘五言长城’。其五言、六言、七言妙绝者，已选入《绝句》。钱起辈非不极力欲跻攀随州，尺寸终不近傍，岂才分有所局耶？其七言长篇如《上裴尹》、《小鸟》之篇，反复宛转，词近而意远，似为五言所尽。”《唐才子传》卷二：“诗调雅畅，甚能炼饰，其自赋伤而不怨，足以发挥风雅。……每题诗不言姓，但书长卿，天下无不知其名者。”《郡斋读书志》卷四上：“长卿刚而犯上，故两逢斥废，诗虽窘于才，而能锻炼。权德舆尝谓为五言长城。”《云溪友议》卷上“四背篇”云：“刘长卿郎中，因人谓前有沈、宋、王、杜，后有钱、郎、刘、李，乃曰：‘李嘉祐、郎士元焉得与予齐称耶？’每题诗，不言其姓，但长卿而已，以海内合知之。然士林或之讥也。”《对床夜语》卷二卷三：“人知许浑七言，不知许五言亦自成一家；知刘长卿五言，不知刘七言亦高。《瀛奎律髓汇评》卷四二方回评：“刘长卿诗细淡而不显焕，观者当缓缓味之，不可造次，一观而已也。”又云：“此公诗淡而有味，但时不偶，或有一苦句。”《骚坛秘语》卷中：“最得骚人之兴，专主情景。”杨士奇《东里集》（四库本）卷一〇《刘文房诗跋》：“其诗清婉有思致，然数遭废黜，故多忧穷沉郁之意。”《麓堂诗话》：“《刘长卿集》凄婉清切，尽羁人怨士之思，盖其情性固然，非但以迁谪故，譬之琴有商调，自成一格。”《唐诗品汇》“总叙”：“大历、贞元中，则有韦苏州之雅淡，刘随州之闲旷，……此中唐之再盛也。”《诗薮》内编卷四：“刘文房‘东风吴草绿，古木剡山深’、‘野韵出塞多，山风古殿开’，色相清空，中唐独步。郎君胄……句格雄丽，天宝余音。然刘集佳制甚多，郎二韵外，无可录者。”《诗境总论》：“刘长卿体物情深，工于铸意，其胜处有迥出盛唐者。‘黄叶减余年’，的是庾信、王褒语气。‘老至居人下，春归在客先’，‘春归’句何减薛道衡《人日思归》语？‘寒鸟数移柯’，与隋炀‘鸟击初移树’同，而风格欲逊。‘鸟似五湖人’，语冷而尖，巧还伤雅，中唐身手于此见矣。”《批点唐诗正声》：“刘长卿七、五言稍觉不协，以李、杜大家及盛唐诸公在前，故难为继耳。唐诸公七言古诗当以李、杜为祖，故诸诗难看。”《批点唐音》：“刘公雅畅清夷，中唐独步。表曰‘五言长城’，允矣无愧。”《弇州四部稿》卷一四七《艺苑卮言》卷四："刘随州'五言长城'，如'幽州白日寒'语，不可多得。惜十章以还，便自雷同，不耐检。"又云："钱、刘并称故耳，钱似不及刘。钱意扬，刘意沉；钱调轻，刘调重。如'轻寒不入宫中树，佳气常浮仗外峰'，是钱最得意句。然上句秀而过巧，下句宽而不称。刘结语'匹马翩翩春草绿，邵陵西去猎平原'，何等风调。'家散万金酬士死，身留一剑答君恩'，自是壮语。"《唐诗归》钟惺云："中、晚之异于初、盛，以其俊耳，刘文房犹从朴入。然盛唐俊处皆朴，中、晚人朴处皆俊。文房气有极厚者，语有极真者，真到极快透处，便不免妨其厚。"《诗源辨体》卷二〇："五七言律，刘体尽流畅，语半晴空，而句意多相类。"《唐诗消夏录》卷五："随州中唐高手，尔时独称'五言长城'，其意似抑七字者为不及也，实非定论。若复以高、岑较量，几近颟顸已。宋元以后，规模其长句，积有数十家，至李茶陵为最，后此绝无闻焉。"阮玉《二刘诗叙》："文房与钱郎中齐名，时称'钱、刘'。然刘诗温而钱微燥，刘诗纯而钱微驳。故善读随州，则不第可该郎、钱，并可以洞视韦、柳之清深，旁通贾、孟之孤秀。"屈复《唐诗成法》（乾隆二十九年弱水草堂刻本）："唐七律，随州词藻清洁，抑扬反复，有味外之味，最耐人吟诵。但结句多弱，又多同，昔人谓才小，未必，但法律不精严耳。"《唐诗观澜集》："文房五言，格韵高妙，绝妙不减摩诘。"《围炉诗话》卷四："刘长卿《送陆沣》、《赠别严士元》、《送耿拾遗》、《别薛柳二员外》诸诗，绝无套语。"《唐诗笺要》："文房善为佳句，即古体亦不掩本色。"又云："文房七绝，工作不少，而去盛唐远。"又云："文房句法之妙，如'贾谊上书忧汉室'、'飞鸟不知陵谷变'，有盛唐之雄伟而化其嶙峋，有初唐之渊冲而益其声调。"《小澥草堂杂论诗》："刘文房五言长律，博厚深醇，不减少陵。求杜得刘，不为失求。"《石洲诗话》卷二："刘随州《龙门八咏》，体清心远。后之分题园亭诸景者，往往宗之。"又云："随州七律，渐入坦迤矣。坦迤则一往易尽，此所以启中、晚之滥觞也。随州只有五古可接武开、宝诸公耳。"《大历诗略》："文房古体概乏气骨，就中歌行情调极佳，然无复崔颢、王昌龄古致矣。"又云："文房固'五言长城'，七律亦最高，不矜才，不使气，右丞、东川以下无此韵调也。"又云："文房诗为大历前茅，清夷闲旷，饶有怨思。"《剑溪说诗》又编："前人谓李、杜宫声，昌黎角声，此不易之论。独刘文房商声，余深不然之。盖商调高响切云，非重有力莫致也。文房凄清而不劲，乌足以拟之？必也，其柳州乎？"《艺概》卷二"诗概"："刘文房诗，以研炼字句见长，而清赡闲雅，蹈乎大方。其篇章亦尽有法度，所以能断截晚唐家数。"《三唐诗品》："其源出于柳浑、薛道衡，驰思波润，流音玉亮，尤工于五律，当时号为'五言长城'。'老至居人下，春归在客先'，以雅淡宜情；'叠浪浮元气，中流没太阳'，以雄浑取概。暮帆夏日，寒雨巴邛，楚国苍山，幽州白日。空江人语，动石濑之吟；川日寒蝉，托江湖之想。皆振采苍凝，体物弥工者也。《石梁湖》、《洞庭》、《京口》诸作，方之小谢，异曲同工矣。"《诗境浅说》："盛唐之诗人怀古，多沉雄之作。至随州而秀雅生姿，殆风会所趋耶。"《诗学渊源》卷八："长卿诗务质实，尚情性，尤善使事，格高气劲，自然沉著。古诗句法，犹袭齐梁，而无秾纤之弊。近体五七言，无杜老之峻峭，过白傅之高雅。其绝句则于江宁、太白之外，独树一帜者也。"《昭昧詹言》卷一八："七律宗派，李东川色相华美，所以李辅辋川一派，而文房又所以辅东川者也。大历十才子以文房为最，……文房诗多兴在象外，专以此求之，则成句皆有余味不尽之妙矣。较宋人入议论、涉理趣，以文、语录为诗者，有灵蠹仙凡之别。”《北江诗话》卷五：“刘长卿，开宝进士，《全唐诗》编在李、杜以前，盖计其年代，实与王、孟同时，然诗体格既殊，用意亦迥别。前人以长卿冠‘大历十才子’，盖以诗境而论，实异于开、宝诸公耳。即如同一谪官也，摩诘则云：‘执政方持法，明君无此心。’不特善则归君，亦可云婉而多讽矣。若文房之《将赴岭外留题萧寺远公院》，则直云：‘此去播迁明主意，白云何事欲相留？’殊伤于婞直也。孟浩然之‘不才明主弃’，亦同此病，宜其见斥于盛世哉。刘、孟之不及，亦以此。”《唐诗别裁集》卷三：“中唐诗近收敛，选言取胜，元气不完，体格卑而声调亦降矣。刘文房工于铸意，巧不伤意，犹有前辈体段。”《四库提要》卷一四九：“长卿诗号‘五言长城’，大抵研炼深稳，而自有高秀之韵。其文工于造语，亦如其诗，故于盛唐、中唐之间，号为名手。但才地稍弱，是其一短。高仲武《中兴间气集》病其十首以后，语意略同，可谓识微之论。王士祯《论诗》绝句乃云：‘不解雌黄高仲武，长城何意贬文房’，非笃论也。”汤鳌《刘随州诗序》：“诗者性情之所著也。人心忧乐万感，咸以诗泻，故盛世不特显者为诗和平，虽隐者亦无不和平，均以鸣其世之盛也。衰世不特隐者为诗悲愤，虽显者亦无不悲愤，均以鸣其世之衰也。然则诗讵骄淫骋欲、得已而不已者乎？随州之诗，其衰世之哀鸣者也。长卿积行缮文，兼优于诗，从官当朝，尝为随州刺史。凡其写怀遣兴，寄友送别，登眺山水，荡泊客旅，罔不诗，诗罔不自悒悒怀抱者为之。盖长卿时国事寻荒，奸谀当路，忠良半已剥丧，所幸肃宗讨贼，唐势颇张，终其身又卒以贼败。肃宗且然，其余可知矣。故长卿所咏，如《闻王师收二京》、《闻迎皇太后使至》，激烈踊跃，情词慷慨，有忠君忧世风味。其它所咏，虽无涉国事，而其意未尝不悬于国家也。惜其所谓‘逐臣谪宦’、‘逃尧官谤’者，喋喋在口，或者谓其不及郭汾阳累经闻散，绝无纤芥不平，词气似戾，可以怨之义。岂亦长卿嗟世不如意，不觉其过于伤，犹屈平之《离骚》者欤？是诗也，虽不必酷究长卿，而唐家时事固可因之而重叹也。”陈清《刘随州诗后序》：“公平时所遇虽不同，然一吟一咏，无不本之性情，协之音律，家数精妙，顾自有不必论者。”卢文弨《抱经堂文集》卷七《刘随州文集题辞》：“随州诗固不及浣花翁之博大精深，牢笼众美，然其含情悱恻，吐辞委婉，绪缠绵而不断，味涵咏而愈旨，子美之后，定当推为巨擘，众体皆工，不独五言为长城也。”【送灵澈上人】《诗境浅说》续编：“四句纯是写景，而山寺僧归，饶有潇洒出尘之致。高僧神态，涌现笔端，真诗中有画也。”【新年作】《瀛奎律髓汇评》卷一六：“方回评：三、四费无限思索乃得之，否则有感而自得。纪昀云：此甘苦之言。又云：三、四乃初唐之晚唐，似从薛道衡《人日思归》诗化出。三、四二句，渐以心思相胜，非复从前堆垛之习矣。妙于巧密而浑成，故为大雅。许印芳云：三、四细炼，初唐无此巧密。诗载刘文房集中，此选误为宋作，仍归文房为是。”《唐诗镜》卷三九：“三、四隽甚，语何其炼。”【寄灵一上人】《瀛奎律髓汇评》卷四七方回评：“刘长卿号‘五言长城’，细味其诗，思致幽缓，不及贾岛之深峭，又不似张籍之明白，盖颇欠骨力，而有委曲之意耳。”冯班评：“元和、大历，岂可同论？”纪昀评：“随州五言，骨韵天然，非文昌、浪仙所望。至云‘颇欠骨力’，尤为妄诞。盖虚谷所谓骨力者，在‘江西’槎牙生硬语耳。”又云：“只起二句不佳，余六句皆翛然自远。”

耿沣本年或稍后卒。《全唐诗》卷二六八至卷二六九编其诗为二卷，卷七八八、七八九补其所预联句五首，卷八八三补一首。《唐诗纪事》卷三〇：“湋，宝应元年进士，为左拾遗，诗有‘家贫童仆慢，官罢友朋疏’，世多传之。”《唐才子传》卷四：“诗才俊爽，意思不群。似沣等辈，不可多得。”《瀛奎律髓汇评》卷二：“沣，大历中左拾遗，诗平正。”《唐音癸签》卷七：“耿拾遗诗举体欲真。‘家贫僮仆慢，官罢友朋疏’，浅言偏深世情。上第五相公八韵，宛致可悯，时讶其不当，作何也？”《唐诗品》：“湋诗不深琢削，而格调自胜；不加绘饰，而词旨自华。古诗数篇，颇近魏晋。要之，生有高性而寡夙学者也。然当世学子，虽复径思远诣，固当心灵相下。”《载酒园诗话》又编：“耿沣诗善传荒寂之景，写细碎之事，故钟、谭表章皆当，无失人者。至其所遗，如‘暮雪余春冷，寒灯续昼明’，深肖山寺。‘几度曾相梦，何时定得书’，酷似怀人之绪。《沙雁》篇尤有寄托，中联云‘还塞知何日，惊弦乱此心。夜阴前侣远，秋冷后湖深’。读之令人凄然。”《大历诗略》：“耿拾遗诗意境稍平，音响渐细，而说情透漏，尚不减卢允言诸子。”《三唐诗品》：“其源处孟浩然、刘长卿，淡霭秋水。‘长云迷一雁，渐远向南声’，则发端神远，虽犹常语，自足缘情。《发南康》一首，乃大似小谢。”《诗学渊源》卷八：“其诗独取自然，不深琢削，而风格自高于诸子。”【早朝】《瀛奎律髓汇评》卷二冯舒评：“较岑、杜，次联便觉寒俭。”陆贻典评：“三、四佳句也，然较之嘉州、工部，便觉气象寒俭。”又云：“落句好，与‘回看射雕处，千里暮云平’一列。”何焯评：“尚未入朝，故只叙‘早’字。题无大明宫字样，不得执贾、杜、王、岑讥其寒俭也。”又云：“末二句钩勒甚清。”纪昀评：“后四句颇有晏朝之讽，非写景也。”许印芳评：“妙在浑含不露。”无名氏评：“清映无蒙气。”《葚原说诗》卷一：“对法不可合掌，如一动必一静，一高必一下，一纵必一横，一多必一少，此类可以递推。如耿沣‘冒寒人语少，乘月烟来稀’，‘稀’、‘少’合掌。”【春日即事二首】《瀛奎律髓汇评》卷一〇方回评：“荆公选唐诗，不取此首，岂谓三、四浅近？然实近人情。孟浩然‘多病故人疏’，尤有气耳。‘沽来’、‘读了’等字格卑。”冯班评：“取舍正不在此。”纪昀评：“浅近之语，有不近人情者。杜旬鹤‘势败奴欺主，时衰鬼弄人’句，何尝非实语乎？”又云：“谓格卑，此论却是。”《唐诗别裁集》卷一一：“三、四语当时传诵。”《诗境浅说》乙编：“‘家贫童仆慢，官罢友朋疏’，此慨世情凉薄而发，虽阅透人心，而语太说尽，不如戴叔伦‘客久见人心’五字，语极蕴藉。”【入塞曲】《瀛奎律髓汇评》卷三〇方回评：“将帅富贵如此，千百人无一人也。”冯班评：“宋人除‘西昆’外，不能道只字。”冯舒评：“宋人动手不得。”又云：“‘楼上’句用平原事妙。”又云：“结二韵用意。”查慎行评：“三、四生而劲。”纪昀评：“第三句‘销’字费解，第七句‘姝姬’二字生。”《大历诗略》卷四：“三、四壮健，落句有韵味，见身分。”【秋日】《唐风定》卷二〇：“得摩诘辋川意。”《而庵说唐诗》卷九：“前二句，是巷无居人；后二句，是空谷足音。睹此秋日，能无离索之感。”《养一斋诗话》卷一：“《唐人万首绝句》，其原本不为不富，渔洋之选，每遗佳作。随意简出，如……耿沣‘返照入闾巷’，……皆天下之奇作，而悉屏不登，何也。”《诗境浅说》续编：“往者麦秀之歌，黍离之什，乃采厥遗民，过旧京而凭吊，宜其音之衰以思也。

作者于千载下，望古遥集，百忧齐来。诗言夕阳深巷之中，抑郁更共谁语？乃出游以泻忧。但见古道荒凉，寂无人迹，往日之楚存凡丧，项灭刘兴，以及钟鸣鼎食之家，璧月琼枝之地，都付与水逝云飞，所余残状，唯千黍高低，在西风落照中，动摇空翠，可胜叹耶。”

窦臮约卒于本年或稍后，官至都官郎中，著有《述书赋》。《全唐文》卷四四七存其文一篇。《四库提要》卷一〇二：“按张彦远《法书要录》，称臮作《述书赋》，精穷旨要，详辨秘义。今观其赋，上篇所述自上古至南北朝，下篇所述，自唐代高祖、太宗、武后、睿宗、明皇以下，而终于其兄蒙及刘泰之妹，盖其文成于天宝中也。首尾凡一十三代，一百九十八人，篇末系以徐僧权等署证八人，太平公主等印记十一家，征求宝玩韦述等二十六人，利通货易穆韦等八人，文与上篇相属，盖以卷帙稍重，故分为二耳。其品题叙述，皆极精核。其印记一章，兼画印模于句下，遂为朱存理《铁网珊瑚》、张丑《清河书画舫真迹日录》之祖。注文尤典要不支。”朱长文《墨池编》（四库本）卷四：“窦臮之赋，虽风格非古，其勤博亦可尚已。又云：唐窦臮《述书赋》，古人评品之所遗，观此知介善片能，不可辄弃也。”陈思《书苑菁华》（四库本）卷一〇窦蒙《题述书赋语例字格后》：“吾第四弟尚辇君子灵长，翰墨厕张、王，文章凌班、马，词藻雄赡，草隶精深。平生著碑志、诗篇、赋颂、章表凡十余万言，较其巨丽者，有天宝所献《大同赋》、《三殿蹴踘赋》，以讽兴谏诤为宗，以匡君救时为本。帝乃咨尔可编筴书，中使王人，荣曜戚里，龙章凤篆，宠锡儒门。及乎晚年，又著《述书赋》，总七千六百四十言，精穷旨要，详辨秘义，无深不讨，无细不因，征五典、三坟、九丘、八索、诗骚、礼、易、文选、词林，犹不尽所知。故别结语立言，曲申幽奥，一字一句，数义旁通。尚辇君学究天人，才通诂训，注解分析，皆凭史传，注有未尽，在此例中，意有未穷，出此格上。凡古今时哲，正文呼字，尊贵长老，各言其亲，或取便引官，或因言称爵，句则两字、三字、五言、四言，而于以之间，其或六或八，改时革命之际，举一相从。虑学者致疑，仍施朱点，发此则语之理例。别有《字格》存焉，凡一百二十言，并注二百四十句。且褒且贬，还同谥法。披文感切，抚已崩摧。手迹宛然，如向来之放笔；天才卓尔，成千载之分襟。孝义铭心，言笑在目。一枝先折，痛贯肝肠；一眼先枯，哀缠骨髓。”

李德裕生。李德裕（787—850），字文饶，初名缄，行九，赵郡赞皇人，宰相李吉甫之子。元和元年，以荫补秘书省校书郎，次年，受辟为诸府从事。十二年为河东节度使张弘靖掌书记。十四年随张入朝，除监察御史。穆宗即位，为翰林学士，旋加屯田员外郎。长庆元年，迁考功员外郎、知制诰。明年加翰林承旨学士，二月，擢中书舍人，改御史中丞，九月，出为浙西观察使。大和三年八月，入为兵部侍郎，历义成军节度使、剑南西川节度使、兵部尚书。七年二月，拜同中书门下平章事。八年十月，罢相复为浙西观察使。九年，贬袁州长史。开成元年三月，改滁州刺史，除太子宾客分司东都。十一月，出为浙西观察使。二年五月，改淮南节度使。五年九月再度为相。大中初，由太子少保、东都留守贬为潮州司马，再贬为崖州司户参军。三年十二月，卒于任所。《新唐书·艺文志》著录《会昌一品集》二〇卷、《次柳氏旧闻》一卷、《御臣要略》、《文武两朝献替记》三卷、《会昌伐叛记》一卷、《上党纪叛》一卷、《异域归忠传》二卷、《西南备边录》一三卷及与刘禹锡所唱和之《吴蜀集》一卷。《直斋书录解题》尚录其删编之《大和辩谤略》三卷,《容斋三笔》著录《辋川图跋》一卷。今仅存《会昌一品集》及《次柳氏旧闻》一七条。

公元788年(唐德宗贞元四年　戊辰)

正月

戴叔伦由洪州赴抚州辨对,有诗《赴抚州对酬崔法曹夜雨滴空阶五首》、《又酬晓灯暗离室五首》。春,戴叔伦在抚州辨对后昭雪,作《抚州对事后送外生宋垓归饶州觐侍呈上姊夫》。陆羽、崔载华、权德舆时在洪州,闻戴昭雪,喜而作诗,权德舆作有《同陆太祝鸿渐崔法曹载华见萧侍御留后说得卫抚州报推事使张侍御却回前刺史戴员外无事喜而有作三首》;戴叔伦作《抚州被推昭雪答陆太祝三首》。抚州吏民为戴叔伦立遗爱碑,见《舆地碑记目》卷二抚州碑记。七月,戴叔伦授容管经略使,陆羽有《送戴端公赴容州》。

司空曙在西川韦皋幕。有诗《晦日益州北池陪宴》。秋,有《秋思呈尹植裴说》、《和卢校书文若入使院书事》。

二月

包谊、崔立之、郑群、李君何、周弘亮、曹著、陈翥、卢璠等三十一人登进士第。时礼部侍郎刘太真知贡举,试《曲江亭望慈恩寺杏园花发》。林蕴等明经登第。

昭义节度使李抱真荐宋若莘姊妹五人,"德宗俱召入宫,试以诗赋。……德宗能诗,与侍臣唱和相属,亦令若莘姊妹应制"(《旧唐书·后妃传》下)。时王建在邢州求学,作有《宋氏五女》。

三月

甲寅,德宗"宴群臣于麟德殿,设九部乐,内出舞马,上赋诗一章,群臣属和。"德宗有诗《麟德殿宴百僚》,宋若昭有诗《奉和御制麟德殿宴百僚应制》,宋若宪有《奉和御制麟德殿宴百官》,鲍君徽有《奉和麟德殿宴百僚应制》。卢纶服除,复至河中依浑瑊,有诗《奉和圣制麟德殿宴百僚》。

春

陆羽居洪州玉芝观,与萧公瑜、崔载华唱和。权德舆有《萧侍御喜陆太祝自信州移居洪州玉芝观诗序》。

羊士谔本年前后为义兴主簿,春日,游阳羡善权寺,作诗《息舟荆溪入阳羡南山游善权寺呈李功曹》。翁方纲《赵秋谷所传声调谱》(《清诗话》本):"于、羊二家诗皆中唐诗人。而五言之作,上自汉、魏,下及唐、宋,音节因乎格调,格调因乎家数,家数因乎风会，渊流品藻，万有不同，乌可执一时之体制，贬万世之绳墨乎？”

四月

崔元翰、裴次元、李彝、崔农、史牟、陆震、柳公绰、赵傪、徐宏毅、韦彭寿、邹儒立、王及、杜伦、元易、王真登贤良方正直言极谏科，李异登清廉守节政术可称堪任县令科，张皓登孝弟力田闻于乡闾科。

丘为前为左散骑常侍致仕，居苏州，后丁母忧，至此服除，又复旧官，终年九十六。见《唐会要》卷六七。《全唐诗》卷一二九录其诗一三首，《全唐诗补编·补全唐诗》据敦煌遗书伯二五六七号嗥辑得诗五首。《围炉诗话》卷二：“余如张谓、丘为、贾至、卢象诸君，俱有可观，合于李、杜以称盛唐，洵乎其为盛唐也。”《载酒园诗话》又编：“读丘为、祖咏诗，如坐春风中，令人心旷神怡。其人与摩诘友，诗亦相近，且终卷和平淡荡，无叫号嗥嗷之音。唐诗人惟丘近百岁，其诗固亦不干天和也。”《石洲诗话》卷一：“丘庶子为，祖员外咏，则右丞之先声也。”

五月

权德舆作《送灵澈上人庐山回归沃州序》。其云：“上人心冥空无，而迹寄文字，故语甚夷易，如不出常境，而诸生思虑，终不可至。其变也，如风松迭韵，冰玉相扣，层峰千仞，下有金碧，耸鄙夫目目，初不敢视，三复则淡然天和，晦于其中。故睹其容，览其词，知其心不待境静而静。”又有《送陆太祝赴湖南幕同用送字》。六月，权德舆因母丧辞洪州幕，梁肃为作《权皋妻李氏墓志》。

夏

顾况在著作佐郎任。柳浑、崔汉衡、刘太真、释藏用等访之于宣平里，各赋六言诗，刘太真作《顾著作宣平里赋诗序》。包佶亦作有《顾著作宅赋诗》。是年，顾况在长安作有《宜城放琴客歌》、《谢王郎中见赠琴鹤》、《长安窦明府水亭》。约本年作《礼部员外郎陶氏集序》，其云：“大抵文体十年一更，有体病而才赡，有言纡而事直，有文胜而理乖，雅艳殊致。云和之源，杳以无穷，析为万派。”

八月

李观西游京兆兴平县，至茂陵，作《吊汉武帝文》。

九月

重阳日，德宗“赐百僚宴于曲江亭，仍作《重阳赐宴诗》六韵赐之。群臣毕和，上品其优劣，以刘太真、李纾为上等，鲍防、于邵为次等，张蒙、殷亮等二十人又次之。唯李晟、马燧、李泌三宰相之诗不加优劣”（《旧唐书》德宗本纪）。

韦应物在京作诗《奉和圣制重阳日赐宴》。后出为苏州刺史，作《答令狐侍郎》。

十月

德宗作诗送咸安公主和亲回纥。时孙叔向亦有感而作《送咸安公主》。时张荐为和亲使判官，张渭寄之以诗。十二月，张巨源应举长安。有诗《和吕舍人喜张员外自北番回至境上先寄二十韵》。

十一月

神邕卒，年七十九。《宋高僧传》卷一七《神邕传》："邕修念之外，时缀文句，有集一〇卷，皇甫曾为序。"

冬

李益入张献甫邠宁幕。有诗《赴邠宁留别》。是年，李益录其从军诗五十首赠卢景亮，其《从军行》序："君虞长始八岁，燕戎作乱。出身年二十，三受末秩。从事十八载，五在兵间。故其为文，咸多军旅之思。自建中初，故府司空巡行朔野。追贞元初，又忝今尚书之命从此出上郡五原四五年。荏苒从役，其中虽流落南北，亦多在军戎。凡所作边塞诸文，皆书奏余事。同时幕府选辟，多出词人。或因军中酒酣，或时塞上兵寝，相与投剑秉笔，散怀于斯文，率皆出于慷慨意气。武毅犷厉，本其凉国，则世将之后，乃西州之遗民欤？亦其坎壈当世，发愤之所致也。时左补阙卢景亮见知于文者，令予辑录，遂成五十首赠之。"

本年

陆长源自都官郎中为万年令。孟郊有诗《赠万年陆郎中》。

卫象以侍御佐荆南幕。司空曙在成都，有《送况上人还荆州因寄卫侍御象》。

白居易年十七，其父白季庚为衢州别驾，白居易从至衢州，作《王昭君二首》。

【王昭君二首】（其二）《王直方诗话》："古今人作昭君词多矣，余独爱乐天一绝，……其意优游而不迫切。乐天赋此时年甚少。"《诗薮》卷六："乐天诗世谓浅近，以语与意合也。若语浅意深，语近意远，则最上一乘，何得以此为嫌？《明妃曲》云……《三百篇》、《十九首》不远过矣。"江盈科《雪涛小书》（《四库存目丛书》本）："用意深远，思人不及思。《香山集》如此首，亦难多觅。"《唐诗归》卷二八钟惺评："情婉而调直。"《唐宋诗醇》卷二三："旧事翻新，思路自别。后二句总从'赎'字生出，此与李商隐诗'金徽本是无情物，不许文君忆故夫'二句用意极相似，然彼近尖刻，此则深厚，乃中晚之判也。"

杨凌约本年卒于大理评事。《全唐诗》卷二九一存其诗一卷，《全唐文》卷七三〇载其判词一首。《柳河东集》卷二一《杨评事文集后序》："文有二道：辞令褒贬，本乎著述者也；导扬讽谕，本乎比兴者也。著述者流，盖出于书之谟训、易之象系、春秋之笔削，其要在于高壮广厚、词正而理备，谓宜藏于简策也；比兴者流，盖出于虞夏之咏歌、殷周之风雅，其要在于丽则清越、言畅意美，谓宜流于谣诵也。兹二者，考其旨义，乖离不合，故秉笔之士，恒偏胜独得，而罕有兼者焉。……若杨君者，少以篇什著声于时，其炳耀尤异之词，讽诵于文人，满盈江湖，达于京师。晚节遍悟文体，尤邃叙述，学富识远，才涌未已。其雄杰老成之风，与时增加。既获是，不数年而夭。其季年所作尤善。其为《鄂州新城颂》、《诸葛武侯传论》，饯送梓潼陈众甫、汝南周愿、河东裴泰、武都符义府、太山羊士谔、陇西李炼，凡六序，《庐山禅居记》、《辞李常侍启》、《远游赋》、《七夕赋》，皆人文之选已。用是陪陈君之后，其可谓具体者欤。呜呼，公既悟文而疾，既即功而废，废不逾年，大病及之，卒不得穷其工竟其才，遗文未克流于世，休声未克充于时，凡我从事于文者，所宜追惜而悼慕也。”《新唐书》卷一六〇《杨凭传》：“凌字恭履，最善文，终侍御史。”

公元789年（唐德宗贞元五年　己巳）

正月

李益在邠宁幕，有诗《立春日宁州行营因赋朔风吹飞雪》、《邠宁春日》等。

二月

卢顼、杨巨源、崔简、马逢、王叔雅、严公粥、张正元、裴度、胡证、罗玠、杜羔、窦平、李方叔、卢士玫、李修、卢长卿、韦干度、李逊、李道古、王良士、刘元鼎、冯鲁、麻仲容、曲瞻、张汾等三十六人登进士第；时礼部侍郎刘太真知贡举。下月，刘太真自礼部侍郎贬为信州刺史。《册府元龟》卷六五一：“太真性怯懦诡随。其掌贡举，宰臣姻族、方镇子弟，先收擢之。又常叙陈少游勋绩，拟之桓文，大招物议，因有斯贬。”

马逢（生卒年不详），郡望扶风茂陵，东川人。一度从军出塞。贞元二十年，官盩厔尉，转咸阳尉。元和六年授试大理评事，充京兆观察支度使。八年前后，以殿中侍御史充荆南节度使从事。与元稹、刘禹锡等交游。《全唐诗》卷七七二录其诗五首，《全唐诗补编·续拾》卷二二补一句。《全唐文》所录《西郊迎秋赋》为另一马逢作。《唐才子传》卷五：“得诗名，篇篇警策。”生平事迹见《唐国史补》卷中、《唐会要》卷七八等。

德宗宴百僚，赋《中和节宴百僚赐诗》。李泌作《奉和圣制中和节曲江宴百僚》。《国史补》卷下：“贞元五年，初置中和节。御制诗，朝臣奉和，诏写本赐戴叔伦于容州，天下荣之。”中和节，即二月一日。马总有《为戴中丞谢赐中和节诗序表》。王纬亦有《谢赐中和节御赐诗序表》。戴中丞，即戴叔伦。

梁肃在扬州为杜亚幕掌书记，有《中和节奉陪杜尚书宴集序》。

柳浑卒于长安，年七十五。顾况有诗《送柳宜城葬》。《全唐文》卷三七七载其文一篇，《全唐诗》卷一九六录其诗《牡丹》一首。《柳河东集》卷八《故银青光禄大夫右散骑常侍轻车都尉宜城县开国伯柳公行状》：“惟公质貌魁杰，度量宏大，弘和博达

而遇节必立，恢旷放驰而应机能断。其居室，奉养抚字之诚，仪于宗戚，而内行著焉；其莅政，柔仁端直之德洽于府寺，而外美彰焉。凡为学，略章句之烦乱，采摭奥旨，以知道为宗；凡为文，去藻饰之华靡，汪洋自肆，以适己为用。自始学至于大成，躭嗜文籍，注意钻砺，倦不知游息，威不待榎楚，儒言雅旨，夙有闻知。”《旧唐书》卷一二五柳浑传：“浑亦善为文，然趋时向功，非沉思之所及。”

三月

宰相李泌卒，年六十八。赵令畤《侯鲭录》（四库本）卷六：“唐吴人顾况，一见李邺侯，如旧识，待以异礼。及邺侯卒，况感其知，作《海鸥咏》以寄怀，云：‘万里飞来为客鸟，曾蒙丹凤借枝柯。一朝凤去梧桐死，满目鸮鸢奈尔何。’遂为权贵所疾，贬饶州司户。”《文苑英华》卷七〇三梁肃《李泌文集序》云：“开元中，公七岁，见丞相始兴张公九龄。张骇其聪异，授以属辞之要。洎始兴没，不六十载，公果至宰相封侯，有文集二十卷。其美嘉遯，则有沧浪紫府之诗；在王廷，则有君臣赓载之歌。或依隐以玩世，或主文以谲谏，步骤六义，发扬时风。观其辞者，有以见上之任人、始兴之知人者已。……凡诗三百，表、志、碑、颂、赞、序、议、述又百有二十，其五十篇缺，独著其目云。”《旧唐书》卷一三〇李泌本传：“少聪敏，博涉经史，精究易象，善属文，尤工于诗，以王佐自负。”《全唐诗》卷一九〇录其诗四首又六句，《全唐诗补编·续拾》卷一八补三句，补题一则。《全唐文》卷三七八存其文二篇，《唐文拾遗》卷二二补一篇。**【赋柳（句）】**《唐诗纪事》卷二七：“《邺侯家传》云：泌赋诗讥杨国忠曰：‘青青东门柳，岁宴复憔悴。’国忠诉于明皇，上曰：赋柳为讥卿，则赋李为讥朕，可乎？”

五月

戴叔伦自容州被代北归，遇陆羽，有《容州回逢陆三别》。六月，道卒于南海清远县，年五十八。权德舆作《戴叔伦墓志》云：“公早以词艺振嘉闻，中以材术商功利，终以理行敷教化。帅履素王之训，周旋君子之儒，淑声休问，苾芬四畅。初抠衣于兰陵萧茂挺，以文学政事见称萧门。文本菁华，而长于比兴，粲为采章，锵如珩珰，鼓钟于宫。”梁肃作《戴叔伦神道碑》。《全唐诗》卷二七三、二七四编其诗为二卷，《全唐诗补编·续拾》卷一八补一首又二句，移正一首，存目四首。《全唐文》卷五一〇存其文二篇。《中兴间气集》卷上收其诗六首，校文评云：“叔伦之为人，温雅善举止，无贤与不肖，见皆尽心。……其诗体格虽不越中（格），然‘廨宇经山火，公田没海潮’，亦指事造形。其骨稍软，故诗家少之。”《石林诗话》：“司空图记戴叔伦语云：‘诗人之辞，如蓝田日暖，良玉生烟。’亦是形似之微妙者，但学者不能味其言耳。”《唐才子传》卷四：“赋性温雅，善举止，能清谈，无贤不肖，相接尽心，工诗。……初以淮、汴寇乱，鱼肉江上，携亲族避地来鄱阳，肄业勤苦，志乐清虚，闭门却扫，与处士张众甫、朱放素厚，范、张之期，曾不虚月。诗兴悠远，每作惊人。”《唐诗品》：“幼公未致羽之节，早收兰玉之誉，修辞合节，精研太始，亦可谓难士矣。夫太始之音，词以情胜，音以调谐。幼公情旨余旷，而调颇促急，要之含气未融，心无流润，故虽工于斫练，而寡于华要矣。”《批点唐音》：“幼公一下，说情渐细。格律之累，正坐此境。”《载酒园诗话》又编：“近体诗亦多可观，如‘风枝惊暗鹊，露草覆寒蛩’、‘对酒惜余景，问程愁乱山’、‘竹暗闲房雨，茶香别院风’，语皆清警。”《唐诗别裁集》卷一：“高仲武谓叔伦骨气稍轻，晁公武谓《唐史补》称其能诗，正以其绵弱。然尔时诗格日卑，幼公已云矫矫，愚不能人云亦云也。”《大历诗略》：“大历五言皆行而不迫，幼公后出，气调为小变，顾情来之作，有不自知其然者。”纪昀《瀛奎律髓刊误》卷二四：“容州七律，大抵风华流美，而雄浑不足。五律尚不甚觉。”《石州诗话》卷二：“容州七古，皮松肌软，此又在钱、刘诸公下矣。”又云：“戴容州尝拈‘蓝田日暖，良玉生烟’之语以论诗，而其所自作，殊平易浅薄，实不可解。”《三唐诗品》：“其源出于沈休文，选韵笙和，谐音玉节，清歌平调，亦复睦耳关神。七言古风，如月林虚籁，晴霄霞绮，自然流丽，不杂微尘。五律高言壮阔，情语婉绵，在孟襄阳、刘随州之亚。”《诗学渊源》卷八：“诗清新曲雅，而不涉秾纤。乐府如《巫山高》等篇，颇似长吉，与叔论不类，其误入者欤?”【去妇怨】《唐风定》卷四：“逋翁作叙事少冗，惟结数语入妙。此篇简净含蓄，较远胜之。”《删补唐诗选脉笺释会通评林》“中唐五古上”周珽曰：“《去妇词》古今作者多矣，惟幼公此与顾逋翁作殊有隽致，令人读不能终篇。然顾悲怨，阐发尽情；戴郁结，含蓄不露。”【女耕田行】《重订唐诗别裁集》卷八：“末二语一衬，愈见二女之苦，二女之正。”《载酒园诗话》又编：“此诗直而气婉，悲感中仍带勉励，作劳中不废礼防，真有女士之风，裨益教化。张司业得其致，王司马肖其语，白少傅时或得其意，此殆兼三子之长先鸣者也。”《大历诗略》卷六：“女耕，纪异也。叙致曲折含情，末幅以妆楼之感，寓摽梅之思，巧合天然，有悯其过时不采者。是风人之义也。”【除夜宿石头驿】《瀛奎律髓汇评》卷一六：“方回评：此诗全不说景，意足辞洁。何焯评：结浑成。”《四溟诗话》卷三：“余偕诗友周一之、马怀玉、李子明，晚过徐比部汝思书斋。适唐诗一卷在几，因而披阅，历谈声律调格，以分正变。汝思曰：‘闻子能假古人之作为己稿，凡作有疵而不纯者，一经点窜则浑成。子聊试笔力，成则人各一大白，否则三罚而勿辞。如戴叔伦《除夜宿石头驿》诗云：旅馆谁相问?寒灯独可亲。一年将尽夜，万里未归人。寥落悲前事，支离笑此身。愁颜与衰鬓，明日又逢春。此晚唐人选者，可能搜其疵而正其格欤?’予曰：‘观此体轻气薄如叶子金，非锭子金也。凡五言律，两联若纲目四条，辞不必详，意不必贯，此皆上句生下句之意，八句意相联属，中无罅隙，何以含蓄?颔联虽曲尽旅况，然两句一意，合则味长，离则味短。晚唐人多此句法’。遂勉更六句云：‘灯火石头驿，风烟扬子津。一年将尽夜，万里未归人。萍梗南浮越，功名西向秦。明朝对清镜，衰鬓又逢春。’举座鼓掌笑曰：‘如此气重体厚，非锭子金而何!’”又云：“梁比部公实曰：‘崔涂《岁除》诗云……观此羁旅萧条，寄意言表。全章老健，乃晚唐之出类者。戴叔伦《除夜》诗云：‘一年将尽夜，万里未归人。’此联悲感久客，宁忍诵之!惜通篇不免敷演之病。”《唐诗合解详注》卷六：“除夜之感，莫甚于旅馆寒灯之下。盖一年将尽，万里未归，已觉无聊，况万事寥落，此身支离，衰谢逢春，愈难堪矣。”《大历诗略》卷六：“诗极平易而真至动人，故多能口诵之。”【寄司空曙】《唐诗镜》卷三五："三、四风味流丽，格亦不晚。"《唐诗合解笺注》卷一一："'可能相别还相忆'，重相忆二字。相别不难而相忆难。既相忆矣，则必情思流通，应酬无阻，以为白首相知，虽踪迹有离合，而交情无二三，故郑重问之曰：可能否？'莫遣杨花笑白头'，倘终于远隔，情不相通，春光如驶，倏忽白头，岂不令杨花笑人？今我与君，断莫遣杨花笑白头老人同其漂泊也。切暮春景。前解以生远愁为眼，后解还相忆为合。"【过三闾庙】《唐诗别裁集》卷一九："忧愁幽思，笔端缭绕。又云：屈子之怨，其沅湘所能流去耶？发端妙。"《岘佣说诗》："并不用意，而言外自有一种悲凉感慨之气，五绝中此格最高。"《诗境浅说》续编："前二句之意，与少陵《八阵图》'江流石不转'，皆咏昔贤遗恨，与江水俱长。因前二句已质言之，故后二句仅以秋声枫树为灵均传哀之声，其传神在空际。"

皎然在湖州西山，与吴凭重加编录《诗式》旧稿，时湖州长史李洪点而窜之，勒成五卷。见皎然《诗式·中序》。《直斋书录解题》卷二二："《诗式》五卷、《诗议》一卷，唐僧皎然撰以十九字括诗之体。"《唐才子传》卷四："往时住西林寺，定余多暇，因撰序作诗体式，兼评古今人诗，为《昼公诗式》五卷及撰《诗评》三卷，皆议论精当，取舍从公，整顿狂澜，出色骚雅。"《四库提要》卷一九七："皎然与颜真卿同时，乃天宝、大历间人，而所引诸诗举以为例者，有贺知章、李白、王昌龄，相去甚近，亦不应遽与古人并推。疑原书散佚，而好事者摭拾补之也。何文焕《诗话考索》议其'淈没'条，称'夏姬当垆，似荡而贞'，谓夏姬无当垆事，当作文君。不知此用辛延年《羽林郎》'胡姬年十五，春日独当垆'事，特'夏'字误，'姬'字不误，不必改作'文君'。且延年诗称：'贻我青铜镜，结我红罗襦，不惜红罗裂，何论轻贱躯'，所谓似荡也，又称：'男儿爱后妇，女子重前夫，人生各有分，贵贱不相逾，多谢金吾子，私爱徒区区'，所谓贞也。若文君越礼，安得曰'似荡而贞'乎。"《诗式》各本只残余一卷，惟陆心源辑十万卷丛书二编本还为五卷。卢文弨跋云："此书世有镌本，俱不全，今乃得此五卷完备者，从两汉及唐诗人名篇丽句摘而录之，差以五格，括以十九体，此所以谓之式也。若世间本则虚张其目而已，岂知其用意之所在乎？"《竹庄诗话》卷一："郑文宝答《友人潘子乔论诗书》云：唐僧著《诗式》三篇，如云'四深'、'二要'之门，'四离'、'六迷'之道，诚关研究，实可师承。'四深'者，谓'气象氤氲，由深于体势；意度盘礴，由深于作用；用律不滞，由深于声对；用事不直，由深于义类'是也。'二要'者，谓'要力全而不苦涩，要气足而不怒张'。'四离'者，谓'虽有道情，而离深僻；虽用经史，而离书生；虽尚高逸，而离迂远；虽欲飞动，而离轻浮'是也。'六迷'者，谓'以虚诞为高古，以缓慢为淡泊，以诡怪为新奇，以错用意为独善，以烂熟为稳约，以气少力弱为容易'是也。"《艺苑卮言》卷四："僧皎然著《诗式》，跌宕格二品：一曰越俗，一曰骇俗。内'骇俗'引王梵志诗：'天公强生我，生我复何为？还你天公我，还我未生时。'此俗语所不肯道者，何以骇为？"《薑斋诗话》卷下："'海暗三山雨'接'此乡多宝玉'不得。迤逦说到'花明五岭春'，然后彼句可来，又岂尝无法哉？非皎然、高棅之法耳。若果足为法，乌容破之？非法之法，则破之不尽，终不得法。诗之有皎然、虞伯生，经义之有茅鹿门、汤宾尹、袁了凡，皆画地成牢以陷人者，有死法也。死法之立，总缘识量狭小。如演杂剧，在方丈台上，故有花样步位，稍移一步则错乱。若驰骋康庄，取涂千里，而用此步法，虽至愚者不为也。”又云：“所以门庭一立，举世称为‘才子’、为‘名家’者有故。如欲作李、何、王、李门下厮养，但买得《韵府群玉》、《诗学大成》、《万姓统宗》、《广舆记》四书置案头，遇题查凑，即无不足。若欲吮竟陵之唾液，则更不须尔，但就措大家所诵时文‘之’、‘于’、‘其’、‘以’、‘静’、‘澹’、‘归’、‘怀’熟活字句凑泊将去，即已居然词客。如源休一收图籍，即自谓酂侯，何得不向白华殿拥戴朱泚耶？为朱泚者，遂褎然自以为天子矣。举世悠悠，才不敏、学不充、思不精、情不属者，十姓百家而皆是。有此开方便门大功德主，谁能舍之而去？又其下更有皎然《诗式》一派，下游印纸门神待填朱绿者，亦号为诗。《庄子》曰：‘人莫悲于心死。’心死矣，何不可图度予雄耶？”《围炉诗话》自序：“皎然《诗式》持论甚高，而止在字句之间。”又卷二云：“皎然《诗式》言作诗须知复变，盖以返古为复，以不滞为变耳。金正希举业之于王济之，最得此意。变而不复，成、弘至启、祯矣。”《历代诗话考索》：“皎然《诗式》云：‘五言周时已滥觞。’按一言至九言，三百五篇皆具，不止五言也。释氏寂灭，不用语言文字，《容斋随笔》记《大集经》著六十四种恶口，载有大语、高语、自赞叹语、说三宝语。宣唱尚属口业，况制作美词？乃皎然论谢康乐早岁能文，兼通内典，诗皆造极，谓得空王之助。何自昧宗旨乃尔？昼公论溷没格云：‘如夏姬当垆，似荡而贞。’无论夏姬无当垆故实，且安得云贞？想是文君之讹。然阅诸本皆同，未敢擅改。考昼公《诗式》有五卷，又有《诗评》三卷，今非全本矣。中有云：‘注于前卷，后卷不复备举。’讹脱之一证也。”《诗学辩体》卷三五：“皎然《诗式》有‘百叶芙蓉’、‘菡萏照水’例，‘龙行虎步’、‘气逸情高’例，‘寒松病枝’、‘风摆半折’例，率皆穿凿附会；又有‘不用事’、‘作用事’、‘直用事’等格，其所引诗句，亦多谬妄。大抵皆论句，不论体，故多称齐梁而抑大历耳。”

夏

顾况贬饶州司户参军，有诗《酬本部韦左司》、《酬房杭州》。韦左司，韦应物，时在苏州刺史任。房杭州，房孺复。刘太真有《顾十二况左迁过韦苏州房杭州韦睦州三使君皆有郡中燕集诗词章高丽鄙夫之所仰慕顾生既至留连笑语因亦成篇以继三君子之风焉》。秋，顾况赴饶州，经信州，有《酬信州刘侍郎兄》、《奉酬刘侍郎》。刘侍郎，刘太真。【酬本部韦左司】《大历诗略》卷六：“因与韦公唱和，即效韦体。此固为不及，亦风格仅高于‘游子不待晴’。以下逋翁自叙，似是贬饶州司户时也。”

白居易在苏、杭，传其谒拜顾况。《旧唐书》卷一六六白居易传：“居易幼聪慧绝人，襟怀宏放。年十五六时，袖文一编，投著作郎吴人顾况。况能文，而性浮薄，后进文章无可意者。览居易文，不觉迎门礼遇曰：‘吾谓斯文遂绝，复得吾子矣。’”据《悠闲鼓吹》及《唐摭言》卷七，白居易是在长安应举时谒见顾况。顾况所赏乃白所作《赋得古原草送别》。【赋得古原草送别】《唐摭言》卷七：“白乐天初举，名未振，以歌诗谒顾况。况谑之曰：‘长安百物贵，居大不易。’及读至《赋得原上草送友人》诗曰：‘野火烧不尽，春风吹又生。’况叹之曰：‘有句如此，居天下有甚难！老夫前言戏之耳。'"《唐诗合解笺注》卷八："前解言原上草，以荣枯为眼。后解言其关情处。"《唐诗别裁集》卷一一："此诗见赏于顾况，以此得名者也。然老成而少远神，白诗之佳者，正不在此。"

本年

韦应物在苏州，有诗《寄皎然上人》、《送房杭州》。《白氏长庆集》卷六八《吴郡诗石记》："贞元初，韦应物为苏州牧，房孺复为杭州牧，皆豪人也。韦嗜诗，房嗜酒，每与宾友一醉一咏，其风流雅韵，多播于吴中，或目韦、房为诗酒仙。时予始年十四、五，旅二郡，以幼贱不得与游宴，尤觉其才调高而郡守尊。"

李朝威约本年作《柳毅传》。李朝威（生卒年不详），郡望陇西。《太平广记》卷四一九收其《柳毅传》，出《异闻录》。《少室山房笔丛正集》卷二〇："唐人小说如柳毅传书洞庭事，极鄙诞不根，文士亟当唾去，而诗人往往好用之。夫诗中用事，本不论虚实，然此事特诳而不情，造言者至此亦横议可诛者也。何仲默每诫人用唐宋事，而有'旧井潮深柳毅祠'之句，亦大卤莽。今特拈出，为学诗之鉴。黎惟敬本学仲默诗，而与余游西山玉龙洞，有'封书谁识洞庭君'之句，暗用柳毅而不露，而语独奇俊，得诗家三昧，总之不如不用为善。然二君用事，偶经意不经意耳。"

薛涛被罚赴边。有《罚赴边有怀上韦令公二首》。韦令公，韦皋。【罚赴边有怀上韦令公二首】《名媛诗归》卷一三："二诗入边城画角，别是一番哀愁。"郭炜《古今女诗选》："讽刺语须如此若隐若跃，使人深味，遒为妙手。"《升庵集》卷五五"薛涛诗"："此薛涛在高骈宴上乐府也。有讽谕而不露，得诗人之妙，使李白见之，亦当叩首。元、白流纷纷停笔，不亦宜乎。"

于良史为徐州从事，本年或稍后曾作诗自伤。张封建为奏章服，此后事迹无考。《唐诗纪事》卷四三："良史为张徐州建封从事，每自吟曰：'出身三十年，发白衣犹碧。日暮倚朱门，从未污袍赤。'公因为奏章服焉。"《中兴间气集》卷上选其诗二首，评曰："良史工于清雅，工于形似，如'风兼残雪起，河带断冰流'，吟文未终，皎然在目。"《全唐诗》录其诗七首。《唐才子传》卷三："诗体清雅，工于形似。又多警句。盖其珪璋特达，早步清朝，兴致步群，词苑赠价。虽平生似昧，而篇什多传。"【春山夜月】《瀛奎律髓汇评》卷一〇方回评："'掬水'、'弄花'一联，恐是偶然道着。先得一句，又凑一句，乃成全篇。于六句缓慢之中，安顿此联，亦作家也。"冯班评："三、四名句。"查慎行评："三、四句法虽工，终属小巧。"无名氏评："晚唐非无佳句，但看过杜诗，便觉纤细不足为耳。"纪昀评："五、六颇有新味，好于三、四。"许印芳评："此评有眼力。小家诗多如此，其弊至于有句无眼，有联无篇。大家则运于精思，行以灏气，分之则句句精妙，合之则一气浑成，斯为上乘。学者当以大家为法，此等步可效尤也。"《古唐诗合解》卷八："前解以起二句为张本，后六句俱从此发脉。"《唐诗合选详解》卷六："春山胜事，夜景尤佳，而终朝赏玩，竟尔忘归。盖月色清光，映于水而掬之在手，香气苾芬，生于花而弄之满衣。值兹胜事，故兴来而无论远近，欲去而还，惜芳菲也。殆钟已鸣矣，南望楼台，宛然见于翠微之中。唐仲言曰：此诗起二句为张本，后六句俱从此发脉。'掬水'二句，逸趣幽情，结成妙想，成妙句。"【冬日野望寄李赞府】《唐诗镜》卷三〇："三、四清浅。"《诗薮》内编卷四："于良史《冬日野望》、李益《别内弟》，文皆中唐，妙镜往往有不减盛唐者。"《少室山房集》卷一〇九"题于凤鸣画册"："唐人于良史诗'风兼残雪起，河带断冰流'，古今绝唱也。今人酷尚标格，步趋盛唐，此等句绝不复睹。然此句虽极精工，而风神遒朗，气骨雄厚，不失开元。晚唐间有此精工，而神气委弱，往往堕纤靡窟中。初唐风骨崚嶒，而饾饤华靡，模写生肖殊寡，即盛唐一、二见耳。"

司空曙在韦皋幕，本年迁虞部郎中，约此间卒。《全唐诗》卷二九二至卷二九三编其诗为二卷。《文苑英华》卷七八三存载《剑南西川幕府诸公写真赞并序》："水部司空郎中曙字文初，风仪朗迈，振拔氛嚣，玉气凝润，鹤情超辽。文烛翰苑，德成士标，问望何有，羽仪中朝。"《吴礼部诗话》引时天彝语云："司空文明结思尤精，如'前途欢不集，往事恨空来'，令人三叹不已。"《唐诗品》："文明诗气候清华，感赏至到，中唐作者前有继躅，后罕联肩，诵之口吻调利，情意触发，可谓风人之度矣。如'雨（云）白当山雨，风清满峡波'、'澹日非云映，清风似雨余'，景象依然，模写切至。如'酒杯同寄世，客棹任销年'、'他乡生白发，旧国见清山'，情寄宛转，绰有余思。如'连雁下时秋水在，行人过尽暮烟生'，景物萧然，含思凄婉，虽桓大司马汉南之叹，无是过矣。"《唐音癸签》卷七："司空虞部婉雅闲淡，语进性情，抗衡长文不足，平视茂政兄弟有余。"《诗源辩体》卷二一："曙五言律如'中散诗传画，将军扇续书'，七言律如'云生客到侵衣湿，花落僧禅复地多'、'讲席旧逢山鸟至，梵经初向竺僧求'，乃晚唐奇僻之渐，学者所当慎始。"《近体秋阳》："曙诗清气刻思，著手便不同，似其一逞飘萧，几将逸正，已而过之，诚中唐之人杰也。"《大历诗略》："司空文明诗亦以情胜，真到处与卢允言可云鲁、卫。"《三唐诗品》："其源出于沈、宋，而意思就短，弥近晚唐，在大历十人之中，亚于卢、李。七言希见，'丝结'一歌，婕娟赠雅。五言则《分流水》、《关山月》，古情跌宕，清言隽永，足以参孟方王。"《载酒园诗话》又编："司空文明每作得一联好诗，辄为人压占。如'乍见翻疑梦，相悲各问年'，可谓情至之语。李益曰'问姓惊初见，称名忆旧容'，则情尤深，语尤怆，读之者几于泪不能收。'池晴龟出曝，松暝鹤飞回'，写景亦佳。又有包佶'鸟窥新罅栗，龟上半欹莲'，尤得点染之趣。正如刘毅樗蒲，方矜得雉，不意他人又复成庐而去。……诗有以谑而妙者，如'无将故人酒，不及石尤风'是也。诗固不必尽庄。"【云阳馆与韩绅宿别】《瀛奎律髓汇评》卷二四方回云："三、四一联，乃久别忽逢之绝唱也。"纪昀评："四句更胜。"《唐诗镜》卷三三："四语沉痛。"《唐风定》卷一四："语最悲切，而气漓矣。"《唐诗快》卷九："'乍见翻疑梦，相悲各问年'，情景逼真，谁能写出。"《而庵说唐诗》卷一五："开口便见相见之难。故人，指韩绅。与之江海一别，几度欲相见，而写出山川间隔，此吾之恨也。此诗结有'恨'字也。今之幸得相见矣，因平日欲见之难，不敢信其为实，乍见之顷，翻疑是梦。良久，既信是真，不免悲楚。相别久远，并年纪亦忘，各各细问，面目又老于向日矣。"《唐诗别裁集》卷一一："三、四写别久忽遇之情，五、六夜中共宿之景，通体一气，无饾饤习，尔时已为高格矣。"《唐诗合选详解》卷六："隔别已久，忽而于馆中相遇，所以有如梦间之语也。况照雨之灯，浮云之竹，旅景既凄绝矣，明旦之恨，更自难堪，离杯共传，良可惜矣。唐仲言曰：‘此诗中唐绝唱，然江海、山川，未免重叠。’”【长安晓望寄程补阙】《唐诗别裁集》卷一四：“极形容山河宫阙之壮丽，而已之虚名不遇，益觉可伤。”《小清华园诗谈》卷下：“唐初诗律未严，是以诸家之作，时有出入，虽非病而亦不得不以为病。若……司空曙《长安晓望》之后解之类，皆失黏，斯则真所谓病也。”《大历诗略》卷三：“虽不逮钱仲文《赠裴舍人》作，颔联亦兴调绝佳。”《诗镜浅说》丙编：“通首皆赋长安之壮丽繁华，而已则负才不遇，有‘冠盖满京华，斯人独憔悴’之感。首句言河山表里，拱卫王畿，写长安之大概也。次句言珠宫玉殿，上与云齐，写宫殿之壮伟也。三、四言遥瞻长乐禁城，帘远堂高，君门万里，所得见闻者，惟隐隐风传晓漏，依依柳带晴烟耳。五、六言长安贵人，仪从嬉游之胜，每值风和云净，时闻夹道笙歌，高车驷马，驰骋九衢，而已则望尘莫及，惟有庾扇自遮。末句言身虽未显，在诸生中亦夙负才，自惭自伤也。”【留卢秦卿】《载酒园诗话》又编：“诗有以谑而妙者，如‘无将故人酒，不及石尤风’是也。诗固不必尽壮。”《读雪山房唐诗序例》“五绝凡例”：“司空曙之‘知有前期在’，金昌绪之‘打却黄莺儿’……或天真烂漫，或寄意深微，虽使王维、李白为之，未能远过。”《辍锻录》：“此司空文明送别之作也。仅二十字，情致绵渺，意蕴悠长，令人咀含不尽。似此等诗，熟读数十百篇，又何患不能换骨。”《唐诗摘抄》卷二：“五言绝，不看景物，单写情事，贵在绵密直至，一气呵成，二十字中增减移动一字不得，始为绝唱。如此诗，虽不及‘白日依山尽’之雄浑，而精切灵动乃为过之，自是中唐第一首。朱之荆补评：明知后会有期，奈此夕之分不忍，二句最入情。下二句言风能滞客，今请滞于酒，无使酒之滞客不如风也。”《诗境浅说》续编：“别酒殷勤，难留征棹，转不若石尤风急，勒住行舟。凡别友者，每祝其帆风相送，此独愿石尤阻客，正见其恋别情深也。”【喜外弟卢纶见宿】《四溟诗话》卷一：“韦苏州曰：‘窗里人将老，门前树已秋。’白乐天曰：‘树初黄叶日，人欲白头时。’司空曙曰：‘雨中黄叶树，灯下白头人。’三诗同一机杼，司空为优，善状目前之景，无限凄感，见乎言表。”又卷三：“晚唐人多用虚字，若司空曙‘以我独沉久，愧君相见频’……此皆一句一意，虽瘦而健，虽粗而雅。”《古欢堂集杂著》诗话：“余所见与茂秦不同，司空意尽，不如乐天有余。味‘初’字‘欲’字，妙有含蓄，老泪暗流，情景难堪，更深一层。”《大历诗略》卷三：“情景凄然，惜落句气尽，不为完璧。”《诗境浅说》甲编：“前录卢纶诗（《送李端》），佳处在后半首，此诗佳处在前半首。一则以远别，故但有悲感；一则以见宿，故悲喜相乘。卢与司空，本外家兄弟，工力亦相敌也。前四句言静夜而在荒村，穷士而居陋室，已为人所难堪，而寒雨打窗，更兼落叶，孤灯照壁，空对白头。后四句分八层，写足悲凉之境。后四句紧接上文，见喜之出于意外。言我以独客沉沦，宜为世弃；而君犹存问，生平相契，况是旧姻，其乐可知矣。前半首写独处之悲，后言相逢之喜，反正相生。”

吉中孚约此间卒于中书舍人任。《全唐诗》卷二九五存其诗一首，《全唐诗补编·续拾》卷一八补一首。《唐才子传》卷四：“中孚神骨清虚，吟咏高雅，若神仙中人也。”按：吉中孚妻张氏亦善诗。《全唐诗》卷七九九存其诗五首又六句。《诗薮》外编卷四：“吉中孚列大历才子，而篇什殊不经见，独其妻张氏有《拜月》七言古，可参

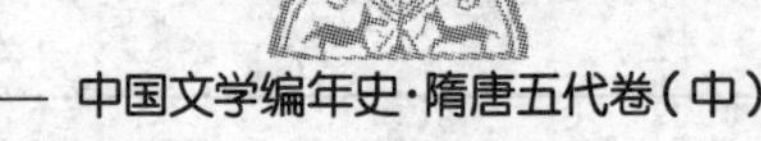

张籍、王建间。”《唐音癸签》卷八：“吉中孚妻张氏《拜月》七言古，籍、建新调，尤彤管之铮铮者。”【拜新月】陆昶《历朝名媛诗词》（扫叶山房石印本）卷四陆昶评：“侍郎吉中孚妻，词气矫激，声调亦响。《拜月》首最佳，《花钿》首稍低。”《唐诗笺要后集》卷八附词：“儿女口角，似从老成阅历中来。裁云制霞，不伤工夫，洵佳制也。”

卢纶在河中浑瑊幕，夏侯审在长安为侍御。时畅当在太常博士任，以五十韵寄纶。卢纶作诗《纶与吉侍郎中孚、司空郎中曙、苗员外发、崔补阙峒、耿拾遗湋、李校书端，风尘追游，向三十载。数公皆负当时盛称，荣耀未几，俱沉下泉。伤悼之际，畅博士当追感前踪，有五十韵见寄，辄有所酬，以申悲旧，兼寄夏侯侍御审、侯仓曹钊》对诸子加以评述：“侍郎文章宗，杰出淮楚灵，掌赋若吹籁，司言如建瓴。郎中善余庆，雅韵与琴清，郁郁松带雪，萧萧鸿入冥。员外真贵儒，弱冠被华缨，月香飘桂实，乳溜沥琼英。补阙思冲融，巾拂艺亦精，彩蝶戏芳圃，瑞云滋翠屏。拾遗兴难侔，逸调旷无程，九酝贮弥洁，三花寒转馨。校书才智雄，举世一娉婷，赌墅鬼神变，属辞鸾凤惊。差肩曳长裾，总辔奉和铃，共赋瑶台雪，同观金谷笙。倚天方比剑，沉水忽如瓶，君持玉盘珠，写我怀袖盈，读罢涕交颐，愿言跻百龄。”

舒元舆生。舒元舆（789—835），行三，婺州东阳人。元和八年进士及第，授鄠县尉。长庆元年以河东节度使掌书记从裴度征讨镇州王廷凑。大和初，入为监察御史，转侍御史，迁刑部员外郎。五年改著作郎，分司东都。八年李训引为尚书郎，九年七月，权御史中丞，九月兼刑部侍郎。月中，以本官同平章事。与李训谋诛宦官，十一月死于“甘露之变”。《新唐书·艺文志》四著录《舒元舆集》一卷。事迹见《旧唐书》卷一六九、《新唐书》卷一七九本传、《唐诗纪事》卷四三等。

公元790年（唐德宗贞元六年　庚午）

二月

德宗宴群臣于曲江，有《中和节赐群臣宴赋七韵诗》。

唐欤、李君房、郑权、王公亮、杨衡等二十九人登进士第。时礼部侍郎张蒙知贡举，试诗《观庆云图》。柳宗元应进士举，不第，有诗《省试观庆云图》。

李观应举不第，居长安。有《与右司赵员外书》、《与膳部陈员外书》。九月，李观作《吊韩弇没胡中文》、《与吏部奚员外书》。

三月

上巳，德宗宴百僚于曲江亭，有诗《三日书怀示百僚》。崔元翰有诗《奉和圣制三日书怀》。

孟郊在苏州，有诗《赠苏州韦郎中使君》、《春日同韦郎中使君送邹儒立少府扶侍赴云阳》。韦郎中，即韦应物。十二月，孟郊在湖州，有诗《山中送从叔简赴举》、《湖州未得解送述情》。

秦系为徐州张建封辟为校书郎，有《张建封大夫奏系为校书郎因寄此作》、《山中

书怀寄张建封大夫》。秦系经苏州，有《即事奉呈郎中韦使君》；韦应物有《答秦十四校书》、《送秦系赴润州》。《文苑英华》卷七一六权德舆《秦征君校书与刘随州唱和诗序》："贞元中，天下无事，大君好文，君绪旧游，多在显列，伯喈、文举之徒，争为荐首。而寿阳大夫公之章先闻，故有书府典校之拜。"

四月

顾游秦为李白葺墓建碣，刘全白为撰《唐故翰林学士李君碣记》。

七月

苻载客荆州。有《江陵陆侍御宅燕集观张员外画松石序》。九月，苻载作《江陵府陟岵寺云上人院张璪员外画双松赞》。《太平广记》卷九四："大历末，禅僧元览住荆州陟岵寺，道高风韵，人不可亲。章璪尝画松于斋壁，苻载赞之，卫象咏之，亦一时三绝。"

八月

鲍放卒于洛阳，年六十九。穆员有《鲍放碑》云："公赋《感遇》十七章，以古之正法，刺讥时病，丽而有则，属诗者宗而诵之。"《全唐诗》卷三〇七存其诗八首，三首误收；卷七八九存其所预联句三首，四言偈一首。《全唐文》卷四三七存其文二篇，《唐文拾遗》卷二三补一篇。《新唐书》卷一五九鲍防传："防于诗尤工，有所感发，以讥切世弊，当时称之。与中书舍人谢良弼友善，时号'鲍、谢'云。"《唐才子传》卷三："防工于诗，兴思优足，风调严整，凡有感发，以讥切世弊，正国音之宗派也。与谢良弼为诗友，时亦称'鲍、谢'云。"

九月

杨衡客荆州。有《九日陪樊尚书龙山宴集》、《宿陟岵寺云律师院》。

秋

韦应物在苏州刺史任，有诗《送陆侍御还越》、《听江笛送陆侍御》、《送崔清叔游越》。十二月，韦应物罢苏州刺史任，居苏州永定寺。有诗《寓居永定精舍》、《永定寺喜辟强后至》、《野居》。【听江笛送陆侍御】《唐诗合解笺注》卷四："'远听江上笛'，笛声固哀，远听尤哀。在江上远听，则其声尤哀。'临觞一送酒'，临杯觞而送别，听笛声而助我哀怨矣。'还愁独宿夜'，更就笛声开一笔，言别后还有愁者，不堪独宿夜时。'更向郡斋闻'，那笛声更向郡斋，使离人一听，尤堪断肠矣。"

丘丹来苏州，秋，返回杭州临平山居，有《奉酬韦使君送归山之作》。韦应物则有《送丘员外还山》、《重送丘二十二还临平山居》。后丘丹至无锡，游慧山寺。有《经湛

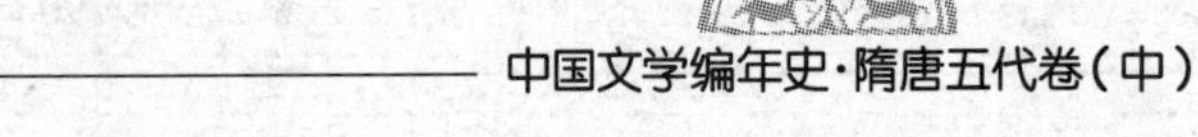

长史草堂序》。此后事迹无征。《全唐诗》卷三〇七录诗一一首，卷七八九存所预联句二。

十二月

希迁卒，年九十一。《全唐诗补编·续拾》卷一八收其诗歌偈诵三首。

本年

韩愈至滑州，献文十五篇与刺史贾耽。作《上贾滑州书》。

李贺生。李贺（790—816），字长吉。郡望陇西，福昌（今河南宜阳）人，家昌谷，世称李昌谷。五年应河南府试，获解。入京应进士举，毁之者以为其父名晋肃，当避讳，不得举进士。五年为奉礼郎。八年春，辞官归昌谷闲居。九年秋，赴潞州依张彻。元和十一年病归，卒于家。《新唐书·艺文志》著录《李贺集》五卷。《郡斋读书志》著录《李贺集》四卷、外集一卷。《直斋书录解题》著录《李长吉集》一卷。今存宋本二种：中国国家图书馆藏宋刻本《李长吉文集》四卷，有《续古逸丛书》影印本；台湾中央图书馆藏宣城刻公牍纸印本《李贺歌诗编》四卷，有1918年诵芬室影印本和台湾中央图书馆1971年影印本。又元宪宗六年（1256）赵衍刻本，往常被视为金刻本，有《四部丛刊》影印本。后世刻本有南宋吴正子注、刘辰翁评点《笺注评点李长吉歌诗》，徐渭、董懋策《昌谷诗注》、曾益《李长吉诗集注》、姚文燮《昌谷集注》、李汝栋《昌谷集注》、方世举《李长吉诗集批注》、王琦《李长吉歌诗汇解》、陈本礼《协律钩玄》等。生平事迹见李商隐《李贺小传》、《旧唐书》卷一三七、《新唐书》卷二〇三、《唐诗纪事》卷四三等。朱自清有《李贺年谱》，钱仲联有《李长吉年谱会笺》。今人叶葱奇有新注《李贺诗集》（人民文学出版社1959）。

公元791年（唐德宗贞元七年　辛未）

正月

陈羽在长安，有诗《喜雪上窦相公》。窦相公，即窦参，时为宰相。

二月

尹枢、令狐楚、陆复礼、林藻、王履贞、彭伉、萧俛、皇甫镈、房次卿、独孤实、窦楚、孟简等三十人登进士第。时礼部侍郎杜黄裳知举，试《珠还合浦赋》、《青云干吕》诗。《唐摭言》卷八“自放状头”条：“杜黄门第一牓，尹枢为状头。先是杜公主文，志在公选，知与无预评品者。第三场庭参之际，公谓诸生曰：主上误听薄劣，俾为社稷求栋梁。诸学士皆一时英隽，奈无人相救。时入策五百余人，相顾而已。枢年七十余，独趋进曰：未谕侍郎尊旨。公曰：未有牓帖。对曰：枢不才。公欣然延之，从容因命卷帘，授以纸笔。枢援毫，斯须而就。每札一人，则抗声斥其姓名，自始至末，列庭闻之，咨嗟叹其公道者一口。然后长跪授之，唯空其元而已。公览读致谢，讫乃以状元为请。枢曰：状元非老夫不可。公大奇之，因命笔亲自札之。”

韩愈、陈羽应举不第，韩愈有《落叶一首送陈羽》。孟简及第，李观往访不得，李作《贻先辈孟简书》以诮之。下月，卢纶作诗《送尹枢令狐楚及第后归觐》。【落叶一首送陈羽】朱彝尊《批韩诗》：“此亦可谓拗体。”将箸超《注释评点韩昌黎诗全集》（民国上海会文堂书局铅印本）卷四：“不假斧凿，自有风致。”

李观西游邠宁，受李益之命作《邠庆宁三州节度飨军记》。八月，李观作《报弟兑书》。冬，李观在长安。曾投文十篇于兵部侍郎陆贽，见其《帖经日上侍郎书》。

权德舆居丧润州，作《秦征君与刘随州唱和诗序》。三月，权德舆复入洪州幕。有《暮春陪诸公游龙沙熊氏清风亭序》。冬，权德舆由杜佑淮南幕，诏征赴京，为太常博士。有《贞元七年蒙恩除太常博士自江东来朝时与郡君同行西兵庙停车祝谒元和八年拜东都留守途次祠下追计前事已二十三年于兹矣时郡君以疾恙续发因代书却寄》、《祗命赴京途次淮口因书所怀》。

七月

德宗幸章敬寺，有《七月十五日题章敬寺》。“皇太子与群臣毕和，题之寺壁”（《旧唐书·德宗本纪》）。崔元翰有诗《奉和圣制中元日题章敬寺》。

梁肃在右补阙任。有《奉送泉州席使君赴任序》。

八月

顾况在饶州。有诗《酬唐起居前后见寄二首》。唐起居，即唐次。是年，顾况在饶州另有诗《寄上兵部韩侍郎奉呈李户部卢刑部杜三侍郎》。

戴孚此前卒，年五十七。顾况是年为之作《戴氏广异记序》，兼述小说源流：“予欲观天人之际，变化之兆，吉凶之源，圣有不知，神有不测。其有乾元气，汩五行，圣人所以示怪力乱神，礼乐刑政，著明圣道以纠之。故许氏之说，天文垂象，盖以示人也。古文示字如今文不字，儒有不本其意，云‘子不语’，此大破格言，非观象设教之本也。大钧播气，不滞一方。梼杌为黄熊，彭生为大豕，苌宏为碧，舒女为泉，牛哀为虎，黄母为鼋。君子为猿鹤，小人为沙虫。武都妇人化为男，成都男子化为女。周娥殉墓，十载却活。嬴谍暴市，六日而苏。蜀帝之魂曰杜鹃，炎帝之女曰精卫。洪荒窈窕，莫可纪极。古者青鸟之相冢墓，白泽之穷神奸，舜之命夔以和神，汤之问革以语怪，音闻鲁壁，形镂夏鼎，玉牒石记，五图九钥，说者纷然。故汉文帝召贾谊，问鬼神之事，夜半前席。志怪之士，刘子政之《列仙》，葛稚川之《神仙》，王子年之《拾遗》，东方朔之《神异》，张茂先之《博物》，郭子潢之《洞冥》，颜黄门之《稽圣》，侯君素之《旌异》。其中神奥，顾君之《真诰》，周氏之《冥通》，而《异苑》、《搜神》，《山海》之经，《幽冥》之录，襄阳之《耆旧》，楚国之《先贤》，《风俗》所通，《岁时》所记，《吴兴》、《阳羡》、《南越》、《西京》，注引《古今》，辞标《淮海》，裴松之、盛弘之、陆道瞻等，诸家之说，蔓延无穷。国朝燕公《梁四公传》，唐临《冥报记》，王度《古镜记》，孔慎言《神怪志》，赵自勤《定命录》，至如李庾成、张孝举之徒，互相传说。谯郡戴君孚幽赜最深。……君自校书，终饶州录事参军，时年五十七。有文集二十卷。此书二十卷，用纸一千幅，盖十余万言。虽景命不融，而铿锵之韵，固可以辅于神明矣。二子钺、雍，陈其先生，泣靖交友，况得而叙之。”

孟郊自湖州入京应试，途中遇孟简，别后有诗《舟中喜遇从叔简别后寄上时从叔初擢第归江南郊不从行》。此前有诗《湖州取解述情》。到长安后，作诗《游终南龙池寺》、《终南山下作》、《蓝溪元居士草堂》。

本年

封演约此时撰成《封氏闻见录》五卷。《四库提要》卷一二〇：“演，里贯未详，考封氏自西晋北魏以来，世为渤海蓧人，然《唐书·宰相世系表》中无演名，疑其疏属也。……唐人小说多涉荒怪，此书独语必征实。前六卷多陈掌故，七、八两卷多记古迹及杂论，均足以资考证。末二卷则全载当时士大夫轶事，嘉言善行居多，惟末附谐语数条而已。”《新唐书·艺文志》、《宋史·艺文志》、《文献通考》、《通志》等书均作五卷，《直斋书录解题》作二卷，《四库全书总目》著录为一〇卷。此外，尚有天一阁明抄本、莫郘亭藏旧抄本、凌绂曾藏抄本、海源阁藏朱氏抄本、皕宋楼陆氏校本、云轮阁藏缪氏校本以及丛书本或单刻本。1958 年中华书局版赵贞信《封氏闻见记校注》，据雅雨堂丛书本，并补佚文。

韦应物约此间卒，约年五十六。《全唐诗》卷一八六至一九五编其诗为一〇卷，《全唐诗外编·补逸》卷五补一首，《续拾》卷一八补三首，存目一首。《全唐文》卷三七五收其文一篇。《唐国史补》卷下：“韦应物立性高洁，鲜食寡欲，所坐焚香扫地而坐。其为诗驰骤建安以还，各得其风韵。”《白氏长庆集》卷四五《与元九书》：“韦苏州歌行，才丽之外，颇近兴讽。其五言诗又高雅闲淡，自成一家之体。今之秉笔，谁能及之。然当苏州在时，人亦未甚爱重，必待身后然后人贵之。”《苕溪渔隐丛话》前集卷一五：“《蔡宽夫诗话》云：苏州诗律深妙，白乐天辈固皆尊称之，而行事略不见唐史为可恨，以其诗语观之，其人物亦当高胜不凡。”又引《吕氏童蒙训》云：“徐师川言：人言苏州诗，多言其古淡，乃是不知言苏州诗。自李、杜以来，古人诗法尽废，惟苏州有六朝风致，最为流丽。”又后集卷三三引蔡绦《西清诗话》：“韦苏州诗如浑金璞玉，不假雕琢成妍，唐人有不能到。至其过处，大似村寺高僧，奈时有野态。”《宾退录》卷九：“韩子苍云：韦苏州少时以三卫郎事玄宗，豪纵不羁。玄宗崩，始折节务读书。然余观其人，为性高洁，鲜食寡欲，所居扫地焚香而坐，与豪纵者不类。其诗清深妙丽，虽唐诗人之盛，亦少其比，又岂似晚节学为者，岂苏州自序之过欤？然天宝间不闻苏州诗，则其诗晚乃工，为无足怪。”崔敦礼《宫教集》（四库本）卷六《韦苏州集序》：“韦苏州以诗鸣唐，其辞清深闲远，自成一家，至歌行，益高古近风雅，非天趣雅澹、禀赋自然者不能作。”魏泰《临汉隐居诗话》（《历代诗话》本）：“韦应物古诗胜律诗，李德裕、武元衡律诗胜古诗，五字句又胜七字。张籍、王建诗格极相似，李益古、律诗相称然，皆非应物之比也。”《韵语阳秋》卷一：“韦应物诗平平

处甚多，至于五字句，则超然出于畦径之外。又卷四云："韦应物诗拟陶渊明而作者甚多，然终不近也。《答长安丞裴税》诗云：'临流意已凄，采菊露未晞。举头见秋山，万事都若遗。'盖效渊明'采菊东篱下，悠然见南山。此中有真意，欲辨已忘言'之句也。然渊明解落世纷深入理窟，但见万象森罗，莫非真境，故因见南山而真意具焉。应物乃因意凄而采菊，因见秋山而遗万事，其与陶所得异矣。"《郡斋读书志》卷四上："诗律自沈、宋以后，日益靡漫，锼章刻句，揣合浮切，音韵谐婉，属对丽密，而娴雅平淡之气不在矣。独应物之诗，驰骤建安以还，得其风格云。"《朱子语类》卷一四〇"杜子美'暗飞萤自照'语只是巧，韦苏州云：'寒雨暗深更，流萤度高阁'，此景色可想，但则是自在说了。……其诗无一字做作，直是自在。其气象近道，意常爱之。问：比陶如何？曰：陶却是有力，但语健而意闲，隐者多是带性负气之人为之，陶欲有为而不能者也，又好名。韦则自在，其诗直有做不着处便到塌了底。晋宋间诗多闲淡，杜工部等诗常忙了。……韦苏州诗高于王维、孟浩然诸人，以其无声色臭味也。"《诗人玉屑》卷二引《臞翁诗评》云："韦苏州如园客独茧，暗合音徽。"《后村诗话》前集卷一："韦苏州诗律深妙，流出肝肺，非学力所可到也。"又《新集》卷三："唐诗多流丽妩媚，有粉绘气，或以辨博名家。惟韦苏州继陈拾遗、李翰林崛起，为一种清绝高远之言以矫之，其五言精巧处不减唐人。至于古体歌行，如《温泉行》之类，欲与李、杜并驱。前世惟陶同时惟柳，可以把臂入林，余人皆在下风。"《韦孟诗集》刘辰翁评云："诵苏州一二语，高处有山泉极品之味。"《文宪集》卷二八《答董秀才论诗书》："韦应物祖袭灵运，能壹寄秾鲜于简淡之中，渊明以来，盖一人而已。"何良俊《四友斋丛说》："左司性情闲远，最近风雅，其恬淡之趣不减陶靖节。唐人中五言古诗有陶、谢余韵者，独左司一人。"《弇州四部稿》卷六九《章给事诗集序》："陶、韦之言，潇洒物外，若与世事夐相左者。然陶之壮志不能酬，发之于《咏荆轲》；韦之壮迹不能掩，纪之于《逢杨开府》。"《岁寒堂诗话》卷上："韦苏州诗，韵高而气清。王右丞诗，格老而味长。虽皆五言之宗匠，然互有得失，不无优劣。以标韵观之，右丞远不及苏州；至于词不迫切，而味甚长，虽苏州亦所不及。"《诗境总论》："韦苏州诗，有色有韵，吐秀含芳，不必渊明之深情，康乐之灵悟，而已自佳矣。"又云："盈盈秋水，淡淡春山，将韦诗陈对其间，自觉形神无间。"《诗薮》内编卷四："苏州五言古优入盛唐，近体婉约有致，然自是大历声口，与王、孟稍不同。"《唐诗归》："钟（惺）云：韦苏州等诗，胸中腕中皆先有一段真至深永之趣；落笔自然清妙，非专以浅淡拟陶者。世人误认陶诗作浅淡，所以不知韦诗也。"又"谭（元春）云：总是'清'之一字，要有来历，不读书不深思人，侥幸假借不得。"《唐诗品》："苏州诗气象清华，词端闲雅，其源出于靖节，而深沉顿挫，又曹、谢之变也。唐人作古调，虽各有门户，要之律体方精，弥多附寄，而专业之流鲜矣。苏州独骋长辔，大窥曩代，而又去拘挛补衲之病，盖一大家也。当时词流秾郁，感荡成波，其视苏州淡泊无文，未淹高听，而大羹玄味，足配元英。虽不足以嬉春弄物，要之心灵夸俗，自致上列，不与浊世争长矣。"《诗源辩体》卷二三："六朝五言，谢灵运俳偶雕刻，正非流丽。玄晖虽稍见流丽，而声渐入律，语渐绮靡，遂成杂体。若应物萧散冲淡，较六朝更自迥别。徐师川云：'韦苏州有六朝风致，最为流丽，'其背戾滋甚。要知应物之诗本出于陶，六朝支离琐屑，正不当与之并言，不得以字句形似求之。”又云：“应物七言古，体既矫逸，而语复劲峭，与五言古如出二手。以全集观，声调间有不纯者。”又云：“应物五七言律绝，萧散冲淡，与五言古相类，然所称则在古也。”朱克生《唐诗品汇删》（康熙刻本）：“苏州之清适怡和，不减王、孟、储也。”又云：“唐五言绝句得王维意者，唯韦应物。”《唐诗评选》卷二：“苏州诗独立衰乱之中，所短者，时伤刻促。此作（《幽居》）清，不刻直，不促，必不与韩、柳、元、白、孟、贾诸家共川而浴。中唐以降，作五言者，惟此公知耻。”又云：“韦于五言古，汉晋之大宗也。俯视诸子，要当以儿孙畜之，不足以充其衙官之位。其安顿位置，有所吝留，有所挥斥。其吝留者必流俗之挥斥，其挥斥必流俗之吝留，岂其以摆脱自异哉。吟咏家唯于此千锻百炼，如《考工记》所称五气俱尽，金锡融浃者，方可望作者肩背。非此则钻心作窍，其心愈为血所模糊，拣择去取，莫知端涘，亦无望其仿佛也。”《唐律消夏录》卷五：“唐诗之翛闲潋淡，韦公为独至。五言古、律二体，读之每令人作登仙入佛想。”张世炜《唐七律隽》：“左司古体得柴桑之胜，七律亦具萧散之致，与佻染、嗲悦两种，固自有别。”《龙性堂诗话》续集：“韦诗古淡见致，本之陶令，人所知也。集中实有蓝本大谢者，或不之觉，特为拈出。如‘性惬形岂劳，境殊路遗缅’、‘五累恒悲往，长年觉时速’、‘适悟委前忘，清言怡道心’、‘乐幽心屡止，遵事迹犹遽’、‘积喧忻物旷，听玩觉景驰’等句皆是。至于‘填壑跻花界，叠石构云房’、‘风条洒余霭，露叶承新旭’、‘摘叶爱芳在，扪竹怜粉汗’、‘缘崖摘柴房，扣槛集灵龟’，则依依晋宋诸公佳致矣。”《剑溪说诗》：“韦左司诗，澹泊宁静，居然有道之士。”又云：“韦诗淡然无意，而真率之气自不可掩。”又云：“韦诗不惟古淡，兼以静胜。古淡可几，静非澄怀观道不可能也。韦《咏声》诗……此乃静坐工夫，领得无始气象，又在希夷、康节前也。较陶靖节‘纵浪大化中，不喜亦不惧’，更入玄通。”又云：“古今共推韦诗冲淡，而韦之分量未尽也。如《睢阳感怀》、《经函谷关》并大有关系之作，尚得以冲淡不冲淡论耶？《唐文粹》、《文苑英华》不录此二首，独《品汇》收入，可称巨眼。”又云：“韦诗五百七十余篇，多安分语，无一诗干进。且志切忧勤，往往自溢宴游赠答间，而淫荡之思、丽情之句，亦无有焉。”又云：“杜、韩不无干谒诗文，太白亦多绮语，试执此以论韦，卓乎其不可及已。”又云：“诗中有画，不若诗中有人。左司高于右丞以此。”又云：“左司歌行，极华赡中仍加淡逸，特风调稍逊王、李诸公，然王、李之意浅。”《石洲诗话》卷二：“王、孟诸公，虽极超诣，然其妙处，似犹可得以言语形容之。独至韦苏州，则其奇妙全在淡处，实无迹可求。不得已，则取徐迪功所谓‘朦胧萌拆，浑沌贞粹’八字，或庶几可仿象乎？”《养一斋诗话》卷一：“渔阳谓‘左司五绝，源出右丞，加以古淡’。愚按：左司古淡清丽，诗源自出魏晋，非出右丞，其年代不甚在右丞后。诗之古淡，本与右丞相似，非‘加以古淡’也。古淡由气骨，岂由加增而得者耶？”又卷二云：“魏泰谓‘韦左司古诗胜律诗’，此语殊妄。韦五律之清妙，都不让五古。七律如‘寒树依微远天外，夕阳明灭乱流中’、‘身多疾病思田里，邑有流亡愧俸钱’，假使陶元亮执笔为七律，又何以过此。”姚椿《樗寮诗话》卷中：“按唐人称高达夫五十后始为诗，为之辄工，然不如左司之高古也。（沈）喆谓其诗超然简远，有正始之风，所谓‘朱丝疏弦，一唱三叹’。又云：‘气质闲妙，浑然天成，初若不用工，而近世诗人莫及’。……愚谓左司诗正如归太仆文，为大家不足，为名家有余。惜翁所谓晋元南渡，虽不能如光武中兴，而绝使焚币，终不肯与石勒通和者，此两家足以当之矣。”《昭昧詹言》卷一：“韦公之学陶，多得其兴象秀杰之句，而其中无物也，譬如空华禅悦而已，故阮亭独喜之。陶公岂仅如是而已哉。”林昌彝《海天琴思续录》（上海古籍出版社 1988）卷七：“汉、魏、晋人诗气息渊永，风骨醇茂，唐人诗似之惟韦苏州。”《岘佣说诗》：“后人学陶，以韦公最深，盖其襟怀澄淡，有以契之也。”又云：“韦公古淡胜于右丞，故于陶为独近。如‘贵贱虽异等，出门皆有营’、‘微雨夜来过，不知春草生’、‘宁知风雨夜，复此对床眠’、‘不觉朝已晏，起来望青天’，如出五柳先生口也。”又云：“韦公亦能作秀语，如‘乔木生夜凉，流云吐华月’、‘南亭草心绿，春塘泉脉动’、‘绿阴生昼静，孤花表春余’、‘日落群山阴，天秋百泉响’，亦足敌王、孟也。《寄全椒山中道士》一作，东坡刻意学之而终不似。盖东坡用力，韦公不用力；东坡尚意，韦公不尚意：微妙之诣也。”《三唐诗品》：“其源出于渊明，在当时已有定论，惟其志洁神疏，故能淡言造古。《拟古》十二篇，虽未远迹陶令，亦得近裁白傅。乃如昼寝清香，郡斋夜雨，琅然疏秀，有杂仙之心。至若‘乔木生夏凉，流云吐华月’，亦复自然佳妙。不假雕饰之功，惟气格未遒，视古微疑涣散。”《诗学渊源》卷八：“其诗闲淡简远，人比之陶潜，虽或过当，而其《拟古》之作，寝几于《十九首》；效陶一体，亦极冲淡之怀，但微嫌着迹耳，着迹则近于刻直矣。然当此之时，高古旷达，殊无出其右者。”《诗境浅说》：“五律中有高唱入云，风华掩映，而见意不多者，韦诗其上选也。”葛蘩《绍兴苏州校刊韦集后序》：“其为文峻洁幽深，词意简远，指事言情，格力闲暇，下可以凌鲍、谢，上可以薄风、雅。摆去陈言，纤秾合度，而自成一家，相似其为人也。”胡观国《书乾道重刻韦苏州集后》：“韦公道德之旨，发乎情性，警策之妙，曲终雅奏。”《永乐大典》卷九〇六：“《刘须溪集·韦苏州诗序》：诗难评，观诗亦复未易。忆与陈俞舜卿诵韦苏州一二语，高处有山泉极品之味，共恨未见全集。偶郡有京递，舜卿附急足，半月得之。报予，共读中，读数首辄意倦，再看复然。复取前选语，视上下殊不逮，因不敢复论。予后得此本，卧起与俱，久而形神相入，欲就舜卿语，而故人不可得矣。今人尝诵‘兵卫森画戟，燕寝凝清香’，政尔无谓。惟朱韦裔举诸生时‘列坐共爱风满林’，乃能令人意消，颇有悟入，然全集若此无数，诗经评泊，别是眉目。如‘白日淇上没，空闺生远愁’，正似不著一字，坐见魂销。‘逍遥无一事，松风入南轩’，此起此结，复在比兴之外，岂可以心力为之？苏州五字已多，即‘他乡到是归’，是他人几许，造次能道及其春容。若‘佳人亦携手，再往今不同’，其含情欲诉，乃在数字之后。‘风淡意伤春，池寒花敛夕’，襟怀眼景，郁折如此，又岂更道哉！后来非无富健如古文，痛快如口语者，亦犹唐书瘦硬，宋帖跌宕，望而可爱，然去八法愈远。王蒙在诸作中最疏拙，然简淡别有风韵者，以其未失八法也。苏州佳致，不数二谢，独不知有学韦诗如蒙帖者否？皎然空学其外，未得其内。”杨一清《题陇州所刻韦集后》：“魏晋以降，世变而诗随之。独陶元亮，天资挺拔，高情远韵，迥出流俗，汉魏以来，一人而已。唐人以诗鸣者，无虑百余家，品格风韵，盖人人殊。韦苏州生其间，盖脱陈俗故习，能一寄鲜秾于简淡之中，晦翁取焉，是又元亮之后一人而已。”华云《刻韦江州诗集叙》：“予少读韦刺史集，以为犹夫诗耳。稍长，见古人以陶、韦并称，乃微探之，继而课习声韵，则有狃于见闻，顾好李、杜、苏、黄诸家。晚始读韦而有得焉。盖不徒爱其辞之含蓄，体之微婉，而于君臣、朋友、夫妇之际，殊数数焉。信乎，其得诗之原矣。其于风化不可谓无助也。”《四库提要》卷一四九：“其诗七言不如五言，近体不如古体。五言古体源出于陶，而熔化于三谢，故真而不朴，华而不绮，但以为步趋柴桑，未为得实。如‘乔木生夏凉，流云吐华月’，陶诗安有是格耶?”《载酒园诗话》又编：“韦苏州冰玉之姿，惠兰之质，粹如蔼如，警目不足，而涤心有余。然虽以淡漠为宗，至若‘乔木生夏凉，流云吐华月’，‘日落群山阴，天秋百泉响’，‘落叶满山空，何处寻行迹’，‘高梧一叶下，空斋归思多’，‘一为风水便，但见山川驰’，‘何因知久要，丝白漆亦坚’，正如嵇叔夜土木形骸，不加修饰，而龙章凤姿，天质自然特秀。……韦诗诚佳，但观刘须溪细评，亦太钻皮出羽。惟云‘韦诗润者如石，孟诗如雪，虽无采色，不免有轻盈之意’。此喻甚好。至谓二人意趣相似，则又不然。‘自顾躬耕者，才非管乐俦。闻君荐草泽，从此泛沧州’，自是隐士高尚之言。‘促戚下可哀，宽政身致患。日夕思自退，出门望故山’，自是循吏倦迁之意。原不同床，何论各梦。宋人又多以韦、柳并称，余细观其诗，亦甚相悬。韦无造作之烦，柳极锻炼之力。韦真有旷达之怀，柳终带派遣之意。诗为心声，自不可强。”【拟古诗十二首】《艺苑卮言》卷四：“韦左司平淡和雅，为元和之冠。至于拟古，如‘无事此离别，不如今生死’语，使枚、李诸公见之，不作呕耶？此不敢与文通同日，宋人乃欲令之配陶陵谢，岂知诗者。”《删补唐诗选脉笺释会通评林》“中唐五古上”周珽曰：“读《拟古》诸篇，极简极纵，极古极新，杂《十九首》中，恐未易骤辨，觉渊明一灯于今不熄。”《岘斋诗谈》卷五：“《拟古十二首》，汁厚而不胶，锷敛而力透。缠绵忠厚，似《十九首》气味。”《唐诗别裁集》卷三：“诸咏胎源于《古诗十九首》，须领取意言之外。”陈沆《诗比兴笺》（中华书局 1959）卷三：“兹十二章，情词一贯，皆美人天末之思，蹇修媒劳之志也。或谓韦公冲淡怀物外，寄情吏隐，本非用世匡主之辈，未必江湖魏阙之思。此非知韦者也。”【效陶彭泽】周紫芝《竹坡诗话》（《历代诗话》本）：“古今诗人，多喜效渊明体者，如和陶诗非不多，但使渊明愧其雄丽耳。韦苏州云……非唯语似，而意亦太似，盖意到而语随之也。”《后村诗话》后集卷二：“陶、韦异世而同一机键，韦集有篇云……题曰‘效陶彭泽’，此真陶语，何必效也。”《唐诗镜》卷三〇：“陶淡而深，韦淡而浅。”《唐诗合选详解》卷一：“此达生之词，言霜降而百草凋，菊独于此时吐华，是其性不为寒所违世。于是采其英华以泛酒，招田家以乐之，尽醉檐下，一生是矣。适意之饮，固不在多也。又沈归愚评：左司诗绝似形容，独标真素。读者当于色香味外求之。又云：有陶公性情，故每一落笔，自饶渊明之趣，后人如何拟得?”【郡斋雨中与诸文士燕集】《诗话总龟》卷二七刘太真《与韦苏州书》云：“顾著作来，以足下《郡斋燕集》相示，是何情致畅茂遒逸如此。宋、齐间，沈、谢、吴、何，始精于理意，缘情体物，备诗人旨。后之传者，甚失其源，惟足下制其横流，师挚之始，《关雎》之乱，于足下之文见之矣。”《石遗室诗话》卷六：“苏州少作多豪纵，余清澹似张曲江，晚学陶。世称‘韦、柳’，其不及柳者，少一峭耳。然《郡斋燕集》一篇，固与仪曹《南硐》争俊也。”《升庵集》卷五四“韦应物苏州郡斋燕集诗”：“诗话称韦苏州《郡斋燕集》首

句‘兵卫森画戟，燕寝凝清香。海上风雨至，逍遥池阁凉’为一代绝唱。余读其全篇，每恨其结句云‘吴中盛文史，群彦今汪洋。方知大藩地，岂曰财赋强’，深为未称。后见宋人《丽泽编》无后四句，三十年之疑，一旦释之。是日中秋与弘山杨从龙饮读之，以为千古一快，几欲如贯休之撞钟矣。”《薑斋诗话》卷一：“‘采采芣苡’，意在言先，亦在言后，从容涵泳，自然生其气象。即五言中，《十九首》犹有得此意者。陶令差能仿佛，下此绝矣。‘采菊东篱下，悠然见南山’，‘众鸟欣有托，吾亦爱吾庐’，非韦应物‘兵卫森画戟，燕寝凝清香’所得而问津也。”《岘斋诗谈》卷五：“莽苍中森秀郁郁，便近汉、魏。”【寄全椒山中道士】《容斋随笔》卷一四“绝唱不可和”：“韦应物在滁州，以酒寄全椒山中道士，作诗曰……其为高妙超诣，固不容夸说，而结尾两句，非复语言思索可到……东坡公天才，出语惊世，如追和陶诗，真与之齐驱，独此二者，比之韦、刘为不侔，岂非绝唱寡和，理自应尔耶。”《唐风定》卷五：“语语神镜，作者不知其所以然。后人欲和之，知其拙矣。”《岘斋诗谈》卷五：“无烟火气，亦无觉霞光，一片空明，中涵万象。”《唐诗别裁集》卷三：“化工笔，与渊明‘采菊东篱下，悠然见南山’妙处不关语言意思。”《艺苑卮言》卷四：“韦左司‘今朝郡斋冷’，是唐选佳境。”【幽居】《唐诗镜》卷三〇：“渊明陶然欣畅，应物淡然寂寞，此胸次可想。”《唐诗合选详解》卷一：“此隐居自乐，绝外慕也。言贵贱虽异，谋生则同，谁不营营世务者？我独不为外物所牵，遂此幽居之情，亦足矣。既望情世变，即草木亦不复知，鸟之鸣任其循集，道人樵者非有意从游，亦合相值耳。然此皆安我之蹇劣，非以薄世荣而不为也。刘会孟评：古调古色。微雨二联，似亦以痴出之。何元郎评：左司性情闲远，最近风雅。其恬淡之趣，不减陶靖节。唐人中五言古诗有陶、谢遗韵者，独左司一人。”《艺概》卷二“诗概”：“韦云‘微雨夜来过，不知春草生’，是道人语。”

公元 792 年（唐德宗贞元八年　壬申）

正月

皎然在湖州，集贤院征其文集，刺史于頔采其诗五百四十六首编为《杼山集》十卷。序云：“有唐吴兴开士释皎然，字清昼，即康乐之十世孙，得诗人之奥旨，传乃祖之菁华，江南词人，莫不楷范。极于缘情绮靡，故辞多芳泽；师古兴制，故律尚清壮。其或发明玄理，则深契真如，又不可得而思议也。贞元壬申岁，余分刺吴兴之明年，集贤殿御书院有命征其文集，余遂采而编之，得诗笔五百四十六首，分为十卷，纳于延阁书府。……上人之植性清和，禀质端懿，中秘空寂，外开方便，妙言说于文字，了心境于定惠，又释门之慈航智炬也。余游方之内者，何足以扣玄关。谢氏世为诗人，岂佛书所为习气云尔。”约本年春，于頔有《郡斋卧疾赠昼上人》，皎然有《奉酬于中丞使君郡斋卧疾见示一首》。

二月

陈羽、欧阳詹、李观、王涯、韩愈、冯宿、庾承宣、崔群等二十三人登进士第，时称“龙虎榜”，号为得人。兵部侍郎陆贽知贡举，试《明水赋》、《御沟新柳》诗。

韩愈与李观缔交。作诗《北极一首赠李观》。孟郊在长安，举进士不第，有诗《赠李观》、《长安羁旅行》、《长安道》、《感兴》、《夜感自遣》、《叹命》；韩愈亦有诗安慰之。【北极一首赠李观】《注释评点韩昌黎诗全集》卷一：“不求奇而层折有致。”

王涯（？—835），字广津，行二十，郡望太原。十八年登博学宏词科，调蓝田尉，以左拾遗为翰林学士，进起居舍人。宪宗元和初，贬虢州司马，徙袁州刺史。以兵部员外郎召知制诰，再为翰林学士，累迁工部侍郎。永贞、元和间，训诰温丽，多所槁定。拜中书侍郎、同中书门下平章事，寻罢，再迁吏部侍郎。穆宗立，出为剑南、东川节度使。长庆三年，入为御史大夫，迁户部尚书、盐铁转运使。宝历时，领山南西道节度使。文宗嗣位，召拜太常卿，以吏部尚书总盐铁。后以本官同中书门下平章事，俄检校司空、兼门下侍郎。大和九年十一月二十一日死于“甘露之变。”后人编其与令狐楚、张仲素诗为《三舍人集》。《新唐书·艺文志》著录《唐循资格》五卷，注《太玄经》六卷，《月令图》一轴，均佚。《直斋书录解题》卷一九录《王涯集》一卷，《宋史·艺文志》七记其《翰林歌词》一卷，亦未见传本。事迹见《旧唐书》卷一六九、《新唐书》卷一七九本传。

陈羽有诗《酬幽居闲上人喜及第后见赠》。秋，陈羽游蜀，有诗《梓州与温商夜别》。【梓州与温商夜别】《贯华堂选批唐才子诗》卷四：“不过只是昔别今逢，看他却于凤凰城里、玄武江边，轻轻再加‘花’、‘月’二字，便写尽别时别得匆忙，逢时逢得惨黯也。客舍莫辞买酒，轻轻亦再加上一‘先’字，便写尽二人异样亲热。相门曾忝登龙，轻轻再加一‘并’字，便写尽二人无数恩昵。因想是晚江边月下，真乃意思飞扬，不可得而裁抑也。五、六又好，须知非写竹声、钟声，正写竹声、钟声中两人对坐，各不肯卧，直至天明。读七、八自明之。”

李纾卒于长安，年六十二。李纾与包佶并称“包、李”，《刘宾客文集》卷一九《董氏武陵集纪》云：“尝所从游皆青云之士，闻名如卢、杜，高韵如包、李。”又《澈上人文集纪》云：“乃抵吴兴，与长老诗僧皎然游，讲艺益至。皎然以书荐于词人包侍郎佶。包得之大喜，又以书致于李侍郎纾。是时以文章风韵主盟于世者曰‘包、李’。”《吴礼部诗话》引时天彝《唐百家诗选》评云：“大历后，李纾、包佶有盛名。”《全唐诗》卷二五二存其诗一三首，《全唐文》卷三九五存其文二篇。

三月

刘太真移疾去信州，八日，道卒于饶州余干旅舍，年六十八。《文苑英华》卷七〇二顾况《信州刺史刘府君集序》云：“有文集三十卷。游名山而窥洞壑者，略举奇峰，纪胜境，至于鬼怪，不可纪焉。临终赋诗，意不忘本。凡古人所咏，山水游仙田家之什，脱蔚罗走，思以自适，其可得乎?”裴度有《刘府君神道碑铭并序》。《全唐诗》卷二五二录其诗三首，《全唐文》卷三九五载其文六篇，《唐文拾遗》卷二二补一篇。

春

顾况在饶州贬所。有《寄秘书包监》。秘书包监，即包佶，包有《酬顾况见寄》。

陆复礼、李观、裴度登博学宏词科，试《中和节诏赐公卿尺诗》。

四月

包佶卒于长安，年约六十七。《全唐诗》卷二〇五录其诗一卷，《全唐诗补编·补逸》卷六补一首，《全唐文》三七〇收其文两篇，《唐文拾遗》卷二二补三篇。权德舆有《祭故秘书包监文》，孟郊有诗《哭秘书包大监》。梁肃《秘书监包府君集序》云："洎公与兄起居何，又世其业，竞爽于天宝之后，一动一静，必形于文辞，由是议者称为'二包'。孝友之美，闻于天下。拟诸孔门，则何居德行，公居政事，而偕以文为主，不其伟欤。"皎然《赠包中丞书》："今海内诗人，以中丞为龙门，贤与不肖，雷同愿登。仰测中丞之为心，固进善而拒不工也。昼无西施之容，不合辄议西施之美，然心之服矣，其敢蔽诸。"《唐才子传》卷三："佶天才赡逸，气宇清深，心醉古经，神和大雅，诗家老斲轮也。与刘长卿、窦叔向诸公，皆莫逆之爱。晚岁沾风痹之疾，辞宠乐高，不及荣利。"《唐诗品》："秘书心悰深郁，玄态深宏，五言排律可谓中唐作者。其它小诗，未见融悟。至如风雨乐章，开合感变，亦谐阴吕。少与兄何齐名，自予观之，卫有武公，鲁人不复称哲昆矣。"【对酒赠故人】皎然《杼山集》（四库本）卷九《赠包中丞书》："一昨见'扶起离披菊'一章，使昼却顾鄙拙，尽欲焚烧，凝思三复，弥得精旨，中丞寄重任大，堆案日盈，而言诗至此，岂非凝心悉到耶。"【秋日过徐氏园林】《瀛奎律髓汇评》卷一二方回评："五、六工甚。"查慎行评："五、六殊拙。"纪昀评："佶，盛唐人，而诗逗漏晚体。风会渐移，机必先兆。"又评："四句亦工，然工处正是纤小处。"

五月

欧阳詹在长安，有《送周孝廉擢第归觐序》。秋，欧阳詹归觐，有《江夏留别辛三十时自襄阳同舟而下予归闽辛从此赴举》。

窦牟为河阳从事，有《故秘监丹阳郡公延陵包公挽歌》。窦常时隐居广陵柳杨，亦有《故秘监丹阳郡公延陵包公挽歌词》。

孟郊东归。将发，有《下第东归留别长安知己》，韩愈有《孟生诗》。途中有《失意归吴因寄东台刘复侍御》。至徐州，有《答韩愈李观别因献张徐州》、《上张徐州》。秋，孟郊再至长安，有诗《古意赠梁肃补阙》。【孟生诗】程学恂《韩诗臆说》（上海商务印书馆 1934）卷一："一起乃关乾坤语，看他赞东野诗如此，可知李习之语非侈也。又：此荐孟生于张建封也，然及建封处，只末段数语，仍是归重孟生，古人立言之体，严重如此。若出后人手，谀词满纸矣。"

刘复（生卒年不详），大历中进士及第。贞元五年在徐州，八年以侍御史分司东都。后官至水部员外郎。撰有《周广传》（《太平广记》卷二一九引《明皇杂录》）。《全唐诗》卷三〇五录其诗一六首。据《唐诗纪事》卷二九、《元和姓纂》卷五等。【出庚城】《大历诗略》卷六："气韵在典午之世，唐五言及此者亦不多见。"【长相思】《大历诗略》卷六："古藻似晋乐府，可匹左司歌行。"【春思】《瀛奎律髓汇评》卷一七方回评："令狐楚为翰林学士时，选进《唐御览诗》凡三十家，刘复四首，所选大抵工丽。"纪昀评："婉秀是中唐本色。又云：结言趋朝之劳，不及闲居之适也。"《大历诗略》卷六："玉台体，无粉泽气。刘水部诗肌理细腻，气味恬雅，殆无一字类唐人，真绝尘也。"

秋

柳宗元入京应试，有《上权德舆补阙温卷决进退启》。孙琮《山晓阁选唐大家柳柳州全集》（民国上海广益书局石印本）卷一："钟敬伯曰：此文如淮阴、孔明之用兵，其摆阵布势，弄巧出奇，真不可及。又：一篇曲曲写来，情词俱极婉挚。首段说世俗所见如此，次段说自己行业薄劣又如此，转出今日不得不求教权君来，此是一意相承。中幅平列三段，请教权君，写得左不是，右不是，转出今日欲权君审择来，亦是一意相承。后幅写求见权君，妙在从旁人口中表扬出来。又妙在自己口中故作不敢求见，然后转出求见权君，既不失之谄；颂扬权君，又不失之谀，又是一意相承。"

本年

李益在邠宁幕，使河中，有《赠内兄卢纶》、《登白楼见白鸟席上命鹧鸪辞》。卢纶有《酬李益端公夜宴见赠》、《宝泉寺送李益端公归邠宁幕》。【酬李益端公夜宴见赠】唐风定》卷二〇评云："悲凄含蓄。"【赠内兄卢纶】《容斋随笔》卷九"李益卢纶诗"："李益、卢纶皆唐大历十才子之杰者。纶于益为内兄，尝秋夜同宿。益赠纶诗曰：'世故中年别，余生此会同。却将愁与病，独对朗陵翁'。纶和曰：'戚戚一西东，十年今始同。可怜风雨夜，相问两衰翁'。二诗虽绝句，读之使人凄然，皆奇作也。"

刘禹锡年二十一，入京应进士举，过华山，作《华山歌》。【华山歌】《删补唐诗选脉笺释会通评林》"中唐五古下"周珽曰："是壶中天、芥中须弥、笼中人物。煞句为用世身份力量人下针。"《唐诗归》卷二八："大山水，景、事、气象俱少不得。然专写景事则纤，专写气象亦泛。须胸中笔下别人所领。"《放胆诗》吴震方曰："如此大山，他人百韵写不尽，只十六句包举之。字字据人上流，而颢气宏词，余勇可贾，因知诗家争先著发。"《载酒园诗话》又编："（吕）温《孟冬蒲津关河亭作》有句云：'雪霜自兹始，草木当更新。严冬不肃杀，何以见阳春?'语自佳，然敢作敢为，勃勃喜事之态，亦见言下。又元稹《解愁》、刘禹锡《华山歌》亦然，俱觉睁眉突眼，躁露不含蓄。至杜牧'大暑去酷吏，清风来故人，'浅躁益甚矣。"

于邵贬为衢州别驾，后移江州别驾。约卒于贞元十四年，年八十一。《全唐诗》卷二五二录其诗五首，《全唐文》卷四二三至卷四二九编其文七卷，其中《武州刺史谢上表》属误收。

张祜约本年生。张祜（792?—853?），字承吉，行三，郡望清河，南阳人，寓居姑苏。大和五年，天平军节度使令狐楚录其新、旧格诗三百首进献朝廷，又特加表荐，为内臣所抑，书奏不下。久客居扬州，又屡辟使府，来往于徐、许、池等州及魏博、宣城等地。或谓曾为东瓜堰官（《云溪友议》卷下）。与杜牧友善。晚年慕曲阿风物，遂移家卜筑以终。《新唐书·艺文志》载《张祜诗》一〇卷。今有清席启寓刻二卷本《张祜诗集》、清丁丙善本书室所藏及清刘世珩刻五卷本《唐张处士集》与《张处士诗集》、清代吴寿拜经楼藏旧抄六卷本《张承吉集》、上海古籍出版社影印南宋蜀刻一〇卷本《张承吉文集》数种。事迹见《唐诗纪事》卷五二、《唐才子传》卷六等，谭优学《唐诗人行年考》中有《张祜行年考》。

公元 793 年（唐德宗贞元九年　癸酉）

正月

德宗有诗《元日退朝观军仗归营》。

韩愈、李翱、孟郊、柳宗元、石洪同登长安慈恩寺塔，并题名。见韩愈《长安慈恩寺塔题名》。

二月

苑论、柳宗元、刘禹锡、穆员、武儒衡等三十二人登进士第。时户部侍郎顾少连知贡举，试《平权衡赋》、《风光草际浮》诗。见《登科记考》卷一三。元稹以明经登第，年十五。四月，苑论归觐，柳宗元作《送苑论登第后归觐诗序》，《义门读书记》卷三六："如此作，宜从削略矣。"

孟郊再次下第，将游荆襄，有诗《再下第》、《落第》、《赠别崔纯亮》、《下第东南行》。先自长安至朔方，游石淙，与李益等人相会，作诗《邀花伴》、《石淙十首》、《抒情因上郎中二十二叔监察十五叔兼呈李益端公柳缜评事》。六月，孟郊东南行，经云梦至复州，有诗《自商行谒复州卢使君虔》、《商州客舍》、《献汉南樊尚书》、《独宿岘首忆长安故人》等。【赠别崔纯亮】徐𤊹《徐氏笔精》（四库本）卷五"文士穷"："孟郊落第云：'出门自有碍，谁谓天地宽?'于濆《思归》云：'日开十二门，自是无归计。'文士之穷，真堪涕泪。"《青箱杂记》卷七："白居易赋性旷远，其诗曰：'无事日月长，不羁天地阔'，此旷达者之词也。孟郊赋性褊隘，其诗曰：'出门即有碍，谁谓天地宽?'此褊隘者之词也。然则天地又何尝碍郊，孟郊自碍耳。"陈之柔《休斋诗话》（郭绍虞《宋诗话辑佚》，中华书局 1980）："孟东野一不第，而有'出门即有碍，谁谓天地宽'语。若无所容其身者，老杜虽落魄不偶，而气常自若，如'纳纳乾坤大'，何其壮哉。白乐天亦云'无事日月长，不羁天地阔'，与郊异矣。然未若邵康节'静处乾坤大，闲中日月长'，尤有味也。"《历代诗话》卷五〇："吴旦生曰：同一天地也，乐天以不羁便道阔，东野以有碍便不道宽，可见诗人胸次，随其所发，即有天地。陈无已诗'天地岂不宽，妾身自不容'，更得风旨。"

三月

窦参由郴州别驾再贬为驩州司马，被赐死于道，年六十。《全唐诗》卷三一四存其诗三首，《全唐文》卷五二六存其文一篇，《唐文拾遗》卷二五补一篇。《中兴间气集》

录诗三首，评云："窦君诗，亦祖沈千运。比于孟云卿，尚在廊庑间，如'万丈水声落，四时松色寒'，又'人生年几齐，忧苦亦先老'，虽其羽翼未齐，而筋骨已具。"

卢纶在河中幕，奉使江西。有《上巳日陪齐相公花楼宴》。齐相公，即齐映。

四月

羊士谔在越州，参皇甫政浙东幕，官试右威卫兵曹参军，撰《南镇永兴公祠堂碑》。《会稽掇英总集》（四库本）卷一八孟简《建南镇碣记》："常记其撰南镇碣，彩章辉焕，物象飞动。"

五月

柳宗元父柳镇卒于长安，年五十五。柳宗元丁忧家居，梁肃有《为人祭柳侍御史文》。

六月

韩愈游凤翔，有《与凤翔刑尚书书》及诗《岐山下二首》、《青青水中蒲三首》。是年，韩愈撰《诤臣论》以讽阳城。《新唐书》卷一九四阳城传："初，城未起，缙绅想见风采。既兴草茅，处谏诤官，士以为且死职，天下益惮之。及受命，它谏官论事苛细纷纷，帝厌苦，而城浸闻得失且熟，犹未肯言。韩愈作《争臣论》讥切之，城不屑。"韩愈另有《应科目时与人书》、《省试颜子不贰过论》、《上考功崔虞部书》。【诤臣论】王禹偁《小畜集》（四库本）卷一八："谓韩吏部不当责阳城不谏小事，不当与李绅争台参，以为不存远大者。吾曰：退之皆是也。夫'守道不如守官'，春秋之义也。今不仕则已，仕则举其职而已矣。舜作漆器，谏者不止。君岂有明于舜乎？事岂有小于漆器乎？盖塞其渐也。"《文忠集》卷六六《上范司谏书》："昔韩退之作《争臣论》，以讥阳城不能极谏，卒以谏显。人皆谓城之不谏盖有待而然，退之不识其意而妄讥，修独以为不然。当退之作论时，城为谏议大夫已五年，后又二年始庭论陆贽，及沮裴延龄作相欲裂其麻，才两事尔。当德宗时，可谓多事矣。授受失宜，叛将强臣罗列天下，又多猜忌，进任小人。于此之时，岂无一事可言，而须七年耶？当时之事，岂无急于沮延龄、论陆贽两事也？谓宜朝拜官而夕奏疏也。幸而城为谏官七年，适遇延龄、陆贽事，一谏而罢，以塞其责；向使止五年六年而遂迁司业，是终无一言而去也，何所取哉。"楼昉《崇古文决》（四库本）："此篇是箴规攻击体，是反难文字之格，当与《范司谏书》相兼看。"谢枋得《文章轨范》（四库本）卷二："前五段攻击阳子，直是说他无逃避处；末一段假或人之辞以攻已，其言甚峻，此文法最高。"叶适《习学纪言序目》（中华书局 1977）卷四三："昌黎作《诤臣论》，年甚少，是时意盛，谓天下事但当如是为之。及出入忧患，终不能有所为，去阳城远矣。城与元德秀，卷舒以己而不以人，唐人未有及者，近于东汉人矣。"《唐宋八大家文钞》卷九："截然四问四答，而首尾关键如一线。"《钝吟杂录》卷八："韩吏部，文章之圣也，其《诤臣论》，文则工矣，未免为失言。”《金圣叹批才子古文》卷七：“反复辩驳之文，最贵是腴。腴者，理足故也。不腴，则是徒逞口说也。此文不必多看其反复辩驳处，须看其腴处。”《唐宋十大家全集录·昌黎先生全集录》卷二：“亢宗不谏，其心曲非当时士大夫所能窥。而此论则日月明、江河流矣。后来作者，争相仿效，踵绪日新，而卒亦无以尚之。”张伯行《唐宋八大家文钞》卷三：“词义严正，令人无可置喙，末引传言，非为自家避尤也，正是欲阳子改过处。盖君子爱人以德，望之切，故不觉其言之长。”《义门读书记》卷三一：“将进阳子以圣贤之用心，而非徒诋讦为名高，以故其言蔼如也。”林云铭《韩文起》（清挹奎楼刻本）卷三：“余以为古今谏官知大计者莫如城，盖国家治乱，无过任相一节，城一言而贽不死，延龄不相，天下不受小人之货足矣，无俟乎多言也。是篇可以为谏官常法，而独不可以律城。然笔力纵横，大有益于举业，宜其家传而户诵也。”《古文眉诠》卷四六：“以诘为讽，讽旷职也。起手一段已尽，后观其善转善拓。一驳之宜去，再驳之曰宜卑贫，复设为遁辞以破之，更代为文过而折之，然后引咎致望无穷焉。层出不竭，病茶与窘者，服之起瘘。”《详订古文评注全集》卷六：“此篇到底是讽阳子必谏，不是讥阳子之不谏也。若说以不谏讥阳子，安见非好尽言以招人过哉！看其从宽处紧逼，更从逼紧处放宽，始终只是耸动阳子。其后阳子果论裴延龄、陆贽两事，至欲裂其麻，安知非退之一击之力？”《古文笔法百篇》卷四：“以格言四问四答，段落分明，前后照应。而每一段中，接口甚紧，而承笔则缓中又每用一‘且’字为进步，疾徐和节。”【应科目时与人书】《义门读书记》卷三二：“应科目是已举进士及第，人非布衣隐逸、仕进无阶者比，故谓已在‘池之滨’、‘江之濆’，但未及水耳。世得云怪物者，士也；得水不得水者，穷达也；有力者援引也。劈头便分三柱，以下复应三段。‘哀之，命也’，结‘庸讵知’数句；‘不哀之，命也’，结‘熟视无睹’数句；‘知其在命而且鸣号’，又回护宁乐泥沙而不乞怜意。要之，亦命也，见己之出处制之于天，仍自负是怪物之意。难于致词，则托物为喻，此诗人比兴之道也。直道正意，丑不可耐，晚唐四六启是已。”《文章轨范》卷一：“一篇皆是譬喻，只一句‘愈今者实类于是’收拾，此文法最妙。”茅坤《唐宋八大家文钞》卷三：“空中楼阁，其自拟处奇，而其文亦奇。”《金圣叹批才子古文》卷一一：“亦无头，亦无尾，竟斗然写一怪物。一气直注而下，而其文愈曲。细分之，中间却果有无数曲折，而其势愈直。此真奇笔怪墨也。”王符曾《古文小品咀华》（书目文献出版社 1983）卷三：“风云吐于行间，珠玉生于字里。此种文，良由寝食《国策》得来。”储欣《唐宋八大家类选》（光绪十八年湖北官书处重印本）卷八：“曲折犹龙，自公而后，眉山老苏最熟此法门矣。”《古文赏音》卷八：“公诸所上书，虽不免降心以求人，而自命总不凡。”《韩文起》卷三：“一篇譬喻到底，末只点出自己一句。人以为布局之奇，而不知《应科目时与人书》分明衒玉求售，与钻营嘱托相去几何？不得不自占地步。若不借喻，恐涉夸诩。况篇中所谓‘摇尾乞怜’，骂尽前此应举之徒，应求卑屈，如狗之依人；所谓‘熟视无睹’，骂尽前此主试诸公，黑白混淆，如盲之辨色矣，岂不以轻薄取罪乎！”《古文观止》卷八：“此贞元九年宏词也。无端突起譬喻，不必有其事，不必有其理，却作无数曲折，无数峰峦，奇极，妙极。”唐介轩《古文翼》卷六：“突起奇峰，无数层折，却以一语收转。笔端飘忽，有尺幅千寻之势。”《求阙斋读书录》卷八：“其

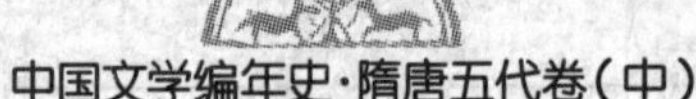

意态诙诡瑰玮，盖本诸《滑稽传》。干泽文字，如是乃为轩昂，他篇皆不能自振。”《国文经纬贯通大义》卷六：“纯用譬喻，至末点睛，如天马行空，不可羁勒。文字之奇，无逾于此矣。”

秋

顾况由饶州，赴浙西，后至茅山受道箓。有诗《从江西至彭蠡入浙西淮南界道中寄齐相公》。齐相公，齐映。

张籍在邢州求学，秋入长安应试，有诗《襄国别友》。

十一月

梁肃为翰林学士，作《述初赋》，十六日卒，年四十一。《唐文粹》卷九二崔恭《唐右补阙梁肃文集序》云：“而公早从释氏，义理生知，结意为文，志在于此。……若夫明是非，探得失，乃作《西伯称王议》；宗道德，美功成，作《磻溪铭》、《四皓赞》、《钓台碑》、《圯桥碑》；絜当世，激清风，作《先贤赞》、《独孤常州集序》、《观讲论语序》；美艺文，善章句，作《李补阙集序》、《隐士李君遗文序》；备教化，彰讽咏，作《中书侍郎赠太子太傅李公集序》、《开国公包君集序》；总名实，树遗风，作《常州独孤公遗爱颂》、《太常卿常山郡开国公崔公神道碑》；恶戎丑，思康济，作《兵箴》；叙宗系，思祖德，作《述初赋》；病流滥，悦故居，作过《旧园赋》；明大道，宗有德，作《受命宝赋》。其余言志导情，记会叙别，总存诸集录。归根复命，一以贯之，作《心应铭》；住一乘，明法体，作《三如来画赞》；知法要，识权实，作《天台山禅林寺碑》；达教源，周境智，作《荆溪大师碑》。大教之所由，佛之盖尽于此矣。若以神道设教，化源旁济，作《泗州开元寺僧伽和尚塔铭》；言僧事，齐律仪，作《过海和尚碑铭》、《幽公碑铭》。释氏制作，无以抗敌，大法将灭，人鲜知之。唱和之者或寡矣。故公之文章，粹美深远，无人能到。此事可以俟于知音，不可与薄俗者同世而论也。”《文苑英华》卷九四四崔元翰《右补阙翰林学士梁君墓志》：“其升于朝，无激讦以直已，无逶迤以曲从，不争逐以务进，不比周以为党。退则澹然而居于一室，傲遗乎万物，贯极乎六籍，旁罗乎百氏，考太史公之实录，又考老庄道家之言，皆睹其奥而观其妙，立德玩词以为文，其所论载讽咏，发于春秋，协于谟训，大雅之疏达而信，颂之宽静形焉，博约而深厚，优游而广大，具三百之遗。有文集三十卷，为学者之师式。”《旧唐书》卷一六〇《韩愈传》：“大历、贞元之间，文字多尚古学，效扬雄、董仲舒之述作，而独孤及、梁肃最称渊奥，儒林推重。愈从其徒游。”《容斋随笔》“四笔”卷五：“梁肃及修，皆为后进领袖，一时龙门，惜其位不通显也，岂非汲引善士，为当国者所忌乎。”赵秉文《答李天英书》：“梁肃、裴休、晁迥、张无，尽名理之文也，吾师之。”《古文雅正》卷四：“柳冕、李翰，笔颇疏快，而气力尚薄。独孤及、梁肃等，自以为作手，终有愧于古也。如叙人文集，必摘其某篇佳者，而列之序中，各下评语，此最是中唐习气，韩、柳兴，始大复古。”《全唐文》卷五一七至卷五二二录其文六卷。【代太常答苏端驳杨绾谥议】康熙《古文渊鉴》卷三四：“义以典而能确，词以恕而能公。持此核人，可以论世而不爽矣。”【补阙李君前集序】《古文渊鉴》卷三四：“文章有王霸之分，立论恢奇，前此未有。”

李吉甫在明州员外长史任，有《编次郑钦悦大同古铭论》。《太平广记》卷三九一引《异闻记》：“壬申岁，吉甫贬明州长史。海岛之中，有隐者姓张氏，名玄阳，以明《易经》，为州将所重。召置阁下，因讲《周易》卜筮之事，即以钦悦之书示吉甫。吉甫喜得其书。……即编次之。”是年，另有文《杭州径山寺大觉禅师碑铭并序》。稍后，有《唐茶山诗述碑阴记》。

本年

吕温自长安往洛阳，作《傅岩铭》、《虢州三堂记》。

公元 794 年（唐德宗贞元十年　甲戌）

二月

范传正、李逢吉、王播、郑涵、席夔等二十八人登进士第。时户部侍郎顾少连知贡举，试《风过箫赋》。

顾况至常州，将归茅山，韦夏卿作诗《送顾况归茅山》，綦毋诚有诗《同韦夏卿送顾况归茅山》，顾况有诗《奉酬茅山赠赐并简綦毋正字》；顾况隐居茅山，有诗《归山作》；后间至扬州，有诗《送大理张卿》。张卿，张滂。

春

张籍自长安北游。有诗《宿邯郸馆寄马磁州》。马磁州，即马正卿。此后张籍至幽州，有诗《蓟北旅思》、《蓟北春怀》。【蓟北旅思】《瀛奎律髓汇评》卷二九：“方回评：此张司业集中第一首诗。三、四真佳句。司业姑苏人，故云‘空歌白苎词’。纪昀评：味自好，未必遽为第一。又：五、六未免弱。查慎行评：本领具足，方能作淡语。文昌擅长处在此。以下四章，蹊径仿佛。”《唐风定》卷一五：“文昌清癯骨立，元气尽削。过人在旷然尘外，绝去凡调。”《唐诗快》卷九：“‘长因送人处，忆得别家时’，实情实景，说出便无限悲凉。”《唐诗别裁集》卷一二：“五、六平平，中、晚通病。”【蓟北春怀】《唐诗归》钟惺评：“妙于用虚生情生力。”《重订中晚唐诗主客图说》卷上：“‘因逢过江使，却寄在家衣’，真情远味，只在寻常情事中，若入后人手，便易鄙琐。”

刘禹锡自洛阳赴长安，有诗《答张侍御贾喜再登科后自洛赴上都赠别》。在长安，作《上权舍人书》。时权德舆在长安，迁起居舍人，六月曾有《送袁中丞持节册南诏五韵》。秋，刘禹锡自长安西行，作《马嵬行》。【马嵬行】《围炉诗话》卷一：“意由于识。马嵬事吟咏甚多，而子美云：‘不闻夏殷衰，中自诛褒妲。’曲折有含蓄，子瞻称之。郑畋云：‘肃宗回马杨妃死，云雨虽亡日月新。终是圣明天子事，景阳宫井又何人？’人知其有宰相器。刘梦得、白乐天直言六军逼杀天子之妃矣！”《苕溪渔隐丛话》

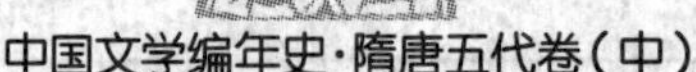

前集卷二二引《诗眼》："马嵬驿，唐诗尤多，如刘梦得'绿野扶风道'一篇，人颇诵之，其浅近乃儿童所能。"《养一斋诗话》卷四："魏泰依倚曾布之势，乡井患苦。推荆公为孟子后一人，数称章惇之长，撰《东轩笔录》、《碧云騢》诬蔑正人，士类不齿。然能知刘梦得'官军诛佞幸，天子舍妖姬'，为'不晓文章体裁，失臣下事君之体'。且谓郑畋'终是圣明天子事，景阳宫井又何人'，'命意稍似，而词句凡下，比说无状，亦不足道'。非其诗学之深，有此识力，盖数诗本非人心所安也。诗教自有正大门庭，不入其门，虽词语新巧，万口流传，不足当小人之一哂，况有识者乎！"

五月

白居易之父白季庚卒于襄阳官舍。前此，白居易随侍襄州任所，有诗《游襄阳怀孟浩然》。

夏

韩愈、李观在长安。韩愈有诗《重云一首李观疾赠之》。十一月，韩愈在长安，有《谢自然诗》。是年，韩愈另有文《赠张童子序》、《祭郑夫人文》。【重云一首李观疾赠之】朱彝尊《批韩诗》："稍率易。"《义门读书记》卷三〇："安溪云：此诗言生忧世之志，虽可贵而非职所当，今日贫贱如此，苟富贵当何如乎？有以独乐而知天命，则不以岁寒改柯易叶，如高飞之凤凰，览德晖而来下也。"【谢自然】《唐宋诗醇》卷二七："叙后断排斥，不遗余力。人诧其白日飞升，吾独为孤魂冤痛。警世至深切矣。'凝心感魑魅'一语包括半部《楞严》。顾嗣立曰：公排斥佛、老，是生平得力处。此篇全以议论作诗，词严义正，明目张胆，《原道》、《佛骨表》之亚也。"黄震《黄氏日钞》（四库本）卷五九："指其轻举之事，为幽明杂乱，人鬼相残，不知人生常理而弃其身。卓哉，正大之见乎。"

李观卒于长安，年二十九。《全唐文》卷五三二至卷五三五编其文四卷，《全唐诗》卷三一九载其诗四首。韩愈《李元宾墓铭》云："元宾才高乎当世，而行出乎古人。"孟郊有诗《哭李观》。韩愈《答李秀才书》："元宾行峻洁清，其中狭隘，不能苞容于寻常人，不肯苟有论说。"《新唐书》卷二〇三李观传："观属文，不傍沿前人，时谓与韩愈相上下。"李翱《李文公集》卷七《与陆傪书》："李观之文章如此，官止于太子校书，年止于二十九。虽有名于时俗，其卒，深知其至者果谁哉？信乎天地鬼神之无情于善人，而不罚罪也甚矣。为善者，将安所归乎？……予与观，平生不得往来，及其死也，则见其文。尝叹使李观若永年，则不远于扬子云矣。书已之文次，忽然若观之文，亦见于今也。故书《苦雨赋》缀于前。当下笔时，复得咏其文，则观也虽不永年，亦不甚远于扬子云矣。"《四库提要》卷一五〇："观与韩愈、欧阳詹为同年，并以古文相砥砺，其后愈文雄视百世，而二人之集，寥寥仅存。论者以元宾早世，其文未极。退之穷老不休，故能独擅其名。希声之序，则谓'文以理为本，而词质在所尚。元宾尚于词，故词胜其理；退之尚于质，故理胜其词。退之虽穷老不休，终不能为元宾之词。假使元宾后退之死，亦不及退之之质'。今观其文，大抵雕琢艰深，或格格不能自达其意。殆与刘蜕、孙樵同为一格，而镕炼之工或不及，则不幸早凋，未卒其业之故也。然则当时之论，以较蜕、樵则可，以较于愈则不及，希声之序为有见，宜不以论者为然也。顾当雕章绘句之时，方竞以骈偶斗工巧，而观乃从事古文，以与愈相左右。虽所造不及愈，固非余子所及。王士祯《池北偶谈》诋其与孟简吏部、奚员外诸书，如醉人使酒骂坐，抑之未免稍过矣。惟希声之序，称其文‘不古不今，卓然自作一体’，品题颇当。”《越缦堂读书记》（五）“集部别集类”：“元宾之文，昌黎以故交且早夭，因极称之，本非定论。后人无识，遂谓其才足与昌黎并，陆希声且谓其辞胜昌黎。今平心论之，元宾卒时仅二十九，其文崭然自异，不肯一语犹人，使假其年，正未可量。即其所传诸篇，如《项籍碑铭》、《古受降城铭》、《吊监察御史韩弇文》、《吊泾州王将军文》、《上宰相安边书》、《代李图南上苏州韦使君论戴察书》，其文皆有奇气。余篇大率意浅语枝，嚣而无实。又少年负气，急于自见，所沾沾者，惟在功名，不止王阮亭所举与奚员外、孟简两书，作使酒骂坐态也。《四库提要》以与孙樵、刘蜕并称，盖不及孙，差过于刘耳。”

九月

德宗有《九月十八赐百僚追赏因书所怀》。权德舆有《奉和圣制九月十八赐百僚追赏因书所怀》。

秋

吕温于河南府乡贡进士试第一，有《河南府试赎帖赋得乡饮酒诗》。

孟郊因汝州刺史陆长源招邀，由湘而往。夏，孟郊自楚游湘，作诗《赠竟陵卢使君虔别》。在洞庭，有诗《旅次湘沅有怀灵均》、《湘妃怨》、《游韦七洞庭别业》等。后往汝州，途中作诗《过分水岭》、《鸦路溪行呈陆中丞》。既至，有诗《汝州南潭陪陆中丞公燕》。

十二月

裴垍、王播、裴度、许尧佐、崔群等十五人登贤良方正能直言极谏科。李景亮中详明政术可以理人科。崔群授校书郎。归觐洛阳，柳宗元有《送崔群序》。许尧佐（生卒年不详），后以协律郎受辟于西川节度使。十六年，与张宗本、郑权皆佐泾原节度使刘昌幕。元和八年任吉州司户参军，撰《唐东林寺大德粲公碑》。十一年，以左赞善大夫充册立吊祭南诏副使。元和十年撰《唐阳翟县令壁记》。官终谏议大夫。《太平广记》卷四八五录其《柳氏传》，孟棨《本事诗》亦载之，多出韩翊任职汴梁一节，谓此事闻之于目击者大梁夙将赵唯。韩翊即韩翃。“章台柳”故事亦盛传于世，词牌“章台柳”，即由此而来。后世复演《柳氏传》为戏曲者，有明梅鼎祚《玉合记》、张四维《章台柳》、吴大震《练囊记》等。《全唐文》卷六三三录其文六篇。《全唐诗》卷三一九录诗一首。事迹见《旧唐书》卷一八九、《新唐书》卷二〇〇本传、《唐诗纪事》卷四

一、《唐会要》卷七六等。李景亮（生卒年不详），撰有传奇《李章武传》，见《太平广记》卷三四〇。

本年

元稹寓居永乐坊清都观（开元观），约此时与李宗闵等人相识。作《代曲江老人百韵》诸诗，后又效陈子昂《感遇》而作《寄思玄子》诗二十首。“得杜甫诗数百首，爱其浩荡津涯，处处臻到，始病沈、宋之不存寄兴，而讶子昂之未暇旁备矣”（元稹《叙诗寄乐天书》）。【代曲江老人百韵】《唐诗镜》卷八：“如此长韵，整称即佳。”

柳冕在婺州刺史任。本年或稍后，有《与徐给事论文书》，云：“文章本于教化，形于治乱，系于国风。故在君子之心为志，形君子之言为文，论君子之道为教。《易》云：观乎人文，以化成天下。此君子之文也。自屈、宋已降，为文者本于哀艳，务于恢诞，亡于比兴，失古义矣。虽扬、马形似，曹、刘骨气，潘、陆藻丽，文多用寡，则是一技，君子不为也。昔武帝好神仙，而相如为《大人赋》以讽，帝览之，飘然有凌云之气，故扬雄病之曰：讽则讽矣，吾恐不免于劝也。盖文有余而质不足，则流；才有余而雅不足，则荡；流荡不返，使人有淫丽之心，此文之病也。雄虽知之，不能行之。行之者，推荀、孟、贾生、董仲舒而已。仆自下车，为外事所感，感而应之，为文不觉成卷。意虽复古而不逮古，则不足以议古人之文。噫！古人之文不可及之矣，得见古人之心在于文乎？苟无文，又不得见古人之心，故未能亡言，亦志之所之。”《古文雅正》卷七：“先生论文五、六篇，皆杰然自命，大约谓文以经世明道为主，尽扫寻章摘句、恢诞华藻之陋，韩、李未出之先，诚翘楚也，独孤及、梁肃辈尚未之及焉，登此以见唐文之兴有由来矣。”

夏侯审本年或稍前官祠部郎中，卒于任。《全唐诗》卷二九五录其诗一首。《唐才子传》卷四：“初于华山下买田园为别墅，水木幽闲，云烟浩渺，晚岁退居其下，吟讽颇多。今稍零落，时见一二，皆锦制也。”【咏被中绣鞋】《升庵诗话》卷一一：“夏侯审为大历十才子之一，而诗集不传，惟此一绝及《织锦图》‘君承皇诏安边戍’一歌而已。往年刘润之在蜀刻大历十子诗，无夏侯审集，余以二诗讯之，润之笑曰：‘两枚枣子如何泡茶？’余笑：‘子诚晋人也。’”

陈羽官东宫卫佐，有《长安早春言志》，后行迹无考。《全唐诗》卷三四八编其诗一卷，其中杂有郎士元、贾岛等人之作，又《全唐诗补编·续拾》卷一九三补三首。《全唐文》卷五四六录其赋一篇。张为《诗人主客图》以其为瑰奇美丽主升堂者之一。《唐才子传》卷五：“羽工吟，与灵一上人交游唱答，写难状之景，了了目前；含不尽之意，皎皎言外。如《自遣》诗云……此景何处无之？前后谁能道者？二十八字，一片画图，非造次之谓也。警句甚多。”【春日晴原野望】《苕溪渔隐丛话》后集卷一六：“丙戌之冬，余初病起，深居简出，终日曝背晴檐，万事不到，自以荆公所选《唐百家诗》反复熟味之，见其格力辞句例皆相似，虽无豪放之气，而有修整之功，高为不及，卑复有余，适中而已。荆公谓：‘欲观唐人诗，观此足矣’。讵不然乎。集中佳句，世所称道者，不复录出；惟余别所喜者，命儿辈笔之，以备遗忘。五言六联，陈羽《春日野望》云……"《瀛奎律髓汇评》卷一〇："方回评：三、四能言早春之意；五、六以景对情，不费力。冯班评：次联常言耳，脱胎谢康乐，得起句妙，不厌其偷。一直四句，所以妙。陆贻典评：次联从康乐'池塘生春草'脱胎，却逊自然。查慎行评：次联对句动宕。纪昀评：起四句极有意象。五、六有物尚乘时人独失所之慨。对法甚活，但语弱耳。结尤少力。许印芳评：后半语意浑融，和缓中有骨力，正是唐人身分。"【吴城览古】《唐诗摘抄》卷四："此首犹是盛唐余韵，觉比太白'旧苑荒台'作较浑。"

沈既济本年前后为礼部员外郎，作《词科论》，言进士以文章取士之弊："是以进士为士林华选，四方观听，希其风采。每岁得第之人，不浃辰而周闻天下。故忠贤隽彦、韬才毓行者，咸出于是，而桀奸无良者或有焉。故是非相陵，毁称相腾，或扇结钩党，私为盟歃，以取科第，而声名动天下；或钩摭隐慝，嘲为篇咏，以列于道路，迭相谈訾，无所不至焉。"约卒于贞元中期。《全唐文》卷四七六存其文六篇，《唐文拾遗》卷二四补一篇，即《枕中记》。《太平广记》卷四五二多《任氏传》一篇。《旧唐书·沈传师传》："父既济，博通群籍，史笔尤工。"【论行辟召之法疏】康熙《古文渊鉴》卷三四："立论岩岩清峙，可为衡鉴之资。"

公元 795 年（唐德宗贞元十一年　乙亥）

二月

崔玄亮、韩泰、周君巢、齐皞等二十七人登进士第。时礼部侍郎吕渭知贡举，试《立春日晓望三秦云》诗。

刘禹锡登吏部试，授太子校书。自洛赴京，过华州，有诗《发华州留别张侍御》。春，作诗《戏赠崔千牛》。此两年间，其母在洛阳，其从舅在华州，刘禹锡数往来于三地，有诗《题寿安甘棠二首》、《浑侍中宅牡丹》等。

春

韩愈在长安，上宰相求仕，不果。有《上宰相书》、《后十九日复上宰相书》、《后二十九日复上宰相书》及《杂说四首》。【上宰相书】《朱子语类》卷一三九："有一等人专于为文，不去读圣贤书。又有一等人知读圣贤书，亦自会作文，到得说圣贤书，却别做一个诧异模样说。不知古人为文，大抵只如此，那得许多诧异。韩文公诗文冠当时，后世未易及。到他《上宰相书》，用'菁菁者莪'，诗注一齐都写在里面。若是他自作文，岂肯如此作？最是说'载沉载浮'，'沉浮皆载也'，可笑。'载'是助语，分明彼如此说了，他又如此用。"《黄氏日抄》卷三四："《上宰相书》谓以荒政之急为缓，自古国家倾覆之由，何尝不起于盗贼？盗贼窃发之端，何尝不生于饥饿？今朝廷爱民不如惜费之甚，明公忧国不如爱身之切，其言苦至，所当成诵。"又卷四二："谓韩文公《上宰相书》略不知耻。愚谓：韩文公平生大节，何可当也！岂无耻求进之人哉？孟子固尝言：孔子三月无君，则吊矣。后世徉退为高，终败名节者则可责耳，而责文公真情求自见于当世者乎。"《义门读书记》卷三二："为宰相者，各宜书一通于座右，未可以后进求知常语视之也。须具绝大心胸读之，此中真有海涵地负之势。其文温醇，有涵养深粹之功。”《古文渊鉴》卷三六：“洮洮清辩，隽利可喜。”《唐宋八大家文钞》卷二：“引经术似刘向，所乏者西汉风韵。”【后十九日复宰相上书】《义门读书记》卷三二：“文势如奔湍激箭，所谓‘情隘词蹙’也。与第一书气貌迥异，故是神奇。”《五百家注昌黎文集》卷一六：“张子韶曰：退之平生本强人，而为饥寒所迫，累数千言求官于宰相，亦可怪也。至第二书乃复自比为盗贼凭库，且云大其声而疾呼矣。略不知耻，何哉？岂作文者，其文当如是，其心未必然邪？”茅坤《唐宋八大家文钞》卷二：“所见似悲蹙，而文则宕逸可诵。”《金圣叹批才子古文》卷七：“气最条达，笔最曲折。他人条达者最难曲折，曲折者不复条达矣。”《唐宋八大家类选》卷三：“第二书只设一喻，第三书只引一客，往复自道，淋漓满志。”《韩文起》卷三：“此单就前书中所云负才不遇处，以蹈火为喻，写得异样穷迫，异样恳切，虽使石人闻之，亦当下泪。末复以居上位者不宜推诿于时，在宰相者尤可取必于君，而布衣不至有负于举三意，为异样耸动，异样劝勉，以坚其意。笔致跌宕缭绕，真千古无匹矣。”《古文翼》卷六：“以喻意抒写正文，推陈出新，《左》、《国》之化境也。公曲尽其妙，集中每多设喻之文，出没变化，如神龙戏海，可望而不可即，斯作已见一斑。”林纾《古文辞类纂选本》卷五：“……人谓此书略不知耻，实则与俗人说话，故用俗语。通篇未尝提出‘道’字，可见昌黎之用心矣。”【后二十九日复上宰相书】王霆震《古文集成》（四库本）卷一六：“西山批：按公三上书，今独取此，以其论周公之待士，反复委折，可为作文之法故耳。然以公之贤，而急于仕进如此，亦可惜也。迂斋批：以周公与当时之事，反复对说，而求士之缓急，居然可见，虽是退之切于求进，然理亦如此。”《黄氏日抄》卷五九：“昌黎三上光范书，世多讥其自鬻。然生为大丈夫，正蕲为天下国家用，孔子尝历聘列国，孟子亦尝游说诸侯矣。如公才气，千古一人，亦同流俗困于科举而不得少见于世，故直摅其抱负，以自达于进退人才者，虽颇失之少年锐气，而实皆发于直情径行。始则晓以古者成就人才之道，次则动以一己饥寒之迫，终则警以天下未治、反不能如周公礼士之勤。光范门虽尊，公直与之肝膈无间。然则公之抱负者为何如，而可讥其自鬻哉！终南捷径，少室索价，阳退阴进，不由真情，此则不鬻之鬻，乃公罪人耳。”《唐宋八大家文钞》卷二：“议论正大胜前篇，当看虚字斡旋处。”《金圣叹批才子古文》卷七：“意所欲言而不便得言者，忽然托笔周公，便乃五所不言。故通篇虽有两大幅，而只是周公一大幅也。后复写上宰相之万万不获已，又是古今绝妙。”《唐宋十大家全集录》卷二：“第一书引经以告之，再则陈情以感之。经之所不能悟，情之所不能动，此书直击之而已。义正词严，气盛而法立。”《唐宋八大家类选》卷八：“创调也。读之勃勃有生气。虽被人滥用，而光怪自如。”《韩文起》卷三：“此又因两次上书，不能邀其一盼，单就宰相当急于求士上立言。又谓士不得志，别无所往，山林独善，非行道者之所能安，欲其加察而荐己也。”《古文观止》卷八：“通篇将周公与时相两两对照。只用一、二虚字，斡旋成文。直言无讳，而不犯嫌忌。末述再三上书之故，曲曲回护自己。气杰神旺，骨劲格高，足称绝唱。”【杂说四首】茅坤《唐宋八大家文钞》卷一〇：“《杂说》四首，并变幻奇诡，不可端倪。”《古文观止》卷七评《杂说》一：“此篇以龙喻圣君，云喻贤臣，言贤臣固不可无圣君，而圣君尤不可无贤臣。写得委婉曲折，作六节转换，一句一转，一转一意。若无而又有，若绝而又生，变变奇奇，可谓笔端有神。”《文章轨范》卷五：“此篇主意谓圣君不可无贤臣，贤臣不可无圣君。圣贤相逢，精聚神会，斯能成天下之大功。龙指圣君，云指贤臣。”蔡铸《蔡氏古文评注补正全集》（商务印书馆 1918）卷六：“按此篇以‘灵’字为古骨，龙云相依，亦犹圣君得臣，相得益彰也。运笔之妙，如转辘轱。既云龙弗灵，又云云弗灵；既云云不能使龙灵，又云龙不得云无以灵；既云龙依云，又云云从龙。语语矫变，令人心迷目眩。”《古文眉诠》卷四七：“神注凭依，似有待于彼者，掉尾一语兜回，峻绝。”《昌黎文式》卷三后集上卷：“云从龙，乃贤臣遇圣主之像。此篇主意谓贤臣必得圣君而用世，圣君必任贤臣而成功。此篇八节转换，字少意多。”吕留良《晚村先生八家古文精选》（康熙四十三年吕氏家塾刻本）：“《规范》谓龙喻圣君，云喻贤臣，固是。然此篇是比体，凡世间体用感应之理，无不可通。”王文濡《评校音注古文辞类纂》（上海文明书局 1924）卷二引方苞语：“尺幅甚狭，而层叠纵宕，若崇山广壑，使观者不能穷其际。”又引张裕钊语：“其神妙尤在中间奇宕处与转捩变化无迹可寻处。”李兴地《榕村语录》（中华书局 1995）卷二十九：“‘龙嘘气成云’一首，寄托至深，取类至广。精而言之，则如道义之生气，德行之发为事业文章，皆是也；大而言之，则如君臣之遇合，朋友之应求，圣人之风兴起于百世之下，皆是也。”《古文小品咀华》卷三：“一转一意，一字一珠，文亦灵怪矣哉。”《古文翼》卷六：“以龙喻圣君，云喻贤臣，忽分写，忽合写，凡六节转换，极弹丸脱手之妙。”《古文评注》卷七评《杂说》四云：“转变处风云倏忽，起伏无常。韵短势长，文之极有含蓄者。”《义门读书记》卷三一论《杂说》四：“此言士待知己者而伸，在上者无所辞其责。‘世有伯乐，然后有千里马’，翻转说；‘且欲与常马等不可得’，抉入一层。‘策之不以其道’以下，不当其任，不尽其用，总归于‘不知人’。‘其真无马邪’，‘有’、‘无’二字前后关锁。”《古文辞类纂选本》卷一：“通篇两用‘不知’字，有千钧之力。‘不知其能千里而食’句，是糟蹋国士之爰书，‘其真不知马也’句，是国士辨冤之诉词。”又云：“语愈冷，而意愈深，声愈悲。通篇都无火色，而言下却含无尽悲凉，真绝调也。”张伯行《唐宋八大家文钞》（浙江古籍出版社 1994）卷三：“专为怀才不遇者长气。然士君子亦求其在我而已，何忧焉。”《求阙斋读书录》卷八：“谓千里马不常有，便是不祥之言。何地无才，惟在善使之耳。”《古文翼》卷六：“伯乐喻君，马喻臣，臣待君以展用。一篇之中，三致意焉。”《古文小品咀华》卷三：“满腔郁勃，出之以盘旋曲折。三首《宰相书》，一篇《进学解》，包括无遗。”《古文笔法百篇》卷九：“此篇以千里马自喻，以伯乐喻知己，总言知己之难遇也。……文公之文，能大能小，能长能短，所谓狮子搏象用全力，搏兔亦用全力者。如此小品，亦见其生龙活虎之态。”

五月

张籍由蓟北南归，访王建于漳岸，后归江东。王建有诗《送张籍归江东》。

韩愈自长安东归，于河阳见人入京献白乌、白鸜鹆，作《感二鸟赋》，又另作有

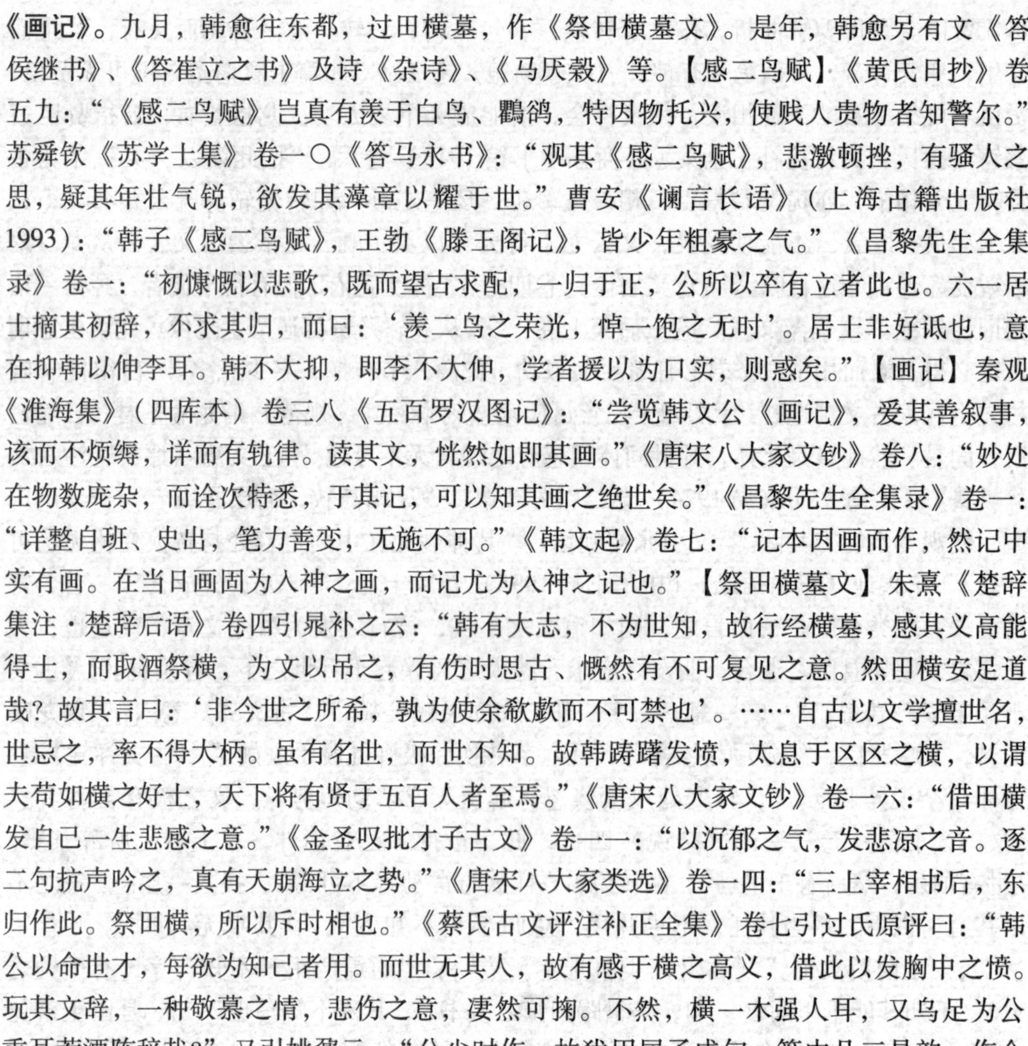

《画记》。九月，韩愈往东都，过田横墓，作《祭田横墓文》。是年，韩愈另有文《答侯继书》、《答崔立之书》及诗《杂诗》、《马厌穀》等。【感二鸟赋】《黄氏日抄》卷五九："《感二鸟赋》岂真有羡于白鸟、鸜鹆，特因物托兴，使贱人贵物者知警尔。"苏舜钦《苏学士集》卷一〇《答马永书》："观其《感二鸟赋》，悲激顿挫，有骚人之思，疑其年壮气锐，欲发其藻章以耀于世。"曹安《谰言长语》（上海古籍出版社1993）："韩子《感二鸟赋》，王勃《滕王阁记》，皆少年粗豪之气。"《昌黎先生全集录》卷一："初慷慨以悲歌，既而望古求配，一归于正，公所以卒有立者此也。六一居士摘其初辞，不求其归，而曰：'羡二鸟之荣光，悼一饱之无时'。居士非好诋也，意在抑韩以伸李耳。韩不大抑，即李不大伸，学者援以为口实，则惑矣。"【画记】秦观《淮海集》（四库本）卷三八《五百罗汉图记》："尝览韩文公《画记》，爱其善叙事，该而不烦缛，详而有轨律。读其文，恍然如即其画。"《唐宋八大家文钞》卷八："妙处在物数庞杂，而诠次特悉，于其记，可以知其画之绝世矣。"《昌黎先生全集录》卷一："详整自班、史出，笔力善变，无施不可。"《韩文起》卷七："记本因画而作，然记中实有画。在当日画固为入神之画，而记尤为入神之记也。"【祭田横墓文】朱熹《楚辞集注·楚辞后语》卷四引晁补之云："韩有大志，不为世知，故行经横墓，感其义高能得士，而取酒祭横，为文以吊之，有伤时思古、慨然有不可复见之意。然田横安足道哉？故其言曰：'非今世之所希，孰为使余欷歔而不可禁也'。……自古以文学擅世名，世忌之，率不得大柄。虽有名世，而世不知。故韩踌躇发愤，太息于区区之横，以谓夫苟如横之好士，天下将有贤于五百人者至焉。"《唐宋八大家文钞》卷一六："借田横发自己一生悲感之意。"《金圣叹批才子古文》卷一一："以沉郁之气，发悲凉之音。逐二句抗声吟之，真有天崩海立之势。"《唐宋八大家类选》卷一四："三上宰相书后，东归作此。祭田横，所以斥时相也。"《蔡氏古文评注补正全集》卷七引过氏原评曰："韩公以命世才，每欲为知己者用。而世无其人，故有感于横之高义，借此以发胸中之愤。玩其文辞，一种敬慕之情，悲伤之意，凄然可掬。不然，横一木强人耳，又乌足为公重耳荐酒陈辞哉？"又引姚鼐云："公少时作，故犹用屈子成句。篇中凡三易韵，伤今思古，音节苍凉。"

夏

崔元翰卒于长安，年六十七。《全唐诗》卷三一三存其诗七首，《全唐文》卷五二三录其文一三篇。权德舆《唐尚书比部郎中博陵崔元翰文集序》云："其文若干篇，闳茂博厚，菁华缜密，足以希前古而耸后学。记循吏政事，则《房柘乡碣》、《孙信州颂》；叙守臣勋烈，则《黎阳城碑》、《刘幽求神道碑》；表宗工贤人兆域，则李太师、梁郎中志文；撰门下德善，则贞文、孝父志碣二铭；摅志气以申感慨，则与李都统及三从事书；纂桑门心法，则《大觉禅师碑》；推人情以陈圣德，则《请复尊号表》；铺陈理道，则有制策；藻润王度，则有诏诰；向所叙诗书说命駉颂而下，君皆索其粹精，故能度越伦类，有声名于代。其它诗赋赞论铭诔序诏等，合为三十卷，如黄钟玉磬，宏璧琬琰，奏于悬间，列在西序。其彰彰者，虽汉庭诸公不能加也。无溢言曼辞以为夸大，无谄笑柔色以资孟晋。劲直而不能屈己，清刚而不能容物。孤特寡徒，晚达中废，斯亦命之所赋。”《旧唐书》卷一三七《崔元翰传》：“元翰苦心文章，时年七十余，好学不倦，既介独耿直，故少交游，唯秉一操，伏膺翰墨。其对策及奏记碑志，师法班固、蔡伯喈，而致思精密，为时所摈，终于散位。”《新唐书》卷二〇三《崔元翰传》：“其好学老不倦，用思精致，驰骋班固、蔡邕间，以自名家。”

八月

白行简撰《李娃传》。《后村诗话》卷一：“畋名相，父亚亦名卿。或为《李娃传》诬亚为元和，畋为元和之子，小说因谓畋与卢携并相不咸，携诟畋身出倡妓。按畋与携皆李翱甥，畋母，携姨母也，安得如《娃传》及小说所云？唐人挟私忿，腾虚谤，良可发千载一笑。亚为李德裕客，白敏中素怨德裕及亚父子。《娃传》必白氏子弟为之，托名行简，又嫁言天宝间事。且《传》作于德宗之贞元，追述前事可也。亚登第于宪宗之元和，畋相于僖宗之乾符，岂得预载未然之事乎？其谬妄如此。”《少室山房笔丛正集》卷二五：“《绣襦记》事出唐人《李娃传》，皆据旧文。第《传》止称其父荥阳公，而郑子无名字，后人增益之耳。娃晚收李子，仅足赎其弃背之罪，传者亟称其贤，大可哂也。”

九月

德宗宴群臣于曲江，有诗《重阳日中外同欢以诗言志因示群臣》。权德舆有诗《奉和圣制重阳日中外同欢以诗言志因示百僚》。

韦夏卿在常州刺史任，修复独孤及所辟东山，并作《东山记》。韦夏卿卒于元和元年三月，年六十四。《全唐诗》卷二七二存其诗三首，《全唐文》卷四三八存其文二篇。

秋

孟郊自汝州赴长安应试，途中有诗《汝坟蒙从弟楚村见赠时郊得入秦楚村适楚》。至长安，作诗《吊李元宾坟》、《哭李观》。十一月，在长安，有诗《赠黔府王中丞楚》。

欧阳詹往太原，有《咏德上太原李尚书》、《太原旅怀呈薛十八侍御齐十二奉礼》。十月，欧阳詹自太原归东都，将往长安应博学宏词科试，有《送张尚书书》。张尚书，即张建封。

本年

元稹约于本年与杨巨源交游，在长安，日课为诗，相唱和。代人草《论裴延龄表》二篇。此年或稍后有诗《春晚寄杨十二兼呈赵八》、《春余遣兴》、《别李二》、《忆云之》、《与杨十二李三早入永寿寺看牡丹》、《秋夕怀远》等。【春晚寄杨十二兼呈赵八】《王闿运手批唐诗选》卷二：“元、白诗虽倡和，诗绝不似，元犹学古，白专自运。”

柳宗元居长安，服父丧。作《王氏伯仲唱和诗序》。《义门读书记》卷三六：“此作无所取。”

公元796年（唐德宗贞元十二年　丙子）

二月

李程、孟郊、冯审、张仲方、崔偃、崔炼、湛贲、崔护、郑贲、乔弁等三十人登进士第。时礼部侍郎吕渭知贡举，试《日五色赋》、《春台晴望》诗。见《登科记考》卷一四。崔护（生卒年不详），字殷功，博陵人。元和元年登才识兼茂明于体用科，十五年为户部郎中。长庆中传司勋郎中。大和三年七月以京兆尹为御史大夫、岭南节度使。五年春去职。【题都城南庄】沈括《梦溪笔谈》（岳楚书社2002）卷一四：“唐人以诗主人物，故虽小诗，莫不挺蹂极工而后已，所谓旬锻月炼者，信非虚言。小说崔护《题城南诗》，其始曰：‘去年今日此门中，人面桃花相映红。人面不知何处去，桃花依旧笑春风。’后以其意未全，语未工，改第三句曰：‘人面只今何处在’，至今所传此两本，唯《本事诗》作‘只今何处在’。唐人工诗大率多如此。虽有两‘今’字，不恤也，取语意为主耳。后人以其有两‘今’字，只多行前篇。”

孟郊及第后，作《登科后》及《擢第后东归书怀献座主吕侍郎》。后自长安东归，至和州访张籍，张籍作《赠孟郊》。【登科后】《诗林广记》卷七：“《唐宋遗史》云：孟东野有《下第》诗曰：‘弃置复弃置，情如刀剑伤。’又《再下第》诗曰：‘两度长安陌，空将泪见花。’其后登第，则志气充溢，一日之间，花皆看尽，进取得失，盖亦常事，而东野器宇不宏，至于如此，何其鄙邪。”《竹坡诗话》：“及登第，则自谓‘春风得意马蹄疾，一日看尽长安花’。一第之得失，喜忧至于如此，宜其虽得之而不能享也。退之谓‘可以镇浮躁’，恐未免于过情。”《古诗镜》卷四〇：“末二句似古诗语，不类绝句常调。”

五月

苻载由庐山往赴岭南，患热疾于虔州，游于刺史戎昱门下，作《寄南海王尚书书》。是年末，另有《答泽潞王尚书书》。时杨衡亦在岭南节度使王锷幕中。

七月

韩愈受宣武军节度使董晋辟为节度推官，赴汴州。孟郊在长安，有《送韩愈从军》。是年，韩愈有文《监军新竹亭记》。

八月

欧阳詹在长安，中秋赏月于永崇里华阳观，作《玩月诗》。其序云：“贞元十二年，欧闽君子陈可封在秦，寓于永崇里华阳观。予与乡故人安阳邵楚苌、济南林蕴、颍川陈诩，亦旅长安。秋八月十五日夜，诣陈之居，修厥玩事。”《删补唐诗选脉笺释会通评林》“中唐五古下”唐汝询曰：“序既妙绝，诗亦平妥。”《唐诗快》卷五：“序竟似一篇小赋。诗与序俱有古拙之趣。”

冬

李程、席夔、张仲方等登博学宏词科，试《被沙拣金赋》、《竹箭有筠》诗。据《登科记考》卷一四。柳宗元亦应试，未第，应裴均邀，作《终南山祠堂碑》、《太白山祠堂碑》、《太白山祠堂碑阴文》。是年，柳另有《邠宁进奏院记》、《送邠宁独孤书记赴辟命序》、《送萧炼登第后南归序》、《上大理崔大卿应制举启》、《叔父殿中侍御史墓表》、《叔父殿中侍御史墓版文》、《叔妣陆氏夫人志》、《万年县丞柳君墓志》、《监察御史周君墓表》。【上大理崔大卿应制举启】《山晓阁选唐大家柳柳州全集》卷一：“整整分写到底，文径易近直遂。妙在中幅分写两大段，忽作一束，然后详写。后幅二大段，便令文字蹊径，不致直遂，耳目一新。”《河东先生全集录》卷六：“自命慷慨，有气岸，是少年材盛之笔。”《金圣叹批才子古文》卷一二：“通篇斜风细雨，枝干离披文字。乃细细分之，却是两扇对写到底，于极严整中故作恣意，于极恣意中故作严整，真乃翰墨之奇观也。”张伯行《唐宋八大家文钞》卷四：“崔大卿尝称子厚之文，子厚因而求荐。以为崔之施德，不必待其来求。而己之拜赐，不必待其成身。两意夹写到末，总见文章知己之意。唐时投书献启以干荐举者多，子厚特稍占地步耳。”【送萧炼登第后南归序】《义门读书记》卷三六：“早岁文之最雅洁者。”

本年

李翱自徐游汴，与韩愈订交。《李文公集》卷一六《祭吏部韩侍郎文》云：“贞元十二，兄在汴州，我游自徐，始得兄交。视我无能，待予以友。讲文析道，为益之厚。二十九年，不知其久。”

蔡南史、独孤申叔作《义阳子》，德宗闻之，几欲废科举。《国史补》卷下：“贞元十二年，驸马王士平与义阳公主反目，蔡南史、独孤申叔播为乐曲，号‘义阳子’。有《团雪》、《散云》之歌。德宗闻之，怒，欲废科举，后但流斥南史、申叔而止。”

畅当约于此间授果州刺史。有诗《自平阳馆赴郡》。

于鹄约本年前后归山，有诗《山中寄樊仆射》。此后行迹无考。《全唐诗》卷三一〇编其诗一卷，《全唐诗逸》卷上补二句，《全唐诗补编·续补逸》卷四补一句。张为《诗人主客图》列其为“清奇雅正主”李益之入室。《唐诗品》：“鹄隐汉阳，多高人之意，故其诗能有景象。《山中访道》诸大篇，遂与松桧同幽，云霞混迹，不疑世外人作也。”《唐才子传》卷四：“有诗甚工，长短间作，时出度外，纵横放逸，而不陷于疏远，且多警策云。”《吴礼部诗话》引时天彝《唐百家诗选评》：“于鹄、曹唐，仅如候虫之自鸣者耳。”《唐诗镜》卷三五：“于鹄气局浅狭，然语有实际。”《重订中晚唐诗主客图说》：“五古气格沉雄，绝近岑嘉州，七言律亦轩爽，独五言近体则绝似原本于水部而窥其律格之秘者。”《载酒园诗话》又编：“读于鹄诗，惟恨其少。如《途中寄杨陟》……刻画无不形神俱似。至《题合溪干洞》曰‘仙人来往行无迹，石径春风长绿苔’，殆飘飘乎有凌云之气矣。‘秦女窥人不解羞……’，首二句即出王江宁‘闺中少妇不知愁，春日凝妆上翠楼’意。但见柳色而悔，此却出于旁观者之矜惜。然语意含蓄，较之‘自惭输厩吏，余暖在香鞯’，可谓好色而不淫也。”《读雪山房唐诗序例》“七绝凡例”：“于鹄、雍陶，名不甚著，而绝句颇多雅音。”【江南曲】《载酒园诗话》又编：“摹写一段柔情，自是化工之笔。读此则前篇秦女仅有貌耳，深情大不如。”《删补唐诗选脉笺释会通评林》“中唐七绝上”：“周珽曰：摹写不为古所役。又曰：私维暗祝，冥冥之中，当有默示者矣。诗人托意微而婉。”《唐诗笺注》：“一片心情只自知。曰‘偶向’、曰‘还随’，分明是勉强从事，却就赛神微露金钱一卜，妙极形容。”【公子行】《诗薮》外编卷四：“鹄中唐人，此作颇有古意，起结甚佳。元人‘万种闲愁’散套，全用此颔联。何氏《谈丛》称为第一，盖未见诗故。”《删补唐诗选脉笺释会通评林》“中唐七律下”：“周敬曰：颇有古意，起结甚佳。中联豪放骄侈，状得出。陈继儒曰：形容公子景，横来竖去，语语真际。周珽曰：前四句言公子以早年膺宠，每藐视尊贵，凡游侠之地，快意之事，无所不至。后四句言其恣享富贵，而侈心并第士林，罗其胜景。词简而丽，意婉而彻，比刘希夷《公子行》篇虽长，似不多让。”《小清华园诗谈》卷下：“已是诗中外道。至于杂取地理人物之名，饤饾成篇，乃小巧游戏，非大方所尚。”【秦越人洞中吟】《唐诗归》钟惺评：“洞壑诗不难于幽奇，而难于浑沦。须有一片理气行于其间。”《删补唐诗选脉笺释会通评林》“中唐五古下”：“周敬曰：实景实情，非身历不能尽状。此诗写洞中幽异入细，讽咏间自饶仙气矣。”

戎昱在虔州刺史任，约本年前后卒。《全唐诗》卷二七〇编其诗一卷，《全唐诗补编·续补遗》卷四补一首又二句，《续拾》卷一九补缺一首。《全唐文》卷六一九录其文一篇。《唐才子传》卷三：“昱诗在盛唐格气稍劣，中间有绝似晚作。然风流绮丽，不亏政化，当时赏音，喧传翰苑，固不诬矣。”《沧浪诗话》“诗评”：“戎昱在盛唐为最下，已滥觞晚唐矣。戎昱之诗，有绝似晚唐者。”《唐音癸签》卷二六：“大历才子及接开、宝诸公相倡和者，未可缕指，钱起、司空曙之于王维，戎昱之于杜甫，其尤著者。”《吴礼部诗话》引时天彝《唐百家诗选评》云：“戎昱稍为后辈，多军旅离别之思，造语益巧，用意益浅矣。”《唐诗品》：“戎使君诗锐情古作，力洗时波，当时作者类以质木自胜，君独远扬风力，近郁天藻。词既流美，复协声调。《苦哉行》、《泾州出师》等作，铿然金石之声，虽越石感乱、明远戍边，何以过之。后之论者，多采列新声而忽古意，混称于建中以后作者，不几听乐而卧诸鸿蒙者乎！”刘云份《中晚唐十三集》(明末刊本)《戎昱诗序》：“戎昱诗在中唐，矫矫拔俗。……诸篇靡不深情远致，清丽芊眠。”《大历诗略》：“戎昱、戴叔伦诗，品既不高，体又不健，只以指事陈词婉切动人，不可谓非唐音之夙好者。”《升庵集》卷五七“劣唐诗”：“学诗者，动辄言唐诗便以为好，不思唐人有极恶劣者，如薛逢、戎昱，乃盛唐之晚唐。”《载酒园诗话》又编：“升庵不满于戎，余观其集，惟《赠岑郎中》‘天下无人鉴诗句，不寻诗伯重寻谁’，真鄙陋耳。好诗尚多，即如升庵所称《霁雪》诗，亦甚佳。又《过商山作》‘雨暗商山过客稀，路旁孤店闭柴扉……’，深肖山僻之景。又《古意》曰‘女伴朝来说……’，宛然如见伍举乱荆，廉颇去赵，真使逋臣羁客闻之泣下。《采莲曲》曰‘虽听采莲曲……'，此诗殊有波明妆靓之致。"《三唐诗品》："其源出于邱希范、庾子山，犕骨清言，达情婉至。律绝清新，自是中唐本色，而天然韵骨，含态生姿，大历之常词，乃晚唐之极思也。"《诗学渊源》卷八："其诗辞旨清拔，多感慨之作。乐府尤从气质胜，七律则承子美之遗规，开白傅之先河矣。"【咏史】《说诗晬语》卷下："人谓诗主性情，不主议论。似也，而亦不尽然。试思《二雅》中何处无议论？……但议论须带情韵以行，勿近伧父面目耳。戎昱《和蕃》云'社稷依明主，安危托妇人'，亦议论之佳者。"《瀛奎律髓汇评》卷三〇："冯班评：名篇。亦是议论耳。气味自然不同。意气激昂，不专作板论，所以为唐人。查慎行评：与崔涂《过昭君宅》寄慨略同。五、六太浅。无名氏评：此事固为一时将相之羞。然刘敬作俑，尤当首诛。纪昀评：太直太尽，殊乖一唱三叹之旨。"《唐诗镜》卷三四："三、四怨而理。此言有裨国计，殆不徒作。"《唐诗别裁集》卷一一："议论正大。"【闺情】《瀛奎律髓汇评》卷三一："纪昀评：不失忠厚悱恻之旨。惟气格稍薄，则时代之限耳。"《唐诗快》卷九："二诗（《古意》、《闺情》）意一反一正，正宜合看。有前首之悲，方有后首之喜，若倒置则不佳。"

皎然本年或稍后卒于湖州杼山寺。《全唐诗》编其诗七卷（卷八一五—八二一），卷七八八、七八九、七九四存其所预联句五三首，《全唐诗补编·补逸》卷一七补其所预联句一首，《续拾》卷一九补二首。《全唐文》卷九一七、卷九一八编其文为二卷。《宋高僧传》卷二九《皎然传》："幼负异才，性与道合。初脱羁绊，渐加削染。……特所留心于篇什中，吟咏情性，所谓造其征微矣。文章俊丽，当时号为释门伟器哉。后博访名山，法席罕不登听者。然其兼攻并进，子史经书各臻其极。凡所游历，京师则公相敦重，诸郡则邦伯所钦。……观其文也，亹亹而不厌，合律乎清壮，亦一代伟才焉。昼生常与韦应物、卢幼平、吴季德、李萼、皇甫曾、梁肃、崔子向、薛逢、吕渭、杨逵，或簪组，或布衣，与之交结，必高吟乐道。"《沧浪诗话》"诗评"："释皎然之诗，在唐诸僧之上。"《唐诗品》："皎师卧深山壑，思绕沧州，游从既胜，兴致复远。其诗深窥色相，骋其才力，在诸衲间，一公之外，卓非等等。然禅悟未彻，机锋犹近。"李维祯《大泌山房集》（齐鲁书社 1997）卷二三《汪文宏诗序》："皎然不能为唐初、盛诗，而谈诗得唐初、盛法，时代所限，难以自超。"《唐音癸签》卷八："皎然《杼山集》清机逸响，闲澹自如，读之觉别有异味，在咀嚼之表，当繇雅慕曲江，取则不远尔。"又云："释子以诗闻世者，多出江南。灵一导其源，护国袭之，清江扬其波，法振沿之。风习渐盛，背箧笥，怀笔牍，挟海泝江，独行山林间，翛翛然模状物态，搜伺隐隙，凄怆超忽，游其心以求胜语，若有程督之者。嗜吟憨态，几夺禅诵。嗣后转噉膻名，竞营供奉，集讲内殿，献颂寿辰，如广宣、栖白、子兰、可止之流，栖止京国，交结重臣，品格斯非，诗教何取？诸衲大历间，独吴兴昼公，能备众体，缀六义清英，首冠方外。文、宣之代，可公以雅正接绪；五代之交，已公以清赡继响，篇什并多而益善。余则一联一什，非无可观，概如幺弦孤韵，瞥入人耳，非大音之乐，不能缕陊云。"《唐七律隽》："皎公诗婉隽，不特为诗僧冠，可与文房、仲文并辔中原。"《诗辩坻》卷三："皎然精于诗法，而已作不能称，较之清江气骨，故应却步。"胡寿芝《东目馆诗见》（嘉庆刻本）卷一："皎然兴高词赡，各体皆备，诗僧中豪者也。昔人评永师书有冷斋饭气。昼诗不然，知非菜肚阿师矣。”《石林诗话》卷中：“唐诗僧，自中叶以后，其名字班班，为当时所称者甚多，然诗皆不传，如‘经来白马寺，僧到赤乌年’数联，仅见文士所录而已。陵迟至贯休、齐已之徒，其诗虽存，然无足言矣。中间虽皎然最为杰出，故其诗十卷独全，亦无甚过人者。”《谭津集》卷二〇《三高僧诗并叙》：“唐僧皎然、灵彻、道标，以道称于吴越，故谚美之曰：‘霅之昼，能清秀。越之澈，如冰雪。杭之标，摩云霄’。吾闻风而慕其人，因谚所谓，遂为诗三章，以广其意也。《霅之昼能清秀》：‘昼公文章清复秀，天与其能不可闘。僧攻文什自古有，出拔须尊昼为首。造化虽移神不迁，昼公作诗心亦然。上跨骚雅下沈宋，俊思纵横道自全。禅伯修文岂徒尔，诱引人心通佛理。搢绅先生鲁公辈，早蹑清游慕方外。斯人已殁斯言在，护法当应垂万代。’”《对床夜语》卷五：“唐僧诗，除皎然、灵彻三两辈外，余者卒皆衰败不可救。盖气宇不宏而见闻不广也。”《文献通考》卷二四三：“石林叶氏曰：唐诗僧皎然，居湖州妙喜，今宝积寺是其故庐。自言谢灵运后，诗祖其家法，自许甚高。颜鲁公为守时，与张志和、陆鸿渐皆为客，意其人品亦必不凡。吾尝至妙喜访其遗迹无复有，但山巅坟存耳。其诗十卷，尚行于世，无甚令人喜者，以为优于唐诗僧可也。观其诗评，亦贬驳老杜，如论《送高三十五书记》诗云‘崆峒小麦熟，且愿休王师。请君问主将，安用穷荒为’，以为四句已前不见题，则其所知可见矣。”

元稹寓开元观，与吴士矩等唱和。有诗《开元观闲居酬吴士矩侍御三十韵》、《与吴侍御春游》、《清都春霁寄胡三吴十一》、《寻西明寺僧不在》等。

公元797年（唐德宗贞元十三年　丁丑）

二月

郑巨源、郭炯、陈诩、独孤申叔、宋迪、裴操、万俟造、高元裕等二十人登进士第。时礼部侍郎吕渭知贡举，试《西掖瑞柳赋》、《龙池春草》诗。见《登科记考》卷一四。

吕温因其父吕渭知贡举，就“别头试”避嫌，故作诗《古兴》遣怀。秋，有《送琴客摇兼济东归便道谒王虢州序》。辛殆庶下第，柳宗元作《送辛殆庶下第游南郑序》，【送辛殆庶下第游南郑序】《义门读书记》卷三六：“如此文宜悉削去。梦得编集，更少百篇，则柳之道益光。”《古文小品咀华》卷三：“设想精切，便成异采。自来送下第者，当以此为第一。”

苻载赴襄阳。途中有《赠蕲州卢员外书》、《中和节陪何大夫会宴序》。

春

韩愈在汴州宣武节度使董晋幕，作《送汴州监军俱文珍》。七月，还作有《述志赋》。是年，李翱、张籍皆在汴州从其学。韩愈另有文《送权秀才序》、《奏汴州得嘉禾嘉瓜状》。【送汴州监军俱文珍】《注释评点韩昌黎诗全集》卷三：“亦体贴，亦堂皇。”

七月

欧阳詹游蜀，后返京，有诗《与林蕴同之蜀途次嘉陵江认得越鸟声呈林林亦闽中人也》、《蜀门与林蕴分路后屡有山川似闽中因寄林蕴蕴亦闽人也》、《蜀中将归留辞韩相公贯之》等。途中游梁州，有诗《述德上兴元严仆射》《自南山却赴京师石臼岭头即事寄严仆射》、《赠山南严兵马使》等。欧阳詹此行还作有诗《出蜀门》、《建溪行待陈诩》、《益昌行》等。

八月

独孤郁在长安，有《上权侍郎书》。权德舆有《答独孤秀才书》。是年，权作《崔元翰集序》。

十二月

张建封自徐州入觐，献《朝天行》诗，朝臣权德舆等均有属和。权德舆有《奉和张仆射朝天行》。

冬

张籍因孟郊之荐，至汴州见韩愈。二人订交。见韩愈《此日足可惜赠张籍》及张籍《祭退之》。

本年

刘禹锡父卒于扬州，葬于荥阳。刘禹锡有诗《请告东归发灞桥却寄诸僚友》。后柳宗元寄叠石砚，刘有《谢柳子厚寄叠石砚》。

孟郊至汴州，依陆长源，有诗《新卜青罗幽居奉献陆大夫》。陆答有《酬孟十二新居见赠》。

李翱因屡试不第，作《感知己赋》。在汴州，得韩愈所言高愍女事，因作《高愍女碑》，其《杨烈妇传》或亦作于此时前后。又荐孟郊与张建封，作《荐所知于徐州张仆射书》。【感知己赋】《唐摭言》卷七："其言怨而不乱，盖《小雅》、骚人之余风也。"【高愍女碑】《古文渊鉴》卷三八："摹次愍女从容慷慨处，真得昌黎之髓。"《越缦堂读书记》（六）"札礼"："然愍女就死事，本足生色，碑文写此处亦简净，而后一段敷衍闲文，议论甚平熟，不及杜樊川之传窦秋娘也。至杨烈妇勉其夫守城而城完卒，事似奇而理实庸，本不足以其文，习之欲以简出胜，而笔力散弱，亦不足观。使习之即成唐史，亦不过与景文颉颃，且恐出其下耳。"【杨烈妇传】《古文渊鉴》卷三八："摹写情事，有声有色，末作断语，亦自详整。""杜讷曰：摹画烈妇守项事，英气逼人。善学史迁诸传，始能有此神理。"《唐宋文醇》卷一九："今读之，真能使顽廉懦立，薄敦鄙宽，令人不知涕之无从者。"【荐所知于徐州张仆射书】《唐宋文醇》卷二〇："孟郊工诗，一为溧阳尉，史称但坐水石间长吟，尉事并废，上官遣人代摄其事。然则郊固无济世用。翱荐郊于张建封，固亦无所裨于世也。独其所论居上位宜劳于择贤，贤贤易色，而用贤不可不亟亟，有古人好贤如缁衣之风，可为后世法。”

李公佐遇杨衡于湘南。衡为之话水中异兽事，后李将所闻写入《古岳渎经》。《少室山房笔丛正集》卷一六：“此文出唐小说，盖即六朝人踵《山海经》体而赝作者，或唐文士滑稽玩世之文，命名《岳渎》可见。以其说颇诡异，故后世或喜道之。宋太史景濂亦稍稳括集中，总之以文为戏耳。罗泌《路史辩》有无支祈世，又讹禹事为泗洲大圣，皆可笑。近衡岳禹碑盛传，其文体稍古，然与虞、夏诸书迥不类，恐亦好事所遗也。”李公佐（生卒年不详），字颛蒙，行二十三，郡望陇西。贞元十八年自吴之洛，撰《南柯太守传》。约贞元末、元和初登进士第，为淮南从事。六年使京，回次汉南，后撰《庐江冯媪传》。改江西判官。八年府罢。十四年赴长安，撰《谢小娥传》。会昌二年前后任淮南录事参军，大中二年坐事削官，未几卒。事迹散见以上诸文及杜光庭《神仙感遇传》卷三等。

李益本年或稍后，北游河溯，幽州节度使刘济辟为从事。沿途所作诗有《五城道中》、《石楼山见月》、《北至太原》、《春日晋祠同声会集得疏字韵》、《宿石邑山中》等。

公元798年（唐德宗贞元十四年　戊寅）

二月

李随、李翱、张仲素、吕温、权长孺、独孤郁、王起、王季友、卢元辅、李正叔、李建、李逢等二十人登进士第。时尚书左丞顾少连知贡举，试《鉴止水赋》、《青出蓝》诗。见《登科记考》卷一四。

德宗于麟德殿会百僚，有诗《中春麟德殿会百僚观新乐》。权德舆有《中书门下贺新制中和乐状》、《奉和圣制仲春麟德殿会百寮观新乐》等，卢纶有《奉和圣制麟德殿燕百寮应制》。

吕温及第后归洛阳，过潼关，有诗《及第后答潼关主人》及《上官昭容书楼歌》。【上官昭容书楼歌》】《唐诗快》卷七：“书楼与《研神记》，今已皆化为乌有矣。当日因书楼而如见昭容，因《研神记》而如见画楼，千载之下，又因此诗而如见《研神记》，复如见昭容焉。诗之时义大矣哉。”

四月

苻载隐庐山，江西观察使李巽奏为奉礼郎，充南昌军副使，苻三谢而受之。李巽作《请苻载书》、《再请书》、《第三书》。苻载有《谢李巽常侍书》、《答李巽再请书》、《答李巽三请书》。本年或稍后，又作有《寄赠于尚书书》。

七月

李渤游彭蠡东湖，得山名石钟者，以文记之。见其《辨石钟山记》。

九月

柳宗元中博学宏词科，为集贤殿书院正字 v 国子司业阳城坐饯送薛约，出为道州刺史，太学生百余人诣阙请留，不许。嗣后柳宗元作《与太学诸生喜诣阙留阳城司业书》、《国子司业阳城遗爱碑》。【与太学诸生喜诣阙留阳城司业书】《唐宋八大家文钞》卷一八："意气淋漓。"《唐宋文醇》卷一四："闻人善，乐道之如己出，诱掖奖劝，以成其美。忠孝之性，郁乎中而发作于外。"【国子司业阳城遗爱碑】《唐宋八大家文钞》卷二八："情文经纬。"《唐宋文醇》卷一八："阳城独行君子，绝似东汉人。宗元作遗爱碣，亦力仿东汉金石文字。"

秋

韩愈、张籍、孟郊在汴州。张籍预汴州府试，韩愈为试官，籍获首荐。张籍有《上韩昌黎书》、《上韩昌黎第二书》。韩愈有《答张籍书》、《重答张籍书》及诗《病中赠张十八》、《调张籍》。孟郊有《送孟寂赴举》，后将南归，有诗《与韩愈李翱张籍话别》、《夷门雪赠主人》。韩愈作诗《答孟郊》、《醉留东野》。陆长源有《答东野夷门雪》。是年，韩愈另作诗《天星送杨凝郎中贺正》及《进士策问十三首》、《与冯宿论文书》、《清边郡王杨燕奇碑文》等。三月，韩愈在汴州还作有《汴州东西水门记》。【醉留东野】《唐诗镜》卷三九："淋漓酣畅。"《昌黎先生诗集注》卷五："粗粗莽莽，肆口道出，一种真意，亦自可喜。"【调张籍】《黄氏日钞》卷五九："形容李、杜文章，尤极奇妙。"朱彝尊《批韩诗》："议论诗，是又别一调。以苍老胜，他人无此胆。"《老生常谈》："通首极光怪奇离之能，气横笔锐，无坚不破。末于张籍只一笔带过，更不须多赘。"【重答张籍书】吕祖谦《古文关键》（四库本）卷上："此篇节奏严洁，铺叙明白。"《唐宋八大家文钞》卷五："唐荆川曰：本是三节文字，而活动不羁。"【与韩愈李翱张籍话别】《唐风定》卷六："顾云：高深雅淡，岂中唐人所及。又云：东野诗高处，只有雄言，低处方坠刻苦。今人不知雅淡，故表出之，以为独得汉魏之遗也。哀伤如是已足，若'至亲惟有诗，抱心死有归'，非不奇悲，涉于俚矣。"

畅当约于本年秋罢果州刺史后游澧州，有《南充谢郡客游澧州留赠宇文中丞》。其后行迹无考。《全唐诗》卷二八七收其诗一七首，杂有他人之作。《唐诗纪事》卷二七："当诗平淡多佳句。如《钓渚亭》云：'花发多远意，凫雁有闲情。迟晖耿不暮，平江寂无声。'《天柱隐所》云：'荒径饶松子，深萝绝鸟声。阳崖全带日，宽障偶通耕。'《山居》云：'水定鹤翻去，松攲峰俨如。'又'寒林苞晚橘，风絮露垂杨。湖畔闻渔唱，天边数雁行。'皆有远意。"《唐才子传》卷四："多往来嵩华间，结念方外，颇参禅道，故多松桂之兴，深存不死之志。词名藉甚，表表凌云。"《汇编唐诗十集》："畅诗刻意求新，大合钟调，虽非正音，要是僻中之秀。"《唐诗归》卷二七："此君诗少，而别有清骨妙情。"【军中醉饮寄沈刘叟】吴聿《观林诗话》（《历代诗话续编》本）："畅当诗有云：'酒渴爱江清，余酣漱晚汀。软沙攲坐稳，冷石醉眠醒。'四句皆说醉，不觉烦也。”《瀛奎律髓汇评》卷一九方回评：“或以为畅当诗，然顿挫翕忽，不可以律缚，恐畅当未办此也。”纪昀评：“此评推许太过。究竟是畅当作。六句不佳。”冯班评：“第六奇。”许印芳评：“起句甚佳。”【登鹳雀楼】司马光《温公续诗话》（《历代诗话》本）：“唐之中叶，文章特盛，其姓名湮没不传于世者甚众。如河中府鹳雀楼有王之涣、畅当二诗。……二人者，皆当时贤士所不数，如后人擅诗名者，岂能及之哉？”《梦溪笔谈》卷一五：“河中府鹳雀楼三层，前瞻中条，下瞰大河，唐人留诗者甚多，唯李益、王之涣、畅诸三篇，能状其景。”《诗薮》内编卷六：“‘天势围平野，河流入断山’，雄浑绝出。然皆未成律诗，非绝体也。”《唐诗别裁集》卷一九：“不减王之涣作。”《唐诗笺注》卷七：“王之涣诗上二句实，下二句虚。此诗上二句虚，下二句实，工力悉敌。然王诗妙在虚，此妙在实。”

本年

韦渠牟迁太府卿。韦编诗三百篇成集，权德舆为作《左谏议大夫韦公集序》。韦又约于本年览外甥卢纶诗卷，作《览外生卢纶诗因以示此》。卢纶答有《敬酬大府二十四舅览诗卷因以见示》，因韦渠牟荐，受德宗召见，令和御制诗。

王建在邢州，有《寄李益少监兼送张实游幽州》。时李益在幽州刘济幕，后亦荐王建入刘济幕。

公元799年（唐德宗贞元十五年　己卯）

正月

孟郊将离汴州南游，与韩愈、李翱作《远游联句》。及行，又有诗《汴州别韩愈》。

二月

封孟绅、张籍、王炎、李景俭、裴颋、孟寂、俞简等十七人进士及第。时中书舍人高郢知贡举，试《行不由径》诗。见《登科记考》卷一四。是年，独孤申书、吕温中博学宏词科，试《乐理心赋》、《终南精舍月中闻磬》诗。

董晋卒，汴州军乱，杀行军司马陆长源，后为宋州刺史刘逸准所平。韩愈护丧西归，闻汴州乱及陆长源被害事，有诗《汴州乱》。后奔徐州，为张建封款留。孟郊在苏杭，亦为之作《乱离》、《汴州离乱后忆韩愈李翱》。《张承吉文集》中亦有《哭汴陆大夫》。《全唐诗》卷二七五存陆长源诗三首又四句，《全唐文》卷五一〇录其文七篇。《唐才子传》卷五“孟郊”条：“时陆长源工诗，（孟郊）相与来往，篇什稍多。”杨慎《丹铅余录》（四库本）总录卷九：“韩文公《汴州乱》诗、白乐天《哀二良文》，为宣武军司马陆长源作也。及考他史籍，则长源酷刑以威骄兵，御之已失其道矣。又裁军中厚赏，高在官盐直，曰：‘我不同河北贼以钱物买健儿旌节。’所委任从事杨仪、孟叔度，浮薄不检，常戏入军营，调弄妇女，自称孟郎。三军怨怒，遂执长源并杨、孟杀之。”【汴州乱】《唐诗镜》卷三九：“语致自放。”朱彝尊《批韩诗》：“质直得情，正是歌谣意。”《昭昧詹言》卷一二：“大题短章而自足，以笔力高超，斩截包括得尽也。前叙四句能尽，以笔力高也。收二句入闲远。次首六句三韵，各抵一大篇，又各换笔。”

春

王建自淮南归幽州。有诗《淮南使回留别窦侍御》、《扬州觅张籍不见》。

李益离幽州南游江淮，途中有诗《行舟》、《汴河曲》。

六月

李翱游越州，作《拜禹言并序》。八月，过泗州，作《泗州开元寺钟铭并序》。【拜禹言】《养一斋诗话》卷四：“唐李文公翱，人亦谓其能文不能诗。其全集诗止七首，无一上乘语。惟《增赠药师僧》云……稍有清脱之气。若《拜禹歌》，则奇诡不可解。诗文二途，殆不可相兼欤?”

九月

韩愈为徐州节度推官，有文《上张仆射书》、《上张仆射第二书》及诗《汴泗交流赠张仆射》。张建封有《酬韩校书愈打球歌》。此前，张籍曾来访，逾月而去，韩愈作《此日足可惜赠张籍》。是年，韩愈另有诗《赠河阳李大夫》、《赠张徐州莫辞酒》、《嗟哉董生行》、《赠族侄》、《忽忽》、《鸣雁》、《雉带箭》、《暮行河堤上》及文《太学生何蕃》、《子产不毁乡校颂》、《徐泗濠三州节度书记亭石记》、《增别序》、《贺徐州张仆射白兔书》、《与李翱书》、《祭董相公文》、《董公行状》、《崔评事墓志》等。【上张仆射书】《唐宋八大家文钞》卷二：“申情之文，故宜于圆畅反复。”《昌黎先生全集录》卷三：“骨气棱棱。后半驾空玲珑，足见先生尔日之文，如川方至。后人沿袭几烂，可叹。”《韩文起》卷三：“公意建封加礼相待，故于书中上半段，以非己所能说入，分出好利、好义流品。下半段，句句照应，一气舒卷，觉丰骨棱棱，不可狎视。文中最有光芒者。”《古文评注》卷六：“其亢直处善于解救，故不伤于激；其求恳处善于占步，故不流于靡。”【此日足可惜赠张籍】《注释评点韩昌黎全集》卷一：“惜别是道情之义，只须字字从心坎流出，写出淋漓尽致，便是大家手笔，况既非律言，用韵错杂，无足瑕疵，评家多就用韵为上下手，无乃蛙聒。”【汴泗交流赠张仆射】《唐宋诗醇》卷二九：“神采飞动，结有忠告，便比《雉带箭》高一格。”

柳宗元在集贤殿书院正字任上，有《辨侵伐论》。是年，柳宗元另有《送杨凝郎中使还汴宋诗后序》、《四门助教厅壁记》、《亡妻弘农杨氏志》、《故银青光禄大夫右散骑常侍轻车都尉宜城县开国伯柳公行状》。

秋

白居易应宣州乡试，试《射中正鹄赋》、《窗中列远岫诗》，为宣歙观察使崔衍所

赏，往长安应进士试。在宣州，与杨虞卿相识。

十二月

四门助教欧阳詹举韩愈为博士，不果。此时，韩愈奉使朝正京师，作诗《驽骥赠欧阳詹》，欧阳詹有《答韩十八驽骥吟》。十月，欧阳詹曾诣同州韩城访友，作《西尉厅壁记》。

本年

卢仝离扬州寓舍，往洛阳，作诗《冬行三首》、《扬子津》、《客淮南病》、《赠金鹅山人沈师鲁》、《忆金鹅沈山人二首》等。

卢纶约此年卒于河中。《全唐诗》编其诗为五卷（卷二七六——二八〇），卷七八三所收卢尚书《题安国观》，亦即其《过玉真公主影堂》。《全唐诗补编·续拾》卷一九移正二句。《旧唐书》卷一六三《卢简词传》："大历中，诗人李端、钱起、韩翃辈能为五言诗，而辞情捷丽，纶作尤工。至贞元末，钱、李诸公凋落，纶尝为怀旧诗五十韵叙其事曰……纶之才思皆此类也。文宗好文，尤重纶诗，尝问侍臣曰：卢纶集几卷？有子弟否？李德裕对曰……即遣中使诣其家，令进文集。简能尽以所集五百篇上献，优诏嘉之。"《后村诗话》后集卷一："卢纶、李益善为五言绝句，意在言外。"又云："卢、李中表兄弟，诗律齐名。其五、七言妙绝者，已选入《绝句》。然两生皆从军出塞，他诗可脍炙传诵者，人多容易看过。"《吴礼部诗话》引时天彝《唐百家诗选评》："卢纶与李益中表，唱酬交赞，在大历十才子中号为翘楚。"《唐才子传》卷四："纶与吉中孚、韩翃、耿沣、钱起、司空曙、苗发、崔峒、夏侯审、李端，联藻文林，银黄相望，且同臭味，契分俱深，时号'大历十才子'。唐之文体，至此一变矣。纶所作特胜，不减盛时，如三河少年，风流自赏。"《唐音癸签》卷七："大历十才子，并工五言诗，卢郎中辞情捷丽，所作尤工。"又云"卢诗开朗，不作举止，陡发惊彩，焕尔触目，篇章亦富埒钱、刘，以古体未遒，屈居二氏亚等。"《汇编唐诗十集》："卢诗尚朴，别是一种风味，恨篇各瑕，似乏全力。钟爱其僻，所选独富，要不可作正法门。"《删补唐诗选脉笺释会通评林》："允言诗朴厚浑雅，辄多悲调。摹情处如'两行灯下泪，一纸岭南书'，已极伤心。及'少孤为客早，多难识君迟'、'交疏贫病里，身老是非间'，俱实境语，何痛彻之动人也。至《泊扬子江岸》与《山中咏古木》，写景寓意，不徒以声响成律者。"陈继儒云："允言奇悍之中，自饶雅致。"周珽云："允言才情雄灏，律诗煮古为饵，服以石浆，气之所嘘，俱成金鹊脑，中唐词坛赤帜也。"《诗源辩体》卷二一："七言古，卢气胜于刘，才胜于钱，故稍为轶荡而有格，但未能完美耳。"《唐诗评选》卷四："大历、贞元，国几于亡，音乃乱矣。卢纶、耿沣当为风气所摄。纶七言近体极富，乃全入伧父。世所艳称，如'东风吹雨'者，亦蹇薄。唯此作（《长安疾厚首秋夜纪事》）差为条达耳。恶诗极坏世人手眼，大历十才子往往而有。"《载酒园诗话》又编："刘长卿外，卢纶为佳。其诗亦以真而入妙。如'少孤为客早，多难识君迟'、'貌衰缘药尽，起晚为山寒'、'语少心长苦，愁深醉自归'、'颜衰重喜归乡国，身贱多惭问姓名’、‘高歌犹爱《思归引》，醉语唯夸漉酒巾’、‘故友九泉留语别，逐臣千里客书来’，皆能使人情为之移，甚者欷歔欲绝。写景之工，则如‘估客昼眠知浪静，舟人夜语觉潮生’、‘上方月晓闻僧语，下界林疏见客行’、‘孤村树色昏残雨，远寺钟声带夕阳’、‘折花朝露滴，漱石野泉清’、‘泉急鱼依藻，花繁鸟近人’、‘路湿云初上，山明月正中’、‘人随雁迢递，栈与云重迭’，悉如目见也。”《一瓢诗话》：“卢允言‘颜衰重喜归乡国’，是自幸语；‘身贱多惭问姓名’，是世故语；‘估客昼眠知浪静’，是看他得意语；‘舟人夜语觉潮生’，是唯我独醒语。”《大历诗略》：“卢允言诗意境不远，而语辄中情，调亦圆劲，大历妙手。”《读雪山房唐诗序例》：“大历诸子兼长七言古者，推卢纶、韩翃，比之摩诘、东川，可称具体。”潘德衡《唐诗评选》卷下：“纶诗五绝时作劲健语，七律则情致深婉，有一唱三叹之音。”《三唐诗品》：“其源出于王筠、庾信。七古为优，明茂相宜，在君虞之亚。《冬日登城》一首，太白之遗也。绝句清英独秀，工写神情。排律端凝，尚见陈隋实力。”解缙《文毅集》（四库本）卷七《黄仲聚同声集序》：“盛唐诗人，江右不多见。其下如郑谷、卢纶辈，不足上拟高、岑，何作者之寂寥也。”【和张仆射塞下曲】《载酒园诗话》又编：“《塞下曲》六首，俱有盛唐之音，‘平明寻白羽，没在石棱中’一章尤佳。人顾称‘欲将轻骑逐，大雪满弓刀’，虽亦矫健，然殊有逗留之态，何如前语雄壮。”《读雪山房唐诗序例》“五绝凡例”：“钱起《江行》、卢纶《塞下》，大历之高唱也。”《养一斋诗话》卷二：“诗之妙全在以先天神运，不在后天迹象。……卢纶‘林暗草惊风’，起句便全是黑夜射虎之神，不至‘将军夜引弓’句矣。大抵能诗者无不知此妙，低手选题，乃写实迹，故极求清脱，而终欠浑成。”章燮《唐诗三百首注疏》五言绝句：“四首前后布置，层次井然，可作一首读。”《大历诗略》卷二评其（一）云：“起联似齐梁乐府。”《诗境浅说》续编：“前二句，言弓矢精良，见戎容之暨暨。三句状阃师之尊严。四句状号令之整肃。寥寥二十字中，有军容荼火之观。”《诗境浅说》续编评其（二）云：“此借用李广事，见边帅之勇健。首句林暗风惊，不言虎而如有虎在。”《诗源辩体》卷二一评其（三）：“纶五言绝‘月黑雁飞高’一首，气魄音调，中唐所无。”《诗境浅说》续编：“前二首仅闲叙军中之事，此首始及战事。言兵威所震，强虏远逃。月黑雁飞，写足昏夜潜遁之状。追奔逐者，宜发轻兵蹑之，而弓刀雪满，未得穷追，见漠北之严寒，放边之不易也。”《诗境浅说》续编评其（四）：“此首似与三首相接，边氛既扫，乃宏开野幕，乡士策勋，醉余起舞，金甲犹擐。击鼓其镗，雷鸣山应，玉关生入，不须醉卧沙场矣。唐人善边塞诗者，推岑嘉州。卢之四诗，音词壮丽，可与抗手，宜其在大历十子中，与韩翃、钱起齐名也。”【长安春望】《瀛奎律髓汇评》卷二九方回评：“能言久客都城之意。”查慎行评：“大历诗家只是平稳。”许印芳评：“中四句‘中’、‘上’、‘外’、‘间’等字相犯，亦是一病。”纪昀评：“此诗格虽不高，而情韵特佳。”《唐诗境》卷三二：“三、四语初、盛人不出此。岑参‘愁窥白发羞微禄，悔别青山忆故居’，隐隐已开大历之渐。”《删补唐诗选脉笺释会通评林》“中唐七律下”周敬曰：“起得自在，颔联情妙。王子安‘山川云雾里，游子几时还’，何如此二句有言不尽意之巧。”唐汝询曰：“首联与右丞‘秋槐’之句一般凄楚。‘浮云’、‘落照’，意甚不浅。”周珽曰：“无意求工，自能追雄，盛唐人不过此。”《昭昧詹言》卷一八：

“卢允言《长安春望》，此诗用意，全在三、四，梦家未还，为一诗关键主意。起与五、六，平平常语。收句承明三、四，尚沉足。”【晚次鄂州】《唐风定》卷一：“初联世所共称，不知次联更胜。”《删补唐诗选脉笺释会通评林》“中唐七律下”何景明曰：“二联妙。”田艺蘅曰：“乱后之辞，可怜。”陈继儒曰：“旅思动人，伤感却不作异调，故佳。”《大历诗略》卷二：“有情景，有声调，气势亦足，大历名篇。”《诗境浅说》丙编：“作客途诗，起笔须切合所在之境，而能领起全篇，乃为合作。此诗前半尤佳，其起句言江天浩莽，已远见汉阳城郭，而江阔帆迟，尚费行程竟日，情景真切，句法亦纡徐有致。三句言浪平舟稳，估客高眠，凡在湍急处行舟，篙橹声终日不绝，惟江上扬帆，但闻船唇啮浪，吞吐作声，四无人语，水窗依枕，不觉寐之酣也。四句言野岸维舟，夜静闻舟语相唤，加缆扣舷，众声杂作，不问而知夜潮来矣。诵此二句，宛若身在江船容与之中耳。见诗贵天然，不专工雕琢。五、六句言客子思乡，湘南留滞。结句言三径全荒，而鼙鼓秋高，犹闻战伐，客怀弥可伤矣。”【酬李端公野寺病居见寄】《删补唐诗选脉笺释会通评林》“中唐七律下”周敬曰：“起调绝似嘉州，中联新响，右丞不能多让。如此等诗，何分中、盛?”顾璘曰：“次联几近有道，三联苦思方得，又复平易。”周珽曰：“铲除魔气，洗涤尘腔，有独啖胡麻、不屑俗糗之致。”【晚到盩厔耆老家】《删补唐诗选脉笺释会通评林》“中唐五律上”周敬曰：“允言诗识见卓而渊，气脉沉而粹。此与《酬李叔度》篇俱妙在一气呵成。”引唐汝询曰：“寄慨雄浑，未落浅调。”《大力诗略》卷二：“无一笔涉离乱，自是乱后光景，‘曾旧识’三字，一篇之要领，而通首俱从次句生出，‘冒雨’一联，尽老翁情态，结顾‘晚到’，又若不欲留者，不犯正位，极佳。”

窦庠于本年前后罢举为金商防御使判官。窦牟有诗《酬舍弟庠罢举从州辟书》、《窦五判官罢举赴商州辟书袖文相访书怀话旧因抒鄙辞》，窦庠有诗《酬谢韦卿二十五兄俯赠辄敢书情》。【酬谢韦卿二十五兄俯赠辄敢书情】《瀛奎律髓汇评》卷四二方回评：“此诗亦足当渠牟之赐。”纪昀评：“‘赐’字太过。又云：已开剑南一派。”

公元800年（唐德宗贞元十六年　庚辰）

正月

白居易在长安应试。作《与陈给事书》，并献诗文数首行卷。陈给事，陈京。白居易另有诗《长安正月十五日》、《长安早春旅怀》。二月，以第四名及第，后归洛阳，有诗《及第后归觐留别诸同年》。暮春南游，至浮梁。九月，至符离。是年，白居易另有《社日关路作》、《重到毓材宅有感》、《叙德书情四十韵上宣歙崔中丞》、《乱后过流沟寺》等诗。见朱金城《白居易年谱》（上海古籍出版社1982）。

二月

吴丹、白居易、杜元颖、崔玄亮等十七人登进士第。时礼部侍郎高郢知贡举，试《性习相近远赋》、《玉水记方流》诗。见《登科记考》卷一四。

三月

韩愈在汴州，有《与孟东野书》。此前由长安回，作有《归彭城》。【与孟东野书】《唐宋八大家文钞》卷四："两情凄切。"《唐宋八大家类选》卷八："已之所处，足使东野悲；东野之道，又使己悲，惟共老江湖，则不悲而乐且幸矣。韩、孟贤而不遇，故其书如此。读之令人流涕。"《黄氏日钞》卷五九："《与孟东野书》、《答窦存亮书》，皆叙交际，次第自成文法。"【归彭城】《唐诗镜》卷三八："韩诗语带泪痕。"《唐宋诗醇》卷二八："忧时伤乱，感愤无聊。'骑马空陂'，不减途穷之哭，'周行俊异'数语，讽刺微婉。"

柳宗元在集贤殿书院正字任，作《亡姊裴君夫人墓志》。六月，作《伯祖妣李夫人墓志》。是年，另有《故温县主簿韩君墓志》、《曹文洽韦道安传》、《送辛生下第序略》及诗《韦道安》。

四月

韦丹奉使新罗，朝士有送行诗数百首，权德舆有《奉送韦中丞使新罗序》。孟郊有《奉同朝贤送新罗使》。

五月

韩愈辞徐州推官，将往洛阳，与李翱、王涯、侯喜等泛舟下邳之清泠池，作《题李生壁》。是年，韩愈另有诗《海水》、《幽怀》、《送僧澄观》、《古风》、《烽火》、《夜歌》、《河之水二首寄子侄老成》及《闵己赋》、《与卫中行书》等。

侯喜（？—822），行十一，贞元十九年进士及第，元和七年官校书郎，十一年为协律郎，终国子主簿。出入韩愈门墙。《全唐诗》卷七九一《石鼎联句》录其一〇联。《全唐文》卷七三二录文九篇。事迹见韩愈《与汝州卢郎中荐侯喜状》、《与祠部陆员外书》等。

徐州刺史张建封卒，徐州军乱，杀判官郑通诚等，奉张建封子张愔知军府事。白居易作《哀二良诗》。二良，指陆长源、郑通诚。《全唐诗》卷二七八录张建封诗二首，《全唐诗补编·补逸》卷六补二句。权德舆作《徐泗濠节度使赠司徒张公文集序》："叙事放言诣理，皆与作者方驾，而歌诗特优，有仲宣之气质，越石之清拔，如云涛溟涨，浩漾无际，而天琛夜光，往往在焉。其入觐也，献《朝天行》一篇，因喜气以摅肝膈，览其辞者，见公之心焉。其还镇也，德宗皇帝纡天文以送别，湛恩异伦，耀动中朝。至于内廷赐宴，君唱臣和，皆酌六义之英，而为一时之盛。夫文之病也，或牵拘而不能骋，或奔放而不自还。公则财成切近，挥斥细故，英华感慨，卓尔其闳大；析理研几，泊然其精微。全才逸气，与勋力相宜，尽在是矣。"【秋夜曲二首】《唐诗归》卷三二："'秋逼暗虫通夕响'，谭元春评：七字凄苦，入口自知。'寒衣未寄莫飞霜'，谭元春评：横而怨。"又钟惺评其（二）云："生媚生寒。"

七月

吕渭卒，年六十六。《全唐诗》卷三〇七存其诗五首，卷七八九收所预联句二，《全唐诗补编·续拾》卷一七补联句八。

十月

独孤郁将出仕，作《答孟郊论仕进书》，又作《辩文》。论文贵自然："而曰必以彩饰之能，援引之富，为作文之秘诀，是何言之末欤？夫天岂有意于文彩邪？而日月星辰不可踰；地岂有意于文彩邪？而山川丘陵不可加；《八卦》、《春秋》岂有意于文彩邪？而极与天地侔。其何故得以不可越？自然也。夫自然者，不得不然之谓也。不得不然，又何体之慎邪。……是则其心卓然绝于俗者，其文不求而至也，无得子为教。苟于圣达之门无所入，则虽劬劳憔悴于黼黻，其何数哉。是故在心曰志，宣于口曰言，垂于书曰文，其实一也。若圣与贤，则其书文皆教化之至言也。徒见其纤靡而无根者，多给曰文与艺。"

本年

李翱作《寄从弟正辞书》。因"正辞取京兆解，掾不送，翱故以书勉之"（《唐摭言》卷二）。《四库提要》卷一五〇："然观《与梁载言书》论文甚详，至《寄从弟正辞书》，谓人号文章为一艺者，乃时世所好之文；其能到古人者，则仁义之词，恶得以一艺名之？"

刘禹锡服满，入杜佑徐泗濠节度使幕，为节度使掌书记。十一月，杜佑罢兼领徐泗，改淮南节度掌书记。有文《让同平章事表》、《谢平章事表》、《谢手诏表》、《请赴行营表》、《贺除虔王等表》、《谢冬衣表》等。

元稹去年初仕于河中府，本年仍在任，其《传奇》中与莺莺之事或发生于此年。有诗《古艳诗二首》、《赠双文》、《莺莺诗》、《夏阳亭临望寄河阳侍御尧》等。

杨衡是年官左金吾卫仓曹参军，为桂阳部从事。后试大理评事，行迹无征。《全唐诗》卷四六五录其诗一卷，杂有白居易之作。《全唐诗补编·续拾》卷一八补二句。《唐才子传》卷五："与符载、崔群、李渤同隐庐山，结草堂于五老峰下，号'山中四友'。日以琴酒寓意，云月遣怀。衡诗工，苦于声韵奇拔，非常格无敢窥其涯涘。常吟罢自赏其作，抵掌大笑，长谣曰：'一一鹤声飞上天。'谓其响彻如此，人亦叹服。试大理评事，往来多山僧道士。"

公元801年（唐德宗贞元十七年　辛巳）

二月

班肃、辛殆庶、郑方、许稷等十八人登进士第。时礼部侍郎高郢知贡举，试《乐德教胄子赋》。见《登科记考》卷一五。班肃及第归觐，柳宗元作《送班孝廉擢第归川觐省序》。《山晓阁选唐大家柳柳州全集》卷二："前幅只是述辛氏请序之辞，后幅方是为班生作序。妙在前幅，即于辛氏口中，将班氏家世人文一一叙出。后幅，只就其所述，略略点合。真是胸无纤尘，笔无点墨，清空一气之作。"

中和节，德宗宴群臣于曲江亭，作诗《中和节赐百官燕集因示所怀》。权德舆有诗《奉和圣制中和节赐百官燕集因示所怀》。

白居易与同年宴集，作诗《与诸同年贺座主侍郎新拜太常同宴萧尚书亭子》。七月，在宣州；秋，归洛阳。另作有《祭符离六兄文》、《祭乌江十五兄文》及《叹发落》、《花下自劝酒》、《何郑方及第后秋归洛下闲居》、《东都冬日会诸同年宴郑家林亭》等诗。

元稹应制举不第。与杨巨源话及崔莺莺事，杨巨源感而赋《崔娘诗》，元稹作《会真诗三十韵》。【会真诗三十韵】瞿佑《归田诗话》（《历代诗话续编》本）卷上："元微之当元和长庆间，以诗著名。传入禁中，宫人能歌咏之，呼为'元才子'，风流酝藉可知也。其作《莺莺传》，盖托名张生，复制《会真诗》三十韵，微露其意。而世不悟，乃谓诚有是人者，殆痴人前说梦也。唐人叙述奇遇，如《后土传》托名韦郎，《无双传》托名仙客，往往皆然。惟沈亚之《橐泉梦记》，牛僧孺《周秦行记》乃自引归其身，不复隐讳。然《周秦行记》与僧孺所著《幽怪录》，文体绝不相类，或谓乃李德裕门下士所作，以暴僧孺之犯上无礼，有僭逆意，盖嫁祸云尔。理或然也。"王骥德《新校注古本西厢记》（北京图书馆出版社 2004）："至《会真诗三十韵》，大都皆赋莺就张时景物。……其为当日授红贻崔之诗无疑。署曰'河南元稹续生《会真诗》'，盖欲讳其事，而又不能自隐，益以征张生即为稹矣。"《说诗晬语》卷下："韦縠《才调集》选固多明丽之篇，然如《会真诗》及'隔墙花影动'等作，亦采入太白、摩诘之后，未免雅郑同奏。奈何阐扬其体，以教当世邪?"

三月

韩愈、孟郊在京从调选。韩愈将归洛阳，作《将归赠孟东野房蜀客》。孟郊授溧阳尉，经洛阳，韩愈作《送孟东野序》。【送孟东野序】《文章轨范》卷七："此篇凡六百二十余字，'鸣'字四十，读者不觉其繁，何也?句法变化，凡二十九样，有顿挫，有升降，有起伏，有抑扬。如层峰迭峦，如惊滔怒浪。无一句怠慢，无一字尘埃。愈读愈可喜。"《义门读书记》卷三二："只说文章如何关系，便有酸气。旁见侧出，突兀峥嵘。"《崇古文诀》卷七："曲尽文字变态之妙。"茅坤《唐宋八大家文钞》卷七："一'鸣'字成文，乃独倡机轴，命世笔力也。前此惟《汉书》叙萧何追韩信用数十'亡'字。"又云："此篇将牵合入天成，乃是笔力神巧，与《毛颖传》同而雄迈过之。"又引唐顺之曰："此篇文字错综立论乃尔，奇则笔力固不可到也。"《金圣叹批才子古文》卷一一："拉杂散漫，不作起，不作落，不作主，不作宾，只用一'鸣'字跳跃到底。如龙之变化曲伸于天，更不能以逐鳞逐爪观之。"沈德潜《唐宋八家文读本》（安徽文艺出版社 1998）卷四："从物声说到人声，从人声说到文辞。从上古之文辞，历数以下说到有唐。然后转落到东野，位置秩然。而出以离奇惝恍，使读者河汉其言，其实法

律谨严，无逾此文也。”《古文眉诠》卷四九：“以一‘鸣’字做骨，以一‘善’作低昂，其手法变化在‘鸣’字，其线索抽牵，却在‘善’字。”《重订古文释义新编》卷七：“凭空结撰，除‘其存而在下’及‘东野之役于江南’一二语外，未尝粘定东野。究之言物、言人、言乐、言天时、言本朝善鸣者，及言李、言张，无非为东野发议。自首至尾，不肯使一直笔。顿挫抑扬，离合缓急，无法不备，而又变化诡谲，不可端倪，那得不横绝古今！”《蔡氏古文评注补正全集》卷六：“文以‘鸣’字为骨，先以‘不平则鸣’句提纲，通篇言物之鸣及古人之鸣、今人之鸣，总不出‘不平则鸣’之意。文成法立，奇而不诡于正。”《古文雅正》卷八：“世之汩没于时文久矣，不但无志于道，即肆力于古求可传者亦少焉，故登此文以鼓之。至其文之变化离奇，独出格调，尤令人有舞蹈之乐。”《求阙斋读书录》卷八：“天择物之善者假之鸣，其为鸣盛与鸣不幸，惟天之所命耳。文之立意如此。征引太繁，颇伤冗蔓。”《古文辞类纂选本》卷六：“此篇为昌黎集中之创格，举天地人物，尽以‘鸣’字括之，至孔子之徒亦指为善鸣，则真有胆力矣。文无他妙巧，但以气行，然须观其脱卸处、笋接处，觅得关头，则读此便大有把握。”

孟郊迎母至溧阳，作《游子吟》。后由专心咏诗，多废官事，县令令人代行尉事，分其半俸。孟郊亦曾上书常州刺史，求衣食之助，有《上常州卢使君书》。【游子吟】《唐诗归》卷三一钟惺评：“仁孝之言，自然风雅。”《唐风定》卷六：“仁孝蔼蔼，万古如新。”《唐诗品汇》卷二〇：“刘（须溪）云：全是托兴，终之悠然，不言之感，复非睍睆寒泉之比。千古之下犹不忘，谈诗之尤不朽者。”《辍锻录》：“孟东野《游子吟》，是非有得于天地万物之理，古圣贤人之心，乌能至此？可知学问理解，非徒无碍于诗，作诗者无学问理解，终是俗人之谈，不足供士大夫之一笑。”

赵傪为校书郎，为崔氏《唐显庆登科记》作序云：“粤自武德至乎贞元，阅崔氏本记，前后嗣续者在我公为多焉。顾惟寡昧，获与斯文，因濡翰而为之序。”《文苑英华》卷七三八题为《李弈登科记序》，据《新唐书·艺文志》二改。

春

苻载为何士干鄂岳观察使幕从事，有《送崔副使归洪州幕府序》。

刘禹锡在淮南幕，与李益、张登等会饮于扬州水馆，作《扬州春夜李端公益张侍御登段侍御平仲密县李少府畼秘书张正字复元同会于水馆对酒联句追刻烛击铜钵故事迟辄举觥以饮之逮夜艾群公沾醉纷然就枕余偶独醒因题诗于段君枕上以志其事》。时窦常、刘伯刍亦在淮南杜佑幕，当与禹锡相识。是年，刘禹锡代作有《谢春衣表》、《谢朝觐表》、《谢端午日赐物表》、《谢墨诏表》、《论废楚州营田表》等。

时张登由扬州赴漳州任，顾况有《酬漳州张九使君》。

五月

韩愈、窦牟在洛阳，送窦平从事广州幕，韩愈作《送窦从事序》。下月，韩愈作《答李翊书》、《重答李翊书》。【答李翊书】《韩文起》卷四：“李生以立言问于昌黎，不过欲求其文之工而已，初未尝必以古之立言为期也。昌黎却就其所问，诘其所志，把求用于人而取于人伎俩，搁置一边，而以古人立言不朽处用功取效，说过一番，然后把自己一生功夫，层层叙出。…其行文曲折无数，转换不穷，尽文章之致。”《唐宋八大家文钞》卷四：“要窥作家为文，必如此立根基。今人乃欲以字句求之，何哉?”唐顺之曰：“此文当看抑扬转换处。累累然若贯珠，其此文之谓乎?”朱宗洛《古文一隅》（清刻本）卷中：“读者于前半后半，须看其曲折取势之法。中间数层，须看他联络脱卸、层层变化之奇。”《金圣叹批才子古文》卷一〇：“中间自说为文之甘苦浅深，其妙更不必论，只如前起之曲折之妙，后收之荡漾之妙，皆笔墨之罕事也。”《晚村先生八家古文精选》：“篇内分两大段。前段康庄大道，苟欲往焉，循轨可至。后段则如炼丹之有口诀火候，其得心应手之妙，有难言者。前段端本在立志，后段究竟在养气。向来论文，唯此和盘托出。”《山晓阁选唐大家韩昌黎全集》卷一：“此文之妙全在一个转字，但转得入文章，便能层折；转得出文章，便能醒透。……妙在中间，说自己为文甘苦，连用七八个转笔，便令文字有七、八个层折。连用七、八个层折，便令文字有七、八番醒透。真是千曲万折之文，不可连行读过。”《古文渊鉴》卷三五：“好学深思，读书养气，昌黎一生得力略尽此篇。又引张英云：波委云属，态致横溢，真昌黎之自状其文也。”张伯行《唐宋八大家文钞》卷一：“读昌黎此书，其于立言之道，本末内外，工夫节候，一一详悉。公之文，起八代之衰，而学者仰之如泰山北斗者，夫岂偶然之故哉?”【送窦从事序】《唐宋八大家文钞》卷六：“奇崛。”《昌黎先生全集录》卷三：“首叙风土，慰行迈也。兼扬厉本朝，最得体。”

七月

韩愈与侯喜等钓于洛滨，夜宿惠林寺，韩愈作《赠侯喜》、《山石》。【山石】《黄氏日钞》卷五九：“清峻。”《唐诗镜》卷三九：“语如清流啮石，激激相注。李、杜虚境过形，昌黎当境实写。”《义门读书记》卷三〇：“直书即目，无意求工，而文自至。一变谢家模范之迹，如画家之有荆、关也。”《昭昧詹言》卷一二：“不事雕琢，自见精彩，真大家手笔。许多层事，只起四句了之。虽是顺叙，却一句一样境界。如展图画，触目通层在眼，何等笔力。五句、六句又一画。十句又一画。‘天明’六句，共一幅早行图画。收入议。从昨日追叙，夹叙夹写，情景如见，句法高古。只是一篇游记，而叙写简妙，犹是古文手笔。”【赠侯喜】《黄氏日钞》卷五九：“以钓鱼况人，舍小求大。”《唐诗镜》卷三九：“寻常语自倜傥。退之七古佳处在声气之间，如疾雨惊雷，砯陵而下。”

韦渠牟卒于长安，年五十三。《全唐诗》卷三一四录其诗二一首，卷七八八又录其与颜真卿等联句一首，署名尘外。《全唐诗补编·续拾》卷一九补题一首。《全唐文》卷六二三存其文一篇。权德舆作《韦渠牟墓志铭》，另作有《右谏议大夫韦君集序》云：“寻献七百字诗一章，词华彬蔚，诏旨优答，浃日授秘书郎。踰月，迁右补阙。未半岁，拜右谏议大夫。其余以文发身，以直事君，言语侍从，论思讽议，贾生当受厘之问，方朔擅不穷之智，近臣渥命，荣冠一时，荐绅竞劝，岩谷皆耸。初君年十一，尝赋铜雀台绝句，右拾遗李白见而大骇，因授以古乐府之学，且以瓌奇轶拔为己任。至弱冠，乃喟然曰：‘四始五际，今既远矣，会情灵者，因于物象；穷比兴者，在于声律。盖辩以丽，丽以则，得于无间，合于天倪者，其在是乎？彼惠休称谢永嘉如芙蓉出水，钟嵘谓范尚书如流风回雪，吾知之矣’。遂苦心藻虑，俪词比事，纤密清巧，度越群伦。尝著天竹寺六十韵，鲁郡文忠公序引而和之，使画工图于仁祠，摘句配境，偕为胜绝。又于江南著卧疾二十韵，晋国忠肃公手翰以美之，曰：卓尔独立，其在我韦生乎？其为名臣宗公所称赏如此。又与竟陵陆鸿渐、杼山僧皎然为方外之侣，沉冥博约，为日最久，而不名一行，不滞一方。故其曳羽衣也，则曰遗名；摄方袍也，则曰尘外；被儒服也，则今之名字著焉。周流三教，出入无际，寄词诣理，必于斯文。自贞元五年，始以晋公从事至京师，迨今十年，所著凡三百篇。”【赠窦五判官】《瀛奎律髓汇评》卷四二：“方回评：渠牟自称重表兄弟窦庠。此诗极工。冯班评：工丽。查慎行评：既‘真金’便应‘披沙’，何‘难’之有？当作‘谁’字。似寓慨有味。纪昀评：此竟似后人应酬语。不署姓名，不知其为唐诗矣。”

秋

元稹、白居易相识，作诗相赠。白居易有《秋雨中赠元九》。

李绅赴长安试，以诗求知，为吕温赏识。范摅《云溪友议》（四库本）：“初，李公赴荐，尝以古风求知，吕光化温谓齐员外煦及弟恭曰：‘吾观李二十秀才之文，斯人必为卿相’，果如其言。”

柳宗元自集贤殿书院正字调蓝田尉，时顾少连、韦夏卿先后为京兆尹，留其为京兆府从事，柳未赴县尉任。是年，柳宗元作有《南岳云峰寺和尚碑》、《叔父祭六伯母文》、《亡姑陈氏夫人墓志》。

本年

韩愈在洛阳，作《送李愿归盘谷序》。是年，韩愈有文《获麟解》、《行难》、《圬者王承福传》、《答尉迟书》、《与汝州卢郎中论荐侯喜状》、《欧阳生哀辞》、《题哀辞后》、《唐故贝司司法参军李君墓志铭》等。【获麟解】《朱子语类》卷一三九：“东莱教人作文当看《获麟解》也，是其间多曲折。”《黄氏日钞》卷五九：“大意谓麟祥物也，但出非其时，人不谓之祥。盖以自况，而不直说，遂成文法之妙。”《古文关键》卷上：“字少意多，文字立节，所以甚佳。其抑扬开合，只主‘祥’字，反复作五段说。”《文章轨范》卷五：“此篇仅一百八十余字，有许多转换，往复变化，议论不穷。第一段说麟为灵物，虽‘妇人小子皆知其为祥’；第二转说虽有麟，不知其为麟；第三转说马、牛、犬、豕、豺、狼、麋鹿吾皆知之，惟麟不可知；第四转说麟既‘不可知，则其谓之不祥也亦宜’；第五转说麟为圣人而出，‘圣人者，必知麟’，既有圣人知之，则‘麟果不为不祥也’；第六转说‘麟之所以为麟者’，以其为仁兽灵物，不必论其形；第七转说‘若麟之出不待圣人’在位之时，则人‘谓之不祥也亦宜人。’能熟读此等文字，笔便圆活，便能生议论。”《唐宋八大家文钞》卷一〇：“文凡四转，而结思圆转如

游龙，如辘轳，愈变化而愈劲厉，此奇兵也。”《金圣叹批才子古文》卷一〇：“一篇只是一正一反，再一正，再一反。每段又自作曲折。”【送李愿归盘谷序】《历代名贤确论》卷八八引苏轼云：“欧阳文忠公尝谓晋无文章，惟陶渊明《归去来》一篇而已。余亦以谓唐无文章，惟韩退之《送李愿归盘谷序》一篇而已。平生愿效此作一篇，每执笔辄罢，因自笑曰，不若且放教退之独步。”《唐宋八大家文钞》卷七：“通篇全举李愿说话，自说只数语，此又别是一格。而其造语形容处，则又铸六代之长技矣。”《金圣叹批才子古文》卷一一：“前只数语写盘谷，后只一歌咏盘谷。至于李之归此谷，只用李自己两段说话。自言欲为第一段人不得，故甘为第二段人。便见归盘谷者，乃是世上第一豪华无比人，非朽烂不堪人也。”《崇古文诀》卷九：“一节是形容得意人，一节是形容闲居人，一节是形容奔走伺候人，却结在‘人贤不肖何如也’一句上。终篇全举李愿说话，自说只数语，其实非李愿言。此又别是一格。”《昌黎先生全集录》卷三：“结构意趣，夫人知之，所难尤在设辞。欧阳、苏到此未免带俗，所以自笑曰：不若且放教退之独步。”《古文雅正》卷八：“不下断制，只述其言，独辟一格，又无溢美之嫌，公之为文，变化分寸，无所不有也。前段可作郭令公像赞，中段可作陶靖节像赞，末段可作诸追逐势利全无廉耻者像赞。”《重订古文释义新编》卷七：“前以盘谷之可隐起，后以盘谷之可乐结。中间虽有一篇滔滔滚滚大文，其实皆是复述其言，除‘壮之’二字外，绝未尝置一语。既不叙愿为何如人，亦不叙愿为何故归，几于笔尖不肯着纸。……读者正须于造格上想见良工苦心处，宜坡仙让为退之独步。”《蔡氏古文评注补正全集》卷六：“全篇不叙愿之行事一句，凭空结撰，灵妙异常。”《古文辞类纂选本》卷六：“文无他巧妙，只分三大段：一写贵人之豪恣，一切富贵举动，结之以命，言命则非德才可知。冷隽之笔，令人欲笑。次言隐居之乐，委之于不遇，不遇即无命者也。写愿亦自方耳。其下则骂詈不堪，此是应有之陪笔。歌辞虽逊于子厚，然亦铿锵动听。”《国文经纬贯通大义》卷二：“首段序地理，次段‘愿之言曰’，三段‘穷居而野处’，四段‘伺候于公卿之门’，均为硬接法。首段‘友人李愿居之’，为突入法；次段‘不可幸而致也’，为推开法；三段‘我则行之’，为摄入法；四段‘其为人贤不肖何如也’，为比较法。可知作文不独布局变化，凡每段起讫处皆应变化；不独段落变化，即句法亦皆当变化。此篇之法，最便初学。”

欧阳詹先至太原，作诗《和严长官秋日登太原龙兴寺阁野望》、《太原和严长官八月十五日夜西山童子上方玩月寄严中丞少尹》等。后归长安，未几卒，年四十余。《全唐诗》卷三四九录其诗一卷，卷八八三补一首。《全唐诗补编·续拾》又补诗一首。《全唐文》卷五九五至卷五九八录其文四卷，《唐文拾遗》卷二五补其文一篇。李贻孙《故四门助教欧阳詹文集序》：“欧阳君生于闽之里。幼为儿孩时，即不与众童亲狎，行止多自处。年十许，岁里中无爱者，每见江滨山畔有片景可采，心独娱之，常执卷一编，忘归于其间。逮风月清晖，或暮而尚留，窅不能释，不自知所由，盖其性所多也。未甚识文字，随人而问章句，忽有一言契于心，移日自得，长吟高啸，不知其止也。……建中、贞元时，文词崛兴，遂大振耀，瓯闽之乡，不闻有他人也。会故相常衮来为福之观察使，有文章高名，又性颇嗜诱进后生，推拔于寒素中，惟恐不及。至之日，比君为芝英，每有一作，屡加赏进，游娱燕飨，必召同席。……君之声渐腾于江淮，且达于京师矣，时人谓常公能识真。寻而陆相贽知贡举，搜罗天下文章，得士之盛，前无其伦，故君名在榜中。常与君同道而相上下者，有韩侍郎愈、李校书观，洎君并数百岁杰出，人到于今伏之。君之文新无所袭，才未尝困，精于理故言多周详，切于情故叙事重复，宜其掌代文柄以变风雅。”《五百家注昌黎文集》卷二三《欧阳生哀辞》：“其文章切深，喜往复，善自道，读其书，知其慈孝最隆也。”《四库提要》卷一五〇：“其集有大中六年李贻孙序，称韩侍郎愈、李校书观，洎君并数百岁杰出。今观詹之文，与李观相上下，去愈甚远。盖此三人同年举进士，皆出陆贽之门，并有名声，其优劣未经论定，故贻孙之言如此。然詹之文，实有古格，在当时篡组排偶者上。韩愈为《欧阳生哀辞》，称许甚至，亦非过情也。……惟王士祯《池北偶谈》，摘其《自诚明论》，谓‘尹喜自明诚而长生，公孙宏自明诚而为卿，张子房自明诚而辅刘，公孙鞅自明诚而佐嬴’诸句，以为离经畔道，则其说信然。然宋儒未出以前，学者论多驳杂，难以尽纠，亦存而不论可矣。”【初发太原途中寄太原所思】《直斋书录解题》卷一六：“詹之为人，有哀辞可信矣。黄璞何人，斯乃有太原函髻之谤，好事者喜传之，不信愈而信璞，异哉。‘高城已不见’之句，乐府此类多矣，不得以为实也。然‘高城已不见’之诗题云‘途中寄太原所思’，盖亦有以召其疑也。昔人以暧昧受谤，传之千古，尚未能明，孰谓今人之行已而可不谨哉。”《四库提要》卷一五〇：“太原赠妓一诗，陈振孙《书录解题》力辨函髻之诬，考《闽川名士传》载詹游太原始末甚详。所载孟简一诗，乃同时之所作，亦必无舛误。又邵博《闻见后录》载妓家至宋犹隶乐籍，珍藏詹之手迹，博尝见之，则不可谓竟无其事。盖唐、宋官妓，士大夫往往狎游，不以为讶，见于诸家诗集者甚多，亦其时风气使然。固不必奖其风流，亦不必讳为瑕垢也。”《韵语阳秋》卷一九：“集中载《初发太原寄所思》诗，所谓‘高城已不见，况复城中人’者，乃其人也。岂退之以同榜之故，而固护其短，饰词而解人之疑欤？呜呼！詹能义陈蕃之不从乱，而不能割爱于一妇人；能荐韩愈之贤，而不能以贻亲忧为念，殆有所蔽而然也。如乐津北楼绝句与闻唱凉州诗，皆赋情不薄，有以知其享年之不长也。”【题延平剑潭】《唐诗解》“七言绝句五”：“此惜剑之沦没也。言平时想象剑之精灵难见者，正以一去沉水无迹耳。空有凌霜之色与潭水争寒，然终无补于世矣。岂詹不为世用而自惜其才欤？”《删补唐诗选脉笺释会通评林》“中唐七绝下”：“徐祯卿曰：赋事精确流利。蒋一梅曰：精神烨烨，吐霓冲斗。”【秋月赋】《复小斋赋话》卷上：“欧阳行周詹《秋月赋》，寥寥短篇，读之文生于情，情生于文。作文必用正笔者，笨伯也。”【太学张博士讲礼记】《古文渊鉴》卷三八康熙评：“叙事中饶有朴茂之气，音节近古。”徐乾学评：“盛时气象，读之深怀古之情。”

孟简叹息欧阳詹因钟爱太原妓而殉情，作《咏欧阳行周事》。其序云：“闽越之英，惟欧阳生，以能文擢第。爰始一命，食太学之禄，助成均之教，有庸绩矣。我唐贞元年己卯岁，曾献书相府论大事，风韵清雅，词旨切直。会东方军兴，府县未暇慰荐。久之，倦游太原，还来帝京，卒官灵台。悲夫！生于单贫，以狗名故，心专勤俭，不识声色。及兹筮仕，未知洞房纤腰之为蛊惑。初抵太原，居大将军宴。席上有妓，北方之尤者，屡目于生。生感悦之，留赏累月，以为燕婉之乐尽在是矣。既而南辕，妓请同行，生曰：十目所视，不可不畏。辞焉，请待至都而来迎，许之，乃去。生竟以蹇连，不克如约。过期，命甲遣乘，密往迎妓。妓因积望成疾，不可为也。先死之夕，剪其云髻，谓侍儿曰：所欢应访我，当以髻为贶。甲至得之，以乘空归，授髻于生。生为之恸，怨涉旬而生亦殁。”

张登卒于漳州。《全唐诗》卷三一三存其诗七首四句，《全唐诗补编·续补遗》卷五补三首。权德舆《唐故漳州刺史张君集序》：“清河张登，刚洁介特，不趋和从俗，循性属词，发为英华，秉直好静，居多隐约。……夫君以伟词逸气，滞于奥渫之下，又疾卑谄细人，白黑太明，矫枉愤厉，往往过正。故其赋有云‘鹖必斗而知毙，龙就屠而不驯’，又云‘贱而荣兮跌而丧，痛一世之纷纶’，皆所以感慨顿挫，放言而兆忧贾祸，恒必由之。二十年间数免希迁，志力相盭，斯亦从古才士之所患也。与夫胁肩令色、坐取旷贵者，岂同日哉。所著诗赋之外，书启序述志记铭诔合为一百二十篇。相如之形似，二班之情理，公干之卓荦经奇，景阳之铿锵葱倩，升堂睹奥，我无媿焉。自古富贵而名磨灭者，何可胜纪。如张君《求居》、《寄别》、《怀人》三赋，与《征相》一篇，意所有激，锵然玉振，予尝吟咀于唇吻之间，以为傥有经梁昭明之为者，斯不可遗也已。曾不得登金闺玉堂，备言语侍从之列，伏守海郡，迫阨终身，可胜叹耶。”《唐国史补》卷下：“张登长于小赋，气宏而密，间不容发，有织成隐起、往往蹙金之状。”

温庭筠约本年生。温庭筠（801？—866？），原名岐，字飞卿，行十六，并州祁人。数举进士不第。思神速，每入试，押官韵作赋，凡八叉手而成，时号“温八叉”。大中十三年，贬为隋县尉。徐商镇襄阳，曾召为幕府巡官。与段成式、余知古、韦蟾等唱和交游。后归江东，再贬为方城尉。咸通七年，为国子助教。后流落以终。《新唐书·艺文志》著录其《干𦠆子》三卷、《采茶录》一卷、《握兰集》三卷、《金荃集》一〇卷、《诗集》五卷、《汉南真稿》一〇卷，编纂类书《学海》一〇卷。又有与段成式、余知古等人诗文合集《汉上题襟集》一〇卷，皆散佚。后人辑有《温飞卿诗集》，通行本为清曾益、顾予咸、顾嗣立之《温飞卿诗集笺注》。此外，尚辑有《金荃词》一卷。事迹见《旧唐书》卷一九〇、《新唐书》卷九一《温大雅传》附、《唐诗纪事》卷五四、《唐才子传》卷八。

公元 802 年（唐德宗贞元十八年　壬午）

正月

韩愈调授四门博士，作《与祠部陆员外书》，致书陆傪，荐侯喜等十人（后者陆续登科）。时傪为祠部员外郎，佐权德舆典贡举。韩愈约于本年作《师说》，另有《与崔群书》、《送陆歙州诗序》、《与于襄阳书》、《答李秀才书》、《答陈生书》、《答胡生书》、《上巳日燕太学听弹琴诗序》、《独孤申叔哀辞》、《唐故赠绛州刺史马府君行状》、《施先生墓志》及诗《古意》等。【师说】《昌黎文式》卷三：“此篇有诗人讽喻法，读之自知师道不可废。”《唐宋八大家文钞》卷三：“昌黎当时抗师道，以号召后辈，故为此倡赤帜云。”《昌黎先生全集录》卷首：“题易迂，就浅处指点，乃无一点迂气。曾、王理学文，似未解此。”“以眼前事指点化诲，使人易知，颇与《讳辩》一例。”《古文关键》卷上："此篇最是结得段段有力。中间三段，自有三意说起，然大概意思相承，都不失师道本意。"《山晓阁选唐大家韩昌黎全集》卷四："大意是欲李氏子能自得师，故一起提出师之为道，以下便说师无长幼贵贱，惟人自择。写借时人不肯从师，历引童子、巫医、孔子喻之，总是欲其能自得师。劝勉李氏子蟠，非是訾议世人。"《古文渊鉴》卷三五引洪迈云："此文如常山蛇势，救首救尾，段段有力，学者宜熟读。"《韩文起》卷一："其行文错综变化，反复引证，似无段落可寻。一气读之，只觉意味无穷。"【与于襄阳书】司马光《传家集》（四库本）卷六六《颜乐亭颂》："子瞻论韩子，以在隐约而平宽为哲人之细事，以为君子之于人，必于其小焉。观之光谓韩子以三书抵宰相求官，《与于襄阳书》谓先达、后进之士，互为前后以相推授，如市贾然，以求'朝夕刍米仆赁'之资，又好悦人以铭志而受其金。观其文，知其志，其汲汲于富贵、戚戚于贫贱如此，彼又乌知颜子之所为哉。"《唐宋八大家文钞》卷三："前半瑰玮游泳，后半婉娈凄切。"《文章轨范》卷一："文婉曲有味。"《重订古文释义新编》卷七："抑扬顿挫，婉转曲折，凄切之中，自饶高骞之致。"李贤《古穰集》（四库本）卷三《答国子监丞阎禹锡》："退之《与于襄阳书》有所干求，故发此相须之言，以挟制之，期于必听，岂圣贤道德之言邪。"

二月

徐晦、尉迟汾、李翊等二十三人登进士第。时中书舍人权德舆知贡举，试《风动万年枝》诗。是年，王涯中博学宏词科，试《瑶台月赋》。见《登科记考》卷一五。

四月

陆傪道卒于洛阳，年五十五。李翱有《陆歙州述》。《文苑英华》卷九五二权德舆《陆傪墓志》："（其）文章宏朗，有作者风格。学不为人，与古为徒。向使登其年，充其量，束带公朝，其骨鲠魁垒之士欤？尝与故虔州刺史陇西李公受、故右补阙安定梁宽中、今礼部郎中京兆韦德符、右补阙广平刘茂宏、秘书郎赵郡李叔翰、方外士右谕德博陵崔公颖暨予友善。"【长城赋】彭大翼《山堂肆考》（四库本）卷一二九："宋廖莹中《江行杂录》：陆傪作《长城赋》云：'千城绝，长城列，秦民竭，秦君灭。'夫傪辈行在杜牧之前，则《阿房宫赋》中'六王毕，四海一'等句，又祖长城句法矣。"

独孤申叔卒，年二十七。《全唐诗》卷四七〇存其诗一首，《全唐文》卷六一七存其文六篇。《柳河东集》卷二二《送独孤申叔侍亲往河东序》："独孤生，周人也，往而先我，且又爱慕文雅，甚达经要，才与身长，志益力强，挟是而东。夫岂徒往乎？温清奉引之隙，必有美制，傥飞以示我，我将易观而待，所不敢忽。"又卷一一《亡友故秘书省校书郎独孤君墓碣》："其为文深而厚，尤慕古雅，善赋颂，其要咸归于道。"

五月

窦群以韦夏卿荐，以白衣授左拾遗，入京，有《初入谏司喜家室至》。方岳《深雪

偶谈》（《学海类编》本）云：“本朝诸公喜为议论，往往不深论唐人主于性情，使隽永有味，然后为胜。……余最喜窦群《新入谏院喜内子至》一绝……使彦周评此，则以窦氏为不解事妇人矣，所谓痴人说梦也。”窦群途中有诗《经潼关赠宇文十》。

柳宗元在蓝田尉任，作《盩厔县新食堂记》、《为韦侍郎贺布衣窦群除左拾遗表》。七月十九日，衡山弥陀和尚卒，柳作《南岳弥陀和尚碑》。是年，僧文畅自京将游河朔，杨凝等以诗送之，柳宗元为《送文畅上人登五台遂游河朔序》。柳宗元另有《京兆府请复尊号表三首》、《为耆老等请复尊号表》、《为京畿父老上宰相状》、《为京畿父老上尹状》、《亡友校书郎独孤君墓志》、《亡姊崔君夫人墓志盖石文》、《答贡士元公瑾求仕进书》、《武功县丞厅壁记》。

七月

苻载去鄂岳幕归洵阳，旋至淮南，入杜佑幕为从事。有《祭何大夫文》、《为杨廷评祭何大夫文》。何大夫，鄂岳观察使何士干。

八月

李公佐自吴之洛，泊淮浦，撰《南柯太守传》。《传》后云：“公佐贞元十八年秋八月自吴之洛，暂泊淮浦，偶睹淳于生棼，询访遗迹，反复再三，事皆摭实，辄编录成传，以资好事。虽稽神语怪，事涉非经，而窃位著生，冀将为戒，后之君子，幸以南柯为偶然，无以名位骄于天壤间云。”《唐国史补》卷下：“近代有造谤而著书，《鸡眼》、《苗登》二文。有传蚁穴而称，李公佐《南柯太守》；有乐妓而工篇什者，成都薛涛；有家僮而善章句者，郭氏奴：皆文之妖也。”《少室山房笔丛》正集卷二〇：“至唐人乃作意好奇，假小说以寄笔端，如《毛颖》、《南柯》之类尚可，若《东阳夜怪录》称‘成自虚’，《玄怪录》‘元无有’，皆但可付之一笑，其文气亦卑下，亡足论。”

九月

德宗于九日重阳与群臣宴饮于故马璘池亭，作诗《丰年多庆九日示怀》。权德舆、武元衡等和之。

本年

刘禹锡离淮南幕，调补京兆府渭南县主簿。自扬州奉母归洛，有诗《洛中送杨处厚入关便游蜀谒韦令公》。另作《为京兆韦尹贺雨止表》、《为京兆韦尹降诞日进衣状》等。

元稹本年冬应吏部试。有文《错字判》、《易家有归藏判》、《修堤请种树判》、《夜绩判》、《屯田官考绩判》、《怒心鼓琴判》等。此时另有诗《牡丹二首》、《象人》、《赋得春雪映早梅》、《杏园》、《菊花》、《送刘太白》等。

柳冕本年或稍后作《与权侍郎书》。论当以经义治道取士：“进士以诗赋取人，不先理道；明经以墨义考试，不本儒意；选以书判殿最，不尊人物。故吏道之理天下，天下奔竞而无廉耻者，以教之者末也。”权德舆作《答柳福州书》。【答柳福州书】《古文渊鉴》卷三四：“太学人材所自出，唐宋以来，以名贤处之，造就多士。德舆此书，可谓知本之论矣。”

公元803年（唐德宗贞元十九年　癸未）

正月

杨凝卒于长安。杨凭辑其遗文为集二十卷。杨凭为杨凝之兄、柳宗元之岳父。柳宗元有《唐故兵部郎中杨君墓碣》，《文苑英华》卷七〇四权德舆《兵部郎中杨君集序》云：“君尝以为尚气者或不能精密，言理者或不能彪炳，镂蒸彝景钟与缘情比兴者，或不能相为用。仲宣体弱，公干未遒，才难而力不足，从古所病。故懋功于六经、百氏之中，如良金巧冶，锻炼在手，而又弛扃防，瘝约束，恬然而据上游，坦然而蹈中行。其叙事推理，况今据古，多而不烦，简而不遗，弥纶条鬯，无入而不自得。所著文一百四十余篇，歌诗倍之，皆天球大圭，奇采逸响，不待数珩璜佩玦之目，然后知其妙。”《全唐诗》卷二九〇编其诗一卷。【从军行】《瀛奎律髓汇评》卷三〇：“方回评：起句壮，末句悲老将不成功者也。纪昀评：次句率易，六句不可解。”

二月

侯喜、李础、贾悚等二十人登进士第。时礼部侍郎权德舆知贡举，试《中和节百辟献农书赋》。《权载之文集》卷一五有《贞元十九年礼部策问进士五道》。见《登科记考》卷一五。

春

吕炅、王起以博学宏词科登第，试《汉高祖斩白蛇赋》、《谒先师闻雅乐》诗。白居易、李复礼、元稹、崔玄亮等以书判拔萃科登第，试《毁方瓦合判》。时吏部侍郎郑珣瑜领选事。元稹《白氏长庆集序》：“明年，拔萃甲科。由是《性习相近远》、《求玄珠》、《斩白蛇》等赋及百道判，新进士竞相传于京师矣。”吕炅（生卒年不详），行二，缑氏人。贞元、元和间，与元稹、白居易交往颇多。《全唐诗》卷七八一录其诗一首。据《元和姓纂》卷六、《登科记考》卷一五。

白居易、元稹同授秘书省校书郎，多有酬唱。白居易有诗《常乐里闲居偶题十六韵兼寄刘十五公舆王十一起吕二炅吕四颎崔十八玄亮元九稹刘三十二敦质张十五仲元时为校书郎》等。六月，白居易有文《记画》。秋冬之际，游许昌，有《许昌县令新厅壁记》。是年，另有《养竹记》及《思归》、《和渭北刘大夫借便秋遮虏寄朝中亲友》、《留别吴七正字》等诗。

元稹又交李建，与韦丛成婚，居履信坊，本年前后识樊宗师、柳宗元、刘禹锡等，有诗《陪韦尚书丈归履信宅因赠韦氏兄弟》、《韦居守晚岁常言退休之志因署其居曰大

隐洞命予赋诗因赠绝句》、《古决绝词三首》等。

韩愈作《送浮屠文畅师序》。五月，又作《祭十二郎文》。文畅将复有东南之行，柳宗元代请韩愈作序，吕温亦有诗《送文畅上人东游》。【祭十二郎文】费衮《梁溪漫志》（上海古籍出版社1985）卷六："退之《祭十二郎文》一篇，大率皆用助语。其最妙处，自'其信然耶'以下，至'几何不从汝而死也'一段，仅三十句，凡句尾连用'耶'字者三，连用'乎'字者三，连用'也'字者四，连用'矣'字者七，几于句句用助词矣！而反复出没，如怒涛惊湍，变化不测，非妙于文章者，安能及此！"《崇古文诀》卷八："文字反复曲折，悲痛凄惋，道出肺腑中事，而熏然慈良之意见于言外。"《重订古文释义新编》卷七："自始至终，处处俱以自己伴讲。写叔侄之关切，无一语不从至性中流出。几令人不能辨其是文是哭，是血是泪。而其波澜之纵横变化，结构之严谨浑成，亦属千古绝调。""文章要诀，无过真切二字。真切则确当而不可移易，自为千古不刊之作。试读此文，有一语不真切否。后学悟此，则文章一道，思过半矣。"《金圣叹批才子古文》卷一一："情辞痛恻，何必又说？须要看其通篇凡作无数文法：忽然烟波窅眇，忽然山径盘纡。论情事，只是一直说话，却偏有如许多文法者。由其平日戛戛乎难，汩汩乎来，实自有其素也。"《详订古文评注全集》卷七："想提笔作此文，定自夹哭夹写，乃是逐段连接语，不是一气贯注语。看其中幅，连接几个'乎'字，一句作一顿，恸极后人，又真有如此一番恍惚猜疑光景。又接连几个'矣'字，一句作一顿，恸极后人，又真有如此一番捶胸顿足光景。写生前离合，是追述处要哭；写死后惨切，是处置处要哭。至今犹疑满纸血泪，不敢多读。"《古文观止》卷八："情之至者，自然流为至文。读此等文，须想其一面哭一面写，字字是血，字字是泪。未尝有意为文，而文无不工。祭文中千年绝调。"《国文经纬贯通大义》卷三："历叙生前离合之因，复计死后儿女之事，絮絮道家常，读之泪雨不能掩。昔人谓韩子长于阳刚之文，此独非阴柔之至者乎？盖贤者无所不能，而至情至性，更不可磨灭也。"【送浮屠文畅师序】《义门读书记》卷三二："横空而入，推排众说，又不觉为远于人情，非宋人所及。以浮屠之说渎告浮屠，此即陈言也。公此文，浅言之，亦务去陈言而已。此文会须味其忠厚诚悫，不是虚骄之气。"陆容《菽园杂记》（四库本）卷二："韩文公《送浮屠文畅师序》，理到之言也。兕缁氏乃以不识浮屠字义讥之，此可见文公高处，盖是平生不看佛书然耳。若称沙门比丘之类，则堕其窠臼中矣。"《古文渊鉴》卷三五："昌黎力排释氏，而为浮屠赠言如此，正《原道》中所谓'明先王之道以道之'者也。"《唐宋八大家文钞》卷七："高在命意，故迥出诸家。而阖辟顿挫，不失尺寸。"又引唐顺之曰："开辟圆转，真如走盘之珠。此天地间有数文字。通篇一直说下，而前后照应在其中。"《古文评注》卷七："看其一起手两行，便为文畅出脱，便为自己留地；中间与墨谈儒处，语极光明正大，便见提撕警觉意。此是因文畅喜文章，而进之以圣人之道也。扫尽浮言，独申己说，见地最高，而结构亦密。"《昌黎先生全集录》卷三："公排释、老，序多出奇。此作独堂堂正正。"

四月

苻载罢淮南幕职，归庐山。后赴成都，有《上西川韦令公书》。

七月

因关辅旱饥，罢吏部选、礼部贡举。韩愈上《论今年权停举选状》，对朝政有所讥议。下月，有诗《和崔舍人咏月二十韵》，刘禹锡亦作《奉和中书崔舍人八月十五日夜玩月二十韵》。马异在长安，有诗《贞元旱岁》。十二月，韩愈上《御史台上论天旱人饥状》，贬连州阳山令。时张署为监察御史，贬临武令。【论今年权停举选状】《古文渊鉴》卷三五："于论事之中，畅发闳议。愈文往往有此，所以迥出诸家之上。"《唐宋八大家文钞》卷一："议论博大，而气亦昌。"《昌黎先生全集录》卷七："方以旱故停选举疏，转说消旱之法，宜求贤自辅，不次用人。机锋大似《战国策》，殆以说法为谏法者。"【御史台上论天旱人饥状】《韩文起》卷二："其意以天旱人饥之时，正供赏不能输，何况其外？其中回护斡旋，语意亦甚和婉。"

姚南仲卒，年七十五。《全唐文》卷四三五录其文一篇。《文苑英华》卷七〇三权德舆《姚南仲集序》云："其含章匪躬，讽议居多，其他则歌诗有逸韵，叙事为实录，皆据根抵，而无枝叶，愔愔然君子大儒之言，其在是乎。"

闰十月

柳宗元、刘禹锡、韩愈三人同官御史台。柳宗元由蓝田尉征为监察御史里行，刘禹锡由渭南主簿擢为监察御史，韩愈此前已由四门博士授监察御史。是年，韩愈有诗《哭杨兵部凝陆歙州参》、《苦寒》、《落齿》及文《讼风伯》、《与陈给事书》、《上李尚书书》、《送牛堪序》、《送陈密序》、《送王秀才序》、《送何坚序》、《赠崔复州序》、《送董邵南序》、《送许郢州序》、《唐故河南府法曹参军卢府君夫人苗氏墓志铭》。【送董邵南序】真德秀《文章正宗》（四库本）卷一五《议论》一一："此篇言燕赵之士，仁义出乎其性，乃故反其词以深讥其不臣而习乱之意，故其卒章，又为道上威德以警动而招徕之。其旨微矣，读者详之。"《唐宋八大家文钞》卷七："文仅百余字，而感慨古今，若与燕赵豪俊之士，相为叱咤呜咽其间。一涕一笑，其味不穷。昌黎序文当属第一首。"《金圣叹批才子古文》卷一一："送董邵南往燕赵，却反托董邵南谕燕赵归朝廷。命意既自沉痛，用笔又极顿挫。看他只是百数字，凡作几反几复。"《古文评注》卷七："劝其往又似劝其不必往，言有合又似恐其未必有合。语意一半是爱惜邵南，一般是不满藩镇。通篇只以'风俗与化移易'句为上下过脉，而以'古'、'今'二字呼应，含蓄不露，曲尽吞吐之妙。唐文唯韩奇，此又为韩中之奇。"《古文观止》卷八："董生愤己不得志，将往河北，求用于诸藩镇，故公作此送之。始言董生之往必有合，中言恐未必合，终讽诸藩镇之归顺及董生不必往。文仅百余字，而有无限开阖，无限变化，无限含蓄。短章妙手。"《古文小品咀华》卷三："转折顿挫，意态淋漓，篇愈短而意愈长，字愈少味愈多。文与可自品画竹，所谓数尺而有千寻之势者也。"《古文笔法百篇》卷六："劈首突起一句，下文不接，最为奇横。中间一正一反，文意委婉。末结出'明天子在上'五字，懔然责诸镇之不臣，而讽董生以不必往。寥寥短章，一起一结，笔亦不平如此。此韩文之所以如潮也。”《国文经纬贯通大义》卷八：“文仅数行，而曲折有四，奇情壮志，都寓其中，绝不外露。其讽董生之不当远游耶？抑愤世嫉俗而故为反言以喻之耶？皆令人自行理会。惟能味于无味者，始能知之。”

皇甫湜东归过宋，作《悲汝南子桑》。

冬

唐次自开州刺史迁夔州刺史，集其在开州二十三人唱和为《盛山唱和集》。盛山郡，开州。唐次，字文编。《文苑英华》卷七一二权德舆《唐使君盛山唱和集序》云：“理盛山十二年，其属诗多矣，非交修继和，不在此编。至于营合道志，咏言比事，有久敬之义焉。暌携寤叹，惆怅感发，有离群之思焉。班春悲秋，行部迟容，有记事之敏焉。烟云草木，比兴形似，有寓物之丽焉。方言善谑，离合变化，引而申之，以极其致。昔魏文帝称刘公干五言诗之善者，妙绝一时。《抱朴子》云：‘读二陆之文，恐其卷尽。’今览盛山之作，有似之。凡汉庭公卿、左右曹、方国二千石、军司马、部从事，暨岩栖处士、令弟才子，稽合属和，二十有三人，共若干篇。盖簪则七子偕赋，发函亦千里善应，尊贤下士，备见于斯。葳蕤照烛，虽南金青玉之不若也。噫，文编所友善者，仆多善之。”

权德舆、张荐等曾任或现任太常博士者十九人宴会于太子韦宾客宅，即兴赋诗。权德舆有《韦宾客宅宴集诗序》。此年，权德舆作有《离和诗》赠张荐，张荐答有《奉酬礼部阁老转韵离和见赠》。《全唐诗》卷三三〇载有崔邠、杨裕陵、许孟容、冯伉、潘孟阳、武少仪等人和诗。

本年

柳宗元约本年作《种树郭橐驼传》、《梓人传》、《宋清传》。是年，柳另有《让监察御史状》、《禬说》、《为李京兆祭杨郎中文》、《弘农令柳府君石表辞》等。【种树郭橐驼传】《金圣叹批才子古文》卷一二：“纯是上圣至理，而以寓言出之，颇疑昌黎未必有此。”《唐宋八大家类选》卷一三：“顺木之天，其义类甚广，为学养生，无不可通。然柳氏自为长人者而发。后世并促耕督获之呼，亦无暇及矣。叫嚣隳突，鸡犬不宁，如《捕蛇者说》所云，则无间日夜也，悲夫！”《古文观止》卷九：“前写橐驼种树之法，琐琐述来，涉笔成趣。纯是上圣至理，不得为山家种树方。末入‘官理’一段，发出绝大议论，以规讽世道。守官者当深体此文。”《山晓阁选唐大家柳柳州全集》卷四：“前幅写橐驼命名，写橐驼种树，写橐驼与人问答种树之法，琐琐述来，纯是涉笔成趣。读至后幅，陡然接入‘官理’一段，变成绝大议论。于是读者读其前文，竟是一篇游戏小文章；读其后文，又是一篇治人大文章。前后改观，咄咄奇事。”张伯行《唐宋八大家文钞》卷四：“子厚体物精矣，取喻当矣。为官者当与民休息，而不可生事扰民。虽曰爱之，适以害之，是可叹也。”《古文析义》卷一三：“前段以种植之善不善分提，后段单论官理之不善，但云以他植者为戒，不说以橐驼为法，盖知古治必不易复。省一事，斯民间省一扰，即汉诏以不烦为循吏之意，非谓居官者可以不事事也。

细玩方知其妙。”《古文笔法百篇》卷九按：“刻薄固易以寡恩，而姑息又易以致祸，尝见古今人主于宠幸宵小之时，徒优柔含忍，每欲生之而实以杀之者，何可胜道。读此可以悟爱殷勤之适为鸩毒也。”《古文辞类纂选本》卷七：“此文较《王承福传》稍直致，无伸缩吐茹之功。文所谓全性得天者，似庄子语。其讥操切之吏，尚属有心民事者，不过讲具文耳。读者须观其造句古朴坚实处。”【梓人传】《黄氏日钞》卷六〇：“喻为相者之道也，文字宏阔。”《古文关键》卷上：“抑扬好，一节应一节，严序事实。”《崇古文诀》卷一二：“规模从《吕氏春秋》来。但他人不曾读，故不能用，且不知子厚来处耳。”《唐宋八大家文钞》卷二一：“序次摹写，井井入彀。”又云：“唐荆川曰：此文体方，不如《圬者传》圆转，然亦文之佳者。”《金圣叹批才子古文》卷一二：“前幅细写梓人，后幅细合相道。段段、句句、字字精炼，无一懈字、懈句、懈段。”《唐宋文醇》卷一一：“储欣曰：分明一篇大臣论，借梓人以发其端，由宾入主，非触而长之之谓也。王弇洲乃云：形容梓人处已妙，只一语结束可也，喋喋不已，复而易厌。如弇洲言，是认煞公为梓人立传，而触类相臣，失厥旨矣。”《古文笔法百篇》卷九：“一梓人耳，看出宰相之道来。小中见大，识解高卓，笔力劲健，无怪韩、柳并称也。”

本年前后，韩愈在与人书中推许柳宗元文，柳宗元作《答韦珩示韩愈相推以文墨事书》。“足下所封示退之书，云欲推避仆以文墨事，且以励足下。若退之之才，过仆数等，尚不宜推避于仆，非其实可知，固相假借为之词耳。退之所敬者，司马迁、扬雄。迁于退之，固相上下，若雄者，如《太玄》、《法言》及《四愁赋》，退之独未作耳，决作之，加恢奇，至他文过扬雄远甚。雄文遣言措意，颇短局滞涩，不若退之猖狂恣睢，肆意有所作。若然者，使雄来尚不宜推避，而况仆耶？彼好奖人善，以为不屈己，善不可奖，故慊慊云尔也。”《唐宋文醇》卷一四：“吏部文章之宗，然其造诣深浅，须以柳州所论为定，故录之。且可以见柳之不敢望韩，具所自道中。盖实录，非谦辞也。”

杜牧生。杜牧（803—853），字牧之，京兆万年人。大和二年进士及第，又中贤良方正直言极谏科，授弘文馆校书郎。十月为江西观察使沈传师所辟，后转入宣歙观察使崔郸幕。大和七年，为淮南节度使牛僧孺掌书记。九年入为监察御史，分司东都。开成二年，复为宣歙观察使团练判官。次年冬，迁左补阙，历膳部及比部员外郎。会昌二年后，历任黄州、池州、睦州等州刺史。大中二年，入为司勋员外郎、史馆修撰，转吏部员外郎。次年，出为湖州刺史。四年召为考功郎中、知制诰。六年，迁中书舍人，十二月卒。《新唐书·艺文志》著录《樊川集》二〇卷，为其甥裴延翰所编次。后人增补外集一卷，北宋田概补编别集一卷，间或有他人作品。通行《樊川集》刊本，有光绪年间杨寿昌景苏园据日本枫山官库所藏宋刻本印摹影宋本、《四部丛刊》影印明嘉靖年间翻宋刊本及1978年版新校本。注释本通行，有清人冯集梧《樊川诗集注》。其又曾为《孙子》十三篇作注，收入《十一家注孙子》。事迹见《旧唐书》卷一四七、《新唐书》卷一六六《杜佑传》附、《唐才子传》卷六等。今人缪钺有《杜牧传》及《杜牧年谱》。

公元804年（唐德宗贞元二十年　甲申）

正月

白居易在长安，为校书郎。春，游洛阳、徐州。是年，始徙家于秦中，卜居下邽。作有《早春独游曲江》、《泛渭赋》、《八渐偈》、《哭刘敦质》、《酬哥舒大见赠》、《下邽庄南桃花》、《除夜俗洺州》等。

刘禹锡在长安，为监察御史兼监察使。作《许给事见示哭工部刘尚书诗因命同作》，权德舆亦作《哭刘四尚书》。八月，作诗《监祠夕月坛书事》。秋，有《和武中丞秋日寄怀简诸僚故》。十一月，作《逢王二十学士入翰林因以诗赠》。是年，刘禹锡与薛謇长女成婚。有文《为武中丞谢新茶表》、《为武中丞谢春衣表》、《为武中丞谢冬衣表》等。

春

韩愈在阳山，张署在临武贬所，作诗赠答。张署有《赠韩退之》，韩愈有《答张十一功曹》。是年，韩愈在山阳与僧人往来颇多，作有《送惠师》、《送灵师》等。韩愈此年另作有诗《湘中》、《次同冠峡》、《贞女峡》、《县斋读书》、《新竹》、《晚菊》、《李员外寄纸笔》及《别知赋》、《燕喜亭记》、《答窦秀才书》、《送杨支使序》等。【送灵师】《黄氏日钞》卷五九："送惠师、灵师，皆叙其游历胜概，终律之以正道。"《尧峰文钞》卷三〇《草堂合刻诗序》："自昔辟佛者莫严于昌黎韩子，及读其《送灵师》一篇，则有异焉。夫其人舍去父母兄弟妻子而从佛，既已叛吾周、孔之教矣。逮其为僧，则又围棋、六博、饮酒而食肉，以干谒招请为事，不更干佛之戒律耶。上之叛吾周、孔，次之干佛之戒律，虽甚工于诗，奚取焉？而昌黎不为之讳，反津津称道不已，何也？"【答张十一功曹】《唐诗评选》卷四："寄悲正在兴比处。"《韩诗臆说》卷一："退之七律只十首，吾独取此篇，为能真得杜意。"

关中大旱，京兆尹李实专事聚敛进奉。"优人成辅端，因戏作语为奏民艰苦之状，云'秦地城池二百年，何期如此贱田园。一顷麦苗伍石米，三间堂屋二千钱'。凡如此语有数十篇。实闻之，怒言辅端诽谤国政，德宗遽令决杀。"（《旧唐书》卷一三五《李实传》）《全唐诗》卷七三二存成辅端诗一首。

四月

齐抗卒于长安，年六十五。《旧唐书》卷一三六《齐抗传》："抗少隐会稽剡中读书，为文长于笺奏。"《文苑英华》卷八八七权德舆《齐成公神道碑铭》序云："凡所论著，皆研几析理，宏雅夷远。洪州文宣王庙碑，张、萧、卢三相国碑志，本圣人教化之赜，推大政暮明之道，固其性术，讲贯而发舒乎斯文。文集二十卷，中伦体要，尽在是矣。"

五月

张荐奉使吐蕃，权德舆有诗《送工部张曹长大夫奉使西蕃》，刘禹锡有《送工部张侍郎入蕃吊祭》。七月，张荐卒于途中，年六十一。《全唐诗》卷三三〇录其诗三首，又卷七八八收其与颜真卿等联句九首。《全唐文》卷四五五录其文三篇。有《灵怪集》二卷，今《太平广记》、《类说》存佚文十余条，其中《郭翰》一篇较著。权德舆《唐故中大夫守尚书工部侍郎兼御史大夫史馆修撰上柱国赐紫金鱼袋充吊赠吐蕃使赠礼部尚书张公墓志铭并序》："有文集三十卷，荦荦然君子之词也。上疏陈史职利弊，指明切实，有禆王度。著《史遁先生传》，臣节之贞历见焉；纂《十祖赞》，家风之德善彰焉。至若《宰辅传略》、《灵怪集》、《同僚籍寓居录》等，又数十编，自成一家之言。"

柳宗元在监察里行任，御史中丞李汶卒，作有《祭李中丞文》。是年，柳宗元有《佩韦赋》、《祀朝日说》、《监察使壁记》、《馆驿使壁记》、《诸使兼御史中丞壁记》。

吕温为张荐入蕃副使，途中有诗《经河源军汉村作》、《题河州赤岸桥》、《临洮送袁七书记归朝》等。

九月

元稹、李绅宿靖安里第，语及崔莺莺事，李绅因作《莺莺歌》，元稹作《莺莺传》。元稹正月自东都赴西京。二月，行至华州，游华岳寺。三月，由西京赴东都，再游华岳寺。五月，游天坛。另有诗《华岳寺》、《天坛上镜》、《天坛归》、《酬哥舒大少府寄同年科第》等。【莺莺传】《侯鲭录》卷五："王性之作《传奇辨正》云：尝读苏翰林赠张子野诗有云：'诗人老去莺莺在。'仆按元微之所《传奇》莺莺事，在贞元十六年春，又言明年生文战不利，乃在十七年。而唐《登科记》，张籍以贞元十五年高郢下登科。既先二年，决非张籍明矣。每观斯文，抚卷叹息，未知张生果为何人，意其非微之一等人，不可当也。会清源庄季裕为仆言友人杨阜公，尝得微之作《姨母郑氏墓铭》云：'其既丧夫遭军乱，微之为保护其家备至。'则所谓《传奇》者，尽微之自叙，特假他姓以自避耳。仆退而考微之《长庆集》，不见所谓《郑氏志》文，岂予家所收未全，或别有他本尔。然细味微之所序，及考于他书，则与季裕所说皆合。盖昔人事有悖于义者，多托之鬼神梦寐，或假之他人，或云见他书，后世犹可考也。微之心不自抑，既出之翰墨，姑易其姓氏耳。不然，为人叙事，安能委曲详尽如此。按乐天作《微之墓志》，以大和五年薨，年五十三，即当以大历十四年己未生，至贞元庚辰正二十二岁矣。又退之作《微之妻韦氏志》文，作'壻韦氏时，微之始以选为校书郎'。又微之作《陆氏姊志》云：'予外祖睦州刺史郑济。'乐天作《微之母郑夫人志》，亦言'郑济女'。而唐《崔氏谱》'永宁尉鹏亦娶郑济女'，则莺莺者，乃崔鹏之女，于微之为中表。非特此而已。仆家有微之作《元氏古艳诗》百余篇，中有《春词》二首，皆隐'莺'字，及自有《莺莺诗》、《离思诗》、《离忆诗》，与《传奇》所载，犹一家说也。又有《古决绝词》、《梦游春诗》，前叙所遇，后言舍之以义。又叙娶韦氏之年，与此无少异者。其诗中多言双文，意二'莺'字为双文也。"

太子李诵始得风疾，不能言。翰林待诏王伾、山阴王叔文侍太子，并与吕温、柳宗元、刘禹锡等交结。

秋

武元衡为御史中丞，有诗《秋日台中寄怀简诸僚》，刘禹锡和之，明年，吕温自吐蕃还，有诗追和。

本年

孟郊辞去溧阳尉职。明年秋，奉母归湖州故里。

李贺年十五，以乐府歌诗名于时，始读书应举。《新唐书》卷二〇三《李益传》："李益，故宰相揆族子，于诗尤所长。贞元末，名与宗人贺相埒，每一篇成，乐工争以赂求取之，被声歌，供奉天子。"

柳冕约于本年卒于福州。《全唐文》卷五二七录其文一四篇。《旧唐书》卷一四九《柳登传》："冕，文史兼该，长于吏职。"《新唐书》卷一三二《柳冕传》："冕，字敬叔，博学富文辞，且世史官。"《古文雅正》卷四："柳冕、李翰，笔颇疏快，而气力尚薄。"【再答张仆射书】《古文渊鉴》卷三四："文甚简净，而欸笃之意独至。"【与权德舆书】《古文渊鉴》卷三四："叙历代人才得失之由，最为明确。"【复杜相公书】《古文渊鉴》卷三四："谓文章由于风俗，风俗根于人心，卓然探本之言。"

穆员约于本年卒，年四十余。韩愈有《为崔侍御文穆员外文》。《文苑英华》卷七〇四许孟容《穆公集序》云："故其文融朗恢健，沉深理辨，墉阓四会，精铓百炼，结而为峻极，散而为游演。其工也，异今而从古；其旨也，惩恶而耸善。迹夫孝于其上，慈于其下，择中庸而后蹈，推久要而后交，则向之词艺，由积衷淳耀，发而为身瑞者也。……大凡碑志文册铭赞记序六十五首，共成十卷。"《全唐文》编其文三卷（卷七八三至七八五）。《旧唐书》卷一五五《穆宁传》："员工文辞，尚节义。杜亚为东都留守，辟为从事、检校员外郎。早卒，有文集十卷。质兄弟俱有令誉而和粹，世以滋味目之。赞俗而有格为酪，质美而多入为酥，员为醍醐，赏为乳腐。近代士大夫言家法者，以穆氏为高。"

陆羽约于本年卒，年七十余。《全唐诗》卷三〇八存其诗二首又六句，《全唐诗补编·续拾》卷一九补二句。《全唐文》卷四三三存其文四篇，一篇重出。《唐文拾遗》卷二三补一篇。其《陆文学自传》云："少好学文，多所讽谕，见人为善，若己有之；见人不善，若己羞之。苦言逆耳，无所回避，由是俗人多之。自禄山乱中原，为《四悲诗》；刘展窥江淮，作《天之未明》赋，皆见感激当时、行哭涕泗。"《文苑英华》卷七一六权德舆《萧侍御喜陆太祝自信州移居洪州玉芝观诗序》："太祝陆君鸿渐，以词艺卓异，为当时闻人。"《唐国史补》卷中："羽有文学，多意思，耻一物不尽其妙，茶术尤著。"赵璘《因话录》（四库本）卷三："聪俊多能，学赡辞逸，诙谐纵辩，盖东方曼倩之俦。"《文苑英华》卷三七一周愿《牧守竟陵因游西塔著三感说》："羽字鸿渐，百氏之典学，铺在手掌。天下贤士大夫，半与之游。加以方口谔谔，坐能谐谑，世无奈何，文行如轲。所不至者，贵位而已矣。"

正月

癸巳，德宗病卒，年六十四。太子李诵即位，是为顺宗。《全唐诗》卷四存德宗诗一五首，《诗逸》卷上补二句，《全唐诗补编·续补遗》卷四、《续拾》卷一九各补一首；《全唐文》卷五〇至卷五六编其为文七卷。《唐国史补》卷中："德宗晚年绝嗜欲，尤工诗句，臣下莫可及。每御制奉和，退而笑曰：'排公在。'俗有投石之两头置标，号曰：'排公'，以中不中为胜负也。"《唐音癸签》卷五："德宗诗尚雅正。'松院静苔色，竹房深磬声'，最有称。"

二月

辛卯，以吏部郎中韦执谊为尚书左丞、同中书门下平章事。辛酉，贬京兆尹李实为通州长史，寻卒。壬寅，王伾由翰林待诏充翰林学士，王叔文以起居舍人为翰林学士，谋划政事。甲子，顺宗赦天下，行新政。柳宗元由监察御史里行擢升为礼部员外郎。

白居易仍为校书郎。十九日，上书韦执谊，作有《为人上宰相书》。此年，另作有《寄隐者》、《感时》、《首夏同诸校正游开元观因宿玩月》、《永崇里观居》、《早送举人入试》、《西明寺牡丹花时忆元九》、《奉题华阳观》、《华阳观桃花时招李六拾遗饮》、《和友人洛中春岁》、《送张南简入蜀》、《寄陆补阙》、《华阳观中八月十五夜招友玩月》、《三月三日题慈恩寺》、《奉中与卢四周谅华阳观同居》、《德宗皇帝挽歌四首》、《过刘三十二故宅》等。与元稹赠答渐多。

元稹与白居易同为校书郎，在秘书省约三年。与李绅、李建等游。是年有文《夏阳县令陆翰妻河南元氏墓志铭》，有诗《贞元历》、《送林复梦赴韦令辟》、《送复梦赴韦令幕》等。

三月

丙戌，杜佑为度支盐铁使。戊子，王叔文以翰林学士为副使，掌实权。癸巳，诏册广陵王淳为太子，更名纯。

沈传师、李宗闵、牛僧孺、杨嗣复、陈鸿、杜元颖、萧籍等二十九人登进士第。时礼部侍郎权德舆知贡举，试《沽美玉》诗。见《登科记考》卷一五。李宗闵（？—846），字损之，进士及第后调华州参军事。元和三年举贤良方正，补洛阳尉。七年人授监察御史、礼部员外郎。十二年裴度伐蔡，引为彰义观察判官。蔡平，迁驾部郎中，知制诰。长庆元年进中书舍人，三年权知礼部侍郎，四年知贡举。宝历初，累进兵部侍郎。大和三年八月，以吏部侍郎同中书门下平章事，引僧孺同秉政。迁中书侍郎。七年罢为山南西道节度使。寻复秉政。会昌四年贬漳州长史，长流封州，六年卒。事迹见《旧唐书》卷一七六、《新唐书》卷一七四本传。

皇甫湜三举进士不第，作《答刘敦质书》。后至闽禺，归扬州，秋赴举，有《东还赋》、《上江西李大夫书》。马异有《送皇甫湜赴举》。

陆贽在贬所忠州，诏征还，诏未至而卒。年五十二。《全唐诗》卷二八八存其诗三首，《全唐诗补编·续补遗》卷四补一句。《全唐文》卷四六〇至卷四七五编其文为一六卷。有《翰苑集》，权德舆序云：“公之秉笔内署也，推古扬今，雄文藻思，敷之为文诰，伸之为典谟，俾僄狡向风、懦夫增气，则有《制诰集》十卷。览公之作，则知公之为文也。润色之余，论思献纳，军国利害，巨细必陈，则有《奏草》七卷。览公之奏，则知公之为臣也。其在相位也，推贤与能，举直措枉，将斡旋衡而揭日月，清氛沴而平泰阶。敷其道也，与伊说争衡；考其文也，与典谟接轸，则有《中书奏议》七卷。览公之奏议，则知公之事君也。……公之文集，有诗文赋集表状为别集十五卷。其关于时政，昭昭然与金石不朽者，惟制诰奏议乎。”《旧唐书》卷一三九《陆贽传》：“时天下叛乱，机务填委，征发指踪，千端万绪，一日之内，诏书数百。贽挥翰起草，思如泉注，初若不经思虑，既成之后，莫不曲尽事情，中于机会，胥吏简札不暇，同舍皆伏其能。……其于议论应对，明练理体，敷陈剖判，下笔如神，当时名流，无不推挹。”《新唐书》卷一五七《陆贽传》：“观贽论谏数十百篇，讥陈时病，皆本仁义，可为后世法，炳炳如丹，帝所用才十一，唐祚不竞，惜哉。”《嘉祐集》卷一二《上欧阳内翰第一书》：“陆贽之文，遣言措意，切近的当。”《东坡全集》卷六四《乞校正陆贽奏议上进札子》：“唐宰相陆贽，才本王佐，学为帝师，论深切于事情，言不离于道德，智如子房而文则过，辩如贾谊而术不疏，上以格君心之非，下以通天下之志，三代以还，一人而已。但其不幸仕不遇时，德宗以苛刻为能，而贽谏之以忠厚。德宗以猜疑为术，而贽劝之以推诚。德宗好用兵，而贽以消兵为先。德宗好聚财，而贽以散财为急。至于用人听言之法，治边驭将之方，罪已以收人心，改过以应天道，去小人以除民患，惜名器以待有功，如此之流，未易悉数。可谓进苦口之药石，针害身之膏肓，使德宗尽用其言，则贞观可得而复。……如贽之论，开卷了然，聚古今之精英，实治乱之龟鉴。”程大昌《演繁露续集》（《丛书集成初编》本）卷三：“唐世诸儒，有学有守者，吾得二人焉，魏征、陆贽是也。取其奏读之，其理悉与经合，学能发古，吾故敢云尔也。”陈造《江湖长翁集》（四库本）卷三一《题陆宣公集》：“孔、孟栖栖旅人，万世师之。屈于一时，信于无穷，圣贤往往一揆。陆宣公一代人杰，其模画经济，伐谋切机，制物务而洞人情，王佐才也。而文采论辨，雄放不穷，异世之贾谊、刘向欤?”《朱子语类》卷一三六：“史以陆宣公比贾谊。谊才高似宣公，宣公谙练多，学更纯粹。”又云：“《陆宣公奏议》极好看。这人极会议论，事理委曲说尽，更无渗漏。虽至小底事，被他处置得亦无不尽。如后面所说二税之弊，极佳。人言陆宣公口说不出，只是写得出。今观奏议中多云，今日早面奉圣旨，臣退而思之，疑或然也。问：‘陆宣公比诸葛武侯如何?’曰：‘武侯气象较大，恐宣公不及。武侯当面便说得，如说孙权一段，虽辨士不及其细密处，不知此宣公如何。只是武侯也密，如桥梁道路，井灶圊溷，无不修缮，市无醉人，更是密。只是武侯密得来严，其气象刚大严毅。’”又云：“《陆宣公奏议》末数卷论税事，极尽纤悉，是他都理会来，此便是经济之学。”《文章精义》：“陆宣公文字不用事，而句语铿锵，法度严正，议论切当，事情明白，得君臣告诫之体。”王夫之《读通鉴论》（中华书局 1975）卷二四：“贞元以后，棼乱之宇宙，孤危之社稷，涣散之人心，强悍之戾气，消融荡涤，而唐室为之再安，皆敬舆悟主之功也。故曰：辞之为用大矣哉。前乎此者，董仲舒正而浮，贾谊奇而偏，魏征切而俗，莫能匹也；后乎此者，苏轼辩而诡，真德秀详而迂，莫能及也。不主故常而不流，不修藻采而不鄙，《六经》邈矣，卮言日进，欲以辞立诚，而匡主安民，拨乱反正，三代以下，一人而已矣。"《无用闲谈》："陆宣公就事论事，纤情变态无穷，而其言亦无穷，滚滚多至数千，一字不可减也。"《古文渊鉴》卷三四"《陆贽翰苑集序》条云"："陆贽为文，闳博流畅，委折尽致，谋画能中机宜，诚奏议之杰构也。"《皇清文颖》卷首一一乾隆《陆贽论》："吾读史至唐德宗之时，谓朱泚之乱不生于姚令言，而生于用卢杞。复唐之功不在于用李晟，而在于信陆贽。……贽为人刚方严正，而有经世之才。其奏疏皆可行可法，措之于天下，则有治安之效。大抵以仁义为本根，货财为末务，论深切于事情，言不离于道德。至于君子、小人之分，忠厚、苛刻之别，推诚、任术之判，未尝不反复为德宗言之。"又《御选唐宋文醇序》："骈句固属文体之病，然若唐之魏郑公、陆宣公，其文亦多骈句，而辞达理诣，足为世用，则骈又奚病?"王之绩《铁立文起》（康熙刻本）后编卷三："状者，人臣条奏之明疏也。宣公属第一手笔。其作法先叙事之本末，次则进断其是非，明晰精确，令人主易，从末则为之区处停当。一见识高，一见忠至。有危耸处，有正大处，有纡曲处，有长辨处，要在因事大小利害，为行文之波折而已。"《潜研堂文集》卷一八《续通志列传总叙》："如魏征、陆贽之论事，刘蕡之对策，皆经国名言，所宜备录。"孙梅《四六丛话》（上海商务印书馆 1937）卷三二："古以四六入章奏者有矣。贺谢表而外，惟荐举及进奉，则或用之。品藻比拟，此其长也。若敷陈论列，无往不可，而又纂组辉华，宫商谐协，则前无古后无今，宣公一人而已。指事如口讲手画，说理则缕析条分，旁延景物，则兴会飞骞，远计边琐，则武库森列。大抵义蕴得自六经，而文词则《文选》烂熟也。惟公兼体，是以独擅。"《艺概》卷一"文概"："陆宣公文，贵本亲用，既非瞀儒之迂疏，亦异杂霸之功利，于此见情理之外无经济也。"又云："陆宣公奏议，评以四字曰：正实切事。"又云："陆宣公奏议，妙能不同于贾生。贾生之言，犹不见用，况德宗之量非文帝比，故激昂辩折有所难行，而纡余委备可以巽入。且气愈平婉，愈可将其意之沉切。故后世进言多学宣公一路，惟体制不必仍其排偶耳。"又云："贾生、陆宣公之文，气象固有辨矣。若论其实，陆象山最说得好：'贾谊是就事上说仁义，陆贽是就仁义上说事。'"又云："李忠定奏疏，论事指画明豁，其天资似更出陆宣公上。然观其《书檄志》云：'一应书檄之作，皆当以陆宣公为法'，则知文得于宣公者深矣。"《四库提要》卷一五〇："故《新唐书》例不录排偶之作，独取贽文十余篇以为后世法。司马光作《资治通鉴》，尤重贽议论，采奏疏三十九篇。其后苏轼亦乞以贽文校正进读，盖其文，虽多出于一时匡救规切之语，而于古今来政治得失之故，无不深切著明，有足为万世龟鉴者，故历代宝重焉。"《四库全书简明目录》卷一五："贽文多用骈句，盖当日之体裁。然真意笃挚，反复曲畅，不复见排偶之迹。……经世之文，斯之谓矣。"【禁中春松】《唐诗合选评解》卷一一："王元美曰：穷情尽态，而出以春容，自是垂绅搢笏之度。"《唐诗增评》卷三："禁松明点分承，语极高华。以下禁松夹写，一联正面，一联旁衬，一联就题颂美，用流水对法。结带干请，亦就禁中著笔关合。……此诗结句，真有月尽珠来劲力。"【冬至日陪位听太和乐赋】《赋话》"新话四”：“先叙冬至，至叙陪位，然后叙作乐，末以‘听’字作收煞，循题布置，浑灏流转，盖题位使然，不必尽以雕镂藻绘为工也。”【奉天改元大赦诏】《碧溪诗话》卷一：“‘一朝自罪己，万里车书通’，此与《无逸》、《旅獒》，孟子格君心之非，汲长孺谏上多欲，魏郑公十渐，陆宣公之奉天诏书，无二道也。”《古文渊鉴》卷三三：“康熙评：诞告之文，仁音如此，故能使当时之民闻诏书而感泣也。又徐熙评：缠绵恺切，感动当时，百世而后，犹能令人抚然。所谓涣汗之音，风行而草偃也。又德宜评：天之所助者顺，人之所好者谦，引咎推恩，实感动天人之理。”《古文雅正》卷七：“总是‘推诚改过’四字尽之。唐朝学术文章，以韩公为第一。经济奏议，以陆公为第一。其忠诚正大，姚元之、李邺侯尚不及也。”【奉天请罢琼林大盈二库状】《古文渊鉴》卷三三：“泾原军士之变，以二库为兵端，故贽立言如此。”高步瀛《唐宋文学举要》甲编卷一：“指陈利害，剀切动听，文章得此，无不尽之怀。”【论前所答奏未施行状】《古文雅正》卷七：“泰否，言君臣也。损益，言君民也。上下交则泰，损上益下则益，羲、文、周孔之治法也。宣公明切指出，遂为百代之药石蓍龟。”又云：“宣公经济名臣，经学最为精通。世有读史而不穷经者，终为无本之学。即徒玩宋儒之书，而不湛深经学，犹无本也，但恐涉于训诂记诵，故必体究宋儒，则经学更字字切已耳。”《古文渊鉴》卷三三：“康熙评：补牍而陈，忠恳之情，溢于行墨。词义茂美，直余事耳。又徐学乾评：贽年少入翰林，参裁大议，号称内相，帝之亲依，可谓深矣。而讥陈过当，骎骎乎积不能容。故此状多绸缪虑祸之言。又杜讷评：曲折往复，娓娓不倦。读之只见诚意蕴结，而不嫌其浩汗。”【请数对群臣兼许令论事状】《古文雅正》卷七：“用贤听言，治国之要，而其本在于诚信。《大学》所谓诚正为修齐治平之本也。宣公学有原本，言曲而中，以视韩公子《说难》，其揣摩物情则均，而彼则一派私利之心，此则一片公诚，千载犹将见之。”【谢密旨状因论所宣事状】《古文雅正》卷七：“狱讼以货贿为重轻，举措以货贿为用舍，庄生所谓‘哀莫大于心死者’，宣公此疏尤为深痛。”《历代经世文钞》卷二：“姚永朴、姚永概案：此篇沉挚透快，于事理阐发无遗。”【兴元元年命马燧浑瑊招讨河中制】《古文渊鉴》卷三三康熙评：“止罪状怀光一人，无一语及朔方将士，所以离散党与、收拾人心，妙有机权，足征庙算。”又庭敬评：“无张皇之气，而有蔼恻之情，以见用兵非得已。至于明任遇之优崇，奖彼军之忠义，皆庙算之长者也。”洪绪评：“陆贽所草制敕更无他奇，只是开诚布公，一字一句皆从肺腑中出。此制虽专逮燧、瑊，勤勤恳恳，自足深入人心，卒成再造之勋，夫岂偶然。”【论治乱之略疏】《古文渊鉴》卷三三康熙评：“篇中前言事，后言理，敷衽而谈，最为融浃。”徐学乾评：“天应本乎人事，真千古兴亡治乱之本，炳炳如丹。”

四月

刘禹锡由监察御史转屯田员外郎、判度支盐铁案。作《举开州柳使君公绰自代状》。夏秋间，有《百舌吟》、《聚蚊谣》、《飞鸢操》、《秋萤引》、《阙下口号呈柳仪曹》、《萋兮吟》、《咏史二首》、《为杜司徒让淮南立去思碑表》等。【秋萤引】《删补唐诗选脉笺释会通评林》“中唐七古下”周珽曰：“说得秋萤大有身份，其光明所烛，无所不到，无人不见。微物且然，况盛德之士，宁晦不自炫，竟沉于泯灭哉！末二句，见得恶劣小人虽大张声势，终不若君子行著明动，有自然之辉也。通篇渊浑高穆。”

七月

苻载在成都，受韦皋辟为西川节度支使。下月，韦皋卒，年六十一，《全唐诗》卷三一四存其诗三首，《全唐诗补编·续拾》卷一九重录一首，《全唐文》卷四五三存其文一〇篇，《唐文拾遗》卷二四补二篇。其镇剑南时，幕中多名士，如司空曙、钱徽、苻载、陆畅等。

八月

庚子，顺宗禅位于太子李纯，改贞元二十一年为永贞元年。李纯即位，是为宪宗。壬寅，贬王伾为开州司马，王叔文为渝州司户。

韩愈授江陵法曹参军，张署为江陵功曹参军。韩、张二人于本年春遇赦北归，至郴州俟命。本年正月，韩愈有诗《闻梨花发赠刘师命》、《梨花下赠刘师命》、《刘生》等，时刘师命自北至阳山访韩愈。秋，自郴州赴江陵，有《谒衡岳庙宿岳寺题门楼》、《赴江陵途中寄赠王十二补阙李十一拾遗李二十六员外翰林三学士》、《陪杜侍御游湘西两寺独宿有题因献杨常侍》、《八月十五夜赠张功曹》。十月，过岳州，与窦庠同登岳阳楼，有诗《岳阳楼别窦司直》，窦庠有《酬韩愈侍郎登岳阳楼见赠时予权知岳州事》。十二月，在江陵法曹参军任，作《上兵部李侍郎书》。是年，韩愈另有诗《县斋有怀》、《杂诗四首》、《宿龙宫滩》、《东方半明》、《谴疟鬼》、《湘中酬张十一功曹》、《郴州祈雨》、《郴口又赠二首》、《题木居士二首》、《别盈上人》、《潭州泊船呈诸公》、《洞庭湖赠张十一署》、《晚泊江口》、《永贞行》、《喜雪献裴尚书》及文《五箴》、《送区册序》、《送廖道士序》、《送孟秀才序》等。【赴江陵途中寄赠王十二补阙李十一拾遗李二十六员外翰林三学士】《唐宋诗醇》卷二八：“此自阳山量移江陵而寄王涯、李建、李程，意在牵复耳。有求于人，易涉贬屈，而‘齿缺’、‘鼻塞’等语，借‘失志’、‘衰换’写意，似有惩创，然只以诙谐出之，固知倔强，犹昔不肯折却腰骨也。意缠绵而词凄婉，神味极似《小雅》。”《黄氏日钞》卷五九：“次叙明密，是记事之体。”【岳阳楼别窦司直】《唐诗镜》卷三八：“不为雄壮之势，却拥笔自来，才大者觉势有余地。意象仿佛略似。”《唐诗别裁集》卷四：“前两段阳开阴阖，入窦司直后见忠直被谤，而以‘追思南渡’数语挽转前半，笔力矫然。”《唐宋诗醇》卷二八：“范希文《岳阳楼记》似从此脱胎。俞玚曰：此诗前半首写景，后半首述事，却用‘追思南渡时’数语挽转，真有千钧之力，且有此一段，才见前此铺张非漫然也。可见公布局运笔之妙。”【谒衡岳庙宿岳寺题门楼】《黄氏日钞》卷五九：“恻怛之忱，正直之操，坡老所谓‘能开衡山之云’者也。”《唐诗镜》卷三九：“语如凿翠。”《昭昧詹言》卷一二：“壮起陪起。此典重大题。首以议为叙，中叙中夹写。意境托句俱奇创。以己收。”《老生常谈》：“读去觉其宏肆中有肃穆之气，细看去却是文从字顺，未尝矜奇好怪，如近人论诗所谓说实话也。”【八月十五夜赠张功曹】《黄氏日钞》卷五九：“感慨多兴。”《义

门读书记》卷三〇："未免捶楚尘埃间。"《唐诗镜》卷三九："每读昌黎七言古诗，觉有飞舞翔翥之势。"【刘生】《石洲诗话》卷二："昌黎《刘生》诗，虽纪实之作，然实源本古乐府《横吹曲》。其通篇叙事，皆任侠豪放一流。……不惟用乐府题，兼且用其意，用其事，而却自纪实，并非仿古，此脱化之妙也。"《昭昧詹言》卷一二："此赠叙题，造句重老。"【上兵部李侍郎书】《唐宋八大家文钞》卷二："中多自悲，并以自誉。"《昌黎先生全集录》卷二："驰骋之气，固而存之。《韩集》中极肃括文字，学韩者尤须自肃括入。"

九月

柳宗元、刘禹锡等坐交王叔文遭贬，柳为邵州刺史，刘为连州刺史。途中，刘禹锡有诗《赴连州途经洛阳诸公置酒相送张员外贾以诗见赠率尔酬之》、《赴连山途次德宗山陵寄张员外》、《途次敷水驿伏睹华州舅氏昔日行县题诗处潸然有感》、《秋晚题湖城驿池上亭》、《登陕州城北却寄京师亲友》、《顺阳歌》、《宜城歌》、《纪南歌》、《君山怀古》等。十一月，刘禹锡行至江陵，晤韩愈，作《韩十八侍御见示岳阳楼别窦司直诗因令属和重以自述故足成六十二韵》。

十月

给事中陆淳卒。时吕温已自吐蕃归长安，作《祭陆给事文》。正月，吕温曾卧病吐蕃，作《吐蕃别馆卧病寄朝中亲友》、《吐蕃别馆中和日寄朝中旧僚》。冬，再遇疾，由户部员外郎转司封员外郎，有《冬日病中即事》、《病中自户部员外转司封》。

十一月

壬申，韦执谊贬崖州司马。己卯，柳宗元由邵州司马再贬为永州司马，刘禹锡由连州司马再贬为朗州司马，又韩泰、陈谏、韩晔、凌准、程异等皆因坐交王叔文，参预永贞朝政，被贬远州司马，史称"八司马"。是年，柳宗元有《陈给事行状》、《户部侍郎王公太夫人刘氏墓志》、《潞州兵曹柳君墓志》、《吊屈原文》。

杨凭由湖南观察使迁江西观察使，有诗《早发湘中》、《寄别》。

本年

唐次由夔州刺史征拜中书舍人，卒于道。《全唐文》录其文四篇。柳宗元《先君石表阴先友记》："唐次，北海人，有文章学行，义甚高。"权德舆有《祭唐舍人文》。

秦系居泉州，为姜公辅营葬，其后形迹无考。《全唐诗》卷二六〇编其诗一卷，《全唐诗补编·续拾》卷一九补一首。权德舆《秦征君校书与刘随州唱和诗序》："（刘长卿）尝自以为五言长城，而公绪用偏伍奇师，攻坚击众，虽老益壮，未尝顿锋。词或约而旨深，类乍近而致远，若珩佩之清越相激，类组绣之元黄相发，奇采逸响，争为前驱。"李昭玘《乐静集》卷五《跋秦系诗》："系辞意清远，讽而不怨，有古诗人之风。一时与游者，钱起、韦应物、刘长卿、鲍防、耿沣，皆知名士，独权德舆深爱之，非所谓大音希声、大味必淡者欤。……余尝读系诗，至于老年，唯自适主事，任群儿慨然窃叹，有味其言则知系之肥遯，盖有所不为而后去，非沽激喜名者也。世俗之人犹欲以半通之绶系而拘之，难矣。"《后村诗话》卷一二："系诗仅百余首，趣尚清修。然自天宝至正元，先隐剡川，后徙南安、九日山，又客丹阳，寿八十余，不应赋咏寂寥简短如此，必有遗轶者。世传系晚与妻仳离，当是送妻归丹阳耳。韦苏州与系诗：'知掩山扉三十秋，鱼须翠碧弃墙头。莫道谢公方在郡，五言今日为君休。'韦公五言独步一世，而怜才下士如此。薛能辈才道得一联半句，便妄自尊大矣。"《唐诗品》："隐君夙慕林丘，早怀旷度，但气过其文，遂乏华秀，外无清庙明堂之奏，内无逍遥御风之景，寥寥自得，亦可谓跨俗之致而已。至如'流水闲过院，春风与闭门'，又'门前山色能深浅，壁上河光自动摇'，山人景象，模榻殆尽。"《载酒园诗话》又编："秦系诗唯工写景，故能近人。其《赠张评事》作最佳，如'流水闲过院，春风与闭门'颇有闲淡之趣。又'篱间五月留残雪，座右千年荫怪松'，工丽中不失矫健。其他悉有绮思，惜音节渐柔。"《诗薮》内编卷四："秦系'流水闲过院，春风与闭门'，小见幽楚，此外绝无足采。唐人谓胜刘长卿，时论不足为凭如此。"《唐诗别裁集》卷一四："刘长卿自谓五言长城，系欲以偏师攻之。然诗格近幽涩，未之许也。"《大历诗略》卷六："公绪人品高，诗品中品，而权载之谓'文房五言长城，秦以偏师攻之'，其亦别有意在耶?"【题女道士居】《瀛奎律髓汇评》卷二三方回评："尾句有说话在。"冯舒评："必逊刘（长卿）。落句俚俗。"冯班评："似胜刘。落句盛唐常语也。"又云："不学古便有此等言语。"

苏冕卒，撰《会要》四十卷。《全唐文》卷六三三录其文一篇。

第三章

唐宪宗元和元年至唐文宗开成五年（806—840）共35年

·引　言·

《元氏长庆集》卷五一《白氏长庆集序》：予始与乐天同校秘书，前后多以诗章相赠答。会予谴掾江陵，乐天犹在翰林，寄予百韵律诗及杂体，前后数十轴。是后，各佐江、通，复相酬寄巴蜀江楚间，洎长安中少年递相仿效，竞作新词，自谓为“元和诗。”又《上令狐相公诗启》：某始自御史府谪官于外，今十余年矣。闲诞无事，遂用力于诗章，日益月滋，有诗向千余首。其闲感物寓意，可备朦瞽之讽达者有之，词直气粗，罪戾是惧，固不敢陈露于人，唯杯酒光景间屡为小碎篇章，以自吟畅。然以为律体卑痹，格力不扬，苟无姿态，则陷流俗，常欲得思深语近，韵律调新，属对无差，而风情自远，然而病未能也。江湘间多有新进小生，不知天下文有宗主，妄相仿效，而又从而失之，遂至于支离褊浅之词，皆自谓为元和诗体。某又与同门生白居易友善，居易雅能为诗，就中爱驱驾文字，穷极声韵，或为千言，或为五百言律诗，以相投寄。小生自审不能有以过之，往往戏排旧韵，别创新词，名为次韵相酬，盖欲以难相挑耳。江湖间为诗者复相仿效，力或不足，则至于颠倒语言，重复首尾，韵同意等，不异前篇，亦自谓为元和诗体。而司文者考变雅之由，往往归咎于稹，尝以为雕虫小事，不足以自明。

《吴都文粹续集》卷五五张洎《张司业诗集序》：元和中，公及元丞相、白乐天、孟东野歌词，天下宗匠，谓之元和体。

《唐国史补》卷上：元和以后，为文笔则学奇诡于韩愈，学苦涩于樊宗师。歌行则学流荡于张籍。诗章则学矫激于孟郊，学浅切于白居易，学淫靡于元稹，俱名为“元和体”。大抵天宝之风尚党，大历之风尚浮，贞元之风尚荡，元和之风尚怪也。

《旧唐书》卷一六六《元稹传》：与太原白居易友善，工为诗，善状咏风态物色，当时言诗者称“元白”焉。自衣冠士子至闾阎下俚，悉传讽之，号为元和体。

吕南公《灌园集》（四库本）卷一七《书卢仝集后》：唐三百年，文儒为盛，然莫盛于元和以来。韩退之其名教宗主欤，而恳恳推道柳宗元、皇甫湜、李翱、李观、张籍、孟郊、侯喜、欧阳詹、卢仝辈，逊服卑卑，如不足者，退之岂真宜坐其下哉？斯以见韩之大贤也。数君皆能自致于有闻，然各有终身之蔽，又当时于韩各有轻侻处，不闻韩以为间，益见韩之贤也。

《后村诗话》卷一：唐诗人与李、杜同时者，有岑参、高适、王维，后李、杜者有韦、柳，中间有卢纶、李益、两皇甫、五窦，最后有姚、贾诸人，学者学此足矣。长庆体太易，不必学。王逢原题乐天墓末云："若使篇章深李杜，竹符还不到君分？"岂亦病其诗之浅耶。又卷九：余谓此篇（杜甫《观公孙大娘弟子舞剑器行》）与《琵琶行》，一如壮士轩昂赴敌场，一如儿女恩怨相尔汝。杜有建安、黄初气骨，白未脱长庆体尔。

《因话录》卷三：元和中，后进师匠韩公，文体大变。又柳柳州宗元、李尚书翱、皇甫郎中湜、冯詹事定、祭酒杨公、余座主李公，皆以高文为诸生所宗。而韩、柳、皇甫、李公，皆以引接后学为务。杨公尤深于奖善，遇得一句，终日在口，人以为癖，终不易初心。长庆以来，李封州甘为文至精，奖拔公心，亦类数公。甘出于李相国武都公门下，时以为得人，惜其命运湮厄，不得在抡鉴之地。又元和以来，词翰兼奇者，有柳柳州宗元、刘尚书禹锡及杨公。刘、杨二人，词翰之外，别精篇什。又张司业籍善歌行，李贺能为新乐府，当时言歌篇者，宗此二人。李相国程、王仆射起、白少傅居易兄弟、张舍人仲素，为场中词赋之最。言程序者，宗此五人。

《唐才子传》卷五张籍条：自李杜之后，风雅道丧。至元和中叶，元、白歌诗，为海内宗匠，谓之元和体，病格稍振，无愧洪河砥柱也。

《唐语林》卷二：臣闻宪宗为诗，格合前古，当时轻薄之徒，摛章绘句，聱牙崛奇，讥讽时事，尔后鼓扇名声，谓之元和体。

《郡斋读书志》卷四上：（张）籍性狷急，惟长于乐府，多警句，元和中与白乐天、孟东野歌辞，天下宗之，谓之元和体云。

《艺苑卮言》卷四：韦左司平淡和雅，为元和之冠。至于拟古，如"无事此离别，不如今生死"语，使枚、李诸公见之，不作呕耶？此不敢与文通同日，宋人乃欲令之配陶陵谢，岂知诗者。柳州刻削虽工，去之稍远，近体卑凡，尤不足道。

《四友斋丛说》卷二五《诗》：余最喜白太傅诗，正以其不事雕饰，直写性情。夫《三百篇》何尝以雕绘为工耶？世又以元微之与白并称。然元已自雕绘，唯讽喻诸篇差可比肩耳。又云：初唐人歌行，盖相沿袭梁、陈之体，仿佛徐孝穆、江总持诸作，虽极其绮丽，然不过将浮艳之词模仿凑合耳。至如白太傅《长恨歌》、《琵琶行》，元相《连昌宫词》，皆是直陈时事，而铺写详密，宛如画出，使今世人读之，犹可想见当时之事，余以为当为古今长歌第一。

徐献忠《琏川诗集序》：予尝评唐人诗，五言兆于汉、魏，乐府杂于铙歌，至其近体诗，则传之万世，有不可磨灭者。其起初，词旨和厚，格气浑融，意象含蓄，不尽宣泄，此其正派也。乃其后辞日益工，研穷太过。自元和以后，已自离为别派，何怪乎宋人然哉。又《唐诗品序》：元和而下，调变音殊，意浮文散。其上者，格气犹存，词旨漓薄；其下者，调卑词促，心灵流荡。究观其时，元气日削，国体伤变，而艺人风格，要亦与之俱下，盖至于开成极矣。夫流调不节，则律体靡陈；格力不持，则浮夸日胜。艺虽精到，亦无取焉。而况林壑弃人，倔奇怪士，意象疏略，意旨直致，无尚于风人之轨者耶。大抵人各有声，声韵为音，未有外五音而成声者也。然律家有变宫变徵，侧商转侧之弄，皆感遇之变节也。唐初，作者览物临游，类多散调，不胜雅颂之义。然究其音节，庄严浑厚，调之口吻，清浊流通，亦庶乎律吕之谐矣。而元和以后，固皆所谓变声也，然《国风》之旨，裁于风教，发于性情，唱于人伦，合于典义，虽不尽属弦歌之品，要皆有君子之道。

宋仪望《重刻宛陵梅圣俞诗集序》：律诗滥觞六朝，而独盛有唐。然自元和而降，斯轨复榛。韩退之文雄一代，而风人之旨缺焉，余无论矣。

吴澄《吴文正集》（四库本）卷一九《唐诗三体家法序》：言诗本于唐，非固于唐也。自河梁之后，诗之变至于唐而止也。于一家之中，则有诗法；于一诗之中，则有句法；于一句之中，则有字法。谪仙号为雄拔，而法度最为森严，况余者乎？立心不专，用意不精，而欲造其妙者，未之有也。元和盖诗之极盛，其体制自此始散。僻事险韵以为富，率意放辞以为通，皆有其渐，一变则成五代之陋矣。

胡炳文《云峰集》（四库本）卷三《程草庭学稿序》：孔门学诗，致中和也，理性情也。后世学诗，艺焉而已矣。白乐天、刘禹锡下，至李益、崔颢皆负诗名于唐者。《长恨》一歌，亵语诲淫，岂可兴可观者。《看花》二绝，召闹取谤，岂可群可怨者。颢娶妻惟择美者，俄复弃之；益防妻过严，人谓之妬，彼谓《周南》、《召南》为何事。

《少室山房集》卷四一《清源寺中戏效晚唐人五言近体二十首序》：唐律，元和后卑甚矣。韩、柳、元、白振代之才，弗能挽颓波而力遡之古。而贾簿、姚监辈实始以清新奇僻阐别派于五言。咸通以降，历世相沿。上自宋初，下迨元末，凡诗家者流，律有唐韵者，率是物也。舍是则又自为宋、元本调。乃初、盛、中三唐，自沈宋、孟王、韦柳外，大都高阁束之。明弘正诸先辈出，有事扫除，即李唐中叶剔去齿牙，晚季奚有。乃余绝长絜短，笃而论之：气骨雄高，声调鸿硕，当特属之初、盛诸家；至抒情难言，铸景难状，形神涌出，诵者跃如，则晚唐独造偏长；亦间有足采者，其格姑舍旃，弗论可也。又《少室山房笔丛》正集卷一二《九流绪论中》：大概六代以还，文尚俳偶，至唐李华、萧颖士及次山辈，始解散为古文。萧、李文尚平典，元独矫峻艰涩，近于怪且迂矣，一变而樊宗师诸人，皆结之倡也。《诗薮》外编卷四：元和而后，诗道浸晚，而人才故自横绝一时。若昌黎之鸿伟、柳州之精工、梦得之雄奇、乐天之浩博，皆大家才具也。今人概以中、晚束之高阁，若根脚坚牢，眼目精利，泛取读之，亦足充扩襟灵，赞助笔力。东野之古、浪仙之律、长吉乐府、玉川歌行，其才具工力，故皆过人。如危峰绝壑，深涧流泉，并自成趣，不相沿袭。必薛逢、胡曾，方堪覆瓿。

《唐诗品汇》叙目：元和以后，述贞元之余韵者，权德舆、刘禹锡而已。其次能者各开户牖，若卢之险怪、孟之寒苦、白之庸俗、温之美丽，虽卓然成家，无得多矣。

《三家评注李犬吉歌诗》（上海古籍出版社 1998）姚文燮《昌谷诗注序》：白与贺俱不遇，而一时英贤蔚起，泥者出其中，爱者出其中，卒至废弃寝灭。而以贺视白，则白之处天宝也，不较愈于贺之处元和哉。白于至尊之前，尚能眦睨骄横，微指隐击。一时宫禁钦仰，亦足倾倒一世，其挤之也，不过一阉人妇子耳。乃贺以年少，一出即撄尘网，姓字不容人间，其挤之也则皆当世人豪焉。贺之孤愤，恨不即焚笔砚，何心更事雕绘以自喜乎？且元和之朝，外则藩镇悖逆，戎寇交讧；内则八关十六子之徒，肆志流毒，为祸不测。上则有英武之君，而又惑于神仙。有志之士，即身膺朱紫，亦且郁郁忧愤，矧乎怀才兀处者乎？又姚文燮《注昌谷集凡例》：诗至六朝以迄徐、庾，骚、雅，汉魏浸失殆尽。正始之音，没于淫哇，识者伤之。唐诗自开元、天宝而后，愈趋卑弱。元、白才名相埒，其诗为天下传讽，当时号为“元和体”，人竞习之。类多浅率靡荼，而七言近体尤甚。至问老妪之可否于灶下，博才子之声誉于禁中，贺心许之乎？当元稹谒贺，贺呵之曰：“明经中第，何用谒为?”岂真薄其为明经耶？薄其竞趋时名以此中第也。故力挽颓风，不惟不知有开、宝，并不知有六朝，而直使屈、宋、曹、刘，再生于狂澜之际。斯集惟古体为多，其绝无七言近体者，深以尔时之七言近体为不可救药，而姑置之不议论也。夫以起衰八代之昌黎与皇甫诸公，俨然先辈，乃独降心于陇西一孺子，则知昌谷起衰之功，不在昌黎下已。

《围炉诗话》卷三：苏子瞻云：诗至子美一变也。元和、长庆以后，元、白、韩、孟并出，杜诗始大行，自后文亦无能出杜之范围者。今之论文者，但可祖述子建，宪章少陵，古今之变于斯尽矣。《诗》、《骚》已前不论可也。卷五：东坡云：诗至杜子美一变。按大历之时，李、杜诗格未行，至元和、长庆始变，此亦文字一大关也。然当时以和韵长篇为元和体。若以时代言，则韩、孟、刘、柳、韦左司、李长吉、卢玉川，皆诗人之赫赫者也。云元、白诸公亦偏枯，大略沧浪胸中不了了，每言诸公，不指名何人为宗师，参学之功少也。又卷七：诗至贞元、长庆，古今一大变。李、杜始重，元、白学杜者也，元相时有学太白处，韩门诸君兼学李、杜。韦左司自是古诗，与一时文体迥异，大略六朝旧格，至此尽矣。李玉溪全法杜，文字血脉却与齐梁人相接，温全学太白五言律，多名句，亦李法也。

《石洲诗话》卷二：元和间权、武二相，词并清超，可接钱、刘。武公之死，有关疆埸，而文词复清隽不羁，可称中唐时之刘越石。

《五百家注柳先生集》附录卷二张敦颐《韩柳音释序》：唐初文章，尚有江左余习。至元和间，始粹然返于正者，韩、柳之力也。

《诗辩坻》卷三：元和诗响，不振已极，唯权文公乃颇见初唐遗构，亦一奇也。

《岘佣说诗》：香山七古作，谓长庆体，然终是平弱漫漶。

《诗筏》：长庆长篇，如白乐天《长恨歌》、《琵琶行》，元微之《连昌宫词》诸作，才调风致，自是才人之冠。其描写情事，如泣如诉，从《焦仲卿》篇得来。所不及《焦仲卿》篇者，正在描写有意耳。拟之于文，则龙门之有褚先生也。盖龙门与《焦仲卿》篇之胜，在人略处求详，详处复略，而此则段段求详耳。然其必不可朽者，神气生动，字字从肺肠中流出也。

《诗源辩体》卷二三：大历以后，五七言律流于委靡，元和诸公群起而力振之。贾岛、王建、乐天创作新奇，遂为大变，而张籍亦入小偏，惟子厚上承大历，下接开成，乃是正对阶级。然子厚才力虽大，而造诣未深，兴趣亦寡，故其五言长律及七言长律对多凑合，语多妆构，始渐见斧凿痕，而化机遂亡矣。要亦正变也。

《射鹰楼诗话》卷二：初唐四杰七言古与长庆体不同，二者均是丽体，四杰以秾丽胜，长庆以清丽胜，须分别观之。譬之女郎之词，一则为青楼之丝竹，一则为绣阁之笙簧，读者不可不辨也。

《重订中晚唐诗主客图》序：予读贞元以后近体诗，称量其体格，窃得两派焉：一派张水部，天然明丽，不事雕琢，而气味之道，学之可以除足忝妄，祛矫饰，出入风雅；一派贾长江，力求险奥，不吝心思，而气骨凌霄，学之可以屏浮靡，却熟俗，振兴玩懦。二君之诗，各有广大、奥逸、宏拔、美丽之妙，而自成一家。一绪所延，在当时或亲承其旨，在日后则和淑其风，昭昭可考，非予一人私见。

公元806年（唐宪宗元和元年　丙戌）

正月

丙寅朔，改元元和，大赦。元稹与李绅、庾敬休同游曲江，作诗《永贞二年正月二日上御丹凤楼赦天下予与李公垂庾顺之闲行曲江不及盛观》。

岁初，白居易与元稹居华阳观，为备策试，作《策林》七十五篇。春，与元稹于长安新昌宅听《一枝花》话。

二月

武翊黄、皇甫湜、陆畅、李绅、李顾言、李虞仲等二十三人登进士第。时礼部侍郎崔邠知贡举，试《山出云》诗。

陆畅（生卒年不详），字达夫，郡望吴郡，湖州人。累官太子率府参军、殿中侍御史。大和元年六月，以侍御史充淮南节度使段文昌从事，后入为金部员外郎，迁凤翔少尹。九年，授凤翔行军司马。与韩愈、孟郊、张籍、姚合、费冠卿等友善。《宋史·艺文志》著录诗集一卷。《全唐诗》卷四七八编其诗一卷。《全唐诗逸》卷上收断句二，《全唐诗补编·续拾》卷二三补断句二。事迹见韩愈《送陆畅归江南》诗、《唐诗纪事》卷三五等。《唐音癸签》卷七："陆畅贵主催妆句，捷成得誉，观他绝，兼亦兴豪。"

韩愈仍在江陵，与张署酬唱，作有《李花赠张十一署》、《寒食日出游夜归张十一院长见示病中忆花九篇因此投赠》。是年，另有诗《忆昨行和张十一》、《题张十一旅舍三咏》等。春日前后，韩愈在江陵尚有诗《春雪》、《春雪间早梅》、《早春雪中闻莺》、《杏花》、《寒食日出游》、《感春四首》等。【李花赠张十一署】李黼平《读杜韩笔记》（民国二十三年铅印本）："起数韵状李花之白，可谓工为形似之言。而诗之佳处不在此。……百折千回，传出不忍虚掷之意，而前之'迷魂乱眼看不得'者，亦不能不携樽而就矣。此刘彦和所谓以情造文，非以文造情者也。"汪佑南《山泾草堂诗话》："惜李花，实自惜也。"【寒食日出游夜归张十一院长见示病中忆花九篇因此投赠】朱彝尊《批韩诗》："兴致本花来，微加藻润，营构犹有杜法。"

三月

柳宗元在永州贬所，作《永州龙兴寺西轩记》、《永州龙兴寺东丘记》、《对贺者》、《首春逢耕者》、《春怀故园》。春夏之交，作诗《法华寺石门精室三十韵》。是年，另有《贺改元赦表》、《剑门铭》、《严东川启》、《东明张先生墓志》、《陆文通先生墓表》

及诗《游朝阳岩遂宿西亭二十韵》、《感遇二首》、《巽公院五咏》。【剑门铭】《古文渊鉴》卷三七:“不作萦纡之势,而自然矫拔。录此以式轻靡之习。”《唐宋文醇》卷一二:“张英曰:词既炳焕,笔亦遒古。”林纾《韩柳文研究法》(商务印书馆1914)“柳文研究法”:“序文至严重宏丽,多以四字为句。《昌黎集》中碑版之文,亦恒如此。其用四字句,非取短悍也。叙事能缩繁为简,鳞比而下,则气聚而不散,响彻而难枵,尤足泽以古雅之词。惟时时复济以长句,始不至于自促其步武。……语语皆含古穆之气,读之令人气肃。铭词亦激壮。”

苻载为西川幕从事,作有《上巳日陪刘尚书宴集北池序》。

春

刘禹锡在朗州贬所,作《楚望赋》、《武陵书怀五十韵并序》。夏,有《上杜司徒》,求助于杜佑。是年,另有《机汲记》、《口兵戒》、《救沈志》等。【上杜司徒】林纾《林氏选评名家文选》(上海商务印书馆1924)《刘宾客集选》:“此为上杜黄裳述。黄裳死后,始赠司徒,意从其死而后称之耳。文不激不随,近情近理,中间尤多见道之言,想久居谪所,积而有所悟耳。”

四月

元稹、韦惇、独孤郁、白居易、崔护、李蟠、沈师传、萧俛等登才识兼茂明于体用科。杜元颖登博学宏词科。陈岵、萧睦登达于吏理可使从政科。旋授元稹左拾遗,白居易盩厔尉,独孤郁右拾遗。

日本僧人空海随日本遣唐使归国,在越州,有《与越州节度使求内外经书启》。朱千乘作《送日本国三藏空海上人朝宗我唐兼贡方物而归海诗》,朱少瑞有诗《送空海上人朝谒后归日本国》。空海于贞元二十年十二月抵达长安,二十一年四月住长安西明寺求法。本年春离长安,四月在越州,随即出海归国。后在日本有《书刘希夷集献纳表》、《献杂文表》,著有《文境秘府论》。遍照金刚(774—835),俗姓佐伯,名空海,遍照金刚是其法号。公元921年追封为弘法大师。生活于日本平安朝前期。贞元二十年至元和元年在唐朝留学,与文人多有往来。《文境秘府论》乃其归国后,就所携带之崔融《唐朝新定诗格》、王昌龄《诗格》、元兢《诗髓脑》、皎然《诗议》等书排比编纂而成。所引之书,今多失传。其书在日本有旧钞本多种,并有日本《东方文化丛书》影印古钞本及讲谈社校印本。今通行人民文学出版社1975年校点本。1910年日本祖风宣扬会汇编有《弘法大师全集》一五卷。

六月

韩愈自江陵召还,为国子博士。与张籍、张彻、孟郊等会合,有《会合联句》,韩、孟有联句《纳凉》、《同宿》、《秋雨》、《城南》、《斗鸡》、《征蜀》、《有所思》、《遣兴》等。韩愈另有诗《赠崔立之评事》。秋,与孟郊游终南山,韩有《南山诗》,

孟郊有《游终南山》、《游终南山龙池寺》。十月，作诗《送文畅师北游》。十一月，作《荐士》诗。冬，作诗《赠张籍》。张籍约于本年补太常寺太祝。是年，韩愈另有诗《赠郑兵曹》、《醉答张秘书》、《答张彻》、《丰陵行》、《秋怀诗十一首》、《喜侯喜至赠张籍张彻》、《游青龙寺赠崔大补阙》、《送区弘南归》及《祭郴州李使君文》、《唐故虢州司户韩府君墓志铭》、《祭十二兄文》、《上襄阳于相公书》等。【南山诗】《潜溪诗眼》云："孙莘老尝谓老杜《北征诗》胜退之《南山诗》，王平甫以谓《南山》胜《北征》，终不能相服。时山谷尚少，乃曰：'若论工巧，则《北征》不及《南山》；若书一代之事，以与《国风》、《雅》、《颂》相为表里，则《北征》不可无，而《南山》虽不作未害也。"《后村诗话》卷四："韩《南山》诗设'或'、'如'者四十有九，辞义各不相犯，如缫蘧茧，丝出无穷。"《唐诗镜》卷三八："穷搜极想，语多生气炎炎，故能绚人耳目不厌。少陵《北征》，随情披写；昌黎《南山》，则着意铺排矣。"《诗义固说》卷下："韩退之《南山诗》，如烂砖碎瓦，堆垒成丘耳，无生气，无情致，无色泽。宋人乃举以敌杜老《北征诗》，可怪之甚。若以退之此诗为诗，则退之文将不可为文，有是理耶？知退之之文佳，则知《南山诗》之不佳矣。"《瓯北诗话》卷三："此诗不过铺排山势及景物之繁富，而以险韵出之，层叠不穷，觉其气力雄厚耳。世间名山甚多，诗中所咏，何处不可移用，而必于南山耶？而谓之工巧耶？则与《北征》固不可同年语也。"《读雪山房唐诗序例》"五古凡例"："不读《南山诗》，哪识五言材力，放之可以至于如是，犹赋中之《两京》、《三都》乎。"《唐宋诗醇》卷二七："通篇气脉逶迤，笔势竦峭，蹊径曲折，包孕宏深，非此手亦不足以称题也。洪兴祖曰：此诗似《上林》、《子虚》赋，才力小者不可到也。顾嗣立曰：此等长篇，亦从骚赋化出。然却与《焦仲卿妻》、杜陵《北征》诸长篇不同者，彼则实叙事情，此则虚摹物状。公以画家之笔，写得南山灵异缥缈，光怪陆离，中间连用五十一'或'字，复用十四叠字，正如骏马下冈，手中脱辔，忽用'大哉立天地'数语作收，又如柝声忽惊，万籁皆寂。"【游终南山】《唐风定》卷六："'山中人自正'，作平语观则佳，诧以为奇，则反失之。盖东野精神所不在也。"《唐诗别裁集》卷四："盘空出险语。"【游终南山龙池寺】《唐风定》卷六："孟诗以精苦为奇，不知病亦在此。正如此种，淡雅为难。"【荐士】夏敬观《说韩》："退之《荐士》诗云云，虽为孟郊作，其论诗之旨，悉具于是矣。"朱彝尊《批韩诗》："正是盘硬语耳，若妥帖则犹未尽。"《黄氏日钞》卷五九："诗叙六朝之陋为'搜春摘花卉'，叙国朝之盛为'奋猛卷海潦'，论文者可以观矣。"【赠崔立之评事】《老生常谈》："工于拓展，妙于收束。其铺叙处用转折以取势，转折处用警句以整顿，遂不嫌拖沓，无懈可击。至全用仄韵到底，工部已有之，盛于作者，极于东坡，歌行之能事备矣。"【赠张籍】《韩诗臆说》卷二："此诗于极真处，见与籍知交之厚，故题曰《赠籍》也。若认作誉儿常情，则此诗可不作。"

凌准卒于连州贬所，有《邠志》二卷。八月稍后，柳宗元有诗《连州司马凌君权厝志》、《哭连州凌员外司马》。【哭连州凌员外司马】《孙月峰评点柳柳州集》卷四三："悲痛意以感慨调发之，气甚雄伟。"《唐诗镜》卷三七："冤号痛哭，是其所宜，故其沥衷皆尽。"

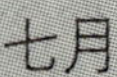

七月

羊士谔、萧佑同官御史台，有诗酬唱。羊士谔有《和萧侍御监祭白帝城西村寺斋沐览镜有怀吏部孟员外并见赠》、《酬彭州萧使君秋中言怀》。

白居易以盩厔尉权摄昭应县，有诗《权摄昭应早秋书事寄元拾遗兼呈李司录》。九月，有诗《赠元稹》，使驿口，有《祗役骆口驿喜萧侍御书至兼睹新诗吟讽通宵因寄八韵》。十二月，与陈鸿、王质夫游盩厔县仙游寺，语及唐玄宗、杨贵妃事，作《长恨歌》，陈鸿作《长恨歌传》。是年，白居易另作有《新栽竹》、《盩厔县北楼望山》、《县西郊秋寄马造》、《酬王十八李大见招游山》、《见尹公亮新诗偶赠绝句》、《送武士曹归蜀》等诗。【长恨歌】《白氏长庆集》卷四五《与元九书》："再来长安，又闻有军使高霞寓者，欲聘娼妓，妓大夸曰：'我诵得白学士《长恨歌》，岂同他妓哉?'由是增价。……又昨过汉南日，适遇主人集众乐，娱他宾，诸妓见仆来，指而相顾曰：'此是《秦中吟》、《长恨歌》主耳。"《岁寒堂诗话》卷上："梅圣俞云：'状难写之景如在目前。'元微之云：'道得人心中事'。此固白乐天长处，然情意失于太详，景物失于太露，遂成浅近，略无余蕴，此其所短处。如《长恨歌》虽播于乐府，人人称诵，然其实乃乐天少作，虽欲悔而不可追者也。"《墨庄漫录》卷六："白乐天作《长恨歌》，元微之作《连昌宫词》，皆纪明皇时事也，予以为微之之作过白乐天之歌。白止于荒淫之语，终篇无所规正；元之词乃微而显，其荒纵之意，皆可考，卒章乃不忘箴讽，为优也。"车若水《脚气集》(四库本)："白乐天《长恨歌》，叙事详赡，后人得知当时实事，有功纪录。然以败亡为戏，更无恻怛忧爱之意，身为唐臣，亦当知《春秋》所以存鲁之法，便是草木，亦将不忍。盖祖父与身皆朝廷长养，不可谓草茅不知朝廷。吾之此说，不是不容臣下做此语，但有恻怛忧爱之心，语言自重。"《唐宋诗醇》卷二二："从古女祸，未有盛于唐者。明皇践阼，覆辙匪元。开元励精，几致太平。天宝以后，溺情床笫，太真潜纳，新台同讥。艳妻煽处，职为厉阶。仓皇播迁，宗社再造，幸也。姚、宋诸贤臣辅之而不足，一太真败之而有余。南内归来，傥返而自咎。恨无终穷矣，遑系心于既殒倾城之妇耶?《长恨》一传，自是当时傅会之说，其事殊无足论者。居易诗词特妙，情文相生，沉郁顿挫，哀艳之中，具有讽刺。'汉皇重色思倾国'、'从此君王不早朝'、'君王掩面救不得'，皆微词也。'养在深闺人未识'，为尊者讳也。欲不可纵，乐不可极，结想成因，幻缘奚罄，总以为发乎情而不能止乎礼义者戒也。"《人间词话》卷上："以《长恨歌》之壮采，而所隶之事，只'小玉双成'四字，才有余也。梅村歌行，则非隶事不办。白、吴优劣，即于此见。不独作诗为然，填词家亦不可不知也。"《唐诗快》卷七："乐天如《长恨歌》、《琵琶行》，皆所谓老妪能解颐者矣。然无一字不深入人情。不但人情，而且辞心透髓，即少陵、长吉歌行，皆不能及。所以然者，少陵、长吉虽能写情语，然犹兼才与学为之。凡情语一夹才学，终隔一层，便不能刺透心髓。乐天之妙，妙在全不用才学，一味以本色真切出之，所以感人最深。由是观之，则老妪解颐，谈何容易。"

九月

元稹为左拾遗，屡上书论事，为执政所忌，出为河南县尉。是年有文《论讨贼表》、《献事表》、《论教本书》、《论谏职表》、《论追制表》、《论西戎表》、《迁庙议》等。有诗《含风夕》、《秋堂夕》、《赋得九月尽》、《赋得雨后花》等。见卞孝萱《元稹年谱》。

李渤隐嵩山，诏征为左拾遗，不赴。卢坦作《与李渤拾遗书》促之。

辛亥，高崇文收成都，擒刘辟以献。时苻载、郗士美、段文昌等皆在成都，高皆礼而释之。十月，薛涛在成都，作诗《贼平后上高相公》。张仲素在徐州，为武宁军张愔幕从事，代为作《和破贼表》、《贺捉获刘辟等表》。【贼平后上高相公】《名媛诗归》卷一三："开口自然挺正，而有光融拓落之气，觉文人反多牵捽。"

十一月

孟郊为河南尹郑在庆奏授为水陆运从事，试律郎，居洛阳立德坊，有诗《立德新居十首》。冬，作《寒地百姓吟》。刘言史隐居洛中，与孟郊往来，作《初下东洛赠孟郊》、《与孟郊洛北泉上煎茶》。

本年

李德裕因荫补校书郎。有诗《雨中自秘书省访王三侍御知早入朝便入集贤侍御任集贤校书及升柏台又与秘阁相对同院张学士亦余特厚故以诗赠之》。王起答有《和李校书雨中自秘省见访知早入朝便入集贤不遇诗》。

柳珵约于本年作小说《上清传》。

薛逢约于本年生。薛逢（生卒年不详），字陶臣，蒲州河东人。会昌元年擢进士第，释褐为秘书省校书郎。崔铉镇河中，表在幕府。大中三年，铉复宰相，引为万年尉。累迁侍御史、尚书郎分司东都。以持论鲠切，触怒刘瑑等人，出为巴州刺史。咸通初，出为成都少尹，复斥蓬州、绵州刺史。七年，以太常少卿召还，历给事中，迁秘书监，卒。《新唐书·艺文志》著录其与杨绍复等人所撰《续会要》四〇卷、《薛逢诗集》一〇卷、《别纸》一三卷。《郡斋读书志》著录《薛逢歌诗》二卷，《直斋书录解题》著录有《四六集》一卷、《薛逢集》一卷。集均散佚。事迹见《旧唐书》卷一九〇及《新唐书》卷二〇三本传、《旧五代史》卷八六、《唐诗纪事》卷五九等。

公元 807 年（唐宪宗元和二年　丁亥）

正月

三日辛卯郊天，韩愈作《元和圣德诗》，元稹有《郊天日五色祥云赋》。时元稹丁母忧居长安。二月，韩愈作《释言》以避谗，求分司东都。【元和圣德诗】《后山诗话》："少游谓《元和圣德诗》于韩文为下，与《淮西碑》如出两手，盖其少作也。"《黄氏日钞》卷五九："《元和圣德诗》典丽雄富。前辈或谓'挥刀纷纷，争刌脍脯'等语，异于'文王是致，是附气象'，愚谓亦各言其实，但恐于颂德之名不类。或云：

公之意欲使藩镇知惧。”《唐诗别裁集》卷四：“典重奥峭，体则二《雅》、三《颂》，辞则古赋、秦碑，盛唐中昌黎独擅。”【释言】《唐宋八大家文钞》卷一〇：“篇中忧谗，始则述传与者之言，再则托己之自为解，三则不能无忧，四则又自为解，五则又入李翰林之并相，末复自为解。”《唐宋八大家类选》卷三：“惟恐其信，而决其不必信，立词之委婉也。此本游说法门。仕路险巇，谗人交乱，读之能不慨然。”《韩文起》卷八：“是篇分为五段，骤阅之，似平直无波，细味其中，每段皆有许多曲折。总是一片忧谗畏讥之心，前思后想，不能放下，因而自驳自解，忽得绝处逢生之机。谓可侥幸望外，亦无聊之极，悲哉。”

刘肃《大唐新语》成。其序云：“肃不揆庸浅，辄为纂述，备书微婉，恐贻床屋之尤；全采风谣，惧招流俗之说。今起自国初，迄于大历，事关政教，言涉文词，道可师模，志将存古，勒成十三卷，题云《大唐新语》，聊以宣之开卷，岂敢传诸奇人。”《四库提要》卷一四〇：“所记起武德之初，迄大历之末，凡分三十门，皆取轶文旧事有裨劝戒者。前有自序。后有总论一篇，称昔荀爽纪汉事可为鉴戒者，以为‘汉语’，今之所记，庶嗣前修云云。故《唐志》列之杂史类中。然其中谐谑一门，繁芜猥琐，未免自秽其书，有乖史家之体例。”明人刻本改题《大唐世说新语》或《唐世说新语》，《四库全书》据《新唐书·艺文志》恢复原名，并列入小说家类。1984 年中华书局出版许德楠、李鼎霞点校本，以《稗海》本为底本，以明代嘉靖潘玄度刻本、《四库全书》文津阁写本及明人抄本残卷对校，末附佚文及有关序跋。刘肃（生卒年不详），元和二年任浔阳主簿，后曾官江都主簿。

窦群自山南东道奉召为吏部郎中，有诗《雪中寓直》。羊士谔后有诗《和窦吏部雪中寓直》、《小园春至偶呈吏部窦郎中》，杨巨源有诗《奉酬窦郎中早入省苦寒见寄》。春，窦群由吏部郎中迁御史中丞，吕温为其作《代窦中丞与襄阳于相公书》。

杜佑年老请致仕，诏不许，居城南杜曲，有《杜城郊居王处士凿山引泉记》。权德舆有《司徒岐公杜城郊居记》。

二月

窦巩、白行简、杨敬之、费冠卿、张后余、权璩、吴武陵等二十八人登进士第。时礼部侍郎崔邠知贡举，试《舞中成八卦赋》、《贡院楼北新栽小松》诗。

杨敬之（生卒年不详），字茂孝，虢州弘农人。后擢累屯田、户部二郎中。坐李宗闵党，贬连州刺史。文宗朝为国子祭酒，兼太常少卿，转大理卿，检校工部尚书。作品多佚。事迹见《新唐书》卷一六〇本传、《唐诗纪事》卷五一等。

吴武陵（？—834），郡望濮阳，信州贵溪人。元和二年进士及第，次年坐事流永州，与柳宗元过从颇密。元和十一年前后，召还京师。宝历元年，充桂管观察使李渤副使。大和元年官太学博士，向崔郾力荐杜牧。后以尚书员外郎出为忠州刺史，改韶州刺史，贬潘州司户参军。大和八年卒。《旧唐书》本传著录其《十三代史驳议》，《新唐书·艺文志》著录《吴武陵书》一卷，均佚。事迹见《旧唐书》卷一七三、《新唐书》卷二〇三本传、《唐诗纪事》卷四三等。

费冠卿归隐九华山。《唐诗纪事》卷六〇：“冠卿，字子军，池州人。久居京师……登元和二年第。母卒，既葬而归，叹曰：‘干禄养亲耳，得禄而亲丧，何以禄为?’遂隐池州九华山。长庆中，殿院李行修举其孝节，拜右拾遗，……冠卿竟不应命。”与姚合、顾非熊、熊孺登等友善。《全唐诗》卷四九五录诗一一首。《全唐诗补编·续补遗》补诗一首。《全唐文》卷六九四录文一篇。

春

羊士谔在长安，有诗《游郭驸马大安山池》、《故萧尚书瘿柏斋前玉蘂树与王起居吏部孟员外同赏》。

鲍溶应试长安，出入杜佑家，及归，有《留辞杜员外式方》。沈亚之《送杜憓序》：“鲍溶前在长安，常出入冢官杜氏家，群孙皆喜溶。是时憓方学何、虞诗，于其音往往能自振激后可得也。”夏，遇韩愈于华阴；过洛阳，访孟郊，有诗《夏日华山别韩博士愈》、《将归旧山留别孟郊》。

四月

韩愈于张籍家中得李翰《张巡传》，作《张中丞传后叙》。黄震《黄氏日抄》卷五九：“阅李翰所为《张巡传》而作也。补记载之遗落，暴赤心之英烈，千载之下，凛凛生气。”是年，韩愈另有诗《三星行》、《剥啄行》、《嘲鼾睡二首》、《酬裴十六功曹巡府西驿途中见寄》及文《答冯宿书》、《考功员外卢君墓志铭》、《处士卢君墓志铭》、《唐故太原府参军苗君墓志铭》等。【张中丞传后叙】《唐宋八大家文钞》卷一〇：“通篇句、字、气皆太史公髓，非昌黎本色。今书画家亦有效人而得其解者，此正见其无不可处。”《山晓阁选唐大家韩昌黎全集》卷四：“此篇纯学《史记》。前幅是许远传，中幅是南霁云传，后幅是张巡传。妙在前幅俱用宽缓之笔，将许远心事一一表白。中、后幅是俱用古劲之笔，将南霁云、张巡事迹一一写生，比之史迁，何多让焉。”《唐宋文醇》卷一：“叙致曲折如画，真得龙门神髓，非徒形似也。”《唐宋八大家类选》卷一：“文凡四段，前二段辩论，后二段叙记，分明两种体裁。其文则公本色，妙处在并非摹仿太史公。”王文濡《唐文评注读本》（上海文明书局 1918）上册：“义昭日月，气壮山河，写来须眉欲活。表章许远，尤见特识。此昌黎集中第一有关系文字。”《评校音注古文辞类纂》卷七引方苞云：“退之叙事文不学《史记》，而生气奋动处，不觉与之相近”；又云：“截然五段，不用钩连，而神气流注，章法浑成，惟退之有此。”《唐宋文举要》甲编卷二引汪武曹云：“笔力如蛟龙之翔，如虎凤之跃，此正昌黎本色。鹿门止因昌黎碑文造语古奥，遂谓此非昌黎本色，谬也。”

五月

白居易仍为盩厔尉，作《观刈麦》诗。三月，曾至长安，宿杨汝士家，后有诗《宿杨家》、《醉中留别杨六兄弟三月二十日别》、《醉中归盩厔》。秋，白居易调充进士考官，有《进士策问五道》，试毕，授集贤校理。十一月四日，自集贤院召赴银台候进旨；五日，召入翰林，奉敕试制诏等五首，为翰林学士。本年，另作有《唐河南元府君夫人荥阳郑氏墓志铭》、《故滁州刺史赠刑部尚书荥阳郑公墓志铭》及诗《京兆府新栽莲》、《月夜登阁避暑》、《祇役骆口因与王质夫同游秋山偶题三韵》、《见萧御史忆旧山草堂诗因以继和》、《病假中南亭闲望》、《仙游寺独宿》、《前庭凉夜》、《官舍小亭闲望》、《早秋独夜》、《听弹古绿水》等。

刘禹锡在朗州司马任，作《袁州萍乡县杨岐山故广禅师碑》。本年，另作有《武陵观火诗》、《闻道士弹思归引》、《八月十五日夜桃源玩月》、《观市》、《答柳子厚书》。

十月

武元衡出为剑南西川节度使。途中有诗《兵行褒斜谷作》、《题嘉陵驿》。【题嘉陵驿】《唐诗解》"七言绝句五"："此言蜀道之难也。山行既远，风雨凄其。今至此驿才半道耳。然登陟之烦，令人发白。彼蜀门路入青天，将何以堪之。"吴昌祺《删订唐诗解》（康熙四十年刻本）七言绝句："次句可想漏天之况。不困于蜀而害于朝，天下事岂可测乎？"《唐诗别裁集》卷二〇："即《蜀道难》意。"

本年

柳宗元在永州。有《惩咎赋》、《永州修净土院记》、《送赵大秀才往江陵序》、《先太夫人卢氏归祔志》、《先侍御史府君神道表》、《先君石表阴先友记》、《祭李中明文》及诗《初秋夜坐赠吴武陵》、《赠江华长老》、《饮酒》等。【惩咎赋】《韩柳文研究法》"柳文研究法"："读《惩咎》一赋，不期嗟叹。若柳州者，真不失为改过之君子哉。……正以一息尚存，仍能自拔，归于君子之林，此柳州之所以成豪杰也。"《楚辞后语》卷五引晁补之语："惩咎者，悔志也。其言曰：'苟余齿之有惩兮，蹈前烈而不颇。'后之君子欲成人之美者，读而悲之。"【送赵大秀才往江陵序】《山晓阁选唐大家柳柳州全集》卷二："通幅俱写赵生知己感激，有在赵生自己口中述者，有在子厚口中代为述者。激昂淋漓，总是写出一腔热血，故文字不多，而曲折已极深至。"《义门读书记》卷三六："辞旨浅鄙，吾岂丐夫隶人哉。"

居士庞蕴由衡阳北游襄阳，约卒于此年或稍后。庞蕴（生卒不详），字道玄，衡州人。家世业儒，少笃信佛教，贞元初，谒石头希迁、丹霞天然，后至江西，谒马祖道一，为其世俗弟子，世称庞居士。元和初，行至襄阳，受山南东道节度使于頔礼遇。《新唐书·艺文志》著录《庞蕴诗偈》三卷，今不存。传世有《庞居士语录》三卷，存诗偈一卷，凡二百多首。《全唐诗》卷八一〇收诗偈七首，《全唐诗补编·续拾》卷二〇、二一收录一九七首。事迹见《祖堂集》卷一五、《景德传灯录》卷八、《唐诗纪事》卷四九。

李贺年十八，尝游江南，多有诗作。朱自清《李贺年谱》："集中咏南中风土者颇多，其中固有乐府旧题者。然读其诗，若非曾经身历，当不能如彼之亲切眷念。如《追和柳恽》、《大堤曲》、《蜀国弦》、《苏小小墓》、《湘妃》、《黄头郎》、《湖中曲》、

《罗浮山人与葛篇》、《宫娃歌》、《画角东城》、《钓鱼诗》、《安乐宫》、《石城晓》、《巫山高》、《江南弄》、《贝宫夫人》、《江楼曲》、《莫愁曲》等，踪迹皆在吴楚之间。意贺入京之先，尝往依其十四兄，故得饱领江南风色也。”【追和柳恽】刘辰翁等《笺注评点李长吉歌诗》（明刻本）卷一：“甚不草草，就用柳恽句意，颇跌宕，景语亦近自然。”姚文燮《昌谷集注》（顺治刻本）卷一评：“贺盖慕江南风景，而羡恽之抽簪早归，放怀自然，故追和之也。櫨香粉蝶，美酒瑶琴，水阁临流，时通芳讯，以视今日之红尘鹿鹿者何如耶?”方世举《李长吉诗集批注》（上海古籍出版社 1978）卷一：“此亦借以感归之寂寞，但不得追和柳恽者何义?”《黎二樵批点黄陶庵评本李长吉集》（光绪叶衍兰写刻朱墨套印本）黎简批：“起处兴会好，不减‘亭皋木叶，陇首秋云’。愚意结句不是谢寄书，乃写归后夫妇之乐，看上文琴酒意可知。”【大堤曲】《笺注评点李长吉歌诗》卷一：“甚言时景之不留，而有愿见之思，有微憾之意。”《昌谷集》卷一曾益评：“此言当垆者之情思。”明于嘉刻本《李长吉诗集》无名氏评：“‘教与’二字，写尽娇小。别多会少，难见易老，四语尽之，不忍多读。”《昌谷集注》卷一评：“此怀楚游之友，而寄此以讽之也。”【蜀国弦】《笺注评点李长吉歌诗》卷一：“乍看浑未喻《蜀国弦》，但觉别是一段情绪，自不必语辞也。弦之悲，何以易此。”《徐董评注李长吉诗集》（光绪董氏丛书本）董懋策云：“篇中全不及弦，而字字是弦。”明于嘉刻本《李长吉诗集》无名氏评：“此篇全写神理。”陈本礼《协律钩玄》（嘉庆裛露轩刻本）卷一：“‘不忍’字妙。以蜀山之高，瞿塘之深，可谓险矣，然钟情所在，虽逾险涉深，亦所不顾者，不忍也。又董伯英评：蜀道虽难，亦非有心人之所畏也。题外另写出一段情至语，洵微诘曲之思。”【苏小小墓】《笺注评点李长吉歌诗》卷一：“参差苦涩，无限惨黯，若无同心语，亦不为到。此苏小小墓也，妖丽闪烁间意，固不欲其近《洛神赋》耳。古今鬼语无此惨淡尽情。本于乐章，而以近体变化之，故奇涩不厌。‘冷翠烛，劳光彩’，似李夫人赋西陵，语括《山鬼》，更佳。”《昌谷集》卷一曾益：“西陵之下，与欢相期之处也，则维风雨之相吹，尚何影响之可见哉。平昔之所为，无复可睹，触目之所睹，靡不增悲。凄凉、楚惋之中，寓妖艳幽涩之态，此所以为苏小小墓也。”明于嘉刻本《李长吉诗集》无名氏评：“仙才、鬼语、妙手、灵心。……试以夜阑人静时，将此诗吟至百遍，若无风裳水佩之人，徘徊隐见于前，吾不信也。”《黎二樵批点黄陶庵评本李长吉集》黎简批：“通首幽奇光怪，只纳入结句三字，冷极，鬼极。诗到此境，亦奇极无奇者矣。”【黄头郎】《笺注评点李长吉歌诗》卷一：“不当深而深，眼前物哓，不得苦思。”明于嘉刻本《李长吉诗集》无名氏评：“此章情致俱到。”【罗浮山人与葛篇】《笺注评点李长吉歌诗》卷一：“贺虽苦语，情固不浅，又极明快，体嫩。”《黎二樵批点黄陶庵评本李长吉集》黎简批：“玩诗意，言山人与我葛，我想其出处毒热，故习织。工妙如此，亦思裁为己衣，然物妙如是，非吴娥不称相烦，故嘱其莫辞刀涩也。”【宫娃歌】《笺注评点李长吉歌诗》卷一：“意到语尽，无复余怨矣。哀怨竭尽，丽语犹可及，深情难自道也。”《协律钩玄》卷二：“此长吉追有感于仕奉礼日而赋此，然美女怀春，志士悲秋，不得承恩宠，惟求放遣，实有同情。”明于嘉刻本《李长吉诗集》无名氏评：“此篇大抵述吴女怨旷愿去之意。”

刘叉本年前后至洛阳，结识孟郊，有诗《答孟东野》。刘叉（生卒年不详），不知其名，自称彭城子，或以为即彭城人，《唐才子传》以其为河朔间人。早年居魏，任气行侠，因酒后杀人而变名逃遁。遇赦复出，流寓齐、鲁间。曾南游巴蜀，北至桑干。元和间，韩愈善接天下士，故往归之，赋《冰柱》、《雪车》二诗，名出卢仝、孟郊之上。后与人争语不能下，持韩愈为墓铭所得之金而去，归齐鲁。元和十四年，韩愈贬潮州，叉有诗寄赠，后不知所终。《郡斋读书志》著录《刘叉诗》一卷。事迹见李商隐《齐鲁二生·刘叉》、《新唐书》卷一七六《韩愈传》附、《唐诗纪事》卷三五、《唐才子传》卷五等。

刘商于本年或稍前卒。《全唐诗》卷三〇三至三〇四编其诗二卷，卷八八三补一首。《全唐诗补编·续拾》卷一八补一句。武元衡辑其文，作《刘商郎中集序》："予感悼，故知恻览华藻，珠玉缀错，清泠自飘，皆素所狎闻也。……著歌行等篇，皆思入窅冥，势合飞动，滋液琼瑰之朗润，浚发绮绣之浓华，解境成文，随文变象，是谓折繁音于孤韵，贯清济于洪流者也。今所编录凡二百七十七篇，及早岁著《胡笳词十八拍》，出入沙塞之勤，崎岖惊畏之患，亦云至矣。"《唐才子传》卷四："乐府歌诗，高雅殊绝，脍炙当时。"《三唐诗品》："七言源出李巨山，虽泛散音多，而宫商中铎，姑当出短李一头。《胡笳拍》意往托古，词来切今，幽魄之音，端然易好。"《大历诗略》："弦急柱促，张、王乐府无此气调。"【胡笳十八拍】《郡斋读书志》后志卷二："汉蔡邕女琰为胡骑所掠，因胡人吹芦叶以为歌，遂翻为琴曲，其辞古淡。商因拟之，序琰事，盛行一时。"《对床夜语》卷一："（蔡琰）时身历其苦，辞宣乎心，怨而怒，哀而思，千载如新，使经圣笔亦必不忍删之也。刘商虽极力拟之，终不似，盖不当拟也。"《四溟诗话》卷一："《玉海》曰：'《胡笳十八拍》四卷，汉蔡琰撰。幽愤成此曲，以入琴中。'唐刘商、宋王安石、李元白各以集句效琰，好奇甚矣。"【春日卧病】《瀛奎律髓汇评》卷四四方回评："'知命'、'觉非'，四字细润。尾句脱洒。"冯班评："腹联只是五十讲谈耳，颔联好。"纪昀评："气韵亦极修洁。"无名氏评："浩浩自适，有谁羁得?"

公元808年（唐宪宗元和三年　戊子）

二月

柳公权、周况、郑肃等十九人登进士第。时中书舍人卫次公知贡举。见《登科记考》卷一七。

柳宗元在永州司马任。衡山龙安寺海禅师卒，柳宗元作《龙安海禅师碑》、《南岳般舟和尚第二碑》，秋，作诗《游南亭夜还叙志七十韵》。本年前后，作《哭张后余词》、《濮阳吴君文集序》、《送薛存义之任序》、《贞符》、《与吕道州书》、《贺进士王参元失火书》、《答吴武陵书》、《同吴秀才赠李睦州诗序》、《同吴武陵送杜留后诗序》、《凌君墓后志》、《尊胜幢赞》、《送娄图南游淮南序》、《酬娄秀才早秋月夜病中见寄》、《酬娄秀才将之淮南见赠之作》、《游南亭夜还叙志七十韵》、《红蕉》、《放鹧鸪词》等。【贺进士王参元失火书】张伯行《唐宋八大家文钞》卷四："行文亦有诙谐之气，而奇思隽语，出于意外，可以摆脱庸庸之想。参元以积货而累真材，子厚以避谤而掩人善，

当时风俗如此，却不可解。”《古文观止》卷九：“闻失火而贺，大是奇事。然所以贺之故，自创一段议论，自辟一番实理，绝非泛泛也。取径幽奇险仄，快语惊人，可以破涕为笑矣。”《古文评注》卷七：“失火而贺，最是奇情恣笔。然说到‘终乃大喜’一段，真有深识，真有至理，骇者固不足骇，而疑者终无可疑矣。不失火不足以表参元，不火之尽不足以大表参元。两断分晰，奇特尤甚。”《山晓阁选唐大家柳柳州全集》卷一：“此篇提柱分应，一段写骇，一段写疑，一段写吊且贺。虽分四段，其写骇、写疑、写吊、写贺，是客意，写喜一段是正意。盖失火而贺，此是奇文，失火而反表白参元之材，又是奇事。从奇处立论，便见超越。固知写喜一段是一篇正文也。”《唐宋八大家文钞》卷二〇：“深识之言，逼古之文。”《韩柳文研究法》“柳文研究法”：“唐时朝士，居显要者，多矫激而避嫌，于昌黎《送齐皞下第序》中，已见之矣。柳州《贺王参元失火书》，正是此意。书意似怪特，然唯有唐之矫激，始有此怪特之书。失火有何可贺，贺在一火之后，可以荡涤行贿冒进之名。书中始骇、中疑、终喜，分三段抒写，似奇而实平，似恕而实愤。第三段写公道难明、世人多嫌意，否塞令人怆喟无已。”《古文笔法百篇》“三段分叙法”引林西仲曰：“荐引士类，惟在至公。贫者未必皆贤，富者未必皆不肖。然亦贵自处于廉，言方见信。而世之夤缘幸进者，非货赂不能，则瓜李之嫌，又不容不避矣。是书以闻失火，改吊为贺，立论固奇，其实就俗眼言，确乎不易。若文之纵横转换，抑扬尽致，令罹祸者破涕为笑，则其奇处耳。”章士钊《柳文指要》（中华书局 1971）上卷三三引王元美曰：“贺失火书极有意致，极有力量。然‘负公道’一语，君子谓见未明。”【濮阳吴君文集序】《唐宋八大家文钞》卷二一：“文自有法度。”张伯行《唐宋八大家文钞》卷四：“武陵行事大节，得于旧所闻；而文集之成章可观，则得于今所见。末概其行不昭，其辞不荐，盖合两层而收束之也。文法谨严，不溢一辞。”【游南亭夜还叙志七十韵】《孙月峰评点柳柳州集》卷四三：“意态大约近谢，写景处甚工，但以篇太长，翻觉味减，若删去少半即尽善。”蒋之翘注《柳河东集》卷四三：“艰词险韵，颇觉昌黎《联句》诸诗。”【送薛存义之任序】《古文集成》卷一引敩斋云：“此篇文势圆转，如珠走盘中，略无凝滞。加之论为吏者乃民之役，非以役，议论过人远甚。中间以庸夫受直怠事为譬，且云势不同而理同，此识见最高。至于结句用赏酒肉而重之以辞，亦与发端数语相应，学者宜玩味。”谢枋得《文章规范》卷五：“章法、句法、字法皆好，转换多关锁，紧严优柔，理长而味永。”常安《古文披金》卷十四：“此序大段分两半篇看。上半篇是言世俗之吏不能尽职，而达于理者恐惧而畏；下半篇是言存义今日正是能尽职而达理恐惧者。末幅自述作序。大段不过如此。妙在笔笔跳跃，如生龙活虎，不可逼视。……送人如此文者，今百不一见矣。”《古文眉诠》卷五三：“创论乃为笃论，一则寻邑宰书，身为谪官，分不加尊，辞直如此，可见古道。”《金圣叹批才子古文》卷一二：“无多十数句，看其笔势，如蛇夭矫不就捕。”《古文一隅》卷中：“或用推进法，或用借形法，或用顿跌法，或用推原法，或用激足法，一意旋转中，用笔句句变化，故为短篇极奇横之文。细玩通篇，总是一擒一纵，故能伸缩如意，其转换处，亦变化不测。”【贞符】宋祁《宋景文笔记》（《丛书集成初编》本）卷中：“柳子厚《贞符》、《晋说》，虽模写前人体裁，然自出新意，可谓文矣。”《朱子语类》卷一三九：“古人作文、作诗，多是模仿前人而作之。盖学之既久，自然纯熟，如相如《封禅书》模仿极多，柳子厚见其如此，却作《贞符》以反之，然其文体亦不免乎蹈袭也。”魏仲举《五百家注柳先生集》（四库本）卷一：“黄唐曰：古人之治，以德为本，而符瑞为报应。后世之治，不本于德，而符瑞为虚文。《贞符》之作，有见于后世之虚文，遂欲一举而尽废之，岂古人所谓惟德动天作善降祥之意乎。”蒋之翘注《柳河东集》卷一：“《贞符》体制虽诘屈幽玄。而意义自缭然可寻，会须观其步骤神奇处。”《韩柳文研究法》“柳文研究法”：“《贞符》一文，实能超出马、刘、扬、班之樊，舍天事而言人事，得立言旨矣。”【酬娄秀才早秋月夜病中见寄】曾季貍《艇斋诗话》（《历代诗话续编》本）：“柳子厚‘壁空残月曙，门掩候虫秋’语意极佳。”《孙月峰评点柳柳州集》卷四二：“起有逸思，律中带古意。”

四月

牛僧孺、皇甫湜、李宗闵、李正封、徐晦、王起等登贤良方正能直言极谏科。考官杨於陵、李益、韦贯之等坐牛僧孺、皇甫湜、李宗闵等策语太切，被贬。王涯同坐贬。樊宗师擢军谋宏远科，授著作佐郎。皇甫湜后为陆浑尉，冬，有诗《陆浑山火》，韩愈作《陆浑山火和皇甫湜用其韵》。【陆浑山火和皇甫湜用其韵】《声调谱》卷二：“此篇各种句法俱备，然中有数句，虽是古体，止可用于《柏梁》。至于寻常古诗，断不可用，转韵尤不可用，用之则失调。”《唐宋诗醇》卷三〇：“只是咏野烧耳，写得如此天动地岋，凭空结撰，心花怒生。韩醇曰：详此诗，始则言火势之盛；次则言祝融之御火，其下则水火相克相济之说也。”员兴宗《九华集》（四库本）卷二《永嘉水并引》：“韩退之《陆浑山火》诗，变体奇涩之尤者，千古之绝唱也。”《兰丛诗话》：“《陆浑山火诗》，不过秋烧耳，遂曼衍诡谲，说得上九霄而下九幽。玩结句，自为一炙手可热之权门发，然终未考得其人。以诗而言，亦游戏之甚矣。但艺苑中亦不可少此一种瑰宝。”

李正封（生卒年不详），字中护，行二十八，郡望陇西。元和二年进士及第。历监察御史、司勋郎中、中书舍人等。《全唐诗》卷三四七、七九一录诗五首、联句一，《全唐诗补编·续拾》补一首又二句。

白居易在长安，居新昌里，为制策考官。二十八日，除左拾遗，依前充翰林学士。后上《论制科人状》，极言不当贬黜。五月，奉敕撰《太平乐词》等七首。九月，淮南节度使王锷谋为宰相，白居易作《论王锷欲除官事宜状》，力谏不可。是年，与杨虞卿从妹杨氏成婚，作有文《初授拾遗献书》、《出裴均中书侍郎同平章事制》、《论于頔裴均状》及诗《初授拾遗》、《赠内》、《松斋自题》、《冬夜与钱员外同直禁中》、《和钱员外禁中夙兴见示》、《夏日独值寄萧侍御》、《翰林院早秋怀王质夫》、《早秋曲江感怀》等。本年前后，白居易作《秦中吟》十首。【初授拾遗献书】《古文渊鉴》卷三八：“婉巽而多风，纳约自牖之义也。徐熙评：有官守则尽其职，有言责则尽其言。如此则朝无旷官，官无废事矣。文特婉而多风，自觉天然韶秀。”

裴均、杨凭在京，编录前在荆南、湖南任上唱酬诗及从事属吏和诗为《荆潭唱和

集》一卷。韩愈时在洛阳，为序云："夫和平之音淡薄，而愁思之声要妙，欢愉之辞难工，而穷苦之言易好也。是故文章之作，恒发于羁旅草野。至若王公贵人，气满志得，非性能而好之，则不暇以为。今仆射裴公开镇蛮荆，统郡惟九；常侍杨公领湖之南壤地二千里，德刑之政并勤，爵禄之报两崇。乃能存志乎诗书，寓辞乎咏歌，往复循环，有唱斯和。搜奇抉怪，雕镂文字，与韦布里间憔悴专一之士，较其毫厘分寸。铿锵发金石，幽眇感鬼神，信所谓材全而能巨者也。"

夏

张弘靖时为中书舍人，作诗《直夜思闻雅琴》。张籍有《奉和舍人叔直省时思琴》，吕温有《奉和张舍人阁老阁中直夜思闻雅琴因书事通简僚友交朋》，权德舆有《奉和张舍人阁老阁中直夜思闻雅琴因以书事通简僚友》。鲍溶有《窃览都官李郎中和李舍人益酬张舍人弘静夏夜寓直思闻雅琴见寄》。

秋

张籍曾卧病，作诗《病中寄白学士拾遗》、《寄白学士》。白居易答有诗《酬张太祝晚秋卧病见寄》、《答张籍因以代书》。

十月

李贺自昌谷至洛阳，以诗谒韩愈；愈见其《雁门太守行》，奇之，劝其举进士。李贺后就河南府试，作有《河南府试十二月乐词》。张固《幽闲鼓吹》（中华书局上海编译所 1958）："李贺以歌诗谒韩吏部，时为国子博士分司。送客归，极困，门人呈卷，解带旋读之。首篇《雁门太守行》曰：'黑云压城城欲摧，甲光向日金鳞开'。却援带，命邀之。"【雁门太守行】《笺注评点李长吉歌诗》卷一刘辰翁云："起语奇。赋雁门著紫土，本嫩。后三语无甚生气，设为死敌之意，偏欲如此，颇似败后之作。"《昌谷集》卷一曾益云："此言城将陷敌，士怀敢死之志。"《删补唐诗选脉笺释会通评林》"中唐七古下"："周珽评：珽谓长吉诗大抵创意奥而生想深，萃精求异，有不自知为古古怪怪者。他如《剑子》、《铜仙》等歌什，辄多呕心语，宜为昌黎公所知重也。"《协律钩玄》卷一董伯英评："长吉谒退之首篇即此诗，正取报君二句意，以况士为知己者死也。"《唐诗别裁集》卷八："字字锤炼而成，昌谷集中定推老成之作。"

韩愈为李贺作《讳辩》。是月，韩愈与石洪、王仲舒等游福先寺塔，作《福先塔寺题名》。此年前后，韩愈还作有诗《赠唐衢》、《祖席》、《崔十六府摄伊阳以诗及书见投因酬三十韵》及文《唐故河南少尹裴君墓志铭》等。【讳辩】《文章轨范》卷二："理强气直，意高辞严，最不可及者。有道理可以折服人，全不直说破，尽是设疑佯为两可之辞，待智者自择。此别是一样文法。"《唐宋八大家文钞》卷一〇："此文反复奇险，令人目眩，掉实自显快。前后分为律、经、典三段，后尾抱前辩难。只因三段中时有游兵点缀，便足迷人。"《金圣叹批才子古文》卷一〇："前幅，看其层迭扶疏而起；后幅，看其连环钩股而下。只是以文为戏，以文为乐。”《唐宋八大家类选》卷三：“流俗溺惑，非危言庄论所能破也。父名仁云云，语带诙谐，实则理之至者，而流俗之惑解矣。南渡以来，知此者盖寡。”《韩文起》卷二：“兹篇先按律，次引经，后据典，复以二圣一贤与宦官宫妾对看，可谓无坚不破。究竟在当日，无不訾其纰缪，甚哉，欲胜众口之难也。”《评校音注古文辞类纂》卷二引刘大櫆语：“结处反复辩难，曲盘瘦硬，已开半山门户。但韩公力大，气较浑融，半山便稍露筋节，第觉其削薄。”引张裕钊语：“辨析处理足而词辨，足以厌乎人人之心。”《求阙斋读书录》卷八：“此种文为世所好，然太快利，非韩公上乘文字。”林纾《春觉斋论文》（人民文学出版社 1959）“述旨”：“韩昌黎作《讳辩》，灵警机变，时出隽语，然而人犹以为矫激。非昌黎之辩穷也，时人以不举进士为李贺之孝，固人人自以为正。昌黎之言虽正，而辩亦不立。”【赠唐衢】《韩诗臆说》卷一：“乐天遗唐衢诗，全赋其哭。此独不及其哭，但称其材之奇而已，须知哭处正是奇材无处发泄处也。”

唐衢善哭。《旧唐书》卷一六〇《唐衢传》：“唐衢者，应进士久而不第，能为歌诗，意多感发。见人文章有所伤叹者，读讫必哭，涕泗不能已。每与人言论，既相别，发声一号，音辞哀切，闻之者莫不凄然泣下。尝客游太原，属戎帅军宴，衢得预会。酒酣言事，抗音而哭，一席不乐，为之罢会。故世称唐衢善哭。”《唐国史补》卷中：“唐衢，周郑客也，有文学。老而无成，唯善哭，每一发声，音调哀切，闻者泣下。”《明文海》卷四七三王达《哀唐衢辞并序》：“唐衢，韩公退之同时人也。性耿介，落有大志，不妄与人交，人亦莫知其所负。衢于学发愤研究，不少自废。然累举不中，人咸笑之，衢则不以为意也。衢能诗，诗多悲思激烈而感创，读之使人慨然有动于中。衢往往见人文章有伤激者，必大哭，涕泗滂沱而弗能已。每与人言论，既别发声一号，音韵呜切，闻者莫不为之酸鼻。人皆以衢善哭，而不知其所以哭也。独退之识其人，赠以诗曰……而乐天以谊之才方衢矣。《旧史》附衢于退之传后，《新史》则又削之，何君子之命薄者，有若是之不偶哉。”

窦群坐倾李吉甫贬湖南观察使，再贬黔州观察使。吕温贬均州刺史，再贬道州刺史。羊士谔贬资州刺史，再贬巴州刺史。

十二月

李渤隐居嵩山，再次诏征为拾遗，不赴，韩愈作《与少室李拾遗书》劝之。【与少室李拾遗书】《昌黎先生全集录》卷八：“劝之以从，劫之以不能不从，亦从《战国策》游说脱出。”《义门读书记》卷三四：“清挺劲直，不同常玩。”《韩文起》卷四：“始言众望之殷，世运之隆以劝之；继言其当起，又不可不疾起以促之。因言起而不疾，有累于己；与终于不起，有病于人以激之。”

本年

刘叉闻韩愈名，本年前后往归之，作诗《冰柱》、《雪车》等。《石园诗话》卷二：“刘叉《冰柱》、《雪车》诗，人谓其出卢、孟右，才气甚健。然径直行直遂，毫无含蓄，非温柔敦厚之旨，少讽喻比兴之情。其《自问诗》云：'酒肠宽似海，诗胆大如天'。信乎诗胆之大也。"《唐诗快》："传称叉步归韩愈，作《冰柱》、《雪车》，二诗实未尽叉之所长。樊君之拜，亦殊难得。"《直斋书录解题》卷一九："其《冰柱》、《雪车》二诗，狂怪诚出卢仝右，然岂风人之谓哉。"《麓堂诗话》："李长吉诗有奇句，卢仝诗有怪句，好处自别。若刘叉《冰柱》、《雪车》诗，殆不成语，不足言奇怪也。"

刘禹锡在朗州司马任。有《送韦秀才道冲赴制举》、《咏古二首有所寄》、《复荆门县记》。

薛涛居成都，约于本年作诗《上川主武元衡相国》、《续嘉陵驿诗献武相国》。【上川主武元衡相国】《名媛诗归》卷一三："二首整丽雄健中，仍有秀气，故佳。"

公元 809 年（唐宪宗元和四年　己丑）

正月

李翱受岭南节度使杨於陵辟为从事，自洛阳赴广州。韩愈有诗《送李翱》，孟郊有《送李翱习之》。六月，李翱抵广州，作《来南录》记其行程。本年前后，李翱作有《答朱载言书》，论为文当"文、理、义三者兼并"："天下之语文章，有六说焉。其尚异者，则曰文章辞句奇险而已；其好理者，则曰文章叙意苟通而已；其溺于时者，则曰文章必当对；其病于时者，则曰文章不当对；其爱难者，则曰文章宜深不当易；其爱易者，则曰文章宜通不当难，此皆情有所偏滞而不流，未识文章之所主也。……文、理、义三者兼并，乃能独立于一时，而不泯灭于后代能必传也。"【送李翱】《唐诗镜》卷三八："自足缱绻，末二语大有深情。"《韩诗臆说》卷一："短韵深情。"【答朱载言书】《容斋随笔》卷七："李习之《答朱载言书》，论文最为明白周尽。"《古文渊鉴》卷三八康熙评："行己之道，为学之方，是书约略尽之。而其叙文章源流正变处，尤为详确。"张英曰："言文章以六经为渊源，以诸子为支处，设辩立论，不拘一辙，可谓博而赅矣。高士奇曰：文以性灵独至为主，乃异于鞶悦为工者。习之立论，推本情性，根柢六经，可谓豪杰之士。斯亦继昌黎而起者。"

武元衡在成都。窦群赴黔，过蜀，武元衡作诗《窦三中丞去岁有台中五言四韵未及酬报今领黔南途经蜀门百里而近愿言款觌封略间然因追曩篇持以赠之》。后李吉甫镇淮南，武元衡又有诗《奉酬淮南中书相公见寄》，刘禹锡有追和之作《奉和淮南李相公早秋即事寄成都武相公》及《上淮南李相公启》。

二月

韦瓘、鲍溶、杨汝士、范传质、张彻等二十人登进士第。时户部侍郎张弘靖知贡举，试《荐冰》诗。见《登科记考》卷一七。韦瓘为状元。韦瓘（789—?），字茂弘，京兆万年人，历官左拾遗、右补阙、史馆修撰等，累迁司勋郎中、中书舍人。大和八年贬康州、移明州长史。大中二年任桂管观察使，寻除太子宾客分司东都，未几卒。《全唐诗》卷五〇七存其诗一首，《全唐诗补编·续拾》卷二九补二句，《全唐文》卷六九五存其文三篇。

裴度在成都，撰《蜀丞相诸葛武侯祠堂碑铭》。春末，还朝，武元衡作诗《送柳郎中裴起居》、《酬裴起居西亭留题》等。

三月

白居易在长安，仍为左拾遗、翰林学士。因久旱，屡陈时政，请降系囚，减免租税，放宫人，绝进奉，禁掠卖良人等。后又作《论于頔所进歌舞人事状》、《论裴均进奉银器状》、《论太原事状》等。是年，另作有诗《贺雨》、《题海图屏风》、《寄元九》、《同李十一醉忆元九》、《立春日酬钱员外曲江同行见赠》、《绝句代书赠钱员外》、《答谢家最小偏怜女》、《答骑马人空台》等。【贺雨】《白香山诗长庆集》卷一汪立名按："元和四年闰三月，宪宗以久旱欲降德音，公见诏节未详，即建言乞免江淮两赋以救流瘠，且多出宫人，上悉从之，制下而雨。"《白氏长庆集》卷四五《与元九书》："凡闻仆《贺雨诗》，而众口籍籍，已谓非宜矣。"《唐诗快》卷五："只如说家常话，忠爱恳恻，字字从肺腑中流出，真仁人君子之言。"【同李十一醉忆元九】《唐诗解》"七言绝句五"："乐天语尚真率，然浅而不俚，方是妙境。此诗得之。"《唐宋诗醇》卷二三："意浅情深，格调最近王龙标。"

元稹丁母忧服除，为监察御史。旋奉使东川，按劾不法官吏，雪民冤事，作有《弹奏剑南东川节度使状》、《弹奏山南西道两税外草状》等。白居易《赠樊著作》誉之云："元稹为御史，以直立其身。其心如肺石，动必达穷民。东川八十家，冤愤一言伸。"六月，自东川使归，白行简写其使东川诗三十二首为"东川卷"，白居易作《酬和元九东川路诗十二首》。稍后，元稹因使东川劾奏事激怒权贵，以监察御史分司东都，弹劾十数事。另有文《论浙西观察史封仗决杀县令事》、《为河南百姓诉车》等。

闰三月

韩愈、樊宗师、卢仝自洛阳至少室谒李渤，同游嵩山。韩愈有《谒少室李渤题名》、《嵩山天封宫题名》。是年，韩愈另有诗《和虞部卢四汀酬翰林钱七徽赤藤杖歌》及《祭薛助教文》、《唐故国子助教薛君墓志铭》、《河南缑氏主簿唐充妻卢氏墓志铭》、《监察御史元君妻京兆韦氏夫人墓志铭》等。

六月

白行简在校书郎任，作《三梦记》。《少室山房笔丛》正集卷二〇："白行简《三梦记》，……右载陶氏《说郛》。《太平广记》梦类数事皆类此，此盖实录，余悉祖此假托也。"又"其第二梦记元、白梁州诗云：'花时同醉破春愁，笑折花枝当酒筹。忽忆故人天际去，计程今日到梁州。'与二公自纪悉同。故知刘梦亦实事也。其第三梦女巫事亦奇。"

七月

元稹妻韦丛卒于长安靖安里宅，元作《祭亡妻韦氏文》。十月，韩愈作墓志，有《监察御史元君妻京兆韦氏夫人墓志铭》。此后，元稹屡作悼亡诗，如《追昔游》、《遣悲怀三首》、《旅眠》、《除夜》、《感梦》、《江陵三梦》、《妻满月日相唁》等。白居易有诗《见元九悼亡诗因以此寄》。【遣悲怀三首】《唐诗镜》卷四六："语到真处不嫌其琐。梁人作昵媟多出于淫，长庆作昵媟语多出于悬，梁人病重。"《唐诗笺注》卷五："此微之悼亡韦氏，通首说得哀惨，所谓贫贱夫妻也。'顾我'一联，言其妇德。'野蔬'一联，言其安贫。'十万'近为营奠营斋，真可哭杀。"

柳宗元在永州得京兆尹许孟容书，作《寄许京兆孟容书》。此间，荐载受荆南节度使赵宗儒辟为记室，柳宗元作《贺赵江陵宗儒辟荐载启》。九月，柳宗元得西山诸胜，作西山、钴姆潭、小丘、小石潭等记，即"永州八记"之前四记。是年，柳宗元还作有《上桂州李中丞荐卢遵启》、《为南承嗣从军状》、《与杨京兆凭书》、《与萧翰林俛书》、《与李翰林建书》、《全义县复北门记》、《永州法华寺新作西亭记》、《法华寺西亭夜饮赋诗序》、《晋文公问守原议》、《南霁云睢阳庙碑》、《送薛判官量移序》、《送南涪州量移澧州序》、《送内弟卢遵游桂州序》、《小侄女墓砖记》、《辨伏神文》、《龙马图赞》及《诗湘口馆潇湘二水所会》、《酬韶州裴曹长使君寄道州吕八大使因以见示二十韵一首》、《登蒲州石矶望横江口潭岛深迥斜对香零山》、《构法华寺西亭》、《法华寺西亭夜饮》、《种仙灵毗》、《读书》、《咏三良》、《咏荆轲》等。此年前后，作《非国语》六十七篇，又作《童区寄传》、《与吕道州温论非国语书》、《答吴武陵论非国语书》。【寄许京兆孟容书】《越缦堂读书记》（五）"集部别集类"："二王八司马之事，千载负冤，成败论文，可为痛哉！子厚终身摧抑，见于文辞者若不胜其哀怨，而绝不归咎叔文。若《牛赋》、《吊苌弘文》、《吊乐毅文》诸作，皆为叔文发，盖深痛其怀忠而死，雅志不遂。虽与中朝当事者言，亦但称之曰罪人，曰负罪者，终未尝显相诋斥。至《与许孟容书》，则几颂其冤矣。古人此等处自不可及，而世无特识，多为昌黎《顺宗实录》所厌，虽欧阳文忠、宋景文、司马文正尚皆不免，可叹也乎。"【始得西山宴游记】《唐宋八家文读本》卷九："从'始得'字著意，人皆知之。苍劲秀削，一归元化，人巧既尽，浑然天工矣。此篇领起后诸小记。"《古文析义》卷一三："全在'始得'二字着笔。语语指划如画。千载之下，读之如置身于其际。非得游中三昧，不能道只字。"《古文眉诠》卷五三："'始得'有惊有喜，得而宴游，且有快足意，此扼题眼法。"《山晓阁选唐宋八大家柳柳州全集》卷三："篇中欲写今日始见西山，先写昔日未见西山。欲写昔日未见西山，先写昔日得见诸山。盖昔日未见西山，而今日始见，则固大快也；昔日见尽诸山，独不见西山，则今日得见更为大快也。中写西山之高，已是置身霄汉；后写得游之乐，又是极意赏心。"《评校音注古文辞类纂》卷五二："字字不落空，人赏其布局之佳，吾谓其立法之密。"汪基《古文喈凤新编》（光绪宝兴堂刻本）："生意始得，顿觉耳目一新。摹写情景入化，画家所不到。"《古文辞类纂选本》卷九："全是描写山水，点眼处在'惴栗'、'其隙'四字。此虽鄙人臆断，然亦不能无似。"【钴鉧潭西小丘记】《唐宋八家文读本》卷九："结处忽发感喟，反复曲折。此神来之候也。记中又开一体。"《古文观止》卷九："前幅平平写来，意只寻常。而立名造语，自有别趣。至末从小丘上发出一段感慨，为兹丘致贺。贺兹丘，所以自吊也。”《古文眉诠》卷五三：“潭丘两记，合为一联，俱买得者。迁客无憀，感慨寄意。”《古文析义》卷一三：“子厚游记，篇篇入妙，不必复道。此作把丘中之石，及既售得之后，色色写得生活，尤为难得。末段于贺丘之遭，借题感慨，全说在自己身上。盖子厚向以文名重京师，诸公要人，皆欲令出我门下，犹致兹丘于沣、镐、鄠、杜之间也。今谪是州，为世大僇，庸夫皆得诋诃，频年不调，亦何异为农夫、渔夫所陋，无以售于人乎？乃今兹丘有遭，而己独无遭，贺丘，所以自吊。”《评校音注古文辞类纂》卷五二引刘大櫆语：“前写小丘之胜，后写弃掷之感，转折独见幽冷。”《古文辞类纂选本》卷九：“此等托物而感遇，侯雪苑、魏叔子皆摹仿之矣。以山水之状态，会耳目心神，自是悟道有得之言。究之心名未净，终以遭遇为言。沣、镐、鄠、杜，朝廷也；贵游之士，执政也；争买者，置之门下也；言弃者，谪居也。……《西山记》既与灏气俱，与造物游，何等心胸。乃此文以小丘逢己，获四百之贱价为遭，则自贬亦甚矣。终竟不如韩、欧立言之得体。然其笔力之峭厉，体物之工妙，万非庸手所及。”《柳文指要》卷二九：“《永州八记》中，似此首稍逊，盖以金钱说明山水之贵贱，致为王夷甫之流所讪矣，略于文之高贵品质有损。”【至小丘西小石潭记】《唐宋八家文读本》卷九：“记潭中鱼数语，动定俱妙。后全在不尽，故意境弥深。”《古文眉诠》卷五二：“白石底潭，正宜品以清字。题脉题象，粼粼映眼。”《山晓阁选唐大家柳柳州全集》卷三：“古人游记，写尽妙景，不如不写尽更佳；游尽妙景，不如不游尽为更高。盖写尽游尽，早已境况索然；不写尽不游尽，便见余兴无穷。篇中遥望潭西南一段，便是不写尽妙景；潭上不久坐一段，便是不游尽妙景。笔墨悠长，情兴无极。”《古文披金》卷一四：“写鱼乐处，于濠梁外又出一奇。”《评校音注古文辞类纂》卷五二：“数篇一线贯穿，写景处无一雷同之笔。”《古文辞类纂选本》卷九：“此等写景文字，即王维之以画入诗，亦不能肖。潭鱼受日不动，景状绝类花坞之藕香桥，桥下即清潭，游鱼百数聚日影中，见人弗游，一举手，则争窜入潭际幽兰花下，所谓‘往来翕忽，与游者相乐’，真体物到极神化处矣。……文不过百余字，直是一小幅赵千里得意之青绿山水也。”【寄许京兆孟容书】《容斋随笔》“五笔”卷五：“意象步武，全与汉杨恽《答孙会宗书》相似。”《唐宋八大家文钞》卷一七：“子厚最失意时最得意书，可与太史公《与任安书》相参，而气似呜咽萧飒矣。”《山晓阁选唐大家柳柳州全集》卷一：“鹿门先生谓此书与马迁《报任安书》相似，然亦有大不同处：迁书激昂，此书悲愤；迁书写得雄快，此书写得郁结；迁书慷慨淋漓，此书呜咽怜惜。分道扬镳，各臻其妙。又前幅写被罪之由，惓惓引过；后幅写免死之故，睠睠宗祧，尤是仁人之言。”《韩柳文研究法》“柳文研究法”：“词语至哀痛，而段落又至分明。逐层皆有停顿，虽不如昌黎之穿插变幻，到吃紧处，偏放松，及正面时，转逆写，然亦自成为柳州气格。此无他，性情真，而文字亦无有不动人者。”【与杨京兆凭书】《唐宋八大家文钞》卷一七：“文不如前书，而中所自为呜咽涕洟略相似。”《唐宋文醇》卷一四：“此文后半首，亦是哀怨之音，《与萧俛书》之类耳。前半首所述知之难、言之难、听言之难，则曲尽末世人物情理，允为至言确论。”《韩柳文研究法》“柳文研究法”：“极长，中间只分两大段：一论荐贤，一论文章。末仍求归乡闾立室家意，无甚意味。”【与萧翰林俛书】《唐宋八大家文钞》卷一七：“一悲一笑，令人破涕。”《山晓阁选唐大家柳柳州全集》

卷一："篇中俱述被谤获罪之由，妙在写出一片忧谗畏讥、无由自明光景。"【登蒲州石矶望横江口潭岛深迥斜对香零山】《东坡题跋》卷二《题柳子厚诗》："子厚此诗，远出谢灵运上。"《唐诗镜》卷三七："一起数语，峻绝孤耸。"《孙月峰评点柳柳州集》卷四："此殆所谓双声叠韵者。"蒋之翘注《柳河东集》卷四三："不特闲静，气概又阔，可讽。"【晋文公问守原议】《古文关键》卷上："看回互转换，贯珠相似，辞简意多。大抵文字使事，须下有力言语。"《朱子语类》卷一三九："《伐原议》极局促不好，东莱不知如何喜之。"《文章轨范》卷二："字字经思，句句有法，无一字一句懈怠，此柳文得意者也。"《唐宋八大家文钞》卷二四："精悍严谨。"《古文渊鉴》卷三七："竖议精严，遣调警拔，森然法戒之文。"《金圣叹批才子古文》卷一二："不遗余力之文。全篇中多作倒注之笔，最难学。若学得，最是好看。"【非国语】《黄氏日钞》卷六〇："子厚以《国语》文深闳杰异而说多诬淫，作《非国语》。愚观所作，非独驳难多造理，文亦奇峭。"王柏《鲁斋集》（四库本）卷四《续国语序》："唐之柳宗元，乃以《国语》文胜而言庞，好怪而反伦，学者溺其文必信其实，是圣人之道翳也，遂作《非国语》六七十篇，以望乎世者愈狭，而求相于吕化光，岂不愚哉。司马公曰：《国语》所载，皆国家大节、兴亡之本，宗元岂足以望古君子藩篱，妄著一书以非之。"【童区寄传】《义门读书记》卷三五："通体叙致分明。"《唐宋文醇》卷一一："子厚未尝为史，此文绝似《后汉书》，固子厚之史也。"《山晓阁选唐大家柳柳州全集》卷四："事奇，人奇，文奇。叙来简老明快，在柳州文集中，又是一种笔墨。即语史法，得龙门之神。班、范以下，都以文字掩其风骨，推而上之，其《左》、《国》之间乎？"

本年

李绅为校书郎，约于本年作《乐府新题》二十首，元稹和之，作《和李校书新题乐府十二首》。是年，元另有诗《黄明府诗》、《褒城驿》、《西州院》、《东台去》、《赠吕二校书》、《追昔游》、《醉醒》、《空屋题》、《初寒夜寄子蒙》、《行宫》等。【行宫】《容斋随笔》卷二"古行宫诗"："语少意足，有无穷之味。"《归田诗话》卷上："乐天《长恨歌》凡一百二十句，读者不厌其长；元微之《行宫》诗才四句，读者不觉其短，文章之妙也。"《唐诗别裁集》卷一九："说玄宗，不说玄宗长短，佳绝。只四语，已抵一篇《长恨歌》矣。"《唐诗笺注》卷七："父老说开元、天宝遗事，听者藉藉，况白头宫女亲见亲闻。故宫寥落之悲，黯然动人。"李锳《诗法易简录》（道光二十二年笔舫刻本）："明皇已往，遗宫寥落，借白头宫女写出无限感慨。凡盛事既过，当时之人无一存者，其感人犹浅；当时之人尚有存者，则感人更深。白头宫女，闲说玄宗，不必写出如何感伤，而哀情弥至。"《唐诗快》卷一四："此宫女得与外人闲说旧事，胜于'上阳白发人'多矣。"《而庵说唐诗》卷九："玄宗旧事出于白发宫人之口，白发宫人又坐宫花乱红之中，行宫真不堪回首矣。"《诗境浅说》续编："直书其事，而前朝盛衰，皆在'说玄宗'三字之中。"

白居易本年前后作《新乐府》诗。其序云："凡九千二百五十二言，断为五十篇。篇无定句，句无定字，系于意，不系于文。首句标其目，卒彰显其志，《诗》三百之义

也。其辞质而径，欲见之者易谕也。其言直而切，欲闻之者深诫也。其事核而实，使采之者传信也。其体顺而肆，可以播于乐章歌曲也。总而言之，为君、为臣、为民、为物、为事而作，不为文而作也。”

吕温在道州，与门客何元上、段弘古唱和。吕温作有诗《答段秀才》、《送段秀才归泮州》、《道州敬酬何处士书情见赠》、《道州敬酬何处士怀郡楼月夜之作》、《道州夏日郡内北桥新亭书怀赠何元二处士》等。段弘古有诗《奉陪吕使君楼上夜看花》，何元上有诗《新居寺院凉夜书情上吕和叔温郎中》。

灵澈在汀州，遇赦北归。寓庐山东林寺，有诗《东林寺酬韦丹刺史》，韦丹有《思归寄东林澈上人并序》；过池州，书诗五首刻石；至湖州，与刺史范传正同过皎然旧院，作诗伤悼。

李贺本年在长安求仕。正月，作《浩歌》述怀。后受挫出长安，过华山，归昌谷，有《赠陈商》、《出城》、《开愁歌》、《昌谷读书示巴童》。【浩歌】《笺注评点李长吉歌诗》卷一：“从‘南风’起一句，便不可及，迭荡宛转，沉著起伏，真侠少年之度，忽顾美人，情景俱至，妙处不必可解。”《删补唐诗玄脉笺释会通评林》“中唐七古下”：“周珽曰：一粒慧珠，参破琉璃法界，真腹有笥，腕有鬼，舌有兵，乃有此诗。珽意此篇总叹生世无几，倏急变易，戚戚风尘，何徒自苦也。”《唐诗快》卷一：“诗意只在‘世上英雄’、‘二十男儿’两句耳，前后无非沧桑隙驹之感，此谓之浩歌。”《昌谷集注》卷一：“此伤年命不久待而身不遇也。山海变更，彭咸安在，宝马娇春，及时行乐，他生再来，不自知为谁矣。世上英雄，一盛一衰真朝暮间事耳。……在下者之妄求荣达，与在上者之妄求长生，均属无用耳。”《李长吉诗集批注》卷一：“此篇又与《天上谣》不同。彼谓人事无常，不如遗世求仙；此则言仙亦无存，又不如及时行乐，但得一人知己，死复何恨。时不可待，人不相逢，亦姑且自遣耳。”《协律钩玄》卷一董伯英云：“诗须有感动关切处，否则亦不必作。长吉《浩歌》与《金铜仙人辞汉歌》，读之使人气青血热，百端俱集，非止泛泛作悲世语。”【开愁歌】《昌谷集注》卷三：“当秋凋折，芳色易摧，年少羁迟，不禁慷慨悲壮，究竟天高难问，惟逆旅主人来相慰勉耳。”【赠陈商】明于嘉刻本《李长吉诗集》无名氏评：“此诗连己起，连己结，与述圣相发挥，赠同气人如此体，极省力得法。人生二十如朝日初升，岂诸凡冰炭之时耶？著‘心已朽’三字，岂不可叹？”《李长吉诗集批注》卷三：“集中最平易调达者，然犹是昌黎之平易调达者。起段八句自谓也。”【昌谷读书示巴童】《昌谷集注》卷三：“长夜抱疴，遭时蹭蹬，而巴童犹恋恋，深足嘉已。”【出城】《昌谷集》卷三曾益云：“下二句是预行其闺人怜己意，言始忍泪相慰问，而终不能忍其泪，见其甚悲也。”《昌谷集注》卷三：“帝京寒雪，铩羽空回，策蹇斓缕，凄凉跋涉，感愧交集，恐无颜以对妻孥，当亦见怜于妇人女子矣。”

方干生。方干（809—888？），字雄飞，睦州清溪人。貌丑唇缺，人称“补唇先生”。幼为徐凝所重，授以诗律。其诗曾为姚合叹赏。大中中，举进士不第，隐居会稽，以诗自放。与郑仁规、李频、陶详为三益友。咸通末，曾为浙东观察使王龟所荐，未果，以布衣终。门人私谥为“玄英先生”。昭宗三年，韦庄奏请追赐进士及第并追赠其官。其甥杨弇及僧居远辑其遗诗三七〇篇，编为《玄英先生诗集》一〇卷。《新唐书·艺文志》亦著录其集一〇卷。《郡斋读书志》录为《方干诗集》一卷。明人辑为《玄英集》八卷。事迹见孙合《玄英先生传》、《唐摭言》卷四、卷一〇、《唐诗纪事》卷六三等。

公元810年（唐宪宗元和五年　庚寅）

二月

王播、杨虞卿、唐扶等三十二人登进士第。时礼部侍郎崔枢知贡举，试《洪钟待撞赋》。见《登科考记》卷一八。

元稹在东都，于樊宗师家听李管儿弹琵琶。前此，向韩愈索要辛夷花，与吕炅等游。三月，自东都奉召归长安，至敷水驿，为宦官所辱，并贬为江陵士曹参军，有诗《元和五年予官不了罚俸西归三月六日……怆曩游因投五十韵》、《三月二十四日宿曾峰馆夜对桐花寄乐天》。李绛、崔群言其无罪。白居易上言雪之，疏入不报。后命弟送别，并赠新诗二十首。四月，元稹赴江陵途中，作诗十七首，至江陵，即寄白居易。白居易作《和答诗十首》，其序云："顷者在科试间，尝与足下同笔砚，每下笔时辄相顾，共患其意太切而理太周。故理太周则辞繁，意太切则言激。与足下为文，所长在于此，所病亦在于此。足下来序，果有辞犯文繁之说，今仆所和者，犹前病也。"六月，在江陵与张季友、李景俭、王文仲等游。有诗《纪怀赠李六户曹崔二十功曹五十韵》、《赠许五康佐》、《答姨兄胡灵之见寄五十韵》、《种竹》、《梦游春七十韵》、《桐花落》、《离思五首》、《离忆五首》、《江陵三梦》、《有酒十章》等。【离思五首】（其一）《唐诗快》卷一五："世间恐无此一幅好画。仙乎仙乎，能无怀乎？"（其四）《唐诗快》卷一五："此皆为双文而作也。胡天胡地，美至乎此，无怪乎痴人之想莺莺也。"秦朝钎《消寒诗话》（《清诗话》本）："或以为风情诗，或以为悼亡也。夫风情固伤雅道；悼亡而曰'半缘君'，亦可见其性情之薄矣。"

春

卢仝在扬州，寄居萧宅，有诗《萧宅二三子赠答二十首并序》。《苕溪渔隐丛话》前集卷一九："《雪浪斋日记》云：玉川子诗，读者易解，识者当自知之。《萧才子宅问答诗》如《庄子》寓言，高僧对禅机"，后载书归洛。孟郊有诗《忽不贫喜卢仝书船归洛》。孟郊在洛阳，连丧三子，有诗《悼幼子》。韩愈作《孟东野失子》。

李益、窦牟在洛阳，有诗赠答。李益有诗《缑氏拜陵回道中呈李舍人少尹》、《李舍人少尹惠家酝一小榼立书绝句》。

贾岛至洛阳，谒李益，作诗《投李益》。旋游嵩岳，有诗《欲游嵩岳留别李少尹益》。夏秋，游赵之时，结识刘华，作诗《题刘华书斋》。冬至长安，携诗谒张籍、韩愈，有诗《携新文诣张籍韩愈途中成》、《投张太祝》。是年，贾岛曾与李益、韦执中、诸葛觉联句于天津桥，有《天津桥南山中各题一句》。【携新文诣张籍韩愈途中成】《韵语阳秋》卷三："贾岛《携新文诣韩愈》云：'青竹未生翼，一步万里道。安得西北风，身愿变蓬草。'可见急于求师。愈赠诗云：'家住幽都远，未识气先感。来寻吾何能，无味嗜昌歜。’可见谦于授业。此皆岛未儒服之时也，洎愈教岛为文，遂弃浮屠学，举进士。”

四月

李贺始官奉礼郎。有诗《始为奉礼郎忆昌谷山居》、《申胡子觱篥歌》。【始为奉礼郎忆昌谷山居】明于嘉刻本《李长吉诗集》无名氏云：“悬如意而阅角巾，有归欤之意。”《协律钩玄》卷一董伯英评：“空有满船之明月，何人棹破溪云而行游耶？末二尤得‘忆’字神理。”《黎二樵批点黄陶庵评本李长吉集》黎简批：“老成风度。贺五言长律，结局少此酣畅。”【申胡子觱篥歌】《笺注评点李长吉歌诗》卷二：“其长复出二谢，可喜。索意造语，欲过古人。”《昌谷集注》卷二：“饮酒方醉，既闻苍头觱篥，致花娘不睡，出幕平弄，及五字歌成，配声为寿，管音清绝，风起云行，顾念岁华，心事安得不波涛涌也。其心事之所以波涛涌者，亦正以朔客李氏既有申胡子之能觱篥，又有花娘之善平弄，何我之不独尔。然朔客止一武人，驰马佩剑，健类生猱，顾乃首肯我五字之句，命花娘出拜为欢，何下珍腐草寒翟若是也，宜贺深知己之感矣。”

五月

白居易为左拾遗秩满，改授京兆户曹。秋末，作《代书诗一百韵寄微之》，元稹和之，有《酬翰林白学士代书一百韵》。是年，二人赠答颇多，白有《暮春寄元九》、《立秋日曲江忆元九》、《和元九悼往》、《禁中夜作书与元九》等，元有《酬乐天抒怀见寄》、《酬乐天游乐园见忆》、《酬乐天早夏见怀》、《酬乐天劝醉》、《和乐天初授户曹喜而言志》、《和乐天秋题曲江》等，时俗效之，号“元和体”。其时，樊宗师为著作郎，白居易作《赠樊著作》。元稹有诗《和乐天赠樊著作》。白又作百篇赠刘禹锡，刘有诗《翰林白二十二学士见寄诗一百篇因以答贶》。是年，白居易另有文《唐故会王墓志铭》、《授吴少阳淮西节度留后制》、《祭吴少诚文》、《论元稹第三状》，有诗《哭孔戡》、《赠吴丹》、《初授户曹喜而言志》、《和梦游春诗一百韵》等。【代书诗一百韵寄微之】《唐宋诗醇》卷二二：“长律百韵始于杜甫《夔府咏怀》一篇，继之者元微之、白居易。居易集中百韵诗凡三篇。杜甫排奡沉郁，局阵变化，其才气笔力自非居易所及。居易法律井然，条畅流美，实可为后来之法。学者未能窥杜之阃奥，且从此种问津，自无艰涩凌乱之病。”又引冯班曰：“匀细整赡，力自有余。长诗有叙置次第，起承转合，不可不知却拘不得，须变化飞动为佳。此篇匀整之至，却细腻省净，无迭辞累句、妃红媲紫之病。长诗忌词太烦，如此最善。”【翰林白二十二学士见寄诗一百篇因以答贶】《诗话总龟》卷一一引《丹阳集》：“作诗贵雕琢，又畏有斧凿痕；贵破的，又畏粘皮骨，此所以为难。……刘梦得称白乐天诗云：‘郢人斤斫无痕迹，仙人衣裳弃刀尺。世人方内欲相从，行尽四维无处觅。’若能如是，虽终日斫，而鼻不伤；终日射，而鹄必中；终日行于规矩之中，而其迹未尝滞也。山谷尝与杨明叔论诗，谓以俗为雅，以故为新，百战百胜如孙吴之兵，棘端可以破镞，如甘蝇、飞卫之射，捏聚放开，在我掌握。与刘所论殆一辙矣。”

吕温授衡州刺史。裴均集其父倩与柳浑等唱和诗为《裴氏海昏集》，吕温为之序。下月，吕温赴任，作《衡州刺史谢上表》，并有诗《自江华之衡阳途中作》。道过永州，吕以李吉甫手札转致柳宗元。柳曾有上李吉甫书，至此，又作《谢李吉甫相公手札启》。

卢殷卒，年六十五。韩愈《登封县尉卢殷墓志铭》："君能为诗，自少至老，诗可录传者，在纸凡千余篇。无书不读，然止用以资为诗。与谏议大夫孟简、协律孟郊、监察御史冯宿好，期相推挽，卒以病不能为官。在登封尽写所为诗，抵故宰相东都留守郑公余庆，留守数以帛米周其家。书荐宰相，宰相不能用，竟饥寒死登封。"《升庵集》卷二五"二卢"："韩文公志卢殷墓，言'殷于书无不读，止用为诗资，平生为诗可诵者千余篇'，至今一篇不传，非托于韩文，则名姓亦湮矣。"

八月

十五夜月蚀，卢仝作《月蚀诗》。韩愈有诗《月蚀诗效玉川子作》。约本年，卢仝与马异在洛阳结交，卢有《与马异结交诗》，马异有《答卢仝结交诗》。【月蚀诗】孙樵《与王霖秀才书》："玉川子《月蚀诗》、韩吏部《进学解》，莫不拔地倚天，句句欲活，如赤手捕修蛇，不施鞚勒骑生马，急不得暇，莫可捉搦。"《唐诗纪事》卷三五："仝居东都，退之为河南令，爱其诗，厚礼之。自号玉川子，尝为《月蚀诗》，讥切元和朋党。"《学林》卷八："韩退之《月食诗》一篇，大半用玉川子句。或者谓玉川子《月食诗》豪怪奇挺，退之深所叹伏，故退之所作，尽摘玉川子佳句而补成之。观国窃以为不然也。案退之《月食诗》题曰'效玉川子作'，而诗中有以玉川子为言者，……然则退之几于代玉川子作也。玉川子诗虽豪放，然太怪险，而不循诗家法度，退之乃摘其句而约之以礼，故退之诗中两言玉川子，其意若曰玉川子《月食诗》如此足矣。故退之诗题曰'效玉川子作'，此退之之深意也。不然则退之岂不能自为《月食诗》，而必用玉川子句，然后能成诗耶？以谓退之自为《月食诗》，则诗中用玉川子'涕泗告天公'，又非其类矣。"《春渚纪闻》卷五："施彦质言：玉川子诗极高，使稍入法度，岂在诸公之下？但韩以诗人见称，故时出狂语，聊一惊世耳。韩退之有《效玉川子月蚀诗》，读之有不可晓者，既谓之效，乃是玉川子诗何也？……退之尊敬玉川子，不敢谓之改，故但言效之耳。"《余师录》卷二："退之《效玉川子月蚀诗》，乃删卢仝冗语耳，非效玉川也。韩虽法度森严，便无卢仝豪放之气。"《艺苑卮言》卷四："玉川《月蚀》是病热人呓语。前则任华，后者卢仝、马异，皆乞儿唱长短急口歌博酒食者。"《静居绪言》："《月蚀诗》之险怪庞杂，几不可读。韩公为芟削之，乃仍以己作汰而存之，虽曰不以人废言，然其不虚中乐善，又可知矣。"《野鸿诗的》："玉川好怪，作《月蚀诗》以吓鸢雏，宁不虑苍鹰见之而一击乎？至'七碗吃不得也'句，又令人流汗发呕。"《龙性堂诗话》续集："玉川子为退之所重，《月蚀诗》亦是忠爱热血，诡托而出，盖《离骚》之变体也。元美讥其病狂人呓语，恐元美犹是梦耳。"《石洲诗话》卷二："韩公效玉川《月蚀》之作，删之矣。对读之，最见古人心手相调之理。然玉川原作雄快，不可逾矣。"《石园诗话》卷二："玉川子《月蚀诗》，凡一千六百七十七字，艰涩险怪，读之不易。韩文公仿其诗，凡五百七十八字，前后简净，但结处不如玉川子有余味。”

韦丹卒，年五十八。《全唐诗》卷一五八存其诗二首。

秋

韩愈为都官员外郎，分司东都，有《送湖南李正字归》诗及序。冬，河阳节度使乌重胤征洛阳处士温造为幕僚，郑余庆以诗歌其事，韩愈作《送温处士赴河阳军序》。是年，韩愈有《送石处士赴河阳幕诗并序》、《东都遇春》、《感春五首》、《送郑十校理序并诗》、《燕河南府秀才》、《学诸进士作精卫填海》与文《河南府同官记》、《上郑尚书相公启》、《上留守郑相公启》、《送幽州李端相公序》、《唐故河中府法曹张君墓志铭》、《唐故中散大夫河南尹杜君墓志铭》、《唐朝散大夫赠司勋员外郎孔君墓志铭》、《唐故登封县尉卢殷墓志铭》等。【送湖南李正字归】《唐宋诗醇》卷三〇："风神绵邈，绝似韦、柳，是昌黎集中变调，唯《南溪》三首近之。沈德潜曰：昌黎五言难得此清远之格。”《唐诗镜》卷三八：“语稍修秀，一起四语洒落。”【送湖南李正字序】《唐宋八大家文钞》卷六：“以交游离合之情为文，又一种风调。”《昌黎先生全集录》卷四：“共患难生死之交，久散复聚，相对梦寐然，此情至之作。”《韩文起》卷六：“文中有埋伏，有照应，有穿插，有结构，感慨欣幸，缠绵周匝，此词意俱足之篇也。”《韩柳文研究法》“韩文研究法”：“通是家常语，而情文最绵丽，由机轴妙也。……入情入理，悲凉世局，俯仰身世，语语从性情中流出，至文也。”【送温处士赴河阳军序】《文章轨范》卷一：“文有气力，有光焰，顿挫豪宕，读之快人意。可以发人才思。”《黄氏日钞》卷五九：“曲尽变态。”《金圣叹批才子古文》卷一一：“前凭空以冀北马空起，中凭空撰出无数人嗟怨，后又凭空结以自己嗟怨，俱是凭空文字。”《昌黎先生全集录》卷四：“不数月连拔两生，发端一笔，最著意，最担得斤两。”《古文评注》卷七：“温处士好处，通篇绝不一道，而第从居守者，去位而巷处；考德问业者，衿绅之东西过是邦者，说得一无所考。则温处士之所重于名卿巨公，其人品当居何等？同是一样序，《送河南石处士》篇纯用实叙，《温处士》篇纯用虚叙，而文各极其妙。此昌黎之所以不可测也。”《古文赏音》卷八：“石生、温生，同为乌公从事，昌黎同一送行之作，却幻出如许议论。无一字可移入石生，不独文字之变化也。”吴闿生《古文范》（民国刻本）卷三：“此文意含谐讽，词特屈曲盘旋，在韩集中亦不可多得之文字。”《古文小品咀华》卷三：“通篇只赞叹乌公而温生之贤自见。若呆从温生着笔，定当减色许多。只一起句便落定全局，目无全牛，皆因胸有成竹也。尤妙在认清是送第二个处士赴河阳军，所以笔笔是送温造文字，移不得石洪篇去。”【送石处士序】《义门读书记》卷三二：“无限议论都化在叙事中。此篇命意，盖因处士之行望重胤尽力转输，使朝廷克成讨王承宗之功，不可复若卢从史阴与之通。而位置有体，藏讽喻于不觉。”《文章轨范》卷一：“《送石处士序》譬喻文法，恐人识破，便变化三样句，分作三段。此公平生以怪怪奇奇自负，其作文要使人不可测识。”《唐宋八大家文钞》卷六：“以议论行叙事，当是韩之变调，然予独不甚喜此文。”《金圣叹批才子古文》卷七：

"一篇纯用传体为序，序之变也。"《求阙斋读书录》卷八："唐时处士，声势足以倾一世。韩公不满于石、温二生，观《寄卢仝》诗可见。此文前含讥讽，后寓箴规，皆不着痕迹，极狡狯之能。"

柳宗元在永州，筑室染溪，改溪名为愚溪。此间前后，作《冉溪》、《八愚诗》、《愚溪对》、《旦携谢山人至愚池》、《溪居》、《夏初雨后寻愚溪》、《雨后晓行独至愚溪北池》、《雨晴至江渡》。是年，柳宗元另作有《上江陵赵相公寄所著文启》、《与杨诲之书》、《说车赠杨诲之》、《送从弟谋归江陵序》、《送李判官序》、《太府李卿外妇马淑志》、《赵秀才群墓志》、《下殇女子墓砖记》、《贵州刺史邓君志》、《闻藉田有感诗》。【旦携谢山人至愚池】《瀛奎律髓汇评》卷一四方回评："诗不纯于律，然起句与五、六，乃律诗也。幽而光，不见其工而不能忘其味，与韦应物同调。韦达，故淡而无味。"纪昀评："七句太激，便少蕴藉。"《唐诗镜》卷三七："起调迥仄，'霞散'二韵气韵高标。"《孙月峰评点柳柳州集》卷四三："意兴洒然。"《唐诗快》卷九："发付机心甚妙。"【溪居】《唐诗镜》卷三七："音如琢玉。"《删补唐诗选脉笺释会通评林》"中唐五古下"刘辰翁云："镜与神会，不由思得，欲重见自难耳。"顾璘曰："超逸。"周珽曰："因谪居寻出乐趣来，与《雨后寻愚溪》、《晓行至愚溪》二诗，点染情兴欲飞。"《重订唐诗别裁集》卷四："愚溪诸咏，处连蹇困厄之境，发清夷淡泊之音，不怨而怨，行间言外，时或遇之。"【愚溪对】《黄氏日钞》卷六〇："文极精妙。此虽子厚自戏之辞，然愚谓溪之愚可辞，而子厚杰然文人也。乃终身贤叔文而不知悟，其身之愚可得辞耶。"《唐宋八大家文钞》卷二六："柳子自嘲，并以自矜。"《山晓阁选唐大家柳柳州全集》卷四："就溪神设为问答，读者觉溪神之词长，柳州之词短。溪神之词长，故可尽其牢骚；柳州之词短，故不能罄其郁勃。屈子泽畔行吟，柳州愚溪问答，千古同慨。"《韩柳文研究法》"柳文研究法"："愤词也，亦稍仿排比。较诸《愚溪诗序》，实逊其淡冶。……复引梦神一问，于是大放厥词，极写己身之愚而得祸，却实向梦身诉说一番，有悔过意，有引罪意，则发其无尽之牢骚，泻其一腔之悲愤，楚声满纸，读之肃然。"【愚溪诗序】《崇古文诀》卷一二："只一个'愚'字旁引曲取，横说竖说，更无穷已。宛转纡徐，含意深远，自不愚而入于愚，自愚而终于不愚，屡变而不可诘，此文字妙处。"茅坤《唐宋八大家文钞·柳柳州文钞》卷五："子厚集中最佳处。古来无此调，陡然创为之，指次如画。"张伯行《唐宋八大家文钞》卷四："独辟幽境，文与趣会。"《义门读书记》卷三六："词意殊怨愤不逊，然不露一迹。"《古文评注补正》卷七："此文通篇俱就一'愚'字生情，写景处历历在目，趣极。而末后仍露身份，景中人，人中景，是二是一，妙极。盖柳州所长在山水诸记也。"《古文观止》卷九："通篇就一'愚'字点次成文。借愚溪自写照，愚溪之风景宛然，自己之行事亦宛然。前后关合照应，异趣沓来，描写最为出色。"《古文翼》卷六："通篇'愚'字其二十七见，错综变化，光怪陆离，而极自贬屈中，却又极占地步，固自隽绝。"林纾《古文辞类纂选本》卷二："子厚文到结穴处，往往发露无遗，良不如昌黎之能吞言咽理也。"【送从弟谋归江陵序】《山晓阁选唐大家柳柳州全集》卷二："此篇妙在处处写出天性至情。前幅叙少时相依，娓娓写来，便见天良至性。中幅述谋自言为人，并自信称道从弟，津津说来，两人如话。后幅忽然自悔一段，忽然称羡从弟一段，忽又过虑一段，忽又安慰一段。反复写来，天性至情，活活画出。而文之激扬反复，沉郁顿挫已极，毫发无遗憾矣。”《义门读书记》卷三六：“从伏波将军念从弟少游哀吾志大之语，拓为大章，意味甚隽永。”

本年

韩愈作《毛颖传》，时人笑以为怪，柳宗元称之，作《读韩愈所著毛颖传后题》。【毛颖传】《唐摭言》卷五：“韩文公著《毛颖传》，好博塞之戏。张水部以书劝之，凡三书。其一曰：‘比见执事多尚驳杂无实之说，使人陈之于前以为欢，此有累于令德。又高论之际，或不容人之短，如任私尚胜者，亦有所累也。先王存六艺，自有常矣，有德者不为，犹不为损。况为博塞之戏，与人竞财乎！君子固不为也。今执事为之，以废弃时日，其实不识其然。’文公答曰：‘吾子讥吾与人言为无实驳杂之说，此吾所以为戏耳，比之酒色，不有间乎！吾子讥之，似同浴而讥裸体也。若高论不能下气，或似有之，当更思而诲之耳。’”《唐宋八大家文钞》卷八：“设虚景摹写，工极古今。其连翩跌宕，刻画司马子长。”《崇古文诀》卷一〇：“笔事收拾得尽善，将无作有，所谓以文滑稽者，赞尤高古，是学《史记》文字。”《山晓阁选唐大家韩昌黎集》卷四：“借游戏小题，撰结一篇奇文。妙在写家世，便有兴衰之感；写遇合，便有出处之奇；写才学，便见学富五车；写性情，便见超俗不群；写宠幸，便见信任无两；写朋友，便见出处必偕；写退休，便见衰老投闲；写子孙，便见族姓蕃衍。色色写到，色色如生，色色点染，色色涉趣。”《唐宋八大家类选》卷一三：“以史为戏，巧夺天工。”《评校音注古文辞类纂》卷三八引曾国藩云：“凡韩文无不狡狯变化，具大神通，此作尤剧耳。”张裕钊云：“游戏之文，借以抒其胸中之奇，洸洋自恣，而部勒一丝不乱，后人无从追步。”《唐文评注读本》下册：“此文似游戏之作，而模仿龙门，便尔神似。狮子搏兔，亦用全力，不仅以点染风华见长。”《古文辞类纂选本》卷七：“此文全学太史，用典寥寥，而位置得宜处，竟似确有世系可考者。文叙事之有法，自是昌黎本色。”《韩柳文研究法》“韩文研究法”：“千古奇文，《旧史》讥之，而柳子厚则倾服至于不可思议。文近《史记》，然终是昌黎真面，不曾片语依傍《史记》。”【读韩愈所著毛颖传后题】《唐宋八大家文钞》卷二五：“子厚深服昌黎，故其题如此，亦其让能之一端也。”《韩柳文研究法》“柳文研究法”：“昌黎每有佳制，柳州必有一篇与之抵敌。独《毛颖传》一体无之，故有《读毛颖》之作。……引诗，引史书，均为昌黎出脱。”《雕菰楼集》（文选楼丛书本）卷一八《书韩退之毛颖传后》：“昌黎韩氏此文，当时多笑之者，柳州辨之，以明夫张驰拘纵之理，诚通儒之论哉！然而人不能学昌黎，而类能学其《毛颖传》；人不能服膺柳州他论文之言，而类能服膺其题《毛颖传》之言，岂真以蜇吻裂鼻缩舌涩齿之物，而可以常服哉！纵易而拘难，张苦而驰便也。且昌黎之前，未有此文，此昌黎之所以奇。有昌黎之文踵而效之，则陋矣。是故柳州重其文，而未尝效其作。”

孟郊在洛阳，作《教坊歌儿》。

陈鸿祖撰《东城老父传》。陈鸿祖，颍川人。

羊士谔在巴州贬所。有诗《都城从事萧员外寄海梨花诗尽绮丽至惠然远及》、《郡中言怀寄西川萧员外》、《西川独孤侍御见寄七言四韵一首为郡翰墨都捐逮此酬答诚乖拙速》、《郡中端居有怀袁州王员外使君》。【郡中言怀寄西川萧员外】《贯华堂选批唐才子诗》卷四："吐口便说'功名无力'四字，此便是真心实意语也。……'已近终南得草堂'妙，言身虽未去，去计已成。三、四即重复此七字也。此五、六妙于'何时逢山客'中间硬入'腊酒'，又妙于'腊酒逢山客'下句，撇然竟对'梅枝亚石床'，真为潇洒不群之笔也。结言此非强来相拉，实已久信高怀，又硬加'岁晚'二字，使此意旁见侧出也。"

公元 811 年（唐宪宗元和六年　辛卯）

正月

韩愈在河南令任，作《送穷文》。韩愈自去年冬为河南令。【送穷文】郭正域《韩文杜律》（明闵齐刻牛墨套印本）卷一："《上宰相书》鸣之执政而不得，《进学解》托之门徒而不畅，此又质之鬼神矣。善写悲愤，可以怨者也。"《崇古文诀》卷一〇："前面许多铺陈布置，结果收拾尽在后面，看到后面方知前面尽是戏言。然退之此文非是送穷，乃是固穷。机轴之妙，熟读方见。《进学解》是设为师弟子问难之词，此是设为人鬼问难之词，可以参观。"《韩文起》卷八："总因仕路淹蹇，抒出一肚皮孤愤耳。篇中层层问答。鬼本无声，忽写出了无数样声；鬼本无形，忽写出了无数样形，奇幻无匹。……末段纯是自解，占却许多地步。觉得世界中利禄贵显一文不值，茫茫大地，只有五个穷鬼，是毕生知己，无限得力。能使古往今来不得志之士一齐破涕为笑，岂不快绝。"《义门读书记》卷三三："卓荦宏肆，只'固穷'二字翻出尔许波澜。"《评校音注古文辞类纂》卷七一："穷不负人，人自负穷耳，谐语中有固穷主意，读者幸勿略过。"《古文辞类纂选本》卷一〇："《进学解》之体，满腹牢骚语，借他人之口代发之，倾吐无余。归入本人口吻，则用安命循分之言以结之。此作自吐牢骚，反用鬼言以自镇。文体与《进学解》略异。"《古文范》卷三："曾文正公尝谓诙诡之文，为古今最难到之诣，从来不可多得者也。公以游戏出之，而浑穆庄重，俨然高文典册，尤为大难。"

二月

王质、卢简辞等二十人登进士第。时中书舍人于尹躬知贡举。见《登科及考》卷一八。于尹躬（生卒年不详），一作允躬，京兆万年人。大历中进士及第，元和二年累迁中书舍人，六年知贡举，五月贬洋州刺史，卒。《全唐诗》卷三〇五录诗一首，《全唐文》卷四五五存文一篇。事迹散见白居易《贬于尹躬洋州刺史》、《元和姓纂》卷二、《唐诗纪事》卷三二等。

关内外大雪。韩愈有诗《辛卯年雪》，卢仝作诗《苦雪寄退之》，白居易有诗《春夜》。时韩愈、卢仝均在洛阳，白居易在长安。春，韩愈有诗《寄卢仝》，且济其贫。【辛卯年雪】《读杜韩笔记》："侔色揣称，发《雪赋》之所未发，可谓奇特。……退之奇崛处易学，此等处难及也。”【苦雪寄退之】《静居绪言》：“韩门吹嘘寒士，不愧任风。其间忘德薄行者有之，如卢仝、刘叉辈，人所知者也。仝之《苦雪寄退之》一诗，前叙雪，次述妻子寒馁，再叙自己无酒吃，结语忽曰：‘唯有河南韩县令，时时醉饱过贫家。’夫贫士操行，不食嗟来，安可乞食于人而讥人醉饱？况未闻昌黎沉湎于酒者，不亦过乎。”【寄卢仝】《唐宋诗醇》卷三〇：“观诗中所叙，特与邻人构讼，而以情面听其起灭耳。却写得壁立千仞，有执鞭忻慕之意。乃知唐时处士，类能作声价如此。”

羊士谔在巴州，有《游西龛》、《寒食游眺》等诗，书刻于石壁。

沈亚之应进士落第。夏，往鄜州、夏州求荐，作有《与路鄜州书》、《送受降城使序》。沈亚之（？—831?），字下贤，吴兴人。登元和十年进士第，长庆元年，登贤良方正能直言极谏科，历殿中丞御史、内供奉。大和初，为德州行营使柏耆判官，耆贬，亚之亦谪南康尉，终郢州掾。《新唐书·艺文志》著录《沈亚之集》九卷，《郡斋读书志》为八卷。《直斋书录解题》著录《沈下贤集》一二卷，《文献通考》为一〇卷。今存《沈下贤集》一二卷及一〇卷本两种。据《唐诗纪事》卷五一、《唐才子传》卷六等。

春

贾岛由长安赴洛阳谒韩愈、孟郊，有诗《投孟郊》。秋随韩愈回长安，居清龙寺，作诗《题青龙寺镜公房》、《题青龙寺》。十一月，贾岛归范阳，韩愈作《送无本师归范阳》；途中，贾岛有诗《宿悬泉驿》、《寄孟协律》。【题青龙寺镜公房】《瀛奎律髓汇评》卷四七方回云：“中四句已佳。尾句谓疎慵之人，有何事乎？而多失上方之约，亦奇也。”许印芳云：“句句洗练，而出以自然。”【送无本师归范阳】《唐诗镜》卷三八：“征奇得怪，往往有之。”《唐宋诗醇》卷三〇：“奖赏之中，讽喻深远，正不独为浪山说法也。‘身大不及胆’，妙于翻用。俞玚曰：凡昌黎先生论文诸作，极有关系。其中次第，俱从亲身历过，故能言其甘苦亲切乃耳。”朱彝尊《批韩诗》：“阆仙诗虽尚奇怪，然稍落苦僻一路，于此诗赞语，似尚未能称。”

四月

柳宗元在永州，作《谢襄阳李夷简尚书委曲抚问启》、《谢李中丞安抚崔简戚属启》、《上李中丞所著文启》、《与崔连州论石钟乳书》、《与杨诲之第二书》等。春，柳曾作《送僧浩初序》，辩韩愈《送元十八山人南游序》中讥其嗜佛事。六月，作《代柳公绰谢上任表》。八月，作《大理评事柳君志》。十月，作《上西川武元衡相公谢抚问启》。是年，另有《上岭南郑相公献所著文启》、《安南都护张公志》。【送僧浩初序】《黄氏日钞》卷六〇：“专辟退之之辟佛。愚谓退之言仁义，而子厚异端，退之行忠直，而子厚邪党，尚不知愧，而反操戈焉。子厚自以为智不遂，当矫名曰‘愚’，吾见其真愚耳。”《山晓阁选唐大家柳柳州全集》卷二：“只是欲说自己喜与浩初游，乐与浩初言，先说初两大段浮屠之言可嗜，浮屠之人可游，为一篇断案。欲写此两段断案，先借退之病余与浮屠言、与浮屠游二段，为一篇翻案。于是翻案在前，断案在中，定案在后，便将自己出豁得干干净净，真是绝不费力文字。”《金圣叹批才子古文》卷一二：“通篇如与退之辨难，殊不知都是凭空起波。前‘嗜浮屠言’、‘与浮屠游’二句，如棋之势子。中二大幅如下棋。后入浩初，如棋劫也。”

白居易母陈氏卒于长安宣平里第，白丁忧，退居下邽义津乡金氏村。十月，迁葬祖锽、父季庚于下邽。是年，作有《太原白氏家状二道》、《答元膺授岳鄂观察使谢上表》、《答孟简萧俛等贺御制新译大乘本生心地观经序状》、《答李墉授淮南节度使谢上表》及诗《春雪》、《渭上偶钓》、《闲居》、《首夏病闲》、《重道渭上旧居》、《白发》、《寄元九》、《秋夕》、《夜雨》、《叹老》、《送兄弟回雪夜》、《自觉二首》、《寄上大兄》等。又《寄唐生》、《伤唐衢二首》约作于本年以后。前者曾述其新乐府之宗旨：“我亦君之徒，郁郁何所为？不能发声哭，转作乐府诗。篇篇无空文，句句必尽规。功高虞人箴，痛甚骚人辞。非求宫律高，不务文字奇。惟歌生民病，愿得天子知。未得天子知，甘受时人嗤。药良气味苦，瑟淡音声稀。不惧权豪怒，亦任亲朋讥。人竟无奈何，呼作狂男儿。每逢群动息，或遇云雾披。但自高声歌，庶几天听卑。歌哭虽异名，所感则同归。”

五月

李公佐时任江淮从事，因事至长安，于归途中与高钺等闲话，因撰《庐江冯媪传》。

八月

吕温卒于衡州，年四十。十月，吕丧至江陵，葬于江陵之野。《全唐文》卷六二五至六三一编其文为七卷，《唐文拾遗》卷二七录其文二篇。《全唐诗》卷三七〇、卷三七一编其诗为二卷。刘禹锡《唐故衡州刺史吕君集纪》云：“和叔年少遇君，而卒以谪似贾生，能明王道似荀卿，故余所先后视二书，断自《人文化成论》至《诸葛武侯庙记》为上篇，其他咸有为而为之。始学左氏书，故其文微为富艳。”《旧唐书》卷一三七《吕温传》：“温天才俊拔，文采赡逸，为时流柳宗元、刘禹锡所称。……温文体富艳，有丘明、班固之风，所著《凌烟阁功臣铭》、《张始兴画赞》、《移博士书》，颇为文士所赏，有文集十卷。”《新唐书》卷一六〇《吕温传》：“温藻翰精富，一时流辈推尚。”《香祖笔记》卷五：“温于诗非所长，赞、颂等时有奇逸之气，如史所称《凌烟阁功臣赞》、《张始兴画像赞》及集中《三受降城》、《古东周城》、《望思台》、《成皋》诸碑铭，皆有可传者，惟《武侯庙记》持论颇谬，同时刘禹锡、柳宗元亟称之。”《载酒园诗话》又编：“温诗不及刘、柳，气亦劲重苍厚。”《唐诗品》：“衡州早擅宏词，富于摛藻，《由鹿》诸赋，命意修远，虽拘于时制，稍落近语，要亦升堂之客也。五言律亦多绮拔，惜其内有乏思，外有遗象，不能自振其余波耳。”《四库提要》卷一五〇：“温亦八司马之党，当王叔文败时，以使吐蕃幸免。其人品本不纯粹，而学《春秋》于陆淳，学文章于梁肃，则授受颇有渊源。集中如《与族兄皋书》，深有得于六经之旨；《送薛天信归临晋序》，洞见文字之原；《裴氏海昏集序》，论诗亦殊精邃；《古东周城铭》，能明君臣之义，以纠左氏之失；其《思子台铭序》，谓遇一物可以正训于世者，秉笔之士，未尝阙焉，其文章之本可见矣。惟《代尹仆射度女为尼表》，可以不存。而《武侯庙记》，以为有才而无识，尤好为高论，失之谬妄，分别观之可矣。”《越缦堂读书记》（五）“集部别集类”：“和叔之文，当时拟之左丘、班固，诚非其论。然根柢深厚，自不在同时刘梦得、张文昌之下。其文如《三受降城铭》、《古东周城铭》、《成皋铭》、《酹王景略文》、《凌烟阁勋臣颂》、《狄梁公传赞》、《张荆州画像赞》，置之韩、柳集中，亦为高作。其他书表，多有可观，议论亦甚平正。以此见八司马中固多君子，其气势格律，皆出于学问，自非元宾辈所可及也。”【功臣恕死议】《古文渊鉴》卷三八：“康熙评：逐段议论，皆以两意互发，字字深峭，气体亦遒上不群。又陈子龙评：八议之典，自古有之，而不著之丹书铁券者，良有意也。”【张荆州画赞】《古文渊鉴》卷三八：“康熙评：义本严正，词复奇宕，精理内含，声光外射。”《唐宋文举要》甲编卷四：“光明瑰玮，实能写出荆州胸次，即以为自己写照。大家诗文，皆有己在也。”

刘禹锡有《哭吕衡州时时余方谪居》，柳宗元有《同刘二十八哭吕衡州兼寄江陵李元二侍御》，元稹有《哭吕衡州六首》，窦巩有《哭吕衡州八郎中》。刘禹锡时在朗州，另作有《闻董评事疾因以书赠》。是年前后，与元稹唱和，作有诗《酬元九院长自江陵见寄》、《赠元九侍御文石枕以诗奖之》、《酬元九侍御赠璧州鞭长句》。元有诗《刘二十八以文石枕见赠仍题绝句以奖厚意因持璧州鞭酬谢兼广为四韵》。【哭吕衡州时时余方谪居】《东岩草堂评订唐诗鼓吹》（元好问编、郝天挺注、廖文炳解、朱三锡评，清有容堂刻本）卷一：“读先生此诗，不独为衢州而哭，实为天下而哭。不可泛作哭友诗观也。”《唐诗贯珠》：“通首精湛，气魄堂皇，句句相称，洵是名家之作，亦诗之正派也。妙在比体虚起，下用实接。”

孟简出为常州刺史，过洛阳，孟郊送之，作有诗《送谏议十六叔至孝义渡后奉寄》。十月，郑余庆由东都留守征为吏部尚书，孟郊有诗《寿安西渡奉别郑相公》。

李翱自浙东入京，还至江上，作《解江灵》。

秋

韩愈由河南令召为职方员外郎，入京，有诗《入关咏马》。冬，陆畅自长安归，韩愈作诗《送陆畅归江南》，张籍亦有诗《送陆畅》。是年，韩愈另有诗《李花二首》、《谁氏子》、《河南令舍池台》、《石鼓歌》、《峡石西泉》、《双鸟诗》、《赠张籍》及《答渝州李使君书》、《答杨子书》、《复仇状》、《唐故兴元少尹房君墓志铭》、《唐故河南府王屋山县尉毕君墓志铭》、《乳母墓铭》、《唐故江西观察使韦公墓志铭》、《唐襄阳卢丞墓志铭》等。【入关咏马】陈景云《韩集点勘》（四库本）卷二：“公先以言事远谪，回翔久之，方有省郎之召，乃复以抗直左官，宜不能无慨于中，故以马之一鸣辄斥自比。”【送陆畅归江南】《注释评点韩昌黎诗全集》卷二：“公为此诗，实含有无限感伤。竹垞谓为‘未见手段’，亦第就诗言之耳。”

本年

元稹在江陵士曹参军任，依附严绶、崔潭峻，纳安氏为妾，生子名荆。窦巩赴黔州窦群处，途经江陵，元稹与之酬唱，有诗《答友封见赠》、《酬窦校书二十韵》、《酬友封话旧叙怀二十韵》、《和友封题开善寺十韵》、《送友封二首》、《送友封》等，窦群作诗《江陵遇元九李六二侍御纪事书情呈二十韵》等。是年，元稹有文《祭翰林白学士太夫人文》，有诗《六年春遣怀八首》、《玉泉道中作》、《书乐天纸》等。

陈鸿撰编年史《大统纪》成，上之。序云："臣少学乎史氏，志在编年。贞元丁酉岁登太常第，始闲居遂志，乃修大纪三十卷。……通讽谕，明劝戒也。七年书始就，故绝笔于元和六年辛卯。"

公元812年（唐宪宗元和七年　壬辰）

二月

韩愈由职方员外郎贬为国子博士分司东都。卢仝在常州闻之，作诗《常州孟谏议座上闻韩员外职方贬国子博士有感五首》，《后村诗话》卷一一："玉川诗有古朴而奇怪者，有质俚而高深者，有僻涩而条畅者。元和、大历间诗人多出韩门，韩于诸人多称其名，惟玉川常加先生二字。退之强项，非苟下人者。今人但诵其《月蚀》及《茶》诗，而他作往往容易看了。此公虽与世殊嗜好，然以诗求之，于养生概有所闻，其序闺情酒兴，缠绵悲壮，唐以来诗客酒徒不能道也。其间理到之言，他人所弃者，存于篇。又《常州孟谏议座上闻韩员外职方贬国子博士有感五首》……此三诗出于山人之口，岂非公议在草茅耶。"是年，韩愈有诗《赠刘师服》及文《答陈商书》、《祭石君文》、《唐故集贤院校理石君墓志铭》、《唐故河南少尹李公墓志铭》、《石鼎联句诗序》等。

李固言、李汉、李珏等二十九人登进士第。时兵部侍郎许孟容知贡举。见《登科记考》卷一八。

沈亚之落第归吴江，李贺作《送沈亚之歌》。明于嘉刻本《李长吉诗集》无名氏批云："制题一法，惟浣花、昌谷、助教最精。"《昌谷集注》卷一："才人失意之日，正凡夫得意时也。骅骝紫陌，珠勒金鞭，以失意之人当之，自顾愈伤脱落……今日之断竹，留作他日之长鞭，今日之春风瘦马，伫看他日之秋律高车，成败自有时耳。"

三月

刘言史在山南东道节度使李夷简幕，有诗《上巳日陪襄阳李尚书宴光风亭》。是年，刘卒于襄阳，有歌诗六卷。孟郊有诗《哭刘言史》。《全唐诗》卷四六八编其诗一卷，卷七七〇重录其《广州王园寺伏日即事寄北中亲友》，误署为王言史。《皮子文薮》卷四《刘枣强碑》："吾唐来，有是业者，言出天地外，思出鬼神表，读之则神驰八极，测之则心怀四溟，磊磊落落，真非世间语者，有李太白。百岁有是业者，雕金篆玉，牢奇笼怪，百锻为字，千炼成句，虽不在躅太白，亦后来之佳作也，有与李贺同时，有刘枣强焉。先生姓刘氏，名言史，不详其乡里，所有歌诗千首，其美丽恢赡，自贺外，世莫得比。"《唐才子传》卷四："工诗，美丽恢赡，世少其伦。"《石洲诗话》卷二：“刘言史亦昌谷之流，但少弱耳，严沧浪《诗话》赏之，终未为昌谷敌手也。”【竹间梅】《吴礼部诗话》引时天彝云：“刘言史有小说行于世，其诗铺张甚富，而咀嚼少味，正似其小说，独《竹间梅》二十八字，清洒可爱耳。”

春

贾岛在范阳，韩愈有书寄之，贾岛作诗《双鱼谣》。秋，自范阳赴长安，经易水，有《易水怀古诗》。后在长安居延寿里，与张籍为邻，有诗《延寿里精舍寓居》、《延康吟》。是年，另有诗《送沈秀才下第东归》、《早起》。

四月

荆南节度推官董侹卒于荆州。董侹（？—812），字庶中，陇西人。贞元七年游朗州，约于八年至十九年间为荆南节度推官、大理评事。元和初客居朗州，与刘禹锡有往来，后游于潮湘。《新唐书·艺文志》著录其《武陵集》，已佚。事迹见刘禹锡《故荆南节度推官董府君墓志铭》。《全唐文》存其文三篇。《刘宾客集》卷一九《董氏武陵集纪》云：“一旦得董生之词，杳如搏翠屏，浮层澜，视听所遇，非风尘间物。亦犹明金粹羽，得于遐裔，虽欲勿宝，可乎？生名侹，字庶中，幼嗜属诗，晚而不衰。心源为炉，笔端为炭，锻炼元本，雕砻群形，纠纷舛错，逐意奔走，因故沿浊，协为新声。尝所与游，皆青云之士。闻名如卢、杜，高韵如包、李，迭以章句，扬于当时。”

七月

窦常为水部员外郎。崔廷奉使新罗，窦作诗《奉送职方崔员外摄中丞新罗册使》。上月，杜佑致仕，窦作诗《奉贺太保岐公承恩致政》。冬，窦常出为朗州刺史。

刘禹锡在朗州，作《绝编生墓表》。秋，有《上杜司徒启》，乞援于杜佑。是年，另有诗《谪居悼往二首》、《寄杨八拾遗》、《送僧元皓南游并序》及《伤往赋》。柳宗元亦有《送元皓师序》。

九月

白居易居下邽村，有《东陂秋意寄元八》。元八，元宗简。得樊宗师书，有诗《病中得樊大书》。是年，白居易尚有诗《适意二首》、《自吟拙什因有所怀》、《观稼》、《闻哭者》、《秋游原上》、《九日登西原宴望》、《寄同病者》、《游蓝田山卜居》、《村雪夜坐》、《溪中早春》、《同友人寻涧花》等。

元宗简（？—822），字居敬，行八，河南洛阳人。登进士第。贞元末与白居易订交，过往频繁，屡有唱和。元和十年前任侍御史。十一年迁金部员外郎。后任仓部郎中。长庆元年，授京兆少尹，二年春卒。其子元途将其诗近七〇〇首编为三〇卷，白居易为之序，后皆佚。事迹见白居易《故京兆元少尹文集序》。

十月

柳宗元在永州。秋，曾与崔策同登西山，后有诗《与崔策登西山》及《送崔子符罢举诗序》。自正月至十月，游袁家渴诸景，有《袁家渴记》、《石渠记》、《石涧记》、《小石城山记》，是为“永州八记”中后四记。是年，柳另有《贺皇太子笺》、《代韦永州谢上表》、《永州刺史崔君权厝志》、《祭崔使君文》及诗《弘农公左官三岁复为大僚献诗五十韵》、《同刘二十八院长述旧言怀感时书事奉寄澧州张员外使君五十二韵之作因其韵增至八十通赠二君子》、《南涧中题》等。【小石城山记】《古文观止》卷九：“借石之瑰玮以吐胸中之气。柳州诸记，奇趣逸情，引人以深。而此篇议论，尤为崛出。”《古文小品咀华》卷三：“才人失路，寂寞无聊之况，开口便见。”《古文赏音》：“徜徉纵恣之作，实皆牢骚不平之气。”《山晓阁选唐大家柳柳州全集》卷三：“前幅一段，径叙小石城。妙在后幅从石城上忽信一段造物有神，忽疑一段造物无神，忽捏一段留此石以娱贤，忽捏一段不钟灵于人而钟灵于石，诙谐变幻，一吐胸中郁勃。”《金圣叹批才子古文》卷一二：“笔笔眼前小景，笔笔天外奇情。”《晚村先生八家文精选》：“此记以‘类智者所施设’一句为主，只缘石城甚肖，遂有推测造物之意，泛用他处便不切。”《古文一隅》卷中：“此篇景实意虚之文。由山出石，由石写城，由城及旁，由旁及门，由门而上，既上而望，因望而异境。其写景处，所谓以虚作实之法也。至其满腔郁结，俱于后半发抒。然脱却本题，空中感慨，又不免有文无题之病。”【袁家渴记】《山晓阁选唐大家柳柳州全集》卷三：“读袁家渴一记，只如一幅小山水，色色画到。其间写水，便觉水有声；写山，便觉山有色；写树，便觉枝干扶疏；写草，便见花叶摇曳。真是流水飞花，俱成文章者也。”《韩柳文研究法》“柳文研究法”：“《袁家渴记》于水石容态之外，兼写草木。每一篇，必有一篇中之主人翁，不能谓其漫记山水也。……综而言之，此等文字，须含一股静气，又须十分画理，再著以一段诗情，方能成此杰构。”《古文辞类纂选本》卷九：“此篇写风动草木，描神赋色，非身历其境，不能见其工。”【弘农公左官三岁复为大僚献诗五十韵】《孙月峰评点柳柳州集》卷四二：“起四句泛论，点出大意。”《义门读书记》卷三七：“比前诗尤工，字字镕冶经史，无半点草料。”【南涧中题】《唐诗归》钟惺云：“非不似陶，只觉音调外，不见一段宽然有余处。”《唐诗镜》卷三三：“言言深诉，却有不能诉之情，寥落徘徊，末二语大堪喟息。”《删补唐诗选脉会通评林》陈继儒曰：“读柳州《南涧》、《田家》诸诗，觉雅裁真识，菲菲来会，令人目不给赏，意无留趣。周珽曰：古雅，绝无霸气，得未有章法，亦在魏晋之间。”《唐风定》卷五：“刻骨透髓，真如见其衷曲。”《删订唐诗解》卷五：“以陶之风韵兼谢之苍深，五言若此已足，不必言汉人也。”【与崔策登西山】《删补唐诗选脉笺释会通评林》“中唐五古下”吴山民曰：“景语清微。遁山水、观鱼鸟亦足寄慨。结语炼。”周珽曰：“破山取玉，时逢壮采。”《孙月峰评点柳柳州集》卷四三：“是响调，读之令人心快。类张景阳。”蒋之翘注《柳河东集》卷四三：“论诗者往往以此作与《南涧》并称，然一起一结，殊无意味。已大不如矣。”

十一月

杜佑卒于长安杜曲宅。权德舆作墓志铭并有《祭杜岐公文》，郑余庆等有《祭杜佑太保文》。佑有《通典》二百卷。《旧唐书·杜佑传》："佑性勤而无倦，虽位极将相，手不释卷。质明视事，接对宾客，夜则灯下读书，孜孜不怠。与宾佐谈论，人惮其辩而伏其博，设有疑误，亦能质正。"

本年

元稹在江陵府士曹参军任。因李景俭之请，手编其十六至三十四岁诗八百余首，为二十卷，共成十体。作《叙诗寄乐天》纪其事："适值河东李明府景俭在江陵时，僻好仆诗章，谓为能解，欲得尽取观览，仆因撰成卷轴。其中有旨意可观，而词近古往者，为古讽；意亦可观，而流在乐府者，为乐讽；词虽近古，而止于吟写性情者，为古体；词实乐流，而止于模象物色者，为新题乐府；声势沿顺，属对稳切者，为律诗，仍以七言、五言为两体；其中有稍存寄兴，与讽为流者为律讽。不幸少有伉俪之悲，抚存感往，成数十诗，取潘子《悼亡》为题。又有以干教化者。近世妇人晕淡眉目，绾约头鬟，衣服修广之度，及匹配色泽，尤剧怪艳，因为艳诗百余首。词有今、古，又两体。自十六时，至是元和七年，已有诗八百余首。色类相从，共成十体，凡二十卷。"是年，另有诗《遣兴十首》等。

李翱在越州，作《答皇甫湜书》。述其志："仆窃不自度，无位于朝，幸有余暇，而词句足以称赞明盛，纪一代功臣贤士行迹，灼然可传于后代，自以为能不灭者，不敢为让。故欲笔削国史，成不刊之书。用仲尼褒贬之心，取天下公是公非为本。群党之所谓为是者，仆未必以为是；群党之所谓为非者，仆未必以为非。使仆书成而传，则富贵而功德不著者，未必声名于后；贫贱而道德全者，未必不烜赫于无穷。韩退之所谓'诛奸谀于既死，发潜德之幽光'，是翱心也。仆文采虽不足以希左丘明、司马子长，足下视仆叙《高愍女》、《杨烈妇》，岂尽出班孟坚、蔡伯喈之下耶。"

卢仝于本年或稍后卒，有《玉川子》一卷。贾岛有诗《哭卢仝》。《全唐诗》编其诗三卷（卷三八七至三八九）。《全唐诗补编·补逸》卷六补一首。《全唐文》卷六八三收其文四篇，其中《栉铭》当为罗衮之作。《灌园集》卷十七《书卢仝集后》："数人中卢仝迹独不著，然考之仝于交中为劣者，盖仝荒纵怪傲人也。仝之文章，今犹有在者四十余篇，歌诗铭序杂焉。自其文章以观，其所存有所照已，其无足可道也。"《四库提要》卷一七四："仝诗故为粗犷，非风雅之正，声之騄嗜奇，故特注之。"《唐才子传》卷五："仝性高古介僻，所见不凡近。唐诗体无遗，而仝之所作特异，自成一家，语尚奇谲，读者难解，识者易知。后来仿效比拟，遂为一格宗师。"《唐诗品》："老仝山林怪士，诞放不经，词纡词曲，盘薄难解，此可备一家，要非宗匠也。夫钟鼎之器，登于太上，要之目可别识，不至骇心。至于蛟螭罔象，出没奇诡，其取疑招谴，情理亦定。仝之垂老，一宿权家，遽沾甘露之祸，岂其气候足以自致耶?"《诗学渊源》卷八："诗尚奇僻，古诗尤怪，唯乐府略似李益。近律间参硬语，与孟郊大致相同。"张为《诗人主客图》以其为"广大教化主白居易"下"升堂者"。苏轼《东坡志林》（中华书局2002）卷一："作诗狂怪至卢仝、马异极矣，若更求奇，便作杜默矣。"《东

坡题跋》卷二："李白诗飘逸绝尘，而伤于易学，学之者又不至，玉川子是也，犹有可观者。"《朱子语类》卷一四〇："诗须是平易不费力，句法混成。如唐人玉川子辈，句语虽险怪，意思亦自有混成气象。"周琦《东溪日谈录》（四库本）卷一六："李唐群英，唯韩文公之文，李太白之诗，务去陈言，多出新意，至于卢仝、贾岛辈效其颦，张籍、皇甫湜辈学其步，则怪且丑，僵且仆矣。"《后村集》卷三一《题程垣诗卷》："仝客于昌黎之门，故有奇崛气骨。"《沧浪诗话》"诗评"："玉川之怪，长吉之瑰诡，天地间自欠此体不得。"《直斋书录解题》卷一九："其诗古怪，而《女儿曲》、《小妇吟》、《有所思》诸篇，辄妩媚艳冶。"《吴礼部诗话》引《唐百家诗选》时天彝评："卢仝奇怪，贾岛寒涩，自成一家。"《艺苑卮言》卷四："欧阳公自言《庐山高》、《明妃曲》，李、杜所不能作，余谓此非公言也，果尔，公是一夜郎王耳。《庐山高》，仅玉川之浅近者，无论其他。"《诗薮》内编卷三："玉川拙体非自创，任华与李、杜同时，已全是此调，特篇什不多耳。长吉险怪，虽儿语自得，然太白亦滥觞一二。马异与卢同时，诗体正同。张碧差后长吉，亦颇相似。卢体不复传，长吉则宋末谢皋羽得其遗意。"又外编卷四云："东野之古，浪仙之律，长吉乐府，玉川歌行，其才具工力，故皆过人。如危峰绝壑，深涧乱泉，并自成趣，不相沿袭。必薛逢、胡曾，方堪覆瓯瓿。"又云："卢仝、马异、孟郊、贾岛，并出一时。其诗体酷类，已为奇绝，其名皆天生的对，尤为奇也。"《唐音癸签》卷七："自张文昌、郊、岛、长吉以至卢仝、刘叉，并一时游韩公门，长声价。公首推郊诗与籍，游燕无间，岛、贺亦指诱勤奖。若仝与叉，第以好奇，姑收之尔，非真许可若籍辈也。宋人取仝诗与长吉同评，谓天地间欠此体不得，亦失其伦矣。"《雪涛小书》："卢玉川任才任性，任笔任意，兼太白之逸，并长吉之怪，为一人者也。"丁丙《善本书室藏书志》（光绪二十七年丁氏刊本）卷二五《卢仝诗集》引徐献忠语："玉川子诗，主于奇怪而语句浑成，与唐之诸家不类。其《茶歌》、《月蚀》二篇，尤为世所传诵。昔之评诗者，谓天地间不可无此，则玉川之可爱，正以其怪耳。"《剑溪说诗》上："玉川子诗诚诞，然《有所思》、《楼上女儿曲》，音韵飘洒，已近似谪仙。读《寄谢孟谏议》诗，尚想见此老怀抱。乃甘露祸起，以事外儒生，仓促遇害，君子伤之。"【喜逢郑三游山】《删补唐诗选脉笺释会通评林》"中唐七绝中"周敬曰："世谓卢诗造理命意，险怪百出，几不能解。如此诗亦自恬淡，何有险怪。"唐孟庄曰："起古。"敖英："落句是画意。"周珽曰："此诗玩两'处'字，总就今日相逢之景地，以订后日同心之归宿。"唐仲言："花虽繁而易尽，山虽深而易迷，所以恃以相期者，独泉石之孤松耳，谓其岁寒挺秀也。"【有所思】《删补唐诗选脉笺释会通评林》"中唐七古中"周珽曰："此托言以喻己之所思莫致也。意谓遇合无常，盈虚有数，故士为知己者用。既为所弃隔，虽怀才欲奏，亦徒劳梦想矣。"《唐诗快》卷七："玉川诗大都雄肆险谲，而此诗独清婉秀逸，殊不类其所作。岂美人之前，不敢唐突耶？"

李商隐约本年生。李商隐（812？—858），字义山，号玉谿生，又号樊南生，行十六，原籍怀州河内，后迁居郑州荥阳。弱冠，以文谒令狐楚，楚奇其才，令与诸子游，并亲授骈体章奏法。大和三年，天平军节度使令狐楚辟其为巡官，六年，令狐楚转河东节度使，李商隐从至太原。开成二年，因楚子令狐绹之荐，登进士第。楚卒，入泾原节度使王茂元幕为掌书记，并娶其女。开成四年，应吏部试，授秘书省校书郎，调弘农尉。会昌二年，以书判拔萃，任秘书省正字。旋因母丧居家，五年冬，服满后返职。大中元年，为桂管观察使郑亚辟为支使兼掌书记。后历盩厔县尉、京兆尹掾曹。三年，卢弘止表为武宁军节度判官。大中九年，罢梓州幕，归长安。明年，任盐铁推官。大中十二年，回郑州闲居，约卒于年底。《新唐书·艺文志》著录《樊南甲集》二〇卷、《乙集》二〇卷、《玉溪生诗》三卷、赋一卷、文一卷。《直斋书录解题》另著录其《蜀尔雅》三卷、《杂纂》一卷、《金钥》二卷、《梁词人丽句》一卷、《李义山集》八卷。文集散佚，朱鹤龄从《文苑英华》、《唐文粹》诸书中重新录出汇编，徐炯、徐树谷加以补充和笺注，成为《李义山文集笺注》一〇卷。又有《四部丛刊》影印旧钞本《李义山文集》五卷。冯浩则据徐氏笺本分类按年编成《樊南文集详注》八卷，收文一五〇篇。道光、咸丰年间，钱振伦从《全唐文》中又辑录出冯氏未收骈文二〇〇余篇，编成《樊南文集补编》一二卷，与其弟钱振常分任笺注，并附年谱订误。上海古籍出版社1988年出版《樊南文集》，将冯、钱二书汇为一编。宋以后，李商隐诗集三卷流传至今，刊本有明汲古阁刻《唐人八家诗》本和《四部丛刊》影印明嘉靖间毗陵蒋氏刊本等。清初朱鹤龄作《李义山诗注》三卷，颇采明季诸家之说，为今存最早注本，有顺治十六年（1659）刻本。稍后有钟定《李义山诗删注》二卷、吴乔《西昆发微》三卷、赵骏烈《李义山诗解》一卷、姚培谦《李义山诗集笺注》十六卷、屈复有《李义山诗笺注》八卷、程梦星据朱注作《重订李义山诗集笺注》三卷。其后冯浩广取前修时贤之说，成《玉溪生诗集笺注》六卷，有乾隆四十五年（1780）德聚堂重校本，1979年上海古籍出版社校点印行。其后尚有沈厚塽《李义山诗集辑评》、纪昀《玉溪生诗说》。近人张采田有《玉溪生诗辨正》，今人刘学锴、余恕诚作《李商隐诗歌集解》（中华书局1988），叶葱奇作《李商隐诗集疏注》（人民文学出版社1985）。事迹见《旧唐书》卷一九〇、《新唐书》卷二〇三本传、《唐诗纪事》卷五三、《唐才子传》卷七。近人张采田有《玉溪生年谱会笺》。

公元813年（唐宪宗元和八年　癸巳）

二月

舒元舆、张萧远、杨汉公等三十人登进士第。时中书舍人韦贯之知贡举，试《履春冰》诗。见《登科记考》卷一八。张萧远（生卒不详），和州乌江人，诗人张籍之弟。曾客游西蜀，仕历无考。张为《诗人主客图》以其为“瑰奇美丽主”之升堂者。《全唐诗》卷四九一录诗三首、断句五，《全唐诗逸》补断句七。事迹见《唐诗纪事》卷四一。

沈亚之、庞严、殷尧藩、刘师服等下第。韩愈作《送进士刘师服东归》、《送刘师服》。沈亚之有诗《送庞子肃》；庞严，字子肃，寿州寿春人。殷尧藩有诗《下第东归作》。秋，沈亚之有《与同州试官书》、《与京兆试官书》以求解。殷尧藩（生卒年不详），苏州嘉兴人。元和九年登进士第。大和九年，为同州刺史刘禹锡参佐。曾为福州从事，又尝为永乐令。客居山南二十年。与白居易、刘禹锡、姚合、雍陶等交游。《新唐书·艺文志》著录《殷尧藩诗》一卷。事迹见《唐诗纪事》卷五一、《唐摭言》卷八、《唐才子传》卷六等。

武元衡自西川征还，复拜相。清明日过百牢关，有诗《元和癸巳余领蜀之七年奉诏征还二月二十八日清明途经百牢关因题石门洞》，郑余庆、赵宗儒各有《和黄门相公诏还题石门洞》。至长安，李夷简自西川寄诗《西亭暇日书怀十二韵献上相公》，武元衡作《酬李十一尚书西亭暇日书怀见寄》。入朝后，武元衡蜀中诗颇多和者，武有诗《四川使宅有韦令公时孔雀存焉暇日与诸公同玩座中兼故府宾妓兴嗟久之因赋此诗用广其意》，韩愈、白居易、王建均有和作；武作有诗《春晓闻莺》，韩愈、李益、王建、皇甫镛、许孟容、杨巨源等有唱和之作。

三月

韩愈作《进学解》，由国子博士改官比部郎中、史馆修撰。是年，韩愈有诗《奉和虢州刘给事使君三堂新题二十一咏并序》、《酬蓝田崔立之咏雪后见寄》、《雪后寄崔二十六丞公》、《桃源图》及文《送水陆运使韩侍御归所治序》、《唐故河东节度观察使荥阳郑公神道碑文》、《唐息国夫人墓志铭》、《大唐故殿中侍御史陇西李府君墓志铭并序》等。【进学解】《容斋随笔》卷七："东方朔《答客难》自是文中杰出。扬雄拟之为《解嘲》，尚有驰骋自得之妙。至于崔骃《达旨》、班固《宾戏》、张衡《应间》，皆屋下架屋，章摹句写，其病与《七林》同。及韩退之《进学解》出，于是一洗矣。"《唐宋八大家文钞》卷三："此韩公正正之旗、堂堂之阵也。其主意专在宰相。盖大材小用，不能无憾，而以怨怼无聊之辞托人，自咎自责之辞托之己，最得体。"《唐宋八家文读本》卷一："首段发端，中段是驳，后段是解。胸中抑郁，反借他人说出而已，则心和气平以解之。宜当时宰相读之，旋生悔心，改公为史馆修撰也。……多用韵语，扬子云《解嘲》已然。盖用韵语，则铿锵作金石声也。"《义门读书记》卷三一："有轻世肆志之意，然怨而不怒，亦无愧词。"《古文析义》卷一一："首段以进学发端，中段句句是驳，末段句句是解，前后呼应，最为绵密。其格调虽本《客难》、《解嘲》、《答宾戏》诸篇，但诸篇都是自疏己长，此则把自家许多伎俩，许多抑郁，尽数借他人口中说出，而自家却以平心气和处之。看来无叹老嗟卑之迹，其实叹老嗟卑之心，无有甚于此者，乃《送穷》之变体也。至其文，语语作金石声，尤不易及。"《古文笔法百篇》卷一三："昌黎不以雕饰为工，此篇修词，亦具排山倒海之势，如杜陵为律，力大气雄，不为偶体所缚，非六朝人所敢望也。"《韩柳文研究法》"韩文研究法"："昌黎所长在浓淡疏密相间，错而成文，骨力仍是散文。以自得之神髓，略施丹铅，风采遂涣然于外。大旨不外以己所能，借人口为之发泄，为之不平，极口肆詈，然后制为答词，引圣贤之不遇时为解。说到极谦退处，愈显得世道之乖、人情之妄，只有乐天安命而已。其骤也，若盲风澁雨；其夷也，若远水平沙。文不过一问一答，而啼笑横生，庄谐间作。文心之狡狯，叹为观止矣。"【雪后寄崔二十六丞公斯立】《唐宋诗醇》卷三一："起调激越，极似《同谷歌》。"《声调谱》卷二："押韵强稳，开宋人法门。"

李贺因病辞奉礼郎，东归昌谷。有诗《出城寄权璩杨敬之》、《出城别张又新酬李汉》、《过华清宫》、《三月过行宫》、《兰香神女庙三月中作》、《春归昌谷》等。【出城寄权璩杨敬之】《笺注评点李长吉歌诗》卷一："只是古剑。"明于嘉刻本《李长吉诗集》："草暖春浓，宫花拂面，是何时也，看'送行人'三字，便成无限凄凉。"《昌谷集注》卷一："失意京华，败辕病骨，飞腾神物，应自有期，回首故人，悲不堪道。"《黎二樵批点黄陶庵评本李长吉集》黎简评："'暖昏'二字，状远春，入神。"【过华清宫】明于嘉刻本《李长吉诗集》："此诗得体，何啻少陵。"《李长吉诗集批注》卷一："前六句亦直，但音调清响森秀，结句佳。"【三月过行宫】《昌谷集注》卷二："水草逼墙，无人芟薙，柔姿妩媚，仿佛宫娃，御帘低垂，久无跸驻，千年永日，何时得再邀驾幸也。意又谓帝京多士，恒苦陆沉，虽欲竞效浮华，终亦无用，幽郁穷年，芳时不遇，又安能得觐宠光乎？"【春归昌谷】《苕溪渔隐丛话》后集卷一二："《浪斋日记》云：甚奇丽，如少陵未必喜，而昌黎必嗜之也。"《李长吉诗集批注》卷三："此篇章法，似窃法于杜之《北征》大端。"

刘禹锡在朗州，作《酬窦员外使君寒食日途次松滋渡先寄示四韵》。秋，有诗《酬窦员外郡斋宴客偶命柘枝因见寄兼呈张十一院长元九侍郎》。窦员外，即窦常，去年冬由水部员外郎出为朗州刺史，正月赴任，作诗《之任武陵寒食日途次松滋渡先寄刘员外禹锡》。是年，刘禹锡另作有《送湘阳熊判官孺登府罢归钟陵因寄呈江西裴中丞二十三兄》、《和窦中丞晚入容江作》、《上门下武相公启》、《上中书李相公启》、《为容州窦中丞谢上表》等。

五月

十六日，柳宗元游黄溪东屯，作《游黄溪记》。六月二十八日，其表弟吕恭卒于广州，作《吕侍御恭墓志》、《祭吕敬叔文》。秋，与永州刺史韦彪至黄溪黄神祠祈雨，有诗《韦使君黄溪祈雨见召从行至祠下口号》。是年，韦中立自长安来永州，欲从柳宗元为师，柳作《答韦中立论师道书》。柳另有《逐毕方文》、《永州铁炉步志》、《师友箴》及诗《入黄溪闻猿》等。【答韦中立论师道书】《晚村先生八家古文精选》："前半篇去其名，后半篇取其实，中间一段更过接得好，都无痕迹。"《金圣叹批才子古文》卷一二："此为恣意、恣笔之文。恣意、恣笔之文，最忌直，今看其笔笔中间皆作一折。后贤若欲学其恣，必须学其折也。"张伯行《唐宋八大家文钞》卷四："子厚不欲以师道自居，激而愤世嫉俗之论，不无太尖刻处。至自叙其所以为文之本，则皆精到实诣，足与韩昌黎并辔中原。"《古文渊鉴》卷三七："于文章之根柢条叶，数词皆备。上下千百年，作者无能出其环中。韩、欧诸公皆好论文，止言其所得，未若此之闳深肃括也。"《唐宋八大家类选》卷八："立言苦心，与其自喜处，俱见于此。……千古足当韩豪者，惟柳州一人。柳不永年，所以南海等碑，让韩独步。"《唐宋八家文读本》卷七："前论师道，犹作谐谑语，后示为文根柢，倾囊倒囷而出之。辞师之名，示师之实，在中立之得之耳。较昌黎论文尤为本末俱到。"《古文一隅》卷中："此文虽反复驰骋，曲折顿挫，极文章之胜观，然总不出结处'取其实而去其名'一句意。盖前半极言师之取怪，正见当去其名意。后半自言文之足以明道，正见当取其实意。至中间'吾子行厚而辞深’一段，过脉处，固泯然无迹也。其入手处，提出师字道字，及为文章云云，则已握住通篇之线，故下文反复说来，而血脉自然融贯。”《古文析义》卷一三：“是书论文章处，曲尽平日揣摩苦心，虽不为师而为师过半矣。其前段雪日、冠礼诸喻，是把末世轻薄恶态，尽底描写，嬉笑怒骂，兼而有之。想其落笔时，因平日横遭齿舌，有许多愤懑不平之气，故不禁淋漓酣恣乃尔。”【游黄溪记】《义门读书记》卷三六：“发端既涉模儗，又未必果然也。删此，而直以‘黄溪距永州治七十里起’，何如。”《唐宋文醇》卷一七引储欣曰：“所志不过数里，幽丽奇绝，正如万壑千岩，应接不暇。”《韩柳文研究法》“柳文研究法”：“《黄溪》一记，为柳州集中第一得意之笔。虽合荆、关、董巨四大家，不能描而肖也。”【永州铁炉步志】《唐宋八大家文钞》卷二三：“志步特数言，托讽言外者，无限深情。转处妙。”《山晓阁选唐大家柳柳州全集》卷三：“就炉志上发出一段讽世议论，彼世禄子弟，服奇食美，冒先世之号以自大于世者，读之能无汗下。”

秋

孟郊居洛阳，贫且病，约此间作《秋怀》十五首。是年，另有诗《寄张籍》、《赠韩侍郎愈》、《送淡公十二首》。淡公，淡然，俗姓诸葛，名珏，越州人。韩愈有诗《江汉答孟郊》。【寄张籍】《韵语阳秋》卷一七：“唐张籍好学业文之士也，中年病目失明，议者谓不能损读之过。孟郊尝赠之诗……盖非特伤籍，而郊亦自伤虽有眼而不得见君也。”【江汉答孟郊】《义门读书记》卷三〇：“发端迭下四喻，极缱绻之致，诗亦突过黄初。”李光地《榕村诗选》卷六：“言修德可以涉险困，而欲共勉之。”

王建为昭应丞。有诗《初道昭应呈同僚》、《上裴度舍人》。春夏间，王建在长安求官，有诗《上武元衡相公》及《上李吉甫相公》。

白居易仍居下邽，作《效陶潜体诗十六首》。其序云：“余退居渭上，杜门不出，时属多雨，无以自娱。会家酝新熟，雨中独饮，往往酣醉，终日不醒。懒放之心，弥觉自得，故得于此而有以忘于彼者。因咏陶渊明诗，适与意会，遂效其体，成十六篇。醉中狂言，醒辄自哂。然知我者，亦无隐焉。”是年，白居易还作有《唐太原白氏之殇墓志铭》、《唐故坊州鄜城县尉陈府君夫人白氏墓志铭》、《祭小弟文》、《记异》及诗《村居苦寒》、《薛中丞》、《东园玩菊》、《登村东古冢》等。

李贺居昌谷，作诗《南园十三首》、《秋凉诗寄正字十二兄》、《勉爱行二首送小季之庐山》。【南园十三首】《李长吉诗集批注》卷一：“七绝最易柔美之格调，此人亦复挺拔，虽不如开元之深婉，亦不落元和之疲苶。学杜实发，却用风标。”《黎二樵批点黄陶庵评本李长吉集》黎简云：“十二首绝句，皆长吉停整之作，七绝之正格也，但末章五律似未老成。”

十月

姚合自相州赴京应试，有诗《答窦知言》。

本年

元稹在江陵，应杜甫之孙杜嗣业请，撰《唐故工部员外郎杜君墓系铭》。窦群改邕容经略使，四月过江陵，元稹与之游，有诗《奉和窦容州》。五月，严绶讨张伯靖，元稹为从事，有诗《后湖》。秋，元患疟日久，有诗《遣病十首》、《痁握闻幕中诸公征乐会饮因有戏呈三十韵》、《晨起送使病不行因过王十一馆居二首》等。白居易赠药与诗，元稹作诗《予病瘴乐天寄通中散碧腴垂云膏仍题四韵以慰远怀开拆之间因有酬答》。是年，元稹有书信与韩愈，希望为甄济立传，作《与史馆韩侍郎书》。

羊士谔复出为资州刺史。赴任经彭州，有诗《彭州萧使君出妓夜宴见送》。

公元814年（唐宪宗元和九年　甲午）

正月

柳宗元在永州，获韩愈来信，见其去年六月所作《答刘秀才论史官书》，对其所言“为史者，不有人获，则有天刑”进行批评，写《与韩愈论史官书》。【与韩愈论史官书】《唐宋八大家文钞》卷一九：“子厚之文多雄辨，而此篇尤其卓荦峭直，但太露气岸，不如昌黎浑涵，文如贯珠。”《崇古文诀》卷一三：“掊击辨难之体，沉著痛快。可以想见其人。”《金圣叹批才子古文》卷一二：“句句雷霆，字字风霜。柳州人物高出昌黎有一等，于此书可见。”邱维屏《文章轨范》卷二：“如此辩论，乃极精极强，无一字放空处。然在辩论家要看他有体度处，不似世人逼窄，有斗口景状；文章家要看他在事理情中，转换出收纵紧缓来，非凿空硬顿放，不中听者心解。”《唐宋八家类选》卷八：“韩、柳相攻，如春秋时晋、楚交兵，信勍敌也。此则韩屈于柳矣。亦师直为状曲为老之故欤。”《唐宋八家文读本》卷七引孙可之云：“其攻讦与《诤臣论》相似，而韩委曲条畅，柳则峭直峻削，各自不同。通篇都照原书条驳，将原书对看更明白。”《古文眉诠》卷五二：“据原书条驳，以错举为结构，每一屈笔，力如拗铁，锋不可犯，此等文非取原书对观，惘惘猜论，安得有合处。”《唐宋文醇》卷一四：“此极雄辨，理甚坚正。”《山晓阁选唐大家柳柳州全集》卷一：“篇中一起，总驳韩书之非。下分段备细痛责。一段责其避人祸，不肯作史；一段责其避天刑，不肯作史；一段责其推委同列，不肯作史；一段责其惑信鬼神，不肯怍史；一段责其下负所学，上负君相，不肯作史。末幅一收，作三段看。一段勉励之，一段激发之，一段切责之，皆是疾风骤雨之文，劈头劈脸而来，令人不可躲避。又是一种笔法。”《韩柳文研究法》“柳文研究法”：“恃直恃道，则有万微所恐。不惟斥驳退之，语中亦含推崇与慰勉二意。……抬高退之，不遗余力，亦见得朋友相知之深，故责望如此。文逐层翻驳，正气凛然。”《湘绮楼说诗》卷四：“韩退之言修史有人祸天刑。柳子厚驳之固快，然徒大言耳。子厚当之，岂能直笔耶？”

张籍病眼，贫甚。韩愈代作书求助于浙东观察使李逊，有《代张籍与李浙东书》。时李翱为葬其叔氏告假至京，韩愈故托书于李翱。是年，韩愈还作有《试大理评事王君墓志铭》、《答元侍御书》、《与袁相公书》、《与郑相公书》、《答魏博田仆射书》、《为韦相公让官表》、《祭薛中丞文》、《祭裴太常文》、《祭左司李员外太夫人文》、《扶风郡夫人墓志铭》及诗《送张道士》、《酬王二十舍人雪中见寄》、《奉酬振武胡十二丈大夫》等。【代张籍与李浙东书】《义门读书记》卷三二："亦乞食之文。然颇写得激昂顿挫，颇儗《战国策》。就'盲'、'不盲'两层，翻出无限起伏。"《唐宋八大家文钞》卷三："独以目盲一节，感慨悲愤。"《黄氏日钞》卷五九："就'盲'字上发明，不为悲苦之辞，死中求活法也。"《昌黎先生全集录》卷二："裴晋公所谓以文为戏者，要此文自有妙于词令处宜领略，不在区区'盲'字弄巧也。"《古文评注》卷六："只就目盲一节生情描写，其间忽喜忽悲，或歌或泣，皆极透切淋漓，耸人可观。可谓摹人特绝。"《春觉斋论文》"用绕笔"："一纤小题目，百转迎环，似纠缠却有眉目，似拖沓却分浅深，神妙极矣。"【试大理评事王君墓志铭】《黄氏日抄》卷五九："以怪文状强士，极可观。"《唐宋八大家文钞》卷一四："淡宕多奇。"《山晓阁选唐大家韩昌黎全集》卷四："王本奇士，昌黎此铭，段段叙出许多异人处，如不肯随人后举选，其立志先奇；试语惊人，踏门自荐，其进取又奇；至娶妇一段，犹为奇绝。此以奇人著为奇文，文以人奇，人以文而益奇矣。"《昌黎先生文集录》卷五："非天下奇男子，不足于发公之文；非公之文，亦无以传天下奇男子，交相得者也。"《韩文起》卷一一："'怀奇负气'四字，是王君一生本领，逐段以作此线。……篇中叙事，错落可喜，而铭词复峭拔古奥，诚昌黎得意妙文。"张伯行《唐宋八大家文钞》卷三："叙事虽奇，其刻画琐细处，使人神采踊跃。全是太史公笔法。铭词犹古奥，后人无从着手。"《评校音注古文辞类纂》卷四二引曾国藩云："以蔡伯喈碑文律之，此等文已失古意，然能者游戏，无所不可。末流效之，乃堕恶趣矣。"引张裕钊云："寓嫖姚倜傥之概于谲绝奇宕之中，其间翩若惊鸿处，往往使读者洒悚欲绝。"

二月

张又新、殷尧藩、陈二十七人登进士第。时礼部侍郎韦贯之知贡举。

陈商出游远府，贾岛作诗《送陈商》。陈商（？—855），字述圣，吴兴人。早年与韩愈游，韩愈作有《答陈商书》，授其为文之方。登第后，累官户部员外郎。会昌元年，任司门郎中、史馆修撰。三年，任刑部郎中。旋迁谏议大夫，权知四、五年贡举，迁礼部侍郎。六年出为陕虢观察使。官终秘书监。大中九年正月卒。曾预修《敬宗实录》一〇卷，另有文集一七卷，今皆不存。据《韩昌黎集》卷一八、《新唐书·艺文志》、《宰相世系表》、《郎官石柱题名考》卷一二。【答陈商书】《唐宋八大家文钞》卷五："譬喻直与《战国策》同调。"《古文评注》卷六："此篇细玩其句法、字法、篇法，婉曲而奇，是力摹《战国策》文字。"

姚合下第，赁居亲仁里。有诗《下第》、《亲仁里居》、《寄杨茂卿校书》。

元稹自江陵赴潭州，晤湖南观察使张正甫，作《何满子歌》、《洞庭湖》、《鹿角镇》、《梦成之》、《陪张湖南宴望岳楼稹为监察御史张中丞知杂事》、《卢头陀诗》、《醉别卢头陀》、《湖南登临湘楼》、《晚宴湘亭》、《斑竹》、《赛神》、《竞舟》、《岳阳楼》等。暮春，还江陵，途中作《花栽二首》、《宿石矶》、《遭风二十韵》等。时马逢使归东川、杜元颖奉召归京，元稹有诗《三月三十日程氏馆饯杜十四归京》、《送杜元颖》。

闰八月，吴元济叛，严绶奉命招讨，元稹居戎幕，司章奏，作《为严司空谢招讨使表》、《代谕淮西书》、《祭淮渎文》。其妾安氏卒，作《葬安氏志》。元稹在江陵府五年，交游甚广，作诗甚多，如《贻蜀五首》、《酬别致用》、《送卢戡》、《送崔侍御之岭南二十韵》、《送王协律游杭越十韵》、《送东川马逢侍御使回十韵》、《酬李甫见赠十首》等，另作有《楚歌十首》、《遣春十首》、《表夏十首》、《解秋十首》、《江边四十韵》、《春六十韵》、《月三十韵》、《大云寺二十韵》等。

春

刘禹锡在朗州，与窦常唱和颇多，有诗《早春对雪奉寄澧州元郎中》、《朗州窦员外见示与澧州元郎中郡斋赠答长句二篇因而继和》。七月，有《酬窦员外旬休早凉见示诗》、《窦朗州见示与澧州元郎中早秋赠答命同作》。闰八月，作《秋日过鸿举法师院便送归江陵》、《重送鸿举法师赴江陵谒马逢侍御》。冬，承诏还京，岁暮过江陵，窦巩有诗《送刘禹锡》。是年，刘禹锡另有《武陵北亭记》、《谪九年赋》等。在朗州九年期间，还作有《天论》、《何卜赋》、《华佗论》、《明贽论》、《辩迹论》、《泰娘歌》、《读张曲江集作》、《经伏波神祠》、《登司马错故城》、《游桃源一百韵》、《汉寿城春望》、《团扇歌》、《踏歌词四首》、《堤上行三首》等。【读张曲江集作】晁补之《鸡肋集》（四库本）卷四八《唐旧书杂论》："禹锡若守正比义而以获罪，如是言之可也。既不自爱，朋邪近利，以得谴逐，流离远徙，不安于穷，又不悔咎己失，而以私意不便抵曲江当国嫉恶之言，盗憎主人，物之常态，谁为'忮心失恕'耶？故凡小人诋君子，不足瑕疵，适增其美。"《养一斋诗话》卷一："乐天称梦得为诗豪，又谓其诗'在处应有神物护持'。予读其集，唯律绝过人，古诗三卷，风格平弱，雅不足称作者。尤诧其《读张曲江集诗序》，讥'放臣不与善地'，以至'燕翼无似，终为馁魂。忮心失恕，阴谪最大'。诋诃亦至矣。盖梦得身为逐臣，心嗛时宰，故以曲江为词，实借昔刺今也。然意取讽时，而遂横虐先臣，加之丑诋，非敦厚君子所宜出矣。"【游桃源一百韵】《养一斋诗话》卷一："略从陶公诗记引来，中间瞿氏子一段，乃别有称述。后半自言仕进谪之事，皆不甚附题，不过求退居、学长生而已。其诗铺写宏富，词意华美，略与元、白长律相似。吾不知乐天喜梦得诗而极称之者，此等诗耶？抑第美其律绝耶？"【团扇歌】《载酒园诗话》又编："五古自是刘诗胜场，然其可喜处，多在新声变调，尖警不含蓄者。《团扇歌》曰'明年人怀袖，别是机中练'，不惟竿头进步，正自酸感动人。"《石洲诗话》卷二："班婕妤《怨歌行》云：'出入君怀袖，动摇微风发。'已自恰好。至江文通拟作，则有'画作秦王女，乘鸾向烟雾'之句，斯为刻意标新矣。迨刘梦得又演之曰：'上有乘鸾女，苍苍网虫遍。'即此可悟词场祖述之秘妙也。"

六月

杨巨源征为秘书郎。张籍作诗《题杨秘书新居》，贾岛有诗《杨秘书新居》。

沈亚之客滑州，值魏、滑分河竣工，作《魏滑分河录》。

八月

孟郊被山南节度使郑余庆辟为参谋，试大理评事，有诗《送郑仆射出节山南》。行至阌乡，暴疾卒，年六十四。有诗集十卷。韩愈《贞曜先生墓志铭》："先生生六七年，端序则见，长而愈骞，涵而揉之，内外完好，色夷气清，可畏而亲。及其为诗，刿目𬬮心，刃迎缕解，钩章棘句，掐擢胃肾，神施鬼设，间见层出。惟其大玩于词，而与世抹摋，人皆劫劫，我独有余。"《李文公集》卷八《荐所知于徐州张仆射书》云："兹有平昌孟郊，贞士也。伏闻执事旧知之，郊为五言诗，自前汉李都尉、苏属国及建安诸子、南朝二谢，郊能兼其体而有之。李观荐郊于梁肃补阙书曰：'郊之五言诗，其有高处，在古无上。其有平处，下顾二谢'。韩愈送郊诗曰：'作诗三百首，杳然咸池音'。彼二子皆知言者也，岂欺天下之人哉。"张为《诗人主客图》以孟郊为"清奇僻苦主。"《唐摭言》卷一〇："孟郊字东野，工古风，诗名播天下，与李观、韩退之为友。贞元十二年及第，佐徐州张建封幕卒。使下廷评，韩文公作志，东野谥曰贞曜先生。"《韵语阳秋》卷一："孟郊诗'楚山相蔽亏，日月无全辉'、'万株古柳根，拏此磷磷溪'、'大行横偃脊，百里方崔嵬'等句，皆造语工新，无一点俗韵。然其他篇章似此处绝少也。李觏评其诗云：'高处在古无上，平处下观二谢'，许之亦太甚矣；东坡谓'初如食小鱼，所得不偿劳。又似食蟛蠘，竟日嚼空螯'，贬之亦太甚矣。"《岁寒堂诗话》卷上："退之于籍、湜辈，皆儿子畜之，独于东野极口推重，虽退之谦抑，亦不徒然。世以配贾岛而鄙其寒苦，盖未之察也。郊之诗，寒苦则信矣，然其格致高古，词意精确，其才亦岂可易得。"《中山诗话》："孟东野诗，李习之所称'食荠肠亦苦，强歌声无欢。出门如有碍，谁谓天地宽'，可谓知音。今世传郊集五卷，诗百篇，又有集号《咸池》者，仅三百篇。其间语句尤多寒涩，疑向五卷是名士所删取者。东野与退之联句诗，宏壮博辩，若不出一手，王深父云'退之容有润色'也。"《栾城集》卷八《杂说九首》"诗病五事"："唐人工于为诗而陋于闻道。孟郊尝有诗曰：'食荠肠亦苦，强歌声无欢。出门如有碍，谁谓天地宽。'郊耿介之士，虽天地之大，无以安其身，起居饮食有戚戚之意，是以卒穷以死。而李翱称之，以为郊诗高处在古无上，平处犹下顾沈、谢，至韩退之亦谈不容口。甚矣，唐人之不闻道也。"《临汉隐居诗话》："孟郊诗蹇涩穷僻，琢削不假，真苦吟而成。观其句法、格力可见矣。"《王直方诗话》："李希声语余曰：孟郊诗正如晁错为人，不为不佳，所伤者峻直耳。"《彦周诗话》："孟东野诗苦思深远，可爱不可学。"又云："韩退之云'横空盘硬语，妥贴力排奡'，盖能杀缚事实，与意义合，最难能之，知其难则可与论诗矣，此所以称孟东野也。"《臞翁诗评》："孟东野如埋泉断剑，卧壑寒松。"《沧浪诗话》"诗评"："孟郊之诗刻苦，读之使人不欢。"又云："孟郊之诗，憔悴枯槁，其气局促不伸，退之许之如许，何耶？诗道本正大，孟郊自为之艰阻耳。"李石《方舟集》（四库本）卷一〇《李晋寿诗叙》："孟郊、卢仝终身尽力于诗，其才不足当世之取舍，故其愤悱郁屈输写于诗者，盖穷之实。"《朱子语类》卷一四〇："韩诗平易，孟郊吃了饱饭，思量到人不到处。《联句》中被他牵得亦著如此做。"《后村诗话》卷三："孟诗亦有平淡闲雅者，但不多耳。如'腰斧斫旅松，手瓢汲家泉'，如'不是城头树，那栖来去鸦'，如'路喜到江尽，江上又通舟。愿为驭者手，与郎回马头’，如‘处处得相随，人那不如月’，皆与唐人同一机杼。《咏蚊》云：‘愿为天下幮，一使夜景清’，《烛蛾》云：‘天若百尺高，应去掩明月’，又唐人所不能道。”又云：“退之以师道自任，自李翱、张籍、皇甫湜辈皆名之，惟推伏孟郊，待以畏友，世谓谬敬，非也。……当举世竞趋浮艳之时，虽豪杰不能自拔，孟生独为一种苦淡不经人道之语，固退之所深喜，何谬敬之有？”又云：“文字意脉，人生通塞系焉。东野诗云‘万物皆及时，独予不觉春’，……其辞可以痛哭，不知哀何人也。屈宋《大招》、《招魂》等作，虽穷极天地之外，龙蛇鬼魅，千变万态，然又称述宗国宫室钟鼓歌舞之乐以返之。孟生纯是苦语，略无一点温厚之意，安得不穷？此退之所以欲和其声欤。”《唐音癸签》卷八：“晚季以五言古诗鸣者，曹邺、刘驾、聂夷中、于濆、邵谒、苏拯数家，其源似并出孟东野，洗剥到极净、极真，不觉成此一体。初看殊难入，细玩亦各有意在。”《唐诗品汇》“叙目”：“东野之少怀耿介，龌龊困穷，晚擢巍科，竟沦一尉。其诗穷而有理，苦调凄凉，一发于胸中而无吝色，如《古乐府》等篇讽咏久之，足有余悲，此变中之正也。”《四溟诗话》卷四：“予夜观李长吉、孟东野诗集，皆能造语奇古，正偏相半，豁然有得，并夺搜奇想头，去其二偏。险怪如夜壑风生，暝岩月堕，时时山精鬼火出焉。苦涩如枯林朔吹，阴崖冻雪，见者靡不惨然。予以奇古为骨，平和为体，兼以初唐、盛唐诸家，合而为一，高其格调，充其气魄，则不失正宗矣。若蜜蜂历采百花，自成一种佳味与芳馨，殊不相同，使人莫知所蕴。作诗有学酿蜜法者，要在想头别尔。”强晟《孟东野诗集序》：“孟东野以诗鸣于中唐之间，极为昌黎韩子所称重。至如《联句》诸作，与韩公角奇争隽，不肯相下，可谓雄矣。先辈且有东野润色退之之说，虽未必然，要其所成就，终非翱、湜辈所可班。顾其辞意伤于晦涩，无盛唐大家雄浑蕴藉之风，亦器量使之然。”《梁溪漫志》卷七：“自六朝诗人以来，古淡之风衰，流为绮靡，至唐为尤甚。退之一世豪杰，而亦不能自脱于习俗。东野独一洗众陋，其诗高妙简古，力追汉魏作者，正如倡优前陈，众所趋奔，而有大人君子垂绅正笏，屹然中立，此退之所以深嘉屡叹，而谓其不可及也。然亦恨其太过，盖矫世不得不尔。”《诗学渊源》卷八：“为诗有理致，最为愈所称，然思苦奇涩。而贾岛艰涩，时谓‘郊寒岛瘦’。”《诗源辩体》卷二五：“东野五言古不事敷叙而兼用比兴，故觉委婉有致，然皆刻苦琢削，以意见为诗，故快心露骨而多奇巧耳。此所以为变也。”《唐才子传》卷三：“工诗，大有理致，韩吏部极称之。多伤不遇，年迈家空，思苦奇涩，读之每令人不欢。”王绅《刘大有诗集序》：“渊明天性冲旷而得于浑然，东野厄于困穷而得于寒苦，正各类其人。”《载酒园诗话》卷一：“愚意东野实亦诉穷叹屈之词太多，读其集频闻呻吟之声，使人不欢。但局天蹐地，雅亦有之，‘终窭且贫’，《邶风》先有此叹。且尤不可与乐天比拟，乐天二十八而中春官，逾年即中书判拔萃，未几又以贤良方正对策高等，由畿尉拜翰林兼拾遗，迁左赞善，始一贬江州耳。然犹官五品，月俸四五万，寒有衣，饥有食，施及家人。才数年，复以州守入为尚书郎知制诰，除中书舍人。屡典名郡，东南山水之区，恣其遨游。又入为秘书监，太子宾客分司东都，刑部侍郎，领河南尹，改少傅，以尚书终。其于遇合可谓荣矣。东野穷饿，不得安养其亲，五十始得一第，才尉溧阳，又困于秃令。此其身世何如，而与白较。旁观者但闻人嬉笑，而遂责向隅者耶？二苏皆年少成名，虽有谪迁之悲，未历饥寒之厄，宜有不知此痛痒之言。且韩诗虽气魄胜之，而深厚处不及，故有‘吾愿身为云，东野变为龙。四方上下逐东野，虽有离别无由逢’之句。此老自云：‘若世无孔子，不当在弟子之列。’岂轻于自贬者！（黄白山评：‘诗以言志，故观其诗而其人之襟趣可知，苟戚戚于贫贱，则必汲汲于富贵。人品如此，诗品便为之不高。虽声金石而词锦绣，何足取哉！东野诗，余亦不甚喜，以为“陋于闻道”，诚然。贺君曲为回护，似若以其悲苦愁叹为当然者，可知贺亦褊狭之士矣。孟后及第，作诗云：“昔日龌龊不足嗟，今朝旷荡思无涯。春风得意马蹄疾，一日看遍长安花。”才获一第，便尔志满意得，如此尤为小器。若愈尝作《送穷文》、《二鸟赋》，其逼窄狭隘之胸，正与东野相似，安得不引为同调！’）至于贾虽工为咏物之言，仅律诗有佳句，《风》、《骚》、乐府之体，实未之备。如《列女操》：‘波澜誓不起，妾心井中水。’《薄命妾》：‘青山有蘼芜，泪叶长不干。’《塘下行》：‘徒将白羽扇，调妾木兰花。不是城头树，那栖来去鸦？’《去妇篇》：‘君心匣中镜，一破不复全。妾心藕中丝，虽断犹牵连。’情深致婉，妙有讽喻。至若《赠文应道月》‘不践有命草，但饮无声泉’、‘寻常昼日行，不使身影斜’，贾虽经为僧，未能如此形容也。又如《赠郑鲂》曰：‘天地入胸臆，吁嗟生风雷。文章得其微，物象由我裁。宋玉逞大句，李白飞狂才。苟非圣贤心，孰与造化该？勉矣郑夫子，骊珠今始胎。’《送豆芦策归别墅》曰：‘短松鹤不巢，高日云始栖。……一卷冰雪文，避俗常自携。’《自述》则有‘此外有余暇，锄荒出幽兰。’此公胸中眼底，大是不可方物，乌得举其饥寒失声之语而訾之！”又编：“贞元、元和间，诗道始杂，类各立门户。孟东野最为高深，如‘慈母手中线……’，真是《六经》鼓吹，当与退之《拘幽操》同为全唐第一。”毛先舒《题孟东野集》：“昔人评东野之诗曰‘寒’，余以为寒耳。偶友人饷以全集读之，则生涩仄僻，其用笔步步不欲从平坦处行，中有隽语，足以惊神。近世如钟、谭，似乎托足于此。然此等或自名一家则可，倘欲倚此而废初、盛诸公，则悖也。”《柳亭诗话》卷二六：“孟东野‘慈母手中线’一首，言有尽而意无穷，足与李公垂‘锄禾日当午’并传。余如《峡哀》、《杏殇》之类，边幅窘缩，‘寒’字不足以尽之。而昌黎谓孟郊诗高出魏、晋，浸淫乎汉，未免扬诩过情。东坡曰：‘我厌孟郊诗，复作孟郊语。’遗山曰‘东野悲鸣死不休，高天厚地一诗囚’，信已。”《兰丛诗话》：“孟郊集截然两格：未第之前，单抽一丝，袅绕成章。《太玄经》所谓‘红蚕缘于枯桑，其茧不黄’，是其评品。及第后，变而入于昌黎一派，乃妙。且有昌黎所不及，比两人《秋怀》可知也。东坡全目之为苦虫风味，诚苦矣，得毋有橄榄回味耶？余少不知，老乃咀嚼之。”《唐诗别裁集》卷四：“东坡目为‘郊寒岛瘦’，岛瘦固然，郊之寒过求高深，邻于刻削，其实从真性情流出，未可与岛并论也。”《说诗晬语》卷上：“孟东野诗，亦从《风》、《骚》中出，特意象孤峻，元气不毋斫削耳。以郊、岛并称，铢两未敌也。”《剑溪说诗》卷上：“孟郊诗笔力高古，从古歌谣、汉乐府中来，而苦涩其性也。胜元、白在此，不及韦、柳亦在此。”又云：“郊诗类幽愤之词，读之令人气寒。”《北江诗话》卷六：“孟东野诗篇篇皆似古乐府，不仅《游子吟》、《送韩愈从军》诸首已也。即如‘良人昨日去，明月又不圆’，魏晋后即无此等言语。他若昌黎《南山诗》可云奇警极矣，而东野以二语敌之曰：‘南山塞天地，日月石上生’，宜昌黎之一生低首也。次则‘上天下天水，出地入地舟’，造语亦非他人所能到。”《石洲诗话》卷二：“谏果虽苦，味美于回。孟东野诗则苦涩而无回味，正是不鸣其善鸣者，不知韩何以独称之？且至谓‘横空盘硬语，妥帖力排奡’，亦太不相类。此真不可解也。苏诗云‘那能将两耳，听此寒虫号’，乃定评不可易。”又卷三云：“孟东野诗，寒削太甚，令人不欢。刻苦之至，归于惨栗，不知何苦而如此。”《养一斋诗话》卷一：“每读东野诗。至‘南山塞天地，日月石上生。山中人自正，路险心亦平’、‘短松鹤不巢，高石云不栖。君今潇湘去，意与云鹤齐’、‘江与湖相通，二水洗高空。定知一日帆，使得千里风’、‘天台山最高，动蹑赤城霞。何以静双目，扫山除妄花。灵境物皆直，万松无一斜’诸句，顿觉心境空阔，万缘退听，岂可以寒俭目之？惟《秋怀》诸作，如‘老泣无涕洟，秋露为滴沥’、‘秋深月清苦，虫老声粗疏’，真有寒意，然不可以概全集也。其《送别崔寅亮》云：‘天地惟一气，用之自偏颇。忧人成苦吟，达士为高歌’，词意圆到，岂专于愁苦者哉！”又卷九：“东野《独愁》诗云：‘前日远别离，昨日生白发。欲知万里情，晓卧半床月。常恐百虫鸣，使我芳草歇’。《洛阳晚望》云：‘天津桥下冰初结，洛阳陌上行人绝。榆柳萧疏楼阁间，月明直见嵩山雪’。笔力高简至此，同时除退之之奥、子厚之淡、文昌之雅，可与匹者谁乎？而人犹以退之倾倒不置为疑。”《辍锻录》：“孟东野诗不必读，不可不看。如《烈女操》、《塘下行》、《去妇词》、《赠文应道月》、《赠郑鲂》、《送豆卢策归别墅》、《游子吟》、《送韩愈从军》诸篇，运思刻，取迳窄，用笔别，修词洁，不一到眼，何由知诗中有如此境界耶？”《读雪山房唐诗序例》：“孟东野蜇吻涩齿，然自是盘餐中所不可少。”沈其光《瓶粟斋诗话》（《民国诗话丛编》本）卷二：“孟东野诗源出谢家集中，如《献襄阳于大夫》及《汝州陆中丞席喜张从事至》、《游枋口柳溪》诸作，时见康乐家数，特其句法出之镵刻耳。洪江北评东野诗，以为篇篇似古乐府，非确论也。”《三唐诗品》：“与韩退之、李长吉同源，而镌容露骨，故与浪仙有寒瘦之讥；而语重意併，固可针砭浮靡。七言苍劲，有明远之风。”《湘绮楼论唐诗》：“东野用思艰涩，同于昌谷，时有嘲讽；然千篇一格，近于隘者，固非大家。”《岘佣说诗》：“孟东野奇杰之笔，万不及韩，而坚瘦特甚。譬之偪阳之城，小而愈固，不易攻破也。东坡比之‘恐蛰’，遗山呼为‘诗囚’，毋乃太过。”《艺概》卷二“诗概”：“孟东野诗好处，黄山谷得之，无一软熟句；梅圣俞得之，无一熟俗句。”《四库提要》卷一五〇：“郊诗托兴深微，而结体古奥。唐人自韩愈以下，莫不推之。自苏轼诗‘空螯小鱼’之诮，始有异词。元好问论诗绝句，乃有‘东野穷愁死不休，高天厚地一诗囚’之句。当以苏尚俊迈，元尚高华，门径不同，故是丹非素。究之郊诗品格，不以二人之论减价也。”《昭昧詹言》卷一：“姜坞先生曰：‘笔瘦多奇，然自是小，如《谷梁》、孟郊诗是也。大家不然。’孟东野出于鲍明远，以《园中秋散》等篇观之可见。但东野思深而才小，篇幅枯隘，气促节短，苦多而甘少耳。”《东目馆诗见》卷一：“东野五言能兼汉魏六朝体，真苦吟而成刿目钵心。致退之叹为咸池音者，须于句法、骨力求之，不然退之拔鲸牙手，何取乎憔悴枯槁？”又云：“东野学不逮退之，而才过之，故诗出其上。此亦作诗不专恃学一证。”又云：“许彦周曰：‘东野可爱不可学。’亦非仅言其凄戾。余谓高妙简古，直是难学，惟遗物而立于独者近之。”《唐宋诗醇》卷二九：“孟郊一诗流之幽逸者耳，殊未足踵武诸大家，而退之说士乃甘于肉，其自谓嗜善心无宁者此也。"《诗法萃编》卷七："（孟郊）避千门万户之通衢，走羊肠小道之仄径，志在别开生面，遂成僻涩一体。"【烈女操】《唐诗归》卷三一："钟惺评：语无委曲，直以确为妙。乐府亦有确而妙者，不专在委曲也，顾情至何如耳。如'妾是庶人，不乐宋王'之类也。谭元春评：妙在斩截。"【送远吟】《瀛奎律髓汇评》卷二四："方回评：东野不作近体诗。昌黎谓'高处古无上'是矣。此近乎律。'离杯有泪饮'，犹老杜'泪逐劝杯落'，而深切过之。冯舒评：真高奇。冯班评：余每怪退之于郊奖饰过实，至曰'高处古无上'，今郊集俱在，试读而求之，其在'古无上'者几耶？右作固可观，然郊之诗尽于此矣，不能变也。余平生不喜读。纪昀评：正是拗体，非近也。又云：刻意苦吟，字字沉著。苦语是东野所长。"【古薄命妾】《唐风定》卷六："闺情离怨，唐名家多极其致，一以蕴藉涵蓄为上乘。至东野而发泄吐露，不尽不止，亦复异曲同工，足证其身份之高也。"《唐诗品汇》卷二〇："刘（须溪）云：其声如乐府为近，此复以苦语胜。"

王建有诗《哭孟东野二首》，贾岛有《哭孟郊》、《吊孟协律》。【哭孟郊】《后村诗话》卷三："贾岛《哭孟郊》云'家近登山道，诗随过海船'，此为郊写真也。"《瀛奎律髓汇评》卷四九方回云："凡哭友诗，当极其哀。彼生而荣者，虽哀不宜过也。如孟郊之死，三、四所道人忍闻乎？并尾句味之至矣。"纪昀云："结得不尽。"《重订中晚唐诗主客图》："看来此与《哭孟协律》本是一诗，此初脱稿，后乃再三改炼，亦成奇绝。"【吊孟协律】《瀛奎律髓汇评》卷四九方回："孟协律即郊也，哭与吊相先后耳。郊无子，而唐史谓郑余庆廪其妻子，岂后亦立鄄郢之子为子耶？存疑当考。"纪昀曰："诗无此意（立嗣子事），即是横生枝节。"又云："此太不及前篇，'品位低'三字俚。"

白居易仍居下邽村。春，患眼疾，有诗《眼暗》、《得钱舍人书问眼疾》。夏，白行简为剑南东川节度使卢坦从事，作诗《别行简》。秋，李顾言来访，有诗《友人来访》、《村中留李三宿》。八月，与殷衡同游蓝田悟真寺，有《游蓝田悟真寺诗一百三十韵》、《游悟真寺回山下别张殷衡》。冬，召授太子左赞善大夫，有诗《初授赞善大夫早朝寄李二十助教》。后张籍来访，作《酬张十八访宿见赠》。是年，白居易尚有诗《夏旱》、《得袁相书》、《寄元九》、《叹元九》、《感化寺见元九刘三十二题名处》、《还李十一马》、《九日寄行简》、《寄杨六》、《重到城七绝句高相宅》、《欲于元八卜邻先有是赠》、《渭村酬李二十见寄》等。【游蓝田悟真寺诗一百三十韵】《诚斋诗话》："五言长韵古诗，如白乐天《游蓝田悟真寺诗一百三十韵》，真绝唱也。"《唐宋诗醇》卷二一："洋洋洒洒，一气读去，几于千岩竞秀，万壑争流，目不给赏矣。就其中细寻之，则步骤井然，一丝不紊。……细玩全诗，分明以作记序手笔，用之于诗。韩愈《南山诗》以奇肆胜，此以秀折胜，可谓匹敌。谢灵运游山诗、柳宗元山水记，素称奇构，以彼方此，不无广狭之别矣。"《瓯北诗话》卷四："唐人五言古诗，大篇莫如少陵之《北征》、昌黎之《南山》，二诗优劣，黄山谷已尝言之。然香山亦有《游王顺山悟真寺》一首，多至一千三百字，世顾未有言及者。今以其诗与《南山》相校。《南山》诗但侁侗摹写山景，用数十'或'字极力刻画，而以之移写他山，亦可通用。《悟真寺》诗则先写入山，次写入寺，先憩宾位，次至玉像殿，次观音岩，点明是夕宿寺中，明日又由南墖路过蓝谷，登其巅，又到蓝水环流处，上中顶最高峰，寻谒一片石、仙人祠，回寻画龙堂，有吴道子画、褚河南书。总结登历，凡五日。层次既极清楚，且一处写一处景物，不可移易他处，较《南山》诗，似更过之。又《北征》、《南山》皆用仄韵，故气力健举。此但用平韵，而逐层铺叙，沛然有余，无一语冗弱，觉更难也。而诗人不知，则以香山有《长恨》、《琵琶》诸大篇脍炙人口，遂置此诗于不问耳。”【酬张十八访宿见赠】《白香山诗长庆集》卷六汪立名按：“《岁寒堂诗话》：元、白、张籍诗皆自淘浣中出，专以道得人心中事为工。又云：张思深而语精，元体轻而词躁，白则才多而意切，苏子瞻喜之独甚，良有由然。”《瓯北诗话》卷四：“香山与韩昌黎同时，年位亦相等，然昌黎集仅有《同张籍游曲江寄白舍人》诗一首，香山集有《和韩侍郎苦雨》一诗、《同韩侍郎游郑家池小饮》一诗、《久不见韩侍郎》一诗、《和韩侍郎题杨舍人林亭》一诗、《和韩侍郎张博士游曲江见寄》一诗，又《老戒》一首内云：‘我有白头戒，闻于韩侍郎。’此外更无赠答之作。而与张籍往还最熟，赠籍诗云：‘昔我为近臣，君常稀到门。今我官职冷，惟君往来频。问其所与游，独言韩舍人。其次即及我，我愧非其伦。’盖白与韩本不相识，籍为之作合也。香山集中与张籍诗最多，自其为太祝、为博士、为水部员外，皆见集中，其交之久可知。此外，韩门弟子樊宗师、李翱，亦见香山集。”

闰八月

王建仍在昭应丞任，有诗《上田仆射》。田仆射，魏博节度使田弘正。

秋

李贺往游潞州。途中有诗《将发》、《河阳歌》、《七月一日晓入太行山》、《长平箭头歌》、《高平县东私路》；至潞，有诗《酒罢张大彻索赠诗时张初效潞幕》、《潞州张大彻病酒遇江使寄上十四兄》。【河阳歌】明于嘉刻本《李长吉诗集》：“此诗前解见其苦心，而后解非其本怀，秦王宫中，魏武台上，易地皆然。颜郎老而花自娇，临邛远而琴声绝，所谓染罗而着色难，徒有抽心似春草也。后半首形此苦衷，则更甚矣。”【高平县东私路】《黎二樵批点黄陶庵评本李长吉集》黄淳耀云：“上四句状私路今之景，而无人居也；下四句状私路之景而古有人处也，依稀避秦之意。又黎简云：上六句总言私路之幽，末二句言若非古人曾到此，亦安知其为路也。”《李长吉诗集批注》卷四：“太伪，太浅直。‘古者定幽寻’，扣题稚甚。”【潞州张大彻病酒遇江使寄上十四兄】明于嘉刻本《李长吉诗集》：“此首是豫章派所祖。”《协律钩玄》卷三何焯评：“玉溪诗大抵因此，而复讨源于齐、梁尔。”《李长吉诗集批注》卷三：“‘秋至昭关后，当知赵国寒’，起笔陡忽，措语一一清脆。”

十月

李吉甫卒，年五十七。有集二十卷。武元衡作《祭李吉甫文》。《全唐诗》卷三一

八载其诗四首，《全唐文》卷五一二编其文一卷。

十二月

柳宗元在永州，此前撰《段太尉逸事状》上史馆，并致书韩愈，有《与史官韩愈致段秀实太尉逸事书》。春，作《岭南节度飨军堂记》、《南岳大明寺律和尚碑》、《湘源二妃庙碑》、《送易师杨君序》等。八月，作《处士段弘古墓志》、《祭段弘古文》。是年，柳宗元另有《囚山赋》、《起废答》、《上河阳乌尚书启》、《毁鼻亭神记》。柳宗元在贬所十年，创作甚丰，从其学者甚多。韩愈《柳子厚墓志铭》："衡湘以南，为进士者，皆以子厚为师；其经承子厚口讲指画，为文词者，悉有法度可观。"在永州期间，另作有《瓶赋》、《牛赋》、《解祟赋》、《闵生赋》、《梦归赋》、《唐铙歌鼓吹曲十二篇并序》、《乞巧文》、《哀溺文》、《骂尸文》、《憎王孙文》、《谤誉》、《鞭贾》、《吏商》、《三戒》、《宋清传》、《河间传》、《李赤传》、《封建论》、《四维论》、《时令论》、《断刑论》、《辨列子》、《论语辩》、《答刘禹锡天论书》、《答元饶州论春秋书》、《辩文子》等。【段太尉逸事状】《古文渊鉴》卷三十七："刻画情事，能使太尉须眉毕现，与昌黎《张中丞后叙》，工力悉敌。"《唐宋八家文读本》卷九："凡逸事三：一写其刚正，一写其慈惠，一写其清节，段段如生。至于以笏击贼，此致命大节，人人共喻，不虑史官之遗也。"《古文眉诠》卷五四："书以声之，状以条之，跋以振之，合而成篇。太尉大节，击泚以死，事具史馆，伟矣。若状中三事卓卓，正足以平生秉志，仁勇识力，征其见危致命之本，公特表之，绝顶学识。"《山晓阁选唐大家柳柳州全集》卷四："此篇叙太尉三逸事，截然是三段文字。第一段，写太尉以勇服王子晞，便写得千人辟易，一军皆惊。第二段，写太尉以仁愧焦令谌，便写得慈祥恺悌，不是煦煦之仁。第三段，写太尉以廉服朱泚，便写得从容辞让，表示孑孑之义。末幅证献状之不谬，笔墨疏朗，不下史迁作法。又引卢元昌云：首段写其刚，次段写其仁，三段写其节。"《唐文评注读本》下册："保全郭氏，勇也；卖马偿谷，仁也；却朱泚帛，廉且智也。文亦写得奕奕如生，是学史公而得其神髓者。"【过衡山见新花开却寄弟诗】蒋之翘注《柳河东集》卷四二："后二语澹宕，亦有恨意。又引刘辰翁曰：酸楚。"【毁鼻亭神记】《韩柳文研究法》"柳文研究法"："文叙伯高之果毅，力毁淫祠，却写得生气勃然。"【封建论】《东坡续集》卷八："昔之论封建者，曹元首、陆机、刘颂及唐太宗时魏征、李百药、颜师古，其后则刘秩、杜佑、柳宗元。宗元之论书，而诸子之论废矣。虽圣人复起，不能易也。"《古文关键》卷上："此是铺叙间架法。"《崇古文诀》卷一二："以封建为不得已，以秦为公，天下之制皆非正论，所以引周之失，秦之得，证佐甚详。然皆有说以破之。但文字绝好，所谓强词夺正理。"《晚村先生八家古文精选》："议论垂角甚矣，独其行文排拶出入，打成一片，无懈可击，实文章之豪雄。"《钝吟杂录》卷四："柳子厚《封建论》本于《吕氏春秋》。子厚多学子书作文字。"《古文眉诠》卷五二："作论横纵放恣，如柳州此篇，前后无敌矣。首只追出'封建势也'一句，却有破空廿行；中只检取'周封'、'秦废'二证，却用挨排四代；后又平缀或者三层，却更分路殊施，醇而肆，博稽而志彀，顺轨而极变，实乃谨严识取之文。”《评校音注古文辞类纂》卷七三引真德秀云：“此篇间架宏阔，辩论雄俊，真可为作文之作。”引方苞云：“深切事情，虽攻者多端，而卒不可拔。又云：气甚雄毅，而按之实有虚怯处。”《唐宋八大家文钞》卷二四：“一篇强词悍气，中间段络却精爽，议论却明确，千古绝作。”《义门读书记》卷三五：“荀卿子之文也。其中节制甚谨严。李云：文章古雅精健，《过秦》之匹。”【乞巧文】《崇古文诀》卷一五：“当与《送穷文》相对看。然退之之固穷乃其真情，子厚抱拙终身岂其本心欤？看他诘难过度处。”《唐宋文醇》卷一八：“人病宗元以巧进被谪，而作《乞巧文》，自谓抱拙终身。考诸史传，其为人盖喜立事急功名，以至于败，非为机变之巧者也。如为阳城作《遗爱碑》及《与太学诸生书》，此岂巧人所肯为耶？《乞巧》、《送穷》，同是子云《解嘲》之流，文亦光怪陆离，如七襄锦矣。”《韩柳文研究法》“柳文研究法”：“《乞巧文》意本解嘲，而体则祭祀；事属儿女，而语则牢骚。且入手叙天孙嫔河鼓，悠谬之谈，公然见之文中。此在诗家词家，或能出以纤词，施诸韵语，而文近祭祀，断难如此着笔。……借一‘巧’字，痛骂一场。以小题目为大文字，造语横空盘硬，不下昌黎。”《义门读书记》：“《乞巧文》为《送穷》所压，识殊，词亦不能追也。”吴子良《荆溪林下偶谈》（《丛书集成初编》本）卷三：“子厚《乞巧文》与退之《送穷文》绝类，亦是拟扬子云《逐贫赋》，特异名耳。”《唐宋八大家文钞》卷二六：“予览子厚所托物赋文甚多，大较由迁谪僻徼，日月切久，薄书之暇，情思所向，辄铸文以自娱。其旨虽不远，而其调亦近于风骚矣。”

窦群奉诏自容州还朝，至衡州卒，年五十五。《全唐诗》卷二七一编其诗一卷。【黔中书事】《瀛奎律髓汇评》卷四三方回评：“此乃左迁时诗也。尾句尤佳，江流虽远，而不敢言归云。”

公元815年（唐宪宗元和十年　乙未）

正月

柳宗元在永州。五日，作有《永州崔中丞万石亭记》；旋奉诏回京，途中有诗《诏追赴都回寄零陵亲故诗》、《过衡山见新花开却寄弟诗》、《汨罗遇风诗》、《北还登汉阳北原题临川驿诗》、《界围岩水帘诗》、《戏赠诏追南来诸宾诗》、《离觞不醉至驿却寄相送诸公》、《北还登汉阳北原题临川驿》、《朗州窦员外寄刘二十八诗见促行骑走笔酬赠》、《善谑驿和刘梦得酹淳于先生》、《李西川荐琴石》等。二月，至长安附近，有诗《诏追赴都二月至灞亭上》。在长安，有《奉酬杨侍郎丈送八叔拾遗戏赠南来诸宾》。【永州崔中丞万石亭记】《唐宋八大家文钞》卷二三：“崔公既搜奇抉胜，而子厚之文亦如此。”《唐宋文醇》卷一六：“体物之妙，宇宙在乎手，万化生于心矣。”《山晓阁选唐大家柳柳州全集》卷三：“前幅记石记亭，写出石之奇怪，亭之名胜，真是千态万状，令人骇目。后幅就命亭之义，生出波澜，又是无中生有，真是善颂善祷。”

元稹自唐州召还。枉道江陵，窦巩有诗《送元稹西归》。过蓝田，元稹有诗《留呈梦得子厚致用》。途中尚有《西归绝句十二首》。二月，抵西京，居靖安里旧宅。春，与白居易同游城南，多有唱和，作诗《和乐天高相宅》、《和乐天刘家花》、《和乐天仇家酒》、《和乐天赠恒寂僧》等。拟编选张籍古乐府，李绅新歌行，卢拱、杨巨源律诗，窦巩、元宗简绝句为《元白往还集》；未果。三月末，出为通州司马，有诗《酬乐天醉别》、《沣西别乐天博载樊宗宪李景信两秀才侄谷三月三十日相饯送》。经阆州，游云台山。闰六月，初至通州，作《叙诗寄乐天》；患疟疾，作诗《遣病》，以佛理自释，作诗《续遣病》。八月，闻白居易遭贬，作诗《闻乐天授江州司马》、《酬乐天赴江州路上见寄三首》、《酬乐天州泊夜读微之诗》等。是年，另有诗《小碎》、《酬卢秘书》、《归田》、《褒城驿二首》、《苍溪县寄扬州兄弟》、《长滩梦李绅》、《见乐天诗》、《酬乐天雨后见忆》、《夜坐》、《和乐天过秘阁书省旧厅》、《和乐天赠杨秘书》、《酬乐天得微之诗知通州事因成四首》等。【闻乐天授江州司马】《容斋随笔》卷二："嬉笑之怒，甚于裂眦；长歌之哀，过于恸哭，此语诚然。元微之在江陵，病中闻白乐天左降江州，作绝句云……乐天以为'此句他人尚不可闻，况仆心哉。'"《而庵说唐诗》："此诗重'此夕'二字。大凡诗中用字，最不可杂乱，此诗若'残'字。若'无焰'字，若'谪'字，若'垂死'字，若'惊'字，若'暗'字，若'寒'字，如明珠一串，粒粒相似，用字之妙，无逾于此。"《唐诗解》"七言绝句五"："残灯无焰，愁惨之时，垂死起坐，至情所激，风吹雨入，凄凉可知，非元、白心知，不能作此。"《删订唐诗解》："衬第三句，而末复以景终之，真有无穷之恨。"《唐诗笺注》卷九："惨灯病卧，风雨凄其，俱是愁境，却分两层写。当此灯残影暗，忽惊良友之迁谪，兼感自己之多病，此时此际，殊难为情。末句另将风雨作结，读之味愈深。"

二十二日，独孤郁卒于长安，年四十。《全唐文》卷六八三存其文五篇。刘禹锡作有《伤独孤舍人引》。《文苑英华》卷六七九权德舆《答独孤秀才书》："省四日书问，兼示新文。宏博峻异，有立言致远之旨焉。"

二月

沈亚之、裴夷直、任畹、庞严、胡遇、刘岩夫、吕让等三十人登进士第。时礼部侍郎崔群知贡举，试《春色满皇州》诗。吕让（生卒年不详），河中人。大和间任海州刺史。八年西归，过楚州，有《楚州刺史厅记》。官至太子右庶子。《全唐文》卷七一六录文一篇，《全唐诗补编·续拾》卷二六收诗一首。据《旧唐书》卷一三七、《新唐书》卷一六〇《吕渭传》、《宋朝事实类苑》卷四三引《杨文公谈苑》。裴夷直（生卒年不详），字礼卿，郡望河东，吴人。文宗时，历右拾遗、礼部员外郎，进中书舍人。武宗即位，出刺杭州，斥驩州司户参军。宣宗初，复拜江、华等州刺史。终散骑常侍。《新唐书·艺文志》著录《裴夷直诗》一卷，已佚。《全唐诗》卷五一三编其诗一卷，《全唐诗补编·续补遗》卷六补一首。《全唐文》卷七五九录文一篇。事迹见《唐诗纪事》卷五一、《唐才子传》卷六、《乾道临安志》卷三等。

任畹及第归，姚合作诗《送任畹及第归蜀中觐亲》，沈亚之亦有《送同年任畹归蜀序》。春，沈亚之尚有《送杜憓序》。五月，沈亚之为泾源节度使李汇掌书记，闻李汇、姚合述邢凤、王炎事，作《异梦录》。七月，节度使李汇卒，沈亚之罢去东归，有诗《答殷尧藩赠罢泾原记室》。是年，沈亚之过徐州，闻旧识歌者叶近逝，作《歌者叶

记》。

廖有方作《题旅榇并记》。有方落第，游宝鸡，瘗士之落第而殁者，感而记之。《云溪友议》卷下："明年李侍郎逢吉放有方及第，改名游卿，声动华夏，皇唐之义士也。"廖有方，交州人。元和十一年进士及第，改名游卿，官校书郎，后受辟使府，至显职。柳宗元有《答贡士廖有方论文书》、《送诗人廖有方序》。《全唐诗》卷四九〇收诗一首，《全唐文》卷七一三录文一篇。【答贡士廖有方论文书】《唐宋八大家文钞》卷一九："中多自矜，亦自悲怆。"《山晓阁选唐大家柳柳州全集》卷一："柳子此书，皆是愤世嫉俗之言，却作两半写出：前一段说不欲作序，言世俗之嚣哗轻薄，不作序，固是愤世嫉俗之言。作序，戒其无示世人，欲作序，亦是愤世嫉俗之言。看来世人炎凉习态，真有令人愤之激之也。"《金圣叹批才子古文》卷二："吾细读其通篇笔态，并不是写自家不肯轻意为人作序，亦不是写今日独肯为廖秀才作序。乃是刻写当时无一人不要其作序，今则无一人要其作序，以为痛愤。"

三月

刘禹锡、柳宗元等复出为远州刺史。柳宗元为柳州刺史。刘禹锡出为播州刺史，后因裴度、柳宗元之请，改刺连州。《旧唐书》卷一六〇《刘禹锡传》："元和十年，自武陵召还，宰相复欲置之郎署。时禹锡作《游玄都观咏看花君子诗》，语涉讥刺，执政不悦，复出为播州刺史。诏下，御史中丞裴度奏曰……乃改授连州刺史。"刘禹锡在长安，作《元和甲午岁诏书尽征江湘逐客余自赴京宿于都亭有怀续来君子》、《酬杨侍郎凭见寄二首》、《征还京师见旧蕃官冯叔达》。春末夏初，自京赴连州，途中有《题淳于髡墓》、《荆门道怀古》、《后梁宣明二帝碑堂下作》、《荆州歌二首》、《碧涧寺见元九侍御如展上诗有三生之句因以和》、《松滋渡望峡中》、《望衡山》、《再授连州至衡阳酬柳柳州赠别》。至连州，有《度桂岭歌》、《代靖安佳人怨二首》、《连州刺史谢上表》、《谢门下武相公启》、《谢中书张相公启》、《吏隐亭述》等。【戏赠看花诸君子】《唐诗解》"七言绝句五"："陌间尘起，看花者众，桃为道士所栽，新贵皆丞相所拔，是以执政深疾其诗。"李攀龙《李于鳞唐诗广选》（明刻本朱墨套印本）卷七敖英评："讽刺时事，全用此体。"《四库提要》卷一五〇："禹锡在元和初，以附王叔文，被贬为八司马之一。召还之后，又以咏元都观桃花，触忤执政，颇有轻薄之讥。"《删补唐诗选脉笺释会通评林》"中唐七绝"敖英曰："风刺时事，全用比体。"唐汝询曰："首句便见气焰，次见附势者众，三以桃喻新贵，末太露，安免再谪。"《小清华园诗谈》卷上："刘梦得志在尤人，乃作《看花》之句。"【荆门道怀古】《唐风定》："高淡凄清，又复柔婉。"《瀛奎律髓汇评》卷三冯舒曰："自然幻秀。"何焯曰："三、四流对，五、六参差对，未尝犯四平头及板桥四实句也。"【松滋渡望峡中】《批点唐音》："此篇尚存中唐气调。"《批点唐诗正声》："韵格落盛唐诸公后，然所得亦自深浑。"《瀛奎律髓汇评》卷三冯舒曰："秀便工致。"纪昀曰："中唐本色，惟结二句不免窠臼。"无名氏曰："刘中山律诗虽不及柳州之镵刻，然自然有华气。"《唐诗评选》卷四："自然感慨，尽从景得，所谓景中藏情。"【代靖安佳人怨二首】《韵语阳秋》卷三："余考梦得

为司马时，朝廷欲澡濯补郡，而元衡执政，乃格不行。梦得作诗伤之而讫于靖安佳人，其伤之也，乃所以快之欤!”《朱子语类》卷一四〇：“唐文人皆不可晓。如刘梦得说张曲江无后，即武元衡被刺，亦作诗快之。”《唐音癸签》卷二五：“梦得《靖安佳人怨》及白氏太和九年某月日《感事》诗为武相伯苍、王相广津作者，实并衔宿怨故。刘先于叔文时斥武，宜武有补郡见格之报。白尝因覆策事救王，王固不应下石讦白母大不幸事，令白有江州谪也。事各有曲直，而怨之浅深亦分。在风人忠厚之教，总不宜有诗。然欲为两人曲讳，如坡公之说，则政自不必耳。”

韩愈在考功员外郎知制诰任，多作近体律绝，诗风一变。元稹有诗《见人咏韩舍人新律诗因有戏赠》：“喜闻韩古调，兼爱近诗篇。玉磬声声彻，金铃个个圆。高疏明月下，细腻早春前。花态繁于绮，闺情软似绵。轻新便妓唱，凝妙入僧禅。欲得人人伏，能教面面全。延之苦拘检，摩诘好因缘。七字排居敬，千词敌乐天。殷勤闲太祝，好去老通川。莫漫裁章句，须饶紫禁仙。”夏，韩愈进所撰《顺宗实录》。是年，韩愈有诗《奉和库部卢四兄曹长元日朝回》、《寒食直归遇雨》、《送李六协律归荆南》、《题百叶桃花》、《戏题牡丹》、《盆池五首》、《芍药》、《晚春》、《送李尚书赴襄阳八韵》、《游太平公主山庄》、《示儿》及文《蓝田县丞厅壁记》、《答刘正夫书》、《与华州李尚书书》、《与鄂州柳中丞书》、《为宰相贺雪表》、《为裴相公让官表》、《论捕贼行赏表》、《进顺宗皇帝实录表状》、《出崔群户部侍郎制》、《祭虞部张员外文》、《唐故虞部员外郎张府君墓志铭》、《唐故清河郡房公墓志铭》、《唐故监察御史卫府君墓志铭》、《衢州徐偃王庙碑》等。【蓝田县丞厅壁记】唐顺之《文编》（四库本）卷五五：“此但说斯立不得尽职，更不说起记壁之意。亦变体也。”《唐宋八大家文钞》卷八：“愤当世之丞不得尽其职，故借壁记以点缀之，而词气多淡宕奇诡。”《唐宋八大家类选》卷一〇：“自我作祖，写得入神。章、句、字，色、香、味，无不精绝。”《求阙斋读书录》卷八：“此文则纯用戏谑，而怜才共命之意，沉痛处自在言外。”《古文眉诠》卷四九：“他文必尊本题，此偏特地捺低；他文必劝官守，此但替人排闷。只为抱屈一斯立故耳。从‘简兮简兮’脱来，若泛作丞壁题名记，不如此落笔，试检《河东集·武功丞厅记》观之。”《山晓阁选大家韩昌黎集》卷四：“一篇小文，妙在处处写得如画。前幅写县丞不敢可否事，惟吏是命，真画出一个小官奉职、狡吏怠玩光景，活活如生。后幅写斯立为丞，喟然兴叹，对树时吟，又画出一个高才屈抑、困顿无聊光景，活活如生，真是传神阿睹。”《韩文起》卷七：“细玩结语竟住，此后又加一语不得，真古今有数奇文。”《义门读书记》卷三一：“极意摹写，见其流失非一日，既为斯立发见愤懑，亦望为政者闻之，使无失其官守也。”

春

张仲素官司勋员外郎，春，作《燕子楼》诗。白居易继作三首，其序云：“徐州故张尚书有爱妓曰盼盼，善歌舞，雅多风态。余为校书郎时，游徐、泗间。张尚书宴余，酒酣，出盼盼以佐欢，欢甚。余因赠诗云：‘醉娇胜不得，风袅牡丹花。’一欢而去，尔后绝不相闻，迨兹仅一纪矣。昨日，司勋员外郎张仲素绘之访余，因吟新诗，有

《燕子楼》三首，词甚婉丽，诘其由，为盼盼作也。绘之从事武宁军累年，颇知盼盼始末，云：'尚书既殁，归葬东洛，而彭城有张氏旧第，第中有小楼名燕子。盼盼念旧爱而不嫁，居是楼十余年，幽独块然，于今尚在。'余爱绘之新咏，感彭城旧游，因同其题，作三绝句。"《唐宋诗醇》卷二三评白居易《燕子楼》诗云："一唱三叹，余音绕梁，似此风调，虽起王昌龄、李白辈为之，何以复加。"

五月

柳宗元赴柳州，刘禹锡赴连州，同行至衡阳相别。柳宗元有诗《衡阳与梦得分路赠别》、《重别梦得》、《三赠刘员外》，刘禹锡有诗《再授连州至衡阳酬柳柳州赠别》、《重答柳柳州》、《答柳子厚》。途中另有诗《商山临路孤松》、《再至界围岩水帘遂宿岩下》、《再上湘江》、《长沙驿前南楼感旧》、《桂州北望秦驿手开竹径至钓矶留待徐容州》。下月二十七日，柳宗元抵柳州，作《谢除柳州刺史表》、《古东门行》。七月，柳宗直卒，作《志从弟宗直殡》、《祭宗直文》及《登柳州城楼寄漳汀封连四州》。十月，柳宗元在柳州撰《柳州文宣王新修庙碑》。是年，柳宗元尚有《柳州山水近治可游者记》、《岭南经略副使马君志》、《柳州司马孟公志》及《柳州寄丈人周韶州》、《登柳州峨山》、《得卢衡州书因以诗寄》、《岭南江行》、《答刘连州邦字》、《柳州峒氓》等诗。【登柳州城楼寄漳汀封连四州】《唐诗镜》卷三七："语气太直。"《瀛奎律髓汇评》卷四陆贻典评："子厚诗律细于昌黎，至柳州诸咏，尤极神妙，宣城、参军之匹。"查慎行评："起势极高，与少陵'花近高楼'同一手法。"纪昀评："一起意境开阔，倒摄四州，有神无迹。通篇情景俱包得起。三、四赋中之比，不露痕迹。旧说借寓震撼危疑之意，好不著相。"《唐诗别裁集》卷一五："从登城起，有百端交集之感。'惊风'、'密雨'，言在此而意不在此。"《唐诗鼓吹注解》卷一："首言登楼远望，海阔天空，愁思与之弥漫，不可纪极也。三、四惟惊风，故云'点乱'；惟细雨，故云'斜侵'，有风雨萧条、触目兴怀之意。至岭树重遮、江流曲转，益重相思之感矣。当时共来百越，意谓易于相见，今反音问疏隔，将何以慰所思哉。"《唐诗成法》卷一〇："一登楼，二情，中四所见之景，然景中有愁思在。末寄四州，岭树遮目，望不可见。曲江九回，肠断无已时也。柳州诗属对工稳典切，情景悲凉，声调亦高。刻苦之作，法最森严，但首首一律，全无跳踯之致耳。"《唐诗笺注》卷五："登楼凄寂，望远怀人。芙蓉薜荔，皆赠风雨之悲；岭树江流，弥搅回肠之痛。昔日同来，今成离散，蛮乡绝域，犹滞音书，读之令人凄然。"《昭昧詹言》卷一八："六句登楼，二句寄人。一气挥斥，细大情景分明。"【柳州寄丈人周韶州】《瀛奎律髓汇评》卷四何焯评："五、六自比，空喻文彩不得飞跃也。"纪昀评："'梅岭'二句，指周一边说，然突入觉无头绪，又领不起第七句，殊不妥适，传诵口熟不觉耳。"许印芳评："此皆意不相贯之病，非细心人却看不出。"无名氏评："柳州推激风骚，兼能精炼。评语谓其工于老杜，诚亦有之，然正为其工，所以不及老杜。此又评语所未发也。盖老杜无求工之迹，而气象自然高大，而又未尝不工，所以合于《三百篇》。若有意求工，又是人为，不可与化工同论矣。"【岭南江行】《瀛奎律髓汇评》卷四："尾句亦不值如此气索。纪昀评：虽亦写眼前现景，而较元、白所叙风土，有凡、仙之别。此由骨韵之不同。五、六旧说借比小人，殊穿凿。许印芳评：五、六果有忧谗畏讥之意，旧说不为穿凿。”《一瓢诗话》：“诗有通首贯看者，不可拘泥一偏。如柳河东《岭南郊行》，一首之中，瘴江、黄茆、象迹、蛟涎、射工、飓母，重见叠出，岂复成诗？殊不觉其重见叠出，反若必应如此之重见叠出者也。”【谢除柳州刺史表】《义门读书记》卷三七：“无一字不妙，深婉凄壮，可谓兼之。”【柳州山水近治可游者记】《唐宋八大家文钞》卷二三：“全是叙事，不着一句议论感慨，却澹宕风雅。”《山晓阁选唐大家柳柳州全集》卷三：“一篇无起无收，无照无应，逐段记去，仿佛昌黎《画记》。中间叙石穴，最为出色。”《唐宋文醇》卷一七：“储欣曰：颇似《史记·天官书》。然彼犹有架法，此只平直序去，零零星星，有条有理。后人杖屦而游，不复问涂樵牧，斯益奇矣。”【再授连州至衡阳酬柳柳州赠别】《瀛奎律髓汇评》卷四三：“方回评：柳士师事甚切。纪昀评：此酬柳子厚诗，笔笔老健而深警，更胜子厚原唱。七句绾合得有情。”《唐诗评选》卷四：“字皆如濯，句皆如拔，何必出沈、宋下。”【柳州峒氓】《瀛奎律髓汇评》卷四：“方回评：柳柳州诗精绝工致，古体尤高。世言韦、柳，韦诗淡而缓，柳诗峭而劲。此五律诗比老杜则尤工矣。杜诗哀而壮烈，柳诗哀而酸楚，亦同而异也。……年四十七卒于柳州，殆哀伤之过欤？然其诗实可法。查慎行评：律诗掇拾碎细，品格便不能高。若入老杜手，别有熔铸炉鞲之妙，岂肯屑屑为此？”

六月

三日，宰相武元衡被刺身亡，年五十八。《全唐诗》卷三一六、卷三一七编其诗为两卷，卷七八九编存其联句一首。《全唐诗补编·补逸》卷六补收绝句一首，同书《续补遗》卷七收断句两联，《续拾》卷二二录其诗一首。《全唐文》卷五三一及《唐文拾遗》卷二五共录其文一三篇。张为《诗人主客图》列之为“瑰奇美丽主”。《郡斋读书志》卷一七：“元衡工五言诗，好事者传之，被于管弦，尝夏夜作诗曰：‘夜久喧暂息，池台唯月明。无因驻清景，日出事还生’。翌日遇害，旧有《临淮集》七卷。此其二也。议者谓唐世工诗宦达者惟高适，宦达诗工者惟元衡。”《临汉隐居诗话》：“韦应物古诗胜律诗，李德裕、武元衡律诗胜古诗，五字句又胜七字。”《吴礼部诗话》引时天彝评《唐百家诗选》：“武元衡、令狐楚皆以将相之重，声盖一时，其诗宏毅阔远，与灞桥驴子上所得者异矣。”《唐诗品》：“伯苍词锋艳发，如青萍出匣，所向辄利；意度鲜华，如芳兰独秀，采思绵绵。五言长调，当时竟称绝艺。其在元和诸子，自权相而下，丰美孤高，此当独步。”《唐音癸签》卷七：“武相宦达后工诗，虽致理未绵，时复露鲜华之度。”《石洲诗话》卷二：“元和间权、武二相，词并清超，可接钱、刘。武公之死，有关疆场，而文词复清隽不羁，可称中唐时之刘越石。”《越缦堂读书记》（六）“札记”：“忠愍出入将相，名位崇重，而诗格清旷，殊有曲江、东川风味，近体尤高逸。卫公功烈震爆古今……二公所业虽未能隽上遒炼，警句绝少，然冰莹霞洁，自足以祛烦解热，遣俗离尘矣。”【酬严司空荆南见寄】《删补唐诗选脉笺释会通评林》“中唐七律下”周敬曰：“体裁并雅。陈继儒曰：宏整有台阁风。”《唐诗快》卷二：“雄丽中饶有别致。"【春兴】《诗境浅说》续编："诗言春尽花飞，风吹乡梦。虽寻常意境，情韵自佳。三、四句'乡梦'、'春风'，循环互用，句法颇新。与金昌绪'打起黄莺儿'诗，同是莺啭梦回，语皆婉妙。明末柳线女史诗'今夜春江又花月，东风吹梦小长干'，用意与武诗同，其神韵皆悠然不尽也。"

裴度时亦为盗所伤，隶人王义捍刃死之。《唐国史补》卷中："公乃自为文以祭，厚给其妻子。是岁进士撰《王义传》者，十有二三。"乙丑，裴度拜相，为中书侍郎、同平章事。韩愈作《为裴相公让官表》。《唐宋文醇》卷六："史称度以权纪未张，王室陵迟，常愧愤无死所。文实能写度心曲，碧血荧荧，光出楮墨，而辞气浑浩流转，足为千古表笺法式。可知文体正伪，固不在单辞骈语间也。"《古文雅正》卷八："文至东汉，渐趋简炼，浑灏之气不如西京。至三国，则又加选言之功，以韵调胜。六朝因而为四六绮靡之文。唐初未离此习，韩、柳始一振之。此篇虽以排偶行文，然镕经铸史，兼三国六朝之胜，而浑灏流转，直迫西京者也。欧、苏、王、曾谢表，俱效此体，绮靡之风衰矣。"《韩文起》卷二："立意之巧，无有逾此。若其行文，对待中却是一气呵成。此欧、苏四六之祖也。"

七月

白居易上疏请捕刺杀武元衡之凶手，执政恶其越职言事；又忌之者言其母看花坠井死，白仍作《赏花》、《新井》，有伤名教。八月，奏贬江州刺史，王涯论不当治郡，旋改为江州司马。初出蓝田，至襄阳，经鄂州，冬初到江州。是年有《与元九书》、《自诲》、《读张籍古乐府》、《朝归书寄元八》、《酬吴七见寄》、《昭国闲居》、《喜陈兄至》、《寄张十八》、《江州雪》、《初出蓝田作》、《赠杨秘书巨源》、《发商州》、《舟中读元九诗》、《江夜舟行》、《望江州》、《初到江州》、《放言五首》、《读李杜诗集因题卷后》、《初到江州寄翰林张李杜三学士》、《编集拙诗成一十五卷因题卷末戏赠元九李二十》等。【舟中读元九诗】《唐宋诗醇》卷二三："字字沉著，二十八字中，无限层折。"

杨敬之坐事，由左卫骑曹参军贬为吉州司户参加。刘禹锡在连州，作诗伤其远谪，有《答杨八敬之绝句》。

十二月

章敬寺僧怀晖卒。李绅、贾岛各有诗《哭柏岩禅师》，权德舆撰碑铭，贾岛撰述德碑。

杨巨源为秘书郎，有诗《奉寄通州元九侍御》、《寄江州白司马》。贾岛有诗《杨秘书新居》。

本年

薛涛居成都。有诗《别李郎中》。李郎中，李程，时由剑南西川行军司马入为兵部

郎中。

公元 816 年（唐宪宗元和十一年　丙申）

二月

姚合、廖有方、周匡物、皇甫曙等三十三人登进士第。时中书舍人李逢吉知贡举，传本年所取进士多为寒素。姚合及第后有诗《杏园宴上谢座主》。及归，作诗《成名后留别从兄》。周匡物有诗《及第后谢座主》、《及第谣》。《太平广记》卷引一九九《闽川名士传》云："周匡物，字几本，漳州人，唐元和十二年王播榜下进士及第，时以歌诗著名。初，周以家贫，徒步应举，落魄风尘，怀刺不偶。路经钱塘江，乏僦船之资，久不得济。乃于公馆题诗云：万里茫茫天堑遥，秦皇底事不安桥。钱塘江口无钱过，又阻西陵两信潮。郡牧出见之，乃罪津吏。至今天下津渡，尚传此诗讽诵。舟子不敢取举选人钱者，自此始也。"

白居易在江州司马任，赴庐山，游东林寺、西林寺，访陶潜旧宅。秋，送客湓浦口，夜闻舟中弹琵琶者，作《琵琶行》。是年，有《与杨虞卿书》、《答户部崔侍郎书》及诗《访陶公旧宅》、《北亭》、《游湓城》、《答故人》、《宿简寂观》、《读谢灵运诗》、《北亭独宿》、《晚望》、《早春》、《春寝》、《咏怀》、《春游西林寺》、《出山吟》、《宿东林寺》、《西林寺》、《忆洛下故园》、《约心》、《春晚寄微之》、《渐老》、《夜雪》、《寄行简》、《送春归》、《山石榴寄元九》、《题山石榴花》、《樱桃花下叹白发》、《答春》、《见紫薇花忆微之》、《过郑处士》、《闲游》、《风雨中寻李十一因题船上》等。【琵琶行】《容斋随笔》五笔卷七："白乐天《琵琶行》一篇，读者但羡其风致，敬其词章，至形于乐府，咏歌之不足，遂以谓真为长安故倡所作。予窃疑之。唐世法网虽于此为宽，然乐天尝居禁密，且谪官未久，必不肯乘夜入独处妇人船中相从饮酒，至于极弹丝之乐，中夕方去，岂不虞商人者他日议其后乎？乐天之意，直欲摅写天涯沦落之恨尔。"《抱真堂诗话》："元白体格不必论，若《琵琶行》，颇近情事。"《而庵说唐诗》卷六："此篇铺叙甚佳，语多情致，顿挫之法颇有。若较子美之陡健，则相去远甚。滥觞从此始。"《唐诗笺要》后集卷五："香山每有所作，令老妪能解则录之，故格调局而不高。此篇以清壮发其悲情，写实追空，听词似泣。王元美、李于鳞虽不见收，要不失为佳制。"《野鸿诗的》："香山《琵琶行》，婉折周详，有意到笔随之妙。篇中亦警拔，音节靡靡，是其一生短处，非独是诗而已。"《唐宋诗醇》卷二二："满腔迁谪之感，借商妇以发之，有同病相怜之意焉。比兴相纬，寄托遥深，其意微以显，其音哀以思，其辞丽以则。《十九首》云'清商随风发，中曲正徘徊。一弹再三叹，慷慨有余哀'，及杜甫《观公孙大娘弟子舞剑器行》，与此篇同为千秋绝调，不必以古、近、前、后分也。"又引唐汝询曰："此宦游不遂，因琵琶以托兴也。言当清秋明月之夜，闻琵琶哀怨之音，听商妇自叙之苦，以动我逐臣久客之怀，宜其泣下沾襟也。"《岘佣说诗》："《琵琶行》较有情味。然'我从去年'一段，又嫌繁冗，如老妪向人谈旧事，叨叨絮絮，厌渎而不肯休也。"

春

柳宗元在柳州，其弟宗一将赴荆南，作诗《别舍弟宗一》。三月，于城北凿井，作《井铭》、《祭井文》。四月，有诗《奉和周二十二丈酬郴州侍郎衡江夜泊得韶州书并附当州生黄茶一封率然成篇代意之作》。秋，作诗《浩初上人见贻绝句欲登仙人山因以酬之》。是年另有《曹溪大鉴禅师碑》、《送李渭赴京师序》、《送贾山人南游序》、《送方及诗序》、《寄韦珩诗》、《韩漳州书报澈上人亡因寄诗》、《闻澈上人亡寄杨侍郎诗》。【别舍弟宗一】《瀛奎律髓汇评》卷四三："方回评：'投荒十二年'其句哀矣，然自取之也。为太守尚怨如此，非大富贵不满愿，亦躁矣哉。"《删补唐诗选脉笺释会通评林》"中唐七律下"："顾璘曰：词太整，殊觉气格不远。唐陈彝曰：次联真悲真痛，不觉其浅。唐孟庄曰：结亦悠长。"《唐诗快》卷一一："真可为黯然销魂。"《唐诗评选》卷四："情深文明。"《竹坡诗话》："此诗可谓妙绝一世，但梦中安能见郢树烟？'烟'字只当用'边'字，盖前有江边故耳。不然，当改云'欲知此后相思处，望断荆门郢树烟'，如此却是稳当。"《历代诗话》卷四九："吴旦生曰：墅谈称此诗无一字不佳。竹坡老人乃谓梦中焉能见郢树烟？……此真痴人前说不得梦也。不知天下梦境极灵极幻，疑假疑真，著一'烟'字缀之，使模糊离迷于其间，以梦为体，以烟为用，说出一种相思况味，诗人神行处也。"

元稹告假赴涪州，与裴淑成婚。五月，同归通州，过黄草峡，有诗《黄草峡听琴二首》。与白居易互赠物品。夏，患疟疾，赴兴元治疗，寓居严茅，时郑庆余为兴元尹，元有诗《献荥阳公诗五十韵》、《奉和荥阳公离筵作》等。是年，有文《通州寄乐天书》，作诗《景申秋八首》等。

五月

韩愈为人所谮，由中书舍人降官为太子右庶子。秋，作诗《晚寄张十八助教周郎博士》、《奉酬卢给事云夫四兄曲江荷花行见寄并呈上钱七兄阁老张十八助教》。是年，韩愈有诗《人日城南登高》、《和席八十二韵》、《游城南十六首》、《感春三首》、《和侯协律咏笋》、《题张十八所居》、《奉酬卢给事云夫四兄曲江荷花行见寄并呈上钱七兄阁老张十八助教》、《奉和钱七兄曹长盆池所植》、《早赴街西行香赠卢李二中舍人》、《听颖师弹琴》、《符读书城南》、《酬马侍郎寄酒》、《太皇太后挽歌词三首》及《科斗书后记》、《论淮西事宜状》、《进王用碑文状》、《祭周氏侄女文》、《四门博士周况妻韩氏墓志铭》、《曹成王碑》、《唐荆南节度使袁滋先庙碑》等。【晚寄张十八助教周郎博士】朱彝尊《批韩诗》："昌黎诗大抵意真，又不掇凑，所以境自别。"

张籍时由太常寺太祝转为国子助教。年末，韦处厚寄车前子与张籍医眼疾，张籍有《答开州韦使君寄车前子》。

八月

张仲素、段文昌分别由礼部郎中、祠部员外郎充翰林学士。杨巨源作《张郎中段

员外初直翰林报寄长句》。

本年

刘禹锡在连州刺史任。岭南节度使马总寄著述并诗，刘禹锡作诗《南海马大夫见惠著述三通勒成四帙上自遂古达于国朝采其菁华至简如富钦受嘉贶诗以谢之》、《南海马大夫远示著述兼酬拙诗辄著微诚再有长句时蔡戎未弭故见于末篇》、《马大夫见示浙西王侍御赠答诗因命同作》、《和南海马大夫闻杨侍郎出守郴州因有寄上之作》等。与夔州刺史窦常唱和，作诗《窦夔州见寄寒食日忆故姬小红吹笙因和之》、《夔州窦员外使君见示悼妓诗顾余尝识之因命同作》。杨於陵贬为郴州刺史，与之酬唱，作《和杨侍郎初至郴州纪事书情题郡斋八韵》、《和郴州杨侍郎玩郡斋紫薇花十四韵》。是年，另有《送僧方及南谒柳员外》、《送曹璩归越中旧隐》、《连州刺史厅壁记》。【连州刺史厅壁记】《墨庄漫录》卷一〇："少年在湘阳，曾弦伯容云：唐人能造奇语者，无若刘梦得。作《连州厅壁记》云……盖前人未道者，不独此尔。其他刻峭清丽者，不可概举。学为文者，不可不成诵也。"

李贺客潞州已三年，后南归，卒于昌谷故居，年二十七。《全唐诗》卷三九〇至卷三九四编其诗为五卷。《全唐诗补编·续部遗》卷五补诗一首。《樊川文集》卷七《太常寺奉礼郎李贺歌诗集序》云："贺，唐皇诸孙，字长吉。元和中，韩吏部亦颇道其歌诗。云烟绵联，不足为其态也；水之迢迢，不足为其情也；春之盎盎，不足为其和也；秋之明洁，不足为其格也；风樯阵马，不足为其勇也；瓦棺篆鼎，不足为其古也；时花美女，不足为其色也；荒国陊殿，梗莽邱垄，不足为其怨恨悲愁也；鲸呿鳌掷，牛鬼蛇神，不足为其虚荒诞幻也。盖《骚》之苗裔，理虽不及，辞或过之。《骚》有感怨刺怼，言及君臣理乱，时有以激发人意。乃贺所为，得无有是？贺能探寻前事，所以深叹恨古今未尝经道者，如《金铜仙人辞汉歌》、《补梁庾肩吾宫体谣》。求取情状，离绝远去笔墨畦径间，亦殊不能知之。贺生二十七年死矣！世皆曰：使贺且未死，少加以理，奴仆命《骚》可也。"《旧唐书》卷一三七《李贺传》："手笔敏捷，尤长于歌篇。其文思体势，如崇岩峭壁，万仞崛起，当时文士从而效之，无能仿佛者。其乐府词数十篇，至于云韶乐工，无不讽诵。"《新唐书》卷二〇三《李贺传》："辞尚奇诡，所得皆警迈，绝去翰墨畦径，当时无能效者。乐府数十篇，云韶诸工皆合之弦管。"《沈下贤集》卷九《序诗送李胶秀才》："余故友李贺，善择南北朝乐府故词，其所赋不多怨郁凄艳之巧，诚以盖古排今，使为词者莫得偶矣。……由是后学争踵贺，相与缀裁其字句以媒取价。"张表臣《珊瑚钩诗话》（《历代诗话》本）卷一："以平夷恬淡为上，怪险蹶趍为下。如李长吉锦囊句，非不奇也，而牛鬼蛇神太甚，所谓施诸廊庙则骇矣。"《臞翁诗评》："李长吉如武帝食露盘，无补多欲。"李纲《梁溪集》（四库本）卷一三八《五峰居士文集序》："余尝观唐李贺，号为俊人，《高轩过》之作在其稚年，韩愈、皇甫湜皆爱重之，歌诗之妙独步一时。以父讳之故，不得举进士，坎轲以终年。未壮室，平时负古锦囊以出，得句辄投其中，暮归足成，不知凡几何篇。仇嫉之者尽委粪壤，今行于世才数十首，则贺不特其身之穷，而诗亦穷也。"《岁寒堂诗话》卷上："杜牧之序李贺诗云：'骚人之苗裔'，又云：'少加以理，奴仆命骚可也'。牧之论太过。贺诗乃李白乐府中出，瑰奇谲怪则似之，秀逸天拔则不及也。贺有太白之语，而无太白之韵。元、白、张籍以意为主，而失于少文；贺以词为主，而失于少理，各得其一偏。"《对床夜语》卷二："或问放翁曰：'李贺乐府，极今古之工，巨眼或未许之，何也？'翁曰：'贺词如百家锦衲，五色炫耀，光夺眼目，使人不敢熟视，求其补于用，无有也。杜牧之谓稍加以理，奴仆命骚可也，岂亦惜其词胜。若《金铜仙人辞汉》一歌，亦杰作也。然以贺视温庭筠辈，则不侔矣。'"《笺注评点李长吉歌诗》"总评"："旧看长吉诗，固喜其才，亦厌其涩。落笔细读，方知作者用心，料他人观不到此也，是千年长吉犹无知己也。以杜牧之郑重，为叙直取二三歌诗而止，始知牧亦未尝读也。即读，亦未知也。微一二歌诗，将无道长吉者矣。谓其理不及骚，未也，亦未必知骚也，骚之荒忽则过之矣；更欲仆骚，亦非也。千年长吉，余甫知之耳。诗之难读如此，而作者常呕心，何也？樊川反复称道形容，非不极至，独惜理不及骚，不知贺所长，正在理外，如惠施'坚白'，特以不近人情，而听者惑焉，是为辨。若眼前语众人意，则不待长吉能之，此长吉所以自成一家欤。"赵衍《重刊李长吉诗集序》："龙山先生为文章，法六经，尚奇语，诗极精深，体备诸家，尤长于贺。……尝云：五言之兴，始于汉而盛于魏；杂体之变，渐于晋而极于唐。穷天地之大，竭万物之富，幽之为鬼神，明之为日月，通天下之情，尽天下之变，悉归于吟咏之微。逮李长吉一出，会古今奇语而臣妾之，如'千岁石床啼鬼工'、'雄鸡一声天下白'之句，诗家比之'载鬼一车'、'日中见斗'；'洞庭明月一千里，凉风雁啼天在水'，过楚辞远甚。又云：贺之乐府，观其情状，若乾坤开阖，万汇溅溅，神其变也，欤骇人耶？"《朱子语类》卷一四〇："李贺较怪得些子，不如太白自在。"又曰："贺诗巧。"薛季宣《浪语集》（四库本）卷三〇《李长吉诗集序》："然其蔑富贵、达人伦，不以时之贵尚蒂芥乎方寸，其于末世，顾不可以厚风俗、美教化哉。其诗著矣，上世或讥以伤艳，走窃谓不然。世固有若轻而甚重者，长吉诗是也。他人之诗，不失之粗，则失之俗，要不可谓诗人之诗，长吉无是病也。其轻扬纤丽，盖能自成一家，如金玉锦绣，辉焕白日，虽难以御疗寒饥，终不以是故不为世宝。其诗当无日不赋而传者，祇此何则？"刘克庄《跋吕炎乐府》曰："乐府惟李贺最工，张籍、王建辈，皆出其下。然全集不过一小册。世传贺中表有妒贺才名，投其集溷中，故传于世者极少。余窃意不然，天地间尤物且不多得，况佳句乎？使贺集不遭厄，必不能一一如今所传本之精善，疑贺手自铨择者耳。"《麓堂诗话》："李长吉诗，字字句句欲传世，顾过于刿术，无天真自然之趣。通篇读之，有山节藻棁而无梁栋，知其非大道也。"《唐诗品》："长吉陈诗藻绘，根本六代，而流调宛转，盖出于古乐府，亦中唐之变声也。盖其天才奇旷，不守束缚，驰思高玄，莫可驾御，故往往超出蹊径，不能俯仰上下。然以中声求之，则其浮薄太清之气，扬而过高。附离骚雅之波，潜而近幻。虽协云韶之管，而非感格之音，亦可知矣。向使幽兰未萎，竟其大业，自铲靡芜，归于大雅，则其高虚之气，沉以平夷，畅朗之才，济以流美，虽太白之天藻，亦何擅其芳誉哉。"《少室山房集》卷一〇五《题李长吉集》："唐人以太白为天才绝，乐天为人才绝，长吉为鬼才绝，信乎，其各近之也。卒之太白应长庚，乐天主海山，而白玉楼一记，天帝特下诏长吉为之，岂汉庭贵少，兜率大罗之表，或以其奇思奇语，凿天巧夺化工，召而闭之玉楼中耶？世以长吉才稍加以理，奴仆命《骚》，不知长吉非附于吊诡无所置才，加以理，且并长吉俱失之，而胡《骚》之命也。”《诗镜总论》：“妖怪惑人，藏其本相，异声异色，极伎俩以为之，照入法眼，自立破耳。然则李贺其妖乎？非妖何以惑人？故鬼之有才者能妖，物之有灵者能妖，贺有异才，而不入于大道，惜乎其所之之迷也。”《唐诗镜》卷四七：“世传李贺为诗中之鬼，非也。鬼之能诗文者亦多矣，其言清而哀。贺乃魔耳，魔能睒闪迷人。贺诗之可喜者，峭刻独出。”《诗辩坻》卷三：“大历以后，解乐府遗法者，惟李贺一人。设色浓妙，而词旨多寓篇外，刻于撰语，浑于用意。中唐乐府，人称张、王，视此当有奴郎之隔耳！”又引谭友夏云：“诗家变化，盛唐已极。后又欲别出头地，自不得无东野、长吉一派。”又云：“钟伯敬称长吉刻削处不留元气，自非寿相。此评极妙。谭友夏谓从汉魏以上来，谬以千里。”《艺苑卮言》卷四：“李长吉师心，故尔作怪，亦有出人意表者。然奇过则凡，老过则稚，此君所谓不可无一，不可有二。”周益公《平园续稿》：“昔人谓诗能穷人，或谓非止穷人，有时而杀人。盖雕琢肝肠，已乖卫生之术；嘲弄万象，亦岂造物之所乐哉？唐李贺、本朝邢居实之不寿，殆以此也。”王琦《李长吉歌诗叙》注三：“琦按：须溪二说，盖欲翻杜序中语耳。杜于全集中特提出二诗，是证其能探寻前事，为古今未尝经道者，上下文意显然。未尝只取二诗，而尽弃其余也。须溪以为直取一二歌诗而止，而嗤其未尝读长吉诗。子乃嗤须溪未能细读牧之序。至于理不及《骚》，自是长吉短处，乃谓贺所长正在理外，是何等语耶？观其评赏，屡云妙处不必可解。试问作诗至不可解，妙在何处？观古今才人叹赏长吉诸诗，叹赏其可解者乎？抑叹赏其不可解者乎？叹赏其在理外者乎？抑叹赏其不在理外者乎？子谓须溪评语，疑误后人正复不少，而自附于长吉之知己，谬矣。”李维桢《昌谷诗解序》：“世目李长吉为鬼才。夫陶通明博极群书，耻一事之不知，曰：与为顽仙，宁为才鬼。然则鬼才岂易言哉。长吉名由韩昌黎起，司空表圣评昌黎诗：‘驱驾气势，若掀雷挟电，撑决天地之垠。’而长吉务去陈言，颇似之，譬之草木臭味也。由其极思苦吟，别无他嗜，阿婆所谓‘呕心乃已’，是以只字词组，必新必奇，若古人所未经道，而实皆有据案，有原委，古意郁浡其间。其庞蓄富，其裁鉴当，其结撰密，其锻炼工，其丰神超，其骨力健，典实不浮，整蔚有序，虽诘屈幽奥，意绪可寻，要以自成长吉一家言而已。杜樊川序谓……诗有别才，不必尽出于理。请就《骚》论：朱子以屈原行过中庸，辞旨流于跌宕怪神，怨怼激发，不可为训。林应辰则以词哀痛而意宏放，兴寄高远，如昆仑阆风、西海升皇之类，类庄氏寓言。刘舍人指其诡异谲怪，狷狭荒淫，四事异乎经典，而自有同乎风雅者。《骚》诣绝穷微，极命庶物，力夺天巧，浑成无迹。长吉则锋颖太露，蹊径易见，调高而不能下，气峻而不能平，是于《骚》特长拟议，未臻变化，安得奴仆骚也。……海内称诗以元、白为宗，鄙俚枯淡，稚弱猥杂，曾委巷歌谣之不如。间好为长吉鬼语，而不察长吉胸有万卷书，笔无半点尘，奈何率尔信腕信口，无所取裁，妄自攀附，犹侲子假鬼面、效鬼声，相戏相恐也。终身论堕鬼趣，才何有焉？”王思任《昌谷诗解序》：“唐以律取士，犹今日之时文也。人守其韵，世工其体，几于一管之吹矣。李贺以僻性高才，拗肠眄眼，跳梁其间。其最称笔砚知者，镜深绎隐之韩愈；而所极臧隶视者，明经中第之元稹也。贺既吐空一世，世亦以贺为蛇魅牛妖，不欲尽掩其才，而借父名以锢之。盖不待溷中之投，而贺之傲忽毒人，将姓氏不容人间世矣。贺既孤愤不遇，而所为呕心之语，日益高渺。寓今托古，比物征事，大约言悠悠之辈，何至相吓乃尔。人命至促，好景尽虚，故以其哀激之思，变为晦涩之调。喜用‘鬼’字，‘泣’字，‘死’字，‘血’字，如此之类，幽冷溪刻，法当夭乏。顾其冥心千古，涉目万书，噀空绣阁，掷地绝尘，时而蛩吟，时而鹦鹉语，时而作霜鹤唳，时而花肉媚眉，时而冰车铁马，时而宝鼎熇云，时而碧磷划电，阿闪片时，不容方物。其可解者，抱独知之契；其不可解者，甘遯世之闷。即杜牧之踵接最密，犹以为殊不能知也。”李世熊《昌谷诗解序》：“李贺所赋铜人、铜台、铜驼、梁台，恸兴亡，叹桑海，如与今人语今事，握手结胸，怆泪涟洏也。贺亦寻常今之人耳，千年心眼，何为使贺独有鬼名哉？夫唐人以贺赴帝召，共慕之为仙。今千年，学士乃畏之为鬼。以为仙，则贺死而生；以为鬼，则贺生而死矣。然则贺之死，不在二十七年之后，乃在二十七年之前也；贺之死，又不在借讳锢身、投溷掩名之日，而在千年来疑贺、摘贺、赞爱贺，自以为知贺之人也。刘会孟曰……夫鬼亦人灵而已，既以外理，又不近人，有物如是者，奚但鬼而已哉？虽然，长吉不讳死，亦自知其必复生。唐人已慕之为仙矣，贺自言则曰：‘几回天上葬神仙。’又曰：‘彭祖巫咸几回死。’是谓仙亦必死也。后人既畏之为鬼矣，贺自言则曰：‘秋坟鬼唱鲍家诗’，是谓鬼定不死也。故生死非贺所欣戚也，意贺所最不耐者，此千年来挤贺于郁瞀沉屯中，非死非生，若魇不兴者，终不能竖眉吐舌、噀血雪肠于天日之前，是贺所大苦也乎。”方拱乾《昌谷集注序》：“李长吉才人也，其诗诣当与扬子云之文诣同。所命止一绪，而百灵奔赴，直欲穷人以所不能言，并欲穷人以所不能解。当时呕出心肝，已令同俦辟易。乃不知己者，动斥之以鬼，长吉掉不受也。长吉诗总成其为才人耳，傥得永年，而老其才，以畅其识与学之所极，当必有大过人者，不仅以才人终矣。”宋琬《昌谷集注序》：“贺，王孙也，所忧宗国也，和亲之非也，求仙之妄也，藩镇之专权也，阉宦之典兵也，朋党之衅成而戎寇之祸结也。以区区奉礼之孤忠，上不能达之天子，下不能告之群臣，惟崎岖驴背，托诸幽荒险涩诸咏，庶几后之知我者。而世不察，以为神鬼，悠谬不可知。其言既无人为之深绎，而其心益无以自明，不亦重可悲乎。”姚文燮《昌谷诗注序》：“世之苛于律才人，与才人之苛于律世，两相厄也。人文沦落之日处才难，人文鼎盛之日处才尤难。……唐取士以诗，是不欲《诗》亡也，是将欲续《王风》非欲续《骚》也。而唐之才人历数百年为特盛，终唐之世，才最杰者称两王孙焉。嗟乎！唐之祖宗创制立法，以网罗奇俊，冀无一失，其云礽秀出，宜为举世所推，坐致通显，乃邀其福于祖宗者，即厄其遇于子孙，吾何能不为李白、李贺惜。唐才人皆《诗》，而白与贺独《骚》。白近乎《骚》者也；贺则幽深诡谲，较《骚》为尤甚。后之论定者，以仙予白，以鬼予贺，吾又何能不为贺惜。……贺不敢言，又不能无言，于是寓今托古，比物征事，无一不为世道人心虑。其孤忠沉郁之志，又恨不伸纸疾书，洒洒数万言，如翻江倒海，一一指陈于万乘之侧而不止者，无如其势有所不能也。故贺之为诗，其命辞、命意、命题，皆深刺当世之弊，切中当世之隐，倘不深自弢晦，则必至焚身。斯愈推愈远，愈入愈曲，愈微愈减，藏哀愤孤激之思于片章短什。言之者无罪，闻之者不审所从来。不已弄一世之奸雄才俊如聋聩喑哑，且令后世之非者、是者、恶者、好者，不得其所为是非好恶之真心，又安得其所为是非好恶之敢心哉?”《唐诗援》“选诗或问”：“长吉不求大雅，唯务险涩，其诗适足骇俗人耳。如‘几回天上葬神仙’、‘一夜严霜皆倒飞’，尤唯荒唐杜撰。”《诗源辩体》卷二六：“李贺乐府五七言，调婉而词艳，然诡幻多昧于理。其造语用字，不必来历，故可以意测而未可以言解，所谓理不必天地有，而语不必千古道。然析而论之，五言稍易，而七言尤难。按贺未尝先立题而为诗……盖出于凑合而非出于自得也。故其诗虽有佳句而其不多贯。”又云：“李贺乐府七言，声调婉媚，亦诗余之渐。”又云：“李贺古诗或不拘韵，律诗多用古韵，此唐人所未有者。”《载酒园诗话》又编：“李贺骨劲而神秀，在中唐最高浑有气格，奇不入诞，丽不入纤。虽与温、李称西昆，两家纤丽，其长自在近体。七言古勉强效之，全窃形似，此真理不足者。……宋人贬之，以为贺诗之妙，正在理外。余细观贺诗，二说俱谬。贺诗诚不能悉合于理，此词人皆然，不独贺也。”《唐诗别裁集》卷八：“长吉诗依约《楚骚》，而意取幽奥，辞取瑰奇，往往先成得意句，投锦囊中，然后足成之，所以每难疏解。……天地间不可无此种文笔，有乐天之易，自应有长吉之难。”《剑溪说诗》卷上：“昌谷歌行，不必可解，而幽新奇涩，妙处难言，殆如春闺之怨女、悲秋之志士欤?”《兰丛诗话》：“李贺集固是教外别传，即其集而观之，却体体皆佳。第四卷多误收。大抵学长吉而不得其幽深孤秀者，所为遂堕恶道。义山多学之，亦皆恶。宋元学者，又无不恶。长吉之才，佶然以生，瞿然以清，谓之为鬼不必辞，袭之以人却不得，直是造物异趣。”《野鸿诗的》：“昌谷之笔，有若鬼斧。然仅能凿凿而不能扶明，其不永年宜矣。呕心之句，亦亘古仅见。”《石洲诗话》卷二：“李长吉惊才绝艳，锵宫戛羽，下视东野，真乃蚯蚓窍中苍蝇鸣耳。虽太露肉，然却直接骚赋。更不知其逸诗复当何如？此真天地奇彩，未易一泄者也。”《愚庵小集》卷八《王吏部西樵诗集序》：“夫樊川所云理，岂非谓命意期于淳深，而无取踳驳乎？鼓气期于绵联，而无取梗涩乎？摛词撷采期于雅驯，期于丽则，而无取诡僻填缀乎？指事陈情，不有天然之杼轴乎？笼形挫物，不有日新之炉鞴乎？长吉之诗，天才瑰异，而陶冶之功未至，程之以理，则芜音累气往往而见，樊川所以深致惜乎斯人也。”崔旭《念堂诗话》：“李长吉负瑰奇之才，抱郁勃之气，故能探寻前事，深叹恨古今未尝经道者。……长吉，骚之苗裔，而不能绳其祖武，已似无病呻吟。今之学长立者，直如巫婆下神，心绝不属，信口捏造鬼语，以吓委巷之痴儿騃女已耳。”何永绍《昌谷集注序》：“贺一日不死，必有一日之著作以见志者，则自七岁至二十七，阅历廿年间，更德宗、顺宗、宪宗三朝，时事之去天宝无几，其讥刺感讽，未必不如子美之心者也。……长吉生平不敢自为史，古今人亦并不知长吉之为史，乃一旦以史加长吉，长吉亦将自信为史，人亦不得疑长吉之非史也。……其以昌谷诗为诗史者，无论其诗之得如少陵不得如少陵，归之于史则一而已。杜牧之序及诗，不及其时与事；李商隐之传及其事，不及其诗与人。”方扶南《李长吉诗集批注序》：“李贺音节如北调曲子，拗峭中别具婉媚。”又云：“人只言其歌行，而不知其五律。贺之五律与柳州之七律，皆有味外之味。局亦似紧，格亦似平，却洗削无一点尘埃。”《四库提要》卷一五〇：“贺之为诗，冥心孤诣，往往出笔墨蹊径之外，可意会而不可言传。严羽所谓诗有别趣，非关于理者，以品贺诗，最得其似。故杜牧序称其少加以理，可以奴仆命骚。而诸家所论，必欲一字一句为之诠释，故不免辗转谬辖，反成滞相。又所用典故，率多点化其意，藻饰其文，宛转关生，不名一格，如‘羲和敲日玻璃声’句，因羲和驭日而生敲日，因敲日而生玻璃声，非真有敲日事也。又如‘秋坟鬼唱鲍家诗’，因鲍照有《蒿里吟》而生鬼唱，因鬼唱而生秋坟，非真有唱诗事也。循文衍义，讵得其真。王琦解‘塞土胭脂凝夜紫’，不用紫塞之说，而改‘塞土’为‘塞上’，引《隋书》长孙晟传望见碛北有赤气，为匈奴欲灭之征，此岂复作者之意哉。”《东目馆诗见》卷一：“长吉乐府琢句颇露，刻苦少自然。退之指为《骚》之苗裔，谈何容易？然以其瑰诡，列于鬼才，又是一路。”《岘佣说诗》：“李长吉七古，虽幽僻多鬼气，其源实自《离骚》中来。哀艳荒怪之语，殊不可废惜成章者少耳。”又云：“长吉七古，不可以理求，不可以气求。譬之山妖木怪，怨月啼花，天壤间宜有此事耳。”吴闿生《李长吉诗集评注跋》：“昌谷诗上继杜、韩，下开玉溪，雄深俊伟，包有万变，其规抚意度，卓然为一大家，非唐之他家所能及。惜其早卒，所作不多，然其光气，固已衣被百世矣。……昌谷诗虽擅盛名，而真知者实鲜，以刻肾呕心之作，而世徒以幽怪赏之，不亦昌谷之大不幸乎？其集本传者亦鲜。”《三唐诗品》：“其源出于汉乐府歌谣，而拮藻于江淹、庾信。琢虚成隽，研质为华，骨重神寒，不徒诡丽，正如孤鹤唳烟，潜蛟戏海，气息幽沉，而音铿高亮。昔人讥其缀句成篇，非知言也。”《诗学渊源》卷八：“贺诗幽险缒深，务极研练，使事造语，每不经人道。光怪陆离，莫可逼视。虽左思之娇娆，齐、梁之秾丽，未能过也。而复撷《离骚》之华，极《招魂》之变，于李白、李益诸人之外独树一帜，号为鬼才，信非过誉。然绮织既艰，时露斧凿，刻意求工，转寡高致。音韵贵逸，或流而忘返；声调贵响，或亢而转窒。考以归宫之说，贺乐府诸作殊未能一一协律，当时云韶诸工欲合之管弦，不可知矣。”黄伯英《协律钩玄序》：“夫长吉诗深在情，不在辞。奇在空，不在色。至谓其理不及，则又非矣。”《黎二樵批点黄陶庵评本李长吉集》卷一：“长吉诗似小古董，不足贡明堂清庙，然使人摩挲凭吊不能已者，其理未纯而情有余也。”张佩纶《涧于日记》（涧于草堂石印本）壬辰下：“夫长吉之诗，从《骚》得法而理不及《骚》者，年为之，境为之，时代为之，此天限长吉耳，不足为长吉病。”乔松年《萝藦亭札记》（同治刻本）卷四：“李昌谷诗饾饤成文，无复义味，观其篇题当著议论者，却无一句可采，则知其中无所得矣。昔人目为鬼仙，侪之太白，真是过誉，其才正当在温岐之下耳。温有文藻，犹能以意驭之，李不能也。”《春酒堂诗话》：“长吉诗原本《风》、《骚》，留心汉、魏，其视唐人诸调，几欲夷然不屑，使天副之年，进求章法，将与明远、玄晖争席矣。【李凭箜篌引】《笺注评点李长吉歌诗》卷一：“状景如画，自其所长。箜篌声碎，有之昆山玉，颇无谓，下七字妙语，非玉箫不足以当。石破天惊，过于绕梁遏云之上，至教神妪，忽入鬼语，吴质懒态，月露无情。”《徐董评注李长吉诗集》卷一董懋策评：“说得古古怪怪。分明说李凭是月宫霓裳之乐，却说得奇观。”明于嘉刻本《李长吉诗集》：“由箜篌轻轻掣起，淡淡写落，跌出李凭，顺手摹神，何等气足。一结正尔蕴藉无限。”《唐诗快》卷一：“本咏箜篌耳，忽然说到女娲、神妪，惊天入目，变眩百怪，不可方物，直是鬼神于文。”《李长吉诗集批注》卷一：“白香山江上琵琶，韩退之颖师琴，李长吉李凭箜篌，皆摹写声音至文，韩足惊天，李足以泣鬼，白足以移人。”《协律钩玄》卷一：“此追刺开、宝小人祸国之由始也。"【还自会稽歌并序】《笺注评点李长吉歌诗》卷一："此拟庾肩吾归自会稽之作，安得不述梁亡之悲。其沉著憔悴，在先言秋衾铜辇之梦，而庾自见，殆赋外赋也。塘蒲之叹，融入秋晚，结语却如此，极是。"《唐风定》卷六："集中五言较胜歌行，而深晦太过。廷礼所取数首，一一高卓，可为巨眼。"《昌谷集》卷一曾益评："此诗不言悲，悲自无限，故序曰'以补其悲'。"《协律钩玄》卷一："前四感慨凭吊，后四潜难会稽，代补其悲。通篇模仿肩吾，词意凄婉，古拙之甚。"《诗比兴笺》卷四："杜牧之序长吉集，独举此篇及七言之《铜仙辞汉歌》，此深于知长吉，故举此二诗以明隅反也。考长吉集中，咏古题而有序者，惟此二章及《秦宫诗》，盖彼借古寄意也，而此二诗则自喻也。"【秋来】《笺注评点李长吉歌诗》卷一："非长吉自挽耶？只秋夜读书，自吊其苦，何其险语至此，然无一字不合。"《唐诗快》卷二："唱诗之鬼，岂即书客之魂耶？鲍家诗，何其听之历历不爽。"《昌谷集注》卷一："衰梧飒飒，促织鸣空，壮士感时，能无激烈。乃世之浮华干禄者，滥致青紫，即湘帙满架，仅能饱蠹。安知苦吟之士，文思精细，肠为之直，凄风苦雨，感吊悲歌，因思古来才人怀才不遇，抱恨泉壤，土中碧血，千载难消，此悲秋所由来也。"【金铜仙人辞汉歌】《笺注评点李长吉歌诗》卷二："此意思非长吉不能赋，古今无此神妙。神凝意黯，不觉铜仙能言。奇事奇语，不在言，读至'三十六宫土花碧'，铜人泪堕已信，末后三句可为断肠。后来作者，无此沉著，亦不忍极言其妙。"明于嘉刻本《李长吉诗集》："前四句有黍离之感，方落出铜人泪下，无光怪之病。又铜驼荆棘之情，言下显然。"《唐诗评选》卷一："寄意好，不无稚子气，而神骏已千里矣。"【马诗二十三首】《笺注评点李长吉歌诗》卷二："无一首不好，且无俗料。"《李长吉诗集批注》卷二："皆自寓也，人人所知，次第用意，略与《南园》诗同。先言好马须好饰……以喻有才须称。此二十三首之开章引子也。以下便如庄子重言、寓言、卮言。曲尽其义。此二十三首，乃聚精会神、伐毛洗髓而出之。造意撰辞，犹有老杜诸作之未至者。率处皆是炼处，有一字手滑耶！五绝一体，实做尤难。四唐惟一老杜，此亦摭实似之，而沉著中飘萧，亦似之。"

诗僧灵澈卒于宣州，年七十一。《全唐诗》卷八〇九编其诗一卷，《全唐诗补编·续补遗》卷三补一句，《续拾》卷二二补一首又二句。《刘宾客文集》卷一九《澈上人文集纪》："世之言诗僧多出江左，灵一导其源，护国袭之，清江扬其波，法振沿之。如幺弦孤韵，瞥入人耳，非大乐之音。独吴兴昼公，能备众体。昼公后，澈公承之，至如《芙蓉园新寺诗》云：'经来白马寺，僧到赤乌年'，《谪汀州》云：'青蝇为吊客，黄耳寄家书'，可谓入作者阃域，岂独雄于诗僧间邪?"《诗话总龟》后集卷四四引《雪浪斋日记》："灵澈诗，僧中第一，如'海月坐残夜，江春入暮年'、'窗风枯砚水，山雨慢琴弦'、'经来白马寺，僧到赤乌年'。前辈评此诗云：转石下千仞江。"《唐才子传》卷三："上人诗多警句，能备众体。"《文苑英华》卷七二九权德舆《送灵澈上人庐山回归沃洲序》："吴兴长老昼公，掇六义之清英，首冠方外。入其室者，有沃洲澈上人。上人心冥空无，而迹寄文字，故语甚夷易，如不出常境，而诸生思虑，终不可至。其变也，如风松迭韵，冰玉相扣，层峰千仞，下有金碧。耸鄙夫之目，初不敢视，三复则淡然天和，晦于其中。故睹其容，览其词者，知其心不待境静而静。"《杼山集》卷九《答权从事德舆书》："灵澈上人，足下素识，其文章挺拔瑰奇，自齐、梁已来，诗僧未见其偶。但此子迹冥累遣，心无营营，虽然，至于月下风前，犹未废是。”又其《赠包中丞书》：“有会稽沙门灵澈，年三十有六，知其有文十余年而未识之。此则闻于故秘书郎严维、随州刘使君长卿、前后殿中皇甫侍御曾常所称耳。及上人自浙右来湖上见存并示制作，观其风裁，味其情致，不下古手，不傍古人。则向之严、刘、皇甫所许，畴今所觌，则三君之言犹未尽上人之美矣。读其《道边古坟》诗，则有‘松树有死枝，冢上唯莓苔。石门无人入，古木花不开’；《答范降书》作，则有‘绿竹岁寒在，故人衰老多’；《云门雪夜》则有‘天寒猛虎叫岩雪，松下无人空有月。千年像教人不闻，烧香独为龟神说’。……又有《归湖南》，诗则有‘山边水边待月明，暂向人间借路行。如今还向山边去，唯有湖水无行路’。此僧诸作皆妙，独此一篇，使老僧见欲弃笔砚。”

顾况本年前后卒，享年约九十岁。《全唐诗》卷二六四至卷二六七编其诗为四卷，卷七五四补联句一首，《全唐诗逸》卷上补四句，《全唐诗补编·补逸》卷六补一首，《续拾》卷二二补三首又二句。《全唐文》卷五二八至卷五三〇编其文为三卷。皇甫《皇甫持正集》卷二《顾况诗集序》云：“吴中山泉气状，英淑怪丽。太湖异石，洞庭朱实，华亭清唳，与虎丘、天竺诸佛寺，均号秀绝。君出其中间，翕轻清以为性，结泠汰以为质，煦鲜荣以为词。偏于逸歌长句，骏发踔厉，往往若穿天心、出月胁，意外惊人语，非寻常所能及，最为快也。李太白、杜甫已死，非君将谁与哉?”《唐国史补》卷中：“吴人顾况，词句清绝，杂之以诙谐，尤多轻薄。为著作郎，傲毁朝列，贬死江南。”《沧浪诗话》“诗评”：“顾况诗多在元、白之上，稍有盛唐风骨处。”张为《诗人主客图》以其为“广大教化主白居易”下升堂者。《唐诗品》：“况诗天才不足，而问辩有余，虽有骨气，殊乏风采。其《补亡》诸诗，颇有流调可讽，然词旨不圆，终违机悟。晚居华山，自号华阳真逸。今观其诗，类非裁谢风尘，超脱凡径，此岂感觋于山灵者耶。”《诗薮》内编卷二：“杨用修谓中唐后无古诗，惟李端‘水国叶黄时’、温庭筠‘昨日下西洲’及刘禹锡、陆龟蒙四首。然温、李所得，六朝绪余耳。刘、陆更远，惟顾况《弃妇词》末六句颇佳。”又云：“唐人诸古体，四言无论，为骚者，太白外，王维、顾况三二家，皆意浅格卑，相去千里。”《载酒园诗话》又编：“顾况诗极有气骨，但七言长篇，粗硬中时杂鄙句，惜有高调而非雅音。如《李供奉弹箜篌歌》……真为可恨。《诗归》赏之。《乌啼曲》云：‘此是天上老鸦鸣，我闻老鸦无此声。’亦可厌。余所有顾集，无此数诗，此编诗者亦具眼也。惟《弹筝歌》尚佳……真在‘新系青丝百尺绳’之上，不宜轶去。然在集中，正不必所隐探幽，终当以《弃妇词》为第一，如‘记得初嫁日，小姑始扶床。今日君弃妾，小姑如妾长。回首语小姑，莫嫁如兄夫’。虽繁弦促节，实能使行云为之不流，庭花为之翻落。”《大历诗略》卷六：“逋翁乐府歌行多奇兴，拟之青莲近似，但无逸气耳。……其稍平正可法者却高。”《石洲诗话》卷二：“顾逋翁歌行，邪门外道，直不入格。”查世洋《重刻顾华阳集序》：“观其气度之磊落，诗笔之骏发踔厉，语必惊人，正孔门中狂者，故自称狂生。翁尝称皇甫湜为扬雄、孟某，翁即扬雄、孟某矣。其祭陆端公文曰：‘有书满屋，与人共分，破富为贫，好事日闻。’何胸次之豁达如是也。翁盖自写其郁抑不平之气，借左人为杯酒耳，非狂者而能作如是语乎?”贺桂龄《重订顾华阳集序》：“其文体与顾亭林先生有间，而骨力之苍雄，志气之豪迈，踔厉骏发，不可一世。”《三唐诗品》卷二：“其源出于汤惠休，幽永善怀，如层波叠藻，虽源澜未阔，而芳润相因。行路悲歌，扣乐府之襟喉，傅齐、梁之粉译，六朝香草，犹胜晚季风华。”《诗学渊源》卷八：“况乐府歌行颇诸于时。其杂曲长短句以体质自高，微伤于直率。《补亡》、《拟古》诸作，犹落言诠。间作绝句宫调，则殊不减王建，然已逗晚唐之光。其乐府则齐、梁也。自大历十才子下逮中、晚，师古者每取风、骚，近体则更效齐、梁，以词藻相尚，虽性灵未泯，而刻露渐甚，建安、黄初之风于是渺矣。”【洛阳早春】《瀛奎律髓汇评》卷二九方回评：“三四妆砌甚佳，不觉为俳，第五句尤可喜。何焯云：落句亦有别趣。”纪昀评：“三四偶然凑泊，不可刻意效之。”《大历诗略》卷六：“起五字飘洒，落句不粘，故园芳月却转入身客洛阳，虚度光阴，用笔何婉而善变也。”【囝】《苕溪渔隐丛话》前集卷二一引《蔡夫宽诗话》：“呼儿为囝，父为郎罢，此闽人语也。顾况作《补亡训传》十三章，其哀闽之词曰：‘囝别郎罢心摧血’。况善谐谑，故特取其方言为戏，至今观者为之发笑。”《唐诗归》钟惺评：“以其俚俗，反近风雅。又云：冤号满纸。”《唐音癸签》卷二三：“此为唐阉宦作也。……时中贵人初秉权作焰，况诗若怜之，亦若简贱之，寓有微意在。”《唐诗别裁》卷八：“闽童亦人子，何罪而遭此毒耶？即事直书，闻者足诫。”

张碧当此年后卒。《新唐书·艺文志》著录其《歌行集》二卷，《直斋书录解题》著录《张碧歌诗集》一卷，《宋史·艺文志》著录《张碧诗》一卷、《歌行》一卷，均佚。《全唐诗》卷四六九录其诗一六首、卷八八三补三首。《全唐诗补编·续补遗》卷五补一首。《唐诗纪事》卷四五云：“碧，字太碧，贞元中人。自序其诗云：碧尝读李长吉集，谓春拆红翠，霹开蛰户，其奇峭者不可攻也。及览李太白词，天与俱高，青且无际，鹏触巨海，澜涛怒翻。则观长吉之篇，若陟嵩之巅视诸阜者耶？余尝锐志，狂勇心魄，恨不得摊文阵以交锋，睹拔戟挟辀而比矣。”《唐才子传》卷五：“张碧，字太碧，贞元间举进士，累不第。便觉三山跬步、云汉咫尺。初慕李翰林之高躅，一杯一咏，必见清风。故其名字，亦皆逼似，如司马长卿希蔺相如为人也。天才卓绝，气韵不凡，委兴山水，投闲吟酌，言多野意，俱状难摹之景焉。”

公元817年（唐宪宗元和十二年　丁酉）

正月

元稹在兴元就医，作诗《生春》叹己之衰病。权德舆镇兴元，元稹作《上兴元权尚书启》，并献诗文，有《奉和权相公行次临阙驿逢郑仆射相公归朝俄顷分途因以奉赠诗十四韵》。后在梁州见刘猛、李余古题乐府诗，作《梦上天》、《将进酒》等十首和刘猛，作《君莫非》等九首和李余。其《乐府古题序》云：“自风雅至于乐流，莫非讽兴当时之事，以贻后世之人。沿袭古题，唱和重复，于文或有短长，于义咸为赘剩。尚不如寓意古题，刺美见事，犹有诗人引古以讽之义焉。曹、刘、沈、鲍之徒，时得如此，亦复稀少。近代惟诗人杜甫《悲陈陶》、《哀江头》、《兵车》、《丽人》等，凡所歌行，率皆即事名篇，无有倚傍。余少时与友人白乐天、李公垂辈，谓是为当，遂不复拟赋古题。昨南梁州见进士刘猛、李余各赋古乐府诗数十百中，一二章咸有新意，予因选而和之。其有虽用古题、全无古义者，若《出门行》不言离别，《将进酒》特书列女之类是也。其或颇同古义、全创新词者，则《田家》止述军输，《捉捕》请先蝼蚁之类是也。刘、李二子方将极意于斯文，因为粗明古今歌诗同异之音焉。”九月将归通州，独孤郁、刘猛以诗送，元稹作《酬独孤二十六送归通州》、《酬刘猛见送》。经阆州，游开元寺，写白居易诗于寺壁，作《阆州开元寺壁题乐天诗》。过蓬州，宿芳溪馆，有诗《感梦》。是年，与李逢吉有诗唱和，作《和东川李相公慈竹十二韵》、《酬东川李相公六十韵》等。另有文《贺诛吴元济表》、《贺裴相公破淮西启》，有诗《岁日赠拒非》、《赠熊士登》、《别岭南熊判官》、《生春》、《酬乐天书后三韵》、《遣行十首》、《嘉陵水》、《百牢关》、《酬乐天频梦微之》、《通州》、《得乐天书》等。

宣歙观察使范传正将李白墓由当涂迁至青山，撰《赠左拾遗翰林学士李公新墓碑》。范氏所筑，或即白居易诗《李白墓》中所言：“采石江边李白坟。”

二月

萧杰、崔龟从等三十五人登进士第。张又新登博学宏词科。时中书舍人李程知贡举。见《登科记考》卷一八。

三月

白居易仍在江州司马任。庐山草堂成，二十七日始居之。刘轲举进士赴京，白作《代书》推介于元宗简。四月九日，为《庐山草堂记》、《游大林寺序》，并有诗《大林寺桃花》及《读僧灵澈诗》。十日，作书与元稹。闰五月，兄幼文卒，有《祭浮梁大兄文》。夏，与东林寺、西林寺僧郎、满、晦等结诗社。十月，僧神凑殁，为撰塔铭并题诗。是年，另有《祭庐山文》、《与微之书》及诗《闻早莺》、《元和十二年淮寇未平诏停岁仗愤然有感率尔成章》、《过李生》、《题元十八溪亭》、《香炉峰下新置草堂即事咏怀题于石上》、《登香炉峰顶》、《小池二首》、《东南行一百韵》、《上香炉峰》、《雨夜赠元十八》、《早发楚城驿》、《建昌江》、《哭从弟》、《香炉峰下新卜山居草堂初成偶题东壁五首》、《重题》、《问刘十九》、《山中与元九书因题书后》、《醉中戏赠郑使君》、《戏问山石榴》、《刘十九同宿》、《梦微之》、《题诗屏风绝句》、《听李士良琵琶》、《彭蠡湖晚归》、《登西楼忆行简》、《中秋月》、《酬元员外三月三十日慈恩寺相忆见寄》等。【中秋月】《瀛奎律髓汇评》卷二二方回评：“中四句皆述人之失意者，末乃谓照人肠断，月实不知，即所谓雌、雄风者也。”冯班评：“不通。”冯舒评：“章法奇。”查慎行评：“诗境平熟。”纪昀评：“好在近情，而俗处亦在近情。”【问刘十九】《诗境浅说续编》：“寻常之事，人人意中所有而笔不能达者，生花江管写之，便成绝唱，此等诗是也。即以字面而论，当天寒欲雪之时，家酿新熟，炉火生温，招素心人清谈小饮，此境正复佳绝。末句之‘无’字，妙作问语，千载下如闻声也。”

刘轲（生卒年不详），字希仁，郡望彭城，沛人。贞元中至罗浮山从杨生学《春秋》经学，又曾至曹溪习佛典，一度为僧。元和初隐庐山从茅君受史学。十四年进士

及第。大和元年为福建观察使张仲方从事，历监察御史、殿中侍御史、及磁、洺等州刺史。自述有《三传指要》一五卷、《汉书右史》一〇卷、《黄中通理》三卷、《翼孟》三卷、《隋监》一卷、《三禅五革》一卷、《十三代名臣议》一〇卷。《新唐书·艺文志》著录其《三传指要》一五卷、《帝王历数歌》一卷、《牛羊日历》一卷、《刘轲文》一卷。《直斋书录题解》著录《帝王照略》、一卷、《牛羊日历》一卷。事迹见其《上座主书》、《与马植书》、《云溪友记》卷中、《唐诗纪事》卷四六等。

羊士谔由洋州移刺睦州。过苏州，有诗《题松江馆》。

六月

沈亚之行岐陇间采风，作《西边患对》。

七月

丙辰，裴度以门下侍郎同平章事兼彰义节度使，仍充淮西宣尉处置使；以刑部侍郎马总为宣尉副使，太子右庶子韩愈为彰义行军司马，以司勋员外郎李正封、都官员外郎冯正宿、礼部员外郎李宗闵皆兼御史，为判官、书记，从裴度征讨吴元济。八月，过昭应，王建作《东征行》。过女儿山，韩愈作诗《奉和裴相公东征途经女几山下作》。九月，军次郾城，韩愈与李正封作《晚秋郾城夜会联句》；韩愈另有《郾城晚饮奉赠副使马侍郎及冯李二员外》。十月，随唐节度使李愬雪夜入蔡州，擒吴元济以献，淮西平。姚合作诗《送萧正字往蔡州贺裴相淮西平》，刘禹锡作《平蔡州三首》、《贺收蔡州表》。十一月，韩愈随军回京，作诗《酬别留后侍郎》，途中与冯宿等唱和，有诗《同李二十八夜次襄城》、《过襄城》、《和李司勋过连昌宫》、《次潼关上都统相公》，刘禹锡作《城西行》，贺吴元济被杀。十二月，裴度回长安为相，韩愈为刑部侍郎。【平蔡州三首】（其二）《临汉隐居诗话》："刘禹锡诗固有好处，及其自称《平淮西》诗云：'城中喔喔晨鸡鸣，城头鼓角声和平'，为尽李愬之美。又云：'始知元和十四岁，四海重见升平年'，为尽宪宗之美。吾不知此两联为何等语也。"王楙《野客丛书》（上海古籍出版社 1991）卷九："诗人意到，自有所喜，禹锡之意，隐居自不解耳，岂可以目前之语疵之哉！且如'池塘生春草'之句，亦甚平易，是人皆能道者，灵运至谓有神助，则灵运之意，有非他人所能知也。禹锡所谓'州中喔喔晨鸡鸣，谯楼鼓角声和平'，所以见李愬不动风尘，晓入蔡州，擒捕丑虏如此。'始知元和十二载，四海重见升平年'，所以见宪宗当德宗姑息藩镇之后，能毅然削平祸乱，使人复见太平官府如此。仆尝味之，此两联正得当时之意。《隐居》以为何等语，是不思之过也。"《石洲诗话》卷二："刘宾客自称其《平蔡州》诗'城中晨鸡喔喔鸣，城头鼓角声和平'云云，意欲驾于韩《碑》、柳《雅》。此诗诚集中高作也。叙淮西事，当以梦得此诗为第一。"

八月

令狐楚为翰林学士、朝议郎、守中书舍人，于本年三月至八月间奉旨编纂《御览诗》一卷。选大历、贞元及宪宗朝时诗人，共三十人二百八十九首，“所取皆近体，间有乐府古题，其词亦皆律诗，大抵以音节谐婉为主”（《四库简明目录》）。其中刘方平十三首、皇甫冉十六首、刘复四首、郑锡十首、柳中庸九首、李嘉祐二首、李端八首、卢纶三十二首、李何一首、张起一首、郑钛四首、司空曙五首、于鹄三首、顾况十首、韦应物六首、杨凌十七首、杨凝二十九首、李宣远一首、卢殷十四首、姚系一首、马逢五首、刘阜四首、李益三十六首、李愿二首、张籍一首、霍总六首、杨凭十八首、扬巨源十四首、梁锽十首。潘之恒《元和御览诗序》：“以今观《元和御览诗》，其所录仅三十人，进诗不满三百首，与世所选十九不侔，如箫篠箜篌，异指同音，律有所持，而调有所协，故足传也。友人汪腾远氏得之古箧缮本以相示，余读之心醉十日，尚未能醒。其诗之所工，以幻为本，以灵为胎，以想为因，以虚空为典故，以迁易流动为精神，抑将爽美疢而嗜美芹，生于药石以献至尊，岂徒曼音长啸于空林邃谷间而莫之，声遏响答者以为异于彀音，若纪黍析尘，为不易辨也。盖其吟同社，其仕同朝，其隐同志，其所选在中、晚之间，若发一窍，如出一口，与今时词场所尚，若相远而实相侔。黜枝衍，存颖硕，削繁缛，尚素真，腾远氏，惟有之故似之，惟知之故乐之，至精于校雠，一字不缪，又其余事。近梓唐选者，如《英灵》、《间气》、《搜玉》、《极玄》、《箧中》、《国秀》、《才调》，俱有善本行世，独《二妙》未梓，《弘秀》为宋选，而剪绡尊前为唐词，能次第举之，其有裨于风雅非浅，而余犹以老眼属望，先序此集，标为诸选之最，惟耳目一快新赏。”《唐音癸签》卷三一：“宪宗敕学士令狐楚纂进，一卷。又名《选进集》。所载代、德两朝暨元和初诸家，凡三十人诗三百余首，内惟李益、卢纶、杨凝居多，其诗皆妍艳短章，原题亦多以嫌讳有所改易。取资宸瞩，非允艺裁。”《瀛奎律髓汇评》卷三〇郑钛《入塞曲》方回评：“唐《御览诗》郑钛四首，皆艳丽。令狐楚所选，大率取此体，不主平淡，而主丰硕云。”《诗源辩体》卷三六：“元和中，学士令狐楚所编《御览诗》一卷，凡三十人诗二百八十九首。按《卢纶墓碑》‘诗三百十一篇’，而此才二百八十九首，则中有散逸也。予初见《御览诗》，以为皆初盛唐台阁冠冕之制，及读其诗，乃大历以后人不知名者居半，且其诗多纤艳语而实非正变，僻调亦往往见之。”毛晋《跋御览诗》：“唐至元和间，风会几更，章武帝命采诗备览，学士汇次名流。选进妍艳短章三百有奇，至今缺轶颇多，已无稽考。间有顿易原题，新缀旧幅者，无过集柔翰以对宸严，此令狐氏引嫌避讳之微旨也。宁曰改窜以立异，览斯集者，当自得之。”《四库提要》卷一八六：“所录惟韦应物为天宝旧人，其余李端司空曙等皆大历以下人，张籍、杨巨源并及于同时之人，去取凡例，不甚可解。其诗惟取近体，无一古体，即《巫山高》等之用乐府题者，亦皆律诗。盖中唐以后，世务以声病谐婉相尚，其奋起而追古调者，不过韩愈等数人，楚亦限于风气，不能自异也。本传称楚于笺奏制令尤善，每一篇成，人皆传讽。《旧唐书·李商隐传》亦称楚能章奏，以其道授商隐，均不称其诗。《刘禹锡集》和楚诗，虽有‘风情不似四登坛’句，而今所传诗一卷，惟《宫中乐》五首、《从军词》五首、《年少行》四首，差为可观。气格色泽，皆与此集相同。盖取其性之所近，其他如《郡斋咏怀》诗之‘何时狃闾阖’、《九日言怀》诗之‘二九即重阳’、《立秋日悲怀》诗之‘泉终闭不开'、《秋怀寄钱侍郎》诗之'燕鸿一声叫'、《和严司空落帽台宴》诗之'马奔流电妓奔车'、《郡斋栽竹》诗之'退公闲坐对婵娟'、《青云干吕》诗之'瑞容惊不散'、《讥刘白赏春不及》之'下马贪趋广运门'，皆时作鄙句。而《赠毛仙翁》一首尤为拙钝，盖不甚避俚俗者。故此集所录如卢纶《送道士诗》、《驸马花烛》诗，郑锹《邯郸侠少年》诗，杨凌《阁前双槿》诗，皆颇涉俗格，亦其素习然也。然大致雍容谐雅，不失风格，上比《箧中集》则不足，下方《才调集》则有余，亦不以一二疵累弃其全书矣。"《四库提要》卷一九〇："诗至唐，无体不备，亦无派不有。撰录总集者，或得其性情之所近，或因乎风气之所趋，随所撰录，无不可，各成一家。故元结尚古淡，《箧中集》所录皆古淡；令狐楚尚富赡，《御览诗》所录皆富赡；方回尚生拗，《瀛奎律髓汇评》所录即多生拗之篇；元好问尚高华，《唐诗鼓吹》所录即多高华之制。盖求诗于唐如求材于山海，随取皆给，而所取之当否，则如影随形，各肖其人之学识。自明以来，诗派屡变，论唐诗者亦屡变，大抵各持偏见，未协中声。"傅增湘《藏园群书题记·集部九·校唐人选唐诗八种跋》（上海古籍出版社1989）："此书又在《间气集》之下，大抵大历以还恶诗萃于是矣。……此诗所采，大都意凡文弱，流淡无味，殆可当准敕恶诗耶。……义门于此选深致不满，致有'准敕恶诗'之讥，其持论未免稍苛。然以宪宗英武，留情词翰，殆足嗣美文皇。楚厕身禁近，奉命采进，宜准风雅遗规，关于讽刺、鉴戒之作，如杜甫、鲍防、白居易、元稹、韩愈、李绅诸人，以宣上德而通下情。而乃专录此轻艳浮靡之词，以道上于游佚，其失职甚矣。"

吴武陵自北边入京。本月前后有《上崔相公书》，崔相公，即崔群。又有《上韩舍人行军书》，时韩愈为彰义军行军司马。其《遗孟简书》为柳宗元述不平："古称一世三十年，子厚之斥十二年，殆半世矣。霆碎电射，天怒也，不能终朝，圣人在上，安有毕世而怒人臣耶!"

十二月

翰林学士沈传师奉诏修续唐次《辩谤略》三篇，广为十篇。其序云："乃诏掌文之臣令狐楚等，上自周汉，下洎隋朝，求史籍之忠贤，罹谗谤之事迹，叙瑕衅之本末，纪谣咏之浅深，编次指明，勒成十卷。"

韩愈作《祭河南张员外文》。是年，韩愈另有文《送殷员外序》、《为宰相贺白龟状》、《举钱徽自代状》、《荐樊宗师状》、《唐故河南令张君墓志铭》、《唐故大理评事胡君墓志铭》及诗《闲游二首》、《赠刑部马侍郎》、《送张侍御》、《和李司勋过连昌宫》等。【祭河南张员外文】《晚村先生八家古文精选》："篇中历叙始终离合之故，中间险韵奇语，珠语错落，乃不能掩其情，故为难也。"《山晓阁选唐大家韩昌黎全集》卷四："此篇逐段写去，妙在述被贬一段，写出荒僻难居，纪程途一段，写出风涛。每有雕词琢句，可传可颂。"《韩文起》卷八："篇中步步细叙其宦途潦倒之况，与往来山水之奇，离合悲观之意，能令千载而下，犹宛然在目，令读者欲惊欲怒，欲笑欲哭，所以人不能及。"《求阙斋读书录》卷八："以奇岖鸣其悲郁，鏖战鬼神，层迭可愕。"《评校音注古文辞类纂》卷七三引姚范云："凄丽处独以健倔出之，层见迭耸，而笔力坚

净，他人无此也。”《古文辞类纂选本》卷一〇：“文叙交谊。行气如虹，然赋色结响，无一语趋入俗调。语必己出，陆离变幻，实哀祭文中得未曾有。”

本年

柳宗元、刘禹锡有诗相酬。柳宗元有《殷贤戏批书后寄刘连州并示孟岑二童》、《重赠二首》、《叠前》、《叠后》，刘禹锡有《酬柳柳州家鸡之赠》、《答前篇》、《答后篇》。六月，柳宗元作《祭崔氏外甥女文》、《朗州司户薛君妻崔氏墓志》。七月，作《祭万年裴令文》。十月作《柳州复大云寺记》。是年，柳宗元另有《柳州东亭记》、《筝郭师墓志》等。

刘禹锡仍有诗酬马总，作《酬马大夫以愚献通草茇葜酒感通拔二字因而寄别之作》、《酬马大夫登涯口戍见寄》。是年，刘禹锡另有诗《酬刘景擢第》及《问大均赋》、《与柳子厚书》、《答道州薛郎中论书仪书》、《贺门下裴公启》等。

杨凭卒于长安。柳宗元为文遥祭，作《祭杨凭詹事文》。《全唐诗》卷二八九编其诗一卷，《全唐文》卷四七八录其文二篇。

长孙巨泽作传奇《卢陲妻传》。

苻载约于本年为郗士美泽潞幕参谋。此后不久卒。《全唐诗》卷四七二录其诗二首，断句一联。《全唐文》卷六八八至六九一编其文四卷，《唐文拾遗》卷二八录其文一篇。《郡斋读书志》卷一八：“苻载字厚之，岐襄人，幼有宏达之志。隐居庐山，聚书万卷，不为章句学。贞元中，李巽江西观察荐其材，授奉礼郎，为南昌军副使，继辟西川韦皋掌书记，泽潞郄士美参谋，历协律郎、监察御史，元和中卒。段文昌为墓志，附于后。集皆杂文，末篇有数诗而已。集前有崔郡、王湘《送符处士归觐序》，皆云载蜀人，以比司马、王、扬云。”《唐文粹》卷九八崔群《送载归蜀觐省序》云：“建中初，有峨嵋客符君，发六籍，棹三湘，深入匡庐，绝迹半纪，学窥颜子之门阈，文绍陈君之骨鲠，逸慕严光之垂钓，志效管宁之不欺，结庐熙熙，人不知其然也。”《北梦琐言》卷五：“曾览符公全集，其文简举轻便，入其堂奥者，唯建平子覃正夫乎。宋济虽有词学，其文戎泛，非符之流。”

公元818年（唐宪宗元和十三年　戊戌）

正月

杨巨源为太常博士。元日宣赦，作诗《元日含元殿下立仗丹凤楼门下宣赦相公称贺二首》。春，迁为虞部员外郎，王建有诗《贺杨巨源博士拜虞部员外》，白居易作《闻杨十二拜省郎遥以诗贺》。

元稹在通州任，权知州务。上书裴度，要求召用，有《上门下裴相公书》。春，李景信自忠州至通州晤元稹。元稹先后作《喜李十一景信到》、《李十一夜饮》、《别李十一五绝》、《通州丁溪馆夜别李景信三首》。建戛云亭。冬，为虢州长史。是年，元稹作《连昌宫词》。另有文《报三阳神文》、《告畲竹山神文》、《告畲三阳神文》，有诗《寄乐天》、《酬知退》、《二月十九日酬王十八全素》、《酬乐天春寄微之》、《酬乐天闻李尚

书拜相以诗见贺》、《酬乐天东南行诗一百韵》、《虫豸诗七首》等。【连昌宫词】《容斋随笔》卷一五："元微之、白乐天在唐元和、长庆间齐名，其赋咏天宝时事，《连昌宫词》、《长恨歌》皆脍炙人口，使读之者情性荡摇，如身生其时，亲见其事，殆未易以优劣论也。然《长恨歌》不过述明皇追怆贵妃始末，无他激扬，不若《连昌词》有监戒规讽之意。"《墨庄漫录》卷六："乐天作《长恨歌》，元微之作《连昌宫词》，皆纪明皇时事也。予以为微之之作过白乐天之歌。白止于荒淫之语，终篇无所规正；元之词乃微而显，其荒纵之意皆可考，卒章乃不忘箴讽，为优也。"《艺苑卮言》卷四："《连昌宫辞》似胜《长恨》，非谓议论也，《连昌》有风骨耳。"《载酒园诗话》又编："《连昌宫词》轻隽，《长恨歌》婉丽，《津阳门诗》丰赡，要当首白而尾郑。顾前人诸选，惟收元作者，以其含有讽喻耳。"《岘佣说诗》："元微之《连昌宫词》亦一时传颂，而失体尤甚。如'力士传呼觅念奴，念奴潜伴诸郎宿'，宫闱丑事，薄之诗歌，可谓小人无忌惮矣。"【酬乐天东南行诗一百韵】《唐音审体》卷一三："百韵律诗少陵创之，字字次韵元、白创之。前人和诗，和其意不用其韵，自元、白创此格，皮、陆继之，后人始以次韵为常矣。二公长律最多，不可胜载。"

二月

李廓、柳仲郢、刘轲等三十二人登进士第。时中书舍人庾承宣知贡举，试《玉声如乐》诗。章孝标落第，作《归燕词》献庾承宣。后游蜀，有《上西川王尚书》。王尚书，即王播。李廓（生卒年不详），陇西人，宰相程之子。进士及第后授司经局正字，累官太常丞、刑部侍郎、武宁军节度使。大中末，为颍州刺史，转观察使，卒。与姚合、贾岛、顾非熊等友善。《直斋书录解题》著录《李廓诗集》一卷，已散佚。据《唐诗纪事》卷六〇、《唐才子传》卷六等。章孝标（生卒年不详），字道正，睦州桐庐人。元和十四年进士及第，历官秘书省正字、校书郎。大和中以大理评事充山南东道节度使从事。《新唐书·艺文志》著录《章孝标诗》一卷。

韩愈上所撰《平淮西碑》，被指为不实，命段文昌重撰。《旧唐书·韩愈传》："仍诏愈撰《平淮西碑》，其辞多叙裴度事。时先入蔡州擒吴元济，李愬功第一，愬不平之。愬妻出入禁中，因诉碑辞不实，诏令磨愈文。宪宗命翰林学士段文昌重撰文勒石。"是年，韩愈另有诗《送李员外院长分司东都》、《独钓四首》、《咏灯花同侯十一》及文《答殷侍御书》、《改葬服议》、《进撰平淮西碑文表》、《奏韩弘人事物表》、《谢许受韩弘物状》、《唐故凤翔陇州节度使李公墓志铭》等。【平淮西碑（韩愈）】《唐宋八大家文钞》卷一一："通篇次第战功摹仿《史》、《汉》，而其辞旨特自出机轴。其最好处在得臣下颂美天子之体。"郑瑗《井观琐言》（四库本）卷一："惟叙宪宗命将遣师处，是学《尚书》舜命九官文法，其余叙事不袭《书》体，而森严可法。"《崇古文诀》卷九："布置回护，叙事有法。"《山晓阁选唐大家韩昌黎全集》卷三："一起，从天眷大唐，祖功宗德，原原委委说来，何等阔大。中幅颂宪宗平蔡，先说一段平定四方，说得何等励精图治，然后入平蔡始末，记廷议、记命帅，记战功、记克敌、记赦宥、记论功，段段写来，如见当日皇灵赫濯，将士用命，山岳皆惊。最妙在命帅、战

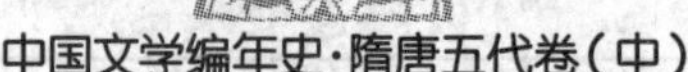

阵、克敌三段。命帅一段写得历历落落，如见大将登坛，调遣六军，一时分兵四出，五花八门，莫测其妙。战阵一段，写得整整齐齐，如见鸣金收军，上功幕府，一时军校各争献纳。克敌一段，写得我师益锐，敌势益穷，如见雪夜疾驰，夜半斩门，偏师成擒，元凶授首光景，真绝笔也。”《古文渊鉴》卷三六：“浑噩似诰铭，高古如《雅》、《颂》，体裁弘巨，断为唐文第一。”又引王熙云：“《典谟》、《训诰》之文，《清庙》、《生民》之句，一洗唐人碑版习气，宋儒谓其辞严义伟，制作如经，斯言得之。”《古文析义》卷五：“此昌黎讽天子命所作，乃全集中第一用意文字，语语归功于天子之明断，庄重有体，古雅绝伦。”《古文辞类纂选本》卷八：“此文摹《尚书》，人人知之。然有《尚书》之光色声响，而不落其窠臼，此所以成为昌黎。”方苞《方望溪先生全集》（商务印务馆 1935）卷五《书韩退之平淮西碑后》：“此意惟韩子识之，故其铭辞未有义具于碑志者。或体制所宜，事有覆举，则必以补本文之间缺。如此篇兵谋战功详于序，而既平后情事则以铭出之，其大指然也。前幅盖隐括序文。然序述比数世乱，而铭原乱之所生。序言官怠，而铭兼民困。序载战降之数，铭具出兵之数。序标洄曲、文城收功之由，而铭备时曲、陵云、邵陵、郾城、新城比胜之迹。至于师道之刺、元衡之伤、兵顿于久屯，相度之后至，皆前序所未及也。”【平淮西碑（段文昌）】《侯鲭录》卷二：“绍圣中，有人过临江军驿舍，题二诗，不书姓名。时贬东坡，毁上清宫碑，令蔡京别撰。诗云……又云：‘晋公功业冠皇唐，吏部文章日月光。千载断碑人脍炙，不知世有段文昌。’”《唐语林》卷二：“段相文昌重为《淮西碑》，碑头便曰：‘韩弘为统，公武为将’，用《左氏》‘栾书将中军，栾黡佐之’，文势也甚善，亦是效班固《燕然碑》样，别是一家之美。”

春

白居易在江州司马任。弟行简自东川至，白居易作诗《对酒示行简》、《湖亭与行简宿》。十二月，授忠州刺史，作《除忠州寄谢崔相公》。是年，白居易另有《江州司马厅记》、《三谣》及诗《白云期》、《咏怀》、《夜琴》、《达理二首》、《郭虚舟相访》、《浩歌行》、《自题》、《寻郭道士不遇》、《南胡早春》、《题韦家泉池》、《醉中别红叶》、《梦亡友刘太白同游章敬寺》、《早秋晚望呈韦侍御》、《司马厅独宿》、《苦热喜凉》、《梦与李七庾三十三同访元九》、《答元郎中杨员外喜乌见寄》、《山中酬江州崔使君见寄》、《闻李尚书拜相因以长句寄贺微之》、《李白墓》、《题崔使君新楼》、《山中戏问催侍御》、《八月十五日夜湓亭望月》、《浔阳秋怀赠许明府》、《寄微之》、《答元八郎中杨十二博士》等。

刘禹锡在连州刺史任，有《崔元受少府自贬所还遗山姜花以诗答之》、《伤循州浑尚书》、《与刑部韩侍郎书》。正月，作《贺赦表》、《贺赦笺》、《上门下裴相公启》。五月，有《贺雪镇州表》。六月，作《传信方述》。八月，于頔卒（《全唐诗》卷四七三存其诗二首，《全唐文》卷五四四录其文三篇），作《湖南观察使故相国袁公挽歌三首》、《故相国燕国公于司空挽歌二首》。是年，僧浩初归长沙，作《海阳湖别浩初师》，又撰《大鉴禅师第二碑》。另有《答道州薛郎中论方书书》、《贺门下李相公启》、

《唐故衡岳律大师湘潭唐兴寺俨公碑》。

四月

许孟容卒，年七十六。《全唐诗》卷三三〇存其诗三首。《全唐文》四七九录其文八篇。

七月

下制数李师道罪状，令宣武、魏博、义成、武宁、横海兵讨之。姚合时在魏博幕中，作《从军行》抒怀。秋，贾岛来访，姚作《喜贾岛至》，贾岛作《酬姚合校书》。

八月

权德舆自兴元召回，道卒，年六十。《全唐诗》卷三二〇至卷三二九编其诗为一〇卷，《全唐诗补编·补逸》卷六补诗一首，《续补遗》卷五补七首，《续拾》卷二三补二首。《全唐文》卷四八三至卷五〇九编其文为二七卷，《唐文拾遗》卷二四补文一篇。杨於陵、王仲舒、李直方、萧籍皆有祭文，韩愈作《唐故相权公墓碑》。《文苑英华》卷七〇七杨嗣复《丞相礼部尚书文公权德舆文集序》："公昔自纂录为《制集》五十卷，托于友人湖南观察使杨公凭为之序，故今不在编次内。其它千名万状，随意所属，牢笼今古，穷极微细，周流于亲爱情理之间，磅礴于勋贤久大之业，不为利疚，不以菲废，本乎道以行乎文，故能独步当时，人人心服，非以德爵齿侠而致之。贞元中，奉诏考定贤良，草泽之士升名士十七人；及为礼部侍郎，擢进士第者七十有二。"《旧唐书》卷一四八《权德舆传》："德舆自贞元至元和三十年间，羽仪朝行，性直亮宽恕，动作语言，一无外饰，蕴藉风流，为时称向。于述作特盛，《六经》、百氏，游泳渐渍，其文雅正而弘博，王侯将相洎当时名人薨殁，以铭纪为请者什八九，时人以为宗匠焉。尤嗜读书，无寸景暂倦，有文集五十卷，行于代。"《新唐书》卷一六五《权德舆传》："尝著论，辨汉所以亡，西京以张禹，东京以胡广，大指有补于世。其文雅正赡缛，当时公卿侯王功德卓异者，皆所铭纪，十常七八。虽动止无外饰，其酝藉风流，自然可慕。贞元、元和间，为搢绅羽仪云。"《皇甫持正集》卷一《谕业》："权文公之文，如朱门大第，而气势横敞，廊庑廪户牖悉同，然而不能有新规胜概，令人竦观。"谢采伯《密斋笔记》（四库本）卷三："权德舆文，史臣赞云'雅正赡缛'，余以富贵人为文词，自然温润，欧阳公其俦也。"《沧浪诗话》"诗评"："权德舆之诗，却有绝似盛唐者。权德舆或有似韦苏州、刘长卿处。"《唐才子传》卷五："德舆能赋诗，工古调乐府，极多情致。"《诗源辩体》卷二二："五言虽古不甚工，然杂用律体者少，中有四、五篇，气格绝类盛唐。七言古，语虽奇艳而格亦不卑。律诗，五言声气实胜，而七言则未为工。"又云："李益、权德舆在大历之后，而其诗气格有类盛唐者，乃是其气质不同，非有意复古也。"《唐诗品》："权公幼有令度，神情超越，遂传词艺，为时所慕。贞元以后近体寄繁，古声渐杳，公乃独专其美，取隆高代。五言近体，亦先气格而后词藻，然气候既至，藻亦自丰。其在开元名手，亦堂奥之间者。”《诗辩坻》卷三：“元和诗誉，不振已极，唯权文公乃颇见初唐遗构，亦一奇也”《古文雅正》卷七：“权文公在当时以文章著名，然尚未脱排偶气。”《静居绪言》：“权载之推刘文房为‘五言长城’，盖指近体也。载之古诗，远过文房。”《三唐诗品》：“其源出于陆韩卿，而远祖嵇叔。风流典赡，累在才多，下笔不休，取评戎散。如‘浩歌坐虚室，庭树生凉风’，亦自工意发端，通体神远。律裁清稳。七言绮丽，离合建除，称各六府。梁、陈小体，亦拟简文，而艳炼不如也。”《四库全书简明目录》卷一五：“其诗精炼不足，而有雍容之气象。”【敷水驿】《唐诗快》卷一四：“用乐府本色语，甚趣。”《灵芬馆诗话》：“权公以文章名世，而诗多丰缛修整，无可动人。惟《敷说驿》一绝，颇有风趣。”【两汉辩亡论】《唐宋文举要》甲编卷一：“持议正大，可为小人儒下一针砭。”《古文渊鉴》卷三五：“尊道重儒，君临之极轨。若张禹、胡广辈，致身宠荣，苟贪禄利，使后世指目可谓士林之羞矣。”《古文雅正》卷七：“此论堪为朱云、李固吐气，亦使世上有一种假儒者无骨气人，见之羞死。”【唐赠兵部尚书宣公陆贽翰苑集序】《古文雅正》卷七：“权文公在当时以文章著名，然尚未脱排偶气。为宰相虽无甚建明，然亦与庸碌者迥别。此篇序宣公，议论兼叙事，可歌可诵。吾喜宣公之为人，故读权公此篇，更低徊不忍释也。”

十一月

马宇卒，年约八十。《新唐书·艺文志》著录有《凤池录》五〇卷、《段公别传》二卷及《历代纪录》、《类史》、《纂宝》、《折桂枝》、《新罗纪行》、《将相别传》等，均佚。今存《段公别传》逸文，见《资治通鉴考异》。

十二月

庚戌朔，宪宗遣中使赴凤翔法门寺迎佛指骨。

本年

柳宗元在柳州，年初作《平淮夷雅》两篇并序及《献平淮夷雅表》献于宪宗，并有《上裴晋公献唐雅诗启》、《上襄阳李仆射献唐雅诗启》。桂管观察使裴行立作訾家洲亭，柳宗元作《桂州裴中丞作訾家亭记》及《上裴行立中丞撰訾家洲记启》。是年，另有《上门下李夷简相公陈情书》、《万年令裴府君墓碣》、《襄阳丞赵君墓志》。【平淮夷雅】《朱子语类》卷一三九：“柳学人处便绝似，《平淮夷雅》之类甚似诗。”李如篪《东园丛说》(四库本)卷下：“子厚《平淮夷雅》，读之如清风袭人，穆然可爱，与吉甫辈所作无异矣。”《载酒园诗话》又编：“《平淮雅》二篇，诚唐音之冠。柳子亦深自负，但终不可以入周诗。”陶文藻《唐诗向荣集》(乾隆刻本)卷上：“魏、晋以来，四言诗惟源明、叔夜能自写性灵，其措词涉色，以求异《三百篇》取胜。余子则欲摹《毛诗》而又勿能肖。子厚此诗朴质古茂，颇为近之。”《岘斋诗谈》卷五：“《平夷淮雅》亦自修洁质炼，毕竟不及周《雅》之宽裕舒徐，此是风气限定，文人无可奈何。然其峭劲，又非宋以后所及。”《剑溪说诗》又编：“《平淮夷雅》森严有体，不及韩跌宕多姿态，然已卓绝古今矣。”《古文渊鉴》卷三七：“颂扬国美之文，典雅为上，宏赡次之，华缛又次之，如此其上乘也。”《唐宋文醇》卷一一引穆修曰：“《平淮夷雅》非只词似古人，要其理亦不诎于古。如‘公曰徐之’、‘往舒余仁’等语，其于古者胜殷遏刘、止戈为武之义，岂爽毫发？吾知圣人复起，采而录之，以续正雅决矣。”【为裴中丞伐黄贼转牒】《四六法海》卷九：“读《姚州露布》二篇，如人五都之市，令人目不给赏。然一再读，意味亦只如此。子厚此牒，未尝不丽，未尝不艳，然却不必如此矜炫。此其尘垢粃糠犹将陶铸王、骆也。”【上门下李夷简相公陈情书】《唐宋八大家文钞》卷二〇：“子厚困阨之久，故其书呼号哀吁若此。”《山晓阁选唐大家柳柳州全集》卷一：“此文分两半篇看：上半篇是隐喻，下半篇是实说。上半篇妙在将下半篇所欲言者，句句影起；下半篇妙在将上半篇已言者，句句点合。只是一篇前虚后实之文，蓝本从昌黎《后十九日上宰相书》脱化出来，一结更见收拾全力。”《金圣叹批才子古文》卷一二：“沉困既久，其言至悲，与昌黎《应科目时书》绝不同。盖彼段段、句句、字字，负气傲岸；此段段、句句、字字，迫蹙掩抑，则所处之地不同也。”《义门读书记》卷三七：“此篇前仿《国策》，结参汉体。李云：此文格调似韩子，固知当日切磨相资，同工异曲也。按：此与《应科目日与人书》貌似，而命意殊不如韩之工，用笔亦烦简纡径差异。韩作于少年，柳作于晚岁，以一文论，则韩果数倍矣。求诸全集可也。”【襄阳丞赵君墓志】《唐宋八大家文钞》卷二七：“事奇文亦奇，古来绝调。”《唐宋文醇》卷一八：“柳州斯文，规抚丘明，甚似而几矣。”

皇甫湜在襄阳幕。王胶自江陵赴京谒韩愈，湜作《送王胶序》，又作诗《公安园池》。后韩愈有《读皇甫湜公安园池诗书其后二首》。【读皇甫湜公安园池诗书其后二首】《韩诗臆说》卷一：“此诗因朱子有多不可晓之语，遂置不观二十年矣，后读之恍然。盖持正以不合于时人，发而为诗，昌黎言此辈如虫鱼粪壤，何足与较而劳我心志？千载之业，固将有在，勉而进之，则眼前勃溪不值一唾矣。”

韦处厚为开州刺史，作《盛山十二诗》。其后和者甚多。

李德裕在河东军幕，本年代张弘靖作有《代高平公进书画状》、《进玄宗马射图状》。另有诗《赠圆明上人》、《赠奉律上人》、《戏赠慎微寺主道安上座三僧正》、《奉和山亭书怀》、《奉和韦侍御陪相公游开义五言六韵》。

李公佐撰《谢小娥传》。《文章辨体汇选》卷四二三邹之麟《谢小娥》：“夫鬼神既已示之梦中，即示之耳，故作隐语，岂前知有射覆者，显其奇耶？娥之为女、为孀、为佣、为尼，殆不可方物而究也。于父孝，于夫贞，古所称有道仁人也，虽曰女子，吾不信之矣。”

沈亚之撰《湘中怨》。《四库提要》卷一五〇：“其中如《秦梦记》、《异梦录》、《湘中怨解》，大抵讳其本事，托之寓言，如唐人《后土夫人传》之类。刘克庄《后村诗话》诋其名检扫地，王士祯《池北偶谈》亦谓弄玉、邢凤等事大抵近小说家言。考《秦梦记》、《异梦录》二篇见《太平广记》二百八十二卷，《湘中怨解》一篇见《太平广记》二百九十八卷，均注曰出《异闻集》，不云出亚之本集。然则或亚之偶然戏笔，为小说家所采，从来编亚之集者，又从小说摭入之，非原本所旧有欤。”

无名氏《东阳夜怪录》约成于本年或秒后。

公元 819 年（唐宪宗元和十四年　己亥）

正月

韩愈上《论佛骨表》。宪宗遣人赴凤翔法门寺迎佛骨，韩愈上表极谏，得罪，十四日，贬为潮州刺史。即日上道，至蓝关，有诗《左迁至蓝关示侄孙湘》。抵潮州，作《潮州刺史谢上表》、《潮州请置乡校表》、《潮州祭神文五首》、《鳄鱼文》。【论佛骨表】《山晓阁选唐大家韩昌黎全集》卷一：“此篇前幅分两段看，一是言上古无佛得寿，一是言后世崇佛反不得寿。盖因德宗当日崇佛祈寿，故为此论。妙在中幅，不说人主崇佛，反说是人主戏玩，附会得最妙；不说是天资敬信，反说是愚民易惑，警切得最深。盖有此一段附会文字，方曲得委婉，有此一段警切文字，方转得醒透。”又引郭明龙云：“文字无粉饰，一味痛快，此公一生大节所在，读之犹觉正气凛然。”《古文渊鉴》卷三五：“义正词直，足以祛世俗之惑，允为有唐一代儒宗。”张伯行《唐宋八大家文钞》卷一：“韩公此文，斥异端，扶世道，明目张胆，不顾利害，是宇宙间大有关系文字。”《援鹑堂笔记》卷四二：“叙次论断简质明健处，见公文字之老境。”《古文眉诠》卷四六：“宪宗武功得志，事佛求福，故只就福报言之。然此止说得述古一截耳，岂不见入事后用‘圣明不信此等’一笔扫开，全从国体立论。其高在此。”《评校音注古文辞类纂》卷一六引张裕钊云：“此篇与西汉人奏议为近。意义亦明显无殊绝处，而淋漓古郁，真气坌涌，使人读之不厌。”《古文辞类纂选本》卷三：“此表直质极矣，一片爱之心，出言无择。……通篇据先王之道，明利害祸福之理，语语庄重切挚。”【左迁至蓝关示侄孙湘】《唐宋诗醇》卷三一李光地曰：“《佛骨》一表，孤映千古，而此诗配之，尤妙在许大题目，而以‘除弊事’三字了却。”【潮州刺史谢上表】《滹南集》卷二九“臣事实辨”：“退之不善处穷，哀号之语，见于文字，世多讥之。然此亦人之至情，未足深怪。至《潮州谢表》以东封之事迎宪宗，是则罪之大者矣。封禅，忠臣之所讳也，退之不忍须臾之穷，遂为此谀悦之计，高自称誉，其铺张歌诵之能而不少让，盖冀幸上之一动，则可怜之态不得不至于此。其不及欧、苏远矣。”《义门读书记》卷三三：“篇中并无乞怜，祗自伤耳。若以文章自任，非惟时辈见推，即宪宗亦自深知之也。”《唐宋八大家文钞》卷一：“昌黎遭患忧谗，情哀词迫。”《唐宋八大家类选》卷一：“公极用意文字，汉惟司马子长笔力相抗，其次相如、子云或可几此，匡、刘不能为也。”《古文范》卷三：“其经营之重，盖不减《平淮西碑》，全运以汉赋之气体。如铸精金纯铁，如驱千军万马，山起潮立，坚刚直达，山岳可穿。读之，每字入口皆有千钧万石之重。至于切要之处，则精神喷溢而出，声光炯炯，轩天拔地，所谓编之《诗》、《书》之策而无愧，措之乎天地之间而无亏，盖能言称其实者也。”【鳄鱼文】《古文观止》卷八：“全篇只是不许鳄鱼杂处此土，处处提出‘天子’、‘刺史’二字压服他。如问罪之师，正正堂堂之阵，能令反侧子心寒胆栗。”《重订古文释义新编》卷七：“开首提先王作案，笼起全篇大旨，随接入后王，以宽其既往，放松

一笔，跌宕取势。以下盛称列天子德威，切指刺史治民责任，总见鳄鱼不可杂处此土。其言刺史处，语语亦归到天子。义最严重，势最堂皇。入后乃言及驱，至末并言及杀。次第位置，结构精神，直令一片精诚，流溢楮墨间。任是强悍不驯之物，应无不闻而屈服也。观鳄鱼远徙，知此为功于民者生不少。”《古文辞类纂》卷七：“文中两用‘况’字，是一纵一缩之法。入手‘后王德薄’四字，是指汉魏之君；‘不能远有’，指近处而言。江汉与京师为迩，尚皆弃之，则潮为鳄据，尚何言说。用一‘况’字，是纵之之法也。一提出唐天子，则神武之力远及海外，潮之分野属于扬州，又关系天地宗庙百神享祀之壤，则与朝廷大有关切。用一‘况’字，是缩之之法。”又云：“中间称刺史，必及天子；尊天子，必称刺史。为忧民之故，所以不得不辨，纯是一团愚忠，生出一篇至文。初若不知其愚，实则忠君爱民一段诚款，激成一篇好文字。读者当领取其浩然之气。此文真可当得‘雄直’两字。”《唐宋八家类选》卷一四：“先喻以义，继导其归，末复慑之以威。”《唐宋八大家文钞》卷一六：“词严义正，看之便足动鬼神。”《唐宋八家文读本》卷六：“从天子说到刺史，如高屋之建瓴水，一路逼拶而来，到后段运以雷霆斧钺之笔，凛不可犯。”

二月

章孝标、陈去疾、韦中立等三十一人登进士第。时中书舍人庾承宣知贡举，试《王师如时雨赋》、《骐骥长鸣》诗。章孝标及第后，有诗《及第后寄广陵故人》，李绅有诗《答章孝标》。后章孝标授秘书省正字，居道政坊，朱庆余作诗《题章正字新居》。

朱庆余（生卒年不详），名可久，行大，越州人。宝历二年进士及第，授秘书省校书郎。与贾岛、姚合、章孝标、顾非熊、张籍等多有唱和。《新唐书·艺文志》四著录《朱庆余诗》一卷。事迹见《云溪友议》卷下、《直斋书录解题》卷一九等。

李师道为其都知兵马使刘悟所杀，淄青平。刘禹锡在连州，闻之作《平齐行》；王建作诗《寄托贺田侍中东平功成》；姚合亦有诗《闻魏州贼破》；鲍溶在淮南，有诗《和淮南李相公夷简喜平淄青回军之作》、《寄宋申锡评事时从李少师移军回归》。

三月

白居易携白行简赴忠州刺史任，元稹自通州改虢州长史。十一日遇于黄牛峡中，停舟夷陵，三人同游三游洞，三宿而别，作有《三游洞序》。二十八日抵达忠州，与万州刺史有诗赠答。是年，白居易有《忠州刺史谢上表》、《贺平淄青表》、《和上尊号后大赦天下表》及诗《初入峡有感》、《过昭君村》、《自江州至忠州》、《初到忠州登楼寄万州杨八使君》、《西楼夜》、《东楼晓》、《寄王质夫》、《招萧处士》、《庭槐》、《送客回晚兴》、《东楼竹》、《九日登巴台》、《东城寻春》、《江上送客》、《桐花》、《征秋税毕题郡南亭》、《岁晚》、《别草堂》、《负冬日》、《江州赴忠州至江陵以来舟中示舍弟五十韵》、《题岳阳楼》、《入峡次巴东》、《题峡中石上》、《夜入瞿塘峡》、《初到忠州赠李六》、《郡斋暇日忆庐山草堂兼寄二林僧社三十韵皆叙贬官以来出处之意》、《赠康叟》、《鹦鹉》、《东城春意》、《浔阳宴别》、《行次夏口先寄李大夫》、《重赠李大夫》、

《种桃杏》、《和万州杨使君四绝句》、《和行简望郡南山》、《送客归京》、《种荔枝》、《阴雨》、《寄微之》、《醉后戏题》、《东楼招客夜饮》、《酬严中丞晚眺黔江见寄》、《寄题杨万州四望楼》、《答杨使君登楼见忆》、《冬至夜》、《除夜》、《竹枝词四首》等。【初到忠州赠李六】《瀛奎律髓汇评》卷四三方回评："元和末自江州司马移忠州刺史。此等迁谪作太守，未为恶也，而气象遽如此。查慎行评：一味条畅。又纪昀评：三句香山习径。"【郡斋暇日忆庐山草堂兼寄二林僧社三十韵皆叙贬官以来出处之意】《唐宋诗醇》卷二四："一路顺叙，熨贴中针线细密，宛转斡旋，无一毫痕迹，此种长律正不易得。"

元稹经东都至虢州。后召为膳部员外郎。令狐楚赞赏其诗，元取诗二百首上之，作《令狐相公启》。是年，有诗《酬乐天江楼夜吟稹诗因成三十韵》、《哭小女降真》、《书剑》、《哭女樊四十韵》、《酬乐天叹损伤见寄》、《春晓》、《李娃行》等。

四月

裴度罢相，为镇太原。张籍有诗《送裴相公赴镇太原》，王建有《送裴相公上太原》诗。

李翱入朝为国子博士、史馆修撰，多有建言。有《陵庙日时朔祭议》、《百官行状奏》等。【百官行状奏】《唐宋文醇》卷二〇："李翱所论取行状，必直叙实事，不得虚加浮词，实史馆之良法。然即如翱所奏，而行状备具于史馆矣。顾其所谓必有人知其真伪，不然者，则其人固不世出也。噫，难言矣哉。"

杜温夫来柳州拜谒柳宗元，并将取道连州至潮州，谒刘禹锡、韩愈，柳宗元作《复杜温夫书》。是年柳宗元另有《贺破东平表》、《为裴中丞贺破东平表》、《贺东平赦表》、《贺分淄青为三道表》、《礼部贺册尊号表》、《为裴中丞谢讨黄贼表》、《答郑员外贺启》、《答诸州贺启》、《上户部状》、《柳州上本府状》、《韦夫人坟记》、《岭南盐铁李侍御墓志》、《邕管李中丞墓志》、《处士裴君墓志》、《试大理评事裴君墓志》、《秘书郎姜君墓志》、《邕州刺史李公志》。【复杜温夫书】《唐宋八大家文钞》卷一九："上旨似倨，而语亦多光焰。"《晚村先生八家古文精选》："以古道自抗，文亦浑朴坚峭，子厚诸书中，此为最醇。"《容斋随笔》卷七："味其所用助字，开阖变化，使人之意飞动，此难以为温夫辈言也。"【礼部贺册尊号表】《山晓阁选唐大家柳柳州全集》卷一："笺表自入骈体，每皆浮泛不切，于题中甚远。然欲贴切，又入小家纤悉。此篇只将尊号十字，逐字详发，既不浮泛，又不甚纤悉，自是庄严得体。"【为裴中丞贺破东平表】《河东先生集录》卷六："一气舒卷，骋议论于声律排偶之中，坡公表启，滥觞于此。"

皇甫湜在江陵，僧简将至潮州谒韩愈，湜作《送简师序》。

五月

张弘靖入朝为吏部尚书。李德裕随之入朝，为监察御史，是年有文《掌书记亭壁记》。王建有诗《和裴相公道中赠别张相公》。九月，魏博节度使田弘正入觐，王建作《朝天词十首寄上魏博田侍中》。

羊士谔自睦州刺史征为户部郎中，此后不久卒。《全唐诗》卷三三二编其诗一卷。《全唐诗补编·续拾》卷二三补一则。《全唐文》卷六一三录其文五篇。《唐才子传》卷五："士谔工诗，妙造梁选，作皆典重。早岁尝游女儿山，有卜筑之志，勋名相迫，不遂初心。"张为《诗人主客图》以其为"广大教化主"白居易下入室者。《唐诗品》："士谔诗气格昂然，不落卑调。然例之能品，亦萧然微尔。予谓士谔诗如素障子，虽无烂目之华，欲摘其瑕，亦无处下手。"《载酒园诗话》又编："诗有美不胜收，品居中下者。亦有无一言可举，不得不称为胜流者，以风度论也。知此可以定羊资州诗矣。贞元后，集中有佳诗易，无恶诗难。羊士谔诗虽不甚佳，却求一字之恶不可得。"【台中遇直晨览萧侍御壁画山水】《唐诗别裁集》卷二〇："随所感触，无非归兴，不必作画者果有此心。"《诗法简易录》："首二句写台中景物荒凉寥落，是以见壁画山水而动归心也。不必作画者果有此意。"【西郊兰若】《瀛奎律髓汇评》卷四七："方回评：五、六有夏间山居之景。眼前事，只他人自难道也。纪昀评：此尚非人不能道语。三、四自然，绰有远致。"【郡中即事三首】（其二）《删订唐诗解》"七言绝句"："言越女已有伤感之心，若见花之尽落，更不堪矣。越女恐是自况。"《唐诗摘抄》卷四："朱之荆补评：此诗寓意深至，有无限新故之感在其中。"《唐诗笺注》卷九："摇落之悲，殊难寓目，况以含情越女，岂能相对堪此。'莫教'二字，凄婉入神。"《诗境浅说》续编："渚莲香尽，露气初溥，此时越女伤秋，已觉乱愁无次，若更相曳长袖而依回栏，对此凄凉池馆，将添得愁思几许。此诗善用曲笔，如竟言惆怅凭栏，便觉少味矣。"

十月

柳宗元卒于柳州刺史任，年四十七。《全唐文》卷五六九至卷五九三编其文为二五卷，《全唐诗》卷三五〇至卷三五三编其诗为四卷，《全唐诗补编·续拾》卷二三补诗三首。《刘宾客文集》卷一九《唐故尚书礼部员外郎柳君集纪》："八音与政通，而文章与时高下。……某执书以泣，遂编次为三十，通行于世。子厚之丧，昌黎韩退之志其墓，且以书来吊曰：'哀哉，若人之不淑。吾尝评其文，雄深雅健似司马子长，崔、蔡不足多也'。安定皇甫湜于文章少所推让，亦以退之之言为然。"又卷一〇《答柳子厚书》："书竟获新文二篇，且戏余曰：'将子为巨衡以揣其钧石铢黍。'余吟而绎之，顾其词甚约，而味渊然以长，气为干，文为支，跨跞古今，鼓行乘空，附离不以凿枘，咀嚼不有文字，端而曼，苦而腴，佶然以生，癯然以清。余之衡诚悬于心，其揣也如是，子之戏余，果何如哉。"《司空表圣文集》卷二《题柳柳州集后》："愚尝览韩吏部歌诗数百首，其驱驾气势，若掀雷抉电，撑拄于天地之间，物状奇怪，不得不鼓舞而狥其呼吸也。其次皇甫祠部文集，所作亦为遒逸，非无意于深密，盖或未遑耳。今于华下方得柳诗，味其探搜之致，亦深远矣。俾其穷而克寿，抗精极思，则固非琐琐者轻可拟议其优劣。"《旧唐书》卷一六〇《柳宗元传》："宗元少聪警绝众，尤精西汉、诗、骚。下笔构思，与古为侔。精裁密致，璨若珠贝。当时流辈咸推之。"《宋文鉴》卷一一九王令《代韩愈答柳宗元示浩初序书》："子厚文，皆雄辩强据，源渊衍长。世之名文者多矣，未见如子厚古者也。其间亦大有务辩而理屈、趋文而背实者，然古之立言者，未必皆不然，亦说诗者不以文害辞之一端也。”《东坡全集》卷八〇《与江惇礼秀才》其（二）：“向示《非国语》论，鄙意素不然之。……柳子之学，大率以礼乐为虚器，以天人为不相知云云，虽多皆此类耳。此所谓小人无忌惮者。……至于《时令》、《断刑》、《贞符》、《四维》之类，皆非是。”又《东坡志林》卷九：“诗须要有为而后作，当以故为新，以俗为雅。好奇务新，乃诗之病。柳子厚晚年诗极似渊明，知诗病也。”《诗话总龟》后集卷二一：“柳仪曹诗忧中有乐，乐中有忧，盖绝妙古今矣。”《竹庄诗话》卷一：“蔡百衲诗评云：柳子厚诗雄深简澹，迥拔流俗，至味自高，直揖陶、谢。然似入武库，但觉森严。”又卷四云：“《蔡宽夫诗话》云：子厚之贬，其忧悲憔悴之叹，发于诗者，特为酸楚。闵己伤志，固君子所不免，然亦何至是？卒以愤死，未为达理也。”《诗人玉屑》卷一五“诗眼评子厚诗”条：“子厚诗尤深难识，前贤亦未推重。自老坡发明其妙，学者方渐知之。余尝问人：柳诗何好？答曰：大抵皆好。又问：君爱何处？答云：无不爱者。便知不晓矣。识文章者，当如禅家有悟门。夫法门百千差别，要须自一转语悟入，如古人文章，直须先悟得一处，乃可通其它妙处。向因读子厚《晨诣超师院读禅经诗》，一段至诚洁清之意，参然在前。‘真源了无取，妄迹世所逐，微言冀可冥，缮性何由熟’，真妄以尽佛理，言行以尽熏修，此外亦无词矣。‘道人庭宇静，苔色连深竹’，盖远过‘竹径通幽处，禅房花木深’。‘日出雾露余，青松如膏沐’，予家旧有大松，偶见露洗而雾披，真如洗沐未干，染以翠色，然后知此语能传造化之妙。‘淡然离言说，悟悦心自足’，盖言因指而见月，遗经而得道，于是终焉。其本末立意遣词，可谓曲尽其妙，毫发无遗恨者也。《哭吕衡州诗》，足以发明吕温之俊伟；《哭凌员外诗》，书尽凌准平生；《掩役夫张进骸》，既尽役夫之事，又反复自明其意，此二篇笔力规模，不减庄周、左丘明也。”《说郛》卷四三张耒《明道杂志》：“退之作诗，其精工乃不及柳子厚。子厚诗律尤精，如‘愁深楚猿夜，梦短越鸡晨’、‘乱松知野寺，余雪记山田’之类，当时人不能到。退之以高文大笔，从来便忽略小巧，故律诗多不工，如陈商小诗，叙情赋景，直是至到，而已脱诗人常格矣。柳子厚乃兼之者，良由柳少习时文，自迁谪后，始专古学，有当世诗人之习耳。”徐度《却扫编》（四库本）卷下：“张嵲舍人言，柳子厚平生为文章，专学《国语》，读之既精，因得掇拾其差失，著论以非之，此正世俗所谓没前程者也。”《柳河东集注》（四库本）附录李褫《柳州旧本柳文后序》：“柳侯子厚，实唐巨儒。文章光艳，为万世法。是犹景星庆云之在天，无不钦而仰之。”《诗人玉屑》卷一五“休斋评子厚诗”条云：“柳子厚小诗，幻眇清妍，与元、刘并驰而争先。而长句大篇，便觉窘迫，不若韩之雍容。”《岁寒堂诗话》卷上：“柳柳州诗，字字如珠玉，精则精矣，然不若退之之变态百出也。使退之收敛而为子厚则易，使子厚开拓而为退之则难。意味可学，而才气则不可强也。”陈善《扪虱新话》卷九：“晏元献公尝言：韩退之扶导圣教，铲除异端，是其所长。若其祖述坟典，宪章《骚》、《雅》，上载三古，下笼百氏，横行阔视于缀述之场者，子厚一人而已矣。”《朱子语类》卷一三九：“柳子厚亦有双关之文，向来道是他初年文字，后将年谱看，乃是晚年文字，盖是他效世间模样做到剧耳。”又云：“柳文亦自高古，但不甚醇正。”又云：“柳文局促。有许多物事，却要就些子处安排，简而不古，更说些也不妨。《封建论》并数长书，是其好文。合尖气短，如人火忙火急来说

不及，又便了了。柳子厚文有所模仿者极精，如自解诸书，是仿司马迁《与任安书》。”又云：“文之最难晓者，无如柳子厚。然细观之，亦莫不自有指意，可见何尝如此不说破？其所以不说破者，只是吝惜，欲我独会而他人不能，其病在此。大概是不肯蹈袭前人议论，而务为新奇。惟其好为新奇，而又恐人皆知之也，所以吝惜。”《古文关键》“总论”：“看柳文法：关键出于《国语》。当学他好处，当戒他雄辨，议论文字亦反复。”赵彦卫《云麓漫钞》（中华书局 1998）卷三：“柳子厚诸游记，法《穆天子传》。……此所谓夺胎换骨法。”《五百家注柳先生集》附录卷二赵善椹《跋柳文厚》：“前辈谓子厚在中朝时所为文，尚有六朝规矩。至永州，始以三代为师，下笔高妙，直一日千里。退之亦云：‘居闲益自刻苦，务记览，为词章。’而子厚自谓贬官来无事，乃得驰骋文章。此殆子厚天资素高，学力超诣，又有佳山水为之助，相与感发而至然耶。子厚居永最久，作文最多，遣言措意最古。衡、湘以南，士之经师承讲画为文词者，悉有法度可观。”《文章精义》：“柳子厚文，学《国语》（《国语》段全，柳段碎，句法却相似）、两汉诸传（仿佛似之）。”又云：“柳子厚学《国语》，段段都似，只是成篇不似。”《鹤林玉露》甲编卷四：“柳子厚文章精丽，而心术不可掩焉，故理意多桀驳。”《沧浪诗话》“诗评”：“唐人惟柳子厚深得《骚》学，退之、李观，皆所不及。”《后村诗话》卷一：“柳子厚才高，它文惟韩可对垒。古律诗精妙，韩不及也。当举世为元和体，韩犹未免谐俗，而子厚独能为一家之言，岂非豪杰之士乎。”卷一三：“韩柳齐名，然柳乃本色。诗人自渊明没，雅道俱熄。当一世竞作唐诗之时，独为古体以矫之。未尝学陶、和陶，集中五言凡十数篇，杂之陶集，有未易辨者。其幽微者，可玩而味；其感慨者，可悲而泣也。其七言五十六字尤工。”《臞翁诗评》：“柳子厚如高秋独眺，霁晚孤吹。”《黄氏日钞》卷六〇：“马君、孟君、凌君志铭，皆贬后作，与昌黎相上下，余或多俳语。”又云：“寄许孟容、与杨凭、裴埙、萧俛、李建、顾十郎诸书，皆贬所悲苦之词。”又云：“柳以文与韩并称焉。韩文论事说理，一一明白透彻，无可指择者，所谓贯道之器，非欤？柳之达于上听者，皆谀辞；致于公卿大臣者，皆罪谪后羞缩无聊之语；碑碣等作，亦老笔与俳语相半，间及经旨义理，则是非多谬于圣人，凡皆不根于道故也。惟纪志人物，以寄其嘲骂；模写山水，以舒其抑郁，则峻洁精奇，如明珠夜光，见辄夺目。此盖子厚放浪之久，自写胸臆，不事谀，不求哀，不关经义，又皆晚年之作，所谓大肆其力于文章者也。故愚于韩文无择，于柳不能无择焉，而非徒曰并称。然此犹以文论也。若以人品论，则欧阳子谓如夷夏之不同矣。欧阳子论文，亦不屑称韩、柳，而称韩、李。李指李翱云。”陈世崇《随隐漫录》（四库本）卷五：“柳宗元恃叔文辈为冰山，设为《天对》，投文吊湘，有二子之才，无三闾之忠，宁不发屈、贾之笑？”《滹南集》卷二九《臣事实辨》：“柳子厚附丽小人以得罪天子，所谓自贻伊戚者，安于流落可也。而乃刺讥怨怼，曾无责己之意。其起废之说，悲鸣可怜。至有羡于颣马，躄浮图，既不知非，又何其不知命也。”又卷三〇《议论辨惑》：“柳子厚《断刑》、《时令》、《四维》、《贞符》等论，皆核实中理，足以破千古之惑。而东坡痛非之，乃知秦汉诸儒迂诞之病，虽苏氏亦不免也。柳子厚《非国语》虽不尽佳，亦大有是处。而温公、东坡深罪之，未为笃论也。”《麓堂诗话》：“若柳子厚永州以前，亦自有和平富丽之作，岂尽为迁谪之音耶？”《道园学古录》卷三一

《杨叔能诗序》："子厚精思于窜谪之久，然后世虑销歇，得发其过人之才、高世之趣于宽闲寂寞之地，盖有惩创困绝而后至于斯也。"《诗境总论》："诗贵真。诗之真趣，又在意似之间，认真则又死矣。柳子厚过于真，所以多直而寡委也。……读柳子厚诗，知其人无与偶；读韩昌黎诗，知其世莫能容。刘梦得七言绝、柳子厚五言古，俱深于哀怨，谓骚之余派可。刘婉多风，柳直损致。世称韦、柳，则以本色见长耳。"《艺苑卮言》卷四："子厚诸记，尚未是西京，是东京之洁峻有味者。"《唐宋八大家文钞》"论例"："予览子厚之文，其议论处多镵画，其纪山水处多幽邃夷旷。至于墓志碑碣，其为御史及礼部员外时所作，多沿六朝之遗，予不录，录其贬永州司马以后稍属隽永者，凡若干首，以见其风概云，然不如昌黎多矣。"又云："巉岩崱屴，若游峻壑削壁，而谷风凄雨四至者，柳宗元之文也。"又《柳州文钞引》云："柳州则间出乎《国语》及《左氏春秋》诸家矣。其深醇浑雄，或不如昌黎；而其劲悍泬寥，抑亦千年以来旷音也。予故读《许京兆》、《萧翰林》诸书，似与司马子长《答任少卿书》相上下，欲为掩卷累欷者久之。再览《钴鉧潭》诸记，杳然神游沅、湘之上，若将凌虚御风也已，奇矣哉。"又卷二三云："子厚所谪永州、柳州，大较五岭以南，多名山削壁、清泉怪石，而子厚适以文章之隽杰，客兹土者久之。愚窃谓公与山川两相遭：非子厚之困且久，不能以搜岩穴之奇；非岩穴之怪且幽，亦无以发子厚之文。予间过粤中，恣情山水间，始信子厚非予欺。"又卷二六云："予览子厚所托物赋文甚多，大较由迁谪僻徼，日月且久，簿书之暇，情思所向，辄铸文以自娱云。其旨虽不远，而其调亦近于《风》、《骚》矣。"《唐才子传》卷五："工诗，语意深切，发纤秾于简古，寄至味于淡泊，非余子所及也。唐末司空图论之曰：梅止于酸，盐止于咸，饮食不可无，而其美常在于咸酸之外，可以一唱而三叹也。子厚诗在陶渊明下、韦苏州上，退之豪放奇险则过之，而温丽清深不及也。"《骚坛秘语》卷中："柳子厚斟酌陶、谢之中，用意极工，造语极深。"《唐宋十大家全集录·河东先生全集录·囚山赋》："柳河东诸赋，其于子云、相如沉博绝丽之作，未知何如？以拟楚骚，可云同工合曲矣。其品在屈与宋间，景差以下，不足道也。"《载酒园诗话》："大历以还，诗多崇尚自然。柳子厚始一振厉，篇琢句锤，起颓靡而荡秽浊，出入《骚》、雅》，无一字轻率。其初多务溪刻，故神峻而味洌，既亦渐近温醇，如'高树临清池，风惊夜来雨'……不意王、孟之外，复有此奇。"又云："子厚有良史之才，即以韵语出之，亦自须眉欲动。如叙韦道安毙盗辞婚事，生气凛凛。吾尤喜其'师婚古所病，合姓非用兵'，语甚典雅。"《唐诗品汇》卷一五："刘辰翁曰：子厚古诗，短调纡郁，清美闲胜，长篇点缀精丽，乐府托兴飞动。退之故当远出其下，并言韩、柳，亦不偶然。"《唐诗品》："柳州古诗得于谢灵运，而自得之趣，鲜可俦匹，此其所短。然在当时作者，凌出其上者多矣。《平淮夷雅》诗，足称高等。《铙歌鼓吹曲》，其在唐人，鲜可追蹑，而词节促急，不称雅乐，七德九功之象，殆可如此。"《诗源辩体》卷二三："昔人言子厚雅好《国语》，其文长枝大节处多得于《国语》。予谓：子厚五言古气韵沉郁，亦得于《国语》。"又云："元和诸公议论痛快，以文为诗，故为大变。子厚五言古如《掩役夫骸》、《咏三良》、《咏荆轲》，亦渐涉议论矣。……但语较元和终温润耳，故不入大变也。"又云："子厚七言古，气格虽胜，然锻炼深刻，已近于变。"又云："大历以后，五、七言律流于委靡，元和诸公群起而力振之。贾岛、王建、乐天创作新奇，遂为大变，而张籍亦入小偏，惟子厚才力虽大，而造诣未深，兴趣亦寡，故其五言长律及七言长律对多凑合，语多妆构，始渐见斧凿痕，而化机遂亡矣。要亦正变也。”《剑溪说诗》卷上：“子厚寂寥短章，诗高意远，是为绝调。若《放鹧鸪》、《跂鸟词》，并悔过之作，恻怆动人。”又云：“柳州哀怨，骚人之苗裔，幽峭处亦近是。”又云：“永、柳山水孤峻，与永嘉、陇蜀各别，故子厚诗文，不必谢之森秀、杜之险壮。但寓目辄书，自然独造。”又编云：“八司马之才，无过刘、柳者。柳之胜刘，又不但诗文。其谪居自多怨艾意，而刘则无之。”《岘斋诗谈》：“此公笔力峭劲，又不是王、韦、孟流派。”又云：“柳柳州气质悍戾，其诗精英出色，俱带矫矫凌人意。文词虽有掩饰些，毕竟不和平。使柳州得志，也了不得。柳文让韩，诗则独胜。”《东目馆诗见》卷一：“子厚深得骚学，故能至味自高，退之、李观自不能及。或谓深远难识，前贤未推重，非也。大都又雄深，又简淡，在苏州上。拟以武库森严，未免卤莽。”《岘佣说诗》：“柳子厚幽怨有得骚旨，而不甚似陶公，盖怡旷气少，沉至语少也。《南涧》一作，气清神敛，宜为坡公所激赏。”《三唐诗品》：“五言整饰，其源盖出任彦升，至其驰骋之作，则前无所阻，宋元诗此滥觞焉。七言造怀自喻，饶费苦吟，隽逸出新，神伤刻露，要处之储、韦以降，无愧一家之言。《淮雅》、《贞符》，纯为文体，无复和音，虽精意求章，而丽则衰矣。《铙歌鼓吹》，犹存魏、晋之遗。”《方望溪先生全集》卷五《书柳文后》：“子厚自述为文，皆取原于六经。甚哉，其自知之不能审也。彼言涉于道，多肤末支离，而无所归宿，且承用诸经字义尚有未当者。盖其根源，杂出周秦汉魏六朝诸文家，而于诸经，特用为采色声音之助尔。故凡所作，效古而自汨其体者，引喻凡猥者，辞繁而芜、句佻且稚者，记序书说杂文皆有之，不独碑志仍六朝、初唐余习也。其雄厉凄清醲郁之文，世多好者，然辞虽工尚，有町畦，非其至也。惟读鲁论、辨诸子、记柳州近治山水诸篇，纵心独往，一无所依藉，乃信可肩随退之而峣然于北宋诸家之上，惜乎其不多见耳。退之称子厚文必传无疑，乃以其久斥之后为断。然则诸篇盖其晚作欤。子厚之斥也，年长矣，乃能变旧体以进于古。假而其始学时即知取道之原，而终也天假之年，其所至可量也哉？”又其《答程夔州书》：“柳子厚惟记山水刻雕众形，能移人之情。至《监察使》、《四门助教》、《武功县丞厅壁》诸记，则皆世俗人语言意思，援古证今，指事措语，每题皆有见成文字一篇，不假思索。”《四六丛话》卷二一引《席上腐谈》：“作记之法，《禹贡》是祖……其次柳子厚山水记，法度似出于《封禅仪》中，虽能曲折回旋作碎语，然文字止于清峻峭刻，其体便觉卑薄。”又卷三二云：“柳子厚少习词科，工为笺奏，及窜永州，肆力古文为深博无涯涘，一变而成大家。”又云：“惟子厚晚而肆力古文，与昌黎角立起衰，垂法万世。推其少时，实以词章知名，词科起家，其镕铸烹炼，色色当行。盖其笔力已具，非复雕虫篆刻家数。然则有欧、苏之笔者，必无四杰之才；有义山之工者，必无燕公之健沿。及两宋又于徐、庾风格去之远矣。独子厚以古文之笔，而炉鞲于对仗声偶间，天生斯人，使骈体、古文合为一家，明源流之无二致。呜呼，其可及也哉。”《石洲诗话》卷八：“遗山《论诗绝句》自注曰：柳子厚，唐之谢灵运；陶渊明，晋之白乐天。此实上下古今之定品也。其不以柳与陶并言，而言其继谢；不以陶与韦并言，而言其似白者，盖陶与白皆萧散闲适之品，谢与柳皆蕴酿神秀之品也。"《赋话》卷三："考柳州四六最工，在礼部时，笺表多出其手。贬谪之后，如《贺破东平表》、《讨黄少卿牒》等作，载于集中者颇多，其为当时所推重可知也。施之帖括，固宜精警绝伦。"吴德旋、吕璜《初月楼古文绪论》（人民文学出版社 1998)："《史记》未尝不骂世，却无一字纤刻。柳文如《宋清传》、《蝜蝂传》等篇，未免小说气，故姚惜抱于诸传中只选《郭橐驼》一篇也。所谓小说气，不专在字句。有字句古雅，而用意太纤太刻，则亦近小说。"又云："柳州碑志中，其少作尚沿六朝余习，多东汉字句，而风骨未超。此不可学。贬谪后之文，则篇篇古雅，而短篇尤妙。盖得力于《檀弓》、《左》、《国》最深，《平淮夷雅》与昌黎《平淮西碑》亦相埒。"曾国藩《曾文正公文集》卷二《圣哲画像记》："惟庄周、马迁、柳宗元三人者，伤悼不遇，怨悱形于简册，其于圣贤自得之乐，稍违异矣。然彼自惜不世之才，非夫无实而汲汲时名者比也。"《艺概》卷一"文概"："吕东莱《古文关键》谓柳州文出于《国语》；王伯厚谓子厚非《国语》，其文多以《国之君》为法。余谓柳文从《国语》入，不从《国语》出。盖《国语》每多言举典，柳州之所长，乃尤在'廉之欲其节'也。"又云："柳文之所得力，具于《与韦中立论师道书》。东莱谓柳州文出于《国语》，盖专指其一体而言。""柳州《答韦中立书》云：'参之《谷梁》以厉其气，参之《庄》、《老》以肆其端，参之《国语》以博其趣，参之《离骚》以致其幽，参之《太史》以著其洁'。《报袁君陈秀才书》亦云：'《左氏》、《国语》、庄周、屈原之辞，稍采取之，谷梁子、太史公甚峻洁，可以出入。'""东莱谓学柳文当戒他雄辩，余谓柳文兼备各体，非专尚雄辩者。且雄辩亦正有不可少处，如程明道谓孟子尽雄辩是也。""柳州自言为文章，'未尝敢以昏气出之，未尝敢以矜气作之'。余尝以一语断之曰：柳文无耗气。凡昏气、矜气皆耗气也。惟昏之为耗也易知，矜之为耗也难知耳。"又云："柳文如奇峰异嶂，层见迭出。所以致之者，有四种笔法：突起、纡行、峭收、缦回也。"又云："柳州记山水，状人物，论文章，无不形容尽致，其自命为'牢笼百态'，固宜。"又云："柳子厚《永州龙兴寺东邱记》云：'游之适，大率有二：旷如也，奥如也，如斯而已'。《袁家渴记》云：'舟行若穷，忽又无际'。《愚溪诗序》云：'漱涤万物，牢笼百态'。此等语，皆若自喻文境。"又云："文以炼神、炼气为上半截事，以炼字、炼句为下半截事。此如《易》道有先天、后天也。柳州天资绝高，故虽自下半截得力，而上半截未尝偏绌焉。"又云："柳州系心民瘼，故所治能有惠政。读《捕蛇者说》、《送薛存义序》，颇可得其精神郁结处。"王世贞《书柳文后》："柳子才秀于韩而气不及。金石之文亦峭丽，与韩相争长，而大篇则瞠乎后矣，《封建论》之胜《原道》，非文胜也，论事易长、论理易短故耳。其他驳辨之类，尤更破的。永州诸记峭拔紧洁，其小语之冠乎。独所行诸书牍，叙述艰苦，酸鼻之辞，似不胜楚；摇尾之状，似不胜屈。至于他篇，非掊击则夸毗，虽复斐然，终乖大雅，似此气质，罗池之死，终堕神趣有以也。吾尝谓柳之蚤岁多弃其日于六季之学，而晚得幽僻远地，足以深造。韩堂奥便超六季而上之，而晚为富贵功名所分，且多酬应，盖于益损各中半耳。"《韩柳文研究法》"柳文研究法"："柳州诸赋，摹楚声，亲骚体，为唐文巨擘。"又云："柳州聪明，读古书，能以理析之。如《六逆论》、《问守原议》、《剪桐封弟辩》，皆明澈醒人眼，造语极古，而析理又极明达，不著一闲话，于此见用意之精。"

又云："柳州集，托讽之文，可采者有五：曰《鹘说》，曰《捕蛇者说》，曰《说车赠杨晦之》，曰《谪龙说》，曰《罴说》。"又云："文士原不为达官立传。而子厚身为党人，为谪官，想无中朝耆硕托之为传者，且又不领史职，以故集中率多寓言。凡善为寓言者，只手写本朝事，神注言外，及最后收束一语，始作画之点睛，翛然神往，方称佳笔。子厚之《宋清传》、《郭橐驼传》、《梓人传》，均发露无余。似《宋清》、《橐驼》、《梓人》，皆论说之冒子，其后乃一一发明之，即为此题之注脚。文固痛快淋漓，惜发露无余，不如《蝜蝂》一传之含蓄。"又云："柳州之记池亭，其精妙处，不减于记山水也。"又云："凡记亭台山水，有经巨人长德营构题咏游涉之处，则后来之记者，殊易为力。若公之在永州，易荒昧不辟之区，必待粪除，其胜始出。是永州诸胜，均系诸公之言，则非极力描摹，山容水态，亦不易流创于艺苑。集中诸文皆佳，而山水之记尤为精绝。虽大同小异，然亦各有经营。韩公犹望而却步，何论其他。"又云："柳州启事及章表，在唐人制诏中，亦平平耳。"《春觉斋论文》"流别论"："子厚之文，古丽奇峭，似六朝而非六朝。由精于小学，每下一字，必有根据。体物既工，造语尤古。读之令人如在郁林、阳朔间。奇情异采，匪特不易学，而亦不能学。"刘师培《论文杂记》："子厚之文，善言事物之情，出以形容之词（如永州、柳州诸记，咸能类万物之情，穷形尽相，而形容宛肖，无异写真），而知人论世，复能探原立论，校核刻深（如《桐叶封弟辨》、《晋赵盾许世子议》、《晋命赵衰守原论》诸作，皆翻案之文也。宋儒论史，多诛心之论，皆原于此），名家之文也。"【江雪】《对床夜语》卷四："唐人五言四句，除柳子厚《钓雪》一诗外，极少佳音。"《诗薮》内编卷六："'千山鸟飞绝'二十字，骨力豪上，句格天成。然律以《辋川》诸作，便觉太闹。"蒋之翘注《柳河东集》卷四三："此诗特落句五字写得悠然，故小有致耳，宋人乃盛称之。……予曰：'千山'、'万径'二句，恐杂村学诗中，亦不复辨。"《唐诗快》卷一四："只为此二十字，至今遂图绘不休，将来竟与天地相终始矣。"《古唐诗合解》卷八："世态炎凉，宦情孤冷，如钓寒江之鱼，终无所得，子厚以自寓也。"孙洙《唐诗三百首》卷七："二十字可作二十层，却自成一片，故奇。"《删订唐诗解》卷一二："清极，峭极，傲然独往。"《筱园诗话》卷四："'千山鸟飞绝'一绝，笔意生峭，远胜祖咏之平，而阮翁反有微词，谓未免近俗，逭以人口熟诵，而生厌心，非公论也。"【渔翁】《冷斋夜话》卷五："东坡云：诗以奇趣为宗，反常合道为趣熟。味此诗有奇趣，然其尾两句虽不必亦可。"《环溪诗话》卷下："此赋中之兴也。"《沧浪诗话》"考证"："柳子厚'渔翁夜傍西岩宿'之诗，东坡删去后二句，使子厚复生，亦必心服。"蒋之翘注《柳河东集》卷四三："此诗急节简奏，气已太峻削矣，自是中、晚伎俩，宋人极赏之，岂以其蹊径似相近乎。……刘辰翁曰：或谓苏评为当，非知言者，此诗气泽不类晚唐，正在后两句，非蛇安足者。"王文禄《诗的》（《丛书集成》本）："气清而飘逸，殆商调欤。"《孙月峰评点柳柳州集》卷四三："是神来之调，句句险绝，炼得浑然无痕。后二句尤妙，意竭中复出余波，含景无穷。"《唐风定》卷一〇："高正在结，欲删二语者，难与言诗矣。"《古唐诗合解》卷七："六语内层次无限。此篇六句只一韵，亦一体。"《西圃诗说》："此首至'欸乃一声山水绿'一句，恰好调歇。删去末二句，言尽意不尽，何等悠妙，何等含蓄。岂元眉于斯未尝三复耶。"【驳复仇议】《唐宋八大家文钞》卷二四引唐顺之："此等文字极严，无一字懒散。"《古文渊鉴》卷三七："挈出'刑、礼'二字并提作骨，驳辨至为精核。"《义门读书记》卷三五："驳陈有余，若折典法之中，则必待韩议而后定也。李云：两下相杀，及以上诛下，韩辨别分明，柳则质为一条而已。合此两篇义与词观之，便定韩柳优劣。或言柳议过韩者，不知文者也。"《唐宋八大家类选》卷三："决狱平允，文字光焰最长。辨甚正甚雄，视前议如摧枯拉朽。胎息《左》、《国》，亦参之《谷梁》以厉其气。"《国文经纬贯通大义》卷二："子厚固深于《谷梁》学者，剖析爽利，莫撄其锋，凡老吏断狱词，以为公牍文字，均当以此为法。"【柳宗直西汉文类序】《唐宋八大家文钞》卷二一："览子厚之所以序西汉，而文章之旨亦可概见矣。"《古文渊鉴》卷三七："此篇逼真西汉'近古而尤壮丽'，殆子厚所以自状其文品也。"《韩柳文研究法》"柳文研究法"："文至简要，不为泛博之论，起迄皆有法程。"【永州韦使君新堂记】《唐宋八家类选》卷一〇："前叙述，后议论，开后人多少法门。尤利举业。"《金圣叹批才子古文》卷一二："逐段写地、写人，写起工，写毕工，乃至写筵客起贺，皆一定自然之法度。奇特在起笔，陡地作一反一落，如槎枒怪树，不是常观也。"【捕蛇者说】《唐宋八大家文钞》卷二五："本孔子'苛政猛于虎'者之言而建此文。"《唐宋八大家类选》卷三："仁人之言。余按唐赋法本轻于宋、元。永州又非财赋地，为国家所仰给，然其困顿如此。况以近世之赋，处财之邦，酷毒当何如耶？读此能不黯然。"《古文观止》卷九："此小文耳，却有许大议论。必先得孔子'苛政猛于虎'一句，然后有一篇之意。前后起伏抑扬，含无限悲伤凄婉之态。若转以上闻，所谓言之者无罪，闻之者足以为戒。真有用之文。"《唐宋八家文读本》卷七："前极言捕蛇之害，后说赋敛之毒，反以捕蛇之乐形出。作文须如此顿跌。'悍吏之来吾乡'一段，后东坡亦尝以虎狼比之。有察吏安民之责者，所宜时究心也。"《古文眉诠》卷五四："感蒋氏事，本《家语》'苛政猛于虎'一言作题目，都将蛇与赋两两对勘，层层对剔，抉得'猛于'二字，十二分悲痛。若各开描写，则缓懈不刺耳矣。"《重订古文释义新编》卷八："'州'三段，是言蛇之毒；'予悲'三段，是言赋敛之毒甚是蛇。言蛇之毒处，说得十分惨；则言赋敛之毒甚是蛇处，更惨不可言。文妙在将蛇之毒及赋敛之毒甚是蛇，俱从捕蛇者口中说出。末只引孔子语作证，用'孰知'句点眼。在作者口中，绝无多语。立言之巧，亦即结构之精。末说到'俟夫观人风者得焉'，足见此说，关系不小。"《古文评注》卷七："此本借捕蛇以论苛政，故前面设为之辞，与捕蛇者应答，惊奇诡谲，令人心寒胆栗。后却明引'苛政猛于虎'事，作证催科无法，其害往往如此。凄咽之音，不堪朗读。"《古文喈凤新编》："夫子'苛政猛于虎'五字，已足令人酸心。柳州此篇，曲为对勘，细用雕搜，悲咽凄怆，不忍再读。"《山晓阁选唐大家柳柳州全集》卷四："只就'苛政猛于虎'一语发出一篇妙文。中间写悍吏之催科，赋役之烦扰，十室九空，一字十泪，中谷哀鸣，莫尽其惨。然都就蒋氏口中说出，子厚只代述得一遍。以叙事起入蒋氏语，出一'悲'字，后以'闻而愈悲'自相叫应，结乃明言著说之旨，一片悯时深思、忧民至意，拂拂从纸上浮出，莫作小文字观。"《崇古文诀》卷一二："此文抑扬起伏，宛转斡旋，含无限悲伤凄惋之态。"【桐叶封弟辩】《古文关键》卷上："此一篇文字，一段好如一段。大抵做文字，须留好意思在后，令人读一段好一段。"《文章轨范》卷二："七节转换，义理明莹，意味悠长。字字经思，句句著意，无一字懈怠，亦子厚之文得意者。”又引邱维屏云：“议论段段摧心破的。全要看他出之宛转耸快，龙行虎逐，步骤佳处。”《唐宋八大家文钞》卷二四：“此等文并严谨，移易一字不得。”又“唐荆川曰：此篇与《守原议、《封建论》二篇所谓大篇短章，各极其妙。”《金圣叹批才子古文》卷七：“裁幅甚短，而为义弘深，斟酌不尽。不惟文字顿挫入妙，惟处人伦之至道，亦全于此。”《古文小品咀华》卷三：“理足机圆，神清气浑。结处忽作一掉，更觉通体皆灵。”张伯行《唐宋八大家文钞》卷四：“一折一意，皆是绝顶见识，辩驳得倒。但末段谓‘不当束缚之’云云，议论太松。”《唐宋八家文读本》卷七：“一层进一层，一语紧一语。笔端有锋，无坚不破。”《古文观止》卷九：“前幅连设数层翻驳，后幅连下数层断案，俱以理胜，非尚口舌便便也。读之反复重叠不厌，如眺层峦，但见苍翠。”《详订古文评注全集》卷七：“辨难文要辨得倒，犹争讼人要争得倒。观其节节转换，节节翻驳，读上节不料其有下节，读下节不料其又有下节，意味悠长，令人读一段好一段。”《古文一隅》卷中：“凡文章必须于接落过脉处见精神。如此文首段叙事，次段翻驳，末段断案，其段落次序易明。”【三戒】《古文小品咀华》卷三：“合观三则，随物赋形，尽态极妍，闯入史迁之室矣。”《古文眉诠》卷五四：“节促而宕，意危而冷。猥而深，琐而雅，恒而警。”《古文披金》卷一四：“麋不知彼，驴不知己，窃时肆暴，斯为鼠辈也。”《山晓阁选唐大家柳柳州全集》卷四：“读此文，真如鸡人早唱，晨钟夜警，唤醒无数梦梦。妙在写麋、写犬、写驴、写虎、写鼠、写某氏，皆描情绘影，因物肖形，使读者说其解颐，忘其猛醒。”《古文集成》卷七十八引敷斋云：“此篇（《临江之麋》）戒依势以干非其类者。”“此篇（《黔之驴》）戒出技以恣强者。”“此篇（《永某氏之鼠》）戒窃时以肆暴者。”《韩柳文研究法》“柳文研究法”：“子厚《三戒》，东坡至为契赏。然寓言之工，较集中寓言之作为冷隽。不作详尽语，则讽刺亦不至漏泻其本意，使读者无复余味。”【箕子碑】《义门读书记》卷三五：“此贞元间文，词理淳雅，集中亦不多得。”《古文渊鉴》卷三七：“立议奇而不轶于法，有此识力，始可以尚论古人。”《古文翼》卷六：“前半立三柱，以下分应，语语征实。后幅发出‘圣师’一段，忠君爱国之念，暗合到‘仁’字，极淋漓酣适。”《唐宋八家文读本》卷七：“整洁峻削，近东汉人。”

刘叉此前有诗《勿执古寄韩潮州》，其后行迹无考。《全唐诗》卷三九五编其诗为一卷。《全唐诗补编·续补遗》卷五录诗一首，《续拾》卷二四补一首又二句。《韵语阳秋》卷三：“刘叉诗酷似玉川子，而传于世者二十七篇而已。《冰柱》、《雪车》二诗，虽作语奇怪，然议论亦皆出于正也。……如此等句，亦有补于时，与玉川《月蚀诗》稍相类。”《唐才子传》卷五：“工为歌诗，酷好卢仝、孟郊之体，造语幽蹇，议论多出于正。”《唐诗品》：“刘叉朔气纵横，侠心不死。观其凌驾退之，亦一奇士。《冰柱》、《雪车》，似卢仝诗，其余似孟东野，气类相从，皆狂狷之流也。”《诗源辩体》卷二六：“卢仝、刘叉杂言极其变怪，虽仿于任华，而意多归于正。刘较卢才实不及，故佳处亦少。”《唐音癸签》卷二七：“陈师道尝言，刘叉一生只有两事：作《冰柱》、《雪车》二诗以遂身后之名，取韩退之金以济生前之困。可谓简而当矣，余每读此，欲绝倒。”

韩愈由潮州量移为袁州刺史，有诗《量移袁州张韶州端公以诗相贺因酬之》。是年，韩愈有另诗《元日酬蔡州马十二尚书去年蔡州元日见寄之什》、《武关西逢配流土蕃》、《次邓州界》、《食曲河驿》、《题楚昭王庙》、《过始兴江口感怀》、《赠别元十八协律六首》、《初南食贻元十八协律》、《宿曾江口示侄孙湘二首》、《琴操十首》、《别赵子》及文《宜城驿记》、《与路鹄秀才序》、《贺册尊号表》、《唐故中散大夫少府监胡良公墓神道碑》。

本年

贾岛有诗《寄韩潮州愈》、《寄韩湘》。【寄韩潮州愈】《贯华堂选批唐才子诗》卷六上："先生作诗不过是平常心思，平常律格，而读之每见其别出尖新者，只为其炼句、炼字，真如五伐毛、三洗髓，不肯一笔犹前人也。一、二只是刻刻思欲买船来看，三、四只是言刻刻疑有诗文见寄也。一解皆用头上'此心'二字，一直贯下。"《唐诗贯珠》："局法高超，庸肤剥尽。起是单刀直入，下六言皆托言心到之境。"《诗法易简录》："笔势突兀之至，然用法稍变。"《瀛奎律髓汇评》卷三四纪昀曰："起手十四字不可画断，笔力奇横。"又曰："意境宏阔，音节高朗，长江七律内有数之作。"

沈亚之过滑州黎阳军，得闻平卢军士郭疃事迹，撰《旌故平卢军节士文》。

张仲素卒于长安。《全唐诗》卷三六七编其诗为一卷，《全唐诗补编·续拾》卷二三补二句。《唐诗笺要》后集卷八附词收其《忆秦娥》（参差竹）一阕，未详所出。《全唐文》卷六四四录其文二七篇。《唐语林》卷二："李相国程、王仆射起、白少傅居易兄弟、张舍人仲素，为场中词赋之最，言程试者，宗此五人。"《唐才子传》卷五："仲素能属文，法度严确。……善诗，多警句，尤精乐府，往往和在宫商，古人有未能虑及者。"《诗薮》内编卷六："（绝句）江宁之后，张仲素得其遗响，《秋闺》、《塞下》诸曲俱工。"《赋话·新话三》："考唐人举进士者，诗赋并习，往往不能兼工。……可知雕虫虽小技，亦自有专门名家也。张绘之以诗鸣于时，律赋中亦可高置一席，此殆兼才。"【春闺思】《升庵集》卷五八"唐诗近三百篇"："唐人诗主情，去《三百篇》近；宋人诗主理，去《三百篇》却远矣。匪惟作诗也，其解诗亦然。且举唐人闺情诗云：'袅袅庭前柳，青青陌上桑。提笼忘采叶，昨夜梦渔阳。'即《卷耳》诗首章之意也。"《诗境浅说续编》："五言之中，忆远之诗，此作最为入神。从《诗经》'采采卷耳，不盈顷筐。嗟我怀人，寘彼周行'点化而来，遂成妙语，令人揽挹不尽。"【塞下曲五首】（其一）《唐诗镜》卷三五："语气饱决，足驾盛唐。"《删补唐诗选脉笺释会通评林》"中唐七绝中"："何景明曰：意气雄壮。周明辅曰：写得豪。周珽曰：后二句示威摄敌，语自负不浅，唐仲言谓深得武人口气。"【秋思二首】《诗境浅说续编》："二诗咏秋闺忆远，皆以曲折之笔写之。第一首静夜怀人，形诸梦寐，常语也。诗乃言关塞历历已见梦中，迨欲身赴郎边，出门茫茫，何处是金微之路，则入梦徒然耳。第二首言欲寄相思，但凭尺素，亦常语也。诗乃言秋夜闻雁声，感雁足寄书之事，方欲裁笺，而消息传来，本住居延，又移军他去，寄书不达，情益难堪矣。唐人集中，多咏征夫思妇，宋以后颇稀，殆意境为前人说尽也。"

公元820年（唐宪宗元和十五年　庚子）

正月

刘禹锡母卒，自连州护母柩北归。过衡阳，得柳宗元讣书，作诗伤之，有《祭柳员外文》、《重至衡阳伤柳仪曹》等。至鄂州，又代李程作《祭柳员外文》。七月，有《重祭柳员外文》。是年，撰《唐故衡州刺史吕君集纪》。【祭柳员外文】《刘宾客集选》："深哀极恸，备见交情，然梦得之文，不如昌黎之有关系也。"

庚子，宪宗暴卒于中和殿，年四十三。时人皆言为内常侍陈弘志弑逆。神策中尉梁守谦与诸宦官王守澄等共立太子李恒即位，是为穆宗。贬宰相皇甫镈为崖州司户。萧俛、段文昌同平章事，李德裕、李绅、庾敬休为翰林学士。令狐楚为山陵使，元稹为判官。

闰正月

卢储、施肩吾、崔嘏等二十九人登进士第。时太常少卿李建知贡举，试《早春残雪》诗。见《登科记考》卷一八。卢储，事迹不详，《唐诗纪事》卷五二："李翱江淮典郡，储以进士投卷，翱礼待之。置文卷几案间，因出视事。长女及笄，闲步铃阁前，见文卷，寻绎数四，谓小青衣曰：'此人必为状头。'迨公退，李闻之，深异其语。乃令宾佐至邮舍，具语于储，选以为婿。储谦辞久之，终不却其意，越月遂许。来年果状头及第。才过关试，径赴嘉礼。"《全唐诗》卷三六九录其诗二首。

二月

施肩吾及第后东归。张籍作诗《送施肩吾东归》，施有《及第后过扬子江》，后隐洪州西山，不知所终。《全唐诗》卷四九四编诗一卷，《全唐诗逸》卷三收断句一，《全唐诗补编·续补遗》卷六补八首，《续拾》卷二七补二首又四句。《全唐文》卷七三九录文九篇。张为《诗人主客图》以其为"广大教化主"之及门者。何兴远《鉴戒录》(《学海类编》本)卷八："施肩吾先辈，为诗奇丽，冠于当时。著《百韵山居》，才情富赡。"《唐音癸签》卷七："施肩吾学道西山，自诧群真之一，而章句尚艳硕，乏韵致，未稔何以御风。"黄伯思《东观余论》(四库本)卷下《跋施真人集后》："观其《三住铭》，论气神形之指甚微，真得道者之言。与其诗格韵虽若浅切，然时有过绝人语，颇可观览。"

李涉在峡州，遇赦归长安，有《硖石遇赦》。过岳阳，作诗《岳阳别张祜》。后抵长安，有诗《再至长安》。

二十日，李德裕为屯田员外郎。是年有诗《吐绶鸟词》、《长安秋夜》。

五月

杜元颖以中书舍人充翰林学士，撰《翰林院使壁记》。

宪宗葬于景陵。令狐楚作《唐宪宗章武皇帝哀册文》，元稹有《宪宗章武孝皇帝挽歌词三首》，张祜有《宪宗皇帝挽歌词》。

庚戌，元稹为祠部郎中、知制诰。《通鉴》卷二四一元和十五年载："初，膳部员外郎元稹为江陵士曹，与监军崔潭峻善。上在东宫，闻宫人诵稹歌诗而善之。及即位，潭峻归朝，献稹歌诗百余篇。上问：'稹安在?'对曰：'今为散郎。'夏，五月，庚戌，以稹为祠部郎中、知制诰。朝论鄙之。"是年，元稹有文《钱货议状》、《唐故京兆府盩厔县尉元君墓志铭》、《为令狐相国谢赐金石凌红雪状》、《为令狐相国谢回一子官与弟状》、《贺降诞日德音状》、《钱重物轻议》、《中书省议赋税及铸钱等状》、《中书省议举县令状》、《为萧相让官表》、《为萧相谢追赠祖父祖妣亡父表》、《为萧相谢告身状》、《为萧相国谢太夫人国号诰身状》、《唐故建州蒲城县尉元君墓志铭》、《令狐楚等加阶制》、《李逢吉等加阶制》、《授张籍秘书郎制》等，作诗《和张秘书因寄马赠诗》、《内状诗寄杨白二员外》、《崔徽歌》等。

韩愈在袁州，作《祭柳子厚文》。八月，韩愈作《柳子厚墓志铭》。【祭柳子厚文】《崇古文诀》卷九："虽尊称子厚，而中含不满之意。"《唐宋八大家文钞》卷一六："昌黎志子厚墓，相知之谊，似不如祭文。"《昌黎先生全集录》卷四："服膺其文，悲其遇，而允其所托，勤勤恳恳，宛如面谈。"《求阙斋读书录》卷八："峻洁直上，语经百炼。公文如此等，乃不复可攀跻矣。"《韩柳文研究法》"韩文研究法"："文简而哀挚。文末叙及托孤，肝膈呈露，真能不负死友者。读之使人气厚。"【柳子厚墓志铭】《唐宋八大家文钞》卷一五："昌黎称许子厚处，不放一步。"《唐宋八大家类选》卷一三："昌黎墓志第一，亦古今墓志第一。以韩志柳，如太史公传李将军，为之不遗余力矣。"《唐宋八家文读本》卷六："子厚之失足于叔文，躁进则有之，阿党则非也。昌黎不没其事，感慨惋惜，在隐约间，先表其好学，次详其政绩，次述其交谊，而归结于文章之必传。沉郁苍凉，墓志中千秋绝调。"《古文观止》卷八："子厚不克持其身，公亦不能为之讳，故措词隐约，使人自领。只就文章一节，断其必传，下笔自有轻重。"《古文笔法百篇》卷一五："此篇以文论，予只取中间'其召至京师，而复为刺史也'至'必有能辨之者'三段，一言交情之笃，不似近世之薄；一言其文穷而益工，因此乃传也，未为不幸。然前后叙事虽多，墓志体如是，不可不知。考其时，宰相王叔文招致文人以倚重，如柳子厚、刘梦得等皆罗门下。在子厚初以其有权，或能大用己，后以奸败，与门下士皆贬。为之做志。只极扬其友谊与文章，而其事若不甚为之讳，此古人作文所以为实录也。黼按：文为墓志，非他文扼定主意者比。然前人之作，皆有脉络可寻，如此篇首段叙先世，即以不媚权贵为坐党叔文、无气力推挽伏案；随叙子厚，即以益自刻苦为自力文词伏案；中间或尽力于民，或尽力于友，无非为末段数'力'字做势。故后此得赖友力，虽为余波，然亦本此脉而来。似此'力'字宜为是篇之主矣。原评只取中间三段，恐亦未尽然之论也。"《古文眉诠》卷五〇："论子厚者，可以两言尽之：曰文章震世，曰轻躁被斥。此志激荡低徊，都不出此两意。无笔不伸，无笔不扣。"《古文雅正》卷八："末段激昂旋折，尽情极致，子厚可以瞑目矣。中叙朋友一节，尤能使浇薄侥负一种人，缩首流汗，其有关于世道人心者甚大，故登斯选。公平生最笃于朋友者，故人荐没，多为荐拔经纪，故末段叙裴、卢二君，特为称赞。"

《详订古文评注全集》卷七："于叙事中夹入议论，曲折淋漓，绝类史公《伯夷》、《屈原》二传。"《古文范》卷三："韩柳至交，此文以全力发明子厚之文学风义。其酣恣淋漓、顿挫盘郁处，乃韩文公真实本领，而视其所为墓铭以雕琢奇诡胜者，反为别调。盖至性至情之所发，而文字之变格也。金石文字，当以严重简奥为宜。此文偶出变格，固无不可。"

夏

白居易自忠州召为司门员外郎，经三峡，由商山路返长安。此前，白居易先后命人图写木莲、荔枝，作诗文记之，寄朝中亲友，士人喧然模写。十二月，充重考订科目官。二十八日，改授主客郎中、知制诰。是年，有《续虞人箴》、《荔枝图序》、《论重考科目人状》及诗《寄王质夫》、《哭王质夫》、《东坡种花二首》、《登城东古楼》、《哭诸故人因寄元八》、《早祭风伯因怀李十一舍人》、《高山路有感》、《花下对酒二首》、《登龙昌上寺望江南山怀钱舍人》、《开元寺东池早春》、《春至》、《感春》、《三月三日》、《寒食夜》、《代州民问》、《答州民》、《发白狗峡次黄牛峡登高寺却望忠州》、《早朝思退居》、《曲江亭晚望》、《初除主客郎中知制诰与王十一李七元九三舍人中书同宿话旧感怀》、《吴七郎中山人待制班中偶赠绝句》、《初除主客郎中知制诰与王十一李七元九三舍人中书同宿话旧感怀》、《吟元郎中白须诗兼饮雪水茶因题壁上》、《和张十八秘书谢裴相公寄马》、《答山侣》等。【东坡种花二首】《唐宋诗醇》卷二一："前一首细写种花之趣，静观物理，及时行乐，独善之义也。后一首推广言之，与柳宗元《郭橐驼种树说》同意，兼济之志也。妙在说得极纤悉，极平淡，乃具真实本领。宋儒谓杜子美情多，得志必能济物，亦是此意。"

八月

令狐楚由宣歙观察使再贬为衡州刺史。途中，令狐楚作《发潭州寄李宁常侍》。李宁，当为李益。李益有《述怀寄衡州令狐相公》。

九月

二十二日，韩愈自袁州征为国子祭酒。此前，作《与孟尚书书》。十月，作有《新修滕王阁记》，后返京过江州，作《除官赴阙至江州寄鄂岳李大夫》。在庐山，作《游西林寺题萧二兄郎中旧堂》。《新唐书·萧颖士传》："韩愈少为存所知，自袁州还，过庐山故居，而诸子前死，唯一女在，为经赡其家。"过安陆，又有《自袁州还京行次安陆先寄随州周员外》、《寄随州周员外》。是年有文《举韩泰自代状》、《慰国哀表》、《宪宗崩慰诸道疏》、《贺皇帝即位表》、《贺赦表》、《袁州申使状》、《举荐张维奏状》、《袁州祭神文三首》、《祭湘君夫人文》、《南海神庙碑》、《处州孔子庙碑》及诗《将至韶州先寄张端公使君借图经》、《题秀禅师房》、《韶州留别张端公使君》、《次石头驿寄江西王中丞阁老》、《题广昌馆》、《送侯喜》等。【除官赴阙至江州寄鄂岳李大夫】《唐诗镜》卷三八："恳欵殆尽。"《唐宋诗醇》卷三一："情致缠绵，词气逊顺，使人之意也消。"【与孟尚书书】《古文雅正》卷八："绝大眼孔，绝大抱负，语皆惊心动魄出之。《原道》、《佛骨表》、《孟尚书书》、《张中丞传后序》，此四篇尤为韩集绝顶文字，亦千古之至文也。"《唐宋八大家文钞》卷三："翻覆变幻，昌黎书当以此为第一。"《古文渊鉴》卷三五："昌黎文最为古峻。今观集中，言理诸篇皆坦夷直截，盖欲明斯道于天下，故语必归于醇正。"《义门读书记》卷三二："此是欲流传学者之书，故拔本塞源，争辨千古。道术之归，反复剀切，无复余恨。自江都、河汾之书，鲜足以比拟者，何况诸子？理明气畅，此文真是如潮。"【新修滕王阁记】《唐宋八大家文钞》卷八："通篇不及滕王阁中情事，而止以生平感慨作波澜，婉而宕。"《义门读书记》卷三一："切新修，切王公，切袁州刺史作记。"《金圣叹批才子古文》卷一一："只是承命作记，看其凭空先撰出三段不得见滕王阁，便见今日作记，真大快活。"《古文一隅》卷中："此一篇翻空之文。盖阁之胜景，前人言之详矣。后之作者若何生新出奇？文只就欲见、不得见两意，各分作三层，曲折顿挫，情词缠绵郁结。所谓'江山之好，登望之乐'，令读者自得于语言之外，真是高极横极之文。"

秋

贾岛投诗于祠部郎中元稹，作诗《投元郎中》。后卧疾于长安慈恩寺文郁院，有诗《宿慈恩寺郁公房》、《慈恩寺上座院》、《酬慈恩寺文郁上人》。【酬慈恩寺文郁上人】《瀛奎律髓汇评》卷四七冯舒曰："浪仙七言似逊。"冯班曰："次联今人所能及也。"纪昀曰："三句纤琐特甚。"又曰："'无端'即是'忽然'，不应拆用。"

十月

张祜于此间至魏州，先后投诗魏博节度使田弘正、李愬，有诗《投魏博田司空二十韵》、《投魏博李相公三十二韵》。田弘正由魏州移镇镇州，表奏李渤为节度副使，并致书李渤敦请，渤未就。

十一月

韦处厚为侍读学士，此间，撰《翰林院厅壁记》。

郑余庆卒于长安，年七十五。《全唐诗》卷三一八录其诗二首，《全唐文》卷四七八录其文三篇。

冬

裴度自河东寄赠张籍马一匹，张籍作《谢裴司空寄马诗》。裴度因作《酬张秘书因寄马赠诗》，韩愈作《酬张秘书因寄马赠诗》，白居易作《和张十八秘书谢裴相公寄马》，李绛作《和裴相公答张秘书赠马诗》，张贾作《和裴司马答张秘书赠马诗》。张籍因韩愈所荐，由秘书省校书郎除国子博士。稍后，贾岛有诗《题张博士新居》。

王建又有诗《寄上韩愈侍郎》，求其荐引。本年前后，王建所作《宫词》一百首，流布人口。【宫词】《六一诗话》："王建《宫词》一百首，多言唐宫禁中事，皆史传小说所不载者，往往见于其诗。"《文献通考》卷二四二引王建《宫词》旧跋云："王建太和中为陕州司马，与韩愈、张籍同时而籍相友善，工为乐府歌行，思远格幽。初为渭南尉，与宦者王守澄有宗人之分，因过饮相讥戏。守澄深憾曰：吾弟所作《宫词》，禁掖深邃何以知之？将奏劾。建因以诗解之曰……事遂寝。《宫词》凡百绝，天下传播，效此体者虽有数家，而建为之祖。"《石洲诗话》卷二："欧阳《诗话》云：'王建《宫词》，言唐禁中事，皆史传小说所不载。'《唐诗纪事》乃谓建为渭南尉，赠内官王枢密云云以解之。然其诗实多秘记，非当家告语所能悉也。其词之妙，则自在委曲深挚处，别有顿挫，如仅以就事直写观之，浅矣。"《苕溪渔隐丛话》后集卷一四："予阅王建《宫词》，选其佳者，亦自少得，只世所脍炙者数词而已，其间杂以他人之词。"《唐音癸签》卷二九："说者谓王建作《宫词》，为王守澄所持，献诗末句有'不是当家频向说，九重争得外人知'句，守澄惧而止。今观诗全篇并叙枢密内庭恩宠秘密事，故以是结之，益致艳诧意，言非自向人说，人那得知耳。此岂挟制语哉？唐时诗人于宫禁事皆尽说无忌，杨阿环、孟才人尚入篇咏，建词有何嫌，必制人以自全也。"《唐诗镜》卷四一："王建《宫词》，俱以情事见寄。"

本年

薛用弱《集异记》或撰于元和末。薛用弱（生卒年不详），字中胜。官礼部郎中。大和初或云长庆初，为光州刺史。《新唐书·艺文志》著录《集异记》三卷，已佚。今存《顾氏文房小说》本，仅二卷十六则。中华书局 1980 年校点本，另据《太平广记》辑录七十余则，今人李宗《唐人传奇》考其三十则为陆勋《集异记》逸文。《四库提要》卷一四二："是书所记凡十六条，晁公武《读书志》称其首载徐佐卿化鹤事，此本正以此条为首，与晁氏所记合，盖犹旧本。其叙述颇有文采，胜他小说之凡鄙。世所传狄仁杰集翠裘、王维郁轮袍、王积薪妇姑围棋、王之涣旗亭画壁诸事，皆出此书。其《良常山新宫铭》，洪迈《容斋随笔》推为奇作。苏轼《与子过诗》所谓'尔应奴隶蔡少霞，我亦伯仲山元卿'者，即用其事。卷帙虽狭，而历代词人恒所引据，亦小说家之表表者。陈振孙《书录解题》谓是书一名《古异记》。然诸家著录俱无此名，不知振孙何本。又唐比部郎中陆勋，亦有《集异记》二卷，与用弱此本名同，故《文献通考》题勋书曰《陆氏集异记》，以别于用弱书焉。"《少室山房笔丛》卷二一《二酉缀遗》下："唐人小说，诗文有致佳者。薛用弱《集异记》文彩尚出《玄怪》下，而山元卿一铭殊工。盖唐三百年，如此铭者亦罕睹矣。岂薛生能幻设乎。余旧奇此作，读洪景卢《随笔》亦以为青莲叔夜之流，不觉欣然自快。……右铭词精炼奥古，奇语甚多。洪景卢拟作一章，未堪伯仲也。倘果出元卿，则羽人能文，当推上座，稚川、贞白皆退舍矣。子瞻亦剧贵之，作诗谓欲季孟元卿，其指可睹。"

卢渥生。卢渥（820—905），字子章，范阳人。大中时进士及第。累辟幕府，入任御史台官，转国子博士，历侍御史、司勋郎中、中书舍人等。广明元年十月，入拜礼部侍郎知贡举，省试未毕，黄巢入长安。后官国子祭酒、太常卿等。天佑二年九月卒于洛阳。事迹见司空图《故太子太师致仕卢公神道碑》、《北梦琐言》卷九等。《唐诗纪事》卷五九："渥在举场，甚有时称。曾于浐水逆旅，遇宣宗微行，意其贵人，敛身避之。帝呼与相见，乃自称进士卢渥。帝请诗卷，袖之而去。它日对宰臣语及卢渥，令主司擢第。……渥应举之岁，偶临御沟，见一红叶，叶上有绝句，置于巾箱，或呈于同志。及宣宗放宫人，初下诏许从百官司吏，独不许贡举人。卢后一任范阳，获其退宫（人），睹红叶而吁……验其书，无不惊讶。诗曰：水流何太急，深宫尽日闲。殷懃谢红叶，好去到人间。"

公元821年（唐穆宗长庆元年　辛丑）

正月

己亥朔，穆宗亲荐太清宫、太庙。辛丑，祀昊天上帝，御丹凤楼，大赦天下。改元长庆。

鲍溶居扬州，闻郊祀，作《郊天回》。此后不久卒。《全唐诗》编其诗三卷（卷四八五至四八七），《全唐诗逸》卷上补断句五联，《全唐诗补编·补逸》卷七补一首。张为《诗人主客图》以其为"博解宏拔主。"《郡斋读书志》卷一八："张为谓溶诗气力宏赡，博识清度，雅正高古，众才无不备具。"《四库提要》卷一五一："溶诗在后世不甚著。然张为作《主客图》以溶为博解宏拔主，以李群玉为上入室，而为与司马退之二人同居入室之列，则当时固绝重之也。"曾巩《鲍溶诗集目录序》："盖自先王之泽熄而诗亡。晚唐以来，作者嗜文辞抒情思而已，然亦往往有可采者。溶诗尤清约严谨，而违理者少，近世之能焉者也。"《唐才子传》卷六："羁旅四方，登临怀昔，皆古今绝唱。过陇头古天山大坂，泉水呜咽，分流四下，赋诗曰：'陇头水，千古不堪闻。生归苏属国，死别李将军。细响风凋草，清哀雁入云'，其警绝大概如此。古诗乐府，可称独步。"【寄薛膺昆季】《唐诗摘抄》卷四："曰'春风玉树'，则薛之得意可知；曰'海门江月'，则己之寂寞可知。此即景中见意法。言我遥羡尔辈之得意，不知尔辈亦常念我之寂寞否。'何况'字接得甚紧，'亦'字落得甚悲。意似难为二薛，然语特浑浑不觉。"

元稹自祠部郎中、知制诰充翰林学士。时李绅、李德裕同在翰林，情意相善，时称"三俊。"元稹"变诏书体，务纯厚明切，盛传一时。"（《新唐书》卷一七四元稹本传）其手编《制诰》序云："又明年，召入禁林，专掌内命，上好文，一日从容议及此，上曰：通事舍人不知书，便其宜宣赞之外，无不可。自是司言之臣，皆得追用古道，不从中覆。"白居易《余思未尽加为六韵重寄微之》"制从长庆辞高古"注云："微之长庆初知制诰，文格高古，始变俗体，继者效之也。"《白氏长庆集》卷七〇《元稹墓志铭》："制诰，王言也，近代相沿，多失于巧俗。自公下笔，俗一变至于雅，三变至于典谟。时谓得人，上嘉之。"奉旨进诗十卷。其《进诗状》云："臣九岁学诗，少经贫贱，十年谪宦，备极恓惶。凡所为文，多因感激，故自古风诗至古今乐府，稍存寄兴，颇近讴谣。虽无作者之风，粗中遒人之采。自律诗百韵至于两韵七言，或因朋友戏投，或以悲欢自遣，既无六义，皆出一时，词旨繁芜，倍增惭恐。”二月，李建卒，元作《唐故中大夫尚书刑部侍郎上柱国陇西县开国男赠工部尚书李公墓志铭》及诗《同乐天同葬杓直》。夏，进呈《京西京北图》等。子荆夭亡，有诗《哭子十首》。八月，撰《承旨学士厅壁记》。十月，元稹改工部侍郎，出翰林。《通鉴》卷二四二：“翰林学士元稹与知枢密魏弘简深相结，求为宰相，由是有宠于上，每事咨访焉。稹无怨于裴度，但以度先达重望，恐其复有功大用，妨己进取，故度所奏画军事，多与弘简从中沮坏之。度乃上表极陈其朋比奸蠹之状……表三上，上虽不悦，以度大臣，不得已，癸未，以弘简为弓箭库使，稹为工部侍郎。稹虽解翰林，恩遇如故。”是年，另有文《谢准朱书撰田弘正碑文状》、《谢恩赐告身衣服并借马状》、《进田弘正碑文状》、《谢赐设状》、《进西北边图经状》、《唐故越州刺史兼御史中丞浙江东道观察等使赠左散骑常侍河东薛公神道碑文铭》、《授裴注等侍御史制》、《处分幽州德音》、《戒励风俗德音》、《幽州平告太庙祝文》、《长庆元年册尊号赦》及诗《寄赠薛涛》、《感事三首》、《酬乐天待漏入阁见赠》、《别毅郎》、《自责》等。薛涛诗《寄旧诗与元微之》或为同时作。【寄赠薛涛】《说郛》卷一九下《牧竖闲谈》：“元和中，成都乐籍薛涛者，善篇章，足辞辨，虽兼风讽教化之旨，亦有题花咏月之才，当时乃营妓之中尤物也。元稹微之知有薛涛，未尝识面，初授监察御史出使西蜀，得与薛涛相见。自后元公赴京，薛涛归浣花。浣花之人多造十色彩笺，于是涛别模新样小幅松花纸，多用题诗，因寄献元公百余幅。元于松花纸上寄赠一篇。”《唐诗笺注》卷五：“起言涛为山川名秀所生，却妙于文君伴说。‘滑腻’二字，‘秀’字，切女郎，更工妙。下言其巧于言语，具有文才，故诗人搁笔。……此等诗极香艳，却无香奁俗气。”【哭子十首】（其八）《唐诗镜》卷四六：“景逼情生。”《唐诗快》卷三：“此岂止如山季伦所云孩抱中物乎？悔恨沉痛，写出愈觉难堪。”【寄旧诗与元微之】《名媛诗归》卷一三：“通诗笔老而气骨遒劲，虽用宛媚处，皆以朴静裹之，挺然声调间。”《古今女史》卷四：“自负不浅，有知稀我贵意。”

白居易卜居新昌里，作诗《题新昌所居》、《卜居》等。夏，与元简同制加朝散大夫，始著绯，又转上柱国。秋，奉命宣谕魏博节度使田布。十月十九日，转中书舍人。十一月二十八日，充制策考官。是年，画家白旻以雕画一幅赠白居易，白作《画雕赞》，另作有《祭李侍郎文》、《送侯权秀才序》、《论重考进士事宜状》、《举人自代状》等及诗《和元少尹新授官》、《中书连直寒食不归因忆元九》、《春忆二林寺旧游因寄郎满晦三上人》、《寄题忠州小楼桃花》、《西省对花忆忠州东坡新花树因寄题东楼》、《朝回和元少尹绝句》、《中书夜直梦忠州》、《待漏入阁书事奉赠元九学士阁老》、《晚春重到集贤院》、《登龙尾道南望忆庐山旧隐》、《冯阁老处见与严郎中酬和诗因戏赠绝句》、《见于给事暇日上直寄南省诸郎官诗因以戏赠》、《酬元郎中同制加朝散大夫书怀见赠》、《初著绯戏赠元九》、《和韩侍郎苦雨》、《初加朝散大夫又转上柱国》、《行简初授拾遗同早朝入阁因示十二韵》、《妻初授邑号告身》、《钱侍郎使君以题庐山草堂诗见寄因酬之》、《酬严十八郎中见示》、《寄王秘书》、《中书寓直》、《重和元少尹》、《醉后》、《后宫词》、《紫薇花》、《题新居寄元八》、《立秋日登乐游园》、《新秋早起有怀元少尹》等。

三月

卢简求、孔温业、窦洵直等二十五人进士及第。驳下十一人，重试及第者十四人。见《登科记考》卷一九。李德裕为考功郎中，依前知制诰、翰林学士。与段文昌、李绅、元稹劾礼部侍郎钱徽取士不公，诏王起、白居易重试。后钱徽、李宗闵、杨汝士皆远贬。自是，牛李党争起，相倾轧垂四十年。《通鉴》卷二四一："翰林学士李德裕，吉甫之子也，以中书舍人李宗闵尝对策讥切其父，恨之。宗闵又与翰林学士元稹争进取有隙。右补阙杨汝士与礼部侍郎钱徽掌贡举，西川节度使段文昌、翰林学士李绅各以书属所善进士于徽。及榜出，文昌、绅所属皆不预焉，及第者，郑朗，覃之弟；裴譔，度之子；苏巢，宗闵之婿；杨殷士，汝士之弟也。文昌言于上曰：'今岁礼部殊不公，所取进士皆子弟无艺，以关节得之。'上以问诸学士，德裕、稹、绅皆曰：'诚如文昌言。'上乃命中书舍人王起等覆试。夏，四月，丁丑，诏黜朗等十人，贬徽江州刺史，宗闵剑州刺史，汝士开江令。或劝徽奏文昌、绅属书，上必悟。徽曰：'苟无愧心，得丧一致，奈何奏人私书，岂士君子所为邪！'取而焚之，时人多之。绅，敬玄之曾孙；起，播之弟也。自是德裕、宗闵各分朋党，更相倾轧，垂四十年。"

春

王建为太府丞，作诗《初授太府言怀》。秋，为秘书郎。白居易有诗《寄王秘书》。

沈亚之在长安。田牟兄弟归魏博觐省，沈作《送田令二子归宁序》。八月，沈为栎阳尉，有《上冢官书》、《栎阳县丞小厅记》。

贾岛有诗赠翰林承旨学士元稹，作《赠元稹》。

五月

令狐楚在衡州刺史任，有诗《夏至日衡阳郡斋书怀》。不久，移刺郢州。秋作《秋怀寄钱侍郎》。

夏

朱庆余姚合于武功，作诗《夏日题武功姚主簿》。又与贾岛同游凤翔，有诗《凤翔西池与贾岛纳凉》。秋，有诗寄王建。为《题寄王秘书》。

七月

太和公主出嫁回纥。张籍有诗《送和蕃公主》，王建作《太和公主和蕃》，杨巨源有《送太和公主和蕃》。【送和蕃公主】《瀛奎律髓汇评》卷三九查慎行评："第六句虽太直，却真。"纪昀评："通体凡猥，六句尤鄙。"

庚申，韩愈由国子祭酒转为兵部侍郎。是年，韩愈有诗《杏园送张彻侍御归使》、

《雨中寄张博士籍侯主簿喜》、《南山有高树行赠李宗闵》、《南内朝贺归呈同官》、《朝归》及文《举荐张籍状》、《请复国子监生徒状》、《举韦凯自代状》、《钱重物轻状》、《祭故陕府李司马文》、《唐故中大夫陕府左司马李公墓志铭》、《唐故殿中少监马君墓志铭》、《黄陵庙碑》等。

十一月

李翱由礼部郎中出为舒州刺史，有《与翰林李舍人书》。李舍人，李绅，时为司勋员外郎知制诰。

元稹与李绅荐右补阙蒋防为翰林学士。蒋时加章服，有诗，王建作《和蒋学士授章服》。蒋防约于此间作《霍小玉传》。蒋防（生卒年不详），字子征，一字子微，常州义兴人。元和中历右拾遗、右补阙。长庆元年十一月充翰林学士，二年擢司封员外郎，三年加知制，四年贬汀州刺史。宝历元年移连州刺史，大和二年改袁州刺史，后入为中书舍人。约卒于大和五年至开成元年间。《宋书·艺文志》著录《蒋防集》一卷，《蒋防赋集》一卷，已佚。事迹见《唐诗纪事》卷四一、《重修承旨学士壁记》、《咸淳毗陵志》等。

御试制科举人。庞严、崔龟从、任畹、韦正贯等十一人以贤良方正能直言极谏科登第。时白居易以中书舍人与陈岵、贾悚同考制策。

冬

刘禹锡母丧服除，授夔州刺史。赴任经鄂州，与鄂州刺史李程酬和，作《鄂渚留别李二十六表臣大夫》、《始发鄂渚寄表臣二首》、《出鄂州界怀表臣二首》、《重寄表臣二首》等。是年在洛阳，作有《唐故尚书礼部员外郎柳君集纪》。

本年

姚合为武功主簿。贾岛有诗《寄武功姚主簿》，殷尧藩亦《暑中答武功姚合》。时费冠清隐居九华山，本年制授右拾遗，不就，作《蒙召拜拾遗书情二首》。姚合作《寄九华费拾遗》，顾非熊亦有《寄九华山费拾遗》。【寄武功姚主簿】《苕溪渔隐丛话》前集卷二三引蔡宽夫《诗话》云："诗家有假对，本非用意，盖造语适到，因以用之。若杜子美'本无丹灶术，那免白头翁'，韩退之'眼穿长讶双鱼断，耳热何辞数爵频，'借'丹'对'白'，借'爵'对'鱼'，皆偶然相值，立意下句，初不在此。而晚唐诸人遂立以为格。贾岛'卷帘黄叶落，开户子规啼'，崔峒'因寻樵子径，得到葛洪家'为例，以为假对胜的对，谓之高手，所谓痴人面前不得说梦也。"《瀛奎律髓汇评》卷六纪昀曰："浪仙诗难得如此流利。"又曰："寄姚即作姚体，古人多如此。"无名氏（甲）曰："造语自有深思，顿矫乐天之平易。然气局甚窄，不能开畅，此其病也。"

顾非熊（？—854?），苏州人，顾况之子。性滑稽，好凌轹，困举场三十年。穆宗长庆中，登进士第，累佐使府。大中间，为盱眙尉。慕父风，弃官隐茅山。与王建、贾岛、姚合、刘得仁、项斯等交善。《新唐书·艺文志》著录《顾非熊诗》一卷。据《旧唐书》卷一三〇《顾况传》附、《唐摭言》卷八等。

约此年，黄米饭撰成《文淑子》。《太平御览》卷五六八引《乐府杂录》曰："文淑子者，唐长庆初，有俗讲僧文淑善吟经，兼念四声'观世音菩萨'，其音谐畅，感动时人。乐工黄米饭依其念菩萨四声，乃撰成曲也。"

刘蜕约此年生。刘蜕（821？—?），字复愚，号文泉子，自云长沙人，或谓桐庐人。大中初居梓州，三年自荆州获解，四年进士及第。时荆州罕有进士及第者，故称"破天荒。"十一年为太学助教、集贤校理。咸通四年为左拾遗，贬华阴令。咸通末至乾符初为户部郎中，官商州刺史。约卒于此间。《新唐书·艺文志》著录《文泉子》一〇卷，已佚。今传明代天启年间吴香非问青堂六卷本《刘蜕集》，《四部丛刊》据以影印。事迹见《登科记考》卷二二、《郎官石柱题名考》卷一一等。陈寅恪有《刘复愚遗文中年月及其不祀祖问题》（载《金明馆丛稿初编》）。

高骈生。高骈（821—887），字千里，幽州人。初事朱叔明为司马，后历右神策军都虞候、秦州刺史。咸通中，拜安南都护，进检校刑部尚书，以都护府为静海军，授骈节度，兼诸道行营招讨使。僖宗立，加同中书门下平章事，迁剑南西川节度，进检校司徒，封燕国公。广明初，进检校太尉、东面都统、京西京北神策军诸道兵马等使，封渤海郡王，后为部将毕师铎所害。《新唐书·艺文志》著录《高骈诗》一卷，《宋书·艺文志》记为三卷，均散佚。事迹见《旧唐书》卷一八二、《新唐书》卷二二四本传、《唐诗纪事》卷六三。

公元822年（唐穆宗长庆二年　壬寅）

正月

刘禹锡初至夔州。五日，有《夔州刺史谢上表》。作诗寄韩愈、白居易，为《始至云安寄兵部韩侍郎中书白舍人二公近曾远守故有属焉》。春，与唐州刺史杨处厚唱和，作《寄唐州杨八归厚》、《重寄绝句》、《春日寄杨八唐州二首》。五月，有《夔州刺史厅壁记》。夏，与王涯酬唱，作《和东川王相公新涨驿池八韵》。是年，在夔州《竹枝词九首》，其序云："四方之歌，异音而同乐。岁正月，余来建平，里中儿联歌《竹枝》，吹短笛击鼓以赴节，歌者扬袂睢舞，以曲多为贤，聆其音，中黄钟之羽，卒章激讦如吴声。虽伧儜不可分，而含思宛转，有淇濮之艳。昔屈原居沅湘间，其民迎神词多鄙陋，乃为作《九歌》，到于今荆楚鼓舞之。故余亦作《竹枝词》九篇，俾善歌者扬之，附于末。后之聆巴歈，知变风之自焉。"另有《伤愚溪三首》、《寄朗州温右史曹长》等。【竹枝词九首】《山谷集》卷二六《跋刘梦得竹枝歌》："刘梦得《竹枝》九章，词意高妙，元和间诚可以独步。道风俗而不俚，追古昔而不愧，比之杜子美《夔州歌》，所谓同工而异曲也。昔东坡尝闻余咏第一篇，叹曰：此奔轶绝尘，不可追也。"又别集卷一二《跋竹枝歌》："刘梦得作《竹枝歌》九章，余从容夔州歌之，风声气俗皆可想见。"又《书自草竹枝歌后》："刘梦得《竹枝》九篇，盖诗人中工道人意中事者也。使白居易、张籍为之，未必能也。"《唐诗镜》卷三六："《竹枝词》俚而雅。"

《唐音癸签》卷一三："《竹枝词》：竹枝本出巴渝，其音协黄钟羽，末如吴声。有和声，七字为句。破四字，和云'竹枝'；破三字，又和云'女儿'。后元和中，刘禹锡谪其地，为新词，更盛行焉。"《师友诗传录》："竹枝本出巴、渝。唐贞元中，刘梦得在沅、湘，以其地俚歌鄙陋，乃作新词九章，教里中儿歌之。其词稍以文语缘诸俚俗，若太加文藻，则非本色矣。世所传'白帝城头'以下九章是也。"《诗辩坻》卷三："诗有近俚，不必其词闾巷也。刘梦得《竹枝》，所写皆儿女子口中语，然颇有雅味。"《石洲诗话》卷二："刘宾客之能事，全在《竹枝词》。至于铺陈排比，则有伧俗之气。"《读雪山房唐诗序例》"七绝凡例"："《竹枝》始于刘梦得，《宫词》始于王仲初，后人仿为之者，总无能出其上也。"【伤愚溪三首】《载酒园诗话》卷一："大抵宋人评刘诗多可笑者，如《伤愚溪》诗……摹写荒凉之概，真觉言与泗俱。《诗眼》乃讥其'于子厚了无益，殆《折杨》、《黄华》之雄，易售于流俗。'此诗自因僧言零陵来，言愚溪无曩时之观，而述所闻以寄恨耳，非颂非诔，非志非状，将必欲盛扬子厚之美而后为有益乎？"

韩愈、张籍同游林亭，韩愈作《早春与张十八博士籍游杨尚书林亭寄第三阁老兼呈白冯二阁老》，白居易有《酬韩侍郎题杨舍人林池见寄》。二月，韩愈以兵部侍郎奉诏宣谕镇州。有诗与裴度相酬。作《奉使镇州行次承天行营奉酬裴司空》、《镇州路上谨酬裴司空相公重见寄》等。三月，韩愈自镇州还，作诗《镇州初归》；并受韦处厚请，为作《韦侍讲盛山十二诗序》；与张籍同游曲江，作诗《同水部张员外曲江春游寄白二十二舍人》，白居易答有《酬韩侍御张博士雨后游曲江见寄》。九月，韩愈由兵部侍郎转吏部侍郎。是年，韩愈另有诗《夕次寿阳驿题吴郎中诗后》、《送桂州严大夫》、《奉和李相公题萧家林亭》、《和仆射相公朝回见寄》及文《楚国夫人墓志铭》等。【镇州初归】朱彝尊《批韩诗》："比拟殊妙，风致由笔尖溢出。"【韦侍讲盛山十二诗序】《唐宋八大家文钞》卷七："前半是经，后半是纬，而气亦跌宕。"《昌黎先生全集录》卷四："此亦公晚年作，故气厚而词雄。"

魏博军乱，节度使田布自刭。李涉作诗《哭田布》。春，李涉奉使淮南，作诗《奉使淮南》、《双峰寺得舍弟书》。适遇九江盗，作诗《井栏砂宿遇夜客》。《云溪友议》卷下《江客仁》："李博士涉，谏议渤海之兄。尝适九江看牧弟，临袂，凡有囊装悉分匡庐隐士，唯书籍薪米存焉。至浣口之西，忽逢大风鼓其征帆，数十人皆驰兵仗而问是何人，从者曰：'李博士船也。'其间豪首曰：'若是李涉博士，吾辈不须剽他金帛，自闻诗名日久，但希一篇，金帛非贵也。'李乃赠一绝句。豪首饯赂且厚，李亦不敢却。"

二十九日，李德裕加翰林学士承旨。二月四日，迁中书舍人，十九日改御史中丞。九月，出为润州刺史、浙西观察使。是年，有文《荐处士李源表》、《丞相邹平公新置资福院记》。

二月

白敏中、丁居晦、裴休等二十九人登进士第。时礼部侍郎王起知贡举，试《木鸡

赋》、《琢玉》诗。见《登科记考》卷一九。白居易喜其从弟登第，作《喜敏中及第偶示所怀》。

贾岛因进士试忤上，诏贬之。贾岛作诗《下第》、《病蝉》、《送康秀才》等。《鉴戒录》："贾又吟《病蝉》之句，以刺公卿。公卿恶之，与礼闱议之，奏岛与平曾等风狂挠扰贡院，是时逐出关外，号为十恶。议者以浪仙自认病蝉，是无搏风之分。"雍陶再下第，有诗《再下第将归荆楚上白舍人》。【下第】《诗林广记》卷七："《笔谈》云：诗有蜂腰体，如贾岛《下第》诗是也。盖颔联亦无对偶，然是十字叙一事，而意贯上二句。又颈联方对偶分明，谓之蜂腰格，言若已断而复续也。"《重订中晚唐诗主客图》："三、四全不对，昔人谓之'偷春格'('杏园'二句下评语)。"【病蝉】《诗话总龟》卷三一："贾岛尝为《病蝉》诗曰……议者谓无搏风之意，果为礼闱所斥。"《瀛奎律髓汇评》卷二七方回云："贾浪仙诗得老杜之瘦而用意苦矣。蝉有何病，殆偶见之，托物寄情，喻寒士之不遇也。中四句极其奇涩，而'尘点误侵睛'，尤亘古诗人所未道，故曰浪仙用意苦矣。"冯舒曰："镂雕如鬼工。"又曰："'四灵'腹联之外，便无余力，不得长江一支也。"查慎行曰："第三句费解。结有防微远患之戒。"《重订中晚唐诗主客图》："此自是赋而兼自寓意，然不必泥，即匠物已神绝。"

丁居晦（？—840），大和五年任拾遗，九年五月自起居舍人、集贤院直学士充翰林学士，十月迁司勋员外郎。开成二年九月，加司封员外郎、知制诰。三年八月迁中书舍人，十一月拜御史中丞，罢翰林学士。四年闰正月，再任翰林学士。五年三月，迁户部侍郎，卒。《全唐诗》卷七八〇收诗一首，《全唐文》卷七五七录文一篇。著有《重修承旨学士壁记》一卷，记玄宗以降至开成间翰林学士除授始末。近人岑仲勉有《翰林学士壁记注补》。

平曾，生卒年不详。《云溪友议》卷中"白马吟"："平曾以凭人傲物，多犯讳忌，竟没于县曹，知己叹其运蹇也。薛平仆射出镇浙西，投谒，主礼稍薄，曾留诗以讽之，曰……薛闻之，曾将出境，遣吏追还，縻留数日。又献鬃《白马诗》曰……遂以殊礼相待，厚送篚赂饯行。曾后游蜀川，谒少师李固言。相公在成都宾馆，则李珪郎中、郭圆员外、陈会端公、袁不约侍郎、来择书记、薛重评事，皆远从公，可谓莲幕之盛矣。曾每与诸公评论，则言笑弥日；侍于相公，则轻佻无所畏怵。遂献《雪山赋》一首，言……相公读赋，命推出曾。曾不踰旬，又献《鲼鳗鱼赋》，言……相公览赋而笑，曰：'昔赵元淑之狂简，袁彦伯之机捷，无以过焉。'然爱其文采，投贽者无以出于曾。曾有过忤，不至深罪矣。乃知相公之用心乎。又作《潼关赋》而刺中朝：'此关倚太华，瞰黄河，虽来往攸同，而欢有异也。'乃与贾岛齐谴，为时所忽，至于潦倒，诚可惜哉。"《唐音癸签》卷二六："唐士子应举，多遍谒藩镇州郡丐脂润，至受厌薄不辞。如平曾'三缣恤旅途'之恨、张汾'二千贯出往还'之夸，鄙秽种种。至所干投行卷，半属谄辞，概出赝剿，若小说所称'百钱买自书铺'、'并荆南表丈一时乞取'者，真堪令人捧腹。士风凌夷至此，总科举为之流弊也。"

辛巳，崔植罢相，元稹以工部侍郎同平章事，入相。改裴度为东都留守，平章事如故。六月，裴度与元稹不和，两人皆罢相。裴度守尚书右仆射，作诗言志，韩愈有《奉和仆射裴相公感恩言志》，张籍有《和裴仆射移官言志》。元稹出为同州刺史，手疏

奏党项事宜。是年，元稹有文《唐故开府仪同三司检校兵部尚书兼左骁卫上将军充大内皇城留守御史大夫上柱国南阳郡王赠某官碑文铭》、《同州刺史谢上表》、《进双鸡等状》、《进马状》、《贺圣体平复御紫宸殿受朝贺表》等，有诗《寄乐天二首》。【和裴仆射移官言志】《瀛奎律髓汇评》卷六方回评："此和裴晋公也。为上公而用心常常如此，所以善终。如蔡京、史弥远、贾似道，则不然矣。"查慎行评："颈联庄重。"纪昀评："三、四好，五、六句格太弱，遂支不起，此又非浓淡相间之谓。"《重订中晚唐诗主客图说》卷上："如此极重大题目，而只平平提过，如此可见眼界胸次高处。"

窦牟卒于长安，年七十四。《全唐诗》卷二七一编其诗一卷。韩愈《唐故国子司业窦公墓志铭》云："及公为文，亦最长于诗。孝谨厚重。"又其《祭窦司业文》云："文行夙成，有声江东。魁然厚重，长者之风。"褚藏言《窦牟传》："府君和粹积中，文华发外，惟琴与酒，克俭于家。时人以为有前古风韵。"《旧唐书》卷一五五《窦巩传》："巩能五言诗，昆仲之间，与牟诗俱为时所赏重。"【秋夕闲居对雨赠别卢七侍御坦】《瀛奎律髓汇评》卷一七许印芳云："语语切实，无空乏病。后半笔意尤不平，尤有深味。"

三月

张籍由国子博士迁水部员外郎。白居易作《喜张十八博士除水部员外郎》，朱庆余有诗《贺张水部员外拜命》，张籍有《新除水曹郎答白舍人见贺》。四月，张籍作《朝日敕赐樱桃》，韩愈有《和水部张员外宣政衙赐百官樱桃诗》。七月，张籍衔命使南，过商州，作诗《赠商州王使君》。至襄州，有诗《赠姚怤》。【喜张十八博士除水部员外郎】《瀛奎律髓汇评》卷二："方回评：何逊以诗名，老杜颂之曰：'能诗何水曹。'张籍是除，乐天贺之，五十六字如一直说话，自然条畅。陆贻典评：以议论作起承转合，元、白为然。查慎行评：八句一气呵成，章法亦本于杜。纪昀评：此诗便嫌薄弱。无名氏（甲）评：香山诗笔健而神远者贵，此其一也。无名氏（乙）评：踊跃善写喜意，古人之真挚如此。"《唐宋诗醇》卷二四："一气呵成，句句转，笔笔灵，章法亦本杜甫，不袭其貌，而得其神，故佳。宋人如杨廷秀辈有意摹仿此种，徒成油腔滑调耳。"【新除水曹郎答白舍人见贺】《瀛奎律髓汇评》卷二："纪昀评：和白便纯是白格。古人往往如此，后来东坡和山谷亦全似山谷。无名氏（甲）评：意境颇平，不及乐天远矣，无名氏（乙）评：著此第六句转落，分外生色。"

春

韦绚年二十一，至夔州求学于刘禹锡，录其谈话，后因编著《刘宾客嘉话录》。今本《刘宾客嘉话录》一卷一三〇条，已非原书面貌，多有与它书羼混重出及缺佚，可考定为原本者仅四五条。其它羼入《尚书故实》三七条、《续齐谐记》二条、《隋唐嘉话》二九条。《太平广记》、《唐语林》所引，转有多出于今本者，计五六条。今本出于南宋孝宗乾道九年卞圜依据其家藏"先人手校本"所刻。明代《顾氏文房小说》、清代曹氏《学海类编》本，所据即卞本。韦绚（801—866?），字文明，京兆人，韦执谊之子，元稹之婿，刘禹锡门人。大和五年，任剑南西川节度使李德裕巡官，六年任校书郎。开成末，自左补阙为起居舍人，又任吏部员外郎。大中十年为江陵少尹。咸通四年至七年为义武军节度使。著有《戎幕闲谈》。事迹见《新唐书·艺文志》、《郎官石柱题名考》卷四。

元宗简卒于长安。有集三十卷，已佚。《全唐诗》、《全唐文》皆未录其作。《白氏长庆集》卷六八《故京兆元少尹文集序》："其文蔚温雅渊，疏朗丽利，检不扼，达不放，古淡而不鄙，新奇而不怪，吾友居敬之文，其殆庶几乎。"

四月

严谟赴桂管观察使任。韩愈有诗《送桂州严大夫同用南字》，朱彝尊《批韩诗》云："是浅调，属对却工，颇类初唐。"白居易、张籍、王建均有送别诗。

六月

白居易自求外任，出为杭州刺史。《旧唐书·白居易传》："时天子荒纵不法，执政非其人，制御乖方，河朔复乱。居易累上疏论其事，天子不能用，乃求外任。七月，除杭州刺史。"有诗《宿蓝溪对月》、《长庆二年七月自中书舍人出守杭州路次蓝溪作》。八月，白居易遇张籍于内乡，有诗《逢张十八员外籍》。遇朱庆余于夏口，朱有诗《鄂渚送白舍人赴杭州》。过江州，白居易有诗《重到江州感旧游题郡楼十一韵》、《赠江州李十使君员外十二韵》、《题别遗爱草堂呈李十使君》。李十使君，李渤。十月，白居易在杭州，有《初到郡斋寄湖州李苏州》。是年，另有《行营状》、《为宰相谢官表》、《杭州刺史谢上表》及诗《久不见韩侍郎戏题四韵以寄之》、《初罢中书舍人》、《宿阳城驿对月》、《商山路有感》、《初出城留别》、《自秦望赴五松驿马上偶睡觉成吟》、《邓州路中作》、《朱藤杖紫骢马吟》、《桐树馆重题》、《过紫霞兰若》、《感旧纱帽》、《思竹窗》、《马上作》、《秋蝶》、《枯桑》、《山路偶兴》、《登商山最高顶》、《晚归有感》、《清调吟》、《山雉》、《初下汉江舟中作寄两省给舍》、《自蜀江至洞庭湖口有感而作》、《初领郡政衙退登东楼作》、《狂歌词》、《郡亭》、《咏怀》、《吾雏》、《庭松》、《赴杭州重宿棣华驿见杨八旧诗感题一绝》、《寓言题僧》、《内乡县村路作》、《山泉煎茶有怀》、《郢州赠别王八使君》、《吉祥寺见钱侍郎题名》、《重题》、《夜泊旅望》、《九江北岸遇风雨》、《舟中晚起》、《秋寒》、《初到郡斋寄钱湖州李苏州》、《对酒自勉》、《郡楼夜宴留客》、《醉题候仙亭》、《东院》、《虚白堂》、《闲夜咏怀因招周协律刘薛二秀才》、《晚兴》、《衰病》、《病中对病鹤》、《夜归》、《腊后岁前遇景咏意》、《白发》、《钱湖州以箬下酒李苏州以五酘酒相次寄到无因同饮聊咏所怀》、《花楼望雪命宴赋诗》、《晚岁》、《宿竹阁》、《岁暮枉衢州张使君书并诗因以长句报之》、《和薛秀才寻梅花同饮见赠》、《与诸客空腹饮》等。【自蜀江至洞庭湖口有感而作】《唐宋诗醇》卷二一："议论奇辟，笔力亦浑劲与题称。集中此种绝少，颇近昌黎，其源亦从杜甫《剑门》一篇脱胎。"《瓯北诗话》卷四："香山有《过洞庭湖》诗，谓大禹治水，何不尽驱诸水直注之海，而留此大浸占湖南千里之地，若去水作陆，又可活数百万生灵，增入司徒籍，岂禹时苗顽不用命，遂不能兴此役耶？此书生之见，好为议论，而不可行者也。万山之水，奔腾而下，其中途必有停潴之处，始不冲溢为患，如江西之有鄱阳，江南之有巢湖、洪泽湖、太湖，随时容纳，以缓其势，故为害较少。黄河之水，无地停蓄，遂岁岁为患。若令蜀江出峡后，即挟众水直趋东海，其间吴楚经由之地，横溃冲决，将有更甚于黄河者。香山但发议以骋其诗才，而不知见笑于有识也。”

九月

朱庆余游江州，有诗《上江州李使君》、《陪江州李使君重阳宴百花亭》。

本年

姚合在武功县主簿。本年前后有《武功县中作三十首》，世人因号“姚武功”。【武功县中作三十首】《瀛奎律髓汇评》卷二十三《闲适类序》：“凡山游郊行、原居野处、幽寂隐逸之趣，于此所选诗备见之。如姚合《少监集》有闲适一类，《武功县中作三十首》者，乃是仕宦而闲适，已选置‘宦情类’中。”《重订中晚唐诗主客图说》卷上：“此等与水部《秋居》、司马《原上》诗一例，随景触兴，无伦次，无章法，而自有天然妙趣。后世不知，则以为破体矣。又：三十首中皆于谐处见胸次、骨格，所以见重处，正在此耳。”

沈亚之于客游河中，应人之请，作《河中府参军厅记》、《解县令亭记》。

刘驾生。刘驾（822—?），字司南，江东人。初举不第，客居长安。大中三年，唐收复河湟，献《唐乐府十首》。六年登进士第，与曹邺同归范蠡故山。后官至国子博士，卒。与李频、李洞、薛能等交游酬唱。《直斋书录解题》著录《刘驾集》一卷，《宋史·艺文志》著录其《古风诗》一卷。事迹见《唐摭言》卷四、《唐诗纪事》卷六三等。

许棠生。许棠（822—?），字文化，宣州泾县人。咸通十二年进士及第。为刘邺辟为淮南馆驿官，授泾县尉，迁虔州从事。乾符六年前后为江宁丞。后归居泾县陵阳别业。与郑谷、李频、薛能等交游酬唱。又与张乔、任涛等齐名，合称“咸通十哲”。《新唐书·艺文志》著录《许棠诗》一卷。事迹见《唐摭言》卷四、《北梦琐言》卷二、《唐诗纪事》卷七〇等。

公元823年（唐穆宗长庆三年　癸卯）

正月

李翱为舒州刺史，江州刺史李渤筑蓄水堤成，翱为撰《堤铭》。十月，翱召为礼部郎中，作《别灊山神文》。

二月

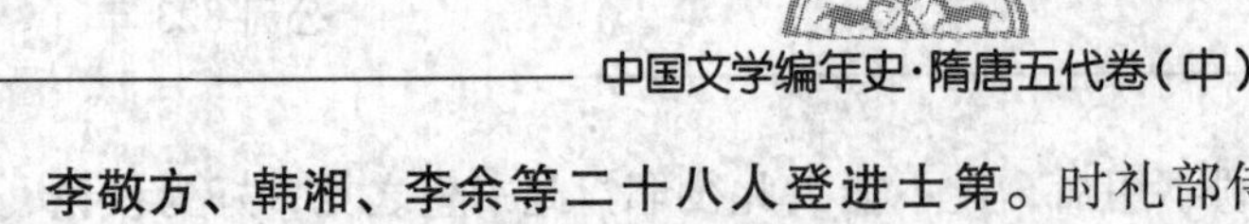

李敬方、韩湘、李余等二十八人登进士第。时礼部侍郎王起知贡举，试《丽龟赋》。时广宣以诗《贺王起》祝其典贡发榜，起有《广宣上人以诗贺发榜和谢》，元稹作《和王侍郎酬广宣上人观发榜后相贺》，刘禹锡有《宣上人远寄和礼部王侍郎发榜后诗因而继和》，张籍亦有诗《喜王起侍郎发榜》。广宣（生卒年不详），交州人。贞元间居蜀，与剑南西川节度使韦皋及薛涛唱和。元和间至长安，居大兴善寺，后奉诏住安国寺红楼院，以诗应制十余年。宝历前后，因事逐出红楼院，文宗时复入。与元稹、刘禹锡、白居易、李益、韩愈、张籍等皆有交游唱和。著有《红楼集》，《新唐书·艺文志》著录其《僧广宣与令狐楚唱和》一卷，今皆佚。《全唐诗》卷八二二编其诗一卷。事迹见《酉阳杂俎续集》卷五、《唐才子传》卷三。《唐音癸签》卷八："广宣应制诸篇，气色高华，允哉紫衣名衲。"又云："嗣后，转瞰膻名，竞营供奉，集讲内殿，献颂寿辰，如广宣、栖白、子兰、可止之流，栖止京国，交结重臣，品格斯非，诗教何取。"

李余及第归蜀。张籍作诗《送李余及第后归蜀》，姚合、贾岛、朱庆余分别有《送李余及第归蜀》。韩湘登第后访姚合，姚合有《答韩湘》。冬，韩湘以校书郎为江西使府从事，贾岛有诗《送韩湘》，姚合作《送韩湘赴江西从事》，朱庆余有《送韩校书赴江西幕》，僧无可有《送韩校书赴江西》，马戴有《送韩校书江西从事》，沈亚之为《送韩北渚赴江西序》。北渚，韩湘字。【送韩湘】《载酒园诗话》又编："贾有精思而无快笔，往往意工于词。又生平好用倒句，如'细响吟干苇'，'枝重集猿枫'，虽纡曲而犹能达其意。"

马戴（生卒年不详），字虞臣，尝寓居华山。会昌四年进士及第。大中初，为太原军幕府掌书记，后贬朗州龙阳尉。官终国子博士。与姚合、贾岛、顾非熊等友善。《新唐书·艺文志》著录《马戴诗》一卷。据《金华子杂编》卷下、《唐诗纪事》卷五四等。无可（生卒年不详），俗姓贾，范阳人，贾岛从弟。少出家，尝与贾岛同居青龙寺，后云游越、湘等地。大和年间，为白阁僧。与姚和过从甚密，多有诗唱和。又与张籍、马戴、厉玄等友善。《直斋书录解题》卷一九、《宋书·艺文志》均著录《无可集》一卷。据《唐诗纪事》卷七四、《唐才子传》卷七等。

春

姚合初春罢武功县主簿，入长安闲居。有诗《罢武功县将入城二首》。秋，在万年县尉任上，贾岛、朱庆余、顾非熊、僧无可会宿其宅，朱庆余有诗《与贾岛顾非熊无可上人宿万年姚少府宅》，贾岛有诗《宿姚少府北斋》、《酬姚少府》、《重酬姚少府》、《雨夜同厉玄怀皇甫荀》、《酬厉荀》，姚有《喜贾岛雨中访宿》、《万年县中雨夜会宿寄皇甫荀》。【与贾岛顾非熊无可上人宿万年姚少府宅】《唐诗归》卷三钟惺评："情辞到极真处，虽不深亦不妙，亦有真而不尽妙者，笔不活故也。诗可以不深，不可不活，于此诗起结悟其法。"《围炉诗话》卷二："起结大妙，惜中二联不浃洽。"

白居易在杭州，与客屡游西湖，作《钱塘湖春行》、《题灵隐寺红辛夷花戏赠光上人》、《题孤山寺石榴花示诸僧众》、《西湖晚归回望孤山寺赠诸客》等。又有诗、画寄与张籍，作《江楼晚眺景物鲜奇吟玩成篇寄水部张员外》，籍有诗《答白杭州郡楼登望画图见寄》。秋，徐凝、张祜取解，荐徐而屈张。《唐摭言》卷二：“白乐天典杭州，江东进士多奔杭取解。时张祐自负诗名，以首冠为己任。既而徐凝后至。会郡中有宴，乐天讽二子矛盾。祐曰：‘仆为解元，宜矣。’凝曰：‘君有何嘉句?’佑曰：‘《甘露寺》诗有“日月光先到，山河势尽来。”又《金山寺》诗有“树影中流见，钟声两岸闻。”’凝曰：‘善则善矣，奈无野人句云“千古长如白练飞，一条界破青山色”。’祐愕然不对。于是一座尽倾，凝夺之矣。”岁暮，白居易得张籍新诗一卷，作《张十八员外以新诗二十五首见寄郡楼月下吟玩通夕因题卷后封寄微之》，元稹有《酬乐天吟张员外诗见寄因思上京每与乐天于居敬兄升平里咏张新诗》。此年，元、白频相唱和，以竹筒储诗邮递，白有诗《醉封诗寄微之》、《与微之场合来去常以竹筒储诗陈协律美而成篇因以此答》、《元微之除浙东观察使喜得杭越邻州先赠长句》、《答微之泊西陵驿见寄》、《答微之夸越州州宅》、《余思未尽加为六韵重寄微之》、《酬微之夸镜湖》、《雪中即事答微之》、《除夜寄微之》等。是年，白居易还与郡佐殷尧藩、萧悦唱和，作《醉后狂言赠萧殷二协律》、《和殷协律琴思》、《醉中昼殷协律》等，另有《与济法师书》、《冷泉亭记》及诗《郡中即事》、《小岁日对酒唫钱湖州所寄诗》、《赠苏炼师》、《重向火》、《候仙亭同诸客醉作》、《城上》、《早行林下》、《送李校书趁寒食归义兴山居》、《独行》、《二月五日花下作》、《戏题木兰花》、《清明日观妓舞听客诗》、《湖中自照》、《杭州春望》、《饮散夜归赠诸客》、《湖亭晚归》、《东楼南望八韵》、《醉中酬殷协律》、《孤山寺遇雨》、《樟亭双樱树》、《湖上夜饮》、《赠沙鸥》、《余杭形胜》、《江楼夕望招客》、《新秋病起》、《木芙蓉花下招客饮》、《悲歌》、《夜招周协律兼答所赠》、《早冬》、《食饱》、《醉歌》、《官舍》、《早行林下》等。【西湖晚归回望孤山寺赠诸客】《唐宋诗醇》卷二五：“句法挺健，由字法生新也。‘重’字、‘战’字、‘摇’字、‘倚’字俱下得警策，遂觉全首生动，故曰炼句不如炼字。”《昭昧詹言》卷一八：“此题已如画。诗写景工而真，所以为佳。姚先生云：‘非至西湖，不知此写景之工。’起二句点题，中四句小大近远分写，皆回望中所见。却以结句回掉点明，复总写一句收足，所谓加倍起棱也。起不过叙点‘归’字，而以‘密’字攒炼出之。”

刘禹锡在夔州刺史任。冯宿使蜀回京，途经夔州，刘有《酬冯十七舍人宿赠别五韵》。秋，有诗《送张盥赴举》。时杨巨源赴湖南沈传师幕，刘作《酬杨八副使将赴湖南途中见寄一绝》。与杨归厚唱和，作《寄杨八寿州》、《李贾二大谏拜命后寄杨八寿州》。冬，唐扶出使南海，游道林寺、岳麓寺，有诗《使南海道长沙题道林岳麓寺》。沈传师作《次潭州酬唐侍御姚员外游道林岳麓寺题示》，刘禹锡有诗《唐侍御寄游道林岳麓二寺并沈中丞姚员外所和见征继作》。是年，杨巨源在国子司业任，曾作《送章孝标校书归杭州因寄白舍人》，刘作诗《酬杨司业巨源见寄》。刘另有文《夔州始兴寺移铁像记》、《夔州论历害表》、《奏记丞相府论学事》及诗《送周使君罢渝州归郢中别墅》、《白舍人自杭州寄新诗有柳色藏苏小家之句因而戏酬兼寄浙公元相公》。【次潭州酬唐侍御姚员外游道林岳麓寺题示】《竹庄诗话》卷一四引《诗事》云：“黄鲁直尤喜沈传师《岳麓寺诗碑》，尝为之说曰：沈传师字、画皆遒劲，真楷笔势可学，唯道林岳麓诗殊不相类，似有神助。其间架纵夺偏正，肥瘦长短各有体，忽若龙起沧溟，凤翔青汉；又如花开秀谷，松偃幽岑；或似枯木倒悬，怪石高坠，千变万态，冥发天机，与其诗之气焰，往往勍敌。不问阿买之徒，即韩择木、蔡有邻，不是过也。此鲁直不特爱其书，又爱其诗如此。”

徐凝（生卒年不详），睦州人，约元和、长庆年间在世，与韩愈、白居易、元稹等交游。曾客游扬州，归里后优游诗酒而终。《全唐诗》卷四七四编其诗一卷，《全唐诗补编·补逸》卷七补一首，《续补遗》卷五补三首，《续拾》卷二六补二句。事迹见《唐诗纪事》卷五二、《宣和书谱》卷一〇、《唐才子传》卷六等。

薛涛卧病成都，作诗《段相国游武担寺病不能从题寄》。段相国，即段文昌。

四月

郑权出镇岭南，韩愈有诗《送郑尚书赴南海》、《送郑尚书序》，张籍有《送郑尚书出镇南海》、《送郑尚书赴广州》，王建有《送郑权尚书赴南海》。【送郑尚书序】《义门读书记》卷三二：“前半盛称其任之重以戒勉之，而以两语反复微讽，使知所自处。知其为讽，愈觉有味。犹《诗》之有《楚茨》篇也。宋人自欧公而外，无复得其意矣。”《黄氏日钞》卷五九：“叙事工密。”《古文渊鉴》卷三五：“光伟其气，磊落其辞，而出以精思，故尔超绝。”《唐宋八大家文钞》卷六：“昌黎序事，绝不类史迁，亦不学史迁，自勒一家矣。”《古文雅正》卷八：“昌黎公送行序，多用议论，以疏宕胜。此独叙事古奥，详尽错落，妙在极雕琢，极自然。……此篇极有法度易学。首叙其权之大，足以有为；次叙关系之重，勉以处置之，宜在言外；末规其廉，祝其成政而来。笔极雅。”《昌黎先生全集录》卷四：“前乎此，后乎此，有如此序文乎？史籍经言，虽公集中，亦惟郓堂悉敌，盖韩文之极胜。”《韩柳文研究法》“韩文研究法”：“至岸异，句法无一处肯涉平易。……大抵昌黎之文，遇平易之文，偏生出无数丘壑，随步换形，引人入胜，又往往使人不测。若遇此等题，则极意讲究句法及气势与颜色而已，不再蓄缩吞茹矣。”

李德裕在润州，得张志和《渔歌》，作《玄真子渔歌记》。是年，另有《论丧葬逾制疏》。

五月

樊宗师守绛州，作《绛守居园池记》。《四库提要》卷一五〇：“文僻涩，不可句读。董逌《广川书跋》称尝至绛州，得其旧碑，剔刮劘洗，见其后有宗师自释。然仅略注亭榭之名，其文仍不尽可解，故好奇者多为之注。据李肇《国史补》称唐时有王晟、刘忱二家，今并不传，故赵仁举补为此注。皇庆癸丑，吴师道病其疏漏，为补二十二处，正六十处。延佑庚申，许谦仍以为未尽，又补正四十一条。至顺三年，师道因谦之本又重加刊定，复为之跋。二十年屡经窜易，尚未得为定稿。盖其字句皆不师古，不可训诂考证，不可据其文义推测钩贯以求通。一篇之文，仅七百七十七字，而众说纠纷，终无定论，固其宜也。以其相传既久，如古器铭识，虽不可音释，而不得不谓之旧物，赏鉴家亦存而不弃耳。”董逌《广川书跋》（四库本）卷八：“文章之奇

至矣，作者既众，人争务以工自见，时出所长，暴耀震发，则其势必至恢诡谲怪而后已。金玉犀象，人之所宝；梗楠豫章，人之所材。至于大宇之下，常珍满目，故非奇玩怪产，不足以发异观。于是海中腐石，以出珊瑚；沟中断木，以供牺尊。唐之文敝极矣。而后有韩退之振起衰陋，故皇甫湜、李翱、张籍辈相附而出，盖亦求海中之石、沟中之木者也。呜呼，能不随人后以自树立，宜昌黎公之文独臻其至耶。"《隐居通议》卷一五："唐樊宗师作《绛守居园池记》，好怪者多喜其奇古。以予观之，亦何奇古之有？硗戛磊块，类不可读。……今樊文作意求新，殆近于怪，惟求其不可读，而不望其必可传。其去经也远矣。律以从顺，未知其何如，而世或称其奇古，至笃嗜而不置，何也？"《金石录》卷二九："昔之为文者，虽务为新语，然未尝有意于求奇也。宗师之文，乃故为险怪，必使人不可晓而后已，此岂作者之体哉。"陶宗仪《辍耕录》（四库本）卷一二："艰深奇涩，读之往往昧其句读，况义乎哉。韩文公谓其文不蹈袭前人一言一句，观此记则诚然矣。"吴师道《礼部集》（四库本）卷一六《题樊绍述绛守居园池记后》："樊绍述作《绛守居园池记》，文体奇涩，读者不能句。……按绍述文甚多，鲜有传，是篇独为好事者蓄示诡异，折偎浅以资笑，甚矣！人情之好奇也。当有唐元和、长庆间，昌黎公以文雄一世，从之游者若李翱之纯、皇甫湜之健、张籍之丽、郊岛之寒苦，巨细无不有。而号称险怪奇涩者，诗则卢仝，文则绍述，惟韩子兼之。……文章贵不用意，溢于正而奇出焉，盖非能奇之为奇，而不能不奇之为奇也。是作也，其出于自然耶？其有意为之耶？识者其知之矣。"王行《半轩集》（四库本）卷八《绛守居园池记而题其后》："记所以纪事，其义必因文以达之，盖欲人之知解也。而务于怪僻晦涩其辞，使人读之不能了了，又岂为文之法哉？若《绛守居园池记》是已。"

六月

诗僧道标卒于杭州灵隐寺，年八十四。《宋高僧传》卷一五《唐杭州灵隐寺道标传》："标经行之外，尤练诗章，辞体古健，比之潘、刘。当时吴兴有昼，会稽有灵澈，相与酬唱，递作笙簧，故人谚云：'霅之昼，能清秀；越之澈，洞冰雪；杭之标，摩云霄'。每飞章寓韵，竹夕华时，彼三上人当四面之敌，所以辞林乐府常采其声诗。"

八月

元稹由同州刺史授越州刺史、浙东观察使，有诗《初除浙东妻有阻色因以四韵晓之》。奏窦巩为副使，以卢简求为掌书记。十月，过杭州，与白居易会，三宿而别。至越，又有诗酬唱。元作有诗《酬乐天喜邻郡》、《再酬复言和前篇》、《赠乐天》、《重赠》、《别后西湖晚眺》、《以州宅夸以乐天》、《重夸州宅旦暮景色兼酬前篇末句》、《寄乐天》、《戏赠乐天复言》、《重酬乐天》、《再酬复言》、《除夜酬乐天》等。春，杨巨源曾至同州与元相会，元有诗《第三岁日咏春风凭杨员外寄长安柳》、《酬杨司业十二兄早秋述情见寄》。在同州任上，元另有诗《杏花》、《送公度之福建》、《树上乌》、《旱灾自咎贻七县宰》等。是年，元有文《同州奏均田状》、《祈雨九龙神文》、《报雨九龙神文》、《有唐赠太子少保崔公墓志铭》、《唐故福建等州都团练观察处置等使中大夫使持节都督福州诸军事守福州刺史兼御史中丞上柱国赐紫金鱼袋赠左散骑常侍裴公墓志铭》、《唐故使持节万州诸军事万州刺史赐绯鱼袋刘君墓志铭》等。【重赠】《三唐体诗》卷一何焯评："寄君诗则无非离别之辞，起下二句轻巧无痕。不必更听，便藏得千重别恨。末句只从将别作结，自有黯然之味，正用覆装以留不尽。"《诗法易简录》："一气清空如话。"《诗境浅说》续编："首二句非但见交情之厚，兼有会少离多之意，故第三句以'又'字表明之，言明日潮平月落，又与君分手江头。题曰《重赠乐天》，见临别言之不尽也。"【重夸州宅旦暮景色兼酬前篇末句】《瀛奎律髓汇评》卷四方回评："长庆中，乐天知杭州，微之知越州，以筒寄诗自此始。微之《夸州宅》，蓬莱阁所以名亦自此始。二公前贬九江、忠州、江陵、通州，往来诗不胜其酸楚，至此乃不胜其夸耀，亦一时风俗之弊，只知作诗，不知其有失也。"纪昀评曰："此论甚确。大抵元、白为人皆浅，小小悲喜必见于诗。全集皆然，不但此也。"《唐诗审体》卷一五："元相诗以风致宕逸自喜，世因有元轻之目，是编录其用笔之稍重者。要之元、白绝唱，乐府歌行第一，长韵律诗次之，七言四韵又其次也。"

马总卒于长安。《全唐诗逸》卷中存其诗一首，《全唐文》卷四八一录其文五篇。韩愈有《祭马仆射文》。《旧唐书》卷一五七《马总传》："总理道素优，军政多暇，公务之余，手不释卷，所著《奏议集》、《年历》、《通历》、《子钞》等书百余卷行于世。"

十月

韩愈六月为京兆尹兼御史大夫，时与李绅为台事相争，改兵部侍郎，又改为吏部侍郎。李绅由御史中丞出为江西观察使，后复留为户部侍郎。是年，韩愈有文《京尹不台参答友人书》、《贺雨表》、《举张正甫自代状》、《曲江祭龙文》、《唐故太学博士李君墓志铭》及诗《早春呈水部张十八员外二首》、《奉和杜相公太清公纪事陈诚上李相公十六韵》、《示爽》等。

十一月

崔玄亮出守湖州。白居易作诗《得湖州崔十八使君书喜与杭越邻郡因成长句代贺兼寄微之》。其后崔玄亮与元、白唱和，号《三州唱和集》。《唐诗纪事》卷三九："玄亮与元微之、白乐天皆贞元初同年生也。……后白刺杭州，元为浙东廉刺使，而崔刺湖州……三郡有唱和诗，谓之《三州唱和集》。"

王仲舒卒于江西观察使任，年六十二。《全唐诗》卷四七三存其诗一首，《全唐文》录其文五篇，《唐文拾遗》卷二五补一篇。《旧唐书》卷一九〇《王仲舒传》："仲舒文思温雅，制诰所出，人皆传写。"《册府元龟》卷八八二："王仲舒，太原人，少贫养母，嗜学工文，不就乡举，交友必一时高名者，与杨顼、梁肃、裴枢为忘形之契。仲舒为拾遗，与杨凭友善。"又卷九三〇："王仲舒为中书舍人，初仲舒与杨凭、穆质、许孟容、李墉为友，故时人称'杨、穆、许、李之友'。仲舒以后进慕容而入，性尚简傲，不能接下，以此人多怨之。"韩愈《中丞赠左散骑常侍太原王公墓志铭》："公所为

文章无世俗气，其所树立，殆不可学。”权德舆《送王仲舒侍从赴衢州观叔父序》：“及览子之文，文达而理举，温润博雅，且多古风。”

十二月

孟简卒。《全唐诗》卷四七三录诗七首，《全唐诗补编·续拾》卷二四补二首。《全唐文》卷六一六收文三篇，《唐文拾遗》卷二六录文一篇。

樊宗师约于本年或稍后卒于绛州。《全唐文》卷七三〇收文一篇，《千唐志斋》录墓志一篇，《全唐诗》卷三六九录诗一首，即《蜀绵州越王楼诗》。《五百家注昌黎文集》卷三四《南阳樊绍述墓志铭》：“绍述既卒，且葬，愈将铭之，从其家求书，得书号《魁纪公》者三十卷，曰《樊子》者又三十卷，《春秋集传》十五卷，表笺状策书序传记纪志说论今文赞铭，凡二百九十一篇，道路所遇及器物门里杂铭二百二十，赋十，诗七百一十九。曰：多矣哉，古未尝有也。然而必出于己，不袭蹈前人一言一句，又何其难也！必出入仁义，其富若生蓄，万物必具，海含地负，放恣横纵，无所统纪。然而不烦于绳削而自合也。……铭曰：惟古于词必己出，降而不能乃剽贼，后皆指前公相袭。从汉迄今用一律，寥寥久哉莫觉属，神徂圣伏道绝塞。既极乃通发绍述，文从字顺各识职，有欲求之此其躅。”又《与袁相公书》：“又善为文章，词句刻深，独追古作者为徒，不顾世俗轻重。”《荆溪林下偶谈》卷三：“不蹈袭最难，必有异禀绝识，融会古今文字于胸中，而洒然自出一机轴方可。不然，则虽临纸雕镂，只益为下耳。韩昌黎为《樊宗师墓志》，言其所著述至多凡七十五卷，又一千四十余篇。古未尝有，而不蹈袭前人一言一句，又以为文从字顺，则樊之文亦高矣。然今传于世者仅数篇，皆艰涩，几不可句，则所谓文从字顺者安在？此不可晓也。”

公元 824 年（唐穆宗长庆四年　甲辰）

正月

元日，苏州刺史李谅以《感怀》诗寄元稹、白居易，元有《酬复言长庆四年元日郡斋感怀见寄》，白有《苏州李中丞以元日郡斋感怀诗寄微之及予辄依来篇七言八韵走笔奉答兼呈微之》。

壬申，穆宗卒，年三十。李湛即位，年十六，是为敬宗。

二月

李群、韩琮、韦楚老、李甘、韩昶等三十三人登进士第。时中书舍人李宗闵知贡举。见《登科记考》卷一九。李甘（？—835？），字和鼎，长庆四年进士及第，大和二年登贤良方正能直言极谏科。大和间为侍御史。九年七月，因反对郑注，贬封州司马。卒于贬所。《新唐书·艺文志》著录《李甘文》一卷，已佚。事迹见《旧唐书》卷一七一、《新唐书》卷一一八等。

李绅为李逢吉所排构，贬端州司马。蒋防坐为李绅引用，出为汀州刺史。春，李

绅赴端州，途中有诗《过荆门》、《涉阮湘》、《至潭州闻猿》、《逾岭峤止荒陬抵高要》等。秋，抵贬所，作诗《闻猿》、《江亭》、《朱槿花》。

三月

白居易在杭州刺史任，修筑钱塘湖堤，疏浚城中六井，作《钱塘湖石记》等。五月，秩满待除授，畅游湖山，有诗《除官去未间》等，后除太子左庶子、分司东都，作《别州民》等诗。夏，白居易归洛阳，过常州，作《看常州柘枝赠贾使君》，贾使君，贾餗，时为常州刺史。秋，归洛阳，买故杨凭履道里宅居之，有诗《洛下卜居》、《履道新居二十韵》、《题新居寄宣州崔相公》。是年，白居易另有《祭浙江文》及诗《南亭对酒送春》、《仲夏斋戒月》、《三年为刺史二首》、《别萱桂》、《舟中李山人访宿》、《赠苏少府》、《移家入新宅》、《琴》、《鹤》、《自咏》、《林下闲步寄皇甫庶子》、《晏起》、《池畔二首》、《岁假内命酒赠周判官萧协律》、《与诸客携酒寻去年梅花有感》、《见李苏州示男阿武诗自感成咏》、《正月十五日夜月》、《题州北路傍老柳树》、《题清头陀》、《自叹二首》、《湖上醉中代诸妓寄严郎中》、《自咏》、《晚兴》、《早兴》、《竹楼宿》、《湖上招客送春泛舟》、《戏醉客》、《紫阳花》、《春题湖上》、《新春江次》、《早春忆微之》、《失鹤》、《自感》、《早饮湖州酒寄崔使君》、《病中书事》、《题石山人》、《诗解》、《潮》、《柘枝妓》、《急乐世辞》、《天竺寺送坚上人归庐山》、《除官赴阙留赠微之》、《留题郡斋》、《留题天竺灵隐两寺》、《西湖留别》、《重题别东楼》、《别周军事》、《看常州柘枝赠贾使君》、《汴河路有感》、《埇桥旧业》、《茅城驿》、《河阴夜泊忆微之》、《杭州回舫》、《途中题山泉》、《欲到东洛得杨使君书因以此报》、《洛下寓居》、《味道》、《好听琴》、《爱咏诗》、《酬皇甫庶子见寄》、《卧疾》、《远师》、《问远师》《晚秋》、《分司》、《池西亭》等。【西湖留别】《昭昧詹言》卷一八："起二句叙题，字字锤炼而出之，不觉其为对起。三、四跌出，空圆警妙，盐脑运虚为实。五六周旋题面，收句倒转拍题。用笔用意，不肯使一直笔，句句回旋，曲折顿挫，皆从意匠经营锤炼，而出不似梦得、子厚但放笔直下也。先敛后放，变化沈约'浮声切响'，此等足取法矣，然犹经营地上语耳。杜公包有梦得、子厚、乐天，而有精深华美不测之妙。"【春题湖上】《古唐诗合解》卷一五："前解写山月之胜，后解写物色之胜，总写得'湖上春'三字。"《唐宋诗醇》卷二五："'画图'二字是诗眼，下五句皆实写画图中景，以不舍意作结，而曰'一半勾留'，言外正有余情。"

韩愈在长安，应柳宗元故吏之请，记其死而为神事，成《柳州罗池庙碑》。夏，韩愈告假，养病于城南山庄。张籍时休官，陪游南溪，贾岛亦时至。韩愈作诗《南溪始泛三首》，张籍有《同韩侍郎泛南溪》，贾岛有《黄子陂上韩吏部》、《和韩吏部泛南溪》，姚合亦有《和前吏部韩侍郎夜泛南溪》。八月，韩愈归靖安里第，十六日，张籍、王建至，同玩月于庭阶，愈有诗《玩月喜张十八员外王六秘书至》。后病重，致书皇甫湜，托为撰写墓铭。此间，作有《南阳樊绍述墓志铭》、《送杨少尹序》等、《唐故幽州节度判官赠给事中清河张君墓志铭》等。【柳州罗池庙碑】《崇古文诀》卷九："叙事有伦，句法矫健，中含讥讽之意。"《唐宋八大家文钞》卷一二："予览昌黎碑柳州，不书柳州德政之可载，载其死而为神一节，似狎而少庄。”《唐宋文醇》卷八：“晁氏曰：此非铭罗池神之文，吊宗元之文也。”《古赋辩体》卷九：“愚谓此篇赋也，其体自《九歌》中来，亦几逼真矣。”《昌黎先生全集录》卷五：“生为哲，没为神，固有是理。而公益以悲柳州之一斥不复，故文与诗俱惨怆伤怀之音。”《古文范》卷三：“此文哀子厚之穷死，因柳人之尊祀，而藉以发其不平，意旨具在言外。而文字矜壮凝练，声调色彩，俊朗高骞，与公平日雕琢险怪之体有别。”【南溪始泛三首】《竹庄诗话》卷七引《王直方诗话》：“洪龟父言：山谷于退之诗少所许可，最爱《南溪始泛》，以为有诗人句律之深意。”《诗人玉屑》卷一五《蔡宽夫诗话》：“退之诗豪健奔放，自成一家，世特恨其深婉不足。《南溪始泛》三篇，乃末年所作，独为闲远，有渊明风气。”《唐诗镜》卷三八：“语致洒洒。”《唐宋诗醇》卷三一：“三首神似陶公，所谓‘奸穷变怪得，往往造平淡’者。”朱彝尊《批韩诗》：“炼得已无痕，但不免微有着力处，此等在陶亦有之，此则又隔陶一间耳。”【南阳樊绍述墓志铭】《文章精义》：“退之志樊宗师墓，其不蹈袭前人一言一句，盖与‘凿凿乎陈言之务去，戛戛乎其难哉’意适相似，所以深喜之。然铭谓‘文从字顺各识职’，则宗师之文不从、字不顺者多矣，亦微有不满意。”又云：“退之志樊绍述，其文似绍述；志柳子厚，其文似子厚。春蚕作茧，见物即成，性极巧。”《唐宋八大家文钞》卷一五：“昌黎文多奇崛，然亦多生割处。”《韩文起》卷一二：“此自首至尾，步步倒写文字也。读来却是一气呵成文字，不可以常格论。盖因绍述为文，必自己出，故意别创出此一格耳。”《韩柳文研究法》“韩文研究法”：“大抵文体之奇，有唐实自昌黎开之。”

刘禹锡在夔州，有《送裴处士应制举》、《贺册太后表》等。夏秋，移刺和州，有诗《夔州别官吏》。途中，有诗《自江陵沿流道中》、《鱼复江中》、《望洞庭》、《武昌老人说笛歌》、《西塞山怀古》、《经檀道济故垒》、《夜闻商人船中筝》、《秋江晚泊》、《九华山歌》、《谢宣州崔相公赐马》、《晚泊牛渚》及《洗心亭记》。十一月，在和州，有诗《送惟良上人》及《和州谢上表》。【武昌老人说笛歌】《载酒园诗话》又编：“（刘禹锡）七言古大致多可观，其《武昌老人说笛歌》，娓娓不休，极肖过时人追忆盛年，不禁技痒之态。至曰‘气力已微心尚在，时时一曲梦中吹’，不意笔舌之妙，一至于此。”【西塞山怀古】《唐诗镜》卷三六：“三、四似少琢炼，五六凭吊，正是中唐语格。”《唐风定》卷一七：“咏古之什，悲婉空淡，高于许浑。”《瀛奎律髓汇评》卷三：“何焯评：气势笔力匹敌《黄鹤楼》诗，千载绝作也。纪昀评：第四句但说得吴。第五句七字括过六朝，是为简练。第六句一笔折道西塞山，是为圆熟。查慎行评：专举吴亡一事，而南渡、五代以第五句含蓄之。见解既高，格局亦开展动宕。”《唐诗成法》卷一〇：“题甚大。前四句，止就一事言。五以‘几回’二字，包括六代，繁简得宜，此法甚妙。七开、八合。前半是古，后半是怀。五简练，七、八奇横。元、白之所以束手者全在此。全首俱好，五尤出色。”《唐诗笺要》卷八：“此诗，梦得略无造意，引满而成，乐天所谓得颔下一颗是也。凡不经意而自工者，才得压到一切。本咏金陵，而以西塞为题者，盖引入门问讳之谊。”《一瓢诗话》：“似议非议，有论无论，笔著纸上，神来天际，气魄法律，无不精到，洵是此老一生杰作，自然压倒元、白。”《兰丛诗话》：“七律章法，宜田尤善言之。就一首，如刘梦得《西塞山怀古》，白香山所让能，其妙安在？宜田云：前半专叙孙吴，五句以七字总括东晋、宋、齐、梁、陈五代，局阵开拓，乃不紧迫。六句始落到西塞山，‘依旧’二字有高峰堕石之捷速。七句落到怀古，‘今逢’二字有居安思危之遥深。八句‘芦荻’是即时景，仍用‘故垒’，终不脱题。此技结一片之法也。到于前半一气呵成，具有山川形势，制胜谋略，因前验后，兴废皆然，下加以‘几回’二字轻轻兜满，何其神妙!”《随园诗话》卷六：“只咏王浚楼船一事，而后四句，全是空描。当时白太傅谓其‘已探骊珠，所余鳞甲无用’。真知言哉。不然，金陵典故，岂王浚一事？而刘公胸中，岂止晓此一典耶?”《石洲诗话》卷二：“刘宾客《西塞山怀古》之作，极为白公所赏，至于为之罢唱。起四句洵是杰作，后四句则不振矣。此中唐以后，所以气力衰飒也。固无八句皆紧之理，然必松处正是紧处，方有意味。如此作结，毋乃饮满时思滑之过耶?”《岘佣说诗》：“刘梦得《金陵怀古》诗‘王浚楼船’四语，虽少陵动笔，不过如是，宜香山之缩手。五、六‘人世几回’二句，平弱不称，收亦无完固之力，此所以成晚唐也。”《〈唐诗选〉旧评记存》：“此诗压倒元、白久矣，然第五句词意空竭，不能振荡，终伤才弱。”《昭昧詹言》卷一八：“然按以杜公《咏怀古迹》，则此诗无甚奇警胜妙。大约梦得才人，一直说去，不见艰难吃力，是其胜于诸家处。然少顿挫沉郁，又无自己在诗内，所以不及杜公。愚以为此无可学处，不及乐天有面目格调，犹足为后人取法也。”

九月

令狐楚由河南尹授汴州刺史、宣武军节度使。王建有诗《寄汴州令狐相公》，姚合有《寄汴州令狐楚相公》，朱余庆有《上汴州令狐相公》。稍后，贾岛曾至汴州谒见令狐楚。

十二月

元稹在浙东观察使任，编次白居易长庆二年冬以前诗二千二百五十一首，成五十卷，为《白氏长庆集》。序云：“《白氏长庆集》者，太原人白居易之所作。居易字乐天。乐天始未言，试指‘之’、‘无’字，能不误。始既言，读书勤敏，与他儿异。五、六岁识声韵，十五志辞赋，二十七举进士。贞元末，进士尚驰竞，不尚文，就中六籍尤摈落。礼部侍郎高郢始用经艺为进退，乐天一举擢上第。明年，中拔萃甲科，由是《性习相近远》、《玄珠》、《斩白蛇剑》等赋洎百节判，新进士竞相传于京师。会宪宗皇帝策召天下士，对诏称旨，又登甲科。未几，选入翰林，掌制诰。比上书言得失，因为《贺雨诗》、《秦中吟》等数十章，指言天下事，时人比之《风》、《骚》焉。予始与乐天同秘书，前后多以诗章相赠答。予谴掾江陵，乐天犹在翰林，寄予百韵律体及杂体，前后数十诗。是后各佐江、通，复相酬寄。巴、蜀、江、楚间洎长安中少年，递相仿效，竞作新辞，自谓为元和诗。而乐天《秦中吟》、《贺雨》讽谕闲适等篇，时人罕能知者。然而二十年间，禁省观寺、邮候墙壁之上无不书，王公妾妇、牛童马走之口无不道。其缮写模勒，炫卖于市井，或因之以交酒茗者，处处皆是。其甚有至盗窃名姓，苟求自售，杂乱间厕，无可奈何。予尝于平水市中，见村校诸童，竞习歌咏，召而问之，皆对曰：'先生教我乐天、微之诗。'固亦不知予为微之也。又鸡林贾人求市颇切，自云：'本国宰相，每以一金换一篇，甚伪者，宰相辄能辨别之。'自篇章已来，未有如是流传之广者。长庆四年，乐天自杭州刺史以右庶子召还，予时刺会稽，因得尽征其文，手自排缵，成五十卷，凡二千二百五十一首。前辈多以前集、中集为名，予以为陛下明年当改元，长庆讫于是矣，因号《白氏长庆集》。大凡人之文各有所长，乐天长可以为多矣。夫讽谕之诗长于激，闲适之时长于遣，感伤之诗长于切，五字律诗百言而上长于赡，五字、七字百言而下长于情，赋赞箴诫之类长于当，碑记叙事制诰长于实，启奏表状长于直，书檄辞册剖判长于尽。总而言之，不亦多乎哉！"是年，元稹另有文《永福寺石壁法华经记》，有诗《寄浙西李大夫四首》、《寄乐天》、《酬乐天雪中见寄》、《和乐天早春见寄》、《代杭民作使君一朝去二首》、《代杭民答乐天》、《代郡斋神答乐天》、《酬乐天重寄别》、《和乐天重题别东楼》、《和乐天示杨琼》等。【寄乐天】《唐诗笺注》卷五黄叔灿评："中四句皆是夸会稽，'灵汜'一联，天然图画之山水也。而'冰销'一联，又就眼前景色言之，造句新颖，画工布景，俱有经营匠心，不是一味铺写。末句是寄。"

韩愈卒于长安，年五十七。李汉《昌黎先生集序》云："文者，贯道之器也；不深于斯道，有至焉者不也？……自知读书为文，日记数千百言。比壮，经书通念晓析，酷排释氏，诸史百子，皆搜抉无隐。汗澜卓踔，渊泫澄深，诡然而蛟龙翔，蔚然而虎凤跃，锵然而韶钧鸣。日光玉絜，周情孔思，千态万貌，卒泽于道德仁义，炳如也。洞视万古，愍恻当世，遂大拯颓风，教人自为。时人始而惊，中而笑且排。先生志益坚，其终人亦翕然而随以定。呜呼！先生于文，摧陷廓清之功，比于武事，可谓雄伟不常者矣。"《李文公集》卷一一《韩公行状》："公气厚性通，论议多大体，与人交，始终不易。……深于文章，每以为自扬雄之后，作者不出，其所为文，未尝效前人之言，而固与之并。自贞元末，以至于兹，后进之士，其有志于古文者，莫不视公以为法。"又卷七《与陆傪书》："又思我友韩愈，非兹世之文，古之文也；非兹世之人，古之人也。其词与其意适，则孟轲既没，亦不见有过于斯者。当其下笔时，如他人疾书写之，诵其文，不是过也。其词乃能如此。"《皇甫持正集》卷六《韩文公墓志铭并序》："先生之作，无圆无方，至是归工。抉经之心，执圣之权，尚友作者，跋邪抵异，以扶孔氏，存皇之极。知与罪，非我计。茹古涵今，无有端涯。浑浑灏灏，不可窥校。及其酣放，豪曲快字，凌纸怪发，鲸铿春丽，惊耀天下。然而栗密窈眇，章妥句适，精能之至，入神出天。呜呼，极矣，后人无以加之矣。姬氏以来，一人而已矣。"又卷一《谕业》："韩吏部之文，如长江秋注，千里一道，冲飚激浪，瀚流不滞。然而施于灌溉，或爽于用。"《旧唐书》卷一六〇《韩愈传》："愈性弘通，与人交，荣悴不易。少时与洛阳人孟郊、东郡人张籍友善。二人名位未振，愈不避寒暑，称荐于公卿间，而籍终成科第，荣于禄仕。后虽通贵，每退公之隙，则相与谈宴，论文赋诗，如平昔焉。而观诸权门豪士，如仆隶焉，瞪然不顾。而颇能诱厉后进，馆之者十六七，虽晨炊不给，怡然不介意。大抵以兴起名教，弘奖仁义为事。凡嫁内外及友朋孤女仅十人。常以为自魏、晋已还，为文者多拘偶对，而经诰之指归，迁、雄之气格，不复振起矣。故愈所为文，务反近体；抒意立言，自成一家新语。后学之士，取为师法。当时作者甚众，无以过之，故世称‘韩文’焉。”《新唐书》卷一七六《韩愈传》：“每言文章自汉司马相如、太史公、刘向、扬雄后，作者不世出，故愈深探本元，卓然树立，成一家言。其《原道》、《原性》、《师说》等数十篇，皆奥衍闳深，与孟轲、扬雄相表里而佐佑《六经》云。至它文，造端置辞，要为不袭蹈前人者。然惟愈为之，沛然若有余，至其徒李翱、李汉、皇甫湜从而效之，遽不及远甚。从愈游者，若孟郊、张籍，亦皆自名于时。”孙樵《孙可之集》（四库本）卷二《与高锡望书》：“唐朝以文索士，二百年间，作者数十辈，独高韩吏部。吏部修《顺宗实录》，尚不能当班坚，其能与子长、子云相上下乎？……今世俚言文章谓得史法，因牵韩吏部曰如此如此，樵不知韩吏部以此欺后学耶？韩吏部亦未知史法邪。”柳开《河东集》（四库本）卷一一《昌黎集后序》：“先生于时作文章，讽咏、规戒、答论、问说，淳然一归于夫子之旨，而言之过于孟子与扬子云远矣。先生之于为文，有善者益而成之，有恶者化而革之，各婉其旨，使无勃然而生于乱者也。是与章句之徒一贯而可言耶？且孟子与扬子云，不能行圣人之道于时，授圣人之言于人，所以作书而说焉。观先生之文、诗，皆用于世者也，与《尚书》之号令、《春秋》之褒贬、《大易》之通变、《诗》之风赋、《礼》、《乐》之沿袭、经之教授、《语》之训导，酌于先生之心，与夫子之旨无有异趣者也。先生之于圣人之道，在于是而已矣，何必著书而始为然也。”《小畜集》卷一八《答张扶书》：“近世为古文之主者，韩吏部而已。吾观吏部之文，未始句之难道也，未始义之难晓也。其间称樊宗师之文必出于己，不袭蹈前人一言一句，又称薛逢为文以不同俗为主。然樊、薛之文，不行于世。吏部之文，与六籍共尽。”《六一诗话》：“退之笔力，无施不可，而尝以诗为文章末事，故其诗曰‘多情怀酒伴，余事作诗人’也。然其资谈笑，助谐谑，叙人情，状物态，一寓于诗，而曲尽其妙。此在雄文大手，固不足论。而予独爱其工于用韵也。盖其得韵宽，则波澜横溢，泛入傍韵，乍还乍离，出入回合，殆不可拘以常格，如《此日足可惜》之类是也。得韵窄，则不复傍出，而因难见巧，愈险愈奇，如《病中赠张十八》之类是也。余尝与圣俞论此，以谓譬如善驭良马者，通衢广陌，纵横驰逐，惟意所之。至于水曲蚁封，疾徐中节，而不少蹉跌，乃天下之至工也。圣俞戏曰：‘前史言退之为人木强，若宽韵可自足而辄傍出，窄韵难独用而反不出，岂非其拗强而然欤？’坐客皆为之笑也。”《嘉祐集》卷一二《上欧阳内翰第一书》：“韩子之文，如长江大河，浑浩流转，鱼鳖蛟龙，万怪惶惑，而抑遏蔽掩，不使自露，而人望见其渊然之光，苍然之色，亦自畏避不敢迫视。”《传家集》卷六一《答陈师仲司法书》：“文章自魏、晋衰微，流及齐、梁、陈、隋，羸惫纤靡，穷无所之。文公杰然振而起之，如雷霆列星，惊照今古，自班、张、崔、蔡，不敢企仰，况潘、陆以降，固无足言。”《中山诗话》：“韩吏部古诗高卓，至律诗虽称善，要有不工者。而好韩之人，句句称述，未可谓然也。”程颐《河南程氏遗书》（《二程集》，中华书局1981）卷一八：“退之晚年为文，所得处甚多。学本是修德，有德然后有言。退之却倒学了，因学文日求所未至，遂有所得。如曰‘轲之死不得其传’，似此言语，非是蹈袭前人，又非凿空撰得出，必有所见。若无所见，不知言所传者何事。”《东坡全集》卷八六《潮州韩文公庙碑》：“自东汉以来，道弊文丧，异端并起，历唐贞观、开元之盛，辅以房、杜、姚、宋而不能救。独韩文公起布衣，谈笑而麾之，天下靡然从公，复归于正，盖三百年于此矣。文起八代之衰，而道济天下之溺。忠犯人主之怒，而勇夺三军之帅。岂非参天地、关盛衰、浩然而独存者乎。"又卷四三《韩愈论》："其为论甚高，其待孔子、孟轲甚尊，而拒杨、墨、佛、老甚严，此其用力亦不可谓不至也。然其论至于理而不精，支离荡佚，往往自叛其说而不知。"又卷九三《书吴道子画后》："诗至于杜子美，文至于韩退之，书至于颜鲁公，画至于吴道子，而古今之变，天下之能事毕矣。"《淮海集》卷二二《韩愈论》："钩列、庄之微，挟苏、张之辩，摭班、马之实，猎屈、宋之英，本之以《诗》、《书》，折之以孔氏，此成体之文，韩愈之所作是也。盖前之作者多矣，而莫有备于愈；后之作者亦多矣，而无以加于愈。故曰：总而论之，未有如韩愈者也。然则列、庄、苏、张、班、马、屈、宋之流，其学术才气皆出于愈之文，犹杜子美之于诗实积众家之长，适当其时而已。"《柯山集》卷三八《韩愈论》："愈当贞元中，独却而挥之，上窥典、坟，中包迁、固，下逮骚、雅，沛然有余，浩乎无穷，是愈之才有见于圣贤之文而后如此。其在夫子之门，将追游夏而及之，而比之于汉以来龌龊之文人则不可。"《岁寒堂诗话》卷上："韩退之诗，爱憎相半。爱者以为虽杜子美亦不及，不爱者以为退之于诗本无所得，自陈无己辈，皆有此论。然二家之论俱过矣。以为子美亦不及者固非，以为退之于诗本无所得者，谈何容易耶。退之诗，大抵才气有余，故能擒能纵，颠倒崛奇，无施不可。放之则如长江大河，澜翻汹涌，滚滚不穷。收之则藏形匿影，乍出乍没，姿态横生，变怪百出，可喜可愕，可畏可服也。苏黄门子由有云：'唐人诗当推韩、杜，韩诗豪，杜诗雄，然杜之雄犹可以兼韩之豪也。'此论得之。诗、文、字、画，大抵从胸臆中出，子美笃于忠义，深于经术，故其诗雄而正。李太白喜任侠，喜神仙，故其诗豪而逸。退之文章侍从，故其诗文有廊庙气。退之诗正可与太白为敌，然二豪不并立，当屈退之第三。"王十朋《梅溪集》（四库本）后集卷二七《蔡端明文集序》："韩子以忠犯逆鳞、勇叱三军之气，而发为日光玉洁、表里六经之文，故孟于辟杨、墨之功不在禹下，而韩子抵排异端、攘斥佛老之功，又不在孟子下，皆气使之然也。若二子者，非天下之至刚者欤。"陈骙《文则》（人民文学出版社 1998）卷下："文有数句用一类字，所以壮文势、广文义也，然皆有法。韩退之为古文霸，于此法尤加意焉。如《贺册尊号表》用'之谓'字，盖取《易·系辞》；《画记》用'者'字，盖取《考工记》；《南山诗》用'或'字，盖取《诗·北山》。悉注于后。孰谓退之自作古哉。"《晦庵集》卷七〇《读唐志》："东京以降，讫于隋唐，数百年间，愈下愈衰，则其去道益远，而无实之文亦无足论。韩愈氏出，始觉其陋，慨然号于一世，欲去陈言，以追《诗》、《书》六艺之作，而其弊精神、縻岁月，又有甚于前世诸人之所为者。然犹幸其略知不根无实之不足恃，因是颇泝其源而适有会焉。于是《原道》诸篇始作，而其言曰……然今读其书，则其大体，而未见其有探讨服行之效，使其言之为文者皆必由是以出也。故其论古人，则又直以屈原、孟轲、马迁、相如、扬雄为一等，而犹不及于董、贾；其论当世之弊，则但以词不己出，而遂有神徂圣伏之叹；至于其徒之论，亦但以剽掠僭窃为文之病，大振颓风、教人自为，为韩之功。则其师生之间传受之际，盖未免裂道与文以为两物，而于其轻重缓急、本末宾主之分，又未免于倒悬而逆置之也。"《朱子语类》卷一三七："韩退之则于大体处见得，而于作用施为处却不晓。如《原道》一篇，自孟子后无人似它见得……说得极无疵，只是空见得个本原如此，下面工夫都空疏，更无物事撑住衬簟，所以于用处不甚可人意。缘它费工夫去作文，所以读书者，只为作文用。自朝至暮，自少至老，只是火急去弄文章，而于经纶实务，不曾究心，所以作用不得。每日只是招引得几个诗酒秀才和尚度日，有些工夫，只了得去磨炼文章。所以无工夫来做这边事业。兼他说，我这个便是圣贤事业了，自不知其非。如论文章云‘自屈原、荀卿、孟轲、司马迁、相如、扬雄之徒’，却把孟轲与数子同论，可见无见识，都不成议论。”又云：“如韩退之，虽是见得个道之大用是如此，然却无实用功处。它当初本只是要讨官职做，始终只是这心。他只是要做得言语似《六经》，便以为传道。至其每日功夫，只是做诗、博奕、酣饮、取乐而已，观其诗便可见，都衬贴那《原道》不起。至其做官临政，也不是要为国做事，也无甚可称。其实只是要讨官职而已。”朱熹《昌黎先生集考异》（上海古籍出版社 2001）卷一〇张洽跋：“韩子之文章必主简明，而不为艰深。虽去陈言，而非尝险涩。朝廷之议严正，义理之文醇雅，记序之体简古。若碑碣、杂志、游艺等作，乃或放于奇怪。”楼钥《攻媿集》（四库本）卷六六《答綦君更生论文书》：“韩文公之文，非无奇处，正如长江数千里，奇险时一间见，皆有触而后发。使所在而然，则为物之害多矣。”《郡斋读书志》卷四：“议者谓旧史谓愈文章甚纰缪，固不待辨。而新史谓造端置辞，不蹈袭前人，亦未为知愈。盖愈之置辞，字字悉有据，依其造端。如《毛颖传》、《进学解》之类皆有所师范。”《文章精义》：“退之虽时有讥讽，然大体正。子厚发之以愤激，永叔发之以感慨，子瞻兼愤激感慨发之以谐谑。读柳苏文，方知韩文不可及。”又云：“唐人文字，多是界定段落做，所以死。惟退之一片做，所以活。”又云：“退之诸墓志，一人一样，绝妙。”又云：“西汉文字尚质，司马子长变得如此文，终不失其为质。唐文尚文，韩退之变得如此质，终不失其为文。”魏了翁《鹤山集》（四库本）卷一〇一《唐文为一王法论》：“有昌黎韩愈者出，刊落陈言，执六经之文，以绳削天下之不吾合者。《原道》一书，汪洋大肆，《佛骨》一表，生意凛凛。正声劲气巍然，三代令王之法且逊之。其始也，王、杨为之伯，天下安其伯而不敢辞，以为文章之法出于王、杨也。及其久也，燕、许为之宗，则天下宗其文而不敢异，以为文章之法出于燕、许也。最后愈之为文，法度劲正，迫近盘诰，宛然有王者之法，下视燕、许诸人，直犹残陋之曹桧，皆大国之一方尔，则凡天下之为文者，谁敢不北面厥角以听王法之予夺哉。”《鲁斋集》卷一一《跋昌黎文粹》：“程夫子谓韩子之学华。朱子谓其做闲杂文字多，故曰华，然亦有些本领。大节目处不错，有七八分见识，气象正大。又曰：韩文不用料段，直便说起去，至终篇，却自纯粹成体无破绽。又曰：韩文虽千变万化，却无心变，只是不曾践履，玩味不见到精微细密。此学者不可不知。”赵秉文《滏水集》（四库本）卷一九《答李天英书》：“韩愈又以古文之浑浩，溢而为诗，然后古今之变尽矣。”李治《敬斋古今注》（中华书局 1995）卷七：“退之平生挺特，力以周、孔之学为学，故著《原道》等文，抵排异端，至以谏迎佛骨，虽获戾一斥几万里而不悔，斯亦足以为大醇矣。奈何恶其为人而日与之亲，又作为歌诗语言，以光大其徒，且示己所以相爱慕之深。有是心，则有是言，言既如是，则与平生所素蓄者，岂不大相反耶。”《隐居通议》卷一八“昌黎文法”：“文世谓其本于经，或谓出于孟子。然其碑铭妙处，实本太史公也。第此老稍能自秘，示人以高，故未尝尊称迁、固。至其平生受用，则实得于此。此亦文章士之私意小智也。”袁桷《清容居士集》（四库本）卷四九《书括苍周衡之诗编》：“建安、黄初之作，婉而平，羁而不怨，拟诗之正可乎。滥觞于唐，以文为诗者，韩吏部始。然而春容激昂，于其近体，犹规规然守绳墨，诗之法犹在也。”《唐才子传》卷五：“公英伟间生，才名冠世。继道德之统，明列圣之心，独济狂澜，词彩灿烂，齐、梁绮艳，毫发都捐。有冠冕佩玉之气、宫商金石之音，为一代文宗，使颓纲复振，岂易言也哉！固无辞足以赞述云。至若歌诗累百篇，而驱驾气势，若掀雷走电，撑决于天地之根，词锋学殖，先有定价也。”戴良《九灵山房集》（四库本）卷十二《夷白斋稿序》：“至唐之久，而昌黎韩子以道德仁义之言，起而麾之，然后斯文几于汉。奈何元气仅还，而剥丧戕贼，已浸淫于五代之陋。”苏伯衡《苏平仲文集》（四库本）卷四《古诗选唐序》：“至于韩退之，虽材高，欲自成家，然其吐辞暗与古合者，可胜道哉。”吴宽《家藏集》（四库本）卷三二《义乌王氏新建忠文公庙记》：“唐昌黎韩氏以文章妙天下，历千百年鲜有及之者，岂其下笔刊落陈言，卓然成家，足以耸动乎人哉。其气充，其理直，其言达而畅也固宜。……故尝窃论韩氏之文之妙，由其所养者充，所守者直，而其名至于今称之者，非徒以其文而以其人也。”《唐诗品汇》“叙目”：“今观昌黎之博大而文，鼓吹六经，搜罗百氏，其诗骋驾气势，崭绝崛强，若掀雷决电，千夫万骑，横骛别驱，汪洋大肆而莫能止者。又《秋怀》数首及《暮行河堤上》等篇，风骨颇逮建安，但新声不类，此正中之变也。”《逊志斋集》卷一〇《与郑叔度书》其（二）：“迨夫晋宋以后，萎弱浅陋，不复可诵矣。人皆以为六朝之过，而安知实相如之徒首其祸哉。向非唐韩愈氏洗濯刮磨而力去之，文殆未易言也。仆少读韩氏文，而高其辞。然颇恨其未纯于圣人之道，虽排斥佛、老过于时人，而措心立行，或多戾乎矩度，不能造颜、孟氏之域，为贤者指笑，目为文人，心窃少之。”又卷一二《张彦辉文集序》：“退之俊杰善辨说，故其文开阳阖阴，奇绝变化，震动如雷霆，淡泊如韶濩，卓矣为一家言。”《震泽长语》卷下：“六经之外，昌黎公其不可及矣，后世有作，其无以加矣。《原道》等篇固为醇正，其《送浮屠文畅》一序，真与孟子同功，与墨者夷之篇当并观。其他若曹成王、南海神庙、徐偃王庙等碑，奇怪百出，何此老之多变化也。尝怪昌黎论文，于汉独取司马迁、相如、扬雄，而贾谊、仲舒、刘向不之及。盖昌黎为文主于奇，马迁之变怪、相如之闳放、扬雄之刻深，皆善出奇。董、贾、向之平正，非其好也。然《上宰相第一书》亦自刘向疏中变化来。”《四溟诗话》卷四：“昌黎写情亦有佳者，若‘饮中相顾色，别后独归情’，辞淡意浓，读者靡不慨然。每拙于写景，若‘露排四岸草，风约半池苹’，下句清新有格，上句声调龃龉，使无完篇，则血脉不周，病在一譬故尔。”《唐宋八大家文钞》“论例”：“世之论韩文者，共首称碑志，予独以韩公碑志多奇崛险谲，不得《史》、《汉》序事法，故于风神处或少遒逸。”又其《昌黎文钞引》：“昌黎之奇，于碑志尤为巉削。予窃疑其于太史迁之旨，或属一间，以其盛气掐抉幅尺，峻而韵折少也。书记序辩解及他杂著，公所独倡门户，譬则达摩西来，独开禅宗矣。”《唐诗镜》卷三八：“昌黎才气纵横，光怪百出，气焰咄咄逼人。七古纵横，无所不可。五古须法度自闲。昌黎七古继李、杜有余，五古当韦、柳不足。”王世贞《读书后》卷三《书韩文后》：“韩公于碑志之类，最为雄奇，有气力，亦甚古。而间有未脱蹊径者，在欲求胜古而不能胜之，舍而就已而未尽舍耳。奏疏爽切动人，然论事不及晁、贾，谈理不及衡、向。与人书最佳，多得子长遗意，而急于有所干请于人，则词漫而气亦屈。记、序或浓或淡，在意合与不合之际，终亦不落节也。第所谓原者，仅一《原道》，而所谓辨者，仅一《讳辨》而已，不作可也。盖公于六经之学甚浅，而于佛氏之书更卤莽，以故有所著释，不能皆迎刃也，而他弹射亦不能多中的。谓之文士，则西京而下，故当以牛耳归之。"《少室山房笔丛》正集卷五《史书占毕一》："退之之避史笔也，柳州诤之是矣。然其时故有说焉。《淮西碑》则以为失实而踣，而段文昌改撰之。《顺宗录》则以为不称而废，而韦处厚续撰之。《毛颖传》足继太史，乃当时诮其滑稽，裴晋公书后世訾其纰缪。使退之而任史，其祸变当有甚此者。柳徒责韩，而莫能自奋，其时故不易也。"《四六法海》卷三："退之表启，不尽作耦语，只是将平日文略加整齐而已。"《唐音癸签》卷七："韩公挺负诗力，所少韵致，出处既掉运不灵，更以储才独富，故犯恶韵斗奇，不加拣择，遂致丛杂难观。得妙笔汰用，瑰宝自出。第以为类押韵之文者过。"又卷二五云："诗道须前后辈相推引。李、杜两大家，不曾成就得一个后辈来，殊可惜。惟昌黎公有文章、官位、声名，任得此事。公又实以作人迪后担子一身肩承，史称其奖借后辈，称荐公卿间，寒暑不避。而会其时，所曲成其业与其身名如孟郊、李贺、贾岛其人者，又皆间出吟手，能借公翻斗新异，换夺一世心眼传后。以故继诸人而起者，复灯灯相继续不衰，追颂公亦因不衰。终唐三百年求文章家一大龙门，非公其谁归。"又云："退之亦文士雄耳，近被腐老生因其辟李、释，硬推入孔家庑下，翻令一步那动不得。"《通雅》卷首三《文章薪火》："韩修武振起八代之衰，为其单行古文法也。子长为质，上泝周、秦，气骨自古。曲折作态，尽乎技矣。其言正直，润色雅故，故超于技。徒谓《平淮西碑》为媲典谟，《毛颖传》酷似子长，浅之乎退之。有时生割，刻意形容，琢古磨石，未免乎痕，痕亦何累乎退之。斯文后死，存乎其人，不在钩章棘句以为工，不在鄙倍芜累，乃为笃论，为学道之亚也。"黄宗羲《金石要例》（四库本）《铭法例》："昌黎之于子厚，言'少年勇于为人，不自贵重'；志李干，单书服秘药一事以为世戒；志李虚中，亦书其以水银为黄金，服之冀不死；志王适，书其谩侯高事；志李道古，言其荐妄人柳泌：皆不掩所短，非截然谀墓者也。"《薑斋诗话》卷二："含情而能达，会景而生心，体物而得神，则自有灵通之句，参化工之妙。若但于句求巧，则性情先为外荡，生意索然矣。……若韩退之以险韵、奇字、古句、方言矜其饾辏之巧，巧诚巧矣，而于心情兴会，一无所涉，适可为酒令而已。"《诗筏》："至于昌黎文章，元气深浑，独其诗篇刻露，稍伤元气，然天地间自少此一派不得。彼盖别具手腕，不独与他家诗不相似，并自与其文章乐府绝不相似。伯敬云：'唐文奇碎，而退之春融，志在挽回；唐诗淹雅，而退之艰奥，意专出脱。'此数语真昌黎知己。彼谓'昌黎以文为诗'者，是不知昌黎者也。大率宋人以词自负，故所言类此。然遂却以此评诗，不免隔靴搔痒。"又云："韩文公绝妙诗文，多在骨肉离别生死间，信笔挥洒，皆以无心得之，矩镬天然，不烦绳削。亦是哀至即哭，真情流溢，非矜持造作所可到也。文则《祭十二郎》是已，诗则吾得《河之水》二首焉。"《诗义固说》卷上："退之之文，不过一洗六朝习居，直陈胸中耳，何字是古人不曾用过的？流创至今，只觉其新，不觉其故。"《原诗》内篇卷上："唐诗为八代以来一大变，韩愈为唐诗之一大变，其力大，其思雄，崛起特为鼻祖。宋之苏、梅、欧、苏、王、黄，皆愈为之发其端，可谓极盛。而俗儒且谓愈诗大变汉、魏，大变盛唐，格格而不许，何异居蚯蚓之穴，习闻其长鸣，听洪钟之响而怪之，窃窃然议之也。且愈岂不能拥其鼻，肖其吻，而效俗儒为建安、开、宝之诗乎哉？……愈尝自谓‘陈言之务去’，想其时陈言之为祸，必有出于目不忍见、耳不堪闻者，使天下人之心思智能，日腐烂埋没于陈言中，排之者比于救焚拯溺，可不力乎！而俗儒且栩栩然俎豆愈所斥之陈言，以为秘异，而相授受，可不哀耶？故晚唐诗人亦以陈言为病，但无愈之才力，故日趋于尖新纤巧。”《唐宋诗醇》卷二七：“韩愈文起八代之衰，而其诗亦卓绝千古，论者常以文掩其诗，甚或谓于诗本无解处。夫唐人以诗名家者多，以文名家者少，谓韩文重于韩诗可也，直斥其诗为不工，则群儿之愚也。大抵议韩诗者，谓诗自有体，此押韵之文，格不近诗，又豪放有余，深婉不足，常苦意与语俱尽。盖自刘攽、沈括，时有异同，而黄鲁直、陈师道辈，遂群相訾謷。历宋、元、明，异论间出。此实昧于昌黎得力之所在，未尝沿波以讨其源，则真不辨诗体者也。……然则唐诗如王、孟一派源出于《风》，而愈则本之《雅》、《颂》以大畅厥辞者也。其生平论诗，专主李、杜，而于治水之航、磨天之刃，慷慨追慕，诚欲效其震荡乾坤、陵暴万类而后得尽吐其奇杰之气。其视清微淡远、雅咏温恭殊不足以尽吾才，然偶一为之，余力亦足以相及，如《琴操》及《南溪》诸作具在。特性所不近，不多作耳。而仰攻者顾执多少之数，以判优绌之数乎。拟桃源为乐土，而辄谓洪河、太华之骇人。求仙佛之玄虚，而反以圣贤经天纬地为多事。此其说固不待智者而决也。今试取韩诗读之，其壮浪纵恣、摆去拘束，诚不减于李；其浑涵汪茫、千汇万状，诚不减于杜。而风骨崚嶒，腕力矫变，得李、杜之神而不袭其貌，则又拔奇于二子之外，而自成一家。”《瓯北诗话》卷三：“韩昌黎生平所心摹力追者，惟李、杜二公。顾李、杜之前未有李、杜，故二公才气横恣，各开生面，遂独有千古。至昌黎时，李、杜已在前，纵极力变化，终不能再辟一径。惟少陵奇险处，尚有可推扩，故一眼觑定，欲从此辟山开道，自成一家，此昌黎注意所在也。然奇险处亦自有得失。盖少陵才思所到，偶然得之，而昌黎则专以此求胜，故时见斧凿痕迹，有心与无心异也。其实昌黎自有本色，仍在‘文从字顺’中，自然雄厚博大，不可捉摸，不专以奇险见长。恐昌黎亦不自知，后人平心读之，自见若徒以奇险求昌黎，转失之矣。”又云：“盖昌黎本好为奇崛矞皇，而东野盘空硬语，妥帖排奡，趣尚略同，才力又相等，一旦相遇，遂不觉胶之染漆，相得无间，宜其倾倒之至也。今观诸联句诗，凡昌黎与东野联句，必字字争胜，不肯稍让。与他人联句，则平易近人，可知昌黎之于东野，实有资其相长之功。”又云：“自沈、宋创为律诗后，诗格已无不备。至昌黎又斩新开辟，务为前人所未有。如《南山诗》内铺列春夏秋冬四时之景，《月蚀诗》内铺列东西南北四方之神，《谴疟鬼》诗内历数医师、炙师、诅师、符师是也。又如《南山诗》连用数十‘或’字，《双鸟诗》连用‘不停两鸟鸣’四句，《杂诗》四首内一首连用五‘鸣’字，《赠别元十八》诗连用四‘何’字，皆有意出奇，另增一格。《答张籍》五律一首，自起至结，句句对偶，又全用拗体，转觉生峭，此则创体之最佳者。”又云：“昌黎以道自任，因孟子距杨、墨，故终身亦辟佛、老。……然平日所往来，又多二氏之人，如送张道士有诗，送惠师、灵师、澄观、文畅、大颠，皆有诗文。或疑其交游无检，与平日持论互异，不知昌黎正欲借此以畅其议论。”《说诗晬语》卷下：“昌黎豪杰自命，欲以学问才力跨越李、杜以上，然恢张处多，变化少，力有余而巧不足也。独四言大篇，如《元和圣德颂》、《平淮西碑》之类，义山所谓句奇而语重，点窜涂改者，虽司马长卿亦当敛手。”《石洲诗话》卷三：“一篇之中，步步押韵，此惟韩公雄中出劲，所以不露痕迹。然视自然混成不知有韵者，已有间矣。”《剑溪说诗》卷上：“退之五言大篇学杜，而峭露特甚。小诗学《选》而变，凿空处类孟郊，而气象较阔。”《静居绪言》：“昌黎氏意在砥柱颓流，扶挟斯道，故其诗歌斟酌古今，吐纳万曲，力出险峻，用意深微，具抗古之才，运经世之学，实李、杜后一人而已。”《老生常谈》：“昌黎五古，语语生造，字字奇杰，最能医庸热之病。如《荐士》、《调张籍》等篇，皆宜熟读以壮其胆识，寄其豪气。”阮元《揅经室三集》（商务印书馆 1936）《与友人论古文书》：“文家矫厉，每求相胜，其间转变，实在昌黎。昌黎之文，矫《文选》之流弊而已。”方东树《仪卫轩》（同治七年刻本）卷六《书望溪先生集后》：“退之因文见道，其所谓道，由于自得，道不必粹精，而文之雄奇疏古，浑直恣肆，反得自见其精神。”《昭昧詹言》卷九：“韩公诗文体多，而造境造语，精神兀傲，气韵沉酣，笔势驰骤，波澜老成，意象旷达，句字奇警，独步千古，与元气侔。”又云：“韩公笔力强，造语奇，取境阔，蓄势远，用法变化而深严，横跨古今，奄有百家。但间有长语漫势，伤多成习气。”《艺概》卷一“文概”：“韩文起八代之衰，实集八代之成。盖惟善用古者能变古，以无所不包，故能无所不扫也。”又云：“八代之衰，其文内竭而外侈，昌黎易之以万怪惶惑，抑遏蔽掩，在当时真为补虚消肿良剂。”又云：“昌黎尚陈言务去，所谓陈言务去者，非必剿袭古人之说以为己有也，只识见议论落于凡近，未能高出一头，深入一境，自‘结撰至思’者观之，皆陈言也。”又卷二“诗概”云：“昌黎诗往往以丑为美，然此但宜施之古体，若用之近体则不受矣，是以言各有当也。”《春觉斋论文》“流别”：“唐世一有昌黎，以吞言咽理之文，施之赠序中，觉初唐诸贤，对之一皆无色。韩集赠送之序，美不胜收。”《韩柳文研究法》“韩文研究法”：“独昌黎与人书，则因人而变其词。有陈乞者，有抒愤骂世而吞咽者，有自明气节者，有讲道论德者，有解释文字为人导师者。一篇之成，必有一篇之结构，未尝有信手挥洒之文字。”【琴操】《沧浪诗话》“诗评”：“韩退之《琴操》极高古，正是本色，非唐贤所及。”《说郛》卷七九上：“《琴操》非古诗，非骚词，惟韩退之为得体。退之《琴操》，柳子厚不能作；子厚《皇雅》，退之亦不能作。”《文章精义》：“退之《琴操》，平淡而味长。”《唐诗镜》卷三：“退之《琴操》十首，高雅古淡，的是春秋时语，西汉人无此语境。”《诗辨坻》卷三：“昌黎《琴操》，以文为诗，非绝诣。昔人尝誉之过当，未为知音。”《石洲诗话》卷二：“唐诗似《骚》者，约言之有数种，韩文公《琴操》在《骚》之上。”【原道】《文章轨范百家评注》卷四引敖清江曰：“昌黎《原道》一篇，中间以数个‘古’字、‘今’字，一反一正，错综震荡，翻出许多议论波澜。”《重订古文释义新编》卷七：“予则极爱其文之细针密线，重裹迭包，全以大气盘旋，能使辟老、佛以原道之意，曲折条畅。后学洵不可不读，而尤不可浪读。”《古文眉诠》卷四六：“读者不揭出仁义，则漫无主张；作者不频频勾勒仁义，则古文意到法也。光明洞达，孟后一篇。”《崇古文诀》卷八："辞严意正，攻击佛、老，有开阖纵舍，文字如引绳贯珠。"薛瑄《薛文清公读书录》（正谊堂全书本）卷七："韩子《原道》篇中'欲治其心，而外天下国家'之语，深中异端之病。老、释二家，皆务洁其身清其心，弃绝伦理而不恤，正韩子所谓'欲治其心，而外天下国家'者也。"《评校音注古文辞类纂》卷二引王守仁语："《原道》一篇中间，以数个'古'字、'今'字，一正一反，错综震荡，翻出许多议论波澜。其学力、笔力足以凌厉千古。"引归有光语："《原道》一篇立言正大，发先儒所未发。《唐书》称其'奥舒闳深，与孟轲、扬雄相表里，而佐佑六经'，知言哉！至其为文，神鬼万状。出有入无，震荡天地，则自孔、孟后大文章也。"《古文范》卷三："凡为文之道，庄言正论，难于出色争胜。独退之此文为例外，由其盛气驱磅礴而不可御也。"【原毁】《文章轨范》卷一："此篇妙在假托他人之言辞模写世俗之情状。熟于此必能作论。"《唐宋八大家文钞》卷九："此篇八大比，秦汉来故无此调，昌黎公始创之。然感慨古今之间，因而摹写人情，曲鬯骨里，文之至者。"《唐宋八大家类选》卷三："长排亦唐人常调，谓公始创，非也，公特气体高出耳。'五原'当以此为殿。清快利举业，吾尝试之，以下最刻画玲珑。"《唐宋八家文读本》卷一："此即后代对偶排比之祖也。于韩文中为降格，而宾主开合，荆川得之，已足雄视一代矣。"《古文观止》卷七："全用重周、轻约、详廉、怠忌八字立说。然其中只以一'忌'字，原出毁者之情。局法亦奇，若他人作此，则不免露爪张牙，多作仇愤语矣。"《义门读书记》卷三一："毁之根在忌，忌之根又在自怠。节节搜出。"《求阙斋读书录》卷八："言在上者须明斯世所以多忌、多毁之由，而后可以知人。篇末说明作意。"

本年

李肇为左司郎中，约于本年撰《唐国史补》三卷。其序云："《公羊传》曰：'所见异辞，所闻异辞。'未有不因见闻而备故实者。昔刘悚集小说，涉南北朝至开元，著为传记。予自开元至长庆撰《国史补》，虑史氏或阙则补之意，续传记而有不为。言报应，叙鬼神，征梦卜，近帷箔，悉去之；纪事实，探物理，辨疑惑，示劝戒，采风俗，助谈笑，则书之。仍分为三卷。"李肇（生卒年不详），贞元十八年左右，曾任华州参军。元和二年至五年间，为江西观察从事，七年任协律郎，十三年自监察御史充翰林学士，十四年加右补阙，十五年加司勋言外郎，出翰林院。长庆元年十二月自司勋员外郎贬为澧州刺史，长庆中历著作郎、左司郎中。大和初，官中书舍人，三年贬将作少监。卒于开成元年前。《新唐书·艺文志》著录《国史补》三卷、《翰林志》一卷、《经史释题》二卷，后者今佚。事迹见韦执谊《翰林院故事》、丁居晦《重修承旨学士壁记》等。《郡斋读书志》、《文献通考》俱著录《国史补》为二卷，清周中孚《郑堂读书记》认为"二"字是"三"字之误。传世单刻本有明汲古阁刊影宋本，丛书本有《津逮秘书》、《学津讨原》、《得月簃丛书》、《笔记小说大观》等，一卷节本有《唐宋丛书》、《说郛》、《唐人说荟》、《唐代丛书》等。上海古籍出版社曾据《学津讨原》本校印。《四库提要》卷一四〇："此书其官尚书左司郎中时所作也。书中皆载开元至长庆间事，乃续刘悚小说而作。上卷、中卷各一百三条，下卷一百二条，每条以五字标

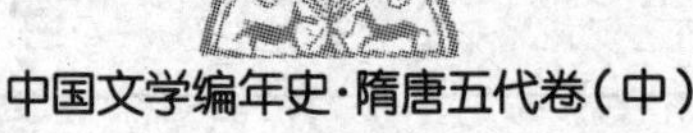

题，所载如谓王维取李嘉祐‘水田白鹭’之联，今李集无之。又记《霓裳羽衣曲》一条，沈括亦辨其妄。又谓李德裕清直无党，谓陆贽诬于公异，皆为曲笔。然论张巡则取李翰之传，所记左震、李汧、李廙、颜真卿、阳城、归登、郑絪、孔戣、田布、邹待征妻、元载女诸事，皆有裨于风教。又如李舟天堂地狱之说、杨氏穆氏兄弟宾客之辨，皆有名理。末卷说诸典故，及下马陵、相府莲义，亦资考据。余如摴蒱卢雉之训，可以解刘裕事；剑南烧春之名，可以解李商隐诗，可采者不一而足。……欧阳修作《归田录》，自称以是书为式，盖于其体例有取云。”

公元825年（唐敬宗宝历元年　乙巳）

正月

辛亥，改元宝历。

朱庆余因试进士，于长安上诗张籍，作《近试上张籍水部》，张籍答有《酬朱庆余》。《唐诗纪事》卷四六：“庆余遇水部郎中张籍知音，索庆余新旧篇什，留二十六章，置之怀袖而推赞之。时人以籍重名，皆缮录讽咏，遂登科。庆余作《闺意》一篇以献曰……由是朱之诗名流于海内矣。”

二月

柳璟、欧阳衮、杨洵美等三十三人登进士第。时礼部侍郎杨嗣复知贡举。见《登科记考》卷二〇。

三月

敬宗御宣政殿试制举人，唐伸等登贤良方正能直言极谏科，韦正贯登详闲吏理达于教化科，裴俦等登军谋宏远材任边将科，柳璟登博学宏词科。见《登科记考》卷二〇。

白居易由太子左庶子分司东都授苏州刺史。二十九日发东都，有《除苏州刺史别洛城东花》。过汴州，与令狐楚唱和，有《奉和汴州令狐相公二十二韵》。渡淮水，经常州，五月五日抵达苏州，有《苏州刺史谢上表》及诗《渡淮》、《赴苏州至常州答贾舍人》等。七月，刻韦应物《郡宴》诗及其《旬宴》诗于石上，作《诗石记》。九月九日宴集，作诗《九日宴集醉题郡楼兼呈周殷二判官》。秋，闻其弟行简授主客郎中赐章服，作诗《闻行简恩赐章服喜成长句寄之》。又依元稹所寄《霓裳羽衣曲》谱，作《霓裳羽衣歌》。秋，游太湖。十二月，撰《元简宗文集序》，又作诗《题故元少尹集后二首》。是年，白居易另作《春暮新居》、《赠言》、《泛春池》、《题西亭》、《云和》、《春老》、《寄皇甫七》、《访皇甫七》、《答刘和州》、《梦行简》、《早春晚归》、《赠杨使君》、《答客问杭州》《登阊门闲望》、《代诸妓赠送周判官》、《秋寄微之十二韵》、《池上早秋》、《故衫》、《郡中夜听李山人弹三乐》、《东城桂三首》、《唤笙歌》、《对酒吟》、《偶饮》、《早发赴洞庭舟中作》、《宿湖中》、《拣贡橘书情》、《夜泛阳坞入明月

湾即事寄崔湖州》、《泛太湖书事寄微之》、《题新馆》、《西楼喜雪命宴》、《新栽梅》、《酬刘和州戏赠》、《戏和贾常州醉中二绝句》、《岁暮寄微之三首》等诗。【故衫】《唐宋诗醇》卷二五："所咏止一衫，而衫之色香襟袖、衫之时地岁月，历历清出，并着衫之人身分性情，亦曲曲传出，却又浑成熨贴，无一点安排痕迹，亦绝不假一字纤巧雕琢。此香山擅场处，李商隐辈岂能办此。"

于人文奉使回鹘，贾岛有诗《送于中丞使回纥册立》，朱庆余作《送于中丞入蕃册立》，顾非熊作《送于中丞入回鹘》，雍陶有诗《送于中丞使北蕃》。

韩愈将葬，张籍作《祭退之》。刘禹锡在和州作《祭韩吏部文》，李翱在庐州作《祭吏部韩侍郎文》，遣使祭之。上月，李翱因面责宰相李逢吉过失，出为庐州刺史。【祭退之】《石园诗话》卷二："张文昌《祭退之》诗，情稍逊于辞。愚但爱其'独得雄直气，发为古文章'、'荐待皆寒羸，但取其才良'、'公有旷达识，生死为一纲。及当临终晨，意色为不荒'数语，能描写文公。"

春

贾岛在长安升道坊居，张籍过访，作诗《过贾岛野居》。贾岛有《张郎中过原东居》。是年，贾岛另有《升道精舍南台对月寄姚合》、《青门里作》、《原上秋居》、《原东居喜唐温琪频至》、《荒斋》、《咏怀》。【过贾岛野居】《瀛奎律髓汇评》卷二三方回云："予尝评之，贾浪仙诗幽奥而清新，姚少监诗浅近而清新，张文昌诗平易而清新。"冯舒云："说得著。如此看诗，尽具双眼，奈何偏佞陈、黄?"冯班云："浪仙、文昌诗不止清新也，若少监斯下矣，不当在弟子之列，宫墙外望可也。"纪昀云："虽平易而有自然之趣，胜武功之纤琐多矣。"《重订中晚唐诗主客图》卷上："看他于岛师更不著一赞语，但平叙一野居，而其品之高，已可想也。"【原东居喜唐温琪频至】《瀛奎律髓汇评》卷二三方回云："起句十字自然而佳。中四句用工而佳。末句放宽，亦大自在。"冯舒曰："会看。"纪昀曰："结弱而少味。"【原上秋居】《瀛奎律髓汇评》卷二三方回曰："五、六谓经年乃下得句，学者当细味之。"冯舒曰："第五句亦过于矜庄作态。"冯班曰："长江诗虽清僻，然句有余韵，所以高也。今人用露骨硬语，学之便不近。"纪昀曰："起四句一气浑成，五、六亦自然，惟结处无味。"许印芳曰："结句回应起句，本无可议，此亦苛论。"

刘禹锡在和州，作诗《历阳书事七十四韵》，另有诗寄令狐楚、钱徽、白居易、杨归厚等，作《客有话汴州新政书事寄令狐相公》、《和州送钱侍御自宣州幕拜官便于华州觐省》、《春日书怀寄东洛白二十二杨八二庶子》。夏秋，又作《和令狐相公君斋对紫薇花》、《和令狐相公谢太原李侍中寄蒲桃》、《和令狐相公送赵常盈炼师与中贵人同拜岳及天台投龙毕却赴京》、《苏州白舍人寄新诗有叹早白无儿之句因以赠之》、《白舍人见酬拙诗因以寄谢》。又与张籍唱和，作诗《张郎中籍远寄长句开缄之日已及新秋因举目前仰酬高韵》。张籍有诗《寄和州刘使君》。六月，作《和州刺史厅壁记》。约本年，刘作《金陵五题》，其序云："余少为江南客，而未游秣陵，尝有遗恨。后为历阳守，跂而望之。适有客以《金陵五题》相示，逌尔生思，歘然有得。他日，友人白乐天掉头苦吟，叹赏良久，且曰：‘《石头诗》云潮打空城寂寞回，吾知后之诗人，不复措词矣。’余四咏虽不及此，亦不孤乐天之言尔。”【寄和州刘使君】《唐诗合解笺注》卷一一：“前解闲中胜事，后解触景吟诗，而兼离索之感。”

六月

饶州刺史吴丹卒于任，年八十二。韩愈时在长安，作诗《哭饶州吴谏议使君》。《全唐诗》卷四六四录其诗一首。另韩愈《奉使常山早次太原呈副使吴郎中》，或以为系吴丹所作。

八月

李渤在桂林，时为桂管观察使。游西山诸洞，吴武陵作《新开隐山记》。十月，李涉因武昭狱所累，由太学博士流康州，作《谴谪康州先寄弟渤》。

姚合因病罢富平尉，有诗《新居秋夕寄李廓》、《闲居》等。秋，屡与张籍游赏，作《寄主客张郎中》。

秋

窦常以国子祭酒致仕，居广陵，卒，年七十九。曾编选韩翃至皎然等三十人诗约三百六十篇为《南熏集》三卷（《郡斋读书志》卷二〇），今佚。《全唐诗》卷二七一编其诗为一卷。【项亭怀古】《瀛奎律髓汇评》卷三方回评：“五窦之长也。此诗句句有议论，用字无一不工。”冯舒评：“腹联包括一卷《项羽本纪》。”陆贻典评：“炼句有力，能改史事。”纪昀评：“纯是五代劣调。项王兴亡甚速，不得谓之‘年销逐鹿’。结竟以项羽为天亡，恐非至论。”

十二月

李德裕在浙西观察使任，作《述梦诗四十韵》寄元稹、刘禹锡、元稹各有和诗。秋，李德裕作《霜夜听小童薛阳吹觱篥》，元稹、白居易、刘禹锡亦有和作。是年，李于洛阳伊川营建平泉山庄，有诗《近于伊川卜山居将命者画图而至欣然感谢聊赋此诗兼寄上浙东元相公大夫使求青田胎化鹤》、《晚下北固山喜松径成阴怅然怀古偶题临江亭》，刘禹锡有《和浙西李大夫晚下北固山喜松径成阴怅然怀古偶题临江亭并浙东元相公所和》、《和浙西李大夫伊川卜居》。

本年

沈亚之为福建副使，作《与福州使主徐中丞第一书》、《第二书》、《第三书》。徐中丞，即徐晦。

郑畋生。郑畋（825—883），字台文，行大，荥阳人，郑亚子。会昌二年进士及第。刘瞻镇北门，辟为从事。瞻作相，荐为翰林学士，迁中书舍人。乾符中，以兵部侍郎同平章事，寻出为凤翔节度使，拒巢贼有功，授检校尚书左仆射。中和三年卒。《新唐书·艺文志》著录《玉堂集》五卷、《凤池稿草》三〇卷，《郡斋读书志》著录《郑畋集》五卷，《直斋书录解题》著录《敕语堂判集》一卷，均散佚。事迹见《唐诗纪事》卷五六、《旧唐书》卷一七八及《新唐书》卷一八五本传。

公元826年（唐敬宗宝历二年　丙午）

二月

朱庆余、刘蕡等三十五人登进士第。时礼部侍郎杨嗣复知贡举。刘蕡（?—842?)，字去华，昌平人。大和二年应贤良方正能直言科，上万言策，陈宦官专权之害，轰动一时。后令狐楚在兴元、牛僧孺镇襄阳，辟为从事，待如师友。位终使府御史。《新唐书·艺文志》录其对策为一卷。事迹见《旧唐书》卷一九〇、《新唐书》卷一七八本传。

朱庆余及第归越。张籍有诗《送朱庆余及第归越》，姚合有《送朱庆余及第后归越》，贾岛有《送朱可久归越中》。【送朱庆余及第归越】《瀛奎律髓汇评》卷二四方回云："汀上之鹭，潮冲之而见其起；舟中之窗，月过之而见其虚。可谓善言吴中泊舟之趣。'吴山'、'隋柳'一联，近乎妆砌太过。赵紫芝全用此联，为'潇水添湘阔，唐碑入宋稀'，殊为可笑。所选《二妙集》于浪仙取八十一首，其非僧道而送行者，凡取十首，独不取此一首，盖欲以蒙蔽蹈袭之罪非耶。"查慎行云："第六句自不可弃。"纪昀云："结句未健。"《重订中晚唐诗主客图说》卷上："'湖声莲叶雨'，如入耳。'野气稻花风'，如入鼻。'州县知名久，争邀与客同'，及第意略见，又正闲甚。"

贾岛在长安升道坊装治诗卷，是年另有诗《原居即事言怀赠孙员外》、《夏日寄高洗马》。

白居易在苏州，坠马伤足。有诗《马坠强出赠同座》、《病中多雨逢寒食》、《花前叹》、《自叹》等。八月，白居易罢苏州刺史，有诗《喜罢郡》。九月，尚滞留苏州，有《九日寄微之》、《河亭晴望》等。十月，离苏州，有诗《别苏州》、《留别微之》是年，白居易另作有诗《题灵岩寺》、《双石》、《宿东亭晓兴》、《自咏五首》、《日渐长赠周殷二判官》、《和微之四月一日作》、《吴中好风景二首》、《卯时酒》、《自问行何迟》、《问杨琼》、《岁日家宴戏示弟侄等兼呈张侍御二十八丈殷判官二十三兄》、《正月三日闲行》、《夜归》、《郡中闲独寄微之及崔湖州》、《小舫》、《酬微之开拆新楼初毕相报未联见戏之作》、《清明夜》、《清明雨》、《苏州柳》、《三月二十八日赠周判官》、《偶作》、《奉送三兄》、《城上夜宴》、《重题小舫赠周从事兼戏微之》、《吴樱桃》、《春尽劝客酒》、《仲夏斋居偶题八韵寄微之及崔湖州》、《官宅》、《六月三日夜闻蝉》、《莲石》、《眼病二首》、《题东武丘寺六韵》、《夜游西武丘寺八韵》、《咏怀》、《重咏》、《百日假满》、《题报恩寺》、《晚起》、《自思益寺次楞伽寺作》、《松江亭携乐观渔宴宿》、《宿灵岩寺上院》、《酬别周从事二首》、《齐云楼晚望偶题十韵兼呈冯侍御周殷二协律》、《望亭驿酬别周判官》、《宝历二年八月三十日夜梦后作》等。

三月

李渤在桂林，有《游南溪诗并序》。后，因病罢归洛阳，有诗《留别南溪二首》。

春

李涉赴康州，途中有《鹧鸪词二首》。经桂林，游隐山元岩，有《南溪元岩铭并序》。此后，李涉行迹无考，约卒于大和初。《全唐诗》卷四七七编其诗一卷，其中杂有李渤、刘禹锡、李牧等人之诗。《全唐诗补编·续拾》卷二五补三首又二句。张为《诗人主客图》以其为“高古奥逸主”孟云卿之入室者。《艇斋诗话》：“唐诗人李涉善为歌行，如《才调集》所载《鸡鸣曲》，荆公大喜，选载‘燕王好贤筑金台’诗之类，皆全篇有思致，而词近古。”《吴礼部诗话》引时天彝评：“宪宗将吐突承璀，李绛、白居易争之甚苦，仅能略出之。淮南李涉探上意，知承璀恩顾未衰，遽上言兵不可罢，承璀亲近信臣不可出。知匦使孔戣责诮不受，涉行货于他径，达之上前。戣奏涉奸罔滔天，遂被远贬。其为人如此，而诗句清熟，有足赏者，世方以言取人，果可信乎?”《唐才子传》卷五：“涉工为诗，词意卓荦，不群世俗。长篇叙事，如行云流水，无可牵制，才名一时倾动。”《唐音癸签》卷七：“李涉为人倾斜，无大异，《井栏》、《君子》诸绝间有可观，古风概多疏莽。严沧浪深取之，不知何解。”【再宿武关】《删补唐诗选脉笺释会通评林》“中唐七绝下”：“唐汝询曰：调响气雄，中唐中之超音。周珽曰：前二句述从秦城回之景，后二句咏宿武关之情，好句调，好语意。”

四月

姚合以祖恩授监察御史。九月，有诗寄僧无可，无可答有《晚秋酬姚侍御见寄》。

八月

李德裕作《谏敬宗搜访道士疏》、《三圣记》。是年，另有文《亳州圣水状》、《圣祖院石磬铭》。

十月

刘禹锡罢和州刺史，游建康，有诗《罢和州游建康》、《奉酬湖州崔郎中见寄五韵》、《酬湖州崔郎中见寄》、《台城怀古》、《金陵怀古》等。是年，刘禹锡与白居易酬唱颇多。春，刘禹锡有《白舍人曹长寄新诗有游宴之盛因以戏酬》，白有《酬刘和州戏赠》、《重答刘和州》。十月，白居易于苏州北归，刘禹锡作《白太守行》以美其政绩，白作有《答刘禹锡白太守行》。十一月，两人遇于扬州，同游半月，结伴同行，白居易有诗《醉赠刘二十八使君》、《与梦得同登栖灵塔》，刘禹锡有《酬乐天扬州初逢席上见赠》、《同乐天同登栖灵塔》等。岁暮，抵楚州，白有《除日答梦得同发楚州》、《酬楚州郭使君》、《和郭使君题枸杞》，刘有《和乐天鹦鹉》、《罢郡归洛途次山阳留辞郭

中丞使君》、《楚州开元寺北院枸杞临井繁茂可观群贤赋诗因以继和》、《岁杪将发楚州呈乐天》等。【金陵怀古】《瀛奎律髓汇评》方回云卷三:“每读刘宾客诗,似乎百十选一以传诸世者,言言精确。前四句用四地名,而以潮、日、草、烟附之。第五句乃一篇之断案也,然后应之曰‘山川空地形’,而末句乃寓悲怆,其妙如此。”纪昀曰:“叠用四地名,妙在安于前四句,如四峰相直矗,特有奇气。若安于中四联,即重复碍格。五、六筋节,施于金陵尤宜,是龙盘虎踞、帝王之都。末《后庭》一曲,乃推江南亡国之由,申明五、六。虚谷但以寓悲怆,未尽其意。”【酬乐天扬州初逢席上见赠】《唐音癸签》卷二六:“刘梦得尝爱张文昌‘朝衣暂脱见闲身’之句,及自为诗,有云‘沉舟侧畔千帆过,病树前头万木春’,若不胜宦途迟速荣悴之感,曲为之拟者。嗟乎,人所由不能真脱朝衣长享闲者,正以此耳。思之能无浩叹。”《谈龙录》:“诗人贵知学,尤贵知道。东坡论少陵诗外尚有事在是也。刘宾客诗云‘沉舟侧畔千帆过,病树前头万木春’,有道之言也。白傅极推之。余尝举似阮翁,答云‘我所不解。’”

十一月

李逢吉赴镇襄阳,张籍作诗《送李司空赴镇襄阳》。李有诗《再赴襄阳辱宣武相公贻诗今用奉酬》。皇甫湜从李逢吉至襄阳,为幕僚。

十二月

辛丑,敬宗夜猎还宫,宦官刘克明等谋杀之,时年十八。刘克明拟奉宪宗子绛王李悟即位,枢密使王守澄等以兵迎穆宗第二子江王李涵入宫,杀刘克明等。乙巳,李涵即位,改名昂,是为文宗。

冬

白行简卒于长安,年五十一。白居易编其文章为《白郎中集》二十卷。《旧唐书·白行简传》:“行简文笔有兄风,辞赋尤称精密,文士皆法之。”《全唐诗》卷四六六录其诗七首,《全唐诗补编·续拾》卷二四补诗二首。《全唐文》卷六九二收其文二〇篇。《旧唐书》卷一六六《白行简传》:“行简文笔有兄风,辞赋尤称精密,文士皆师法之。”【李太尉重阳日得苏属国书】《唐诗增评》卷三:“囫囵还题,绝无一字判断李陵,便见相题有识。若入他人手,必多著议论,从节外生枝矣。结四句,仍含蓄当年许多事。”《唐诗笺要》卷三:“婉折单微,若身阅情事,无一字夹杂,自尔工绝。”《唐诗合解详注》卷一一引毛奇龄评:“通篇纯以气调制题,单用虚笔,不粘一字,所以可传。”

本年

令狐楚在汴州,令人绘《王勃集》卷末鉴图传之,作《盘鉴图铭记》。

杜牧约于本年作《阿房宫赋》。【阿房宫赋】《艺苑卮言》卷四:“杜牧《阿房》,

虽乖大雅，就厥体中，要自峥嵘擅场。惜哉，其乱数语，议论益工，面目益远。"《金圣叹批才子古文》卷一二："穷奇极丽，至矣尽矣，却是一篇最清出文字。"《古文赏音》卷一二："以三百余里之地为宫，非始皇无此侈大手段，而此文之手眼更过之。盖秦皇欲极其侈心而未成，而此文则驰骤其才而有余也。正面穷其壮丽，侧面恣为敲击，使垂戒之意凛然，觉《子虚》、《上林》其命意反逊此一筹。"《古文观止》卷七："前幅极写阿房之瑰丽，不是羡慕其奢华，正以见骄横敛怨之至，而民不堪命也，便伏有不爱六国之人意在。所以一炬之后，回视向来瑰丽，亦复何有？以下因尽情痛悼之，为隋广、叔宝等人炯戒，尤有关治体。不若《上林》、《子虚》，徒逢君之过也。"《详订古文评注全集》卷六："前半将宫殿楼阁、回廊复道、美女珍奇，千态万状逐一描写，或壮丽，或纡折，或窈窕，阿房一齐都现。读至'楚人一炬，可怜焦土'，其壮丽者、纡折者、窈窕者，阿房顷刻都尽。世上一切梦幻泡影、石火电光，如是如是。"《古文笔法百篇》卷一八："以文论，一起突兀，一结无穷。中间细写层次，藻丽流动，是佳文也。以理论，前半极写其丽，正为后灭亡作也，而后半情极痛悼，乃为炯戒，尤有关治体，不若《上林》、《子虚》，徒逢君之恶也。以赋论，扬子云云'文人之赋丽以则'，此其有焉。古来之赋，此为第一，所以家传户诵，至今犹新也。"《重订古文释义新编》卷七："开首直起，以下层层铺叙，赋体自应尔尔。其佳处全在造句新奇，措词流丽，运笔变换，故能使阿房始末与宫中情景，一一宛然在目。容纳不得'嗟乎'一下议论，亦仅以描写声调见长耳，有何意味？文妙将柱椽、钉头、瓦缝、栏槛、管弦等项，收拾前幅；而以'可怜焦土'了结之，大发感慨。末因垂戒后世，殊觉言有尽而意无穷矣。至波澜之壮阔，结构之精严，亦难多遘，宜乎昔人有'唐文至此大振'之褒也。"

公元 827 年（唐敬宗宝历三年　文宗大和元年　丁未）

正月

杜牧初春于同州遇谭宪，为宪之兄谭忠作《燕将录》。又感同州澄城居民之艰，而有《同州澄城县户工仓尉厅壁记》。约夏间，游涔阳，路出荆州松滋县，感桂娘事作《窦烈女传》。八月，横海节度副使李同捷反，朝廷命诸道军讨之。杜牧约于此时作《感怀诗》，述安史叛乱以来藩镇割据之祸。【感怀诗】《石洲诗话》卷二："小杜《感怀诗》，为沧州用兵作，宜与《罪言》同读。"《王闿运手批唐诗选》卷二："牧好言兵，故为此长篇，殊可不必，不若流连风月之愈。"

二月

乙巳，文宗御丹凤楼，大赦，改元大和。

李合、萧仿、许玫、崔铉、陆宾虞、房千里等三十三人登进士第。时礼部侍郎崔郾知贡举。据《登科记考》卷二〇。

三月

白居易在洛阳，十七日，征为秘书监，与裴度、杨汝士等交游。十月，白居易为秘书监，奉诏与沙门义林、道士杨弘元于麟德殿论儒释道三教之义，成《三教论衡》。十二月，白居易奉使洛阳，与张正甫、皇甫镛、苏弘、刘禹锡等人有诗酬答。白居易有诗《奉使途中戏赠张常侍》、《酬皇甫宾客》、《答苏庶子》等。是年，白居易另有诗《就花枝》、《喜雨》、《寄庾侍郎》、《南院》、《初到洛阳闲游》、《过敷水》、《闲咏》、《初赐秘书监并赐金紫闲吟小酌偶写所怀》、《新昌闲居招杨郎中兄弟》、《秘省后厅》、《松斋偶兴》、《涂山寺独游》、《登观音台望城》、《登灵应台北望》、《酬裴相公题兴化小池见招长句》、《闲行》、《闲出》、《奉使涂中戏赠张常侍》、《晚寒》、《偶眠》、《寄答周协律》等。

李翱在庐州刺史任，应人之请撰《故歙州长史陇西李府君墓志铭》。九月，李翱已由庐州刺史入朝任右谏议大夫、知制诰，有《祭故福建独孤中丞文》。

春

朱庆余游湖州，有诗《吴兴新堤》。是年，又与湖州刺史韩泰游，有诗《湖州韩使君置宴》。

沈亚之归朝，春有邠州之行，作有《梦挽秦弄玉》、《梦别秦穆公》、《梦游秦宫》等诗。

四月

杨於陵时以守右仆射致仕，自东都归长安，其子户部侍郎嗣复率诸生徒迎于潼关，大宴于新昌里第。杨汝士时为职方郎中，于宴席上赋诗庆贺，白居易、许浑有诗酬和。《唐摭言》卷三："宝历年中，杨嗣复相公具庆下继放两榜。时先仆射自东洛入觐，嗣复率生徒迎于潼关。既而大宴于新昌里第，仆射与所执坐于正寝，公领诸生翼坐于两序。时元、白俱在，皆赋诗于席上。惟刑部杨汝士侍郎诗后成。元、白览之失色。诗曰：'隔坐应须赐御屏，尽将仙翰入高冥。文章旧价留鸾掖，桃李新阴在鲤庭。再岁生徒陈贺宴，一时良史尽传馨。当年疏傅虽云盛，讵有兹筵醉醁醽。'汝士其日大醉，归谓子弟曰：'我今日压倒元、白。'"白居易、许浑各有《和人贺杨仆射致政》。时元稹任浙东观察使，不在座，《唐摭言》属误记。

六月

刘禹锡任主客郎中、分司东都。有《举姜补阙伦自代状》、《谢裴相公启》、《谢窦相公启》、《酬杨八庶子喜韩吴兴与予同迁》。韩吴兴，即韩泰，时起用为湖州刺史。正月，刘禹锡与白居易同在汴州，晤令狐楚，作《酬令狐相公赠别》。春，闲居洛阳，作《故洛城古墙》、《罢郡归洛阳闲居》、《罢郡归洛阳寄友人》、《城东闲游》等。五月，作《汴州刺史厅壁记》。七月，在洛阳，有诗《洛中送韩七中丞之吴兴口号五首》送韩

泰赴任。秋，又与令狐楚唱和，有《酬令狐相公寄贺迁拜之什》、《酬令狐相公早秋见寄》、《和令狐相公玩白菊》。另作《早秋送杨侍御归朝》、《秋夜安国观闻笙》、《送李二十九兄员外赴邠宁使幕》。十月，刘禹锡有诗《洛中初冬拜表有怀上都故人》，姚合作《和刘禹锡主客冬初拜表怀上都故人》。

七月

张籍在京任主客郎中。有《庄陵挽歌词三首》。秋冬间，张籍出使，至蓝溪，有诗寄王建，即《使至蓝溪驿寄太常王丞》、《赠太常王建藤杖笋鞋》。使回经襄阳，拜见李逢吉，赋诗《使回留别襄阳李司空》。【庄陵挽歌词三首】《重订中晚唐诗主客图说》卷上："敬宗昏主，诗特妙于回护，亦昭公知礼之意。若看作皮里阳秋，则悖矣。此亦循例，不得不作，然语自斟酌，不同芜靡之响，所以存之。"

周贺离京出关，有诗《出关寄贾岛》。周贺（生卒年不详），字南卿，东洛人。《唐才子传》卷六："清塞，字南卿，居庐岳为浮屠，客南徐亦久，后来少室、终南间。俗姓周，名贺。工为近体诗，格调清雅，与贾岛、无可齐名。宝历中，姚合守钱塘，因携书投刺以丐品第，合延待甚异。见其《哭僧》诗云：'冻须亡夜剃，遗偈病中书。'大爱之，因加以冠巾，使复姓字。时夏腊已高，荣望落落，竟往依名山诸尊宿自终。诗一卷，今存。"张为《诗人主客图》将其与无可同列于"清奇雅正主""入室"下。《新唐书·艺文志》集部著录《周贺诗》一卷，《郡斋读书志》、《直斋书录题解》均有著录。《全唐诗》卷五〇三编其诗为一卷。是年初，或有诗《长安送人》。

朝廷下敕于东都置举。《登科记考》卷二十："七月辛巳，敕今年宜权于东都置举，其明经、进士任便在东都赴集。其上都国子监举人，合在上都试及节目未尽者，委条流闻奏。"

九月

赵嘏约于此时前后客游越州，有《九日陪越州元相宴龟山寺》、《浙东陪元相公游云门寺》、《山中寄卢简求》等诗。元相公，即元稹。《旧唐书·卢简求传》："长庆元年登进士第，释褐江西王仲舒从事，又从元稹为浙东、江夏二府掌书记。"或以为赵嘏时为元稹幕宾。赵嘏（？—852），字承佑，行二十二，楚州山阳人。曾应进士试未第，后寓居长安，陪接卿相。会昌间，返江东。四年登进士第。大中中，任渭南尉，卒。《新唐书·艺文志》著录其《渭南集》三卷、《编年诗》二卷。事迹见《唐摭言》卷一五、《唐诗纪事》卷五六等。

冬

崔郾为礼部侍郎，将赴东都主明年进士试，吴武陵以杜牧《阿房宫赋》进荐。《唐摭言》卷六："崔郾侍郎既拜命，于东都试举人，三署公卿皆祖于长乐传舍。冠盖之盛，罕有加也。时吴武陵任太学博士，策蹇而至。郾闻其来，微讶之，乃离席与言。

武陵曰：'侍郎以峻德伟望，为明天子选才俊，武陵敢不薄施尘露！向者，偶见太学生十数辈，扬眉抵掌，读一卷文书，就而观之，乃进士杜牧《阿房宫赋》。若其人，真王佐才也，侍郎官重，必恐未暇披览。'于是搢笏郎宣一遍。郾大奇之。武陵曰：'请侍郎与状头。'郾曰：'已有人。'曰：'不得已，即第五人。'郾未遑对。武陵曰：'不尔，即请比赋。'郾应声曰：'敬依所教。'既即席，白诸公曰：'适吴太学以第五人见惠。'或曰：'为谁？'曰：'杜牧。'众中有以牧不拘细行间之者。郾曰：'已许吴君矣。牧虽屠沽，不能易也。'"

秋冬，张祜游润州，有诗《题润州李尚书北固新楼》、《题润州甘露寺》、《题润州金山寺》、《秋夜登润州慈和寺塔》、《题润州鹤林寺》等。

本年

元稹本年追和白居易诗五十七首，题为《因继集》卷之一。本年前后与文士颇多唱和。《旧唐书·元稹传》："会稽山水奇秀，稹所辟幕职，皆当时文士，而镜湖、秦望之游，月三四焉。而讽咏诗什，动盈卷帙。副使窦巩，海内诗名，与稹酬唱最多，至今称兰亭绝唱。"

李商隐作《才论》、《圣论》。《樊南甲集叙》："樊南生十六能著《才论》、《圣论》，以古文出诸公间。"

刘三复本年前后在浙西为从事，以文章知名，颇得李德裕赏识。《北梦琐言》卷一："唐大和中，李德裕镇浙西，有刘三复者，少贫，苦学有才思。……德裕试其所为，谓曰：'子可为我草表，能立就，或归以创之？'三复曰：'文理贵中，不贵其速。'德裕以为当言。三复又请曰：'渔歌樵唱，皆传公述作，愿以文集见示。'德裕出数轴与之。三复乃体而为表，德格嘉之。"《旧唐书·刘邺传》："（刘三复）聪敏绝人，幼善属文。……长庆中，李德裕拜浙西观察使，三复……以所业文诣郡干谒。德裕阅其文，倒履迎之，乃辟为从事，管记事。"

李益约此年或稍后卒。《全唐诗》卷二八二至卷二八三编其诗为二卷，卷七八九收其所预联句八，卷七八八所收颜真卿等《七言滑语联句》误题益名，卷七七〇所收李逸、李得诗各一首，应为李益之误。《全唐诗补编·续拾》卷二五补一首。张为《诗人主客图》以其为清奇雅正主。《唐才子传》卷四："风流有辞藻，与宗人贺相埒，每一篇就，乐工赂求之，被于雅乐，供奉天子。如《征人早行》篇，天下皆施之绘画。二十三受策秩，从军十年，运筹决胜，尤其所长。往往鞍马间为文，横槊赋诗，故多抑扬激厉悲离之作，高适、岑参之流也。"《唐诗品》："君虞生习世纷，中遭顿抑，边朔之气，身所经闻。故《从军》、《出塞》之作，尽其情理，而幕散投林，更深遐思。古诗郁纡盘薄，姿态变出，自非中唐之致。其七言小诗，与张水部作等，亦《国风》之次也。"《诗镜总论》："李益五古，得太白之深，所不能者澹荡耳。太白力有余闲，故游衍自得。益将矻矻以为之。《莲塘驿》《游子吟》自出身手，能以意胜，谓之善学太白可。"《诗薮》内编卷六："七言绝，开元之下，便当以李益为第一。如《夜上西城》、《从军北征》、《受降》、《春夜闻笛》诸篇，皆可与太白、龙标竞爽，非中唐所得有也。”《唐音癸签》卷七：“李君虞生长西凉，负才尚气，流落戎旃，坎壈世故。所作从军诗，悲壮宛转，乐人谱入声歌，至今诵之，令人凄断。”《载酒园诗话》又编：“中唐人故多佳诗，不及盛唐者，气力减耳。雅澹则不能高浑，雄奇则不能沉静。至贞元后，苦寒、放诞、纤缛之音作矣。唯李君虞风气不坠，如《竹窗闻风》、《野田行》，俱中朝之正音。”《大历诗略》：“李尚书益久在军戎，故所为诗多风云之气。其视钱、刘，犹岑参之于王、孟，鲍照之于颜、谢也。七绝尤高，在大历间无与颉颃者。”“古今盛称此公七绝，不知五古亦深得乐府意。与钱仲文分道扬镳，非余子所及。”张澍《李尚书诗集序》：“昔开元时，王昌龄、高适、王之涣辈，风尘未偶，贳酒小饮，值旗亭雨雪，梨园会燕，以歌诗之多寡定名称之甲乙，揶揄欢噱，自鸣得意。何似君虞之篇，被诸管弦，供奉至尊，施诸图绘哉。独其宦涂蹇偃，送士登庸，怨望陵跞，为时排迮，又未尝不叹其狭中也。然迹汉以来，仲宣赋从军，秖贡颂谀；灵运送秀才，徒述怀思。惟君虞以爽飒之气，写征戍之情，览关塞之胜，极辛苦之状。当朔风驱雁，荒月拜狐，抗声读之，恍见士卒踏冰而皲瘃，介马停秣而悲鸣，讵非才之所独至耶？其他章句，亦清丽绝伦，宜与长吉齐名，无所媿让。而《征人》、《早行》诗，最推杰作，今已失传。知其散逸不少。”《三唐诗品》：“其源出于邱希范、吴叔庠，而参宗于摩诘。长于托咏，郎润风华，正如落花依草，妍然妩媚。余作少衰，开晚唐之派。大历士人，固其杰也。”《诗学渊源》卷八：“其诗辞藻秀发，自然清丽，源出齐梁，而独多高致，但少古耳。近体七律如《马嵬》诸作，虽格高调逸，晚唐莫及，然已为西昆、三十六体之宗矣。”《越缦堂读书记》（六）“札记”：“若论绝句，则李十郎之雄浑高奇，不特冠冕十子，即太白、龙标，亦当退让。”

公元 828 年（唐文宗大和二年　戊申）

正月

刘禹锡由洛阳入朝任主客郎中。在洛阳，与令狐楚、白居易多有诗唱和，作《洛中逢白监同话游梁之乐因寄宣武令狐相公》、《有所嗟二首》、《答乐天临都驿见赠》、《再赠乐天》。途经陕州、华州，与钱徽等登览，有《途次华州陪钱大夫登城北楼春望因睹李崔令狐三相国唱和之什翰林旧侣继踵华城山水清高鸾风翔集皆忝宿眷遂题此诗》、《陕州河亭陪韦五大夫雪后眺望因以留别与韦有布衣之旧一别二纪经迁贬而归》、《途中早发》。至长安，有诗《初至长安》、《与歌者何戡》、《听旧宫中乐人穆氏唱歌》等。三月，游长安玄都观，感而赋诗《再游玄都观》。《旧唐书·刘禹锡传》：“大和二年，自和州刺史征还，拜主客郎中。禹锡衔前事未已，复作《游玄都观诗序》曰：‘予贞元二十一年为尚书屯田员外郎，时此观中未有花木。是岁出牧连州，寻贬朗州司马。居十年，召还京师，人人皆言有道士手植红桃满观，如烁晨霞，遂有诗以志一时之事。旋又出牧，于今十有四年，得为主客郎中。重游兹观，荡然无复一树，唯兔葵燕麦动摇于春风，因再题二十八字，以俟后游。’其前篇有‘玄都观里桃千树，总是刘郎去后栽’之句，后篇有‘种桃道士今何在，前度刘郎又到来’之句，人嘉其才而薄其行。……大和中，度在中书，欲令知制诰。执政又闻《诗序》，滋不悦。……终以恃才褊心，不得久处朝列。”夏，与令狐楚有诗赠答，作《夏日寄宣武令狐相公》、《和宣武令狐相公郡斋对新竹》、《令狐相公见示赠竹二十韵仍命继和》。【途中早发】《瀛奎律髓汇评》卷一四方回曰：“刘宾客，诗中精也。自颔联以下，无一句不佳，且是尾句不放过。”纪昀曰：“五句拙，六句俗，结入习径滑语，殊非佳作。虚谷好矫高尚，故曲取尾句耳。”【再游玄都观】《鹤林玉露》卷一〇：“刘禹锡‘种桃’之句，不过感叹之词耳，非甚有所讥刺也，然亦不免于迁谪。”《唐诗解》“七言绝句五”：“文宗之朝，互为朋党。一相去位，朝士尽易，正犹道士去而桃花不复存。是以执政者恶其轻薄。”钱大昕《十驾斋养新录》（商务印书馆 1957）卷六：“至《玄都》诗虽含讥刺，亦词人感慨今昔之常情，何至遂薄其行？”

张祜旅次岳州，与刺史徐希仁游，多有题晚唱和之作，有《题岳州徐员外云梦新事十韵》、《旅次岳州呈徐员外》《和岳州徐员外云梦新亭二十韵》、《听岳州徐员外弹琴》、《将离岳州留献徐员外》等。后离岳州往江南。

二月

韦筹、历玄、杜牧、钟辂、崔黯、郑濮等三十三人登进士第。礼部侍郎崔郾在东都知贡举，试《缑山月夜闻王子晋吹笙诗》。杜牧等登策后又返至长安。三月，杜牧登制科后，游览城南有诗，后授弘文馆校书郎，李远有诗《赠弘文杜校书》。

历玄（生卒年不详），大和二年进士及第。开成、会昌中，历监察御史、员外郎，出为万年令。大中六年，为睦州刺史。与姚和、顾非熊、贾岛、马戴、无可均有唱和。事迹见《唐诗纪事》卷五一、《严州图经》卷一。

李远（生卒年不详），字求古，一作承古，夔州云阳人。大和五年进士及第。会昌间曾为福州从事，后入为御史、司门员外郎。大中时，历司勋员外郎、岳州刺史。后任杭、忠、建、江等州刺史，终御史中丞。《新唐书·艺文志》著录《龙纪圣异历》一卷、《李远诗》一卷，皆佚。事迹见《幽闲鼓吹》、《北梦琐言》卷六、《青琐高议》前集卷六、《唐诗纪事》卷五六等。

白居易由秘书监除刑部侍郎，有诗《微之就拜尚书居易续除刑部因书贺意兼咏离怀》。王起赴陕虢观察使任，居易赋诗《送陕府王大夫》。秋，白居易编次长庆三年后诗文为《白氏长庆集后集》，自撰序，以寄元稹。其《后序》云：“前三年，元微之为予编次文集而叙之，凡五帙，每帙十卷，讫长庆二年冬，号《白氏长庆集》。迩来复有格诗、律诗、碑志、序记、表赞以类相附，合为卷轴，又从五十一以降，卷而第之。是时大和二年秋，予春秋五十有七，目昏头白衰也久矣，拙音狂句亦已多矣，由兹而后，宜其绝笔。若余习未尽，时时一咏，亦不自知也。因附前集报微之，故复序于卷首云尔。”十月，白居易续编与元稹唱和集《因继集》二卷，有《因继集重序》云：“去年，微之取予《长庆集》中诗未对答者五十七首追和之，合一百一十四首，寄来题为《因继集》卷之一。今年予复以近诗五十首寄去，微之不踰月，依韵尽和合一百首又寄来，题为《因继集》卷之二。卷末批云：‘更拣好者寄来。’盖示余勇，摩砺以须我耳。予不敢退舍，即日又收拾新作格律共五十首寄去，虽不得好，且以供命。”十二

月，白居易为弟白行简编次《白郎中集》二十卷，并有《祭郎中弟文》。是年，白居易还另有诗《龙门下作》、《赠东邻王十三》、《答尉迟少监水阁重宴》、《和刘郎中伤鄂姬》、《早春同刘郎中寄宣武令狐相公》、《寄太原李相公》、《宿窦使君庄水亭》、《姚侍御见过戏赠》、《履道春居》、《题洛中第宅》、《寄殷协律》、《洛下诸客就宅相送偶题西亭》、《答林泉》、《将发洛中枉令狐相公手札兼辱二篇宠行以长句答之》、《临都驿答梦得六言二首》、《代迎春花招刘郎中》、《早寒》、《斋月静居》、《赠朱道士》、《赠王山人》、《观幻》、《冬夜闻虫》等。

裴度在宰相任，与白居易、刘禹锡、张籍诸人有诗酬唱。裴度有《白二十二侍郎有双鹤留在洛下予西园多野水长松可以栖息遂以诗请之》，白居易有《答裴相公乞鹤》，刘禹锡有《和裴相公寄白侍郎求双鹤》，张籍亦有《和裴司空以诗请刑部白侍郎双鹤》、《和裴司空即事通简旧僚》。春夏，与白居易、李绛、刘禹锡、庾承宣、杨嗣复、崔群、张籍、贾悚等人多酬唱，有《首夏犹请和联句》、《杏园联句》、《花下醉中联句》、《春池泛舟联句》、《西池落泉联句》、《蔷薇花联句》等。

张籍在国子司业任，与白居易、刘禹锡同游杏园。白居易有诗《杏园花下赠刘郎中》，刘禹锡答有诗《杏花园下酬乐天见赠》，张籍亦有《同白侍郎杏园赠刘郎中》。是年，严休复有《唐昌观玉蕊花折有仙人游怅然成二绝》，张籍作《同严给事闻唐昌观玉蕊近有仙过因成绝句二首》，王建作《唐昌观玉蕊花》，白居易作《酬严给事》，元稹作《和严给事闻唐昌观玉蕊花下有游仙》、刘禹锡有《和严给事闻唐昌观玉蕊花下有游仙二绝》。

三月

裴休、裴素、李合、南卓、李甘、杜牧、马植、郑亚等二十二人登贤良方正能直言极谏科。时刘蕡条对激烈，极宦官专横之祸，为执政者所抑。《旧唐书·刘蕡传》："时对策者百余人，所对止循常务，唯蕡切论黄门太横，将危宗社。对曰……是岁，左散骑常侍冯宿、太常少卿贾悚、库部郎中庞严为考策官，三人者，时之文士也，睹蕡条对，叹服嗟悒，以为汉之晁、董，无以过之。言论激切，士林感动。时登科者二十二人，而中官当途，考官不敢留蕡在籍中，物论喧然不平之。守道正人，传读其文，至有相对垂泣者。谏官、御史，扼腕愤发，而执政之臣，从而弭之，以避黄门之怨。唯登科人李合谓人曰：'刘蕡不第，我辈登科，实厚颜矣！'请以所授官让蕡。事虽不行，人士多之。"【对贤良方正直言极谏策】《古文渊鉴》卷三九："剀至详明，发挥经术。此逼真西京，文字可以追踪晁、董。"《旧唐书》卷一九〇《文苑传序》："贞观之风，同乎三代。高宗、天后，尤重详延。天子赋横汾之诗，臣下继柏梁之奏，巍巍济济，辉烁古今。如燕、许之润色王言，吴、陆之铺扬鸿业，元稹、刘蕡之对策，王维、杜甫之雕虫，并非肄业使然，自是天机秀绝。若隋珠色泽，无假淬磨，孔玑翠羽，自成华彩，置之文苑，实焕缃图。"《困学纪闻》卷一四《考史》："唐宏词之论，其传于今者，唯韩文公《颜子不贰过》；制举之策，其书于史者，唯刘蕡一篇，不在乎科目之得失也。"

马植（？—857），字存之，扶风人。长庆元年，为试校书郎、泾原节度使掌书记。大和二年登贤良方正能直言极谏科，授寿州团练副使。历饶州刺史、安南都护、黔中大夫。会昌中，召拜光禄卿、迁大理卿等。大中二年五月，迁中书侍郎兼礼部尚书、集贤殿大学士。三年贬为常州刺史，十年为宣武军节度使，次年卒。其早年以《登山采玉赋》得令狐楚器重。与白居易、刘轲交游。事迹见《旧唐书》卷一七六及《新唐书》卷一八四本传、《唐诗纪事》卷五一。

蒋防宝历元年移为连州刺史，是年改为袁州刺史。曾奉命往宜春，抵湘阴，应岳州刺史徐希仁、湘阴宰马搏之请，为撰《汨罗庙记》。此后行迹无考，约卒于大和五年至开成元年之间。《全唐诗》卷五〇七录其诗十二首，《全唐诗补编·续补遗》收蒋子微诗一首，即其作。《全唐诗补编·续拾》卷二四补二句。《全唐文》收其文二十七篇。【题杜宾客新丰里幽居】《围炉诗话》卷二："蒋防《杜宾客》诗，命意布局措词，皆可法。"

元稹在浙东观察使任。寄越州缯纱与张籍，张籍有诗《酬浙东元尚书见寄绫素》。秋，元稹作诗《春深二十首》，刘禹锡、白居易有和作。是年，元稹另有诗《听妻弹别鹤操》、《酬白乐天杏花园》。

秋

王建由太常丞出任陕州司马，白居易、贾岛、刘禹锡、张籍均有诗送行，此后姚合亦有诗赠之。刘禹锡诗为《送王司马之陕州》，白居易有《送陕州王司马建赴任》，贾岛诗为《送陕府王建司马》，张籍诗为《赠王司马赴陕州》，姚合诗为《赠王建司马》。冬，姚合又有《寄陕州王司马》。

刘禹锡与白居易唱和。白作《闻新蝉赠刘二十八》、《赠王山人》、《早寒》，刘有《答白刑部闻新蝉》、《同白二十二赠王山人》、《和乐天早寒》。刘作《早秋集贤院即事》、《阙下待传点呈诸同舍》、《终南秋雪》、《题集贤阁》，白有《和集贤刘学士早朝作》、《和刘郎中望终南秋雪》、《和刘郎中题集贤阁》等。

十月

冯宿自左散骑常侍、兼集贤殿学士拜河南尹。时白居易作诗《送河南尹冯学士赴任》，刘禹锡作诗《同乐天送河南冯尹学士》送行，冯答诗为《尹河南酬乐天梦得》。

令狐楚由宣武军节度使入为户部尚书，有诗咏怀，刘禹锡有《和令狐相公入潼关》、《和令狐相公初归京国赋诗言怀》，白居易有《令狐相公拜尚书后有喜从镇归朝之作刘郎中先和因以继之》。冬，张籍又作《和户部令狐尚书喜裴司空见招看雪》。【和户部令狐尚书喜裴司空见招看雪】《重订中晚唐诗主客图说》卷上："以下三首，看他运题之法，格即在此，妙即在彼。后来不讲律格，凌乱则杂，铺陈则琐，无复风人之旨。"

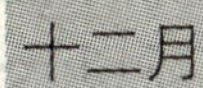

十二月

马戴、贾岛皆在长安，夜集姚合宅，无可期而未至。贾岛有诗《夜集姚合宅期可公不至》，姚合有《马戴冬夜见过期无可上人不至》。无可曾在姚合宅送李廓回鄠县，有诗《冬夜姚侍御斋送李廓少府》。

韦处厚卒，年五十六。《刘宾客文集》卷一九《韦处厚集纪》："公未为近臣已前，所著词赋赞论记述铭志，皆文士之词也，以才丽为主。自入为学士至宰相以往，所执笔皆经纶制置裁成润色之词也，以识度为宗。观其发德音，福生人，沛然如时雨；褒元老，谕功臣，穆然如景风。命相之册和而庄，命将之诰昭而毅。荐贤能，其气似孔文举；论经学，其博似刘子骏；发十难以摧言利者，其辩似管夷吾。噫，逢时得君，奋智谋以取高位，而令名随之，岂不伟哉！"

本年

窦庠在婺州刺史任，约卒于本年或稍后。《全唐文》卷七六一褚藏言《窦庠传》："公天授倜傥，气在物表，一言而合，期于岁寒，为五字诗，颇得其妙。"《唐才子传》卷四："平生工文甚苦，著述亦多，今并传之。"《新唐书·艺文志》卷四著录窦庠兄弟五人《窦氏联珠集》五卷。《全唐诗》卷二七一录其诗二十一首。【夜行古战场】《瀛奎律髓汇评》卷三〇："方回评：三、四佳，而第四句新，甚与老杜之'阴房鬼火青'暗合。冯班评：五、六佳。纪昀评：语皆凡猥，亦欠浑成。"

李德裕仍在浙西观察使任，有《题奇石》、《寄题惠林李侍郎旧馆》、《寄茅山孙炼师》、《怀京国》、《又二绝》、《送张中丞入台从事》、《追和太师颜公同清远道士游虎丘寺》诸诗。

公元829年（唐文宗大和三年　己酉）

正月

陈鸿为主客郎中，有《庐州同食馆记》。

二月

崔瑶、邢群、郑齐之、李景素等二十五人登进士第。时礼部侍郎郑瀚知贡举。见《登科记考》卷二一。邢群（800—849），字涣思，河间人。历协律郎、大理评事、殿中侍御史、户部员外郎等。会昌五年，出为处、歙二州刺史。大中三年六月卒于洛阳。与杜牧、许浑交游酬唱。《全唐诗》卷五四六存诗一首。事迹见杜牧《唐故歙州刺史邢君墓志铭》。

三月

令狐楚由户部尚书改任东都留守，白居易、刘禹锡、张籍等人均有诗送之。令狐楚时有《赴东都别牡丹》，白居易作《送东都留守令狐尚书赴任》，刘禹锡有《同乐天送令狐相公赴东都留守》、《和令狐相公别牡丹》，张籍有《送令狐尚书赴东都留守》，姚合亦有《和东都令狐留守相公》。前此，令狐楚与诸人在裴度宅赏雪，张籍作《和户部令狐喜裴司空尚书见招看雪》，刘禹锡有《和令狐相公以司空裴相见招南亭看雪四韵》。又与白居易等赠答，白作《酬令狐相公春日寻花见寄六韵》，刘禹锡有《和令狐相公春日寻花有怀白侍郎阁老》。

五日，白居易编成《刘白唱和集》。白居易《刘白唱和集解》："彭城刘梦得，诗豪者也，其锋森然，少敢当者。予不量力，往往犯之。夫合应者声同，交争者力敌，一往一复，欲罢不能。由是每制一篇，先相视草，视竟则兴作，兴作则文成。一、二年来，日寻笔砚，同和赠答，不觉滋多。至太和三年春以前，纸墨所存者，凡一百三十八首。其余乘兴扶醉、率然口号者，不在此数。因命小侄龟儿编录，勒成两卷。"李昉序《二李唱和集》云："朝谒之暇，颇得自适，而篇章和答，仅无虚日。……昔乐天、梦得有《刘白唱和集》流布海内，为不朽之盛事。"三月末，白居易由刑部侍郎改授太子宾客分司，有诗《病免后喜除宾客》。赴东都前，王起、李绅、令狐楚、元稹、魏扶、韦式、张籍、范尧佐道士等集于兴化亭，各赋诗为白居易送行，《唐诗纪事》卷三十九《韦式》条云："白乐天分司东洛，朝贤悉会兴化亭送别。酒酣，各请一字至七字诗，以题为韵。"白作《长乐亭留别》，张籍又有《送白宾客分司东都》，刘禹锡有诗《刑部白侍郎谢病长告改宾客分司以诗赠别》。《新唐书》卷一一九《白居易传》："太和初，二李党事兴，险利乘之，更相夺移，进退毁誉，若旦暮然。杨虞卿与居易姻家，而善李宗闵，居易恶缘党人斥，乃移病还东都，除太子宾客分司。"四月，白居易赴任经陕州，陕虢观察使王起、陕州司马王建相迎宴送，居易有诗《陕府王大夫相迎偶赠》、《别陕州王司马》纪之。抵任后有诗《分司初到洛中偶题六韵兼戏呈冯尹》，冯尹，即河南尹冯宿，刘禹锡有和作。令狐楚在东都留守任，白居易将至洛阳时先有诗《将至东都先寄令狐留守》寄之，遂赋诗酬答。后刘禹锡有《和留守令狐相公答白宾客》。是年，白居易另有诗《授太子宾客归洛》、《中隐》、《问秋光》、《引泉》、《知足吟》、《酬集贤刘郎中对月见寄兼怀元浙东》、《太湖石》、《偶作二首》、《葺池上旧亭》、《崔十八新池》、《玩止水》、《京路》、《华州西》、《从陕至东京》、《送春》、《宿杜曲花下》、《绣妇叹》、《春词》、《恨词》、《酬令狐相公春日寻花见寄六韵》、《对酒五首》、《僧院花》、《花戒》、《赠梦得》、《问江南物》、《偶咏》、《答苏六》、《秋游》、《偶作》、《不出门》、《自问》、《晚桃花》等。

陈陶游泉州、漳州，途中有诗，并有诗上两州刺史，即《泉州刺桐花咏呈赵使君》、《赠漳州张怡使君》。陈陶（生卒年不详），字嵩伯，举进士不第。大和初游江南。大中三年，隐洪州西山，与蔡京、贯休往还，卒。有《文录》一〇卷，已佚。后人辑有《陈嵩伯诗集》一卷。其事迹多与南唐陈陶相混。据今人陶敏《陈陶考》。

春

李德裕在浙西观察使任，有诗《招隐山观玉蕊树戏书即事李寄江西沈大夫阁老》。沈传师在江西观察使任，有诗《和李德裕观玉蕊花见怀之作》。七月，李德裕由浙西观察使征召入朝，为兵部侍郎，李宗闵于七月甲戌为同中书门下平章事，入相。九月壬辰，李德裕由兵部侍郎出为义成节度使，时刘禹锡赋诗《送李尚书镇滑台》。是年十二月，李德裕另有文《滑州瑶台观女真徐氏墓志铭》。

雍陶本年春离京赴蜀，姚合有诗《送雍陶游蜀》，贾岛亦有《送雍陶入蜀》。四月，赴蜀途中有诗抒怀，抵达成都后又有诗《到蜀后记途中经历》。

五月

贾岛在长安，有诗寄沧德景节度使李佑称颂其功，诗为《寄沧州李尚书》。是年，贾岛另有诗《投庞少尹》、《送雍陶入蜀》、《王侍御南原庄》。

李翱时为中书舍人，坐谬举柏耆贬少府少监。沈亚之时以殿中侍御史为柏耆宣慰德州判官，秋，沈亚之亦贬南康尉，张祜有诗《送沈下贤谪尉南康》，殷尧藩有《送沈亚之尉南康》。

七月

姚合仍在殿中侍御史任，有诗《寄东都分司白宾客》。白宾客，即白居易。

九月

元稹本月罢浙东，入京为尚书左丞。经东都与白居易相会有日，岁末抵京。元任浙东观察使七年，多辟知名文士为幕士，又时与诗人、道士、歌女游，多有诗作。《云溪友议》卷下《艳阳词》记载："及（元稹）廉问浙东，别涛已逾十载。方拟驰使往蜀取涛，乃有俳优周季南、季崇及妻刘采春，自淮甸而来，善弄陆参军，歌声彻云，篇咏虽不及涛，而华容莫之比也。元公似忘薛涛，而赠采春曰采春所唱一百二十首，皆当代才子所作，五六七言，皆可和者。"是年，元稹有文《重修桐柏观记》，有诗《春分投简阳明洞天作》、《过东都别乐天二首》、《赠刘采春》等。

顾非熊至洛阳敦请皇甫湜为撰顾况集序。有诗《天津桥晚望》、《月夜登王屋仙坛》。

马戴、雍陶均在长安。时李廓罢鄠县尉，马戴有《赠鄠县尉李先辈二首》，陶亦有《送前鄠县李少府》。十二月，李廓出佐西川行营，姚合有诗《送李廓侍御赴西川行营》，贾岛有《送李廓侍御（剑南行营）》，顾非熊亦有《送李廓侍御赴剑南》。

十一月

文宗下诏推荐奖励宗子中文学优异者。《登科记考》卷二〇本年十一月甲午："南郊礼毕，御丹凤楼大赦天下。制曰：'……经学可以弘教本，高尚可以观时风。宗子中有才行著明、文学优异者，委宗正寺具名闻荐，比类加奖。诸色人中，有精究经术、洞该古今，求志不期闻达，委所在长吏具以名闻。'"

曹唐在长安，遇朝献太清宫事，有诗《三年冬大礼五首》。

十二月

南诏于上月入侵西川，本月攻陷成都，俘掠女子工伎数万南去。《唐诗纪事》卷五六《雍陶》：“文宗大和三年，南诏蛮嵯巅乃悉众掩攻邛、戎、嶲、三州，陷之。入成都，止西郛十日，掠女子玉货数万而南。至大渡河，谓华人曰：‘此吾南境，尔去国当哭。’众号恸，赴水死者十三。故陶赋《哀蜀人为南蛮俘虏五章》。”徐凝感南诏蛮入成都掳掠事，亦赋诗《蛮入西川》。明年春，雍陶作《蜀中战后感事》、《答蜀中经蛮后友人马艾见寄》等。

本年

李绅仍在滁州刺史任，曾和韦应物《登北楼》诗，并作诗《东园》等。

元稹、李德裕、刘禹锡三人有唱和之作，后成《吴越唱和集》。卞孝萱《元稹年谱》谓“《吴越唱和集》当始于长庆三年，终于大和三年。”《苕溪渔隐丛话》前集卷三八：“文饶镇京口时，乐天正在苏州，元微之在越州，刘禹锡在和州，元、刘与文饶唱和往来甚多，谓之《吴越唱和集》。”

李商隐为天平军节度使令狐楚聘为巡官，遂从楚学今体文。有《初食笋呈座中》、《隋师东》诗。见张采田《玉溪生年谱会笺》本年谱。《旧唐书·李商隐传》：“商隐能为古文，不喜偶对，从事令狐楚幕，楚能章奏，遂以其道授商隐，自是始为今体章奏。”【初食笋呈座中】《李义山诗集辑评》卷中何焯评：“怜才。”《李义山诗集笺注》卷一六：“此以知心望当事也。须知三千座中客，要求一个半个有心人绝少。”《玉溪生诗说》卷下：“感遇之作，亦苦于浅。”【隋师东】《昭昧詹言》卷一九：“前四句将正义说定，五、六空中掉转，收换笔绕补余意。古人无不用章法。”《选玉溪生诗补说》（姜炳璋选释、郝世辑，南开大学出版社 1985）：“时李宗闵同平章事，沮李德裕不用，故为此言。末二借隋为喻，犹所谓殷鉴不远也。积骸成莽，万骨皆枯，当日情形，宛然在目。谁谓义山非诗史乎？”

王希羽生。王希羽（829—?），歙州人。《唐摭言》卷八：“天复元年，杜德祥榜，放曹松、王希羽、刘象、柯崇、郑希颜等及第。时上新平内难，闻放新进士，喜甚。诏选中有孤平屈人，宜令以名闻，特敕授官。故德祥以松等塞，诏各受正。……皆以诗卷及第，亦皆年逾耳顺矣。时谓‘五老榜’。”王希羽后为秘书省正字。与杜荀鹤友善。事迹见路振《九国志》卷三、《唐才子传》卷九等。

公元 830 年（唐文宗大和四年　庚戌）

正月

辛卯，牛僧孺由武昌节度使入朝，并由李宗闵推荐，为兵部尚书、同平章事，入相。《通鉴》卷二四四：“于是（李、牛）二人相与排摈李德裕之党，稍稍逐之。”杜

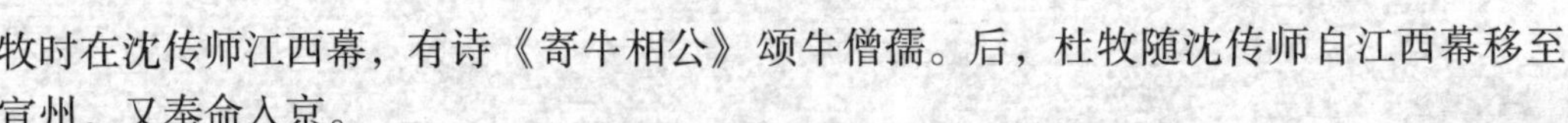

牧时在沈传师江西幕，有诗《寄牛相公》颂牛僧孺。后，杜牧随沈传师自江西幕移至宣州，又奉命入京。

元稹由尚书左丞出为武昌军节度使。其妻不乐，元作诗《赠柔之》，裴淑有诗《答微之》。赴任时，刘禹锡于浐桥送行。元途中有《蓝桥怀旧》之作，并回寄禹锡，刘禹锡有《微之镇武昌中路见寄蓝桥怀旧之作凄然继和兼寄安平》。至鄂州，复奏窦巩为副使，卢简求为掌书记。秋，登黄鹤楼。是年，元稹另有诗《赠崔元儒》、《鄂州寓馆严涧宅》。

许浑在长安，有诗《献鄜坊丘常侍》。丘常侍，节度使丘直方。许浑（791？—?），字用晦，一作仲晦，祖籍安州安陆，寓居润州丹阳。大和六年进士及第，后授当涂、太平县令，迁监察御史。大中三年，辞官东归，居润州丁卯村舍。后复起为润州司马。历虞部员外郎，睦、郢二州刺史，卒，世称许郢州。与杜牧、李频、李远等交游唱和。《新唐书·艺文志》著录《丁卯集》二卷。今有明汲古阁刻本及《四部丛刊》影宋写本。涵芬楼影印宋蜀刻本，题名《许用晦文集》，多拾遗二卷。《唐诗百名家全集》本所收，另有续集一卷，续补一卷、集外遗诗一卷，较为完备。《全唐诗》析为一一卷，多有诗篇与杜牧及他人诗作重见互出。事迹见《唐诗纪事》卷五六、《唐才子传》卷七。

二月

林简言、杨发、令狐绹、魏扶、郑滂、韦周方等二十五人登进士第。时礼部侍郎郑瀚知贡举。见《登科记考》卷二一。顾非熊下第，有诗《陈情上郑主司》；回江南，马戴有诗《送顾非熊下第归江南》。杨发（生卒年不详）字至之，冯翊人。以父遗直客苏州，因家焉。登大和四年进士第，历太常少卿，出为苏州刺史。大中十二年为岭南节度使，以严为治。军乱，贬婺州刺史，卒于任。《唐才子传》卷七："（其诗）俱浏亮清新，颇惊凡听。恨其出处事迹不得而知也。有诗传世尚多。"《全唐诗》卷五一七录诗一三首，《全唐诗补编·续补遗》卷六补一首。《全唐文》卷七五九录文一篇、赋三篇。

李绅由滁州转唐州刺史，抵任后有诗《转寿春守大和庚戌二月祗命寿阳时替裴五墉终殁因视壁题》。

三月

李德裕仍在义成节度使任。有诗《上巳忆江南禊事》，刘禹锡有《和滑州李尚书上巳忆江南禊事》。秋，两人又有诗唱和，刘禹锡有《酬滑州李尚书秋日见寄》。十月戊申，李德裕为李宗闵、牛僧孺所排挤，由义成节度使徙剑南西川节度副大使、知节度事，入蜀途中有诗《题剑门》及《剑门铭》，并游汉川房太尉西湖，有诗《汉州月夕游房太尉西湖》、《房公旧竹亭闻琴缅慕风流神期如在因重题此作》。后刘禹锡、郑浣均有和作。刘三复随李德裕由滑州往西川，此前有文《滑州节堂记》。是年，李德裕另有诗《东郡怀古二首》、《秋日登郡楼望赞皇山感而成咏》、《雨后净望河西连山怆然成咏》、《秋日美晴楼闲眺寄荆南张书记》及文《易州候台记》、《重写前益州五长史真记》。

春

王建约本年前后已自陕州司马退居咸阳。春，有《原上新居十三首》。此后行迹无考，不久卒。《全唐诗》卷二九七至卷三〇二编其诗为六卷，卷八九〇收其词一〇首，六首与诗重出。《全唐诗补编·续拾》卷二五补诗二首。白居易《授王建秘书郎制》："诗人之作丽以则，建为文近之矣。故其所著章句，往往在人口中，求之辈流，亦不易得。"《对床夜语》卷二："古乐府当学王建，如《凉州行》、《刺促词》、《古钗行》、《精卫词》、《老妇叹镜》、《短歌行》、《渡辽水》等篇，反复致意，有古作者之风，一失于俗则俚矣。"《诗林广记》卷六："王建《宫词》旧跋云：建工为乐府歌行，思远格幽。《宫词》凡百绝，天下传播。效此体者，虽有数家，建为之祖。"《直斋书录解题》卷一九："建长于乐府，与张籍相上下。……尤长宫词。"《唐才子传》卷四："与张籍契厚，唱答尤多。工为乐府歌行，格幽思远，二公之体，同变时流。建性耽酒，放浪无拘，《宫词》特妙前古。……又于征戍迁谪、行旅离别、幽居宦况之作，俱能感动神思，道人所不能道也。"《诗辩坻》卷三："王建歌行，才思佻浅，便开花间一派，不待温、李诸公也。廷礼《品汇》未娴审格，故中、晚多滥收之弊。"又云："仲初佳篇，如《春词》结句颇有古气，《温泉宫行》含吐有致，亦复情思杳霭。至《神树》短歌，极恶道矣。"又云："仲初《白纻》二首，冶思波属，足俪仲师。喜其能不作戒荒及越兵沼关等语，乃为近古。一著此等，便落下第。他体也忌见正面，乐府尤难之耳。"《载酒园诗话》又编："司马律不能佳，排律尤劣，故昔人谓其俗。方回亦以为一体，列之为式，陋矣。"《一瓢诗话》："王仲初长篇小律，俱有妙处，不可以《宫词》、乐府拘定其声价。"《石园诗话》卷二："王仲初乐府歌行，思远格幽。歌行诸结句尤有余蕴。"《重订中晚唐诗主客图》："世之称仲初者，但知其七言与《宫词》耳。即张、王并列，亦止于乐府。若五、七律，则概不相许，至谓司马律不能工，或病其俗。噫嘻！世所谓不俗者，吾知之者：错彩镂金，矫饰补假，要以博大精深之誉。至与言苦心体物，刻发难显，其实不能耐心一思也。顾唯纵其情不以礼防者，为俗耳。俗情入诗，直寻天妙，固是风雅之本。世唯认错'俗'字，并'雅'亦失之，而所谓不俗者，乃真俗矣。按仲初律诗，实与司业合调，第司业妙于清丽，司马偏于质厚，不无微分，不似朱庆余之句句追步。至其字清意新，工于匠物，则殊途同归也。尊为入室，良不诬也。"《养一斋诗话》卷九："建诗惟乐府可贵，《宫词》已浮沉，律诗尤浅俚不入格。"《三唐诗品》："其源出汉代歌谣，能以俚语成章，而自然新妙。七言兹推广，自造新声；《宫词》妙绝时人，后来所祖。"《诗学渊源》卷八："建思致委曲，韵语如流，情真意挚，体会不尽。古诗体格乃建安一派，不仅以乐府见胜也。近体专尚气质，不工自工。惟七绝、《宫词》，虽风神秀出，顾已非盛唐之旧矣。盖其取法太白而自有未至者也。然中唐诗人足冠冕一时者，亦惟顾况、李益、王建而已。韩、柳、元、白固当别论，张籍齐名，终属虚构耳。"《诗源辩体》卷二七："王建七言律，入录者仅得

四五，其他句多奇拗，遂为大变，宋人之法多出于此。如‘一向破除愁不尽，百方回避老须来’……等句，实为宋人奇拗之祖，而刘后村为多。但建全篇完妥者少，故未可入录。”又云：“王建七言律，如‘沙湾漾水图新粉，绿野荒阡晕色缯’……等句，又极村陋，实为杜牧、皮、陆唐末诸子先倡，沿至宋人，遂为常调矣。”《龙性堂诗话》续集：“微之所谓凡近者，即殷璠之所云俗体也。王建诗往往在人口，而乐天则称丽则；许浑诗极斐然，而放翁诋其陋鄙。能通于二公之论，此道思过半矣。”《越缦堂读书记》（五）》“集部别集类”：“仲初诗固佳，其他诗都有俗气，乐府最名于代，虽稍有工者，亦多失之质直。七律格韵尤卑下，乃开晚唐、五季庸劣一派，可谓恶诗。中唐以后五律如姚秘监、王仲初等人，皆极浅弱，稍于一二近景琐事，刻画取致，亦往往有工语。然道眼前景，每至取极俗极琐小无意味者，乃坠打油钉铰恶道，仲初‘小婢偷红纸’等类是也。”【温泉宫行】《唐风定》卷一一：“顾云：此即是仲初眼目，否则流向俗去矣。邢昉评：悲凄婉曲，亦胜他篇。”《唐诗镜》卷四一：“暗色微香，不似他词俚气。第音韵局促，是其本调。”《删补唐诗选脉笺释会通评林》“中唐七古下”周珽曰：“前半叙温泉全胜之日，台池游幸极有欢乐。后半悲玄宗遐升之后，宫苑声曲极其悲凉，以感慨之词寓讽诫之意。赋故宫者甚多，无如此悲怆。”【田家留客】《唐诗品汇》卷三四：“刘（须溪）云：起得甚浓。又云：情至语尽，歌舞有不能。”《唐诗归》卷二七钟惺：“似直述田父口中语，不添一字。”《唐风定》卷一一：“较高常侍《田家》相去几何？正变之风，于此了然。”【短歌行】《唐诗品汇》卷三四：“刘（须溪）云：妙合人意，结语更妙。”《唐诗镜》卷四一：“哀音苦调，语至迫切。”《唐诗快》卷七：“读此使人不敢乐，又不敢不乐，顾何以为行乐计耶?”《唐诗别裁集》卷八：“读此辞，觉世人一生为儿女作牛马者，真痴绝也。‘人初生，日初出。上山迟，下山疾’。古乐府神理。”【新嫁娘词三首】《唐风定》卷二〇：“绝句中有调高逼古，出六朝上者，此种是也。”马鲁《南苑一知集》（同治癸酉敦伦堂刊本）“论诗”：“诗有最平易者，如王建《新嫁娘》是也。……孝顺和熙气象不小，家亦不倨傲。和盘托出，岂非平易而有思致之诗?”《诗辩坻》卷三：“王建《新嫁娘词》、施肩吾《幼女词》，摹事太入情，便落卑格。”《唐诗别裁集》卷一九：“诗至真处，一字不可移。”《唐诗摘抄》卷二：“极细事，道出便妙，只是一真。朱之荆评：词朴语庄，不作丽语，得酒食是议意。”【十五夜望月寄杜郎中】《删补唐诗选脉笺释会通评林》“中唐七绝中”周敬曰：“妙景中含，解者几人?”《唐诗摘抄》卷四：“通首平仄相叶，无一字参差，实为七言绝句之正调。凡音律谐，便使人诵之有一唱三叹之意，今作者何可但言体制，而不讲声调也。”《唐诗别裁集》卷二〇：“不说明己之感秋，故妙。”《诗境浅说》续编：“前二句不言月，而地白疑霜，桂叶湿露，宛然月夜之景。亦经意之笔。”

四月

窦巩随元稹在鄂岳副使任，有诗《忝职武昌初至夏口书事献府主相公》。元稹答有《戏酬副使中丞见示四韵》，裴度亦有《窦七中丞见示初至夏口献元戎诗辄戏和之》，令狐楚有《和寄窦七中丞》。秋，白居易仍有《戏和微之答窦七行军之作》。【忝职武昌初至夏口书事献府主相】《瀛奎律髓汇评》卷四二纪昀评："次句不佳。三、四自好。然只似闲适诗，上下语脉不甚贯。"【和寄窦七中丞】《瀛奎律髓汇评》卷四二方回评："观此五言诗，足见一时人物之盛。"纪昀评："唱和虽盛，诗皆不佳，存为故实则可，以为诗法则不可。"【窦七中丞见示初至夏口献元戎诗辄戏和之】《瀛奎律髓汇评》卷四二方回评："晋公初为微之所忌，微之在相位不一月而出，晋公终以再入，许之可谓德人君子矣。"纪昀评："亦无佳处。"

八月

舒元舆在御史台任职，有文《御史台新造中书院记》。

张祜约此时游池州，与池州刺史周墀观舞柘枝，有诗《池州周员外出柘枝》、《周员外出双舞柘枝妓》。

九月

张籍仍在国子司业任。贾岛宿姚合宅中，与姚合话及张籍，遂赋诗《宿姚合宅寄张司业籍》。张籍约本年或稍后卒。《全唐诗》卷三八二至卷三八六编其诗为五卷，《全唐诗补编·续补遗》卷五补一首，《续拾》卷二五又补一首。《全唐文》卷六八四录其文两篇。无可有《哭张籍司业》，贾岛有《哭张籍》。张为《诗人主客图》标举其"长于送人处，忆得别家时"、"蕃汉断消息，死生长别离"等句，并列于"清奇雅正"之入室者。《韩昌黎文集校注》卷三《代张籍与李浙东书》："籍又善于古诗，使其心不以忧衣食乱，阁下无事时，一致之座侧，使跪进其所有，阁下凭几而听之，未必不如听吹竹弹丝敲金击石也。"《元氏长庆集》补遗卷四《授张籍祕书郎制》："籍雅尚古文，不从流俗，切磨讽兴，有助政经。而又居贫晏然，廉退不竞。俾任石渠之职，思闻木铎之音。"《吴都文粹续集》卷五五张垍《张司业诗集序》："公为古风最善，自李、杜之后，风雅道丧，继其美者，唯公一人。故白太傅读公集曰：'张公何为者？业文三十春。尤工乐府词，举代少其伦。'又姚秘监尝读公诗云：'妙绝江南曲，凄凉怨女诗。古风无手敌，新语是人知。'其为当时文士推服也如此。元和中，公及元丞相白乐天、孟东野歌词天下宗匠，谓之元和体。又长于今体律诗。贞元以前，作者间出，大抵互相祖尚，拘于常态，迨公一变，而后章句之妙，冠于流品矣。"《中山诗话》："张籍乐府诗清丽深婉，五言律诗亦平淡可爱，至七言诗，则质多文少。"《唐文拾遗》卷四七张洎《项斯诗集序》："吴中张水部为格律诗，尤工于匠物，字清意远，不涉旧体，天下未能窥其奥。唯朱庆余一人导授其旨。"《旧唐书》卷一六〇张籍本传："性诡激，能为古体诗，有警策之句传于时。"《新唐书》卷一七六张籍本传："籍为诗，长于乐府，多警句。"《唐诗纪事》卷三四："籍诗善叙事。"《臞翁诗评》："张籍如优工行乡饮，酬献秩如，时有诙气。"《竹坡诗话》："唐人作乐府者甚多，当以张文昌为第一。"《岁寒堂诗话》卷上："张司业诗与元、白一律，专以道得人心中事为工。但白才多而意切，张思深而语精，元体轻而词躁尔。籍律诗虽有味而少文，远不逮李义山、刘梦得、杜牧之。然籍之乐府，诸人未必能也。"《韵语阳秋》卷二："张籍，韩愈高弟

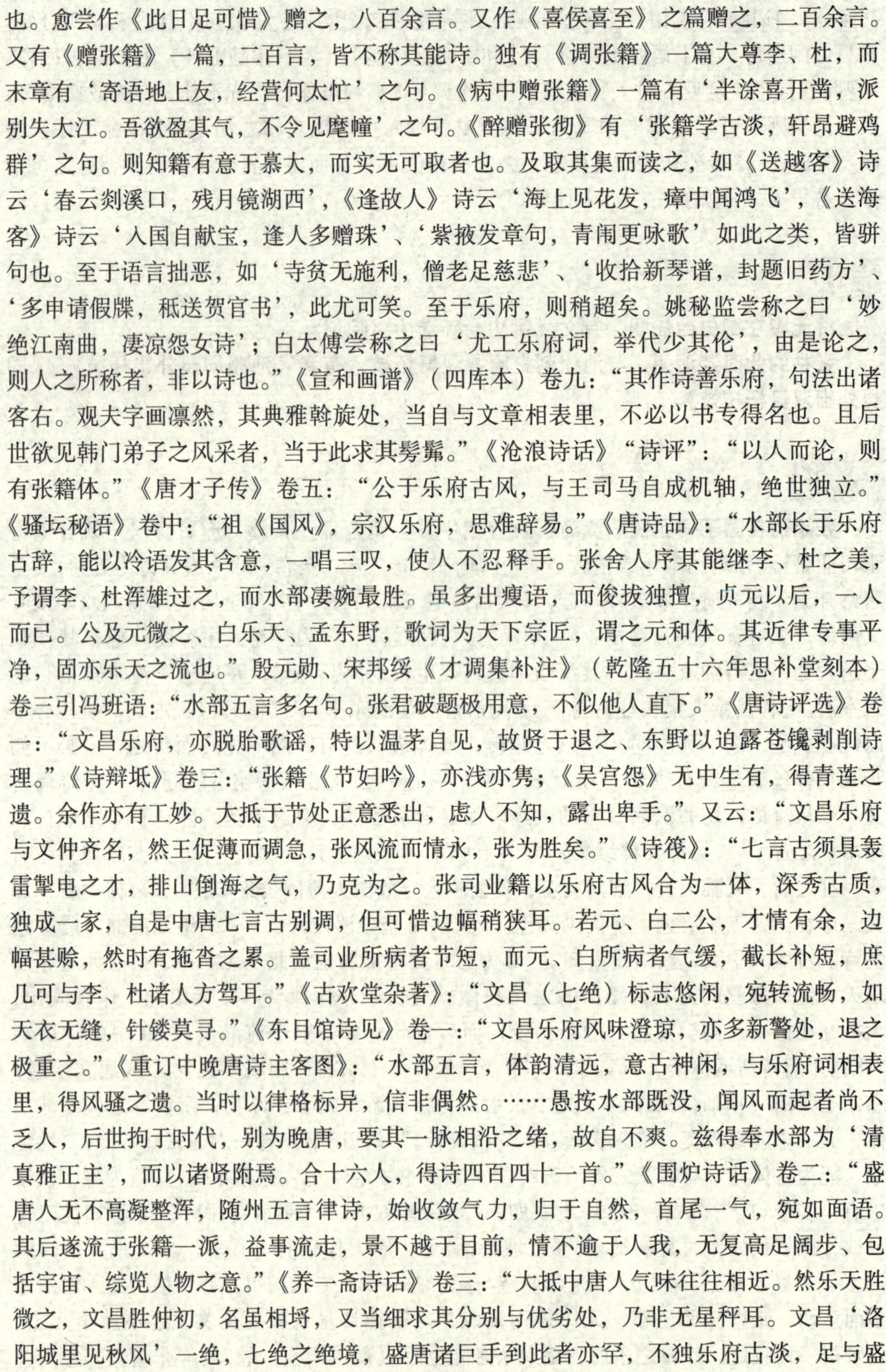

也。愈尝作《此日足可惜》赠之，八百余言。又作《喜侯喜至》之篇赠之，二百余言。又有《赠张籍》一篇，二百言，皆不称其能诗。独有《调张籍》一篇大尊李、杜，而末章有‘寄语地上友，经营何太忙’之句。《病中赠张籍》一篇有‘半涂喜开凿，派别失大江。吾欲盈其气，不令见麾幢’之句。《醉赠张彻》有‘张籍学古淡，轩昂避鸡群’之句。则知籍有意于慕大，而实无可取者也。及取其集而读之，如《送越客》诗云‘春云剡溪口，残月镜湖西’，《逢故人》诗云‘海上见花发，瘴中闻鸿飞’，《送海客》诗云‘入国自献宝，逢人多赠珠’、‘紫掖发章句，青闱更咏歌’如此之类，皆骈句也。至于语言拙恶，如‘寺贫无施利，僧老足慈悲’、‘收拾新琴谱，封题旧药方’、‘多申请假牒，秖送贺官书’，此尤可笑。至于乐府，则稍超矣。姚秘监尝称之曰‘妙绝江南曲，凄凉怨女诗’；白太傅尝称之曰‘尤工乐府词，举代少其伦’，由是论之，则人之所称者，非以诗也。”《宣和画谱》（四库本）卷九：“其作诗善乐府，句法出诸客右。观夫字画凛然，其典雅斡旋处，当自与文章相表里，不必以书专得名也。且后世欲见韩门弟子之风采者，当于此求其髣髴。”《沧浪诗话》“诗评”：“以人而论，则有张籍体。”《唐才子传》卷五：“公于乐府古风，与王司马自成机轴，绝世独立。”《骚坛秘语》卷中：“祖《国风》，宗汉乐府，思难辞易。”《唐诗品》：“水部长于乐府古辞，能以冷语发其含意，一唱三叹，使人不忍释手。张舍人序其能继李、杜之美，予谓李、杜浑雄过之，而水部凄婉最胜。虽多出瘦语，而俊拔独擅，贞元以后，一人而已。公及元微之、白乐天、孟东野，歌词为天下宗匠，谓之元和体。其近律专事平净，固亦乐天之流也。”殷元勋、宋邦绥《才调集补注》（乾隆五十六年思补堂刻本）卷三引冯班语：“水部五言多名句。张君破题极用意，不似他人直下。”《唐诗评选》卷一：“文昌乐府，亦脱胎歌谣，特以温茅自见，故贤于退之、东野以迫露苍镵剥削诗理。”《诗辩坻》卷三：“张籍《节妇吟》，亦浅亦隽；《吴宫怨》无中生有，得青莲之遗。余作亦有工妙。大抵于节处正意悉出，虑人不知，露出卑手。”又云：“文昌乐府与文仲齐名，然王促薄而调急，张风流而情永，张为胜矣。”《诗筏》：“七言古须具轰雷掣电之才，排山倒海之气，乃克为之。张司业籍以乐府古风合为一体，深秀古质，独成一家，自是中唐七言古别调，但可惜边幅稍狭耳。若元、白二公，才情有余，边幅甚赊，然时有拖沓之累。盖司业所病者节短，而元、白所病者气缓，截长补短，庶几可与李、杜诸人方驾耳。”《古欢堂杂著》：“文昌（七绝）标志悠闲，宛转流畅，如天衣无缝，针镂莫寻。”《东目馆诗见》卷一：“文昌乐府风味澄琼，亦多新警处，退之极重之。”《重订中晚唐诗主客图》：“水部五言，体韵清远，意古神闲，与乐府词相表里，得风骚之遗。当时以律格标异，信非偶然。……愚按水部既没，闻风而起者尚不乏人，后世拘于时代，别为晚唐，要其一脉相沿之绪，故自不爽。兹得奉水部为‘清真雅正主’，而以诸贤附焉。合十六人，得诗四百四十一首。”《围炉诗话》卷二：“盛唐人无不高凝整浑，随州五言律诗，始收敛气力，归于自然，首尾一气，宛如面语。其后遂流于张籍一派，益事流走，景不越于目前，情不逾于人我，无复高足阔步、包括宇宙、综览人物之意。”《养一斋诗话》卷三：“大抵中唐人气味往往相近。然乐天胜微之，文昌胜仲初，名虽相埒，又当细求其分别与优劣处，乃非无星秤耳。文昌‘洛阳城里见秋风’一绝，七绝之绝境，盛唐诸巨手到此者亦罕，不独乐府古淡，足与盛唐争衡也。王新城、沈长洲数唐人七绝擅长者各四章，独遗此作。沈于郑谷之‘扬子江头’亦胜称之，而不及此，此犹以声调论诗也。”《三唐诗品》：“其出与王仲初同源，当时并称张王乐府。夫其发音苍远，质胜于王，而转变生姿，自复同澜逊势。”《诗学渊源》卷八：“时虽谓其长于乐府，今读其诗，殊伤于直率，寡风人之旨，调既生涩，语多强致，以言乐府，去题远矣。”刘成德《唐张司业诗集跋》：“余尝观唐史，称司业为诗长于乐府，多警句。白太傅读其集赋诗曰：‘张公何为者，业文三十春。尤工乐府词，举代少其伦’。而姚秘监又赠诗曰：‘妙绝江南曲，凄凉怨女诗。古风无敌手，新语是人知。’其为当时所推服者如此。迨后若张文懿公最重籍作。荆公绝句云：‘苏州司业诗名老，乐府皆言妙入神’，其为异代所称仰也又如此。”《四库提要》卷一五〇：“籍以乐府鸣一时，其骨体实出王建上。后人概称张、王，未为笃论。韩愈称‘张籍学古淡，轩鹤避鸡群’，谅矣。其文惟《文苑英华》载与韩愈二书，余不概见。相其笔力，亦在李翱、皇甫湜间，视李观、欧阳詹之有意铲雕，亦为胜之。”《辍耕录》：“张文昌乐府，急管繁弦而不觉其局蹐者，趣胜也。”【节妇吟】《容斋随笔》三笔卷六：“张籍在他镇幕府，郓帅李师古又以书币辟之，籍却而不纳，而作《节妇吟》一章寄之。”《诗筏》：“此诗情辞婉恋，可泣可歌。然既垂泪以还珠矣，而又恨不相逢于未嫁之时，柔情相牵，展转不绝，节妇之节危矣哉！文昌此诗，从《陌上桑》来，‘恨不相逢未嫁时’，即《陌上桑》‘使君自有妇，罗敷自有夫’意。然‘自有’二语甚斩绝，非既有夫而又恨不嫁此夫也。‘良人执戟明光里’，即《陌上桑》‘东方千余骑，夫婿居上头’意。然《陌上桑》妙在既拒使君之后，忽插此段，一连十六句，絮絮聒聒，不过盛夸夫婿以深绝使君，非既有‘良人执戟明光里’，而又感他人‘用心如日月’也。忠臣节妇，铁石心肠，用许多折转不得，吾恐诗与题不称也。或曰文昌在他镇幕府，郓帅李师古又以重币辟之，不敢峻拒，故作此诗以谢。然则文昌之婉恋，良有以也。”《凫亭诗话》卷上：“余往年选《唐诗楷》，深怪张文昌《节妇吟》措词不善，谓以珠系襦固非，还珠垂泪更谬，并讥其命题亦欠斟酌。后见他本作《还珠吟》，题则妥矣，而诗终有病。”《唐诗镜》卷四一：“稔是情语。”《唐诗快》卷七：“双珠系而复还，不难于还而难于系。系者知己之感，还者从一之义也。此诗为文昌却聘之作，乃假托节妇言之，徒令千载之下，增才人无限悲感。”《说诗晬语》卷上：“文昌《节妇吟》云：‘感君缠绵意，系在红罗襦’。赠珠者知有夫而故近之，更亵于罗敷之使君也，犹感其意之缠绵耶？虽云寓言赠人，何妨圆融其辞，然君子立言，故自有则。”

无可与诸文士会集姚合宅，有《秋暮与诸文士集宿姚端公所居》。姚端公，即姚合。端公为侍御史之称。姚合于大和二年冬初任殿中侍御史，其迁侍史当在此时前。

南卓本年约四十岁，约在此时因谏诤由拾遗出为松滋令。《唐诗纪事》卷五四：“初为拾遗，与崔黯因谏出宰，黯为支江，卓为松滋。卓赠副戎等诗曰……卓字昭嗣，大中时为黔南观察使。”

秋

雍陶自蜀入京。曾至永乐与县令殷尧藩游，有诗《永乐殷尧藩明府县池嘉莲咏》，至京又有诗《寄永乐殷尧藩明府》。抵达长安时，贾岛有诗《喜雍陶至》，姚合亦作《喜雍陶秋夜访宿》。

十月

白居易遇新雪，有诗《新雪二首》怀杨汝士。十二月，白居易由太子宾客改官河南尹，有诗《早饮醉中除河南尹敕到》。

十一月

殷尧藩仍在永乐县令任。时马戴、无可、姚合于夜中集宿，均有诗念之。马戴有《集宿姚侍御宅怀永乐宰殷侍御》，无可有《冬中与诸公集宿姚端公宅怀永乐殷侍御》，姚合亦作《寄永乐长官殷尧藩》。

十二月

杨巨源仍在河中少尹任，令狐楚有诗寄之，刘禹锡作有《和令狐相公言怀寄河中杨少尹》、《令狐相公见示河中杨少尹赠答兼命继之》。

本年

裴潾由给事中出为汝州刺史，传曾有《白牡丹》诗为文宗所赏，传遍六官。姚合有诗《奉和门下相公雨中寄裴给事》。《唐诗纪事》卷五二："长安三月十五日，两街看牡丹甚盛。慈恩寺元果院花最先开，太平院开最后。潾作《白牡丹》诗题壁间，大和中，驾幸此寺，吟玩久之，因令宫嫔讽念。及暮归，则此诗满六宫矣。潾，河东人。柳泌为宪宗治丹剂，潾上疏极谏，帝卒以药弃天下，世以为知言。潾以兵部侍郎卒。尝裒古今辞章续《文选》，号《大和通典》上之。当时之士，非与游者不取，世恨其隘。"裴潾（？—838），河东闻喜人，以门荫入仕。元和初迁右拾遗，转左补阙，擢起居舍人。十四年贬江陵令。穆宗即位，征为兵部员外郎，迁刑部郎中。长庆中，历考功、吏部二郎中。宝历初为给事中。大和四年为汝州刺史，又贬左庶子、分司东都。七年，迁左散骑常侍，充集贤殿学士。八年转刑部侍郎。后改华州刺史。九年复刑部侍郎。开成元年为兵部侍郎。二年出任河南尹，寻归旧职。次年四月卒。《新唐书·艺文志》著录其《大和通选》三〇卷、《大和新修辨谤略》三卷，均佚。事迹见《旧唐书》卷一七一、《新唐书》卷一一八本传及《唐诗纪事》卷五二、《宣和书谱》卷九等。

李商隐在天平军令狐楚幕，有《天平公座中呈令狐令公》、《谢书》等诗。

牛僧孺约本年撰成《玄怪录》，据李剑国《唐五代志怪传奇叙录》所考，此书约成于大和年中。《新唐书·艺文志》著录《玄怪录》书一〇卷。宋代因避赵匡胤始祖玄朗讳，改名《幽怪录》。现存明刻本四卷。《云麓漫抄》卷八：“唐之举人，多先藉当世显人以姓名达之主司，然后以所业投献。踰数日又投，谓之‘温卷’，如《幽怪录》、《传奇》等皆是也。盖此等文备众体，可以见史才、诗笔、议论，至进士则多以诗为贽。”《四库提要》卷一四四：“朱国桢《涌幢小品》曰：牛僧孺撰《元怪录》，杨用修改为《幽怪录》，因世庙时重‘元’字，用修不敢不避，其实一书，非刻之误也。然《宋史·艺文志》载李德裕《幽怪录》十四卷，则此名为复矣。《唐志》作十卷，今止一卷，殆钞合而成，非其旧本。……然志怪之书，无关风教，其完否亦不必深考也。”

杨於陵卒，年七十八。《全唐诗》卷三三〇录其诗三首，《全唐诗补编·续拾》补一首又四句。《全唐文》卷五二三及《唐文拾遗》卷二四收其文一四篇。

薛调生。薛调（830—872），河中宝鼎人，美姿貌，人号为“生菩萨”。大中八年进士，咸通十一年，以户部员外郎加驾部郎中，充翰林承旨学士，次年，加知制诰。十三年二月二十六日暴卒，时以为鸩死。《太平广记》卷四八六存其传奇《无双传》。明人陆采据以作传奇剧本《明珠记》。事迹见《唐语林》四、《读书杂识》卷七等。

公元 831 年（唐文宗大和五年　辛亥）

二月

杜陟、李远、徐商、殷羽、李汶儒、苗恽等二十五人登进士第。时中书舍人贾悚知贡举。据《登科记考》卷二一。黄颇以等第荐送，然落第。《唐摭言》卷三《为等第后久方及第》条云“黄颇以洪奥文章，蹉跎者一十三载。”《永乐大典》引《宣音志》：“与卢肇相上下。每见肇所为文，辄不取。会昌三年，擢进士科。颇自升等第后十三年，始中选。”《宜春志》：“黄颇，字无颇，宜春人。”《正德袁州府志》卷八：“少负异材，师韩退之为古文，声名大振。”

三月

白居易离京至洛阳已两年，有诗《归来二周岁》纪之。时又有《柘枝词》之作。七月，白居易弟敏中归幽宁幕，居易有诗《送敏中归豳宁幕》。又有《宴散》、《池上》等诗。八月，得知元稹卒，有诗《哭微之二首》。十月，元稹灵柩运往长安，途经洛阳，白居易有《祭元微之文》。岁暮，白居易又有诗《新制绫袄成感而有咏》等。

刘禹锡仍在礼部郎中、集贤学士任，时有诗《和郓州令狐相公春晚对花》、《酬令狐相公春日言怀见寄》。四月，新罗封新王，唐遣源寂前往吊祭册立，时刘禹锡有诗《送源中丞充新罗册立使》，姚合亦有《送源中丞使新罗》。【送源中丞充新罗册立使】《瀛奎律髓汇评》卷三八：“方回评：百济、新罗，后皆为高丽所并，此诗中四句全佳。纪昀评：‘面带’句究不甚雅。气脉雄大。”《唐体肤诠》（康熙蕴真楼刻本）卷二：“先叙家声，次言受事，次标官爵，次纪道里，次写风景，结乃言册立后向化之事，层次甚清，却乃一气贯注。”

春

赵嘏在宣州，与宣歙观察使沈传师游，有诗《宛陵寓居上沈大夫二首》。沈大夫，即沈传师。

四月

李翱仍在郑州刺史任，时杨於陵归葬郑州，翱为撰墓志，并有《祭杨仆射文》。十二月癸巳，改任桂管观察使。

李骘将归涔阳，路出无锡，遂寓居惠山寺读书，此后在此多有诗作题咏。李骘《题惠山诗序》云："大和五年四月，予自江东西归涔阳，路出锡邑，因肄业于惠山寺。居之岁，其所讽念左氏《春秋》、《诗》、《易》，及司马迁、班固史，屈原《离骚》、庄周、韩非书记及著歌诗数百篇。其诗凡言山中事者，悉记之于屋壁，文则不载。"

五月

沈亚之在郢州司户参军任，有文《谪掾江斋记》述其起居；又有文《上九江郑使君书》，记其遭贬经过。其贬郢州时，徐凝有诗《送沈亚之赴郢掾》。此后，沈亚之事迹无考。《全唐诗》卷四九三编其诗为一卷，《全唐诗补编·续补遗》卷五补一首，《续拾》卷二五补二首、断句二。《全唐文》卷七三四至卷七三八编其文为五卷。张为《诗人主客图》以其为"广大教化主"下升堂者。《新唐书》卷二〇一《文艺传序》："今但取以文自名者为《文艺篇》，若韦应物、沈亚之、阎防、祖咏、薛能、郑谷等，其类尚多，皆班班有文在人间，史家逸其行事，故弗得述云。"阙名《沈下贤集序》："文章盛衰，与世升降。唐之文风大振于贞元、元和之间，韩、柳唱其端，刘、白继其轨。当时学者，涵濡游泳，揽其英华，洗濯磨淬，辉光日新。苟有作者，皆足以拔出流俗，自成一家之语，则吴兴之文是已。公讳亚之，字下贤，吴兴人，元和十年登进士第，历聘藩镇，尝游韩愈门，李贺许其工。为情语，有窈窕之思。其后杜牧、李商隐俱有拟。沈下贤诗，则当时称声甚盛。"《香祖笔记》卷五："唐沈亚之《下贤集》十二卷，昔人谓其工为情语，善窈窕之思。观集中《秦梦记》、《异梦录》、《湘中怨词》、《歌者叶记》等信矣。然颇类传奇小说。姚铉概不之录，毋亦以其诞谩不经耶。至以沧寇李同捷之诛，朝廷与栢耆牵连同贬，实以两河诸将之谮，姑谪罚以悦其心耳。而晁公武遽以为亚之狂躁，辅耆为恶，愚矣哉。吾读下贤《与郑使君书》而悲之。"《四库提要》卷一五〇："杜牧、李商隐集均有拟沈下贤诗，则亚之固以诗名世。而此集所载，乃止十有八篇。其文则务为险崛，在孙樵、刘蜕之间。观其《答学文僧请益书》，谓'陶器速售而易败，煅金难售而经久'，《送韩静略序》亟述韩愈之言，盖亦戛然自异者也。《越缦堂读书记》（五）"集部别集类"："亚之文以峭厉名，然多俗气，中唐以后作家，王维如是。至子司空表圣、罗昭谏诸人，崛强几如驴橛矣。"

陈陶约此时在闽中，有诗《投赠福建桂常侍二首》。桂常侍，福建观察使桂仲武。

七月

元稹暴卒于武昌军节度使任，年五十三。卒前，曾托白居易撰墓志铭。《全唐诗》卷三九六至卷四二三编其诗为二八卷，《全唐诗补编·续补遗》卷五补断句二，《续拾》卷二五补诗一〇首又五一句，重录八句。《全唐文》卷六四七至卷六五五编其文为九卷。《旧唐书》卷一六六《元稹传》："稹聪警绝人，年少有才名，与太原白居易友善。工为诗，善状咏风态物色，当时言诗者，称元、白焉。自衣冠士子，至闾阎下俚，悉传讽之，号为'元和体'。既以俊爽不容于朝，流放荆蛮者仅十年。俄而白居易亦贬江州司马，稹量移通州司马。虽通、江悬邈，而二人来往赠答。凡所为诗，有自三十、五十韵乃至百韵者。江南人士，传道讽诵，流闻阙下，里巷相传，为之纸贵。观其流离放逐之意，靡不凄惋。"《白氏长庆集》卷二二《和微之诗二十三首序》："微之又以近作二十三首寄来，命仆继和，其闲瘀絮四百字，车斜二十篇者流，皆韵剧辞殚，瓌奇怪谲。又题云'奉烦只此一度，乞不见辞'，若欲定霸取威，置仆于穷地耳。大凡依次用韵，韵同而意殊。约体为文，文成而理胜。此足下素所长者，仆何有焉。"刘麟《元氏长庆集序》："元微之有盛名于元和、长庆间，观其所奏，莫不切当时务，诏诰、歌词自成一家，非大手笔曷臻是哉！其文虽盛传一时，厥后浸亦不显，唯嗜书者时时录，不亦甚可惜乎。"《郡斋读书志》卷四中："稹为文长于诗，与白居易齐名，号'元和体'，往往播乐府。穆宗在东宫，妃嫔近习诵之，宫中呼'元才子'。及知制诰，变诏书体，务纯厚明切，盛传一时。"《后村诗话》卷一四："元、白皆唐诗大家。余观古作者意，必以艰深文浅近，必以尖新革尘腐，二公独不然。世传其有赋咏，元语多犯白，固有偷格律之嘲。白遇赋咏，必使老妪闻而晓解者。两《长庆集》部帙数倍韩、柳，其间大篇如《连昌宫辞》、《琵琶行》之类，不可胜书。姑录其尤警策者于编。元初与仇士良争驿，劾严厉苛敛，忤时相意，赖李绛、崔群论救，其诗有'佞存真妾妇，谏死是男儿'之句，初节甚高。及为学士，有上眷中人争与之交，遂党中人，以沮裴度，非复昔日微之矣。"《宣和画谱》卷三："其诗名与白居易相上下，人目之为'元、白'。及其在越与诗人窦群庚酬，又称'兰亭绝唱'。每一词出，往往播之乐府。其楷字，盖自有风流蕴藉，挟才子之气而动人眉睫也。要之诗中有笔，笔中有诗，而心画使之然耳。"谢邁《竹友集》（四库本）卷九《书元稹遗事》："稹、白居易同时，俱以诗名天下，然多纤艳无实之语，其不足论明矣。观其立朝大概，交结魏弘简，沮抑裴度之言，以浮躁险薄称于时，至于知贤救难，奋激敢言，凛凛有古直臣之风。夫以元稹而犹能如是，又况不为元稹者乎。"《臞翁诗评》："元微之如李龟年说天宝遗事，貌悴而神不伤。"《唐才子传》卷六："稹诗变体，往往宫中乐色皆诵之，呼为才子。然缀属虽广，乐府专其警策也。"《骚坛秘语》卷中："与白同志，白意古辞俗，稹辞古意俗。"《唐诗镜》卷四六："微之绝句，多出深衷沉痛。"《徐氏笔精》卷七："元、白虽齐名，而微之品格，不逮乐天甚。微之少通崔莺莺，作《会真记》暴其事。既通籍，又夤缘宦官，得知制诰，为武儒衡鄙厌，恬不知怪。文人无行，殆斯人欤。"《载酒园诗话》又编："微之自是一种轻艳之才，所作排韵动数十韵，正是夸多斗靡，虽有秀句，补缀牵凑者亦多，宜为大雅所薄。集中惟乐府诗多佳。如《忆远曲》'水中书字无字痕，君心暗画谁会君'；《小胡笳引》曰'流宫变征渐幽咽，《别鹤》欲飞弦欲绝。秋霜满树叶辞风，寒雏坠地乌啼血'，皆工于刻划也。"《三唐诗品》："其源与香山同出一科，而气格就衰，神情又减。遣兴诸景，倩然苕秀，知非刻意之作，惟其瑘然天籁，乃偶得之。红陵三梦，则潘岳悼亡，江淹清感，情至文生，古今一致。《曲江》百韵，与乐天讽喻同规；《连昌》一篇，足媲华清《长恨》。"《贞一斋诗说》"诗谈杂录"："诗道最忌轻薄。凡浮艳体皆是，加以淫媟，更是末俗秽词，六义所当弃绝也。余每谓元微之、温飞卿不应取法，为此。"

李渤卒，年五十九。《全唐文》卷七一二录文一卷，《唐文拾遗》卷二八补一篇。《全唐诗》卷四七三存诗五首。《册府元龟》卷六〇一李纯《授李渤秘书省著作郎诏》："前左拾遗内供奉李渤，隐居求志，殚见洽闻，常致弓旌之招，尚怀林壑之恋。而闻肄其素业，成此新书，词章典雅，谋议深远，献于阙下，良所嘉焉。"《临汉隐居诗话》："李固谓处士纯盗虚名。韩愈虽与石洪、温造、李渤游，而多侮薄之。所谓'水北山人得声名，去年去作幙下士。水南山人今又往，鞍马仆从照闾里。少室山人索价高，两以谏官征不起。彼皆刺口论时事，有力未免遭驱使。'"

雍陶在洛阳，有诗《和河南白尹西池北新葺水斋招赏十二韵》，白居易原诗为《府西池北新葺水斋即事招宾偶题十六韵》。

八月

李德裕在西川节度使任。元稹卒前曾遣人乞蜀琴于李德裕，使未还而卒。德裕知元稹卒，曾有诗二首吊之并寄刘禹锡，禹锡有诗《西川李尚书知愚与元武昌有旧远示二篇吟之泫然因以继和二首》。是年，李德裕另有《黄冶赋》、《画桐花凤扇赋》及诗《忆金门旧游奉寄江西沈大夫》。

窦巩于元稹卒后离武昌观察副使任，返京途中染疾，至京卒。《全唐诗》卷二七一编其诗一卷。《新唐书·艺文志》四著录窦巩五兄弟《窦氏联珠集》五卷。褚藏言《窦巩传》："公温仁华茂，风韵峭逸，遇境必言诗，言之必破的，佳句不泥，传于人间，文集散落，未暇编录。"《旧唐书》卷一五五《窦巩传》："巩能五言诗，昆仲之间，与牟诗俱为时所赏重。"《新唐书》卷一七四《元稹传》："巩，天下工为诗，与之酬和，故镜湖、秦望之奇益传，时号兰亭绝唱。"《唐才子传》卷四："状貌瑰伟，少博览，无不通。性宏放，好谈古今，所居多长者车辙。"《唐音癸签》卷七："窦氏五昆，皆能诗。友封巩，尤长绝句，为元、白所称。"**【襄阳寒食寄宇文籍】**《唐诗快》卷一五："一幅寒食图。"《唐诗摘抄》卷四："言外见怀宇文意。与杜牧'二十四桥明月夜，玉人何处教吹箫'同意，皆羡彼地之行乐，而己不得与也。"《诗境浅说》续编："诗言春水初融，杨枝一碧，大堤驱马，惜佳伴无人，惟见落花盈路，衬马足而生香。此诗怀友兼写景，春色之融和，襄阳之繁盛，皆于笔底见之。"

京兆尹庞严卒，刘禹锡作诗《哭庞京兆》、《再伤庞尹》，张祜、马戴各有诗《哭京兆庞尹》。

舒元舆时年四十三岁，献文阙下，为执政李宗闵等所忌，由刑部员外郎改著作郎，

分司东都。《新唐书》卷一七九《舒元舆传》："元舆自负才有过人者，锐进取。大和五年，献文阙下，不得报。上书自言……文宗得书，高其自激卬，出示宰相，李宗闵以浮躁诞肆不可用，改著作郎，分司东都。"

九月

薛涛，居成都碧鸡坊。时李德裕镇蜀，建筹边楼成，涛遂有诗咏之。《蜀中广记》卷四："李德裕建筹边楼于成都府治之西，四壁图蛮夷险要，日与习边事者筹画其上。女校书薛涛上《筹边楼》诗云。"【筹边楼】《名媛诗归》卷一三："教戒诸将，何等心眼，洪度岂直女子耶？固一代之雄也。"

秋

徐凝自鄂渚至洛阳与河南尹白居易游，两人多有游览酬和之作，后离洛而归。徐凝有诗《自鄂渚至河南将归江外留辞侍郎》、《和夜题玉泉寺》、《侍郎宅泛池》、《和秋游洛阳》等。

十月

刘禹锡由礼部郎中改苏州刺史。赴任时姚合有诗送行。此前，令狐楚曾有诗《寄礼部刘郎中》，感慨禹锡久未迁擢，白居易有《和令狐相公寄刘郎中兼见示长句》诗，刘禹锡有《酬令狐相公见寄》。十二月，刘禹锡赴任途经洛阳，与白居易、李逢吉等人诗酒唱和。刘有诗《将赴苏州途出洛阳留守李相公累申宴饯宠行话旧形于篇章谨抒下情以申仰谢》、《赴苏州酬别乐天》、《福先寺雪中酬别乐天》，白居易有《送刘郎中赴任苏州》、《福先寺雪中饯刘苏州》。【赴苏州酬别乐天】《瀛奎律髓汇评》卷四："方回评：乐天尝守苏，今梦得亦往守此，故有'承遗爱'、'蹑后尘'之语。梁鸿、孟光尝客于吴，机、云二陆昔为吴人，今到苏之后，凡寄寓之客及在郡之士人，与太守相追游，当共忆乐天为旧太守，即旧主人也。善用事，笔端有口，未易可及。陆贻典评：诗有远近起伏，意致便灵。何焯评：后四句极变极细。"《唐诗析类集训》卷二六："首韵扼定赴苏，中二韵申言苏州在吴之美，上下不外德与才，末韵并以酬别乐天意结。"

杜牧仍在沈传师宣歙观察使幕，应沈述师之请，为李贺集作序。《诗筏》："唐人作唐人诗序，亦多夸词，不尽与作者痛痒相中。惟杜牧之作李长吉序，可以无愧，然亦有足商者。序云……余每讶序中'春和'、'秋洁'二语，不类长吉，似序储、王、韦、柳五言古诗。而'云烟绵联'、'水之迢迢'，又似为微之《连昌宫词》、香山《长恨歌》诸篇作赞。若'时花美女'，则《帝京篇》、《公子行》也。此外数段，皆为长吉传神，无复可议矣。其谓长吉诗为'《骚》之苗裔'一语，甚当。盖长吉诗多从《风》、《雅》及《楚辞》中来，但入诗歌中，遂成创体耳。又谓'理虽不及，辞或过之，使加以理，奴仆命《骚》可也'数语，吾有疑焉。夫唐诗所以敻绝千古者，以其绝不言理耳。宋之程、朱及故明陈白沙诸公，惟其谈理，是以无诗。彼《六经》皆明理之书，独《毛诗》三百篇不言理，惟其不言理，所以无非理也。圣贤读‘素绚’而得‘礼后’，读‘尚䌹’而得‘闇然’，读‘唐棣’而得‘思远’。盖圣贤事境圆明，风谣工歌，无不可以入理。若但作理解，则固陋已甚，且不能加匡鼎之解颐，又安能若西河之起予哉！《楚骚》虽忠爱恻怛，然其妙在荒唐无理，而长吉诗歌所以得为《骚》苗裔者，政当于无理中求之，奈何反欲加以理耶？理袭辞鄙，而理亦付之陈言矣，岂复有长吉诗歌？又岂复有《骚》哉？”

十一月

韦绚在李德裕西川幕为巡官，著《戎幕闲谈》毕。其序云：“赞皇公博物好奇，尤善话古今异事。当镇蜀时资佐宣吐，亹亹不知倦焉。乃语绚曰：‘能随而纪之，亦足以资于闻见。’”

十二月

许浑在京，有诗《长安岁暮》。此前，多有诗感慨落第之事，如《下第寓居崇圣寺感事》、《下第归蒲城墅居》、《题愁》、《深春》等。

本年

张祜曾游徐州幕，有诗献节度使王智兴。《唐诗纪事》卷五四《王智兴》条：“智兴为徐州节度，一日，从事于使院会饮赋诗，智兴召护军俱至……监军谓张祜曰：‘观兹盛事，岂得无言’。祜乃献诗曰……左右曰：‘书生谄辞耳’。智兴叱曰：‘有人道我恶，汝辈又肯否？张生海内名士，篇什岂易得’。天下人闻，且以为王智兴乐善矣。”

贯休本年生。贯休（832—912），字德隐，俗姓姜，婺州兰溪人。七岁出家兰溪和安寺，二十岁受具足戒，移往婺州五泄山寺。咸通初往洪州游学，四、五年间曾居钟陵山中，后漫游江西、吴越。乾符初回婺州。乾宁元年谒钱镠于钱塘，游黟歙。二年往江陵居龙兴寺。天复二年，流放黔州，冬潜逃南岳隐居。三年秋入蜀，受王建礼遇，赐号禅月大师，为建龙华院。梁乾化二年十二月卒。与陈陶、方干、李频、许裳、张为、曹松、吴融、韦庄、王贞白、罗隐、齐己等交往，多有酬唱。《郡斋读书志》著录其《禅月集》三〇卷，《直斋书录解题》录为一〇卷，今存二五卷。事迹见《禅月诗序》、《宋高僧传》卷三〇、《梁成都府东禅院贯休传》、《唐诗纪事》卷七五、《十国春秋》卷四七《贯休传》等。

公元832年（唐文宗大和六年　壬子）

二月

李珪、许浑、毕诚、杜颉、韦澳、侯春时等二十五人登进士第。时礼部侍郎贾𫗧知贡，试《君子之听音赋》。杜颉时年二十六岁，《攀川文集》卷六《唐故淮南支使试大理评事兼监察御史杜君墓志铭》：“二十六一举登上第。时贾相国餗为礼部之二年，朝士以进士干贾公不获，有杰强毁嘲者，贾公曰：‘我祗以杜某敌数百辈足矣。’”李远在长安，有诗《陪新及第赴同年会》。许浑有《及第后春情》。马戴约本年春落第，有《下第别令狐员外》。令狐员外，令狐定。李商隐应试落第，后又依令狐楚太原幕中，有文《上令狐相公状》（一）。

刘禹锡抵苏州刺史任，有《苏州谢上表》、《苏州上后谢宰相表》、《苏州举韦中丞自代状》、《祭虢州杨庶子文》。时令狐楚由天平军转任河东节度使，自居易有诗《送令狐楚赴太原》，刘禹锡作《令狐相公自天平移镇太原以诗申贺》、《重酬前寄》、《和白侍郎送令狐相公镇太原》诗。自夏至冬，与白居易赠答，作《乐天寄忆旧游因作报白君以答》、《秋夕不寐寄乐天》、《酬乐天见寄》、《冬日晨兴寄乐天》、《答乐天见忆》。白有《忆旧游寄刘苏州》、《酬梦得秋夕不寐见寄》、《寄刘苏州》、《和梦得冬日晨兴》、《忆梦得》。秋冬，又与令狐楚赠答，有诗《酬令狐相公六言见寄》、《酬令狐相公秋怀见寄》、《令狐相公自太原累示新诗因以酬寄》。

三月

杜牧仍在宣州沈传师幕，有诗《赠沈学士张歌人》。沈学士，沈传师；张歌人，歌妓张好好。

夏

薛涛卒于成都，年六十三。李德裕、刘禹锡均有诗作，刘诗为《和西川李尚书伤孔雀及薛涛之什》。《全唐诗》卷八三〇编其诗为一卷，卷八七九补酒令一首。《全唐诗补编·补逸》卷七补二首，《续拾》卷二五补一首又一句。《宣和书谱》卷一〇：“妇人薛涛，成都倡妇也，以诗名当时。虽失身卑下，而有林下风致，故词翰一出，则人争传以为玩。作字无女子气，笔力峻激，其行书妙处，颇得王羲之法，少加以学，亦卫夫人之流也。每喜写己所作诗，语亦工，思致俊逸，法书警句，因而得名。非若公孙大娘舞剑器、黄四娘家花托于杜甫而后有传也。”张为《诗人主客图》以其为“清奇雅正主”李益之升堂者。《说郛》卷一九下《牧竖闲谈》：“元和中，成都乐籍薛涛者，善篇章，足辞辨，虽兼风讽教化之旨，亦有题花咏月之才，当时乃营妓之中尤物也。”《唐才子传》卷六：“其所作诗，稍窥良匠，词意不苟，情尽笔墨，翰苑崇高，辄能攀附。殊不意裙裾之中，出此异物，岂得以匪人而弃其学哉。”秦淮寓客《绿窗女史》（明刻本）：“予品蜀艳，首推洪度事，文采风流，为士女行中独步。惜时无嗣响。”徐𤊹《红雨楼题跋》（嘉庆三年郑杰刻本）：“唐有天下三百年，妇人女子能诗者，不过十数。娼妓诗最佳者，薛洪度、关盼盼而已。”《柳亭诗话》卷一七：“薛涛以女校书驰名当时，其诗颇有可观，若高骈筵上闻边报一首，竟似高、岑短什矣。”《历朝名媛诗词》卷六：“涛诗颇多，才情轶荡，而时出闲婉，女中少有其比。然大都言情之作，娓娓动人。有《十离诗》，殊乏雅道，不足取也。”《四库提要》卷一八六：“涛《送友人》及《题竹郎庙》诗，为向来传诵。然如《筹边楼》诗曰：‘平临云鸟八窗秋，壮压西南四十州。诸将莫贪羌族马，最高层处见边头’。其托意深远，有鲁嫠不恤纬、漆室女坐啸之思，非寻常裙屐所及，宜其名重一时。”【题玉泉溪】《唐诗境》卷四八：“薛涛诗气色清老，是此中第一流人。”【送卢员外】《名媛诗归》卷一三：“只似一首吊古咏怀诗，却作送赠；高而朴，古而静，可谓大手笔。”《古今女诗选》：“七言绝难得如此悲厚。薛涛才情，标映千古。细看其诗，直高中唐人一格。但应制体及长诗，非其所办，故视鲍令晖、上官婉儿辈，稍未逮耳。”

七月

元稹葬于咸阳，白居易为其撰墓志铭，并有《元相公挽歌词三首》。夏，应僧白寂然之请，白居易作《沃洲山禅院记》文。八月，白居易以撰写元稹墓志之润笔六七十万钱布施修香山寺，并撰文《修香山寺记》。时悲崔群卒，感而赋诗《寄刘苏州》与苏州刺史刘禹锡，禹锡有和作《酬乐天见寄》。十一月，白居易寄书刘禹锡，告以《刘白吴洛寄和卷》编成。其《与刘苏州书》云：“与阁下在长安时合所著诗数百首题为《刘白唱和集》卷上下。去年冬，梦得由礼部郎中、集贤学士迁苏州刺史。冰雪塞路，自秦徂吴。仆方守三川，得为东道主。阁下为仆税驾十五日，朝觞夕咏，颇极平生之欢。各赋数篇，视草而别。岁月易迈，行复周星。一往一来，忽又盈箧。……所以辄自爱重，今复编而事具集解中，次焉以附前集，合前三卷，题此卷为下，迁前下为中，命曰《刘白吴洛寄和卷》，自太和六年冬送梦得之任之作始。”是年，白居易另有诗《六年春赠分司东都诸公》、《忆九游》、《答崔宾客晦叔十二月四日见寄》、《劝我酒》、《六年寒食洛下宴游赠冯李二少尹》、《苦热中寄舒员外》、《闲夕》、《寄情》、《舒员外游香山寺数日不归兼辱尺书大夸胜事时正值坐衙虑囚之际走笔题长句以赠之》、《早冬游王屋自灵都抵阳台上方望天坛偶吟成章寄温谷周尊师中书李相公》、《快活》、《不出》、《惜落花》、《老病》、《忆晦叔》、《琴酒》、《听幽兰》、《送客》、《秋思》、《题周家歌者》、《赠同座》、《失婢》、《夜招晦叔》、《任老》、《劝欢》、《宿龙潭寺》、《醉吟》等。

九月

赵嘏由宜州入京赴明年春试，途经蓝关，有诗《入蓝关》、《鲤鱼风》、《黄雀雨》等。

秋

姚合由户部员外郎授金州刺史。赴任前曾访无可，无可有诗《酬姚员外见过林下》。赴任时，方干赋诗《送姚合员外赴金州》。后，马戴有诗《寄金州姚使君员外》，项斯亦有诗《赠金州姚使君》。姚合有诗《别胡逸》。

温庭筠本年约三十二岁，有诗《送渤海王子归本国》，据夏承焘《唐宋词人年谱·温飞卿系年》。

本年

杨虞卿在长安给事中任。姬英英亡，过其墓，有诗《过小姬英英墓》。白居易、刘禹锡、姚合等人均有和作。白诗为《和杨师皋伤小姬英英》，刘诗诗《和杨师皋伤小姬英英》，姚诗诗《杨给事师皋哭亡爱姬英英窃闻诗人多赋因而继和》。

陈陶仍在闽，曾游福建观察使罗让幕，有诗《投赠福建路罗中丞》。

刘象生。刘象（832—?），京兆人。宣宗时即举进士，屡不第。后随僖宗入蜀。天复元年，礼部侍郎知贡举，以象年已七十，特放其与曹松等五人，时号“五老榜”。后为太子校书。所为《咏仙掌》一诗颇著，时称“刘仙掌。”事迹见《唐摭言》卷八、《鉴诫录》卷九、《唐诗纪事》卷六一。

公元 833 年（唐文宗大和七年　癸丑）

正月

白居易在河南尹任，时牛僧孺出镇淮南经洛阳，有诗《洛下送牛相公出镇淮南》。二月，以病乞五旬假。四月，刘禹锡自苏州寄诗《郡斋书怀寄河南白尹兼简分司崔宾客》，白作《和梦得》。二十五日，以头风病免河南尹，再授太子宾客分司东都，有诗《咏兴五首》、《再授宾客分司》、《罢府归旧居》、《睡觉偶吟》、《问支琴石》、《自喜》等；后僧宗密来访，又有诗《赠草堂宗密上人》。夏，裴潾有《题蔷薇架十八韵》诗示白居易，白有《裴常侍以题蔷薇架十八韵见示因广为三十韵以和之》。七月，崔玄亮卒，有诗《哭崔常侍晦叔》。闰七月，太子宾客李绅除浙东观察使，将发洛阳，有诗送行。冬，送舒元舆赴长安，有诗《送舒著作重授省郎赴阙》、《履信池樱桃岛上醉后走笔送舒员外兼寄宗正李卿考功崔郎中》。是年，白居易另有诗《七年元日对酒五首》、《七年春题府厅》、《筝》、《洛下送牛相公出镇淮南》、《洛中春游呈诸亲友》、《酬舒三员外见赠长句》、《将归一绝》、《裴常侍以题蔷薇架十八韵见示因广为三十韵以和之》、《感旧诗卷》、《酬李二十侍郎》、《赠草堂宗密上人》、《喜照密闲实四上人见过》、《赠皇甫六张十五李二十三宾客》、《微之敦诗晦叔相次长逝岿然自伤因成二绝》、《池上闲吟》、《凉风叹》、《和高仆射罢节度让尚书授少保分司喜遂游山水之作》、《送考功崔郎中赴阙》、《送杨八给事赴常州》、《闻歌者唱微之诗》等。【咏兴五首】《唐宋诗醇》卷二五：“《出府归吾庐》，胸有真得，信手拈来，自饶天趣。此种诗境，的是从渊明脱化而出，但不无繁简古近之别，必以字句形迹求之，是耳食之见也。”又评《四月池水满》：“会心不远，熟读蒙庄，方有此悟境。”【酬李二十侍郎】《唐宋诗醇》卷二六：“颔联似赋似比，意致缠绵，深入无浅语。”《白香山诗后集》卷一二何焯评：“白诗中最有余味者。三、四句画出‘衰’字。”

令狐楚在河东节度使任，时与刘禹锡、白后易互有寄酬诗。白居易有诗《早春醉吟寄太原令狐相公苏州刘郎中》，刘禹锡亦有《和乐天洛下醉吟得太原令狐相公兼见怀长句》。

贾岛在长安。时王茂元出为岭南节度使，贾岛有诗《赠王将军》。十一月，有诗《寄长武朱尚书》，朱尚书，泾原节度使朱叔夜。【赠王将军】《瀛奎律髓汇评》卷三〇

方回云："中四句似不作对而对，所以为妙。"冯班云："次联二句一意义，何以为佳？第四句未炼，'宝刀'字有病。"查慎行云："五、六出色精神，如读《周盘龙传》。"纪昀云："浪仙亦有此应酬之作。"《唐诗别裁集》卷一二："中晚唐五律亦多佳制，然苍莽之气不存，所以难与前人分道。此篇庶几近之。"《重订中晚唐诗主客图》："倒衬有力，却是虚笔，故妙。'镞'必是'金'，'刀'必是'宝'，偏于人马受伤处，写出名将身份。"

李绅由寿州刺史授太子宾客分司东都，有《发寿阳分司敕到又通新正感怀书事》诗。二月，经濠州，游四望亭，有文《四望亭记》。七月癸未，改任越州刺史、浙东观察使，赴任途中路过扬州，牛僧孺曾宴请之，绅有诗《忆被牛相留醉州中时无他宾牛公夜出真珠辈数人》。

二月

李余、李福、魏谟、胡溵等二十五人登进士第。时礼部侍郎贾餗知贡举。见《登科记考》卷二一。赵嘏在京落策，后有诗《落第寄沈询》及《下策寄宣城幕中诸公》；沈询，沈传师子，时在其父宣歙观察使幕。

刘禹锡仍在苏州刺史任。将与令狐楚唱和诗篇编为《彭阳唱和集》，后又将与李德裕唱和诗编为《吴蜀集》。《彭阳唱和集引》云："丞相彭阳公始由贡士，以文章为羽翼，怒飞于冥冥。及贵为元老，以篇咏佐琴壶，取适乎闲燕，锵然如朱弦玉磬，故名闻于世间。鄙人少时亦尝以词艺梯，而航之中途，见险流落不试，而胸中之气，伊郁蜿蜒泄为章句，以遣愁沮凄然，如燋桐孤竹，亦名闻于世间。虽穷达异趣，而音英同域，故相遇甚欢。其会面必抒怀，其离居必寄兴，重酬累赠，体备今古，好事者多传布之。今年公在并州，余守吴门，相去回远而音徽如近，且有书来抵，曰：'三川守白君编录与吾子赠答，缄缥囊以遗余，白君为词以冠其前，号曰《刘白集》。悠悠思与所赋，亦盈于巾箱，盍次第之，以塞三川之请？'于是缇缀凡百有余篇，以《彭阳唱和集》为目，勒成两轴，尔后继赋，附于左方。太和七年二月五日中山刘禹锡述。"《吴蜀集引》："长庆四年，余为历阳守。今丞相赵郡李公，时镇南徐州，每赋诗，飞函相示，且命同作。尔后出处乖远，亦如邻封，凡酬唱始于江南而终于剑外，故以吴蜀为目云。"秋冬，刘禹锡有《秋日书怀寄白宾客》、《酬乐天七月一日夜即事见寄》、《八月十五日夜半云开然后玩月因书一时之景寄呈乐天》、《乐天见示伤微之敦诗晦叔三君子皆有深分因成是诗以寄》、《酬乐天初冬早寒见寄》、《酬乐天见贻贺金紫之什》。白居易有《答梦得秋日书怀见寄》、《答梦得八月十五日夜玩月见寄》、《微之敦诗晦叔相次长逝岿然自伤因成二绝》、《初冬早寒寄梦得》、《喜刘苏州恩赐金紫遥想贺宴以诗庆之》。刘禹锡本年自编《刘氏集略》，又为李绛编辑遗集二十卷，皆有文说明编辑缘起。《刘氏集略说》："始余为童儿，居江湖间，喜与属词者游，谬以为可教。视长者所行止，必操觚从之。及冠，举秀才，一幸而中，说有司，惧不厌于众，亟以口誉之。长安中多循空言，以为诚果有名字，益与曹辈畋渔于书林，宵语途话，琴酒调谑，一出于文章。俄被召为记室参军，会出师淮上，恒磨墨于楯鼻，或寝止群书中。居一二岁，由甸服升诸朝。凡三进班，而所掌犹外府。或官课，或为人所请，昌言、奏记、移让、告谕、奠神、志葬，咸猥并焉。及谪于沅、湘间，为江山风物之所荡，往往指事成歌诗。或读书有所感，辄立评议。穷愁著书，古儒者之大同，非高冠长剑之比耳。前年会恩泽，授以郡符，居海壖多雨，慝作。适晴，喜躬晒书，于庭得已书四十通尔。自晒曰：道不加益焉，用是空文为？真可供酱蒙药楮耳。它日子婿博陵崔生，关言曰：某也向游京师，伟人多问丈人新书几何？且欲取去。而某应曰无有，辄愧起于颜间。今当复西，期有以弭媿者。由是删取四之一，为《集略》，以贻此郎，非敢行乎远也。”是年，刘禹锡还作有《澈上人文集纪》、《唐故朝议郎守尚书吏部侍郎上柱国赐紫金鱼袋赠司空奚公神道碑》。

三月

杨虞卿由给事中出为常州刺史，刘禹锡赋诗《寄毘陵杨给事三首》。《容斋随笔》卷一一《杨虞卿》条：“刘禹锡有《寄毘陵杨给事》诗云……然则虞卿之刺毗陵，乃为朝廷所逐耳，禹锡犹以为自请，诗人之言，渠可信哉。”

许浑有诗献河南尹白居易，即《献白尹》。七月，宋申锡卒于开州，许浑有诗《闻开州宋相公申锡下世二首》。

李骘离无锡惠山寺至苏州，有诗《自惠山至吴下寄酬南徐从事》。见其《题惠山寺诗序》。

僧宗密上人自苏州将归长安终南山草堂寺，刘禹锡有诗《送宗密上人归南山草堂寺因诣河南尹白侍郎》，并介绍其与白居易相见。白侍郎，即白居易。

六月

姚合在金州刺史任。无可陪其游南池，两人均有诗作。后无可离金州，复有留别姚合诗；无可诗为《陪姚合游金州南池》、《金州别姚合》。贾岛往金州谒见姚合，喻凫赋诗《送贾岛往金州谒姚员外》。喻凫（生卒年不详），毗陵人。开成五年进士及第，任校书郎。官终乌程令。与姚合、贾岛、方干、李商隐、杜荀鹤多有交往酬唱。《新唐书·艺文志》著录《喻凫诗》一卷。事迹见《吴兴志》卷一五、《唐诗纪事》卷五一等。

七月

崔玄亮卒于虢州刺史任，年六十六。《全唐诗》卷四六六录其诗两首，残篇一句。《全唐诗补编·须拾》卷二六补三句。《全唐文》卷六一五录其文一篇。《白氏长庆集》卷七〇《唐故虢州刺史赠礼部尚书崔公墓志铭》：“公幼嗜学，长善属文，以词赋举进士，登甲科，以书判调天官，入上等，前后文集凡若干卷。尤工五言、七言诗，警策之篇多在人口，其余著述，作者许之，可不谓文学乎。”

李商隐在太原幕，月初有《为彭阳公上凤翔李司徒状》。稍后，作《上令狐相公

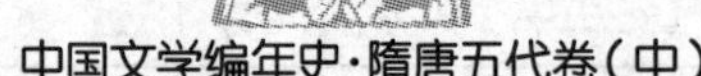

状》（二）。十月，作《太仓箴》。冬，作《上崔大夫状》。

八月

朝廷欲务实抑华，令进士试停试诗赋。《唐大诏令集》卷二九《太和七年册皇太子德音》："汉代用人，皆由儒术，故能风俗深厚，教化兴行。近日苟尚浮华，莫修经艺，先圣之道，堙郁不传，况进士之科，尤要厘革。……其所试诗赋并停。"十二月，敕于国子监立石壁九经及《论语》等儒家经典。

本年

钟辂约本年前后撰《前定录》，时为崇文馆校书郎。李剑国《唐五代志怪传奇叙录》谓此书"撰成于大和四年后、大和八年前。"《四库提要》卷一四二："辂，大和中人，官崇文馆校书郎，《唐书·艺文志》作钟簵，未详孰是也。是书所录前定之事，凡二十三则，与《书录解题》所言合。前有自序，称'庶达识之士，知其不诬；奔竞之徒，亦足以自警'。校他小说，为有劝戒。高彦休《唐阙史》曰：'世传《前定录》所载事类实繁，其间亦有邻委曲以成其验者。'盖即指此书。然小说多不免附会，亦不能独为此书责也。"《太平广记》亦录其书二一篇。钟辂，大和二年进士及第。《全唐文》卷七四一收其文一篇，《全唐诗》卷五一六录诗一首。

罗隐生。罗隐（833—910），原名横，字昭谏，号江东生，行十五，杭州新城人。应进士举，十试不第。咸通十一年入湖南幕府。次年夏，受任衡阳主簿，旋乞假归。后游历大梁、淮、润等地。光启三年，投杭州刺史钱镠，任钱塘令，拜著作佐郎。钱镠充镇海军节度使，征为掌书记，迁节度判官、司勋郎中。天佑四年，梁以谏议大夫征隐，不行。钱镠表授吴越国给事中，卒，世称罗给事。《崇文总目》著录有《罗隐集》二〇卷、《吴越掌记集》三卷、《江东后集》一〇卷、《甲乙集》一〇卷、《赋》一卷、《罗隐启事》一卷、《谗书》五卷、《谗本》三卷、《湘南应用集》三卷、《淮南寓言》七卷、《吴越应用集》三卷、《两同书》二卷。他书尚录有《广陵妖乱志》、《汝江集》三卷。《甲乙集》有明汲古阁刻本及《四部丛刊》影印宋刻本。明万历中姚士麟辑成《罗昭谏江东集》五卷。清康熙间张瓒辑成《罗昭谏集》八卷。1983 年 12 月中华书局出版雍文华校辑《罗隐集》。事迹见《旧五代史》卷二四本传、《唐诗纪事》卷六九、《唐才子传》卷九等，以钱俨《吴越备史》和沈崧《罗给事墓志》所载较为详备。近人汪德振撰有《罗隐年谱》。

公元 834 年（唐文宗大和八年　甲寅）

正月

李德裕任宰相，奏请罢进士名单先呈宰相以定取舍之旧例。见《唐会要》卷七六《贡举中·进士》。德裕《请罢呈榜奏》云："旧例进士未发榜前，礼部侍郎遍到宰相私第，先呈及第人名，谓之呈榜。比闻多有改换，颇致流言。宰相稍有寄情，有司固无畏忌，取士之滥，莫不由斯。……臣等商量，今年便任有司发榜，更不得先呈臣等，仍向后便为定例。”（《册府元龟》记其事在会昌三年）九月，李德裕进所撰《御臣要略》及《次柳氏旧闻》。

李商隐居华州崔戎幕。十四、五日，有《代安平公华州贺圣躬痊复表》、《为安平公贺皇躬痊复上门下状》、《为大夫安平公华州进贺皇躬痊复物状》。三月末，作《为安平公兖州奏杜胜等四人充判官状》。四月，有《为安平公赴兖海在道进贺端午马状》。五月五日，有《为安平公兖州谢上表》。是月，另有《为安平公兖州祭城隍神文》、《为安平公谢端午赐物状》、《为大夫博陵公兖海署鄯巡官牒》。六月十一日，作《代安平公遗表》。稍后，另有《上郑州萧给事状》。

二月

陈宽、雍陶、裴坦、郑处诲、苗恪、赵璘、薛庶、范鄴等二十五人登进士第，诸科登第者十一人。时礼部侍郎李汉知贡举。见《登科记考》卷二一。《记纂渊海》卷三七引《秦中记》云：“唐大和八年放进士多贫士。无名子作诗曰：‘乞儿还有大通年，六十三人笼仗全。薛庶准前骑瘦马，范鄴依旧盖番毡。’”三十六误为六十三。雍陶登策后还成都省亲，贾岛有诗《送雍陶及第归成都宁觐》、姚合亦有《送雍陶及第觐》，后刘得仁、姚鹄各有诗《寄雍陶先辈》。是年七月左右，李频有诗寄范鄴，是为《回山后寄范鄴先辈》。张祜落第，在长安觅仕无成，有诗感怀寄刘禹锡，即《离怀寄苏州刘郎中》。

姚鹄（生卒年不详），字居云，蜀人。早年隐居蜀中。会昌二年登进士第。咸通十一年累官至台州刺史。《新唐书·艺文志》著录其诗一卷。事迹见杜光庭《历代崇道记》、《唐摭言》卷三、《玉泉子》、《唐诗纪事》卷五五等。

李频（？—876），字德新，睦州寿昌人。少师方干，后从姚合学诗。大中八年进士及第，授校书郎，受辟于黔中幕府。历南陵主薄、武功令、侍御史、都官员外郎。乾符二年为建州刺史，次年卒。与李群玉、薛能、郑谷、许棠、张乔、许浑等人多有酬唱。《新唐书·艺文志》著录《李频诗》一卷。事迹见《新唐书》卷二〇三本传、《唐诗纪事》卷六〇等。

郑处诲始撰《明皇杂录》。郑处诲（？－867），字延美，一作廷美，郡望荥阳，“于昆仲间文章拔秀，早为士友所推。大和八年登进士第，释褐秘府，转监察、拾遗、尚书郎、给事中，累迁工部刑部侍郎，出为越州刺史、浙东观察使、检校刑部尚书、汴州刺史、宣武军节度观察等使，卒于汴。……处诲方雅好古，且勤于著述，撰集至多，为校书郎时，撰次《明皇杂录》三篇行于世。”（《旧唐书》卷一五八《郑处诲传》）《四库提要》卷一四〇：“是书成于大中九年，有处诲自序。案史称处诲为校书郎时撰，次《明皇杂录》三篇行于世。晁公武《读书志》则载《明皇杂录》二卷，然又曰《别录》一卷，题补阙所载十二事。……则处诲是书，亦不尽实录。然小说所记，真伪相参，自古已然，不独处诲，在博考而慎取之，固不能以一二事之失实，遂废此一书也。”原本不存，今本二卷，补遗一卷，为后人重辑。清钱熙祚校勘此书，又辑有

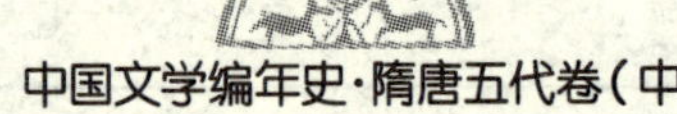

逸文一卷，收入《守山阁丛书》。

三月

白居易于寒食日有诗《玩半开花赠皇甫郎中》、《送常秀才下第东归》。后有诗《晚春闲居杨工部寄诗杨常州寄茶同到因以长句答之》酬谢杨虞卿、扬汝士。时裴度为东都留守兼侍中至洛阳，与之往来频繁。四月，白有诗《初夏闲吟兼呈韦宾客》、《早夏游平原回》等。五月，裴度雨后游城南庄有诗，白居易见而和之，有《奉酬侍中夏中雨后游城南庄见示八韵》。七月，白有诗寄李绅，即《春早秋初因时即事兼寄浙东李侍郎》。又编大和三年春至本年夏在洛所作诗为一集成，七月十日为作集序，云："《序洛诗》，白乐天自序在洛之乐也。予历览古今歌咏，自风骚之后、苏李以还，次及鲍、谢徒，迄于李、杜辈，其间词人闻知者累百诗章，流传者巨万。观其所自，多因谗冤谴逐、征戍行旅、冻馁病老、存殁别离，情发于中，文行于外，故愤忧怨伤之作，通计今古，什八九焉。世所谓'文士多数奇，诗人尤命薄'，于斯见矣。又有以知理安之世少，离乱之时多，亦明矣。予不佞喜文嗜诗，自幼及老，著诗数千首，以其多矣，故章句在人口，姓氏落诗流，虽才不逮古人，然所作不啻数千首。以其多矣，作一数奇命薄之士亦有余矣。今寿过耳顺，幸无病苦；官至三品，免罹饥寒，此一乐也。……自三年春至八年夏，在洛凡五周岁，作诗四百三十二首。除丧明哭子十数篇外，其他皆寄怀于酒，或取意于琴，闲适有余，酣乐不暇，苦词无一字，忧叹无一声，岂牵强所能致耶？盖亦发中而形外耳。斯乐也，实本之于省分知足，济之以家给身闲，文之以觞咏弦歌，饰之以山水风月，此而不适何往而适哉？兹又以重吾乐也。予尝云'治世之音安以乐，闲居之诗泰以适。苟非理世，安得闲居？'故集洛诗别为序引，不独记东都履道里有闲居泰适之叟，亦欲知皇唐太和岁有理世安乐之音，集而序之，以俟夫采诗者。"

马戴下第，寒食时将客游，刑部郎中姚合设宴饯别，并有诗《送马戴下第客游》，马戴则作诗《酬刑部姚郎中》。春，姚合尚有诗《寄杨工部闻毗陵舍弟自罨溪入茶山》酬工部侍郎畅汝士。

四月

集贤殿学士裴潾撰成《大和通选》三十卷。《新唐书》卷一三一："潾以道自任，悉心事上，疾党附，不为权近所持。尝裒古今辞章，续梁昭明太子《文选》，自号《大和通选》，上之。当时文士非与游者皆不取，世恨其隘。"

七月

杜牧仍在淮南牛僧孺幕为掌书记，时有诗《牧陪昭应卢郎中在江西宣州佐今吏部沈公幕罢府周岁公宰昭应牧在淮南縻职叙旧成二十二韵用以投寄》。秋，作《扬州三首》。十一月，杜牧弟觊为李德裕所聘赴浙西幕，牧有诗《送杜觊赴润州幕》。

刘禹锡罢苏州刺史，移任汝州刺史。此前在苏州时，作有《吟乐天自问怆然有作》、《酬令狐相公亲仁郭家花下即事见寄》、《酬浙东李侍郎越州春晚即事长句》、《杨柳枝词九首》。赴任时，有《别苏州二首》、《发苏州后登武丘寺望海楼》、《罢郡姑苏北归渡扬子津》。经扬州，牛僧孺有《席上赠刘梦得》，刘作《酬淮南牛相公述旧见贻》。后经汴州，与李程相会，有诗《将赴汝州途出浚下留辞李相公》叙旧留别。抵任，有《郡内书情献裴侍中留守》、《汝州谢上表》等。【杨柳枝词九首】《山谷集》别集卷一二《跋柳枝词书纸扇》："刘宾客柳枝词虽乏曹、刘、陆机、左思之豪壮，自为齐、梁乐府之将帅也。"薛能《柳枝词五首并序》第五首自注云："刘、白二尚书继为苏州刺史，皆赋《杨柳枝词》，世多传唱，虽有才语，但文字太僻，宫商不高耳。"(《诗人玉悄》卷一〇"薛能刘白")【酬淮南牛相公述旧见贻】《瀛奎律髓汇评》卷四二查慎行曰："通首跌宕可喜。"纪昀曰："语虽涉应酬，而立言委婉之中，尚不甚折身份，是古人有斟酌处。"【郡内书情献裴侍中留守】《石林诗话》卷下："七言难于气象雄浑，句中有力而纡徐，不失言外之意。自老杜'锦江春色来天地，玉垒浮云变古今'与'五更鼓角声悲壮，三峡星河影动摇'等句之后，常恨无复继者。韩退之笔力最为杰出，然每苦意与语俱尽，《和裴晋公破蔡州回诗》所谓'将军旧压三司贵，相国新兼五等崇'，非不壮也，然意亦尽于此矣。不若刘禹锡《贺晋公留守东都》云'天子旌旗分一半，八方风雨会中州'，语远而体大也。"《载酒园诗话》又编："其警句云'万乘旌旗分一半，八方风雨会中州'，不徒对仗整齐，气象雄丽，且雒邑为天下之中，度以上相居守，字字关合，殆无虚设。顾有以'旌旗'对'风雨'不工为言者，岂非小儿强作解人乎？"

九月

白居易曾与裴度夜宴，有诗《夜宴醉后留献裴侍中》。其杨柳枝诗，约在此时依洛阳新声而作，其诗题下注云："《杨柳枝》，洛下新声也。洛之小妓有善歌之者，词章音韵，听可动人，故赋之。"是年，白居易另有《南池早春有怀》、《古意》、《山游示小妓》、《神照禅师同宿》、《张常侍相访》、《早夏游宴》、《感白莲花》、《咏所乐》、《思旧》、《寄卢少卿》、《咏怀》、《北窗三友》、《饱食闲坐》、《闲居自题》、《风雪中作》、《雪中晏起偶咏所怀兼呈张常侍韦庶子皇甫郎中杂言》、《和裴侍中南园静兴见示》、《菩提寺上方晚望香山寺寄舒员外》、《早春忆苏州寄梦得》、《尝新酒忆晦叔二首》、《负春》、《池上闲吟》、《早春招张宾客》、《营闲事》、《感春》、《春池上戏赠李郎中》、《池边》、《家酿新熟每尝辄醉妻侄等劝令少饮因成长句以谕之》、《且游》、《题王家庄临水柳亭》、《题令狐家木兰花》、《拜表回闲游》、《西街渠中种莲叠石颇有幽致偶题小楼》、《晚春闲居杨工部寄诗杨常州寄茶同到因以长句答之》、《玉泉寺南三里涧下多深红踯躅繁艳殊常感惜题诗以示游者》等。

秋

殷尧藩在长沙李翱幕，有《潭州席上赠舞柘枝妓》。见《唐诗纪事》卷三五。

十月

礼部奏请恢复进士试诗赋，从之。《登科记考》卷二一本年十月："礼部奏：'进士举人，自国初以来，试诗赋、帖经、时务策五道。……去年八月敕节文，先试帖经、口义、论议等。以臣商量，取其折衷。伏请先试帖经，通数依新格处分。时务策五道，其中三道问经义，两道时务。其余并请准大和六年以前相处分。'敕旨'依奏。'"

十一月

李德裕出为镇海节度使，经汝州，刘禹锡送之，并应德裕之请而赋诗。禹锡有诗《奉送浙西李仆射相公赴镇》、《重送浙西李相公顷廉问江南已经七载后历滑台剑南两镇遂入相今复领旧地新加旌旄》等。【奉送浙西李仆射相公赴镇】《山满楼笺注唐诗七言律》卷三："此等诗，文理条达，无不可晓，而风华典赡，足可为后学楷模。"《唐诗隽》："工整流丽，当与王、岑争坐，不可以时代论。"

十二月

姚合约于本月赴杭州刺史任，刘得仁有诗《送姚合郎中任杭州》，顾非熊有《送杭州姚员外》，贾岛亦有诗《送姚杭州》。经洛阳，白居易曾话及杭州旧事，并赋诗《送姚杭州赴任因思旧游二首》留别，托其代为问候旧日抗州妓人。抵任后，与前任杭州刺史裴弘泰往还，有诗《裴大夫见过》、《送裴大夫赴亳州》。冬，少府少监田群出使吐蕃，姚合有诗《送少府田中丞入西蕃》，无可有诗《送田中丞使西戎》。

本年

李绅在越州，游法华寺，有诗纪游刻壁，作《题法华寺五言二十韵》。

吴武陵卒于潘州司户贬所。《全唐文》七一八录其文八篇，《全唐诗》卷四七九录其诗二首，《全唐诗补编·续补遗》卷五补一首。《唐诗纪事》卷四三："武陵有文而强悍，尝为韶州刺史，赃罪狼籍，敕令广州幕吏鞫之。科第少年，殊不假贷，持之颇急。武陵不胜其忿，题诗路左佛庙曰：'雀儿来逐扬风高，下视鹰鹯意气豪。自谓能生千里翼，黄昏依旧委蓬蒿。'寻贬潘州司户，卒，时大和八年也。"《柳河东集》卷三〇《与杨京兆凭书》："去年吴武陵来，美其齿少，才气壮健，可以兴西汉之文章。"

杜牧撰有《上知己文章启》、《罪言》、《原十六卫》等文。前者云："伏以元和功德，凡人尽当歌咏纪叙之，故作《燕将录》；往年吊伐之道，未甚得所，故作《罪言》；自艰难以来，卒伍佣役辈，多据兵为天子诸侯，故作《原十六卫》；诸侯或恃功不识古道，以至于反侧叛乱，故作《与刘司徒书》；处士之名，即古之巢、由、伊吕辈，近者往往自名之，故作《送薛处士序》；宝历大起宫室，广声色，故作《阿房宫赋》；有庐终南山下，尝有耕田著书志，故作《望故园赋》。"《资治通鉴》卷二四四："杜牧愤河朔三镇之桀骜，而朝廷议者专事姑息，乃作书名曰《罪言》。……又伤府兵废坏，作

《原十六卫》。……又作《战论》，以为河北视天下犹珠玑也。"【罪言】《梁溪漫志》卷六"唐藩镇传叙"："或云欧阳公取《新唐书》列传，令子叔弼读而卧听之，至《藩镇传叙》，叹曰：'若皆如此传叙，笔力亦不可及'。此恐未必然。《藩镇传叙》乃全用杜牧之《罪言》耳。政如《项羽传赞》掇取贾生《过秦论》，故奇崛可观，而非迁、固之文也。"《艺概》卷一"文概"："杜牧之识见，自是一时之杰。观其所作《罪言》，谓'上策莫如自治'，'中策莫如取魏'，'最下策为浪战'。又两进策于李文饶，皆案切时势，见厉害于未然。以文论之，亦可谓不浪战者矣。"《古文渊鉴》卷四〇："综天下之情形，权累朝之得失，如聚米画沙，不爽尺寸。"【原十六卫】《古文渊鉴》卷四〇："府兵与藩镇相为轻重，而唐之兴废即因之，溯源穷委，论断独精。"【战论】《古文渊鉴》卷四〇："四支五败，字字精确，而文亦磊砢自喜。"【燕将录】《朱子语类》卷一三八："杜牧之《燕将录》，文甚雄壮。"《古方渊鉴》卷四〇："笔力陡健，极似《战国策》中文字。"

皮日休约本年生。皮日休（834？—883?），字逸少，后字袭美，自号鹿门子，又号间气布衣、醉吟先生，襄阳人。咸通七年，应举不第，退归肥陵，编《皮子文薮》。八年登进士第。次年东游，至苏州。十年为苏州刺史从事，与陆龟蒙相识唱和。后曾入为太常博士，出为毗陵副使。乾符五年，黄巢军下江浙，皮日休为其所得，随入长安，授翰林学士。中和三年，曾至同官县，未几卒。或言其为巢所杀，或言巢败后为唐王朝所杀，或言巢败后至浙江依钱镠，或言流寓宿州以终。《新唐书·艺文志》著录其《皮氏鹿门家钞》九〇卷、《皮日休集》一〇卷、《胥台集》七卷、《文薮》一〇卷、诗一卷，与陆龟蒙唱和之《松陵集》一〇卷。今存《皮子文薮》一〇卷、《松陵唱和集》一〇卷。《皮子文薮》一〇卷，有《四部丛刊》影明本及中华书局排印萧涤非整理本通行。

公元 835 年（唐文宗大和九年　乙卯）

正月

李逢吉卒，年七十八岁。后令狐楚将其与逢吉唱和诗编为《断金集》，并有题诗。《唐诗纪事》卷四七："逢吉与令狐楚有唱和诗，曰《断金集》。裴夷直为之序云：'二相未遇时，每有所作，必惊流辈。不数年，遂压秉笔之士。及入官登朝，益复隆高，我不求异，他人自远。逢吉卒，楚有题《断金集诗》，云：一览断金集，载悲埋玉人。牙弦千古绝，珠泪万行新。"裴夷直序今不传。《全唐诗》卷四七六录李逢吉诗八首，其中《奉送李相公重镇襄阳》为令狐楚所作。《全唐诗补编·续拾》卷二六补一首。《全唐文》卷六一六录其文四篇。《唐文拾遗》卷二六录文一篇。

二月

郑确、贾驰、何扶、牛蔚、侯固等二十五人登进士第。时工部侍郎崔郸知贡举。贾驰以《秋入关》诗为主司所怜放及第，后曹邺有诗《寄贾驰先辈》。《唐才子传》卷七："驰，太和九年郑确榜进士，初负才质，蹭蹬名场，往来公卿间，担簦蹑屩，莫伸

其志。尝入关赋诗云……。主司闻之，颇有怜才之意，遂放第。不甚显宦，诗文俱得美声，后来文士集中多称贾先辈，其名誉为时所重云。有集传世。”《唐诗纪事》卷六〇《贾驰》条：“驰有《秋入关》诗及‘东风吹晓霜，雪鸟双双来’之句，张为取作《主客图》。”

曹邺（生卒年不详），字邺之，一作业之，桂州阳朔人。大中四年登进士第。初于天平军节度幕为掌书记。咸通初，迁太常博士。历主客员外郎、祠部郎中，出为洋州刺史，卒。《新唐书·艺文志》著录《曹邺集》三卷，《直斋书录解题》录《曹邺集》一卷，均佚。明人辑有《曹祠部集》二卷。

刘得仁有诗上崔郸，作《省试日上崔侍郎四首》，写其屡试未第之愁。约八月，刘得仁有诗上翰林学士丁居晦，即《上翰林丁学士》。《唐才子传》卷六：“出入举场二十年，竟无所成，投迹幽隐，未尝耿耿。有寄所知诗云：‘外族帝皇是，中朝亲故稀。翻令浮议者，不许九霄飞。’忧而不困，怨而不怒，哀而不伤，铿锵金玉，难合同流。而不厌于磨淬，端能确守格律，揣治声病，甘心穷苦，不汲汲于富贵，王孙公子中，千载求一人不可得也。”《郡斋读书志》卷四中：“刘得仁，公主之子。长庆中以诗名。五言清莹，独步文场。自开成后，昆弟皆居显仕，独自苦于诗，举进士二十年，竟无所成。尝有寄所知诗云。《唐音癸签》卷八：“刘得仁诗，思深合处尽可味，奈笔笨难掉何！天子甥，为一名终日哀吟，何自苦?”其与姚合、雍陶、顾非熊、无可等过从甚密，多有唱和。《新唐书·艺文志》著录《刘得仁诗》一卷。事迹见《唐摭言》卷一〇、《唐诗纪事》卷五三、《郡斋读书志》卷一八等。

白居易在洛阳，有《梦刘二十八因诗问之》。春，白居易曾西行，至下邽渭村，约三月末返洛阳，途中有诗《西行》、《东归》等诗。六月，有诗《旱热二首》。夏，白居易编成《白氏文集》六十卷，藏于庐山东林寺。九月，白居易由太子宾客分司代杨汝士，授同州刺史，不赴；杨汝士则由同州刺史入为户部侍郎，居易有诗《诏授同州刺史病不赴任因咏所怀》、《寄杨六侍郎》等。十月，改授太子少傅分司东都，进封冯翊县开国侯，作诗《自宾客迁太子少傅分司》等。是年，白居易另有诗《裴侍中晋公以集贤林亭即事诗二十六韵见赠猥蒙征和才拙词繁广为五百言以伸酬献》、《晚归香山寺因咏所怀》、《张常侍池凉夜闲燕赠诸公》、《和皇甫郎中秋晓同登天宫阁言怀六韵》、《送吕漳州》、《短歌行》、《咏怀》、《题裴晋公女几山刻石诗后》、《览镜喜老》、《春寒》、《二月一日作赠韦七庶子》、《闲吟》、《途中作》、《小台》、《睡后茶兴忆杨同州》、《题文集柜》、《偶作二首》、《何处堪避暑》、《诏下》、《七月一日作》、《开襟》、《自在》、《咏史》、《因梦有悟》等。

三月

段文昌三月卒于西川节度使任，年六十三。《全唐诗》卷三三一收其诗四首。《全唐文》卷六一七、《唐文拾遗》卷二六录其文五篇。《文苑英华》卷四五〇杜元颖《授段文昌中书侍郎平章事制》：“修词每掇其菁英，所尚者风格；发言必探于指要，所贵者变通。”

春

姚合在杭州刺史任，有诗《杭州官舍偶书》。方干本年约二十七岁，游杭州，并与姚合有诗酬赠。《唐诗纪事》卷六三孙合《方玄英先生传》："始谒钱塘守姚公台，公视其貌陋，初甚悔之。坐定览卷，骇目变容而叹之。"方干此间有诗《上杭州姚郎中》、《叙钱塘异胜》、《贻钱塘县路明府》、《赠钱塘唐处士》等。

杜牧离扬州淮南幕入京任监察御史，有《赠别》、《遣怀》之作。七月，杜牧在洛阳为监察御史分司，其《张好好》序云："牧大和三年，佐故吏部沈公江西幕，好好年十三，始以善歌来乐籍中。后一岁，公移镇宣城，复置好好于宣城籍中。后二岁，为沈著作述师以双鬟纳之。后二岁，于洛阳东城重睹好好，感旧伤怀，故题诗赠之。"

李商隐应举，往来长安、郑州，时在荥阳登楼赋诗《夕阳楼》。约本年，有诗《燕台诗四首》，据刘学锴、余恕诚《李商隐诗歌集解》。【夕阳楼】《叠山诗话》："夕阳不好说，此诗形容不着迹。孤鸿独飞，必是夕阳时。若只道身世悠悠，与孤鸿相似，意思便浅。'欲问'、'不知'四字，无限精神。"《删补唐诗选脉笺释会通评林》"晚七绝上"："徐充评：身无定居，与鸿何异？此因登夕阳楼感物而兴怀也。焦竑评：感慨无穷。此与'最恨根蒂是浮名'同例。驰竞者诵之，可以有省。"《玉溪生诗笺注》卷一："自慨慨萧，皆在言中，凄惋入神。"《玉溪生诗说》卷下："借孤鸿对写，映出自己，吞吐有致，但不免做态，觉不十分深厚耳。"【燕台诗四首】《义门读书记》卷五八："四首实绝奇之作，何减昌谷。惟《夏》一首，思致太幽，寻味不出。"《李义山诗集辑评》卷下："何焯评：寄托深远，耐人咀味。朱彝尊评：语艳意深，人所晓也。以句求之，十得八九；以篇求之，终难了然。定远谓此等语不解亦佳，如见西施，不必识其姓名而后知其美，亦不得已之论也。"《唐诗叩弹集》卷七："杜庭珠评：四诗寄托深远，与《离骚》之赋美人、恨蹇修者同一寄兴。"《重订李义山诗集笺注》卷下："四诗乃《子夜四时歌》之义而变其格调者。诗无深意，但艳曲耳。"

四月

沈传师卒于吏部侍郎任，年五十九。后社牧为撰《沈公行状》。《全唐文》卷六八四录其《元和辨谤略序》一篇。《全唐诗》卷四六六收其诗五首，《全唐诗补编·续拾》卷二六补二首。

李德裕贬袁州长史，有《白芙蓉赋》。此前尚作赋《通犀带赋》、《鼓吹赋》、《重台芙蓉赋》等多篇。是年，有诗《夏晚有怀平泉林居》、《早秋龙兴寺江亭闲眺忆龙门山居寄崔张旧从事》。

六月

郑注得文宗宠信而与李宗闵不和，因杨虞卿事，进言文宗。壬寅，贬李宗闵为明州刺史。下月，李甘因恶郑注，贬封州司马，约此时卒于贬中。有文一卷。杜牧有《李甘诗》记其遭遇，曹邺《续幽愤》诗题下注："邺纪李御史甘死封州之事。"赵璘

《因话录》卷三："元和中，后进师匠韩愈，文体大变。……长庆以来，李封州甘为文至精，奖拔公心，亦类数公。"《全唐文》录其文五篇，《全唐诗》收其诗一首。

温造卒，年七十。《全唐文》卷七三〇存其文二篇，其一为《瞿童述》。

八月

唐文宗称赏太常少卿冯定之古体诗，令其录诗以献。《旧唐书》卷一六八《冯定传》："大和九年八月，为太常少卿。文宗每听乐，鄙郑、卫声，诏奉常习开元中《霓裳羽衣舞》，以《云韶乐》和之。舞曲成，定总乐工阅于庭……文宗喜，问曰；'岂非能为古章句者耶？'乃召升阶，文宗自吟定《送客西江诗》。吟罢益喜，因赐禁中瑞锦，仍令大录所著古体诗以献。"又云："先长庆中，源寂使新罗国，见其国人传写讽念定所为《黑水碑》、《画鹤记》。韦休符之使西蕃也，见其国人写定《商山记》于屏障。其文名驰于戎夷如此。"

九月

以白居易为同州刺史，白辞疾不赴，以刘禹锡代之，白为太子太傅分司。刘禹锡赴同州，经洛阳，晤裴度、白居易、李绅等人。白居易有《九年十一月二十一日感事而作》、《咏史》、《刘二十八自汝赴左冯途经洛中相见联句》、《喜遇刘二十八偶书两韵联句》。刘禹锡作《将之官留辞裴令公留守》、《两如何诗谢裴令公赠别二首》。十二月，在同州，刘禹锡作《酬令狐相公季冬南郊宿斋见寄》。

秋

周贺至杭州与刺史姚合游，多有赠姚合诗，如《寄姚合郎中》、《赠姚合郎中》、《留辞杭州姚合郎中》、《晚秋江馆事寄姚郎中》等。周贺（生卒年不详）字南卿，东洛人。曾隐嵩阳少室山，后居庐岳为僧，法号清塞。大和末，姚合任杭州刺史，爱其诗，命还初服。晚年曾出仕。与贾岛、方干、朱庆余等交善。《新唐书·艺文志》著录《周贺诗》一卷。事迹见《唐摭言》卷一〇、《唐诗纪事》卷七六、《郡斋读书志》卷四中等。

郑巢亦在杭州与姚合游，两人均有题咏纪游之作。郑巢有《秋日陪姚郎中登郡中南亭》诗，姚合亦有《杭州郡斋南亭》、《题杭州南亭》。巢尚有《宿天竺寺》、《题灵隐寺院公院》诗。《唐才子传》卷八《郑巢传》："时姚合号诗宗，为杭州刺史，巢献所业，日游门馆，累陪登览燕集，大得奖重，如门生礼然。"

赵嘏在长安，赋有《长安晚秋》。《唐诗纪事》卷五六："杜紫薇摄览嘏《早秋》诗云：'残星几点雁横塞，长笛一声人倚楼'。吟味不已，因目嘏为赵倚楼。"按《唐诗纪事》记此诗为《早秋》，今从《全唐诗》，嘏诗题作《晚秋》。

十一月

李训、郑注与文宗谋，欲诛杀宦官仇士良等，反为仇士良等所杀，士卒及长安民间死者千余人，时谓“甘露之变。”《资治通鉴》卷二四五：“自是天下事皆决于北司，宰相行文书而已。宦官气益盛，迫胁天子，下视宰相，凌暴朝士为草芥。”王涯在“甘露事变”中被宦官所杀。《旧唐书》卷一六九《王涯传》：“涯博学好古，能为文，以辞艺登科，践扬清峻……涯家书数万卷，侔于秘府。前代法书名画，人所保惜者，以厚货致之。……厚为垣，窍而藏之复壁。至是，人破其垣取之，或剔取函奁金宝之饰与其玉轴而弃之。”《全唐诗》卷卷三四六编其诗为一卷，《全唐诗补编·续拾》卷二六补一首。《全唐文》卷四八八及《唐文拾遗》卷二三收其文一一篇。《唐才子传》卷三：“博学工文，尤多雅思……善为诗，风韵遒然，殊超意表。”【秋夜曲二首】（其二）《删补唐诗选脉笺释会通评林》“中唐七绝下”钟惺曰：“生媚生寒。”唐汝洵曰：“广津《秋夜曲》二首，皆闺情正调，雅而不纤。”周珽曰：“以‘心怯空房’四字，生出无方恨思。否则谁不畏寒，乃能深夜衣薄罗而枕彼银筝也。”

舒元舆亦死于“甘露事变。”《全唐文》卷七二七编其文为一卷，《唐文拾遗》卷五录其文一篇。《全唐诗》卷四八九编其诗一卷，卷八七三录题语一首。《新唐书》卷一七九《舒元舆传》：“元舆为《牡丹赋》一篇，时称其工。死后，帝观牡丹，凭殿栏诵赋，为泣下。”【上论贡士书】《古文渊鉴》卷三八：“侃侃发摅，最为正论。然国家固宜重士，而士亦宜知所以自重，如此庶两得之耳。”

本年

皇甫湜约卒于本年之后。卒后，白居易有诗《哭皇甫七郎中》云：“志业过玄晏，词华似祢衡。……《涉江》文一首，便可敌公卿。”《唐诗纪事》卷三五此诗下小注云：“持正文甚多，《涉江歌》一篇尤奇。”《新唐书·艺文志》四著录《皇甫湜集》三卷，《郡斋读书志》卷四中记《皇甫湜文》六卷。《皇甫持正集》卷一《谕业》云：“当朝之作，则燕公悉已评之。自燕公以降，试为子论之。燕公之文，如楩木枏枝，缔构大厦，上栋下宇，孕育气象，可以变阴阳、阅寒暑，坐天子而朝群后。许公之文，如应钟鼙鼓，笙簧镈磬，崇牙树羽，考以宫县，可以奉神明、享宗庙。李北海之文，如赤羽白甲，延亘平野，如云如风，有貙有虎，阗然鼓之，吁可畏也。贾常侍之文，如高冠华簪，曳裾鸣玉，立于廊庙，非法不言，可以望为羽仪，资以道义。李员外之文，则如金舆玉辇，雕龙彩凤，外虽丹青可掬，内亦体骨不凡。独孤尚书之文，如危锋绝壁，穿倚霄汉，长松怪石，倾倒溪壑，然而略无和畅，雅德者避之。杨崖州之文，如长桥新构，铁骑夜渡，雄震威厉，动心骇目，然而鼓作多容，君子所慎。权文公之文，如朱门大第，而气势横敞，廊庑廪厩户牖悉同，然而不能有新规胜概，令人竦观。韩吏部之文，如长江千里一道，冲飚激浪，瀚流不滞，然而施于灌激，或爽于用。李襄阳之文，如燕市夜鸿，华亭晓鹤，嘹唳亦足惊听，然而才力偕鲜，悠然高远。故友沈谏议之文，则隼击鹰扬，灭没空碧，崇兰繁荣，曜英扬蕤，虽迅举秀擢，而能沛艾绝景。其他握珠玑奋组绣者，不可一二而纪矣。”《文苑英华》卷七二六梁肃《送皇甫七赴广州序》：“予同郡皇甫生，肤清气和，敏学而文。尝纂《家范》数千言，自远祖

汉太尉、晋玄晏先生以还，门风世德，焕耀篇录。生聿修之志，可观矣。予闻玙璠在璞，与碔砆等耳。及夫琢而成器，则价重当世。以吾子之质，且琢之不已，名者公器，其可避乎?”《李文公集》卷六《答皇甫湜书》：“览所寄文章，词高理直，欢悦无量，有足发予者。”《唐文粹》卷八六韦处厚《上宰相荐皇甫湜书》：“窃见前进士皇甫湜，年三十二，学穷古训，词秀人文，脱落章句，简斥枝叶。游百氏而旁览，折之以归正；囊六义以疾驰，讽之以合雅。苟坚其持操，不恐于嚣嚣之讪；修其践立，不诱于藉藉之誉。孟轲黜杨、墨之心，扬雄尊孔、颜之志，形乎既立，果于将然。至于用心，合论操毫，注简排百氏之杂说，判九流之纷荡，摘其舛驳，趋于夷途，征会理轴，遣训词波，无不蹈正超常，曲畅精旨。置之石渠，必有刘向之刊正群言；列之东观，必有孟坚之勒成汉史；施之奏议，必有贾谊之兼对诸生。天既委明于斯人，苟回险其道，未得按轮而驱，则必混翼乎天池，殗精于沆瀣。秉熷缴者从而道之，固无及矣。”《司空表圣文集》卷二《题柳柳州集后》：“其次皇甫祠部文集所作，亦为遒逸，非无意于深密，盖或未遑耳。”白珽《湛渊静语》（四库本）卷一：“或谓皇甫湜韩门弟子，而其学流于艰涩怪僻，所谓目瞪舌涩，不能分其句读者也。如曰‘声震业光，众方惊爆，而萃排之，乘危将颠，不懈益张’。又曰‘跂邪觝异，以扶孔氏’。又曰‘鲸铿春丽，惊耀天下’。所以《答李生书》曰：‘意新则异常，异于常则怪矣……’，此湜之文所以怪僻也。”《师山集》遗文卷三《与洪君实书》：“所假皇甫集，连日细看，大抵不惬人意。其言语次叙，却是着力铺排，往往反伤工巧，终无自然气象。其记文中又多叶韵语，殊非大家数。比当时文人，如刘禹锡，乃谓皇甫湜于文章少所许可，亦以退之之言为然。其见推重如此，流传至今五、六百年，其不朽又如此。疑古今人文章，显与不显，传与不传，盖有命也。”李日华《六研斋笔记》（四库本）二笔卷三：“皇甫湜韩门弟子，而不善作诗，往往诘屈至不可读。故退之有诗云：‘皇甫作诗止睡昏，辞夸出真遂上焚。要余和赠怪又烦，虽欲悔舌不可扪’。言其语怪而又好讥骂也。”王鏊《震泽集》（四库本）卷一四《皇甫持正集序》：“孙可之自称为文得昌黎心法，而其传实出皇甫持正。今观持正、可之集，皆自铸伟词，槎牙突兀，或不能句。其快语若天心月胁，鲸铿春丽，至是归工，抉经执圣，皆前人所不能道，后人所不能至也，亦奇甚矣。昌黎尝言：惟古于词必已出。又论文贵自树立，不蹈袭前人，不取悦今世，此固持正之所从授欤？他日乃谓‘李翱、张籍从余学文，颇有得。从吾游者，李翱、张籍其尤也’。而不及持正，何欤？余谓昌黎为文，变化不可端倪，持正得其奇，翱与籍得其正，而翱又得其态。合三子一之，庶几其具体乎？则持正、可之之文，亦岂可少哉。”《少室山房集》卷一〇五《题皇甫湜集后》：“至皇甫诸人，出韩门下，以奇自负。今读其遗集，所谓天心月胁，鲸铿春丽，皆摘精匠彩词组之间，咀嚼其中，毫末无有。此其相去庸庸，蔑能以寸而曰奇哉，而曰奇哉。”《四库提要》卷一五〇：“其文与李翱同出韩愈，翱得愈之醇，而湜得愈之奇崛。其《答李生》三书，盛气攻辨，又甚于愈。然如《编年纪传论》、《孟子荀子言性论》亦未尝不持论平允。”《艺概》卷一“文概”：“皇甫持正论文，尝言文奇理正，然综观其意，究是一意好奇。”《四库全书简明目录》卷一五：“其文与李翱同出韩愈，愈文谨严而奇崛，翱得其谨严，湜得其奇崛，故名亚于愈。元郑玉顾极诋之，玉在讲学之家，尚为纯正，至于文章，未必能见

韩门弟子涯涘也。”【题浯溪石】《容斋随笔》卷八“皇甫湜诗”：“皇甫湜、李翱虽为韩门弟子，而皆不能诗。浯溪石闲有湜一诗，为元结而作，其词云……味此诗，乃论唐人文章耳，风格殊无可采也。”陆游《跋皇甫先生文集》：“右一诗在浯溪《中兴颂》傍石间，持正集中无诗，诗见于世者，此一篇耳。然自是杰作，近时有《容斋随笔》亦载此诗，乃曰‘风格殊无可采’，人之所见，恐不应如此，或是传写误耳。”《四库提要》卷一五〇：“集中无诗。洪迈《容斋随笔》尝记其浯溪一篇，以为风格无可采。陆游跋湜集，则以为自是杰作，迈语为传写之误。今考此诗为论文而作，李白集之‘大雅久不作’一篇、苏轼集之‘我虽不工书’一篇，即是此格，安可全诋，游之所辨是也。”【谕业】《栾城遗言》：“公论唐人开元燕、许云：文气不振，倔强其间，自韩退之一变复古，追还西汉之旧。然在许昌观《唐文粹》，称其碑颂，往往爱张、苏之作，又览唐皇甫湜持正《谕业》云：所誉燕、许文极当，文奇则涉怪，施之朝廷，不须怪也。盖亦取燕、许。”王士祯《池北偶谈》（中华书局1982）卷一五“皇甫湜评韩文”：“韩吏部文章，至宋始大显。其在当时，皇甫湜号为知公者，然其《谕业》一篇，备论诸家之文，不过曰‘韩吏部之文，如长江万里一道，冲飙激浪，瀚流不滞，然而施之灌溉，或爽于用’。若有微词，反不如李北海、贾常侍、沈谏议之流无贬词也。若天不生欧公，则公之文几湮没而不彰矣。按持正此文，出自袁昂《书评》，后世敖陶孙、王弇州诸家文评、诗评皆仿之。”

吕道生撰成《定命录》二卷。据李剑国《唐五代志怪传奇叙录》所考，“书成大和九年四月至十二月间。”吕道生（生卒年不详），大和间人。天宝间赵自勤著《定命论》一〇卷行世，吕道生增为《定命录》二卷。《新唐书·艺文志》著录之，已佚。《太平广记》收《定命录》逸文六〇余则。事迹见《新唐书·艺文志》。

杨虞卿卒。《全唐诗》卷四八四录其诗一首，断句一联。

公元836年（唐文宗开成元年　丙辰）

正月

白居易在太子少博分司任。早春频与李绅游于洛阳城郊，赋诗咏怀，有《叹春风兼赠李二十侍郎二绝》、《春来频与李二十宾客郭外同游因赠长句》。五月，白居易自编《白氏文集》六十五卷，藏于东都圣善寺，并撰记文《圣善寺白氏文集记》。李绅又赋诗《看题文集后记因成四韵以美之》题于白集后。六月，避暑于香山寺，有诗《香山避暑二绝》、《香山卜居》、《宿香山寺酬广陵牛相公见寄》等。是年，白居易另有诗《府西亭纳凉归》、《老热》、《新秋喜凉因寄兵部杨侍郎》、《懒放二首呈刘梦得吴方之》、《题天竺南院赠闲元旻清四上人》、《哭师皋》、《隐几赠客》、《夏日作》、《晚凉偶咏》、《闲卧寄刘同州》、《残酌晚飡》、《裴令公席上赠别梦得》、《寻春题诸家园林》、《又题一绝》、《家园三绝》、《老来生计》、《早春题少室东岩》、《早春即事》、《二月二日》、《清明日登老君阁望洛城赠韩道士》、《三月三日》、《雨中听琴者弹鹤操》、《酬郑二司录与李六郎中寒食日相过同宴见赠》、《喜杨六侍御同宿》、《残春咏怀赠杨暮巢侍郎》、《闲居春静》、《春尽日天津桥醉吟偶呈李尹侍郎》、《老夫》、《无长物》、《以诗代书寄户部杨侍郎劝买东邻王家宅》、《八月三日夜作》、《秋霖中奉裴令公见招早出赴会马上先寄六韵》、《病中赠南邻觅酒》等。

赵嘏在长安，有《寄归》诗。

二月

陈上美、郑史、蔡京、陆环、裴德融等四十人进士及第，中书舍人高锴知贡举。见《登科记考》卷二一。本年进士试题乃文宗所出。《旧唐书》卷一六八《高锴传》："开成元年春。试毕，进呈及第人名，文宗谓侍臣曰：'从前文格非佳。昨出进士题目，是朕出之，所试似胜去年。'郑覃曰：'陛下改诗赋格调，以正颓俗，然高锴亦能励精选士，仰副圣旨。'"

蔡京登进士第后回乡省亲，贾岛有诗《送蔡京》，刘得仁亦有诗《送蔡京东归迎侍》。蔡京（？—863），郓州人。早年为僧。大和四年令狐楚帅天平军，见之于道场，令其还俗，陪读令狐子弟。开成元年进士及第，会昌三年登学究科，授畿县尉。五年迁监察御史，转殿中侍御史。大中二年贬澧州司马，后为宣武军节度从事。历抚州刺史、饶州刺史。懿宗即位，入为太子左庶子。咸通二年充荆襄巴南宣慰安抚使，三年以检校左散骑常侍、御史大夫充岭南节度使。同年九月，为军士所逐。贬崖州司户，不就，还至零陵，敕令自尽。事迹见《云溪友议》卷中《买山谶》条、《新唐书》卷二二二中《南诏传》、《唐诗纪事》卷四九等。

时郑史亦及第后往岭南，贾岛亦赋诗《送郑长史之岭南》。郑史（生卒年不详），字惟直，诗人郑谷之父。开成元年进士及第，任国子博士。咸通三年，任永州刺史。今存诗三首，见《全唐诗》卷五四二。事迹见《唐诗纪事》卷五六、《云溪友记》卷中、《唐语林》卷七。

何扶本年中制科，有诗寄旧同年。《唐摭言》卷三："何扶，大和九年及第。明年，捷三篇，因以一绝寄旧同年曰：'金榜题名墨尚新，今年依旧去年春。花间每被红妆问，何事重来只一人?'"何扶其它事迹不详。

三月

李德裕在袁州长史任，时寓郊外精舍，常杖策独游，作有《观钓赋》、《积薪赋》、《振鹭赋》、《怀鹗赋》、《斑竹管赋》等十二篇。后改滁州刺史，途中又作有《畏途赋》、《望匡庐赋》、《大孤山赋》、《剑池赋》等。至任所，又有《怀崧楼记》，据傅璇琮《李德裕年谱》。七月，由滁洲刺史迁太子宾客分司，九月，抵洛阳平泉别墅，多作诗咏唱别墅风物及寄人，有《初归平泉过龙门南岭遥望山居即事》、《潭上喜见新月》、《郊外即事寄侍郎大尹》、《伊川晚眺》、《洛中士君子多以平泉见呼愧获方外之名因以此诗为报奉寄刘宾客》等；时刘禹锡亦与其赋诗酬和，有《和李相公初归平泉过龙门南岭远望山居即事》、《和李相公平泉潭上喜见初月》、《和李相公以平泉新墅获方外之名因为诗以报洛中士君子兼见寄之什》。十一月庚辰，李德裕由太子宾客分司东都改浙西观察使。十二月四日，李德裕赴任润州，兵部侍郎裴潾作《前相国赞皇公早葺平泉

山居暂还息旋起赴诏命作镇浙右辄抒怀赋四言诗一十四首寄》。

春

姚合约此时罢杭州任，时郑巢有诗《送姚郎中罢郡游越》，合亦有诗《别杭州》、《舟行书事寄杭州崔员外》等。后入京为谏议大夫，时贾岛有诗《喜姚郎中自杭州回》，刘得仁亦作诗《上姚谏议》，以期援引。冬，无可在姚合宅，有诗《冬晚姚谏议宅会送元绪上人归南山》。姚合亦与元绪上人多有往还，有诗《寄元绪上人》、《送元绪上人游商山》。刘得仁与蔡京同宿无可上人寺院，晤谈至晓，有诗《冬夜与蔡校书宿无可上人院》纪之。时顾非熊亦有诗寄蔡京，即《冬日寄蔡先辈校书京》。此后郑巢事迹无考。《遂初堂书目》有《郑巢集》。《宋史·艺文志》著录《郑巢诗》一卷。《全唐诗》卷五〇四编其诗为一卷。《唐才子传》卷六："效合体格，服膺无斁，句意清新。"

李商隐约此时作《有感二首》、《重有感》、《曲江》等多首，或谓为"甘露之变"而发。十月，李商隐作《令狐相公状》（三）。冬，有《上令狐相公状》（四）。是年，另有文《别令狐拾遗书》，并作《柳枝五首》，记柳枝曾欣赏其《燕台诗》。【有感二首】《唐诗归》卷三三钟惺评："风切时事，诗典重有体，从老杜《伤春》等作得来。"《李义山诗集辑评》卷中朱彝尊云："用意精严，立论婉挚，少陵诗史又何加焉。"《义门读书记》卷五八："上篇深斥训、注，下篇则哀涯、悚、元舆等。……古有清君侧之义，本为国家，今多老成之人，宜为平反。岂可以涯等本非素心，而听阉人诬罔族诛之，如今日者无名之举乎。"《唐诗别裁集》卷一八："前一首恨李训、郑注之前谋，后一首咎文宗之误任非人也。"《今体诗钞》卷九："长律唯义山犹欲学杜，然但摹其句格，不得一气喷薄、顿挫精神、纵横变化处。"【重有感】《玉溪生诗意》卷五："此首即杜之《诸将》也。亦不能如杜之深厚曲折，而语气颇壮，用意正大，晚唐一人而已。"【曲江】《玉溪生诗说》卷上："五、六宕开，七、八收转。言当日路机、索靖虽有天荒地变之忧悲，亦不过如此而已矣。大提大落，极有笔意，不得将五、六看作借比，使末二句文理不顺也。"《今体诗钞》卷九："前四句言天宝之祸，固所谓'天荒地变'矣。五、六则言甘露之事。玄宗事虽可悲，然其后则嬖幸既诛，天下反正，犹可言也。若今受制家奴，大臣冤死，至不敢言，其可伤不更多耶。"【柳枝五首】《韵语阳秋》卷一九："洛中里娘亦名柳枝，李义山欲至其家久矣，以其兄逊山在焉，故不及昵。义山有《柳枝五首》，其间怨句甚多，所谓'画屏绣步障，物物自成双。如何湖上望，只是见鸳鸯'之类是也。呜呼，天伦同气之重，共聚于子女揉杂之所，已为名教之罪人，而一不得其欲，又作为诗章，显形怨讟，且自彰其丑，遗臭无穷，所谓灭天理而穷人欲者，无大于此。如李商隐者，又何足道哉。"《对床夜语》卷五："商隐别有《柳枝词》，味其序，柳枝乃商隐从昆让山邻家之女，因悦商隐《燕台诗》，遂通其约，且以后三日为期。会友人盗商隐卧装先去，不果留，伺后竟为他人所有。诗中所谓'嘉瓜引蔓长，碧玉冰寒浆。东陵虽五色，不忍值牙香'，非不忍也，不果也。若'玉作弹棋局，中心亦不平'，又'如何湖上望，只是见鸳鸯'亦惜其不终遇之意。"

四月

唐文宗与郑覃论诗，覃谓为人君者不当作诗。《通鉴》卷二四五本年夏四月，“戊戌，上与宰相从容论诗之工拙，郑覃曰：‘诗之工者，无若三百篇，皆国人作之以刺美时政，王者采之以观风俗耳，不闻王者为诗也。后代辞人之诗，华而不实，无补于事。陈后主、隋炀帝皆工于诗，不免亡国，陛下何取焉！’覃笃于经术，上甚重之。”本年，郑覃曾奏罢进士科。《旧唐书·郑覃传》：“覃曰：此科率多轻薄，不必尽用。帝曰：轻薄敦厚，色色有之，未必独在进士。此科置已二百年，亦不可遽改。”

刘禹锡在同州刺史任。时令狐楚出为山南西道节度使，刘有诗《送令狐相公自仆射出镇南梁》。前此，有《酬令狐相公杏园花下饮有怀见寄》、《和令狐相公春早朝回盐铁使院中作》等。五月，唐扶由中书舍人出为福建观察使，刘又有诗《送唐舍人出镇闽中》。夏，刘有诗《和令狐仆射相公题龙回司》、《送赵中丞自司外郎转官参山南令狐仆射幕府》等。秋，刘禹锡自同州刺史迁太子宾客分司至洛阳，多有诗与白居易、裴度酬和，有诗《自左冯归洛下酬乐天兼呈裴令公》、《和乐天斋戒月满夜对道场偶怀咏》、《酬乐天斋满日裴令公置宴席上戏赠》等。此后又将其任汝州刺史以来与白居易酬唱诗编为《汝洛集》，其引云：“太和八年，予自姑苏转临汝。乐天罢三川守，复以宾客分司东都，未几，有诏领冯翊，辞不拜职，授太子少傅分务，以遂其高。时予代居左冯，明年予罢郡，以宾客入洛，日以章句交欢，因而编之，命为《汝洛集》。”十二月，刘禹锡从弟刘三复应李德裕之聘将赴浙西从事任，有诗《送从弟郎中赴浙西》。

庚午，李绅由太子宾客分司为河南尹，有诗《拜三川守》纪之。七月，李绅改任宣武节度使汴州刺史。赴镇，有诗《拜宣武军节度使》及《到宣武三十韵》纪之。

李虞仲卒。李虞仲（772—836），字见之，李端之子。《旧唐书》卷一六三：“虞仲亦工诗。元和初登进士第，又以制策登科，授弘文校书。从事荆南，入为太常博士，迁兵部员外、司勋郎中。宝历中，考制策甚精，转兵部郎中、知制诰，拜中书舍人。大和四年，出为华州刺史兼御史大夫，入拜左散骑常侍兼秘书监。八年转尚书右丞，九年为兵部侍郎，寻改吏部。开成元年四月卒。时年六十五。虞仲简淡寡欲，立性方雅，奕代文学，达而不矜，士友重之。”《新唐书·艺文志》著录《李虞仲制集》四卷，已佚。《全唐诗》卷六九三存文一八篇。《全唐文》卷六九三存其文一八篇。

六月

李翱约此时卒于山南东道任，年约六十五。《全唐文》卷六三四至卷六四〇编其文七卷。《全唐诗》卷三六九录其诗七首，卷七九一录其与韩愈、孟郊联句一首，卷八七三录其判一则。《全唐诗补编·续拾》卷二七补一首。《新唐书》卷一七七《李翱传》：“翱始从昌黎韩愈为文章，辞致浑厚，见推当时，故有司亦谥曰文。”《文苑英华》卷六八〇裴度《寄李翱》：“若《愍女碑》、《烈妇传》，可以激清教义，焕于史氏。《钟铭》谓以功代名于器为铭，《与弟正辞书》谓文非一艺，斯可谓救名之失，广文之用之文也，甚善甚善。然仆之知弟也，未知其他，直以弟敏于学而好于文也，就六经而正焉。……观弟近日制作大旨，常以时世之文，多偶对意句，属缀风云，羁束声韵，为文之病甚矣。故以雄词远志，一以矫之，则是以文字为意也。且文者，圣人假之以达其心，达则已理，穷则已非，故高之下之，详之略之也。愚欲去彼取此，则安步而不可及，平居而不可踰，又何必远关经术，然后骋其材力哉?”《皇甫持正集》卷一《谕业》：“李襄阳之文，如燕市夜鸿，华亭晓鹤，嘹唳亦足惊听，然而才力偕鲜，悠然高远。”《嘉祐集》卷一二《上欧阳内翰第一书》：“惟李翱之文，其味黯然而长，其光油然而幽，俯仰揖让，有执事之态。”《郡斋读书志》卷四上：“集皆杂文无歌诗，前有苏舜钦序，云唐之文章称韩、柳，翱文虽辞不迨韩而理过于柳。”《朱子语类》卷一三七：“韩文公似只重皇甫湜，以墓志付之，李翱只令作《行状》。翱作得《行状》絮，但湜所作《墓志》又颠蹶。李翱却有些本领，如《复性书》有许多思量，欧阳公也只称韩、李。”《文宪集》卷七《胡仲子文集序》：“韩退之抗颜师一世，自李习之以下，皆欲弟子临之，而习之謇然不甚相下，崇言正论，往往与退之角。其《复性》、《平赋》二书，修身治人之意，明白深切，得斯道之用。盖唐人之所仅有，而可与退之《原道》相表里者也。濂尝以为习之识高志伟，不在退之下，遇可畏如退之而不屈，真豪杰之士哉。”《井观琐言》卷七：“唐儒如李习之，亦不易得。其《答侯高书》，虽未免自许太高，然深拒其适时行道之说，自谓决不肯废道而取容，持论甚正，可谓不失已矣，此所以能面斥宰相过失也。其《幽怀赋》，鄙时人以嗟老羞卑为务，而无能以神尧郡县为意，感慨愤切，庶几可与建功业者。史称其性峭鲠，议论无所屈，非虚美矣。”《少室山房集》卷一〇五：“读翱集，斥异端、崇圣道，词义凛如，在唐人茅靡仙佛中，可谓卓然不惑者。他文亦典实明健，一洗浮华。欧阳永叔至‘韩、李’并称，而不及子厚，以其识也。然其文率人所能至，竟集中无可与《梓人》、《封建》及岭右诸记等列者。翱生平得意《高愍女》、《杨烈妇传》，自以不减孟坚，以较《段太尉逸事》，尚避三舍，况霍光等传摹勒如画者哉。唐惟柳差可配韩，而欧公去取若是，盖一时论道之语，非定评也。”《四库提要》卷一五〇：“翱为韩愈之侄壻，故其学皆出于愈。集中载《答皇甫湜书》，自称《高愍女》、《杨烈妇传》不在班固、蔡邕下，其自许稍过。然观《与梁载言书》论文甚详，至《寄从弟正辞书》，谓人号文章为一艺者，乃时世所好之文；其能到古人者，则仁义之词，恶得以一艺名之？故才与学虽皆逊愈，不能镕铸百氏皆如己出，而立言具有根柢。大抵温厚和平，俯仰中度，不似李观、刘蜕诸人，有矜心作意之态。苏舜钦谓其词不逮韩而理过于柳，诚为笃论。郑獬谓其尚质而少工，则贬之太甚矣。”熊松阿《李文公集补序》：“从来古文家独推柳柳州与昌黎并称，不知李文公之文未尝不异曲而同工，俱雄而各峙者也。或谓李为韩门弟子，仅与张籍、皇甫湜辈竞，善鸣于一时。呜呼，此其说由来旧矣。今读其文，创意造言，戛然自立，绝不类韩子之文。惟其不类也，乃其所以为类。故不独子厚岭外之文，纵横争折不让昌黎，如公之义深理当，文词高简，夫宁不可鼎足于其间哉。”《文史通义》卷八《皇甫持正文集书后》：“按二人文虽俱学韩，李能自立，不屑屑随韩步趋，虽才力稍逊，而学识足以达之，故能神明韩法，自辟户庭。”《初月楼古文绪论》：“八家之外，李习之尚可参，其气习自好也。孙可之则有暴气，亦未能自然，究非正宗。”吴大廷《书李文公集后》：“集中传、状、志、铭，其至者，质实高古，几可追随昌黎；其余质胜其文者，亦间有之矣，然未有一言不本于仁义者。观其厄穷不怨，卫道辟邪，孜孜以荐进良士，登进太平为己任，其于仁义，匪徒知之，实允蹈之。生程、朱之前，灼然有见于孟子，为接尧、禹、汤、文、孔之道统，昌黎而外，一人而已。"【幽怀赋】《欧阳文忠公文集》外集卷二三《读李翱文》："读《幽怀赋》，然后置书而叹，叹已复读，不自休。恨翱不生于今，不得与之交；又恨予不得生翱时，与翱上下其论也。凡昔翱一时人有道而能文者莫若韩愈，愈尝有赋矣，不过羡二鸟之光荣，叹一饱之无时尔。此其心使光荣而饱，则不复云矣。若翱独不然，其赋曰……又怪神尧以一旅取天下，后世子孙不能以天下取河北，以为忧。呜呼，使当时君子皆易其叹老嗟卑之心，为翱所忧之心，则唐之天下岂有乱与亡哉。"【复性书】《欧阳文忠公文集》外集卷二三《读李翱文》："予始读翱《复性书》三篇，曰：此中庸之义疏耳。智者诚其性，当读《中庸》；愚者虽读此不晓也，不作可也。"《栾城遗言》："公曰：唐士大夫少知道，知道惟李习之。白乐天喜《复性书》三篇，尝写八渐偈于屏风。"叶梦得《避暑录话》（四库本）卷下："《复性书》上篇，儒与佛者之常言也；其中篇，以斋戒其心为未离乎静，知本无有思，则动静皆离。视听昭昭不起于闻见，而其心寂然，光照天地。此吾儒所未尝言，非自佛发之乎？末篇，论鸟兽虫鱼之类，谓受形一气，一为物一为人，得之甚难。生乎世，又非深长之年，使人知年非深长而身为难，得则今释氏所谓人身难得、无常迅速之二言也，翱言之何伤，而必欲操释语以诲人？宜其从之者，既不自觉，而诋之者，亦不悟其学之所同也。"《古文渊鉴》卷三八："惕厉其词，可以警学。"《古文雅正》卷九："韩、李并称。韩之外，知道者推李氏。此篇恳切而出以萧疏，大堪警世。韩上《宰相书》时年二十八，李作《复性书》年二十九，读此二书，似韩锐于功名，李志于道德，要亦随事而见之文耳。然习之禀性较宁澹。"

七月

杜牧在洛阳，有诗《东都送郑处诲校书归上都》、《故洛阳城有感》、《洛阳长句二首》、《洛中送冀处士》等。【洛阳长句二首】《瀛奎律髓汇评》卷四："方回评：唐自天宝以后，不复驾车东都，此诗有望幸之意。'树锁千门'一句极佳，'芝盖'、'仙舟'，乃指缑氏山王乔事及李、郭事，亦切。纪昀评：写盛衰之感则有之，不见望幸之意。陆贻典评：落句妙，盖伤久不见天宝承平时事也。通手皆是此意。查慎行评：结句得体，辞亦典赡风华。"【故洛阳城有感】《唐诗鼓吹》卷六廖文炳云："此经洛阳怀汉晋兴废之事而作也。首言过此见宫墙之危而不忍去，盖恨汉之亡也夫。其所以然者，以灵帝造荜圭、平乐以游佚，又听信谗言兴党锢之祸以害贤良耳。至晋则尚清谈，虽王衍先识胡儿之患，亦何补于败亡哉。噫，洛阳用武之地，屡经兵火之变，坤灵亦灭，惟见长年乌雀之悲耳，能不过故城而有感乎。"

赵嘏有诗《送令狐郎中赴郢州》。后又客游华州，有诗《华州座中献卢结事》，卢给事为卢钧，时任华州刺史。

本年

韦庄约本年生。韦庄（836？—910），字端己，京兆杜陵人，韦应物四世孙。少孤贫，屡试不第，辗转于长安、洛阳、越中等地近十年。中和三年，在洛阳作《秦妇吟》，人称"秦妇吟秀才。"乾宁元年进士及第，授校书郎。四年，奉诏随谏议大夫李询入蜀宣谕，得识王建。后在朝任左、右补阙等职。天复元年，入蜀依王建，为掌书记。天佑四年，劝王建称帝，为左散骑常侍、判中书门下事。前蜀武成元年，为门下侍郎同平章事。二年为吏部侍郎平章事。三年八月卒。《崇文总目》著录《浣花集》二〇卷。《补五代史·艺文志》著录《韦庄笺表》一卷、《谏草》二卷、《蜀程记》一卷、《峡程记》一卷、《韦庄集》二〇卷、《浣花集》五卷、《又玄集》五卷。今存《浣花集》及所选诗《又玄集》，余皆佚。今传《浣花集》存诗二百余首，不足原编四分之一。此集有明正德间朱承爵刻本（《四部丛刊》即据以影印）和晚明汲古阁刻本，皆作一〇卷。《全唐诗》略加归并，编为五卷，《补遗》一卷，或为后人于结集后增补。事迹见《蜀梼杌》卷上、《唐才子传》一〇、《唐诗纪事》卷六八。近人曲滢生有《韦庄年谱》，今人夏承焘有《韦端己年谱》。

公元 837 年（唐大宗开成二年　丁巳）

正月

白居易仍在太子太傅分司任，居洛阳，与裴度、刘禹锡相聚甚欢，有联句《度自到洛中与乐天为文酒之会时时构咏乐不可支则慨然共忆梦得而梦得亦分司至止欢惬可知因为联句》。是年，白居易有诗《三适赠道友》、《寒食》、《洛阳春赠刘李二宾客》、《和裴令公一日日一年年杂言见赠》、《酬牛相公宫城早秋寓言见示兼呈梦得时梦得有疾》、《小台晚坐忆梦得》、《种桃歌》、《狂言示诸侄》、《偶以拙诗数首寄呈裴少尹侍郎蒙以盛制四篇一时酬和重投长句美而谢之》、《咏老赠梦得》、《洛下闲居寄山南令狐相公》、《惜春赠李尹》、《对酒劝令公开春游宴》、《与梦得偶同到敦诗宅感而题壁》、《闲游即事》、《六十六》、《池上早春即事招梦得》、《因梦得题公垂所寄蜡烛因寄公垂》、《令公南庄花柳正盛欲偷一赏先寄二篇》、《春夜宴席上戏赠裴淄州》、《晚春欲携酒寻沈四著作先以六韵寄之》、《同梦得暮春寄贺东西川二杨尚书》、《喜小楼西新柳抽条》、《酒醒会梦得》、《感事》、《和裴令公南庄一绝》、《偶作》、《同梦得酬牛相公初到洛中小饮见赠》、《幽居早秋闲咏》等。

薛能有诗《丁巳上元日放三雉》。薛能（？—880），字大拙，汾州人。会昌六年进士及第。大中八年，书判入等，补周至尉。历太原、陕虢、河阳从事。李福镇滑州，辟为观察判官，历侍御史、都官及刑部员外郎。咸通五年，李福镇剑南，表为节度副使。后摄嘉州刺史，入为主客、度支、刑部郎中，迁同州刺史、给事中。十一年，拜京兆尹。后历感化军节度使、工部尚书、忠武军节度使。广明元年，卒于忠武军乱。《新唐书·艺文志》著录《薛能诗集》一〇卷、《繁城集》一卷。《直斋书录解题》录有《薛许昌集》一〇卷。今存《许昌集》一〇卷。事迹见《旧唐书》卷一九《懿宗纪》、《新唐书》卷二二五《黄巢传》、《唐诗纪事》卷六〇等。

二月

张棠、沈黄中、王收、柳棠、李商隐、韩瞻、独孤云、韦潘、郑宪、郭植、李定言、郑茂湛、曹确、杨鸿、杨戴、吴当等四十人进士及第，试《霓裳羽衣曲诗》、《琴瑟合奏赋》。李肱诗最为出色，为状元。礼部侍郎高锴知贡举，先进五人诗，并奏述本年选士情况。见《登科记考》卷二一。又《唐诗纪事》卷五二："是年秋，帝命高锴复司贡籍，诏曰：'夫宗子维城，本枝百代，封爵所宜，无令废绝。常年宗正寺解送人，恐有浮薄，以忝科名，在卿精拣艺能，勿妨贤路。所试赋则准常规，诗则依齐梁体格。'乃试《琴瑟合奏赋》、《霓裳羽衣曲》诗。主司先进五人诗，其最佳者李肱，次则王牧，乃以榜元及第。帝览之曰：'近属如肱者，其不忝乎？'高锴奏曰：'臣锴昨日奉宣进旨，令将进士所试诗赋进来者。伏以陛下聪明文思，天纵圣德，今年诗赋题目，出自宸衷，体格雅丽，意思遐远。诸生捧读相贺，自古未有，倍用研精覃思，磨砺缉谐。其今年试诗赋，比于去年，又胜数等。臣日夜考校，敢不推公。就中进士李肱《霓裳羽衣曲》诗一首，最为迥出，更无其比。词韵既好，去就又全。臣前后吟咏近三、五十遍，虽使何逊复生，亦不能过，兼是宗枝，臣与状头第一人，以奖其能。次张棠诗一首，亦绝好，亚次李肱，臣与第二人。其次沈黄中《琴瑟合奏赋》，又似《文选》中《雪月赋》体格，臣与第三人。其次王牧赋，自立意绪，言语不凡，臣与第四人。其次柳棠诗赋，兴思敏速，日中便成，臣与第五人。凡此五卷诗赋，擢其中科，实所不愧。其余三十五人，或奖旧文，别录人材，非止一途，四面搜择，臣并与及第。李肱旧文亦好，人物绝奇，每事且他日必为卿相，宗枝之俊，实谓难得，况属籍之中，读书为文者甚少。伏望圣恩，俯留宸览，李肱等三人诗赋，若有不堪，敢受欺天之罪。如或可采，伺候圣心，其李肱诗赋，伏望陛下圣慈，特赐奖饰，宣示百寮，以劝皇族修饰之道。臣谬忝主司，不胜凄凄之诚。其诗赋总为一卷，谨随状奉进以闻。"

杨汝士在东川节度使任。此时前后有诗咏出镇东川以及庆贺其子及第事。此后柳棠及第归东川，未谒汝士，汝士赋诗讽之，棠亦有答诗。汝士忿而移书责难礼部侍郎高锴，作《让高锴侍郎书》、《再让高锴侍郎书》。

三月

三日，河南尹李珏禊于洛滨，裴度、李仍叔、刘禹锡、白居易、李道枢、卢言、裴俦、杨鲁士等十五人与宴。居易赋作《三月三日祓禊洛滨》，其序云："开成二年三月三日，河南尹李代价以人和岁稔，将禊于洛滨。前一日启留守裴令公。令公明日召太子少傅白居易、太子宾客萧籍、李仍叔、刘禹锡、前中书舍人郑居中、国子司业裴恽、河南少尹李道枢、仓部郎中崔晋、司封员外郎张可续、驾部员外郎卢言、虞部员外郎苗愔、和州刺史裴俦、淄州刺史裴洽、检校礼部员外郎杨鲁士、四门博士谈弘谟等一十五人，合宴于舟中。由斗亭历魏堤，抵津桥，登临泝沿，自晨及暮。簪组交映，歌笑间发，前水嬉而后妓乐，左笔砚而右壶觞，望之若仙，观者如堵。尽风光之赏，极游泛之娱，美景良辰，赏心乐事，尽得于今日矣。若不记录，谓洛无人。晋公首赋一章，铿然玉振，顾谓四座，继而和之。居易举酒抽毫，奉十二韵以献"。刘禹锡亦有《泛洛禊饮各赋十二韵》诗咏之。

李商隐登进士第后东归济源探亲，途中有诗《及第东归次灞上却寄同年》。及第前后又有书上崔郸，对“学道必求古，为文必有师法”有所疑问。其《上崔华州书》云：“愚生二十五年矣。五年读经书，七年弄笔砚。始闻长老言：‘学道必求古，为文必有师法。’常悒悒不快，退自思曰：‘夫所谓道，岂古所谓周公、孔子者独能邪？盖与周、孔俱身之耳。’以是有行道，不系今古，直挥笔为文，不爱攘取经史，讳忌时世。百经万书，异品殊流，又岂能意分出其下哉。”春，作《上令狐相公状》（五）、（六）。夏秋，有《代李玄为崔京兆祭萧侍御文》、《上令狐相公状》（七）。冬，作《为彭阳公兴元请寻医表》、《代彭阳公遗表》、《为令狐博士绪补阙绚谢宣祭表》。

五月

李德裕由浙西观察使改为淮南节度使。是年，有诗《早春至言禅公法堂忆平泉别业》、《峡山亭月夜独宿对樱桃花有怀伊川别墅》、《怀山居邀松阳子同作》、《思归赤松村呈松阳子》、《近腊月对雪有怀林居》。

牛僧孺由淮南节度使为东都留守，此间与白居易、刘禹锡多有唱酬。白居易诗有《同梦得酬牛相公初到洛中小饮见赠》、《偶于维阳牛相公处觅得筝筝未到先寄诗来走笔戏答》、《酬思黯戏赠》、《又戏答绝句》、《酬思黯相公见过弊居戏赠》等。刘禹锡有诗《酬思黯见示小饮四韵》等。

夏

朱庆余约四十二岁，有诗《和唐中丞开淘西湖夏日游泛因书示郡人》与唐扶唱和，约卒于此后数年。《全唐诗》卷五一四至卷五一五编其诗二卷，《全唐诗补编·续拾》卷二七又复出一首。《唐人说荟》中《冥音录》署其名。许浑有《再游越中伤朱庆余协律好直上人》，方干亦有《过朱协律故山》。张为《诗人主客图》列庆余为“清奇雅正主”之及门者。《唐文拾遗》卷四七张洎《项斯诗集序》：“吴中张水部为律格诗，尤工于匠物。字清意远，不涉旧体，天下莫能窥其奥。惟朱庆余一人亲授其旨。”《唐音癸签》卷七：“朱庆余学诗于张籍，具体而微，‘旅雁捉孤岛，长天下四维’，猛句亦水部所少。”《唐诗品》：“朱生文有精思，词有调发，意匠所遣，纵横得意。亲承张水部意旨，遂擅名场，不能更扬其志，上窥大雅，岂非抱玉握珠而更有彬彬之叹者哉。”《载酒园诗话》又编：“朱庆余不能为古诗，即近体亦惟工于绝句。”李怀民《重订中晚唐诗主客图说》：“庆余无古体，律格专学水部，表里浑化，他人鲜能及者，断推上人室。”【宫词】《删补唐诗选脉笺释会通评林》“晚唐七绝上”：“唐汝洵曰：美人相并，正宜私语，乃畏鹦鹉而不敢言。花前事，必有不可使外人知者。”《而庵说唐诗》卷一二：“好个花时，宫门紧闭，不得君王信息，无以消此岑寂。女伴相逢，两两并立于琼轩之下。相并，好说话些。胸中所含之情，定是长门买赋、昭阳骄妒之事，不可传之人口者。正欲提起，而无奈举头见鹦鹉之在前。鹦鹉是能言之鸟，故亦避忌他。此不是言美人谨慎，是言其苦无道处。庆余之怜美人至矣。”【送陈标】《唐诗摘抄》卷二：“只是劝其莫恋异乡花草。若直说煞是无味，须看其用笔之婉妙。语意中是爱中藏妒，方见妇人之情，不可单就妒一边看。”

李群玉自湖南东游，有诗《自沣浦东游江表途出巴丘投员外从公虞》、《重经巴丘追感》、《将之吴越留别坐中文酒诸侣》。九月，李群玉游宣州、池州等地，有诗《九日陪崔大夫燕清河亭》、《池州封员外郡斋双鹤丹顶》、《经费拾遗所后呈封员外》等。费拾遗，即费冠清。后李赴举，杜牧有诗《送李群玉赴举》；此间，群玉尚有《石头城》、《秣陵怀古》、《题金山寺石堂》等诗。李群玉（？—862?），字文山，澧州人。大中八年，赴京上表，献诗三百篇，授弘文馆校书郎。后遭冤屈，弃官南归。与方干、张祜、杜牧、段成式等交游。《新唐书·艺文志》著录《李群玉诗》三卷、《后集》五卷。事迹见令狐绹《荐处士李群玉状》、《云溪友议》卷中、《唐摭言》卷一〇、《北梦琐言》卷六等。

九月

杜牧在扬州，有《题扬州禅智寺》、《将赴宣州留题扬州禅智寺》诗。秋末赴宣州，途经润州，有《润州二首》。遇李锜旧妾杜秋娘，感其穷且老，遂赋《杜秋娘诗》。时赵嘏在扬州，有《和杜侍郎题禅智寺南楼》诗。【杜秋娘诗】《诗筏》：“杜牧之作《杜秋娘》五言长篇，当时脍炙人口，李义山所谓‘杜牧司勋字牧之，清秋一首《杜秋》诗。前身应是梁江总，名总还曾字总持’是也。余谓牧之自有佳处，此诗借秋娘以叹贵贱盛衰之倚伏，虽亦感慨淋漓，然终嫌其语意太尽。层层引喻，层层议论，仍是作《阿房宫赋》本色，遂使汉、魏浑涵之意，渐至澌灭。是亦五言古之一变，有知者不以余言为河汉也。”《载酒园诗话》又编：“杜紫微诗，惟绝句最多风调，味永趣长，有明月孤映、高霞独举之象，余诗则不能尔。昔人多称其《杜秋》诗，今观之，真如暴涨奔川，略少渟泓澄澈。如叙秋入宫，漳王自少及壮，以至得罪废削，如‘一尺桐偶人，江充知自欺’，语亦可观。但至‘我昨金陵过，闻之为歔欷’，诗意已足，后却引夏姬、西子、薄后、唐儿、吕、管、孔、孟，滔滔不绝，如此作诗，十纸难竟。至后‘指何为而捉，足何为而驰，耳何为而听，目何为而窥’，所为雅人深致安在？此诗不敢攀《琵琶行》之踵。或曰以备诗史，不可从篇章论，则前半吾无敢言，后终不能不病其衍。”【润州二首】（其一）《唐诗笺注》“七言律诗”：“此首追忆昔游，伤今昔之不同，感繁华之如旧，此种风情，皆属南朝、东晋所遗。‘大抵’一联宕往有致。结用桓伊吹笛事，见笛声之妙，易于感人，非有所指也。”

十月

郑覃进《石壁九经》一百六十卷，又奏置五经博士，以此欲折文章之士。见《旧唐书》卷一七《文宗纪》。

十一月

令狐楚卒于山南西道观察使任，年七十二。《全唐诗》卷三三四编其诗一卷，《全唐诗补编·续拾》卷二七补二首，移正二首。《全唐文》卷五三九至卷五四三编其文为五卷。刘禹锡有诗《令狐仆射与余投分素深纵山川修阻然音问相继今年十一月仆射疾不起闻予已承讣书寝门长恸后日有使者两辈持书并诗计其日时已是卧疾手笔盈幅翰墨尚新律词一篇音韵弥切收泪握管以成报章虽广陵之弦于今绝矣而盖泉之感犹庶闻焉焚之缌帐之前附于旧编之末》，白居易有诗《令狐相公与梦得交情素深眷予分亦不浅一闻薨逝相顾泫然旋有使来得前月未殁之前数日书及诗寄赠梦得哀吟悲叹寄情于诗诗成示予感而继和》。《旧唐书》卷一七二《令狐楚传》："有文集一百卷，行于时。所撰《宪宗哀册文》，辞情典郁，为文士所重。"《刘宾客文集》卷一九《唐故相国赠司空令狐公集纪》云："始公参大卤记室，以文雄于边，议者谓一方不足以骋用，征拜于朝，累迁仪曹郎，乃登西掖，入内署，吁谟密勿，遂委魁柄，斯以文雄于国也。呜呼！咫尺之管，文敏者执而运之，所知皆合。在藩耸万夫之观望，立朝贲群寮之颊舌，居内成大政之风霆。导畎浍于章奏，鼓洪澜于训诰，笔端肤寸，膏润天下，文章之用，极其至矣。而又余力工于篇什，古文士所难兼焉。"《吴礼部诗话》引《唐百家诗选》时天彝评："武元衡、令狐楚皆以将相之重，声盖一时，其诗宏毅阔远，与灞桥驴子上所得者异矣。"《四六法海》卷三："令狐楚字彀士，其为文于笺奏制令尤善，每一篇成，人皆传讽。"《四六丛话》卷三二："详观文公所作，以意为骨，以气为用，以笔为驰骋出入，殆脱尽裁对隶事之迹，文之深于情者也。滔滔亹亹，一往清婉，而又非宋时一种空腐之谈，尽失骈俪真面者所可借口。由其万卷填胸，超然不滞，此玉溪生所以毕生服膺，欲从末由者也。吾于有唐作家集大成者，得三家焉：于燕公，极其厚；于柳州，致其精；于文公，仰其高。"《四库提要》卷一八六："本传称楚于笺奏制令尤善，每一篇成，人皆传讽。《旧唐书·李商隐传》亦称楚能章奏，以其道授商隐，均不称其诗。刘禹锡集和楚诗，虽有风情，不似四登坛句。而今所传诗一卷，惟《宫中乐五首》、《从军词五首》、《年少行四首》，差为可观，气格色泽皆与此集相同。盖取其性之所近，其它如《郡斋咏怀诗》之'何时狃阛阓'，《九日言怀诗》之'二九即重阳'，《立秋日悲怀诗》之'泉终闭不开'，《秋怀寄钱侍郎诗》之'燕鸿一声叫'，《和严司空落帽台宴诗》之'马奔流电妓奔车'，《郡斋栽竹诗》之'退公闲坐对婵娟'，《青云千吕诗》之'瑞容惊不散'，《讥刘白赏春不及》之'下马贪趋广运门'，皆时作鄙句，而《赠毛仙翁》一首，尤为拙钝，盖不甚避俚俗者。"【宫中乐五首】《唐诗摘抄》卷二："语并浑成。只写宫中夜景之佳，情事俱在言外。"【进异马驹表】《四六法海》卷三："诗文中形容良马不乏，若生马驹，则未有如此篇得情得景者也。"

李商隐于令狐楚卒后返长安，途中有诗《行次西郊作一百韵》。西郊，指长安西郊，时李商隐由兴元返长安。李商隐本年有《哭遂州萧侍郎二十四韵》、《哭虔州杨侍郎》诗，萧侍郎为萧浣，杨侍郎为杨虞卿。【行次西郊作一百韵】《义门读书记》卷五八："此等杰作，可称诗史，当与少陵《北征》并传。"《玉溪生笺注》卷一："朴拙盘郁，拟之杜公《北征》，面目不同。波澜莫二。田兰芳评：不事雕琢，是乐府旧法。唐人可比老杜《石壕吏》诸篇，《南山》恐不及也。"《玉溪生诗说》卷上："亦是长庆体裁，而准拟工部气格以出之，遂衍而不平，质而不俚，骨坚气足，精神郁勃，晚唐岂有此第二手。"

本年

贾岛坐飞谤责授长江主簿，途中有诗《赴长江道中寄令狐相公》。至锌州又赋诗东川节度使杨汝士，即《观冬设上东川杨尚书》。抵任复有《谢令狐相公赐衣九事》、《寄令狐相公》诗。令狐相公，即令狐楚。

姚合任谏议大夫时编有诗选《极玄集》。其中收王维三首、祖咏五首、李端四首、耿沣八首、卢纶四首、司空曙八首、钱起八首、郎士元八首、畅当三首、韩翃四首、李嘉祐一首、皇甫曾三首、皇甫冉八首、朱放二首、严维四首、刘长卿七首、灵一四首、法振二首、皎然四首、清江二首、戴叔伦七首。蒋易《极玄集序》云："唐诗数千百家，浩如渊海。姚合以唐人选唐诗，其识鉴精矣，然所选仅若此，何也？盖当是时以诗鸣者，人有其集，制作虽多，鲜克全美，譬之握珠怀璧，岂得悉无瑕类者哉？武功去取之法严，故其选精。选之精，故所取仅若此。宋初诗人，犹宗唐，自苏、黄一出，唐法几废。介甫选唐百家，亦惟据宋次道所有本耳。《又玄》、《粹》、《苑》，世已稀睹，况其他乎！易尝采唐人诗几千家，万有余首，视此有愧。盖悯作者之苦心，悼后世之无闻，故凡一联一句，可传诵者，悉录不遗，亦不以人废。固知博而寡要，劳而无功，知我罪我，一不敢计。业欲并锓诸梓，而力有未逮，姑先此集与言诗者共之。时重纪至元之五年三月既望，建阳蒋易题。"《四库提要》卷一八六："合为诗刻意苦吟，工于点缀小景，搜求新意，而刻画太甚，流于纤仄者，亦复不少，宋末江湖诗派皆从是导源者也。然选录是集，乃特有鉴裁。所取王维至戴叔伦二十一人之诗，凡一百首，今存者凡九十九。合自称为'诗家射雕手'，亦非虚语。计敏夫《唐诗纪事》，凡载集中所录之诗，皆注曰：'右姚合取为《极元集》。'盖宋人甚重其书矣。二十一人之中，惟僧灵一、法振、皎然、清江四人，不著始未，祖咏不著其字，畅当字下作一方空，盖原本有而传写佚阙，其余则字及爵里与登科之年，一一详载。观刘长卿名下注曰'宣城人'，与《唐书》称'河间人'者不同。又皇甫曾注'天宝十二载进士'，皇甫冉注'天宝十五载进士'，以登科先后为次，置曾于冉之前，与诸书称兄弟同登进士者亦不同。知为合之原注，非后人抄撮诸书所增入。总集之兼具小传，实自此始，亦足以资考证也。"韦庄《浣花集》（四库本）"补遗"《又玄集序》："昔姚合撰《极玄集》一卷，传于当代，已尽精微。"姚宽《西溪丛语》（四库本）卷上："姚合作《极玄集》，亦不收杜甫、李白，彼必各有意也。"王廷陈《梦泽集》（四库本）卷二一《楚三子诗评序》："唐以诗设科，主司进退之格，不得不求于文字，故议论日繁，而殷璠、姚合之徒，乃攘臂伸喙于是矣。宋诗不逮唐风远甚，而评品益富。大抵遗忽命脉，洗索瘢痕，宜其缀缉愈劳，神情愈丧，益见其不逮也。"《诗源辩体》卷三六："姚合《极玄集》所选二十一人，共诗一百首，中计五言古仄韵二首，五言排律三首，五言绝八首，七言绝三首，余皆五言律也。其去取之意义，漫不可晓。盛唐止王维三首、祖咏五首，其他皆大历以后诗耳。且排律三首而有李端'朱户敞高扉'，七言绝三首而有朱放'知君住处足风烟'，则尤不可晓云。自题云：'此诗家射雕手也，合于众集中更选其极玄者，庶免后来之非。'其自信乃尔。然以较《搜玉》、《国秀》、《英灵》、《间气》、《御览》、《才调》等集，风调犹有可观者。盖挺章、殷璠、仲武、令狐楚、韦谷本非诗人，合虽浅僻，实亦诗人之列也。”何焯《跋极玄集》：“此书所采不越大历以还诗格，然比之《间气集》，颇多名句，若刊其凡近，风味正似贾长江也。”又云：“戊辰春日，阅姚秘监诗集，乃知其生平作诗体源全出于此，虽所诣不为高深，要不似今人入门便错杂不伦也。”

杜牧本年或稍后为李戡作墓志，记李戡曾有《唐诗》之选，并对元、白有所訾议。其《唐故平卢军节度巡官陇西李府君墓志铭》云：“君所著文，数百篇外，于仁义一不关笔。尝曰：诗者可以歌，可以流于竹鼓于丝，妇人小儿皆欲讽诵，国俗薄厚扇之于诗，如风之疾速。尝痛自元和已来，有元、白诗者，纤艳不逞，非庄士雅人所为。其所破坏，流于民间，疏于屏壁，子父女母交口教授，淫言媟语，冬寒夏热入人肌骨，不可除去。吾无位不得用法以治之，欲使后代知有发愤者，因集国朝已来类于古诗，得若干首，编为三卷，目为《唐诗》，为序以导其志。”【唐故平卢军节度巡官陇西李府君墓志铭】《避暑录话》卷下：“杜牧作《李戡墓志》，载戡诋元白诗语，所谓‘非庄人雅士所为’、‘淫言媟语，入人肌骨’者。元稹所不论，如乐天讽谏、闲适之辞，可概谓淫言媟语耶？戡不知何人，而牧称之过甚，古今妄人不自量，好抑扬予夺，而人辄信之类尔。观牧诗纤艳淫媟，乃正其所言而自不知也。《新唐书》取为牧语，论乐天传，以为救失不得不然，盖过矣。牧记戡母梦有伟男子持双儿授之云：‘予孔丘，以是与尔。’及生戡，因字之‘天授’。晁无咎每举以为戏，曰：‘孔夫子乃为人作九子母耶？’此必戡平日自言者，其诡妄不言可知也。”《后村诗话》卷四：“杜牧罪元、白诗歌传播，使子父女母交口诲淫，且曰：‘恨吾无位不得以法绳之。’余谓此论，合是元鲁山、阳道州辈人口中语。牧风情不浅，如《杜秋娘》、《张好好》诸篇，‘青楼薄幸’之句，街吏平安之报，未知去元、白几何，以燕伐燕，元、白岂肯心服。”《薑斋诗话》卷下：“迨元、白起，而后将身化作妖冶女子，备述衾裯中丑态。杜牧之恶其蛊人心，败风俗，欲施以典刑，非已甚也。”《诗筏》：“白乐天自爱其讽谕诗，言激而意质。故其立朝侃侃正直，所献穆宗《虞人箴》并《杂兴》诗‘楚王多内宠’一篇，指点色禽之荒，婉切痛快，字字炯戒。及读其《长恨歌》诸作，讽刺深隐，意在言外，信如其所自评，又不独《大觜乌》、《雉媒》等篇之有托而言也。乃杜牧之讥其诗‘纤艳不逞，非端人雅士所为，流传人间，子父女母交口教授，淫言亵语，入人肌骨’。但考乐天所行，不愧端雅，其诗亦未见淫亵。不若牧之在扬帅牛奇章幕中，微服冶游，奇章以街子潜随，及召作拾遗时，授以一箧，皆街子报帖，云‘杜书记无恙’。……风流罪过，己尚不免，独奈何以此责乐天也！”

薛渔思撰成《河东记》三卷在开成元年、二年间。据李剑国《唐五代志怪传奇叙录》。薛渔思，（生卒年不详），一作薛渔思，大和前后在世。所著《河东记》三卷，自谓续《玄怪录》而作，已佚。《广平广记》引有逸文三十三则。

司空图生。司空图（837—908），字表圣，自号知非子、耐辱居士，河中虞乡人。咸通十年进士及第，受主司王凝赏识，任职于其幕府。后召任殿中侍御史，赴阙迟留，责授光禄寺主簿，分管东都。尝与卢携游，为之携入朝，召为礼部员外郎，迁礼部郎中。广明元年冬，黄巢入京，司空图退居河中。光启元年，拜知制诏，迁中书舍人，

后隐中条山王官谷。后梁开平二年，闻哀帝被杀，不食而死。《新唐书·艺文志》著录其《一鸣集》三〇卷，已散佚。今存《司空表圣诗集》，有《唐诗百名家全集》本、《乾坤正气集》本、《四部丛刊》影印《唐音统签》本。《司空表圣文集》有《四库全书》本、《四部丛刊》影旧钞本。《嘉业堂丛书》本文集与诗集附有缪荃荪等撰校记。《二十四诗品》不载于今存的《司空表圣文集》和《司空表圣诗集》，通行本有《津逮秘书》本、《学津讨原》本、《说郛》本、《历代诗话》本、《四部备要》本等。事迹见《旧唐书》卷一九〇及《新唐书》卷一二四本传、《唐诗纪事》卷六三。

公元838年（唐文宗开成三年　戊午）

正月

刘禹锡仍为太子宾客分司。元日，白居易来访，作《新岁赠梦得》诗，禹锡遂赋诗《元日乐天见过因举酒为贺》。三月，刘作《洛中早春赠乐天》，白有《和梦得洛中早春见赠七韵》。是年，刘禹锡、白居易互为唱和，并均有诗与牛僧孺唱和。刘禹锡有《和思黯会南庄兼示》、《酬留守牛相公官城早秋寓言见寄》、《和牛相公雨后寓怀见示》，居易亦有《酬牛相公官城早秋寓言》、《奉和思黯自题南庄见示兼呈梦得》等。十二月，刘禹锡、白居易、牛僧孺、卢贞等于岁夜咏怀寄酬。刘禹锡有《岁夜咏怀》，白居易有《岁夜咏怀兼寄思黯》、牛僧孺作《乐天梦得有岁夜诗聊以奉和》，卢贞亦有《奉和刘宾客二十八丈岁夜咏怀》诗，或以为后诗为卢真所作。刘禹锡另作《彭阳唱和集后引》，述与令狐楚唱和之事云："聆风相悦者四十年，会面交欢者十九年，以诗见投凡七十九首，勒成三卷，以副平生之言。"

卢贞（778？—848?），别号南郭子，郡望范阳，汝州梁人。宝历中，官度支员外郎。大和初，转户部郎中。开成元年，以太常卿任诸道黜置使，次年为汝州刺史。会昌间为河南尹，五年为岭南节度使。大中初，入为太子宾客，卒。《全唐诗》卷四六三录其诗二首，《全唐诗补编·续拾》卷二七补二句，《全唐文》卷三〇三录文一篇。

二月

裴思谦状元及第，同时进士及第者尚有赵璜、李滂、萧膺、归仁晦、沈朗、陈蝦等四十人。时礼部部侍郎高锴知贡举，试《霓裳羽衣曲赋》、《大学创置石经诗》。孙谷、赵璘登博学宏词科。赵璘制科及第后为秘书省校书郎。见《登科记考》卷二一。

三月

李商隐试博学宏词科，为人所抑落第，归泾原幕，有诗抒怀，作《安定城楼》、《回中牡丹为雨所败》。其《马嵬二首》或以为作于此间。春夏间，有文《为韩同年瞻上河阳李大夫启》、《为尚书濮阳公泾原让加兵部尚书表》、《为濮阳公附送官告中使回状》、《为濮阳公官后上中书门下状》、《为濮阳公上杨相公状》、《为濮阳公上李相公状》、《为濮阳公上陈相公状》。六月二十九日，作《奠相国令狐公文》。秋，作《为濮

阳公贺丁学士启》、《为濮阳公上汉南李相公状》、《为濮阳公上杨相公状》等。【安定城楼】《苕溪渔隐丛话》前集卷二二《蔡宽夫诗话》云："王荆公晚年亦喜称义山诗，以为唐人知学老杜而得其藩篱，惟义山一人而已。每诵其'雪岭未归天外使，松州犹驻殿前军'、'永忆江湖归白发，欲回天地入扁舟'与'池光不受月，暮气欲沉山'、'江海三年客，乾坤百战场'之类，虽老杜亡以过也。"《重订李义山诗集笺注》卷中："义山博极群书，负经国之志，特以身处卑贱，自噤不言。兹因人妄相猜忌，全不知己，故发愤一倾吐之。然而立言深隐，略无夸大，真得三百诗人风旨，非他手可摹也。首二句借城楼自喻，有立身千仞，俯视一切之意。"《昭昧詹言》卷一九："此诗脉理清，句格似杜。玩末句，似幕中有忌间之者，然用事穆杂，与前不相称。"【马嵬二首】《潜溪诗眼》："'海外徒闻更九州，他生未卜此生休'，语极亲切高雅，故不用'堕泪'、'愁怨'等字，而闻者为之深悲。'空闻虎旅鸣宵柝，无复鸡人报晓筹'，如亲扈明皇，写出当时物色。'此日六军同驻马，他时七夕笑牵牛'，益奇。义山诗世人但知其巧丽，与温庭筠齐名，盖俗学止得其皮肤，其高情远意皆不识也。"《瀛奎律髓汇评》卷三方回评："六军、七夕、驻马、牵牛，巧甚。善能斗凑，昆体也。"《义门读书记》卷五七："纵横宽转，亦复讽叹有味。对仗变化生动。起联才如江海，老杜云：'前辈飞腾入，余波绮丽为'，义山足窥此秘。五、六倒叙奇特。"《兰丛诗话》："有似浅薄而胜刻至者，如《马嵬》，李义山刻至矣，温飞卿浅浅结构，而从容闲雅过之。"

春

白居易有《忆江南词》三首，刘禹锡有《和乐天春词依〈忆江南〉曲拍为句》。是年，白居易作《醉吟先生传》，自述十年来诗酒歌生活。另有诗《洛下雪中频与刘李二宾客宴集因寄汴州李尚书》、《看梦得题答李侍郎诗诗中有文星之句因戏和之》、《闲适》、《戏答思黯》、《酬裴令公赠马相戏》、《早春持斋答皇甫十见赠》、《戏赠梦得兼呈思黯》、《早春忆游思黯南庄因寄长句》、《酬皇甫十早春对雪见赠》、《送蕲春李十九使君赴郡》、《自题酒库》、《寒食日寄杨东川》、《醉后听唱桂花曲》、《酬梦得以予五月长斋延僧徒绝宾友见戏十韵》、《奉和裴令公三月上巳日游太原龙泉忆去岁禊洛见示之作》、《又和令公新开龙泉晋水二池》、《早夏晓兴赠梦得》、《春日题乾元寺上方最高峰亭》、《自题小园》等。【忆江南词】三首王灼《碧鸡漫志》（四库本）："《望江南》，《乐府杂录》云：'李卫公为亡妓谢秋娘撰《望江南》，亦云《梦江南》'。白乐天作《忆江南》三首，第一《江南好》，第二、第三《江南忆》。自注云：此曲亦名《谢秋娘》，每首五句。予考此曲，自唐至今，皆南吕宫，字句亦同。止是今曲两段，盖近世曲子无单遍者。然卫公为秋娘作此曲，已出两名。乐天又名以《忆江南》，又名以《谢秋娘》。近世又取乐天首句，名以《江南好》。"【和乐天春词依《忆江南》曲拍为句】况周颐《惠风词话》（人民文学出版 1984）卷二："唐贤为词，往往丽而不流，与其时诗不甚相远。刘梦得《忆江南》云……流丽之笔，下开北宋子野、少游一派。"

杜牧仍在宣州为团练判官，有诗《题宣州开元寺》。六月，杜牧在宣州开元寺遇大雨，有诗《大雨行》。九月，杜牧有诗《题宣州开元寺水阁阁下宛溪夹溪居人》。是年，

杜牧有上李德裕文，称颂其治理淮南之功绩，即《上淮南李相公状》。【题宣州开元寺】《养一斋诗话》卷九："牧之雄直如此，而人第以艳丽尽之。"【题宣州开元寺水阁阁下宛溪夹溪居人】《瀛奎律髓汇评》卷四查慎行评："第二联不独写眼前景，含蓄无穷。"何焯评："寄托高远，不在逐句写景，若为题所迁，便无味矣。"纪昀评："赵贻山极赏此诗，然亦只是风调可观耳，推之未免太过。"无名氏（甲）评："此诗妙在出新，绝不沾溉玄晖、太白剩语。"许印芳评："此诗全在景中写情，极洒脱，极含蓄，读之再三，神味益出，与空讲风调者不同。学者须从运实于虚中写情求之，乃能句中藏句，笔外有笔。若徒揣摩风调，流弊不可胜言矣。"《四库提要》卷一九七《诗家直说》："谓杜牧《开元寺水阁诗》'深秋帘幙千家雨，落日楼台一笛风'句不工，改为'深秋帘幙千家月，静夜楼台一笛风'，不知前四句为'六朝文物草连空，天淡云闲今古同。鸟去鸟来山色里，人歌人哭水声中'，末二句为'惆怅无因见范蠡，参差烟树五湖东'，皆登高晚眺之景。如改'雨'为'月'，改'落日'为'静夜'，则'鸟去鸟来山色里'非夜中之景，'参差烟树五湖东'亦非月下所能见，而就句改句，不顾全诗，古来有是诗法乎。"

夏

姚合约此时同裴素、厉玄曾游曲江，有诗《同裴起居厉侍御放朝游曲江》。十二月，姚合已在给事中任，有诗《送狄尚书镇太原》。庄恪太子卒，姚合、温庭筠各有《庄恪太子挽词二首》吊之。

七月

张祜有感事抒怀诗寄献裴度、李德裕、李程、李绅等人，诗为《戊午年感事书怀二百韵谨寄献太原裴令公淮南李相公汉南李仆射宣武李尚书》。张祜又有《梦李白》诗，其年未详。是年，张祜离京已三年，有诗《戊午年寓兴二十韵》。

八月

李绅仍在宣武节度使任，编有《追昔游诗》三卷。序云："《追昔游》，盖叹逝感时，发于凄恨而作也。或长句，或五言，或杂言，或歌或乐府、齐梁不一，其词乃由牵思所属耳。"《唐音癸签》卷七："李公垂绅《追昔游》诗，大是宦梦难醒。然其揽笔写兴，曲备一生穷泰之感，亦令披卷者代为怃然。"

许浑在当涂尉任，时遇涝，有诗《酬郭少府先奉使巡涝见寄兼呈裴明府》。

孟迟与杜牧同往历阳，又同游当涂牛渚矶，作《乌江》。孟迟（生卒年不详），平昌人。会昌五年登进士第，后为浙西掌书记。大中时，为淮南节度使崔郸奏为掌书记。《新唐书·艺文志》、《郡斋读书志》均著录《孟迟诗》一卷，今佚。事迹见《金华子》杂编下、《唐诗纪事》卷五四、《郡斋读书志》卷一八等。

九月

贾岛在长江主簿任，此前有诗《寄柳舍人》上柳公权及诗《郑尚书新开涪江二首》、《赠圆上人》等。

赵嘏在宣州会中曾代一女子赠诗杜牧，有《代人赠杜牧侍御》。

十一月

唐文宗好诗，欲置诗学士，为李珏、杨嗣复等人所谏止。《唐语林》卷三："文宗好五言诗，品格与肃、代、宪宗同，而古调尤清峻。尝欲置诗学士七十二员。学士中有荐人姓名者（原注：当时诗人李廓驰名，为泾原从事）。宰相杨嗣复曰：'今之能诗无若宾客分司刘禹锡。'上无言。李珏奏曰：'当今起置诗学士，名稍不嘉。况诗人多穷薄之士，昧于识理。今翰林学士皆有文词，陛下得以览古今作者，可怡悦其间。有疑顾问，学士可也。陛下昔者命王起、许康佐为侍讲，天下谓陛下好古宗儒，仁敦朴厚。臣闻宪宗为诗，格合前古，当时轻薄之徒，摛章绘句，声牙崛奇，讥讽时事，尔后鼓扇名声，谓之"元和体"，实非圣意好尚如此。今陛下更置诗学士，臣深虑轻薄小人，竞为嘲咏之词，属意于云山草木，亦不谓之"开成体"乎？玷黯皇化，实非小事。'"

本年

刘沧约三十九岁，冬，经无可旧居，赋诗《经无可旧居兼伤贾岛》。刘沧（生卒年不详），子蕴灵，汶阳人。大中八年登进士第，后为华原县尉，迁龙门县令。《新唐书·艺文志》、《郡斋都市志》均著录《刘沧诗》一卷。事迹见王安石《唐百家诗选》卷一九、《唐诗纪事》卷五八等。

缪岛云本年前后曾游豫彦，题诗麻姑山，推敲诗句之用字。缪岛云（生卒年不详），少为释子，武宗时准敕反俗。事迹见《唐摭言》卷一〇、《唐诗纪事》卷六五等。

刘崇望生。刘崇望（838—899），字希徒，滑州胙人。咸通十五年进士及第。乾符间为宣歙转运官。历监察御史、右补阙、弘文馆学士、翰林学士等。龙纪元年正月，拜中书侍郎、同平章事。景福元年二月，罢相。光化二年六月，为吏部尚书，卒。著有《中和制集》一〇卷，已佚。《全唐文》卷八一二收其文二〇篇。据《旧唐书》卷一七九、《新唐书》卷九〇本传。

公元 839 年（唐文宗开成四年　己未）

正月

刘禹锡仍为太子宾客分司。时卢贞出为福建观察使经洛阳，禹锡宴饯并赋诗《夜燕福建卢侍郎宅因送之镇》。春，刘禹锡有诗《和仆射牛相公春日闲坐见怀》、《和乐天

洛阳春齐梁体八韵》、《和仆射牛相公见示长句》、《和仆射牛相公寓言二首》。是年，刘另作诗《送李中丞赴楚州》、《寄陕州姚中丞》、《酬太原狄尚书见寄》等。【和仆射牛相公春日闲坐见怀】《瀛奎律髓汇评》卷一〇：“方回评：‘阶蚁’、‘园蜂’一联，似已有‘江西体’。‘莺到垂杨不惜声’，绝唱也。查慎行评：陆放翁七律全学刘宾客，细味乃得之。纪昀评：三、四究非佳语，不得以新取之。六句自好，五句凑泊不称，结二句乃笨。”《唐诗评选》卷四：“梦得深于影刺，此亦谤史也。‘莺到垂杨不惜声’，情语无双。”

杜牧去年冬除左补阙，本年初离宣州赴京，时有诗《自宣城赴官上京》纪行，并有赠裴坦诗《自宣州赴官入京路逢裴坦判官归宣州因题赠》、《宣州送裴坦判官往舒州时牧欲赴官归京》。途中有诗寄赠许浑，《初春雨中舟次和州横江裴使君见迎李赵二秀才同来因书四韵兼寄江南许浑先辈》，后许浑复有《酬杜补阙初春雨中舟次横江喜裴郎中相迎见寄》。是年，杜牧在京回忆大和九年李甘忤郑注而被贬事，感而作《李甘诗》。【自宣城赴官上京】《唐诗笺注》“七言律诗”：“此牧之追溯十年以来，宦游托迹，潇洒江湖之上，淹留杯酒之间，其最味留恋者。谢公城畔，苏小门前，千里之山，言一生之踪迹。几人襟韵，夸自己之胸怀。末言旧游可忆，赴官上京，恐未必有此乐也。”

二月

曹汾、田章等三十人登进士第。时中书台人崔蠡知贡举。张不疑登博学宏词科。见《登科记考》卷二一。

白居易将《白氏文集》六十七卷藏于苏州南禅院，并作文《苏州南禅院〈白氏文集〉记》。云：“白居易，字乐天，有文集七帙，合六十七卷，凡三千四百八十七首。其间根源五常，枝派六义，恢王教而弘佛道者多矣。然寓兴放言、缘情绮语者，亦往往有之。乐天，佛弟子也，备闻圣教，深信因果，惧结来业，悟知前非，故其集家藏之外，别录三本：一本置于东都圣善寺钵塔院律库中，一本置于庐山东林寺经藏中，一本置于苏州南禅院千佛堂内。”是年，另有诗《四年春》、《白发》、《追欢偶作》、《公垂尚书以白马见寄光洁稳善以诗谢之》、《西楼独立》、《书事咏怀》、《酬梦得比萱草见赠》、《问皇甫十》、《早春独登天宫阁》、《送苏州李使君赴郡二绝句》、《长洲曲新词》、《病中诗十五首》、《岁暮病怀赠梦得》、《雪后过集贤裴令公旧宅有感》、《酬梦得贫居咏怀见赠》、《酬梦得见喜疾瘳》、《夜闻筝中弹潇湘送神曲感旧》、《感苏州旧舫》、《感旧石上字》、《见敏中初到邠宁秋日登城楼诗诗中颇多乡思因以寄和》、《斋戒》、《戏礼经老僧》、《近见慕巢尚书诗中屡有叹老思退之意又于洛下新置郊居然宠寄方深归心太速因以长句戏而谕之》、《对镜偶吟赠张道士抱元》、《春日闲居三首》、《病中宴坐》、《戒药》等。

三月

裴度年七十五，任中书令。上巳，文宗与群臣赋诗于曲江，度疾未至。帝遣使赐度诗及御札。临终，度自为墓志，又有《却赐玉带表》。温庭筠有挽歌词《中书令裴公挽歌词二首》。《全唐诗》卷三三五编其诗为一卷，《全唐诗补编・补逸》卷六补一首，《续拾》卷二七补二句。《全唐文》卷五三七至卷五三八编其文为二卷，《唐文拾遗》卷二五收其文二篇。《旧唐书》卷一七〇《裴度传》："度劲正而言辩，尤长于政体，凡所陈谕，感动物情。"《避暑录话》卷上："裴公固不特以文字名世，然诗辞皆整齐闲雅，忠义端亮之气，凛然时见。览之，每可喜也。"【夏日对雨】《瀛奎律髓汇评》卷一七："方回评：裴晋公度，累朝元老，于功名之际盛矣，而诗人出其门尤盛。自为之诗，尤不可及。'灰心缘忍事，霜鬓为论兵'，与刘梦得诸人联句见之。凡联句，晋公诗皆奇绝。此篇见《文苑英华》，句句清切，'嗔'字、'趁'字尤见夏雨之快。纪昀评：三句粗犷。"【中书即事】《苕溪渔隐丛话》前集卷一八引《蔡宽夫诗话》："晋公文字世不传，晚年与刘、白放浪绿野桥，多为唱和，间见人文集，语多质直浑厚，计应似其为人。如'灰心缘忍事，霜鬓为论兵'之句，可谓深婉。李文定公迪在中书，尝讽诵此二句，亲书于壁。"《唐诗归》卷二九钟惺："端厚坚凝，居然元老，有厚力而无钝气。"

李商隐约于此时前后释褐为秘书省校书郎，有《玉山》、《蝶》等诗。春，作《为濮阳公与丁学士状》、《上河中郑尚书》。五月，由秘书省校书郎调任弘农尉，途中有感怀寄人诗《出关宿盘豆馆对丛芦有感》、《次陕州先寄源从事》、《荆山》等。十月，作《为濮阳公陈情表》。【出关宿盘豆馆对丛芦有感】《义门读书记》卷五八："次联言昔客江南，黄芦遍地，然年壮气盛，自视立致要津，曾无摇落之感。此日流落而为关外之人，不觉凄兮其悲，因芦叶之梢梢，而百端交集也。腹联皆是所感，末句指丛芦。"《玉溪生说诗》卷上："用笔甚轻，而情思殊深，正复以轻得之耳。"《李义山诗集辑评》卷中纪昀评："情致宛转，格在不高不卑之间。"

七月

许浑在当涂县尉任，曾陪宣歙观察使崔龟从游，有诗《陪宣城大夫崔公泛后池兼北楼宴二首》纪之。其集中多有写于宣城、当涂诗者，或即作于此时前后，如《奉命和后池十韵》、《题青山馆》、《途经李翰林墓》、《题宣州元处士幽居》、《姑熟官舍寄汝洛友人》、《姑孰官台》、《凌歊台送韦秀才》、《凌歊台》、《闻州中有燕寄崔大夫兼简邢群评事》、《宣城赠萧兵曹》、《冬日宣城开元寺赠元孚上人》、《和崔大夫新广北楼登眺》、《送曾主簿归楚州予亦明日归姑孰》、《重别》等。

八月

姚合由给事中出为陕虢观察使。无可有诗《送姚中丞赴陕州》。抵任后，刘禹锡有诗《寄陕州姚中丞》。时适李商隐在河南，《唐才子传》卷六"姚合"条："开成间，李商隐尉弘农，以活囚忤观察使孙简，将罢去，会合来代简，一见大喜，以风雅之契，即谕还官，人雅服其义。"又李频约此时谒姚合，有诗《陕府上姚中丞》，《新唐书・李频传》："给事中姚合为诗，士多归重。频走千里，丐其品合，大加奖掖，且爱其标格，以女妻之。"

九月

卢肇约本年前后就江西府试，以末名荐送未第。约是时途经襄阳，谒牛僧孺，有《戏题》之作。《唐摭言》卷二：“卢吉州肇，开成中就江西解试，为试官末送。肇有启谢曰：‘巨鳌屃赑，首冠蓬山。’试官谓之曰：‘某昨限以人数挤排，虽获申展，深惭名第奉浼，焉得翻有首冠蓬山之谓？’肇曰：‘必知明公垂问。大凡顽石处上，巨鳌戴之，岂非首冠耶？’一座闻之，大笑。”卢肇（生卒年不详），字子发，宜春人，“有奇才。德裕尝左宦宜阳，肇投以文卷，由此见知”（《玉泉子》）。会昌三年，以状元及第。大中元年，为鄂越节度使卢商辟为从事，后相继为江陵节度使裴休、太原节度使卢简求署为幕僚。入为秘书省著作郎，迁仓部员外郎、充集贤殿直学士。咸通时，历歙、宣、池、吉四州刺史。《新唐书·艺文志》著录其《海潮赋》一卷，《通屈赋》一卷，注林绚《大统赋》二卷。《郡斋读书志》又著录《文标集》三卷。叶梦得《避暑录话》卷上称其又有《逸史》三卷。事迹见《云溪友议》卷上、《唐摭言》卷二、卷三、《北梦琐言》卷三、《唐诗纪事》卷五五等。

杨汉公在湖州刺史任，有《明月楼》诗。十月，白居易应湖州刺史杨汉公之请，为作《白苹洲五亭记》。

公元840年（唐文宗开成五年　庚申）

正月

辛巳，文宗病逝，年三十三。两军中尉仇士良、鱼弘志以兵迫文宗弟李炎即帝位，是为武宗，时年二十七。仇士良等又说武宗，赐原所立皇太子陈王成美（敬宗子）、安王溶死。见《旧唐书·武宗纪》、《通鉴》卷二四六。八月，唐文宗葬于章陵，姚合有《文宗皇帝祝词二首》，白居易作《开成大行皇帝挽歌词四首奉敕撰进》。《全唐诗》卷四存文宗诗六首及联句二；《全唐文》卷六九至卷七八编其文九卷，《唐文拾遗》卷七补一卷。

刘得仁有诗《禁署早春晴望》奉和翰林学士丁居晦，时居于商山。后，刘得仁又有《山中舒怀寄上丁学士》，盼其提携。三月二十三日，丁居晦卒，得仁有诗《哭翰林丁侍郎》。

段成式在秘书省著作郎任，撰有《寂照和尚碑》。段成式（？—863），字柯古，行十六，其先临淄人，世客荆州，宰相段文昌之子。以荫为校书郎。历尚书郎、太常少卿，连典九江、缙云、庐陵三郡。坐累，退居襄阳。咸通四年六月，卒于长安。《新唐书·艺文志》著录《汉上题襟集》一〇卷，《直斋书录解题》著录《庐陵官下记》二卷，《宋书·艺文志》著录《段成式集》七卷，已佚。今存《酉阳杂俎》二〇卷、续一〇卷，《津逮秘书》、《学津讨原》、《湖北先正遗书》、《四部丛刊》影印明刊本等，均为三〇卷。

杜牧在京为膳部员外部，约此时访诗人赵嘏，并赋诗《雪晴访赵嘏街西所居三韵》。十一月，杜牧自长安往洛阳视弟病，途经襄阳，有《襄阳雪夜感怀》，又寄小侄阿宜诗，勉励其侄学李、杜、韩、柳。其《冬至日寄小侄阿宜诗》云：“经书括根本，史书阅兴亡。高摘屈宋艳，浓熏班马香。李杜浩泛泛，韩柳摩苍苍，近者四君子，与古争强梁。”

李商隐约于唐文宗逝世后，赋诗《咏史》、《垂柳》。九月三日，作《与陶进士书》，称赞陶进士《东冈记》等文，自述近来少为文之原由。秋，李商隐有诗《酬别令狐补阙》，希求其汲引。是年，另有文《为濮阳公上华州陈相公状》、《为濮阳公祭太常崔丞文》、《上华州周侍郎状》。【与陶进士书】《樊南文集详注》卷八：“感述既浅，愤懑殊深，与《别令狐书》大异矣。”

二月

李从实、喻凫、李蔚、杨知退、沈枢、杨假、薛耽等三十一人登进士第，李从实为状元。时礼部侍郎李景让知贡举。李复言以《纂异》纳省卷，为李景让所退还。《南部新书》卷一：“李景让典贡年，有李复言者，纳省卷，有《纂异》一部十卷。榜出曰：‘事非经济，动涉虚妄，其所纳仰贡院驱使官却还’。复言因此罢举。”礼部进士发榜后，新进士率常雅饮，赵嘏有诗《今年新先辈以遏密之际每有燕集必资清谈书此奉贺》。时裴延翰下第回湖州，嘏有诗《送裴廷翰下第归觐滁州》。《新唐书·艺文志》小说家类，有李复言《续玄怪录》五卷。《续玄怪录》又题作《纂异》、《搜古异录》等。《郡斋读书志》载，原书分仙术、感应等三门。现存南宋尹家书籍铺刻本四卷二三篇，不分门类。汪辟疆判断此本“当为书贾掇拾，已非完帙，故《广记》所引，多为此本所不载”（《唐人小说》）。有《续古逸丛书》、《四部丛刊续编》影宋本，《琳琅秘室丛书》本有拾遗，《随庵丛书》本有札记。

李郢本年约二十余岁，在长安，有诗寄状元李从实，为《平望驿感先辈李从实李从实周鉷二故人》。李郢（生卒年不详），字楚望，长安人。大中十年登进士第。历湖州、睦州、信州等地从事，入为侍御史，后为越州从事，卒于任所。或谓官终员外郎。《新唐书·艺文志》著录《李郢诗》一卷，已佚。事迹见《金华子杂编》卷下、《唐诗纪事》卷五八等。

六月

白居易苦热，有诗《时热少客因咏所怀》。时宣歙观察使崔龟从寄数十首诗给白居易，居易遂有诗《宣州崔大夫阁老忽以近诗数十首见示吟讽之下窃有所喜因成长句寄赠郡斋》。九月，白居易收辑经律五千二百七十卷，藏于经藏堂，并作文《香山寺新修经藏堂纪》。十一月，白居易将在洛阳十二年中所作格律诗编为《白氏洛中集》，纳于龙门香山寺经藏堂。是年，白居易另有《病入新正》、《卧疾来早晚》、《强起迎春戏寄思黯》、《梦得前所酬篇有鍊尽美少年之句因思往事兼咏今怀重以长句答之》、《病后寒食》、《老病相仍以诗自解》、《皇甫郎中亲家翁赴任绛州宴送出城赠别》、《春暖》、《残春晚起伴客笑谈》、《送唐州崔使君侍亲赴任》、《春晚咏怀赠皇甫朗之》、《春尽日宴罢感事独吟》、《病中辱崔宣城长句见寄兼有觥绮之赠因以四韵总而酬之》、《前有别杨柳枝绝句梦得继和云春尽絮飞留不得随风好去落谁家又复戏答》、《池上早夏》、《谈氏外孙生三日喜是男偶吟诗篇兼戏呈梦得》、《宣州崔大夫阁老忽以近诗数十首见示吟讽之下窃有所喜因成长句寄题郡斋》、《晚池泛舟遇景成咏赠吕处士》、《梦微之》、《感秋咏意》、《老病幽独偶吟所怀》等诗。

刘禹锡在秘书监分司任，有诗《送前进士蔡京赴学究科》。正月，作《文宗元圣昭献孝皇帝挽歌三首》。三月，有诗《洛中送崔司业使君扶侍赴唐州》。春，作诗《送河南皇甫少尹赴绛州》。夏，作诗《送前进士蔡京赴学究科》。秋，与白居易、王起作《秋霖即事联句三十韵》；后天晴，三人又同赋《喜晴联句》。是年，刘作《唐故相国赠司空令狐公集纪》。

姚合有诗奉和李褒、裴素，即《和李十二舍人裴四二舍人两阁老酬白少傅见寄》。姚鹄约此时亦有诗《奉和秘监从翁夏日陕州河亭晚望》上姚合。七月，姚合有《陕城即事》诗。周贺来访，有诗《上陕府姚中丞》。秋，李频宿姚合宅，有诗《秋夜宿秘书姚监宅》。李频本年至长安，曾有诗《长安书情投知己》。是年秋，厉玄在监察御史任，与姚合、刘得仁、无可等人多有诗酬和往还。姚合有《陕下厉玄侍御宅五题》、《和厉玄侍御题户部李相公庐山西林草堂》，无可作有《酬厉侍御秋中思归树石所居见寄》，周贺有《赠厉玄侍御》，刘得仁有《和厉玄侍御题户部相公庐山草堂》。

睦州刺史吕述新建城隍庙，有文《移城隍庙记》。吕述（？—846？），字修业。元和十五年登进士第。长庆元年登贤良极谏科。除秘书省校书郎，改右拾遗。开成三年七月，自盐铁推官、祠部郎中拜睦州刺史。会昌末任商州刺史，卒。所撰《东平小集》三卷、《黠戛斯朝贡图传》一卷，均佚。事迹见杜牧《祭吕商州》、《郎官石柱题名考》卷二一等。

八月

方干约此时有诗寄喻凫。干与之为旧交，本年前后方干多有诗寄赠之，如《中路寄喻凫前辈》、《叙雪寄喻凫》、《赠喻凫》、《别喻凫》等。潘咸本年前后亦与喻凫交往，凫有诗《送潘咸》。《直斋书录解题》卷一九记《潘咸集》一卷，“（咸）不知何人，与喻凫同时。”张为《诗人主客图》标举其“僧老白云上，磬寒高鸟边”等诗句，并列其为“清奇雅正主”之及门者。《全唐诗》卷五四二录其诗五首及断句五，《全唐诗补遗》三补诗一首，《全唐诗补编·续拾》卷二七补一首。事迹见《唐诗纪事》卷六三、《直斋书录解题》卷一九。

九月

李德裕至长安，拜相。是年，李德裕有诗《春暮思平泉杂咏二十首》、《思山居十首》、《思平泉树石杂咏一十首》、《重忆山居六首》、《忆平泉杂咏十首》及文《平泉山居草木记》、《平泉山居诫子孙记》、《宰相与李执方书》、《进西南备边录状》等。

贾岛已在长江主簿任三年，秩满，迁普州司仓参军。此前有《题长江厅》、《巴兴作》等诗。十月，贾岛至普州任司仓参军，有《访鉴玄师侄》诗。【巴兴作】《瀛奎律髓汇评》卷二九方回曰："此蜀中思北归而作也。"纪昀曰："前四句平庸，五、六太不切。"

本年

孙樵本年在蜀，作有《梓潼移江记》，之前又有《书褒城驿壁》。【书褒城驿壁】《唐宋文醇》卷二一云："前幅似主而实宾，后幅似宾而实主。此文家变化之法。"《古文眉诠》卷五六："吏治衰而传舍官，所以寓刺于驿也。上下节节对射，音如哀鸿。"《唐宋文举要》甲编卷五："高江村曰：因驿而发明郡县迁代不宜促数之故，可谓深达物情，有关治体。"孙樵（生卒年不详），字可之，一作隐之，关东人。大中九年登进士第，后授中书舍人。广明元年，黄巢军入长安，僖宗出奔岐陇，樵应诏赴行在，迁职方郎中。《新唐书·艺文志》著录其《经纬集》三卷，今佚。《直斋书录解题》卷一六著录《孙樵集》一〇卷，今存南宋蜀刻本《孙可之集》一〇卷。事迹见其《自序》、《郡斋读书志》卷四、《直斋书录解题》卷一六等。

黄滔约本年生。黄滔（840？—911?），字文江，莆城东里人，乾宁二年登进士第。光化二年，授国子四门博士。后南下返闽，投奔威武军节度使王潮、王审知兄弟。天复初年，威武军节度使王审知上表荐为监察御史里行、威武军节度推官。《新唐书·艺文志》著录《黄滔集》一五卷、《泉山秀句集》三〇卷，均散佚。今存《黄御史集》一〇卷。事迹见洪迈《唐黄御史集序》、《十国春秋》九五本传。

主要参考书目

（本书目包括古人相关资料及今人相关研究成果。实际使用的古籍版本与资料，部分超出了本书目，为避免繁冗，不一一罗列。实际参考的今人著述，由于体例的限制，也没有一一注明，在此一并致谢）

中国文学史大事年表，吴文治，黄山书社 1987 年版
中国文学家大辞典·唐五代卷，周祖谍主编，中华书局 1992 年版
唐五代文学编年史，傅璇琮主编，辽海出版社 1998 年版
中华大典·文学典·隋唐五代文学分典，卞孝萱主编，江苏古籍出版社 2000 年版
旧唐书，刘昫等，中华书局 1975 年校点本
新唐书，欧阳修等，中华书局 1975 年校点本
资治通鉴，司马光，中华书局 1956 年校点本
唐会要，王溥，上海古籍出版社 1991 年校点本
唐大诏令集，宋敏求，商务印书馆 1959 年版
文献通考，马端临，四库全书本
永乐大典，姚广孝等，中华书局 1960 年影印本
高适年谱，周勋初，上海古籍出版社 1980 年版
王维年谱，张清华，学林出版社 1988 年版
李太白年谱，黄锡珪，作家出版社 1958 年版
李白年谱，安旗、薛天纬，齐鲁书社 1982 年版。
杜甫年谱，四川文史馆，四川人民出版社 1958 年版
元次山年谱，孙望，上海古典文学出版社 1957 年版
韩文公年谱，马起华，台北商务印书馆 1978 年版
白居易年谱，朱金城，上海古籍出版社 1982 年
刘禹锡年谱，卞孝萱，中华书局 1963 年版
柳宗元年谱，施子瑜，湖北人民出版社 1958 年版
元稹年谱，卞孝萱，齐鲁书社 1980 年 6 月版
元稹年谱新编，周相录，上海古籍出版社 2004 年版

贾岛年谱，李嘉言，上海商务印书馆 1947 年版
皎然年谱，贾晋华，厦门大学出版社 1992 年版
李贺年谱会笺注，钱仲联，中国社会科学出版社 1984 年版《梦苕庵专著二种》
李德裕年谱，傅璇琮，齐鲁书社 1984 年版
牛僧孺年谱，丁鼎，辽海出版社 1997 年版
杜牧年谱，缪钺，人民文学出版社 1980 年版
玉溪生年谱会笺，张采田，上海古籍出版社 1983 年版
唐代诗人丛考，傅璇琮，中华书局 1980 年版
唐人行第录，岑仲勉，中华书局上海编辑所 1962 年版
唐诗人行年考，谭优学，四川人民出版社 1981 年版
唐诗人行年考（续编），谭优学，巴蜀书社 1987 年版
唐才子传校笺（第一册），傅璇琮主编，中华书局 1987 版
唐才子传校笺（第二册），傅璇琮主编，中华书局 1989 年版
唐才子传校笺（第三册），傅璇琮主编，中华书局 1990 年版
唐才子传校笺（第四册），傅璇琮主编，中华书局 1990 年版
全唐诗人名考，吴汝煜、胡可先，江苏教育出版社 1990 年版
全唐诗人名考证，陶敏，陕西人民教育出版社 1996 年版
唐宋词人年谱，夏承焘，上海古典文学出版社 1955 年版
崇文总目，王尧臣等，四库全书本
郡斋读书志，晁公武，上海古籍出版社 1990 年校点本
直斋书录解题，陈振孙，上海古籍出版社 1987 年校点本
元和姓纂，林宝，中华书局 1994 年整理本
太平御览，李昉等，中华书局 1960 年影印本
册府元龟，王钦若等，中华书局 1960 年影印本
玉海，王应麟，四库全书本
登科记考，徐松，中华书局 1984 年校点本
登科记考订补，岑仲勉，历史语言研究所集刊第 11 本
登科记考补正，孟二冬，北京燕山出版社 2003 年版
唐御史台精舍题名考，赵钺、劳格，中华书局 1997 年校点本
唐尚书省郎官石柱题名考，劳格、赵钺，中华书局 1992 年校点本
幽闲鼓吹，张固，中华书局上海编辑所 1958 年排印本
玉泉子，中华书局上海编辑所 1958 年排印本
金华子杂编，刘崇远，中华书局上海编辑所 1958 年排印本
北梦琐言，孙光宪，上海古籍出版社 1981 年校点本
唐摭言，王定保，古典文学出版社 1957 年排印本
唐语林，王谠，中华书局 1987 年周勋初校证本
宋景文笔记，宋祁，丛书集成初编本
冷斋夜话，释惠洪，中华书局 1988 排印本

邵氏闻见后录，邵博，中华书局 1983 年校点本
朱子语类，黎靖德编，王星贤点校，中华书局 1986 年版
野客丛书，王楙，上海古籍出版社 1991 年排印本
云麓漫钞，赵彦卫，中华书局 1998 年校点本
余师录，王正德，四库全书本
春渚纪闻，何薳，中华书局 1983 年排印本
却扫编，徐度，四库全书本
墨庄漫录，张邦基，四库全书本
梁溪漫志，费衮，上海古籍出版社 1985 年排印本
鹤林玉露，罗大经，中华书局 1983 年排印本
寓简，沈作喆，四库全书本
青箱杂记，吴处厚，中华书局 1985 年校点本
能改斋漫录，吴曾，上海古籍出版社排 1979 年印本
困学纪闻，王应麟，辽宁教育出版社 1998 年校点本
水东日记，叶盛，中华书局 1980 年排印本
震泽长语，王鏊，四库全书本
丹铅余录，杨慎，四库全书本
四友斋丛说，何良俊，中华书局 1959 年排印本
何氏语林，何良俊，四库全书本
焦氏笔乘、续笔乘，焦竑，奥雅堂丛书本
六研斋笔记，四库全书本
冷邸小言，邓云霄，道光刻本
徐氏笔精，徐𤊹，四库全书本
少室山房笔丛正集、续集，胡应麟，四库全书本
通雅，方以智，四库全书本
分甘余话，王士祯，中华书局 1997 年排印本
池北偶谈，王士祯，中华书局 1982 年排印本
居易录，王士祯，四库全书本
香祖笔记，王士祯，上海古籍出版社 1982 年排印本
义门读书记，何焯，中华书局 1987 年排印本
铁立文起，王之绩，康熙刻本
十驾斋养新录，钱大昕，商务印书馆 1957 年排印本
廿二史札记，赵翼，中国书店 1987 年排印本
援鹑堂笔记，姚范，道光刊本
霞外捃屑，平步青，中华书局 1959 年排印本
越缦堂读书记，李慈铭撰，由云龙辑，虞云国整理，辽宁教育出版社 2001 年版
唐诗选本六百种提要，孙琴安，陕西人民教育出版社 1987 年版
唐人选唐诗新编，傅璇琮，陕西人民教育出版社 1996 年版

全唐诗补编，陈尚君，中华书局 1992 年版
全唐诗重出误收考，佟培基，陕西人民教育出版社 1996 年版
全唐五代诗格校考，张伯伟，陕西人民教育出版社 1996 年版
全唐五代词，曾昭岷等，中华书局 1999 年版
唐人笔记小说考索，周勋初，江苏古籍出版社 1996 年版
唐五代传奇叙录，李剑国，南开大学出版社 1998 年版
新增千家唐文作者考，韩理洲，江西人民出版社 1995 年版
岑参集校注，陈铁民 侯忠义，上海古籍出版社 2004 年版
岑参诗集编年笺注，刘开扬，巴蜀书社 1995 年版
高适诗集编年笺注，刘开扬，中华书局 1992 年版
高适集校注，孙钦善，上海古籍出版社 1984 年
王维集校注，陈铁民，中华书局 1997 年版
王右丞集笺注，赵殿成，上海古籍出版社 1984 年排印本
李白全集校注汇释集评，詹锳编，百花文艺出版社 1994 年
李白全集编年注释，安旗主编，巴蜀书社 1990 年版
杜诗赵次公先后解辑校，林继中，上海古籍出版社 1994 年版
杜工部草堂诗笺，蔡梦弼，古逸丛书本
集千家注批点杜工部诗集，刘辰翁，台湾大通书局杜诗丛刊本
杜诗论文，吴见思，康熙刻本
读书堂杜诗注解，张溍，道光刻本
杜诗七言律解意，朱瀚等，康熙刻本
杜诗说，黄生，康熙一木堂刻本
杜诗提要，吴瞻泰，台湾大通书局杜诗丛刊本
杜诗详注，仇兆鳌，中华书局 1979 年排印本
读杜心解，浦起龙，中华书局 1961 年排印本
杜诗通，胡震亨，顺治刻本
杜臆，王嗣奭，上海古籍出版社 1962 年排印本
杜诗编年，李长祥等，清初刻本
读杜随笔，陈訏，雍正刻本
杜诗偶评，沈德潜，乾隆刻本
杜诗集说，江浩然，乾隆刻本
杜诗增注，夏力恕，乾隆刻本
杜诗谱释，毛张健，清刻本
杜诗镜铨，杨伦，上海古籍出版社 1962 年排印本
杜诗集评，刘濬，台湾大通书局杜诗刊本
杜诗百篇，杜甫撰，张燮承注，咸丰刻本
元次山集，孙望校，中华书局上海编辑所 1960 年版
刘长卿诗编年笺注，储仲君，中华书局 1996 年版

刘长卿集编年笺注，杨世明，人民文学出版社 1999 年版
韦应物集校注，陶敏、王友胜，上海古籍出版社 1998 年版
韦应物诗集系年校注，孙望，中华书局 2002 年版
钱起诗集校注，王定璋，浙江古籍出版社 1992 年版
卢纶诗集校注，刘初棠，上海古籍出版社 1989 版
戴叔伦诗集校注，蒋寅，上海古籍出版社 1993 年版
王建诗集，王建，中华书局上海编辑所 1959 年排印本
张籍诗集，张籍，中华书局上海编辑所 1959 年排印本
张祜诗集，严寿澄，江西人民出版社 1983 年版
李益诗注，范之麟，上海古籍出版社 1984 年版
李益集注，王亦军、裴豫敏，甘肃人民出版社 1989 版
李颀诗评注，刘宝和，山西教育出版社 1990 年版
张继诗注，周义敢，上海古籍出版社 1987 年版
顾况诗集，赵昌平校编，江西人民出版社 1983 年版
白居易集笺校，朱金城，上海古籍出版社 1988 年版
元稹集编年笺注·诗歌卷，杨军，三秦出版社 2002 年版
刘禹锡集笺证，瞿蜕园，上海古籍出版社 1989 年版
刘禹锡全集编年校注，陶敏、陶红雨校注，岳麓书社 2003 年
昌黎先生集考异，朱熹，上海古籍出版社 1985 年影印本
东雅堂昌黎集注，韩愈，四库全书本
韩文起，林云铭，清挹奎楼刻本
昌黎先生诗集注，朱彝尊、何焯评，顾嗣立删补，光绪翰墨园刻本
韩愈全集校注，屈守元、常思春主编，四川大学出版社 1996 年版
韩昌黎诗系年集释，钱仲联，上海古籍出版社 1984 年版
孙月峰评点柳柳州集，孙矿，原刻本
柳宗元集，吴文治，中华书局 1979 年校点本
长江集新校，李嘉言校，上海古籍出版社 1984 年排印本
贾岛集校注，齐文榜，人民文学出版社 2001 年版
孟郊诗集校注，华忱之、喻学才，人民文学出版社 1995 年版
笺注评点李长吉歌诗，刘辰翁等，明刻本
昌谷集，李贺撰，曾益注，清初刻本
昌谷集注，姚文燮，顺治刻本
李长吉诗集批注，方世举，上海古籍出版社 1978 年排印本
协律钩玄，陈本礼，嘉庆裛露轩刻本
李长吉集，黎二樵批点，黄陶庵评，光绪叶衍兰写刻朱墨套印本
李贺诗歌集注，王琦等，上海人民出版社 1977 年版
戎昱诗注，臧维熙，上海古籍出版社 1982 年版
唐女诗人集三种，陈文华校注，上海古籍出版社 1984 年版

薛涛诗笺，张蓬舟，四川人民出版社 1981 年版
雍陶诗注，周啸天、张效民注，上海古籍出版社 1988 年版
李商隐诗歌集解，刘学锴，余恕诚，中华书局 1998 年版
李商隐文编年校注，刘学锴、余恕诚，中华书局 2002 年版
李杜诗纬，应时，康熙刻本
箧中集，元结，上海古籍出版社 1978 年唐人选唐诗本
河岳英灵集，殷璠，上海古籍出版社 1978 年唐人选唐诗本
中兴间气集，高仲武，上海古籍出版社 1978 年唐人选唐诗本
文苑英华，李昉等，中华书局 1966 年影印本
唐文粹，姚铉，四部丛刊初编本
古文关键，吕祖谦，四库全书本
文章正宗，真德秀，四库全书本
三体唐诗，周弼编、释圆至注、高士奇补注，四库全书本
文章轨范，谢枋得，四库全书本
唐诗鼓吹，元好问编、郝天挺注，四库全书本
东岩草堂评订唐诗鼓吹，元好问编、郝天挺注、廖文炳解、朱三锡评，清有容堂刻本
瀛奎律髓汇评，方回选评、李庆甲集评校点，上海古籍出版社 2005 年版
批点唐音，杨士弘编选、顾璘批点，明嘉靖洛阳温氏刻本
唐诗品汇，高棅，上海古籍出版社 1982 年影印本
批点唐诗正声，高棅选编、桂天祥批点，嘉靖刻本
皇明文衡，程敏政，四部丛刊本
唐诗绝句类选，敖英等，明三色套印本
唐音类选，潘光统，明嘉靖本
唐诗直解，李攀龙、叶羲昂，乾隆刻本
批点唐诗，郝敬，崇祯刻本
精选唐诗分类评释绳尺，徐用吾，万历刻本
汇编唐诗，天启刻本
删补唐诗选脉笺释会通评林，周珽集注、陈继儒批点，明崇祯八年刻本
唐诗归，锺惺、谭元春，四库全书存目丛书本
名媛诗归，钟惺，民国排印本
唐宋八大家文钞，茅坤，四库全书本
四六法海，王志坚，四库全书本
文章辨体汇选，贺复徵，四库全书本
唐诗镜，陆时雍，四库全书本
唐诗解，唐汝询，河北大学出版社 2001 年排印本
唐风定，邢昉，思适斋 1934 年影刻本
明文海，黄宗羲，四库全书本

金圣叹批才子古文，张国光点校，湖北人民出版社 1986 年版
贯华堂选批唐才子诗，金人瑞，江苏古籍出版社 1986 年金圣叹全集本
唐诗评选，王夫之，岳麓书社 1996 年船山全书本
全唐诗，彭定求等，中华书局 1960 年排印本
全唐诗逸，（日）河世宁，中华书局 1960 年排印本
唐诗快，黄周星，康熙二十六年书带革堂刻本
唐诗贯珠，胡以梅，康熙五十四年素心堂刻本
唐七律选，毛奇龄等，康熙刻本
唐宋十大家全集录，储欣，光绪八年江苏书局刊本
唐宋八大家类选，储欣，光绪十八年湖北官书处重印本
古文观止，吴楚材、吴调侯，文学古籍刊行社 1956 年排印本
古文雅正，蔡世远，四库全书本
古文析义，林云铭，清刻本
古文释义，余诚，岳麓书社 2003 年排印本
古文眉诠，浦起龙，三吴书院刊本
古文小品咀华，王符曾，书目文献出版社 1983 年排印本
历代诗发，范大士，康熙刻本
唐宋文醇，四库全书本
唐宋诗醇，四库全书本
古唐诗合解，王尧衢，光绪七年书业德刻本
唐诗别裁集，沈德潜，上海古籍出版社 1979 年富寿荪校点本
山满楼笺注唐诗七言律，赵臣瑗，清刻本
唐律消夏录，顾安，乾隆二十七年嘉善何文焕刻本
唐诗成法，屈复，乾隆二十九年弱水草堂刻本
唐诗笺注，黄叔灿，乾隆刻本
唐诗笺要，吴瑞荣，乾隆刻本
大历诗略，乔亿，乾隆刻本
唐诗观澜集，李因培，乾隆刻本
唐贤清雅集，张天苏，乾隆刻本
唐诗摘抄（唐诗评），黄生，黄山书社 1995 年排印本
唐诗摘抄（唐诗续评），朱之荆等，黄山书社 1995 年排印本
唐诗摘抄（唐诗增评），吴智临，黄山书社 1995 年排印本
唐诗向荣集，陶文藻，乾隆刻本
唐诗偶评，杨逢春，卧游轩钞本
读雪山房唐诗，管世铭，光绪刻本
古文辞类纂，姚鼐，中国书店影印世界书局本
五七言今体诗钞、唐人绝句诗钞，四部备要本
骈体文钞，李兆洛，上海古籍出版社 2001 年排印本

全唐文，董诰等，中华书局 1984 年缩印本
唐文拾遗，陆心源，中华书局 1984 年缩印本
唐文续拾，陆心源，中华书局 1984 年缩印本
唐文评注读本，王文濡，上海文明书局排印本
唐诗评注读本，王文濡，上海文明书局排印本
唐宋文举要，高步瀛，上海古籍出版社 1982 年排印本
唐宋诗举要，高步瀛，上海古籍出版社 1982 年排印本
诗式，皎然，中华书局 1981 年历代诗话本
本事诗，孟棨，中华书局 1983 年历代诗话续编本
六一诗话，欧阳修，中书书局 1981 年历代诗话本
温公续诗话，司马光，中华书局 1981 年历代诗话本
中山诗话，刘邠，中华书局 1981 年历代诗话本
后山诗话，陈师道，中华书局 1981 年历代诗话本
临汉隐居诗话，魏泰，中华书局 1981 年历代诗话本
冷斋夜话，释惠洪，中华书局 1988 年排印本
诗话总龟前集、后集，阮阅，人民文学出版社 1987 年排印本
唐诗纪事，计有功，中华书局 1965 年上海编辑所排印本
竹坡诗话，周紫芝，中华书局 1981 年历代诗话本
彦周诗话，许顗，中华书局 1981 年历代诗话本
文则，陈骙，人民文学出版社 1960 年排印本
石林诗话，叶梦得，中华书局 1981 年历代诗话本
唐子西文录，强行父，中华书局 1981 年历代诗话本
珊瑚钩诗话，张表臣，中华书局 1981 年历代诗话本
韵语阳秋，葛立芳，中华书局 1981 年历代诗话本
沧浪诗话，严羽，中华书局 1981 年历代诗话本
苕溪渔隐丛话前集、后集，胡仔，人民文学出版社 1962 年排印本
环溪诗话，吴沆，中华书局 1988 年排印本
荆溪林下偶谈，吴子良，丛书集成初编本
观林诗话，吴聿，中华书局 1983 年历代诗话续编本
诚斋诗话，杨万里，中华书局 1983 年历代诗话续编本
庚溪诗话，陈岩肖，中华书局 1983 年历代诗话续编本
杜工部草堂诗话，蔡梦弼，中华书局 1983 年历代诗话续编本
优古堂诗话，吴开，中华书局 1983 年历代诗话续编本
艇斋诗话，曾季貍，中华书局 1983 年历代诗话续编本
藏海诗话，吴可，中华书局 1983 年历代诗话续编本
砻溪诗话，黄彻，中华书局 1983 年历代诗话续编本
对床夜语，范晞文，中华书局 1983 年历代诗话续编本
岁寒堂诗话，张戒，中华书局 1983 年历代诗话续编本

娱书堂诗话，赵与虤，中华书局 1983 年历代诗话续编本
竹庄诗话，何汶，中华书局 1984 年排印本
诗人玉屑，魏庆之，中华书局上海古籍所 1959 年校勘本
后村诗话，刘克庄，四库全书本
诗林广记，蔡正孙，中华书局 1982 年排印本
臞翁诗评，敖陶孙，丛书集成初编本
诗法家数，杨载，中华书局 1981 年历代诗话本
木天禁语，范梈，中华书局 1981 年历代诗话本
吴礼部诗话，吴师道，中华书局 1983 年历代诗话续编本
文章精义，李涂，人民文学出版社 1960 年排印本
诗学梯航，周叙，明成化刊本
麓堂诗话，李东阳，中华书局 1983 年历代诗话续编本
艺圃撷余，王世懋，中华书局 1981 年历代诗话本
唐诗品，徐献忠，朱警唐百家诗卷首，嘉靖十九年刻本
升庵诗话，杨慎，中华书局 1983 年历代诗话续编本
艺苑卮言，王世贞，中华书局 1983 年历代诗话续编本
四溟诗话，谢榛，中华书局 1983 年历代诗话续编本
归田诗话，瞿佑，中华书局 1983 年历代诗话续编本
南濠诗话，都穆，中华书局 1983 年历代诗话续编本
骚坛秘语，周履靖，丛书集成初编本
诗薮，胡应麟，上海古籍出版社 1979 年排印本
诗源辩体，许学夷，人民出版社 1987 年排印本
唐音癸签，胡震亨，上海古籍出版社 1981 年排印本
诗镜总论，陆时雍，中华书局 1983 年历代诗话续编本
薑斋诗话，王夫之，上海古籍出版社 1999 年清诗话本
钝吟杂录，冯班撰、雪北山樵辑，上海古籍出版社 1999 年清诗话本
诗辩坻，毛先舒，上海古籍出版社 1983 年清诗话续编本
春酒堂诗话，周容，上海古籍出版社 1983 年清诗话续编本
抱真堂诗话，宋徵璧，上海古籍出版社 1983 年清诗话续编本
答万季埜诗问，吴乔，上海古籍出版社 1999 年清诗话本
围炉诗话，吴乔，上海古籍出版社 1983 年清诗话续编本
柳亭诗话，宋长白，丛书集成续编本
师友诗传录，王士祯等，上海古籍出版社 1999 年清诗话本
师友诗传续录，王士祯，上海古籍出版社 1999 年清诗话本
渔洋诗话，王士祯，上海古籍出版社 1999 年清诗话本
五代诗话，王士祯，人民文学出版社 1989 年排印本
带经堂诗话，王士祯，人民文学出版社 1963 年排印本
谈龙录，赵执信，上海古籍出版社 1999 年清诗话本

而庵说唐诗，徐增，康熙九浩堂刻本
原诗，叶燮，上海古籍出版社 1999 年清诗话本
说诗晬语，沈德潜，上海古籍出版社 1999 年清诗话本
全唐诗话续编，孙涛，上海古籍出版社 1999 年清诗话本
一瓢诗话，薛雪，上海古籍出版社 1999 年清诗话本
拜经楼诗话，吴骞，上海古籍出版社 1999 年清诗话本
消寒诗话，秦朝釪，上海古籍出版社 1999 年清诗话本
诗义固说，庞垲，上海古籍出版社 1983 年清诗话续编本
西圃诗说，田同之，上海古籍出版社 1983 年清诗话续编本
兰丛诗话，方世举，上海古籍出版社 1983 年清诗话续编本
岘斋诗谈，张谦宜，上海古籍出版社 1983 年清诗话续编本
小澥草堂杂论诗，牟愿相，上海古籍出版社 1983 年清诗话续编本
龙性堂诗话，叶矫然，上海古籍出版社 1983 年清诗话续编本
剑溪说诗，乔亿，上海古籍出版社 1983 年清诗话续编本
随园诗话，袁枚，人民文学出版社 1960 年排印本
瓯北诗话，赵翼，上海古籍出版社 1983 年清诗话续编本
诗学源流考，鲁九皋，上海古籍出版社 1983 年清诗话续编本
石洲诗话，翁方纲，上海古籍出版社 1983 年清诗话续编本
赋话，李调元，丛书集成初编本
雨村诗话，李调元，上海古籍出版社 1983 年清诗话续编本
读雪山房唐诗序例，管世铭，上海古籍出版社 1983 年清诗话续编本
四六丛话，孙梅，上海商务印书馆 1937 年万有文库本
重订中晚唐诗主客图，李怀民，清嘉庆十年刻本
瀛奎律髓刊误，纪昀，嘉庆五年双桂堂刻本
北江诗话，洪亮吉，人民文学出版社 1998 年排印本
诗比兴笺，陈沆，中华书局上海编辑所 1959 年排印本
诗比兴笺，陈沆，中华书局排印本
初月楼古文绪论，吴德旋、吕璜，人民文学出版社 1998 年校点本
唐音审体，钱良择，上海古籍出版社 1999 年清诗话本
秋窗随笔，马位，上海古籍出版社 1999 年清诗话本
野鸿诗的，黄子云，上海古籍出版社 1999 年清诗话本
贞一斋诗说，李重华，上海古籍出版社 1999 年清诗话本
诗筏，贺贻孙，上海古籍出版社 1983 年清诗话续编本
静居绪言，上海古籍出版社 1983 年清诗话续编本
石园诗话，余成教，上海古籍出版社 1983 年清诗话续编本
老生常谈，延君寿，上海古籍出版社 1983 年清诗话续编本
小清华园诗谈，王寿昌，上海古籍出版社 1983 年清诗话续编本
辍锻录，方南堂，上海古籍出版社 1983 年清诗话续编本

养一斋诗话、养一斋李杜诗话，潘德舆，上海古籍出版社 1983 年清诗话续编本
竹林答问，陈仅，上海古籍出版社 1983 年清诗话续编本
复小斋赋话，浦铣，丛书集成续编本
诗法易简录，李锳，道光二年十二笔舫刻本
昭昧詹言，方东树，人民文学出版社 1961 年校点本
射鹰楼诗话，林昌彝，上海古籍出版社 1988 年点校本
岘佣说诗，施补华，上海古籍出版社 1999 年清诗话本
问花楼诗话，陆蓥，上海古籍出版社 1983 年清诗话续编本
筱园诗话，朱庭珍，上海古籍出版社 1983 年清诗话续编本
艺概，刘熙载，上海古籍出版社 1978 年排印本
藻川堂谭艺，邓绎，北京图书馆出版社 2004 年中国诗话珍本丛书本
湘绮楼说诗，王闿运，成都日新社排印本
石遗室诗话，陈衍，辽宁教育出版社 1998 年版
三唐诗品，宋育仁，民国排印本
诗境浅说，俞陛云，北京出版社 2003 年版
诗学渊源，丁仪，上海书店 2002 年民国诗话丛编本
韩柳文研究法，林纾，商务印书馆 1914 年排印本
春觉斋论文，林纾，人民文学出版社 1959 年版
论文杂记，刘师培，人民文学出版社 1959 年版
唐诗论评类编，陈伯海主编，山东教育出版社 1992 年版
万首唐人绝句校注集评，霍松林，陕西教育出版社 1991 年版
唐宋八大家汇评，吴小林，齐鲁书社 1991 年版
唐五代词纪事会评，史双元，黄山书社 1995 年版
李白资料汇编，裴斐、刘善良编，中华书局 1994 版
杜甫资料汇编（上编：唐宋之部），华文轩编，中华书局 1964 年版
白居易资料汇编，陈友琴编，中华书局 1962 年版
韩愈资料汇编，吴文治编，中华书局 1983 年版
柳宗元资料汇编，吴文治编，中华书局 1964 年版
李贺资料汇编，吴企明编，中华书局 1994 年版

人名索引

B

白居易　43，88，92，99，114，119，135，145，175，185，190，207，212，229，232，233，234，235，238，244，249，252，259，263，264，266，269，274，275，278，279，281，283，284，289，291，294，296，298，299，301，302，309，312－316，318，319，320，328，330，333，334，336，341，343，355，356，358－366，368－374，376，386－391，393，395－402，405，406，410，411，413，414，415，417－421，424，425，426，428，430，431，433，436，439，440，441，443，446，447，450，452，453，454

白行简 135，219，268，278，309，341，391，398

包　何 64，113，132

包　佶 9，128，134，136，139，144，152，154，170，173，184，192，204，205

鲍　防 70，72，97，99，101，134，139，166，170，173，184，195，258，333

鲍　放 165，195

鲍　溶 269，275，277，341，358

C

蔡　京 336，365，401，434，435，454

曹　唐 221，402

曹　邺 306，367，427，428，429

岑　参 11，13，15，20，21，22，29，37，45，51，55，61，64，69，71，73，74，75，83，90，93，94，95，96，116，171，231，260，395，396

长孙巨泽 334

常　衮 20，84，122，128，129，133，135，138，149，156，161，239

畅　当 115，162，176，194，221，227，228，444

陈　鸿 252，266，293，400

陈鸿祖 288

陈　京 74，137，232

陈　润 99，113，119

陈　商 282，293，303，344

陈　陶 9，16，147，329，401，412，416，419

陈玄佑　144

陈　羽 155，161，196，197，203，204，214

储光羲 8，10，36，37，38，55

崔　郊 155，247，263，268

崔成甫 27

崔　峒 2，3，10，42，87，121，134，143，160，175，230，361
崔令钦 60
崔玄亮 92，114，215，232，244，372，419，421
崔佑甫 63，118，126，136，149
崔元翰 110，131，137，153，184，194，197，210，218，219，225
崔子向 134，135，139，223

D

戴　孚 12，197
戴叔伦 15，79，87，97，111，113，118，120，122，133，136，140，143，144，148，154，160，161，166，170，173，176，177，181，183，186，187，188，222，444
道　标 115，224，371
德　宗 26，81，91，119，124，135，142，146，148，151，153，158，161，162，165，167，169，173，175，183，184，185，186，194，196，197，203，207，208，211，213，215，219，220，221，224，226，228，232，233，234，235，241，243，244，249，251，252，253，254，257，325，331，340
丁　泽 129
董　侹 34，294
窦　参 143，196，207
窦　常 136，140，141，173，205，236，294，300，304，321，388
窦　巩 113，114，268，292，293，304，312，313，365，371，395，404，406，414
窦　臮 158，182
窦　牟 173，205，232，236，283，365
窦　群 43，80，114，154，243，268，276，277，293，302，312，413
窦叔向 80，121，138，140，151，154，205
窦　庠 80，232，238，256，400
独孤及 6，26，42，43，53，62，68，70，71，72，73，75，82，87，89，93，94，111，115，118，122，123，125，126，128，130，132，136，137，138，210，214，219
独孤申叔 135，221，224，241，242
独孤郁 135，225，226，234，264，313，330
杜　甫 1，5，7，9，13，15，18，21，22，23，25，28，31，35，40，42，44，47，49，51，52，54，57，61，62，63，65，66，67，68，70，72，75，76，82，84，88，90，91，92，95，97，98，100 – 104，108，109，113，117，131，164，214，222，260，284，302，319，328，329，333，365，366，398，417，444
杜鸿渐 74，84，89，98
杜　华 51
杜黄裳 62，196，264
杜　牧 120，139，153，206，242，248，268，322，324，325，327，391，392，394，395，397，398，400，403，404，406，407，412，414，415，417，424，426，427，429，438，442，445，447，448，449，450，452，454
杜　佑 38，119，197，234，236，243，248，252，264，268，269，294，296，311
杜元颖 99，139，232，252，264，303，353，428
段成式 241，442，452
段文昌 124，263，267，320，334，335，335，353，360，370，382，428，452

F

樊　晃 113

樊宗师 81，117，244，259，261，274，278，283，284，294，310，333，370，371，373，375，378
方　干 147，164，282，283，416，418，421，423，429，430，441，442，454
费冠卿 263，268，269
封　演 6，119，198
冯　宿 88，203，227，269，285，330，369，398，399，401
苻　载 38，43，171，174，192，195，220，224，226，236，243，246，256，264，267，279，334

G

高　骈 191，362，417
高　拯 89
高仲武 53，63，112，142，143，152，153，157，172，176，180，188
耿　沣 2，3，52，62，76，87，118，120，128，129，130，1633，136，155，159，160，162，163，181，230，258，444
古之奇 62
顾非熊 269，335，341，361，362，368，387，397，402，404，426，428，435
顾　况 2，12，37，74，89，121，151，173，174，177，184，186，187，190，191，197，204，210，211，236，328，329，332，361，362，402，405
贯　休 203，224，401，416
广　宣 80，223，368
郭　湜 79
郭　陨 83

H

寒　山 132
韩　翃 2，3，82，87，89，91，93，94，98，114，122，125，139，143，151，158，162，163，175，213，230，231，388，444
何　扶 427，434
贺兰进明 12，36
弘　忍 113
侯　喜 233，237，238，241，244，259，265，355，408
皇甫冉 1，3，6，9，14，15，26，53，63，66，70，82，87，89，91，99，101，112，126，143，151，163，165，171，332，444
皇甫湜 117，126，135，137，147，166，247，252，259，263，274，296，297，306，321，328，339，342，343，371，374，378，391，402，409，431，432，433，437
皇甫曾 2，3，30，53，75，83，89，93，120，125，126，134，135，136，138，143，170，185，223，444
黄　颇 411
黄　滔 146，455

J

吉中孚 2，3，86，87，89，94，122，133，149，154，165，174，193，194，230
贾　驰 427，428
贾　岛 102，145，148，174，180，214，262，283，290，294，296，297，303，305，306，309，318，335，337，341，347，352，356，360，361，362，364，368，374，376，382，387，389，394，397，399，400，402，407，410，419，421，423，426，430，434，435，444，449，454
贾　至 7，21，23，29，33，53，71，74，79，95，115，159，184
蒋　防 361，373，399
皎　然 1，33，42，51，53，74，79，93，94，99，112，118，120，121，122，125，126，127，130，134，135，

140，142，155，159，161，166，177，189，190，191，201，203，204，205，223，224，238，264，282，388，444

K

空　海 173，264

L

郎士元 1，2，3，4，6，53，64，73，75，87，114，133，139，142，143，157，165，178，214，444

冷朝阳 93，94

李　翱 92，120，137，147，207，212，219，221，224，225，226，227，228，229，233，234，242，259，277，292，296，302，305，306，310，342，345，353，361，367，371，378，387，393，402，409，412，425，432，433，436，437，438

李　白 1，4，5，9，12，17，19，25，28，29，31，32，33，34，36，39，42，44，47，54，55，57，59，62，67，96，102，189，191，193，195，238，297，307，316，322，324，326，330，336，433，444，448

李　渤 27，125，227，234，267，268，276，278，356，366，367，388，390，414

李朝威 191

李　程 81，220，221，256，318，330，353，361，425，448

李德裕 153，182，198，219，230，235，267，317，339，342，353，358，360，363，366，370，386，388，390，395，400－404，411，414，415，416，417，420，423，424，426，429，434，436，441，448，454

李　端 1，2，3，62，64，71，86，87，88，89，93，99，113，115，118，120，128，129，133，134，136，142，158，160，171，193，230，232，236，286，328，332，436，444

李　嵦 120，121，122，125，126，176

李逢吉 27，135，211，319，330，354，373，387，391，394，415，427

李　甘 373，398，429，450

李公佐 226，243，291，339

李　观 67，80，121，147，159，184，194，197，203，204，205，212，219，240，259，305，345，347，409，437

李　翰 26，122，126，148，150，155，161，210，251，269，386

李　贺 148，196，251，260，270，275，276，282，284，293，299，301，310，321，322，323，324，325，382，412，415

李　华 7，18，26，39，42，54，60，63，67，74，75，113，118，123，126，138，149，157，261

李吉甫 26，61，153，182，211，276，277，285，301，310

李嘉祐 1，2，3，15，34，53，62，63，66，72，75，82，88，89，93，94，101，112，114，125，132，137，142，143，152，178，332，385，444

李　廓 335，388，400，402，449

李　泌 184，186，187

李　频 282，367，404，416，423，451，454

李栖筠 133

李群玉 151，358，423，442

李商隐 185，196，272，297，298，325，332，386，387，395，403，410，412，417，421，423，429，435，440，441，443，446，451，453

李　涉 353，363，388，390

李　绅 83，119，208，238，250，263，281，313，318，333，341，353，358，

360，361，372，373，401，403，404，419，420，424，426，430，433，436，448
李　纾 13，14，26，68，82，83，126，133，161，170，184，204
李希仲 11，143
李阳冰 5，33，54，57，58，111，125
李　冶 53，167
李　益 2，3，43，89，91，93，113，122，129，147，148，150，154，158，159，185，186，192，197，198，206，207，221，226，228，229，230，236，251，260，261，274，283，296，299，326，332，337，355，368，395，405，417
李　郢 453
李幼卿 11，132
李虞仲 71，87，263，436
李　远 159，397，404，411，417
李　肇 370，385
李正封 274，331
李　鹭 412，421
李宗闵 153，174，214，252，268，274，331，360，361，373，401，402，403，404，414，415，429，
厉　玄 368，397，448，454
梁　肃 61，80，110，125，126，130，136，137，138，139，140，148，150，173，174，176，184，186，187，197，205，208，210，214，223，291，305，372，431
廖有方 314，319
林　蕴 129，183，225
林　藻 129，196
灵　澈 79，162，177，180，184，282，327，328，330，371
灵　一 15，26，53，143，180，214，223，327，444
凌　准 257，265，344
令狐楚 27，80，99，139，196，197，204，206，297，317，332，333，342，353，354，355，360，368，376，386，387，389，391，393，394，396，397，399，400，401，403，406，410，415，417，419，420，427，434，436，442，443，444，445，446
令狐峘 6，168
刘伯刍 38，236
刘　沧 449
刘　叉 148，271，272，276，277，290，297，351
刘长卿 1，2，3，10，13，14，15，20，30，34，45，51，63，67，72，83，89，93，98，99，111，115，122，128，130，134，136，138，139，140，142，143，144，148，149，151，155，158，167，173，177，178，179，180，181，205，230，257，258，337，444
刘崇望 449
刘得仁 362，423，426，428，434，435，453，454
刘　蕡 254，389，398
刘　复 205，206，332，362
刘　驾 306，367
刘　轲 330，331，335，399
刘全白 54，101，121，122，1426，195
刘三复 395，404，436
刘　商 87，155，159，171，175，272
刘　肃 268
刘太真 123，154，183，184，186，190，202，204
刘　蜕 146，213，362，412，437
刘　湾 121，143，161，162
刘　象 403，419
刘言史 83，267，293，294
刘　晏 65，97，122，150

刘禹锡 43，63，74，80，88，100，114，119，120，124，148，172，175，183，186，206，207，211，215，225，234，236，243，244，246，249，250，251，255，257，261，264，270，277，284，291，292，294，298，300，304，311，313，314，316，318，321，328，331，332，334，336，341，342，353，361，362，363，365，366，368，369，375，387，390，393，394，396，397，398，399，400－404，410，411，414，415，417，418，419，420，421，423，425，426，430，432，434，436，439，440，441，443，446，447，449，451，454

刘　秩 60，311

柳　并 176，202，248

柳公权 141，272，449

柳　浑 19，122，157，177，179，184，186，187，285

柳　冕 210，214，244，251

柳　识 19，126，157

柳中庸 125，132，332

柳宗元 119，124，135，146，147，156，194，206，207，208，213，220，221，224，225，227，229，233，234，238，243－248，250，252，257，259，263，265，268，270，272，279，281，285，287，288，290，291，292，294，295，300，302，309，311，312，314，316，320，333，334，338，342，343，345，346，348，353，355，374

卢　纶 1，2，3，10，71，79，86，87，89，11，115，118，123，128，129，133，134，136，139，144，153，159，162，163，166，170，174，177，183，193，194，187，206，208，226，228，230，231，260，332，333，444

卢　储 353

卢景亮 110，111，185

卢　渥 357，358

卢　象 7，18，34，37，63，64，184

卢　殷 285，286，332

卢幼平 74，87，223

卢　肇 411，452

卢　贞 446，449

陆长源 166，185，213，225，227，228，233

陆　畅 256，263，292

陆　羽 10，42，53，87，99，120，121，122，125，126，130，176，183，187，251

陆　质 156

陆　贽 121，144，153，165，167，197，203，205，209，240，253，254，255，338，386

闾丘晓 18

吕道生 433

吕　炅 244，283

吕　让 313

吕　述 454

吕　渭 97，101，126，130，215，220，223，224，234，313

吕　温 19，119，211，213，224，226，228，245，250，251，257，268，275，276，282，285，291，344

罗　隐 146，416，422

M

马　戴 368，397，400，402，404，410，414，417，418，424

马　逢 186，303，304，332

马　异 2，165，246，252，285，296，297

马　宇 338

马　植 331，398，399

马　总 173，176，186，321，331，334，372

孟　迟 448
孟　简 61，196，197，198，208，213，240，285，291，292，333，373
孟云卿 19，25，40，71，82，98，119，143，144，208，390
苗　发 2，3，87，89，113，130，144，230
缪岛云 449
穆　员 168，195，207，251

N

南　卓 398，409
牛僧孺 43，153，235，248，252，274，389，403，404，410，411，419，420，424，425，441，446，452

O

欧阳詹 20，80，129，149，167，173，203，205，212，219，220，225，230，239，240，259，409

P

潘　述 87，121，125，126
庞　蕴 270
裴　度 27，74，92，174，186，194，204，205，213，252，278，301，314，318，331，334，335，342，356，359，363，364，393，398，401，406，413，424，425，430，436，439，440，448，450，451
裴　潾 410，419，424，434
裴夷直 313，427
皮日休 54，427
平　曾 145，147，364

Q

齐　抗 137，249
钱　起 1，2，3，10，18，20，30，53，64，65，71，73，75，86，87，89，93，94，111，114，118，121，128，133，134，139，142，143，148，157，164，165，178，222，230，231，258，444
秦　系 2，99，130，140，141，159，170，174，194，195，257，258
清　江 155，223，327，384，444
清　昼 87，121，203
丘　丹 70，97，101，195
丘　为 6，70，184
权德舆 12，36，38，88，121，123，126，133，135，137，139，140，141，144，149，154，155，158，159，162，167，173，176，178，183，184，187，195，197，205，206，211，213，218，219，225，226，228，233，235，234，241，242，243，244，246，247，249，250，251，252，253，257，258，261，268，275，296，313，318，327，329，337，372

R

任　华 118，131，285，297，351，385，438
戎　昱 1，31，74，76，83，91，97，129，131，134，136，155，162，220，222，223

S

神　邕 71，185
沈传师 99，139，144，215，248，252，333，369，401，404，412，415，417，420，429
沈既济 139，144，156，159，215
沈千运 19，20，40，66，98，117，208
沈亚之 119，235，269，290，293，298，304，313，331，339，352，360，367，368，388，393，402，412
施肩吾 353，406
石　洪 207，275，286，414
舒元舆 194，298，407，414，415，419，431
司空曙 1，2，3，86，87，99，120，

128，133，134，136，139，144，154，156，160，163，171，172，183，185，188，192，193，222，230，256，332，444
司空图 187，346，358，445
苏　端 5，13，21，210
苏　涣 65，97，110，131，143
苏源明 67，76
孙　樵 146，213，285，378，412，455

T

唐　次 137，148，197，247，257，333
唐　衢 275，276，291
唐肃宗
唐玄宗 51，266

W

万齐融 7
王　播 38，211，213，319，335
王昌龄 10，11，18，37，55，64，89，136，179，189，264，316，396
王　储 141
王季友 19，31，40，64，65，83，84，157，226
王　建 2，81，95，145，159，171，183，194，198，217，228，229，262，299，301，309，310，322，329，331，334，341，342，347，357，360，361，366，370，374，376，394，398，399，401，405，406，409，416，439
王　缙 46，61，66，70，71，89，136，158
王　起 21，43，88，226，244，267，269，274，360，363，368，397，401，449，454
王　维 1，6，8，18，20，21，25，30，31，38，41，46，47，48，49，61，63，95，96，147，158，159，165，193，199，200，222，260，280，328，357，385，398，412，444
王希羽 403
王　涯 40，203，204，233，242，256，274，318，362，431
王仲舒 61，275，337，372，394
韦处厚 99，124，320，339，356，363，382，400，432
韦　丹 233，282，286
韦贯之 43，274，298，303
韦　瓘 277
韦渠牟 1，36，121，162，228，237
韦　述 6，18，27，50，182
韦夏卿 43，211，219，238，243
韦　绚 120，365，416
韦应物 2，9，70，83，94，97，98，101，110，113，121，128，129，133，134，137，138，140，142，148，152，154，158，159，161，162，166，169，170，173，176，185，190，191，194，195，198，199，200，202，203，223，258，287，317，332，386，403，412，438
韦元甫 113
韦　庄 282，416，438，439，444
魏　万 17，40，111，115
温庭筠 100，172，241，322，328，418，447，448，450
温　造 81，286，414，430
吴　丹 232，284，388
吴　筠 12，97，101，121，141
吴武陵 268，270，272，279，333，388，394，426
武元衡 26，110，114，158，161，166，177，198，243，251，270，272，277，278，290，299，301，310，315，317，318，443

X

希　迁 196，241，270
郗　昂 25，31，148

夏侯审 2，87，134，148，154，194，214，230
萧颖士 12，39，113，138，157，355
谢良弼 97，101，126，174，195
谢良辅 97，101，162
邢　群 400，451
熊孺登 87，88，269
徐　浩 70，83，133，159
徐　凝 282，369，370，403，412，415
许　浑 178，375，393，400，404，406，416，417，421，423，441，448，450，451
许经邦 140
许孟容 133，247，251，279，293，299，337，345，372
许　嵩 12
许　棠 367，423
许尧佐 213
薛　逢 222，223，261，267，297，378
薛涣思 445
薛　据 82，87
薛　能 102，258，367，412，423，425，439
薛　涛 110，141，167，191，243，267，277，318，359，368，370，402，415，417，418
薛用弱 357

Y

严　维 1，9，12，13，15，26，53，73，79，97，101，113，120，130，131，139，142，155，156，160，161，174，175，328，444
颜真卿 7，31，42，50，73，90，111，115，118，120，121，122，125，126，127，130，138，139，161，168，189，237，250，386，395
羊士谔 60，61，170，183，186，208，266，268，269，276，289，290
杨　发 404
杨汉公 298，452
杨　衡 38，43，171，174，194，195，220，226，234
杨弘微 158，166
杨敬之 268，299，300，318
杨巨源 186，219，235，268，299，304，313，318，320，332，334，360，369，371，410
杨　凌 135，158，185，332，333
杨　凭 125，130，186，244，257，274，332，334，345，372，374
杨汝士 141，269，277，360，393，410，428，440，444
杨　炎 75，84，136，144，150，155，156，169
杨於陵 110，120，274，277，321，337，393，411，412
杨虞卿 230，274，283，319，401，419，421，424，429，433，443
姚　鹄 423，454
姚　合 102，148，157，158，263，269，282，298，301，303，313，319，331，335，337，341，360，361，362，367，368，374，376，387，388，389，390，394，399，400，401，402，407，409，410，411，415，418，419，421，423，424，426，428，429，430，435，444，448，451，452，454
姚　伦 110，143
姚南仲 246
姚汝能 80
姚　系 148，155，170，332
殷尧藩 298，299，303，313，361，369，402，410，425
雍　陶 222，298，364，387，402，403，410，414，423，428
于公异 153，386

于　鹄 2，98，99，140，156，174，221，222，332
于良史 143，191，192
于　邵 65，66，144，153，154，184，206
于　逖 19，27，40
于休烈 118
于尹躬 289
宇文邈 82，155
元　结 11，19，26，34，40，50，51，64，66，67，71，76，82，84，94，98，115，116，117，138，162，333，433
元　载 1，14，71，89，111，136，169，386
元　稹 9，74，82，88，102，114，135，144，145，156，175，186，206，207，214，219，224，234，235，238，243，244，250，252，259，262，263，264，266，267，278，279，281，283，284，292，293，296，302，303，304，312，315，320，323，329，330，333，334，341，342，353，354，356，358，359，360，361，364，365，366，368，369，370，371，373，376，377，386，388，393，394，395，397，398，399，401，402，403，404，406，411，413，414，418，445
元宗简 294，313，330，366
袁　傪 6
袁　高 19，122，159，166

Z

张　碧 297，329
张　登 236，241
张弘靖 182，275，277，339，342
张　祜 206，207，353，354，356，369，395，397，402，407，414，416，423，442，448
张　籍 2，80，81，95，99，102，145，159，180，194，198，210，211，217，220，224，225，227，228，229，250，259，260，262，263，264，265，269，275，283，292，294，297，298，301，302，303，304，306，309，310，313，318，320，322，332，341，342，347，353，354，356，357，360－366，368，369，370，371，374，377，378，383，384，386，387，388，389，391，394，398，399，400，401，405，407，408，409，432，437，441
张　继 1，14，15，26，64，121，136，143，151
张建封 81，91，97，194，195，205，219，225，226，228，229，233，305
张　荐 74，121，122，185，247，250
张南史 2，13，14，26，99，130，136，143
张　署 27，173，246，249，256，263
张　谓 20，25，87，115，121，125，132，184
张萧远 298
张　巡 18，25，26，36，269，386
张　璪 171，195
张志和 26，123，127，224，370
张仲素 80，204，226，267，315，320，352
章八元 79，110，134，143，155，174，175
章孝标 335，341，369
赵　傪 175，184，236
赵　嘏 394，412，418，420，430，434，438，449，452
郑　常 143，176
郑　巢 430，435
郑处诲 423，438
郑　丹 63，143

郑　旷 135
郑　虔 7，18，67
郑　史 434
郑　覃 434，436，442
郑　畋 211，212，388，389
郑　洵 94
郑余庆 81，135，286，292，296，299，305，309，356
钟　辂 397，422
周　贺 394，430，454
周匡物 319
朱巨川 126，161
朱庆余 341，360，365，366，367，368，386，387，389，393，405，407，430，441
朱　湾 46，143，144，172，173
子　陵 13，139

后　记

《中国文学编年史》第五卷，系录唐玄宗天宝十五载（756）到唐文宗开成五年（840）的文学史料，可以简称为中唐文学编年史。中唐（756—840）历时只有85年，却是唐代文学史乃至整个古代文学史上非常重要的时期。这一时期给人留下的突出印象有二：一是唐代许多知名作家都曾在这一时段留下人生足迹。比如“大李杜”中的李白（701—762）在中唐生活过六年，杜甫生活过十四年；“小李杜”中的杜牧（803—852）在中唐走过了他四分之三的人生旅程，李商隐（813—858）一生则有近三分之二的岁月是在中唐度过的。像王维、高适、岑参分别在中唐生活过六年、十年、十四年，白居易、刘禹锡长寿，中唐以后也分别只活了六年、两年。其他如骈文家陆贽、令狐楚等，古文家梁肃、韩愈、柳宗元、李观、李翱、皇甫湜、独狐郁等，传奇作者元稹、白行简、沈既济、蒋防、沈亚之等，诗人孟郊、张籍、王建、贾岛、李贺、卢仝以及李益等，词人张志和兄弟等，几乎全是终其一生都在中唐度过。真是风云际会，文人荟萃。拉开中唐文坛帷幕，但见千百才子出出进进。

二是中唐文学革新思潮迭涌，创作高度繁荣，转型特点显著。论诗，既有盛唐余韵袅袅，又有大历十才子的“风调相高”，更有新乐府运动的蓬勃发展和韩柳诗派的异军突起，还有杜牧的“不今不古，处于中间”，和李商隐的“得子美之深而变出之者”；论文，既有韩、柳等人推动的古文革新运动，又有陆贽、令狐楚等人对骈体文风的变革；论通俗文学，则有传奇创作高潮的出现和诗人作词之风的悄然兴起。至于伴随文学创作和文学改革活动产生的诗、文理论，涉及问题之多，见识之新颖、独特，辨析之深入、细密，均似远非初唐、盛唐、晚唐所能比。

作为具有长编性质的文学编年史，自然要真实和较为详细地记述相应时段作家的文学活动。我们编中唐文学编年史，正是这样做的。除遵循全书编写体例外，工作中特别用心的有两点：一是以作家文学活动为中心系年记事，在这之中，极其注意作家之间的文学交往。二是有意突出中唐文学发展的特点，即在记述诗歌创作、革新活动的同时，用适当篇幅记述古文、骈文、传奇、词作等多方面的文学生存状况，以期全面刻录中唐文学发展轨迹。

我们编写中唐文学编年史，前后用了将近两年时间。具体工作全是闵泽平博士做的，可谓一字一句皆为闵君一手一足之烈。我只在他编写前和编写过程中提过一些建议，编写后通读全稿，提出过一些修改意见。他编得快、编得好，而且在编写中发现了不少值得研究的问题，有意写一本专著。我为他有此编书心得而高兴，同时深信这本编年史一定能为读者诸君研究中唐文学提供实实在在的帮助。

熊礼汇
2005 年 3 月 8 日
于武汉大学文学院

图书在版编目（CIP）数据

中国文学编年史. 隋唐五代卷（上、中、下）/ 陈文新主编；刘加夫（上）、熊礼汇　闵泽平（中）、霍有明（下）分册主编. —长沙：湖南人民出版社，2006.9

ISBN 7-5438-4531-8

Ⅰ.中… Ⅱ.①陈…②刘… Ⅲ.①文学史—编年史—中国—隋唐时期②文学史—编年史—中国—五代十国时期 Ⅳ.I209

中国版本图书馆 CIP 数据核字（2006）第 117657 号

中国文学编年史·隋唐五代卷（上、中、下）

责任编辑：李建国　胡如虹　曹有鹏
杨　纯　邓胜文　张志红　聂双武
特约编辑：熊治祁
主　　编：陈文新
书名题字：卢中南
装帧设计：陈　新
出　　版：湖南人民出版社
地　　址：长沙市营盘东路 3 号
市场营销：0731-2226732
网　　址：http://www.hnppp.com
邮　　编：410005
制　　作：湖南潇湘出版文化传播有限公司
电　　话：0731-2229693　2229692
印　　刷：中华商务联合印刷（广东）有限公司
经　　销：湖南省新华书店
版　　次：2006 年 9 月第 1 版第 1 次印刷
开　　本：787 × 1094　1/16
印　　张：108
字　　数：2,374,000
书　　号：ISBN 7-5438-4531-8/I · 448
定　　价：804.00 元(上、中、下册)